エルズミーア島
クインエリザベス諸島
デヴォン島
カーナック
(チューレ)
バッフィン湾
グリーンランド
〔デ〕
ウランゲル島
ウトキアグヴィク
(バロー)
ヴィクトリア島
ブーシア半島
バッフィン島
アラスカ
イヌヴィク
クグルクチュク
北極圏(66°33′39″N)
アイスランド
レイキャビク
ヌーク
(ゴットホープ)
ノーム
アメリカ合衆国
フェアバンクス
イカルイト
セントローレンス島
アンカレジ
イエローナイフ
ホワイトホース
アンガヴァ半島
ラブラドル海
ハドソン湾
ファーヴェル岬
ベーリング海
アナドゥイリ
チャーチル
ジュノー
カナダ
ラブラドル半島
コマンドル諸島
アラスカ半島
アッツ島
プリンスルパート
アリューシャン列島
エドモントン
ムースニー
ヴァンクーヴァー
ウィニペグ
ニューファンドランド島
セントジョンズ
シアトル
ケベック
オタワ
モントリオール
大
トロント
デトロイト
ハリファクス
ボストン
シカゴ
コッド岬
ニューヨーク
アメリカ合衆国
アゾレス諸島
〔ポ〕
サンフランシスコ
セントルイス
ワシントンD.C.
ロサンゼルス
アトランタ
バミューダ諸島
〔イ〕
日付変更線
ミッドウェー諸島
〔ア〕
ヒューストン
ニューオーリンズ
フロリダ半島
グアダルーペ島
〔メキシコ〕
バハマ
ナッソー
マイアミ
メキシコ湾
北回帰線(23°26′21″N)
メキシコ
ハワイ諸島
ハバナ
キューバ
ホノルル
ユカタン半島
ドミニカ共和国
プエルトリコ島〔ア〕
アメリカ合衆国
ハワイ島
メキシコシティ
ベリーズ
ベルモパン
ジャマイカ
キングストン
サントドミンゴ
バセテール
セントクリストファー・ネービス
セントジョンズ
アンティグア・バーブーダ
ウェーク島
〔ア〕
平
レビヤヒヘド諸島
〔メキシコ〕
ポルトープランス
ハイチ
ロゾー
ドミニカ
グアテマラ
グアテマラシティ
ホンジュラス
テグシガルパ
キングスタウン
カストリーズ
セントルシア
マーシャル諸島
サンサルバドル
エルサルバドル
ニカラグア
マナグア
セントビンセント及びグレナディーン諸島
ブリッジタウン
バルバドス
セントジョージズ
グレナダ
ポートオブスペイン
トリニダード・トバゴ
サンホセ
コスタリカ
パナマシティ
西
ジョージタウン
パラマリボ
ギアナ〔フ〕
マジュロ
パルミラ島〔ア〕
キリティマティ(クリスマス)島
ライン諸島
タラワ
キリバス
赤道
バナバ島
ベレン
フォルタレーザ
ツバル
フナフティ
マルキーズ諸島
〔フ〕
洋
ブラジル
レシフェ
トケラウ諸島
〔ニュー〕
サモア
アピア
北クック諸島
トゥアモトゥ諸島
サルヴァドル
フィジー
スバ
バヌアツ
ポートビラ
クック諸島
南クック諸島
ソシエテ諸島
〔フ〕
タヒチ島
ラパス
ボリビア
ブラジリア
トンガ
ヌクアロファ
アロフィ
ニウエ
アバルア
ラロトンガ島
オーストラル諸島
〔フ〕
ベロオリゾンテ
南回帰線(23°26′21″S)
パラグアイ
アスンシオン
サンパウロ
リオデジャネイロ
ガンビア諸島
〔フ〕
ピトケアン島
〔イ〕
ラパヌイ島
(イースター島)
〔チリ〕
サライゴメス島
〔チリ〕
ロスデスベントゥラダス諸島
〔チリ〕
チリ
アルゼンチン
フアンフェルナンデス
〔チリ〕諸島
サンティアゴ
ウルグアイ
モンテビデオ
ブエノスアイレス
ラプラタ川
洋
北島
オークランド
ニュージーランド
ウェリントン
クライストチャーチ
南島
ビエドゥマ
スチュアート島
オークランド諸島
チャタム諸島
〔ニュー〕
アンティポディーズ諸島
フォークランド諸島
(マルビナス)
サウスジョージア島
フエゴ島
オルノス岬
国界
首都
未確定・係争中の国界
人口300万人以上のおもな都市
人口300万人未満のおもな都市
EU
(ヨーロッパ連合)
ASEAN
(東南アジア諸国連合)
OPEC
(石油輸出国機構)
USMCA
(米国・メキシコ・カナダ協定)
CIS
(独立国家共同体)
国名 地域名 APEC(アジア太平洋経済協力)
国名 安全保障理事会の常任理事国
(注1) 白い部分は、帰属が確定していない地域。
(注2) イスラエルは、エルサレムを首都として宣言しているが、国際的な承認は得ていない。
-7h
-6h
-5h
-4h
-3h30′
-2h
-8h
ヴァンクーヴァー
シアトル
デンヴァー
ロサンゼルス
ヒューストン
ワシントンD.C.
ニューヨーク
12月31日
16:00
12月31日
19:00
赤道
-4h
リマ
リオデジャネイロ
-3h
サンティアゴ
ブエノスアイレス
-9 -8 -7 -6 -5 -4 -3 -2
④カリブ海周辺
1:37 000 000
0 500km
(ただし北緯15°上の長さ)
アメリカ合衆国
フロリダ半島
大西洋
バハマ
ナッソー
マイアミ
メキシコ湾
北回帰線(23°26′21″N)
ハバナ
キューバ
プエルトリコ島
〔ア〕
ヴァージン諸島
〔イ〕
ユカタン半島
ドミニカ共和国
ハイチ
ポルトープランス
サントドミンゴ
メキシコ
ベリーズ
ベルモパン
ジャマイカ
キングストン
ヴァージン諸島
〔ア〕
バセテール セントクリストファー・ネービス
セントジョンズ アンティグア・バーブーダ
グアドループ島〔フ〕
ロゾー ドミニカ
マルティニーク島〔フ〕
カリブ海
グアテマラ
グアテマラシティ
ホンジュラス
テグシガルパ
キングスタウン
カストリーズ セントルシア
ブリッジタウン バルバドス
セントジョージズ グレナダ
サンサルバドル
エルサルバドル
ニカラグア
マナグア
アルバ島〔オ〕
セントビンセント及びグレナディーン諸島
バランキージャ
マラカイボ
ポートオブスペイン
トリニダード・トバゴ
カラカス
コスタリカ
サンホセ
パナマシティ
パナマ
オリノコ川
ベネズエラ
ガイアナ
ジョージタウン
パラマリボ
太平洋
メデジン
コロンビア
ボゴタ
スリナム
ギアナ
〔フ〕
ココ島
〔コスタリカ〕

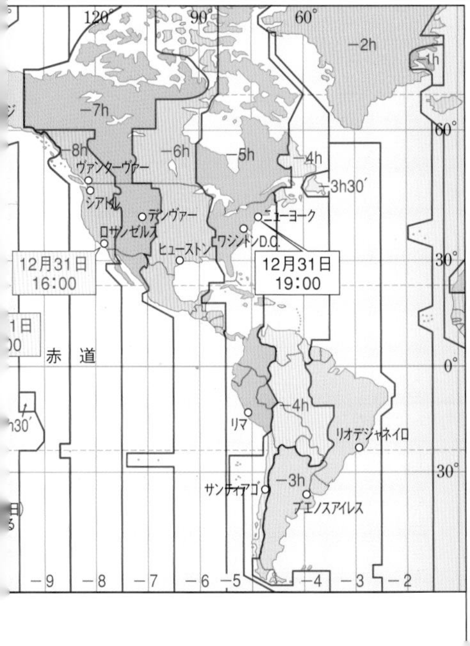

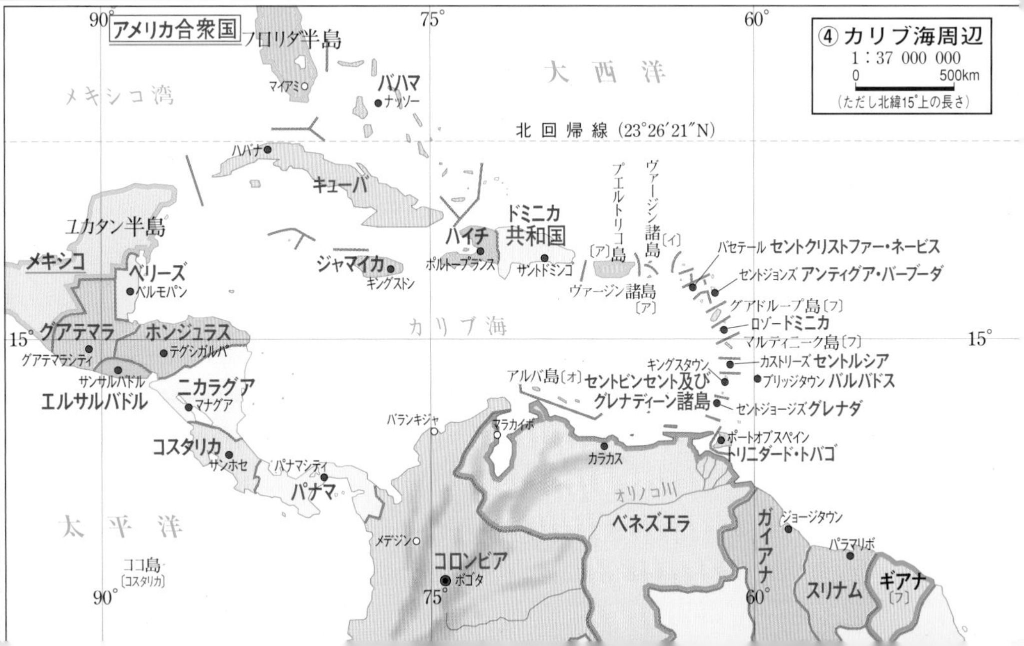

最新基本地図 2024 世界／日本

世界編

都市図

地図の記号と文字 〈世界編〉

市 街 地	自治管区界 自治州界	∴ 史 跡	領土記号
ロンドン LONDON 300万人以上の都市	非 独 立 国	∴ 名 勝	〔ア〕 アメリカ合衆国
パリ PARIS 100～300万人の都市	日付変更線	パイプライン（原油）	〔イ〕 イギリス
グラスゴー Glasgow 50～100万人の都市	鉄 道	⚒ 鉱 山	〔オ〕 オランダ
ボルドー Bordeaux 10～50万人の都市	建設中の鉄道	⚒ 炭 田	〔オー〕 オーストラリア
テュービンゲン Tübingen 10万人未満の都市	主 要 道 路	♯ 油 田	〔ス〕 スペイン
● リューゲン（旅順） 都 市 の 一 部	道 路	⚑ ガ ス 田	〔デ〕 デンマーク
首 都	航 路	✕ 峠	〔ニュー〕 ニュージーランド
州・省都など	主 要 空 港	╋ 特殊建造物・重要な地点	〔ノ〕 ノルウェー
スイス SWITZERLAND 国 界	港	🏛 世界文化遺産	〔フ〕 フランス
未確定・係争中の国界		🌲 世界自然遺産	〔ポ〕 ポルトガル
テキサス TEXAS 州・省界など		◉ 世界複合遺産	〔南ア〕 南アフリカ共和国
サハ共和国 SAKHA 共 和 国 界 自治共和国界	城 壁	⚜ ラムサール条約登録湿地	

ネネツ自治管区 Nenets
西サハラ WESTERN SAHARA
（サマ距離（km） シティ←8882→ロンドン）

地形の記号 〈世界編・日本編〉

▲3015(m) 山 頂		かれ川（ワジ）	
▲3776(m) 火 山 頂		湿 地	
氷 雪 地		塩分を含む湿地	
砂 砂 漠		干潮時にあらわれる砂地	
標高 水深(m) 湖 沼		干潮時にあらわれる泥地	
ダム・人造湖(世界)		流 氷 の 限 界	
ダム・人造湖(日本)		年間水結している範囲	
塩 湖		堆（バンク）	
位置の定まっていない湖岸線		サ ン ゴ 礁	
河 川		温 泉	
可航上限・下限		砂 浜 海 岸	
運 河		●-9550 海溝の一番深い所(m)	
		◎312 都市標高(m)	

48訂版　も　く　じ

日本編
行政区分図　都市図

特集・統計・さくいん

地図の記号と文字〈日本編〉

※記号は市町村役場の位置を示す

| 市街地 |
| 横浜 300万人以上の市 |
| 神戸 100～300万人の市 |
| 船橋 50～100万人の市 |
| 藤沢 20～50万人の市 |
| 大垣 10～20万人の市 |
| 芦屋 10万人未満の市 |
| 別海 町 |
| 北山 村 |
| 浦賀 字(旧市町村など) |
| 都道府県庁所在地 |
| 北海道の振興局所在地 |
| 地方界 |
| 都道府県界 |
| 北海道の振興局界 |
| 旧国界 |

| えき トンネル JR新幹線 |
| えき トンネル 建設中 新幹線以外のJR線 |
| えき トンネル 建設中 その他の鉄道線 |
| トンネル インターチェンジ 建設中 高速自動車道 |
| 国道番号 トンネル 建設中 おもな有料道路・自動車専用道路 |
| 東京へ〈23〉 おもな道路 |
| 航路 |
| 国立公園 |
| 国定公園 |
| 橋 |
| 国際線のある空港 |
| その他の空港 |
| 商港 |
| 漁港 |
| 史跡 歴史的に重要な地名 |
| 古戦場跡 |
| 名勝 |

| 天然記念物 |
| 神社 |
| 寺院 |
| 城跡 |
| 特色のある建造物・その他の重要な地点 |
| 世界文化遺産 |
| 世界自然遺産 |
| 世界ジオパーク |
| ラムサール条約登録湿地 |
| 灯台 |
| 火力発電所 |
| 水力発電所 |
| 原子力発電所 |
| 地熱発電所 |
| 風力発電所 |
| 太陽光発電所 |
| 石灰石 鉱山 |

| (閉)(明延) 閉山した鉱山 |
| 炭田 |
| 油田 |
| ガス田 |

拡大図の記号
| 都道府県庁 |
| 地下鉄 |

行政区分図の記号
| 都道府県庁 |
| 区役所 |
| 都道府県界・北海道の振興局界 |
| 市郡界 |
| 町村界 |
| 区界 |
| 地下鉄・路面電車 |

都市図の記号
| 都道府県庁 |
| 市役所 |
| 区役所・町村役場 |
| 都道府県界 |
| 市郡界 |
| 町村区界 |
| えき(地下)建設中 JR新幹線 |
| えき(地下)引込線・貨物線 新幹線以外のJR線 |
| えき(地下) その他の鉄道線 |
| えき(地上) 地下鉄 |
| えき 路面電車 |
| (地下) 高速自動車道有料道路 |
| 一般国道 |
| 高等学校 |
| 陵墓 |
| 史跡・名勝 |

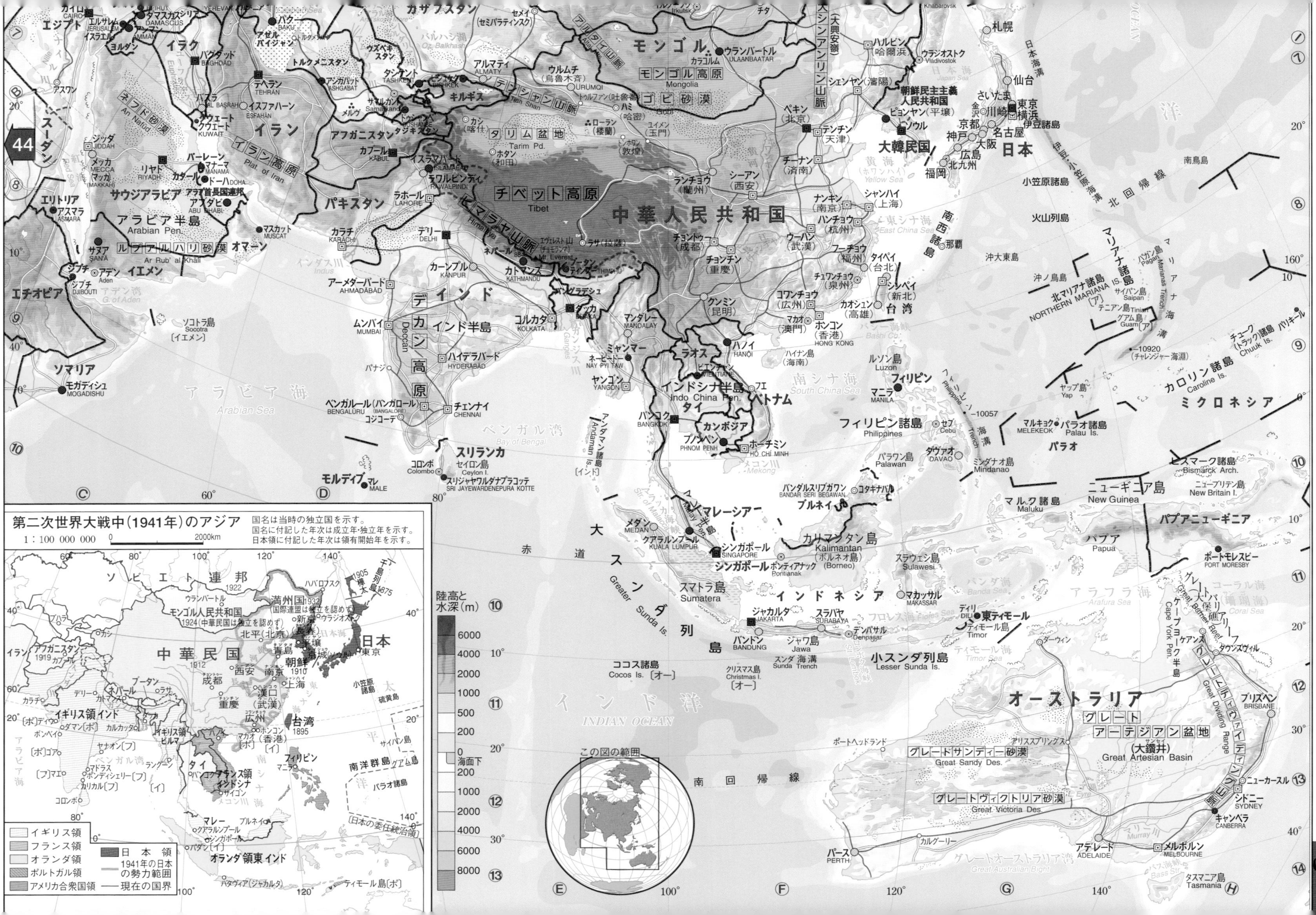

第二次世界大戦中（1941年）のアジア

1:100 000 000

0 1000 2000km

国名は当時の独立国を示す
国名に付記した年次は独立年を示す
日本領に付記した年次は第二次大戦開始年を示す

日本領
1941年の日本
の勢力範囲
イギリス領
フランス領
オランダ領
ポルトガル領
アメリカ合衆国領
現在の国界

陸高と水深（m）
6000 4000 2000 1000 500 200 海面下 200 1000 2000 4000 6000 8000

44

アジア
1：26 100 000
0 500 1000km
ランベルト正積方位図法
51
47
西シベリア低地
カザフステップ
カスピ海沿岸低地
カザフスタン
KAZAKHSTAN〔1991〕
アスタナ
ASTANA
アルマティ
ALMATY
ビシュケク
BISHKEK
キルギス〔1991〕
KYRGYZ
タシケント
TASHKENT
タジキスタン〔1991〕
TAJIKISTAN
ドゥシャンベ
DUSHANBE
トルクメニスタン
TURKMENISTAN〔1991〕
アシガバット
ASHGABAT
ウズベキスタン
カラクーム砂漠
キジルクーム砂漠
ウスチュルト台地
アフガニスタン
AFGHANISTAN
カブール
KABUL
パキスタン
PAKISTAN
〔1947〕
イスラマバード
ISLAMABAD
カラチ
KARACHI
ラホール
LAHORE
イラン
IRAN
テヘラン
TEHRAN
エルブールズ山脈
ザグロス山脈
イラン高原
カヴィール砂漠
ルート砂漠
イラク
IRAQ
バグダッド
BAGHDAD
シリア
SYRIA
ダマスカス
DAMASCUS
トルコ
TURKEY
アンカラ
ANKARA
イスタンブール
ISTANBUL
サウジアラビア
SAUDI ARABIA
リヤド
RIYADH
ネフド砂漠
ルブアルハリ砂漠
アラビア半島
オマーン
OMAN
マスカット
MUSCAT
イエメン
YEMEN
〔1990〕
サヌア
アラブ首長国連邦
UNITED ARAB EMIRATES
〔1971〕
アブダビ
ABU DHABI
ドバイ
カタール
QATAR
ドーハ
DOHA
バーレーン
BAHRAIN
クウェート
KUWAIT
エジプト
EGYPT
カイロ
CAIRO
スーダン
SUDAN
〔1956〕
エチオピア
ETHIOPIA
エリトリア
ERITREA〔1993〕
ソマリア
SOMALIA〔1960〕
ジブチ
DJIBOUTI
インド
INDIA
〔1947〕
デリー
DELHI
ムンバイ
(ボンベイ)
MUMBAI
(BOMBAY)
コルカタ
チェンナイ(マドラス)
CHENNAI (MADRAS)
ベンガルール(バンガロール)
BENGALURU
(BANGALORE)
ハイデラバード
HYDERABAD
大インド砂漠
デカン高原
西ガーツ山脈
東ガーツ山脈
ヒンドスタン平原
ネパール
NEPAL
カトマンズ
KATHMANDU
スリランカ
SRI LANKA
(セイロン)〔1948〕
スリジャヤワルダナプラコッテ
コロンボ
モルディブ共和国〔1965〕
REPUBLIC OF MALDIVES
マレ
MALE
モルディブ諸島
アラビア海
Arabian Sea
インド洋
INDIAN OCEAN
北回帰線
ペルシア湾
紅海
黒海
カスピ海
アラル海
パミール高原
ヒンドゥークシ山脈
カラコルム山脈
テンシャン山脈
タクラマカン
クンルン山脈
チベット高原
タリム盆地
中国
ロシア
〔1945〕は独立年
東西を結ぶ交通路
1：73 000 000
0 1000km
ランベルト正積方位図法
天山北路
天山南路
テンシャン山脈
コビ砂漠
オアシスの道
チベット高原
ヒマラヤ山脈
アラビア海
ベンガル湾
インド洋
絹の道(シルクロード)
ステップ(草原)の道〔長澤和俊による〕
海の道(海のシルクロード)
3世紀におけるおもな陸上交通路
3世紀におけるおもな海上交通路
(地名)は現代地名
〔アジア歴史地図，ほか〕

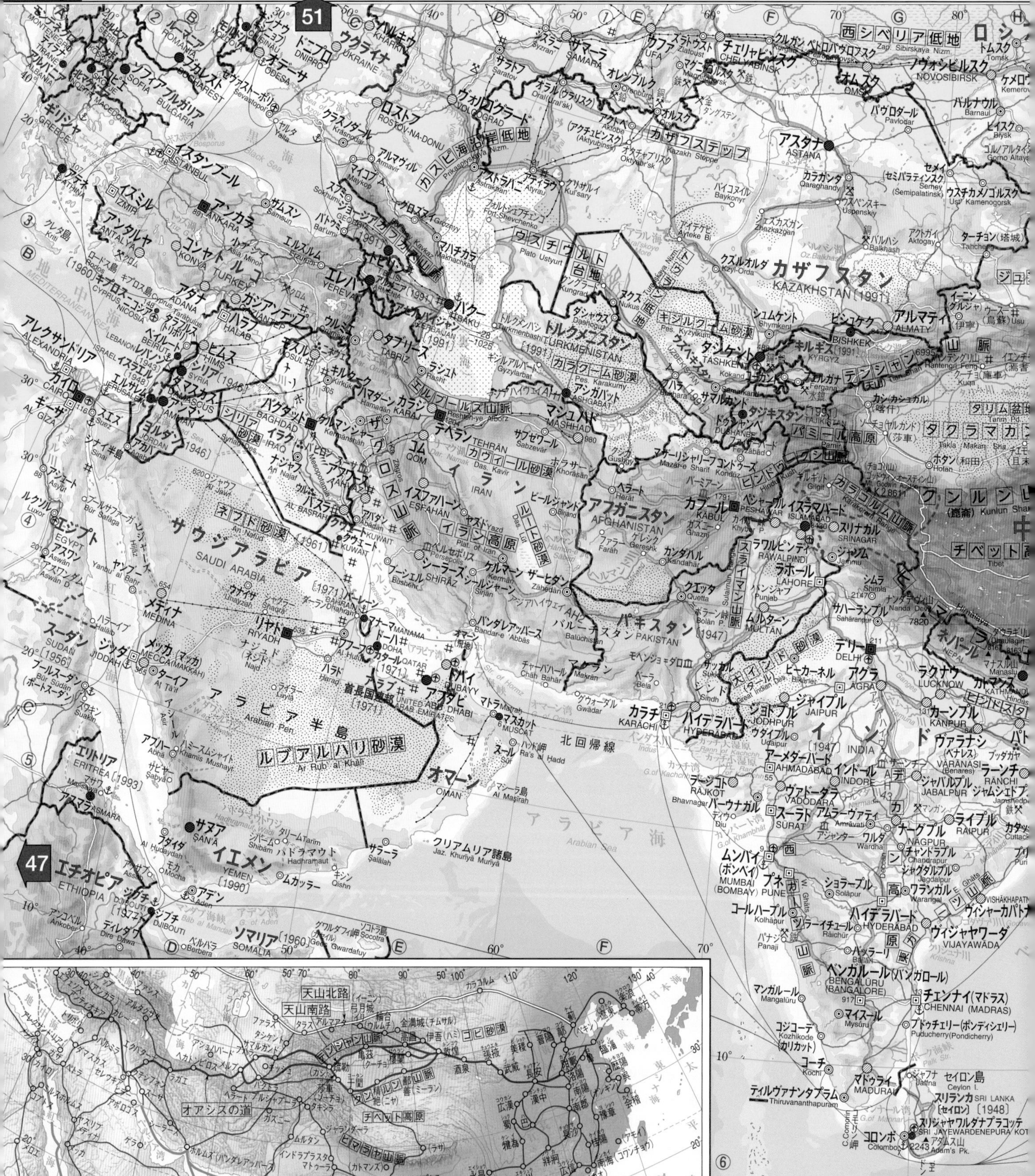

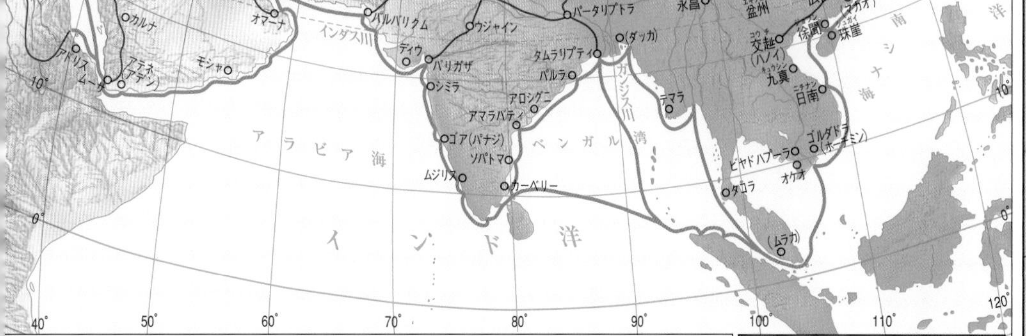

79

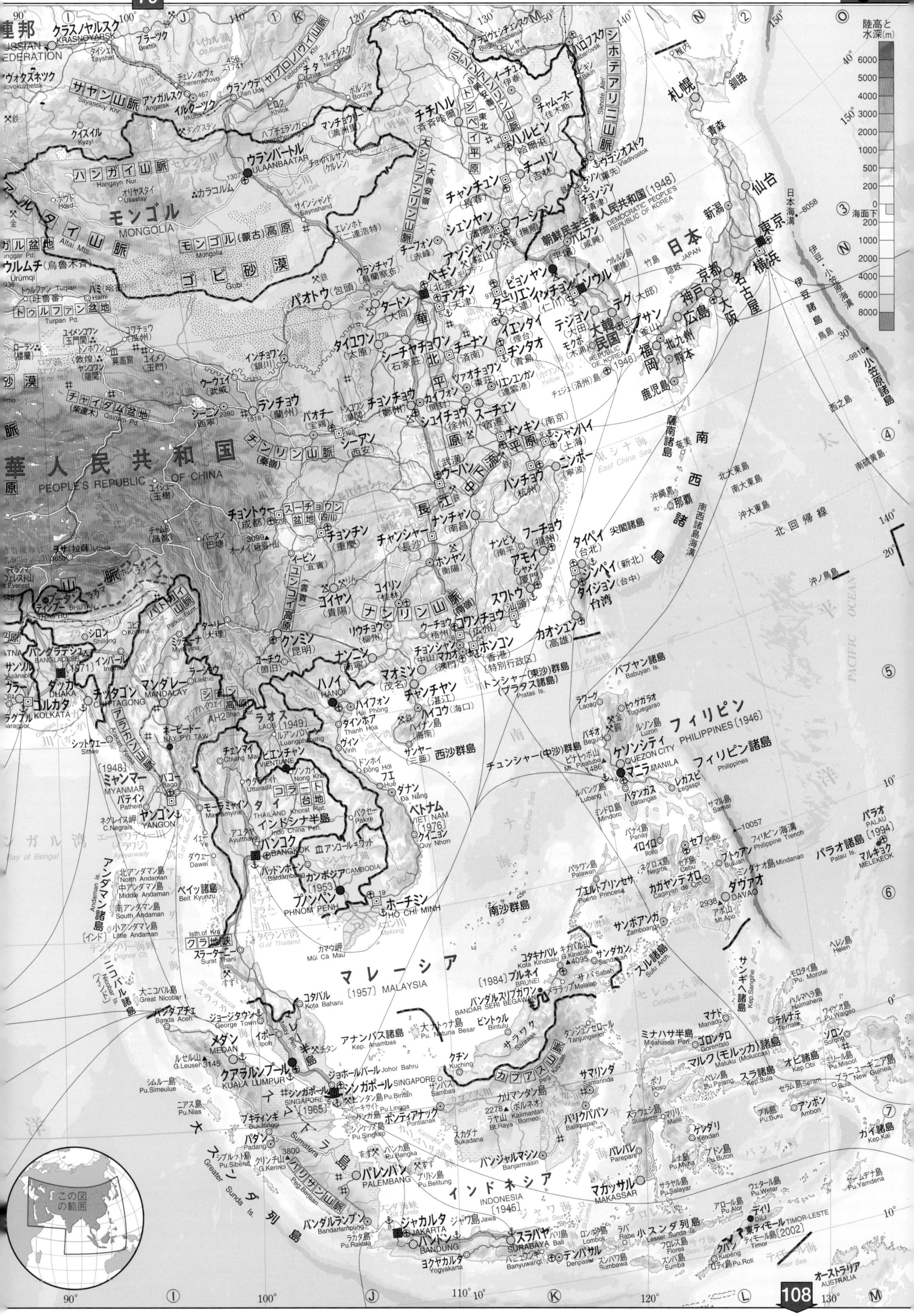

陸高と水深(m)
6000
5000
4000
3000
2000
1000
500
200
0
海面下
200
1000
2000
4000
6000
8000
クラスノヤルスク KRASNOYARSK
ブラーツク Bratsk
タイシェト Tayshet
ノヴォクズネツク Novokuznetsk
チェレンホヴォ Cheremkhovo
サヤン山脈 Sayanskiy Khr.
アンガルスク Angarsk
イルクーツク Irkutsk
ウランウデ Ulan Ude
ヤブロノヴィ山脈 Yablonovy Khr.
チタ Chita
ネルチンスク Nerchinsk
ボルジャ Borzya
ヒロク Khilok
クイズイル Kyzyl
タングステン
ハプチェランガ Khapcheranga
マンチョウリー (満洲里)
チョイバルサン Choybalsan (ケルレン)
ウランバートル ULAANBAATAR
ハンガイ山脈 Hangayn Nur.
オリヤスタイ Uliastay
ホヴド Hovd
カラコルム
サインシャンド Saynshand
モンゴル MONGOLIA
アルタイ山脈 Altai Mts.
エレンホト (二連浩特)
モンゴル(蒙古)高原 Mongolia
ゴビ砂漠 Gobi
ウルムチ (烏魯木斉) Ürümqi
トルファン (吐魯番) Turpan
ハミ (哈密) Hami
トルファン盆地 Turpan Pd.
ユイメンコワン (玉門関)
トンホワン (敦煌)
ヤンコワン (陽関)
コワチョウ (瓜州)
ユイメン (玉門)
ローラン (楼蘭)
チャイダム盆地 (柴達木) Qaidam Pd.
ウーウェイ (武威)
インチョワン (銀川)
シーニン (西寧)
ランチョウ (蘭州)
チンリン山脈 (秦嶺)
中華人民共和国 PEOPLE'S REPUBLIC OF CHINA
ユイシュー (玉樹)
チャムド (昌都)
ラサ (拉薩) Lhasa
チョントゥー (成都)
スーチョワン盆地 (四川)
チョンチン (重慶)
パータン (巴塘)
オーメイ (峨眉山)
イーピン (宜賓)
ユンコイ高原 (雲貴)
コイヤン (貴陽)
クンミン (昆明)
ターリー (大理)
コーチウ (箇旧)
ヒマラヤ山脈
エヴェレスト山 Mt. Everest
ブータン BHUTAN
ティンプー THIMPHU
パトカイ山脈 Patkai Bum
シロン Shillong
コヒマ Kohima
バングラデシュ BANGLADESH (1971)
インパール Imphal
ダッカ DHAKA
コルカタ KOLKATA
アサンソル Asansol
チッタゴン CHITTAGONG
ミッチーナ Myitkyina
ラーショウ Lashio
マンダレー MANDALAY
シャン高原 Shan Plat.
アラカン山脈 Arakan Yoma
シットウェー Sittwe
ネーピードー NAY PYI TAW
ミャンマー MYANMAR (1948)
パテイン Pathein
バゴー Bago
ヤンゴン YANGON
ネグレイス岬 C.Negrais
モーラミャイン Mawlamyine
ダウェイ Dawei
ベンガル湾 Bay of Bengal
アンダマン諸島 Andaman Is.
北アンダマン島 North Andaman
中アンダマン島 Middle Andaman
南アンダマン島 South Andaman
小アンダマン島 Little Andaman
ニコバル諸島 Nicobar Is. (インド)
大ニコバル島 Great Nicobar
テンディグリー海峡 Ten Degree Ch.
ベイッ諸島 Beit Kyunzu
ラオス LAOS (1949)
ルアンパバーン Luangphrabang
ビエンチャン VIENTIANE
チェンマイ Chiang Mai
ウタラディト Uttaradit
ノンカイ Nong Khai
コラート台地 Khorat Plat.
タイ THAILAND
インドシナ半島 Indo China Pen.
アユタヤ Ayutthaya
バンコク BANGKOK
パクセー Pakxe
アンコールワット
バッドンボーン Batdambang
カンボジア CAMBODIA (1953)
プノンペン PHNOM PENH
ホーチミン HO CHI MINH
タイランド湾 G.of Thailand
カマウ岬 Mũi Cà Mau
クラ地峡 Isth.of Kra
スラーターニー Surat Thani
ハノイ HANOI
ハイフォン Hải Phòng
タインホア Thanh Hoa
ヴィン Vinh
ドンホイ Đồng Hới
フエ Huế
ダナン Đà Nẵng
ベトナム VIET NAM (1976)
クイニョン Quy Nhơn
トンキン湾 G.of Tongking
ハイナン島 (海南)
ハイコウ (海口)
サンヤー (三亜)
西沙群島
南沙群島
ナンニン (南寧)
マオミン (茂名)
チャンチヤン (湛江)
ウーチョウ (梧州)
コワンチョウ (広州)
ホンコン (香港) (特別行政区)
マカオ (澳門)
チョンシャン (中山)
リウチョウ (柳州)
コイリン (桂林)
ナンリン山脈 (南嶺)
スワトウ (汕頭)
アモイ シャメン (厦門)
フーチョウ (福州)
ナンピン (南平)
ホンヤン (衡陽)
チャンシャー (長沙)
ナンチャン (南昌)
ウーハン (武漢)
長江中下流平原
ハンチョウ (杭州)
ニンポー (寧波)
シャンハイ (上海)
ナンキン (南京)
スーチエン (宿遷)
シュイチョウ (徐州)
カイフォン (開封)
チョンチョウ (鄭州)
シーアン (西安)
パオチー (宝鶏)
トンコワン (潼関)
華北平原
チーナン (済南)
シーチャチョワン (石家荘)
タイユワン (太原)
タートン (大同)
パオトウ (包頭)
ウランチャブ (烏蘭察布)
チーフォン (赤峰)
ペキン (北京)
テンチン (天津)
ターリエン (大連)
イエンタイ (煙台)
チンタオ (青島)
リエンユンカン (連雲港)
ツァオチョワン (棗荘)
ホワンハイ (黄海) Yellow Sea
東シナ海 East China Sea
アンシャン (鞍山)
シエンヤン (瀋陽)
フーシュン (撫順)
チャンチュン (長春)
チーリン (吉林)
ハルビン (哈爾浜)
チチハル (斉斉哈爾)
トンペイ平原 (東北)
大シンアンリン山脈 (大興安嶺)
小シンアンリン山脈
イーチュン (伊春)
チャムースー (佳木斯)
ブラゴヴェシチェンスク Blagoveshchensk
ブレヤ Bureya
ハバロフスク Khabarovsk
ビキン Bikin
シホテアリニ山脈 Sikhote Alin'
ウラジオストク Vladivostok
ラソン (羅先)
チョンジン (清津)
朝鮮民主主義人民共和国 DEMOCRATIC PEOPLE'S REPUBLIC OF KOREA (1948)
ハムン (咸興)
ピョンヤン (平壌)
インチョン (仁川)
ソウル
テジョン (大田)
テグ (大邱)
プサン (釜山)
モクポ (木浦)
大韓民国 REPUBLIC OF KOREA (1948)
チェジュ(済州)島
ウルルン島 (鬱陵)
竹島
隠岐
日本海 Japan Sea
日本 JAPAN
札幌
釧路
青森
仙台
新潟
東京
横浜
名古屋
京都
大阪
神戸
広島
北九州
福岡
熊本
鹿児島
稚内
日本海溝
伊豆・小笠原海溝
伊豆諸島
鳥島
小笠原諸島
西之島
薩南諸島
奄美
南西諸島
沖縄島
那覇
尖閣諸島
北大東島
南大東島
沖大東島
南鳥島
沖ノ鳥島
北回帰線
太平洋 PACIFIC OCEAN
タイペイ (台北)
シンペイ (新北)
タイジョン (台中)
台湾
カオシュン (高雄)
バシー海峡 Bashi Ch.
ルソン海峡 Luzon Str.
バブヤン諸島 Babuyan Is.
トンシャー(東沙)群島 (プラタス諸島) Pratas Is.
ラワーグ Laoag
トゥゲガラオ Tuguegarao
ルソン島 Luzon
バギオ Baguio
フィリピン PHILIPPINES (1946)
ケソンシティ QUEZON CITY
ピナトゥボ山 Mt. Pinatubo
マニラ MANILA
フィリピン諸島 Philippines
チュンシャー(中沙)群島
南シナ海 South China Sea
ルバング島 Lubang I.
バタンガス Batangas
レガスピ Legaspi
ミンドロ島 Mindoro
サマル島 Samar
パナイ島 Panay
イロイロ Iloilo
セブ Cebu
ネグロス島 Negros
ブトゥアン Butuan
フィリピン海溝 Philippine Trench
ミンダナオ島 Mindanao
パラワン島 Palawan
プエルトプリンセサ Puerto Princesa
カガヤンデオロ Cagayan de Oro
ダヴァオ DAVAO
アポ山 Mt.Apo
サンボアンガ Zamboanga
スールー海 Sulu Sea
モロ湾 Moro G.
パラオ PALAU (1994)
パラオ諸島 Palau Is.
マルキョク MELEKEOK
ヘレン島 Helen
マレーシア MALAYSIA (1957)
コタキナバル Kota Kinabalu
キナバル山
サンダカン Sandakan
サバ Sabah
スル諸島 Sulu Arch.
ブルネイ BRUNEI (1984)
バンダルスリブガワン BANDAR SERI BEGAWAN
ムラップ Melalap
ビントゥル Bintulu
サラワク Sarawak
タンジュンセロール Tanjungselor
セレベス海 Celebes Sea
サンギヘ諸島 Kep.Sangihe
モロタイ島 Pu.Morotai
ハルマヘラ島 Halmahera
ワイゲオ島 Pu.Waigeo
マナド Manado
テルナテ Ternate
ミナハサ半島 Minahassa Pen.
ゴロンタロ Gorontalo
ソロン Sorong
マルク(モルッカ)諸島 Maluku (Moluccas)
オビ諸島 Kep.Obi
ミソール島 Pu.Misool
ニューギニア島 New Guinea
コタバル Kota Baharu
ジョージタウン George Town
イポー Ipoh
マレー半島 Malay Pen.
アナンバス諸島 Kep. Anambas
大ナトゥナ島 Pu. Natuna Besar
バンダアチェ Banda Aceh
メダン MEDAN
ルセル山 G.Leuser
クアラルンプール KUALA LUMPUR
ジョホールバル Johor Bahru
シンガポール SINGAPORE (1965)
ビンタン島 Pu.Bintan
リンガ島 Pu.Lingga
クチン Kuching
サンバス Sambas
カプアス山脈
カプアス川 Kapuas
カリマンタン島 (ボルネオ) Kalimantan Borneo
ラヤ山 Bt.Raya
サマリンダ Samarinda
バリクパパン Balikpapan
ポンティアナック Pontianak
スカダナ Sukadana
マカッサル海峡 Makassar Str.
スラウェシ島 Sulawesi
ポソ Poso
ペレン島 Pu.Peleng
スラ諸島 Kep.Sula
セラム島 Seram
ブル島 Pu.Buru
アンボン Ambon
ケンダリ Kendari
ブトン島 Pu.Buton
ムナ島 Pu.Muna
パレパレ Parepare
マカッサル MAKASSAR
サラヤル島 Pu.Salayar
バンダ海 Banda Sea
カイ諸島 Kep.Kai
ヤムデナ島 Pu.Yamdena
ウェタール島 Pu.Wetar
アロール島 Pu.Alor
ディリ DILI
東ティモール TIMOR-LESTE (2002)
ティモール島 Timor
クパン Kupang
ロティ島 Pu.Roti
ティモール海
オーストラリア AUSTRALIA
シムルー島 Pu.Simeulue
ニアス島 Pu.Nias
ブキティンギ Bukittinggi
パダン Padang
シベルト島 Pu.Siberut
クリンチ山 G.Kerinci
スマトラ島 Sumatera
バリサン山脈 Peg.Barisan
シンケップ島 Pu.Singkep
バンカ島 Pu.Bangka
ブリトゥン島 Pu.Belitung
パレンバン PALEMBANG
大スンダ列島 Greater Sunda Is.
インド洋
スンダ海峡 Slt.Sunda
バンダルランプン Bandarlampung
ラカタ島 Pu.Rakata
ジャカルタ JAKARTA
バンドン BANDUNG
ジャワ島 Jawa
ジャワ海 Java Sea
ヨクヤカルタ Yogyakarta
スラバヤ SURABAYA
バニュワンギ Banyuwangi
バリ島 Bali
デンパサル Denpasar
ロンボク島 Lombok
スンバワ島 Sumbawa
ラバ Raba
小スンダ列島 Lesser Sunda Is.
フロレス島 Flores
フロレス海
スンバ島 Sumba
バンジャルマシン Banjarmasin
インドネシア INDONESIA (1945)
この図の範囲

108

6 東アジア
1：15 000 000
0 200 400km
正距円錐図法
79
36
30
24
ロシア連邦
RUSSIAN FEDERATION
サヤン山脈
アルタイ共和国
REPUBLIC OF ALTAY
トゥーヴァ共和国
REPUBLIC OF TUVA
ハカシヤ共和国
REPUBLIC OF KHAKASSIA
ブリヤート共和国
カザフ高原
カザフスタン
KAZAKHSTAN
キルギス
KYRGYZ
ビシュケク
BISHKEK
アルマティ
ALMATY
アルタイ山脈
ハンガイ山脈
Hangayn Nur
モンゴル国
MONGOLIA
モンゴル(蒙古)高原
Mongolia
ウランバートル
ULAANBAATAR
ゴビ砂漠
Gobi
ジュンガル盆地
Junggar Pd.
テンシャン(天山)山脈
Tian Shan
ウルムチ
URUMQI
トゥルファン盆地
Turpan Pd.
シンチヤンウイグル自治区
(新疆維吾爾)
タリム盆地
Tarim Pd.
タクラマカン砂漠
Takla Makan Sha.
カラコルム山脈
アルチン山脈
Altun Shan
チャイダム盆地
Qaidam Pd.
チーリエン(祁連)山脈
クンルン(崑崙)山脈
Kunlun Shan
チベット高原
Tibet
チベット(西藏)自治区
タングラ山脈
Tanggula Shan
中華人民共和国
PEOPLE'S REPUBLIC OF CHINA
チンハイ(青海省)
カンスー(甘粛省)
ランチョウ(蘭州)
ニンシャ(寧夏)回族自治区
インシャン山脈
オルドス
チンリン山脈(秦嶺)
スーチョワン(四川省)
スーチョワン(四川)盆地
チョントゥー(成都)
チョンチン(重慶)
コイチョウ(貴州省)
ユンコイ高原
ユンナン(雲南省)
クンミン(昆明)
コワンシー(広西)壮族自治区
ヘンドワン山脈
ヒマラヤ山脈
Himalaya
ラサ
Lhasa
エヴェレスト山
Mt. Everest
カトマンズ
KATHMANDU
ネパール
NEPAL
インド
INDIA
ブータン
BHUTAN
ティンプー
THIMPHU
ラクナウ
LUCKNOW
カーンプル
KANPUR
シャン高原
Shan Plat.
ミャンマー
MYANMAR
ラオス
LAOS
タイ
THAILAND
ベトナム
VIET NAM
ハノイ
HANOI
ヴィエンチャン
VIENTIANE
チェンマイ
Chiang Mai
トンキン湾
中国の行政区分
1：55 000 000
0 1000km
①ホーペイ(河北省)
②シャンシー(山西省)
③リヤオニン(遼寧省)
④チーリン(吉林省)
⑤ヘイロンチヤン(黒竜江省)
⑥シャンシー(陝西省)
⑦カンスー(甘粛省)
⑧チンハイ(青海省)
⑨シャントン(山東省)
⑩チヤンスー(江蘇省)
⑪チョーチヤン(浙江省)
⑫アンホイ(安徽省)
⑬チヤンシー(江西省)
⑭フーチエン(福建省)
⑮ホーナン(河南省)
⑯フーペイ(湖北省)
⑰フーナン(湖南省)
⑱コワントン(広東省)
⑲スーチョワン(四川省)
⑳コイチョウ(貴州省)
㉑ユンナン(雲南省)
㉒ハイナン(海南省)
㉓内モンゴル(内蒙古)自治区
㉔ニンシャ(寧夏)回族自治区
㉕シンチヤンウイグル(新疆維吾爾)自治区
㉖コワンシー(広西)壮族自治区
㉗チベット(西藏)自治区
● 直轄市 ○ 特別行政区
ロシア連邦
カザフスタン
キルギス
モンゴル
朝鮮民主主義人民共和国
大韓民国
日本
ペキン
テンチン
シャンハイ
チョンチン
台湾
ホンコン
マカオ
インド
ネパール
ミャンマー
ラオス
ベトナム
タイ
フィリピン

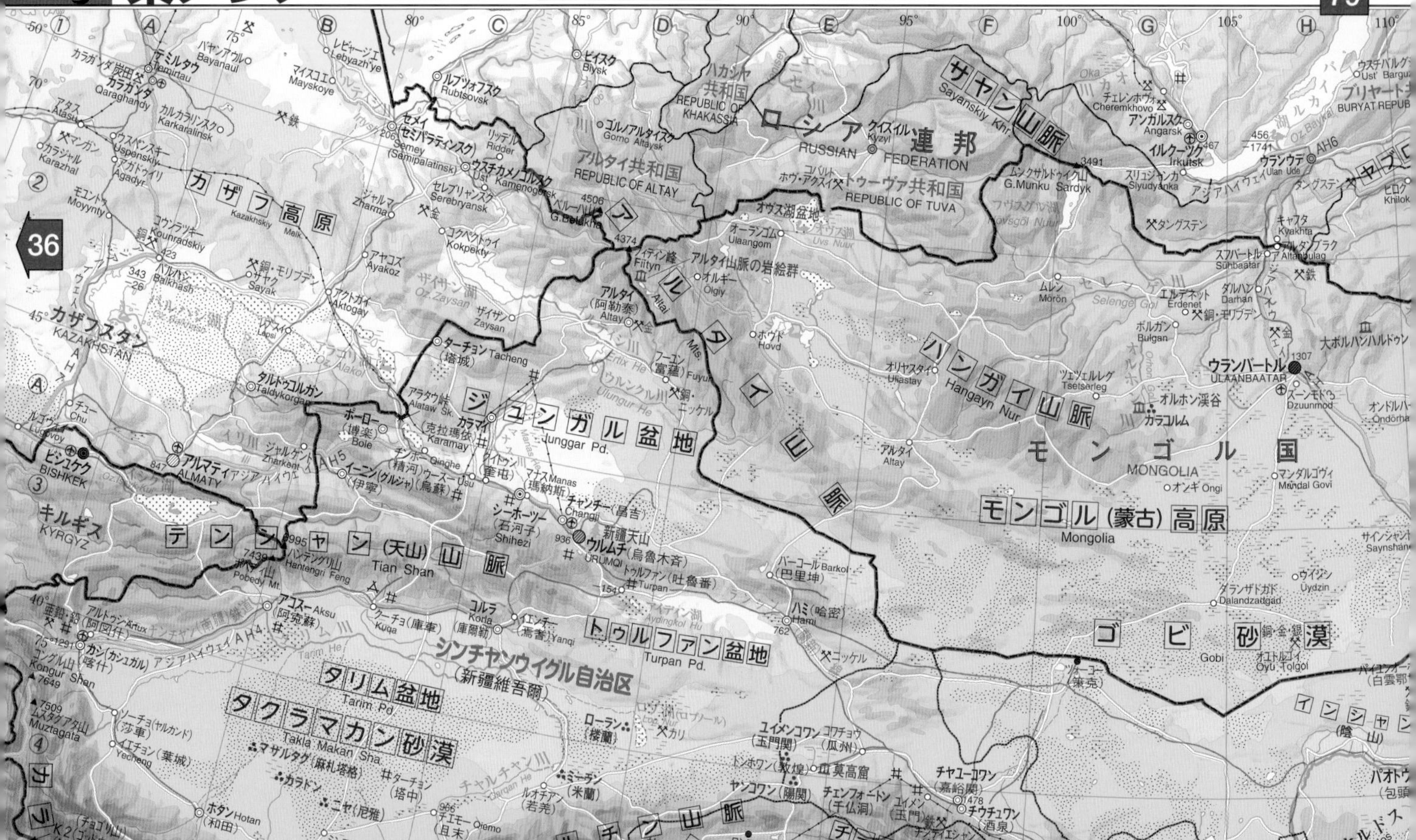

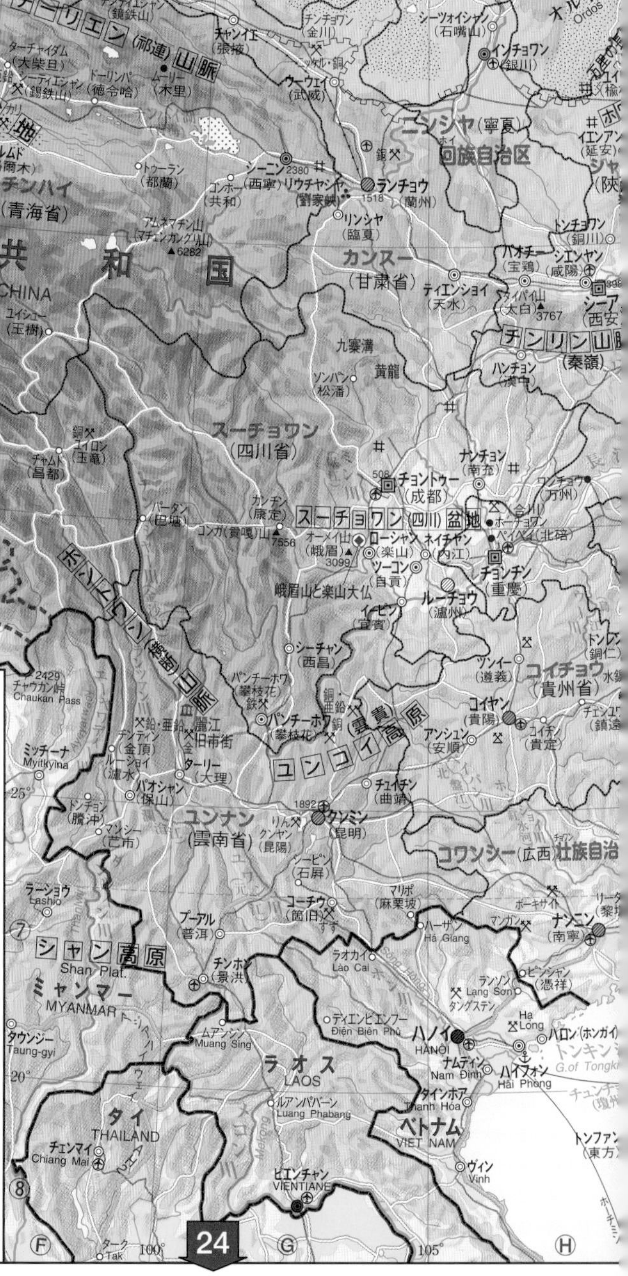

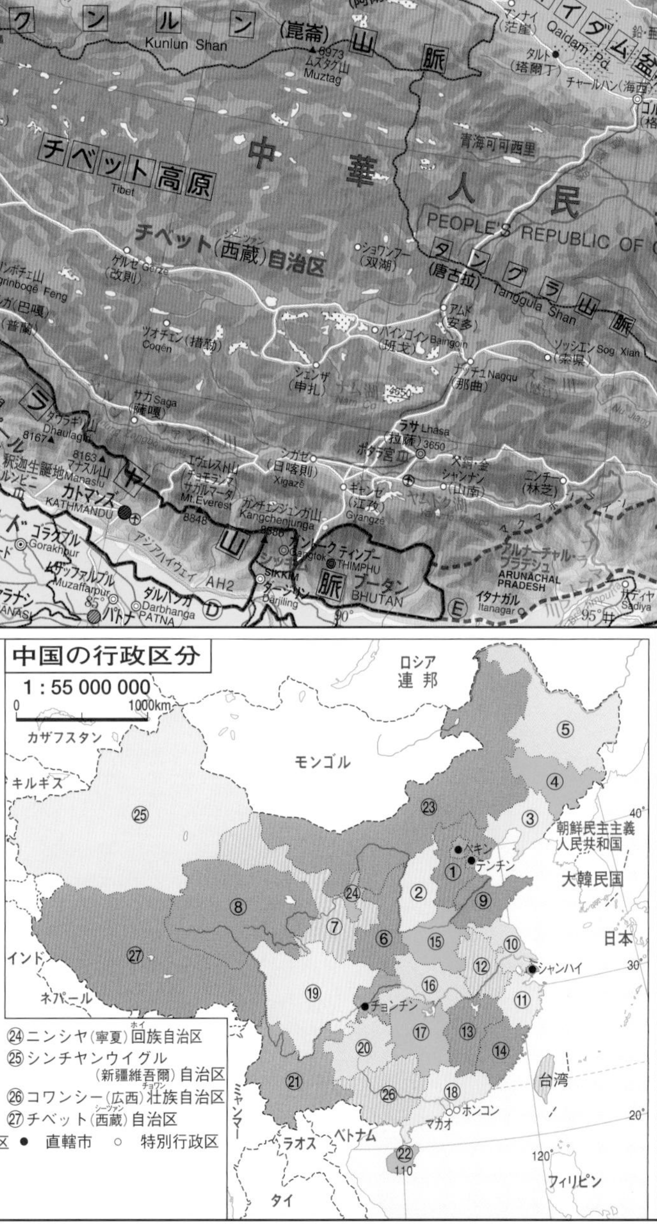

大シンアンリン山脈

内モンゴル自治区
（内蒙古）

ヘイロンチヤン
黒竜江省

チチハル（斉斉哈爾）
ハルビン（哈爾浜）

チャンチュン（長春）
チーリン（吉林）　吉林省
リヤオニン　遼寧省
シェンヤン（瀋陽）
ペキン（北京）
故宮　北京
テンチン（天津）
ターリエン（大連）
リヤオトン（遼東半島）
シャントン半島（山東）
チンタオ（青島）
チーナン（済南）

黄海（ホワンハイ）
Yellow Sea

朝鮮民主主義
人民共和国
DEMOCRATIC PEOPLE'S
REPUBLIC OF KOREA

ピョンヤン（平壌）
ソウル
インチョン（仁川）

大韓民国
REPUBLIC
OF KOREA

テジョン（大田）
テグ（大邱）
クワンジュ（光州）
プサン（釜山）

竹島
隠岐

日本国
JAPAN

札幌
函館
青森
秋田
仙台
新潟
東京
横浜
名古屋
京都
大阪
神戸
広島
岡山
山口
福岡
長崎
鹿児島

日本海
Japan Sea

太平洋
PACIFIC OCEAN

伊豆諸島
八丈島

東シナ海
East China Sea

チョウシャン群島（舟山）
ニンポー（寧波）
チョーチヤン（浙江省）
ウェンチョウ（温州）

大島
奄美大島

薩南諸島
南西諸島
琉球諸島
沖縄島
那覇
宮古島
石垣島
西表島
与那国島

尖閣諸島
八重山諸島

台湾
タイペイ（台北）
シンチュー（新竹）
タイチョン（台中）
タイナン（台南）
カオシュン（高雄）
玉山

福建省
フーチョウ（福州）
アモイ（厦門）
チャンチョウ（漳州）

広東省
コワンチョウ（広州）
ホンコン（香港）
HONG KONG
マカオ（澳門）

トンシャー（東沙）群島
（プラタス諸島）
Pratas Is.

南シナ海
South China Sea

ハイナン（海南）島

フィリピン
PHILIPPINES

ルソン島
Luzon

バタン諸島
Batan Is.

バブヤン諸島
Babuyan Is.

陸高と
水深(m)
6000
5000
4000
3000
2000
1000
500
200
0
海面下
200
1000
2000
3000
4000
6000
8000

この図の範囲

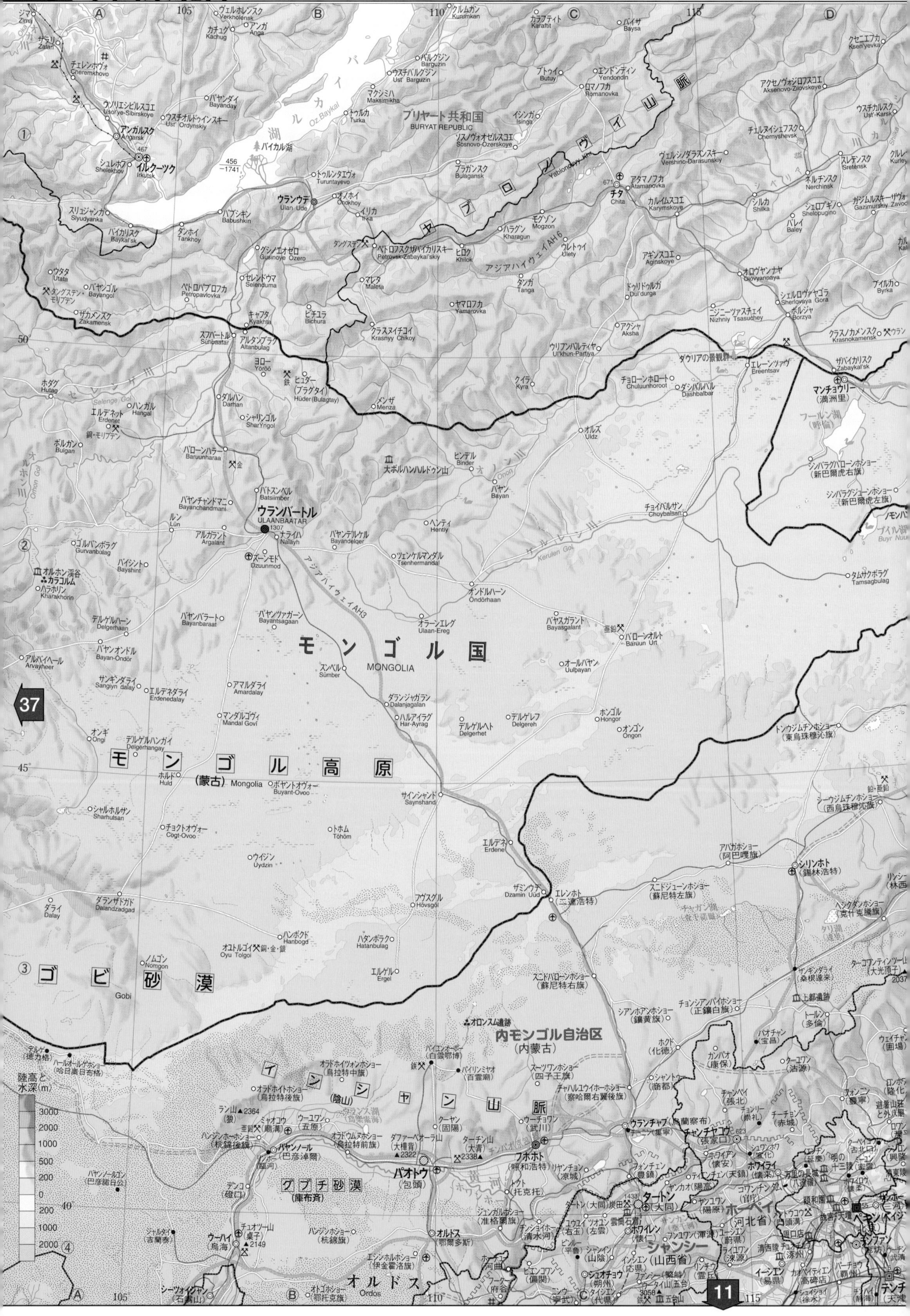

79

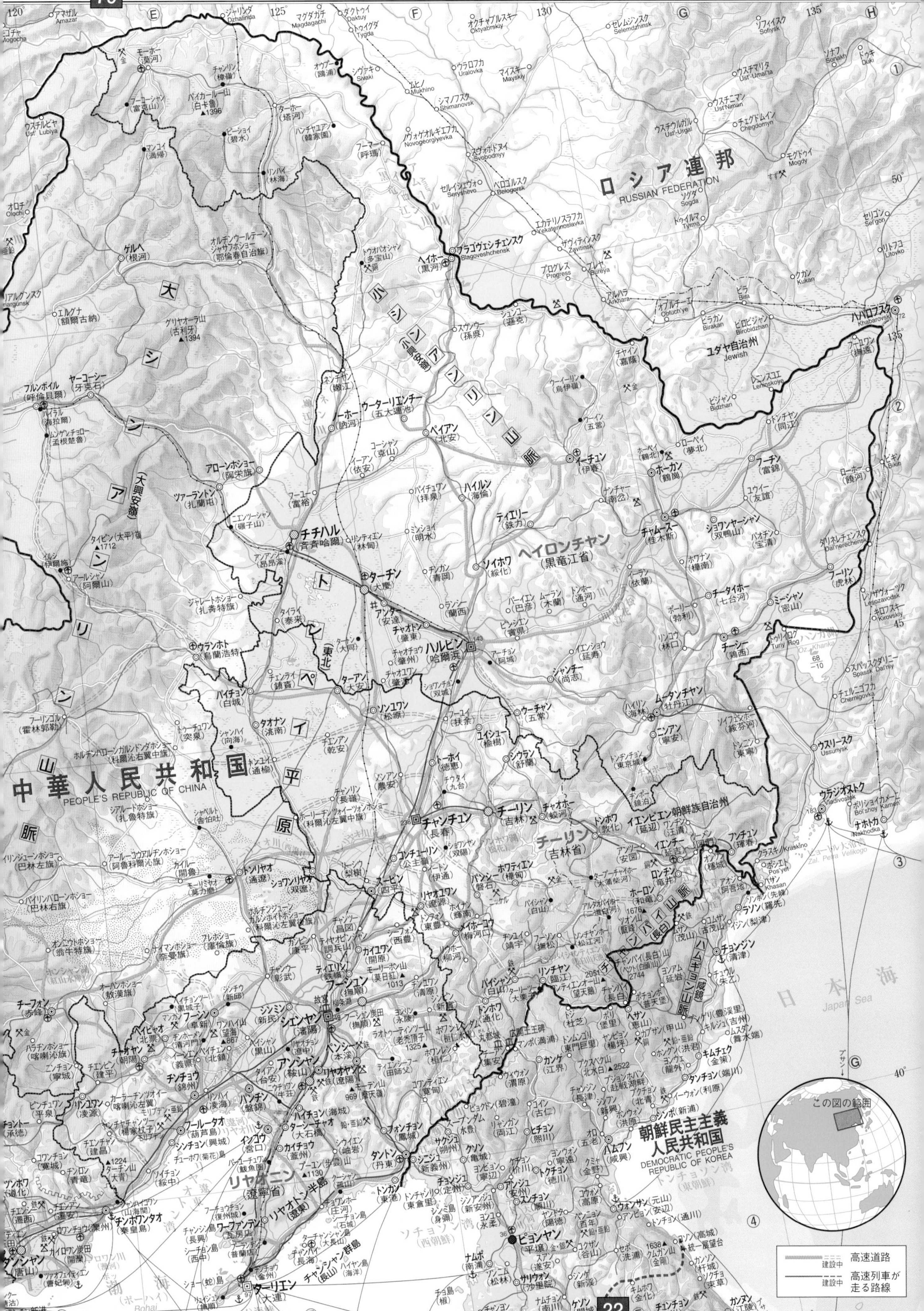
ロシア連邦
RUSSIAN FEDERATION
中華人民共和国
PEOPLE'S REPUBLIC OF CHINA
朝鮮民主主義人民共和国
DEMOCRATIC PEOPLE'S REPUBLIC OF KOREA
日本海
Japan Sea
大シンアンリン山脈
(大興安嶺)
小シンアンリン山脈
(小興安嶺)
トンペイ平原
(東北)
ヘイロンチャン
(黒竜江省)
チーリン
(吉林省)
リヤオニン
(遼寧省)
ユダヤ自治州
Jewish
イエンビエン朝鮮族自治州
チャンパイ山脈
ハムギョン山脈
リヤオトン半島
チャンシャン群島
ハルビン
(哈爾濱)
チチハル
(斉斉哈爾)
チャンチュン
長春
シエンヤン
(瀋陽)
ターリエン
(大連)
ピョンヤン
ウラジオストク
Vladivostok
ハバロフスク
Khabarovsk
ブラゴヴェシチェンスク
Blagoveshchensk
ヘイホー
(黒河)
ターチン
(大慶)
チーリン
(吉林)
ムータンチャン
(牡丹江)
フーシュン
(撫順)
アンシャン
(鞍山)
タンシャン
(唐山)
チンホワンタオ
(秦皇島)
ウスリースク
Ussuriysk
ナホトカ
Nakhodka
Bohai
120°
125°
130°
135°
40°
45
50°
この図の範囲
高速道路
建設中
高速列車が走る路線

22

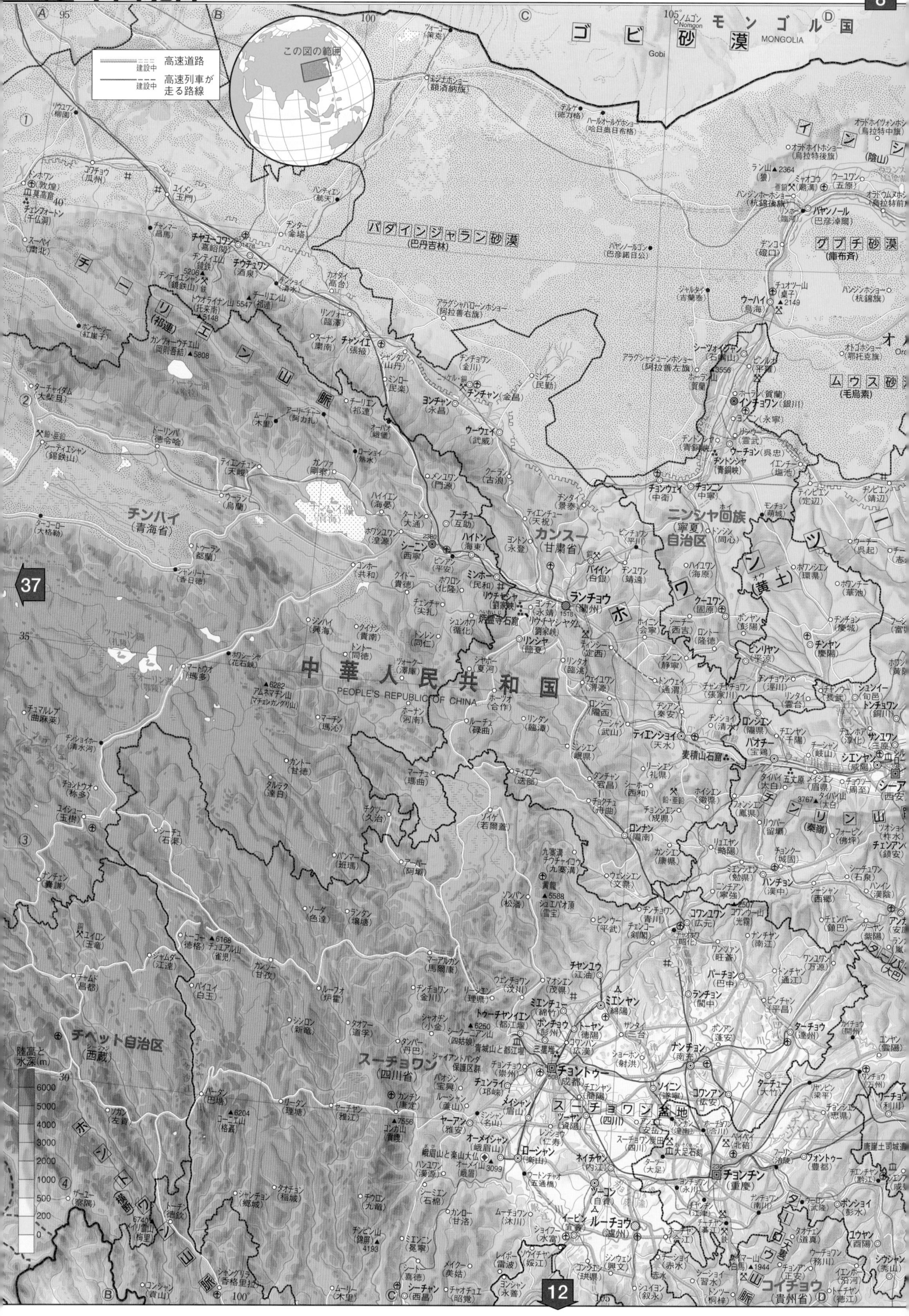

10 中国北部
1：6 000 000
0 100 200km
正積円錐図法
8
37
12
この図の範囲
高速道路
高速列車が走る路線
建設中
陸高と水深(m)
6000
5000
4000
3000
2000
1000
500
200
0
ゴビ砂漠
Gobi
モンゴル国
MONGOLIA
バダインジャラン砂漠
(巴丹吉林)
グブチ砂漠
(庫布斉)
ムウス砂漠
(毛烏素)
インシャン山脈
(陰山)
チーリエン山脈
(祁連)
チンハイ
(青海省)
カンスー
(甘粛省)
ニンシャ回族自治区
(寧夏)
ホワンツー高原
(黄土)
中華人民共和国
PEOPLE'S REPUBLIC OF CHINA
チンリン山脈
(秦嶺)
スーチョワン
(四川省)
スーチョワン盆地
(四川)
チベット自治区
(西藏)
ホントワン山脈
(横断)
ターパー山脈
(大巴)
ターロウ山脈
(大婁)
コイチョウ
(貴州省)
ランチョウ
(蘭州)
シーニン
(西寧)
インチョワン
(銀川)
パオトウ
(包頭)
チョントゥー
(成都)
チョンチン
(重慶)
シーアン
(西安)
ティエンショイ
(天水)
ハンチョン
(漢中)
ナンチョン
(南充)
ミエンヤン
(綿陽)
ルーチョウ
(瀘州)
ローシャン
(楽山)
ウーウェイ
(武威)
チャンイエ
(張掖)
チウチュワン
(酒泉)
チャユーコワン
(嘉峪関)
トンホワン
(敦煌)
ウーハイ
(烏海)
チンチャン
(金昌)
コワンユワン
(広元)
ツーコン
(自貢)
イーピン
(宜賓)
ツンイー
(遵義)

9
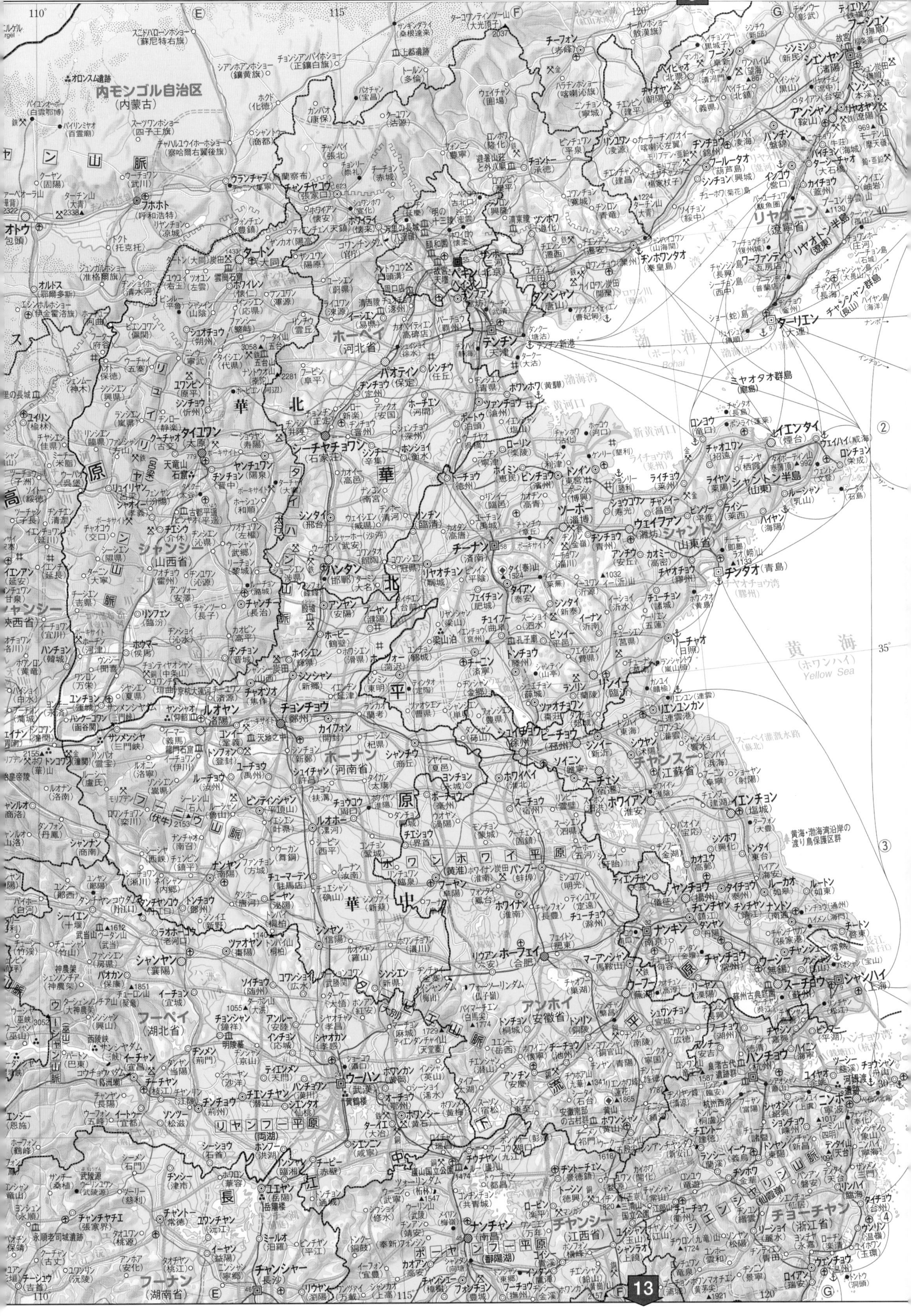
内モンゴル自治区
(内蒙古)
ペキン
(北京)
テンチン
(天津)
ホーペイ
(河北省)
シャンシー
(山西省)
シャントン
(山東省)
ホーナン
(河南省)
チャンスー
(江蘇省)
アンホイ
(安徽省)
フーペイ
(湖北省)
チャンシー
(江西省)
チョーチャン
(浙江省)
フーナン
(湖南省)
リャオニン
(遼寧省)
渤海
(ボーハイ)
Bohai
黄海
(ホワンハイ)
Yellow Sea
シャンハイ
(上海)
ナンキン
(南京)
ウーハン
(武漢)
チンタオ
(青島)
ターリエン
(大連)
シーチヤチョワン
(石家荘)
タイユワン
(太原)
チーナン
(済南)
チョンチョウ
(鄭州)
ホーフェイ
(合肥)
ハンチョウ
(杭州)
ナンチャン
(南昌)
フホホト
(呼和浩特)
シェンヤン
(瀋陽)
華北平原
黄淮平原
リヤンフー平原
ボーヤンフー平原
長江中下流平原
リュイリャン山脈
タイハン山脈
フーニウ山脈
ターピエ山脈
110°
115°
120°
35°
40°
30°
13

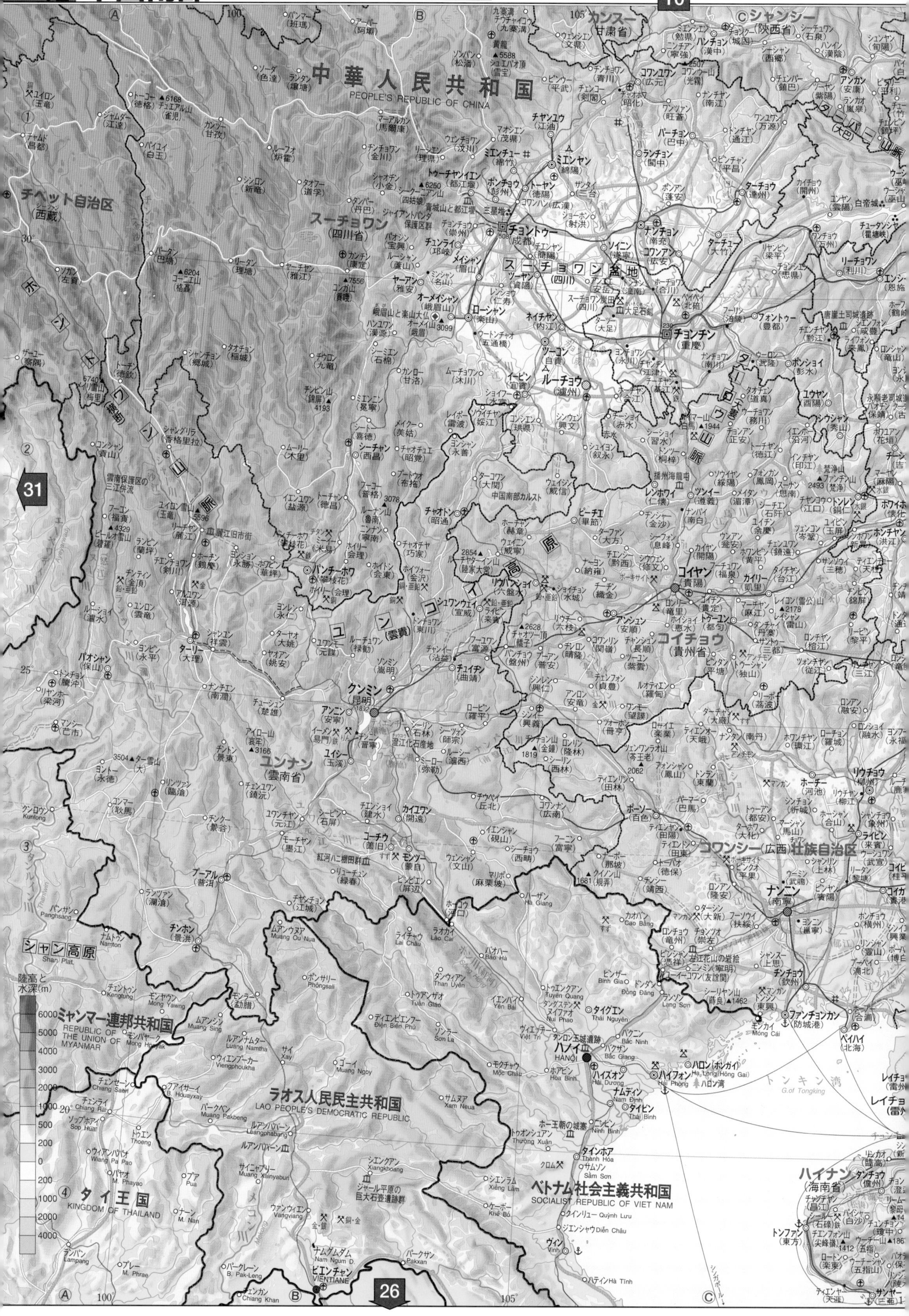

11

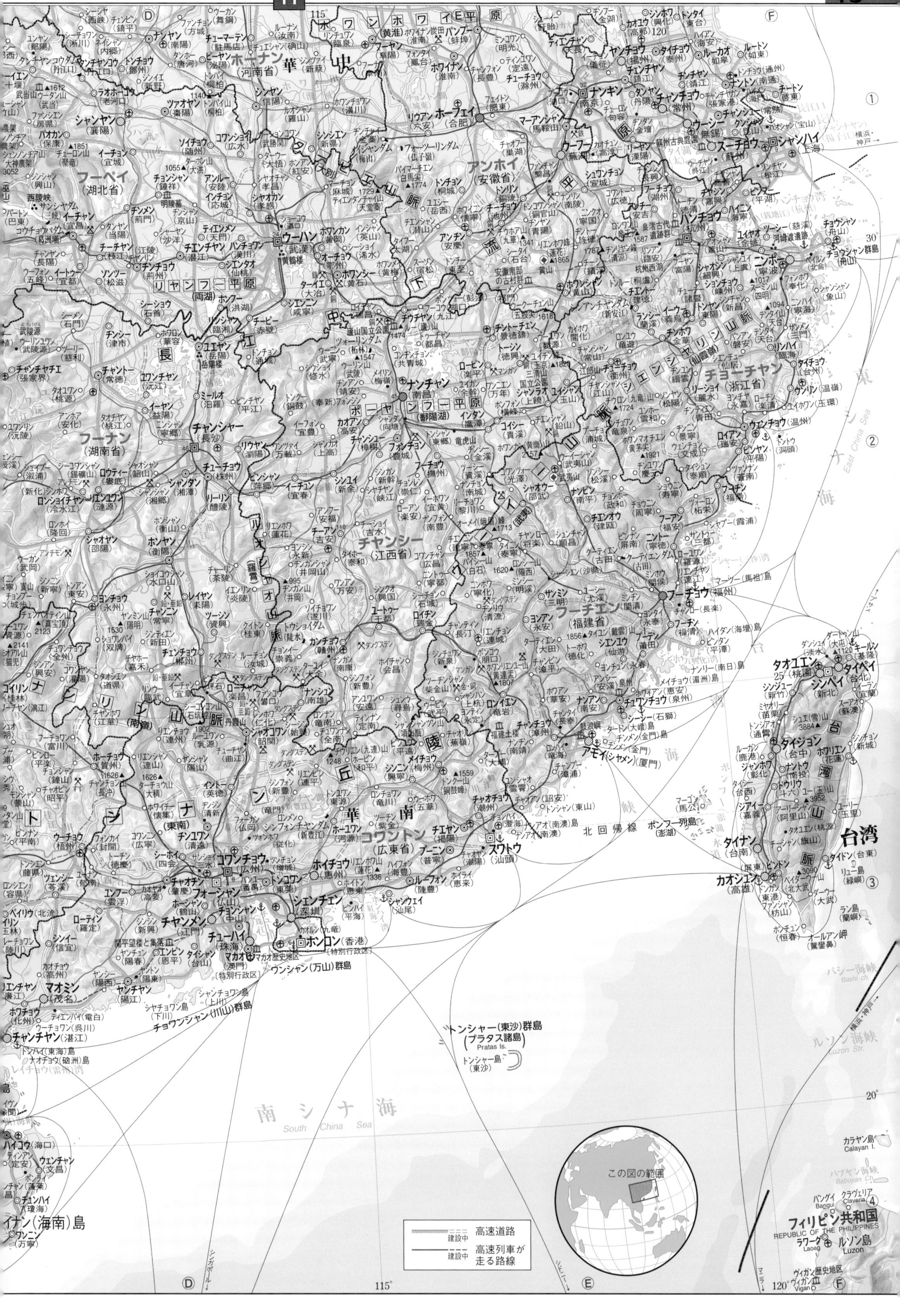

ホーナン(河南省)
フーペイ(湖北省)
アンホイ(安徽省)
フーナン(湖南省)
チャンシー(江西省)
チョーチャン(浙江省)
フーチエン(福建省)
コワントン(広東省)
台湾
ウーハン
ナンチャン
ナンキン
シャンハイ(上海)
ホーフェイ(合肥)
ハンチョウ(杭州)
スーチョウ
ニンポー(寧波)
チャンシャー(長沙)
フーチョウ(福州)
アモイ(シャメン)(厦門)
スワトウ(汕頭)
コワンチョウ(広州)
シエンチエン(深圳)
ホンコン(香港)
マカオ(澳門)
タイペイ(台北)
カオシュン(高雄)
タイナン(台南)
華中平原
長江中下流平原
南嶺山脈
華南丘陵
台湾山脈
北回帰線
東シナ海 East China Sea
南シナ海 South China Sea
トンシャー(東沙)群島 (プラタス諸島) Pratas Is.
ルソン海峡 Luzon Str.
バシー海峡 Bashi ch.
バブヤン海峡 Babuyan Ch.
カラヤン島 Calayan I.
フィリピン共和国 REPUBLIC OF THE PHILIPPINES
ルソン島 Luzon
ラワーグ Laoag
ヴィガン Vigan
ハイナン(海南)島
ハイコウ(海口)
ポンフー列島(澎湖)
高速道路 建設中
高速列車が走る路線 建設中
この図の範囲
115°
120°
30°
20°

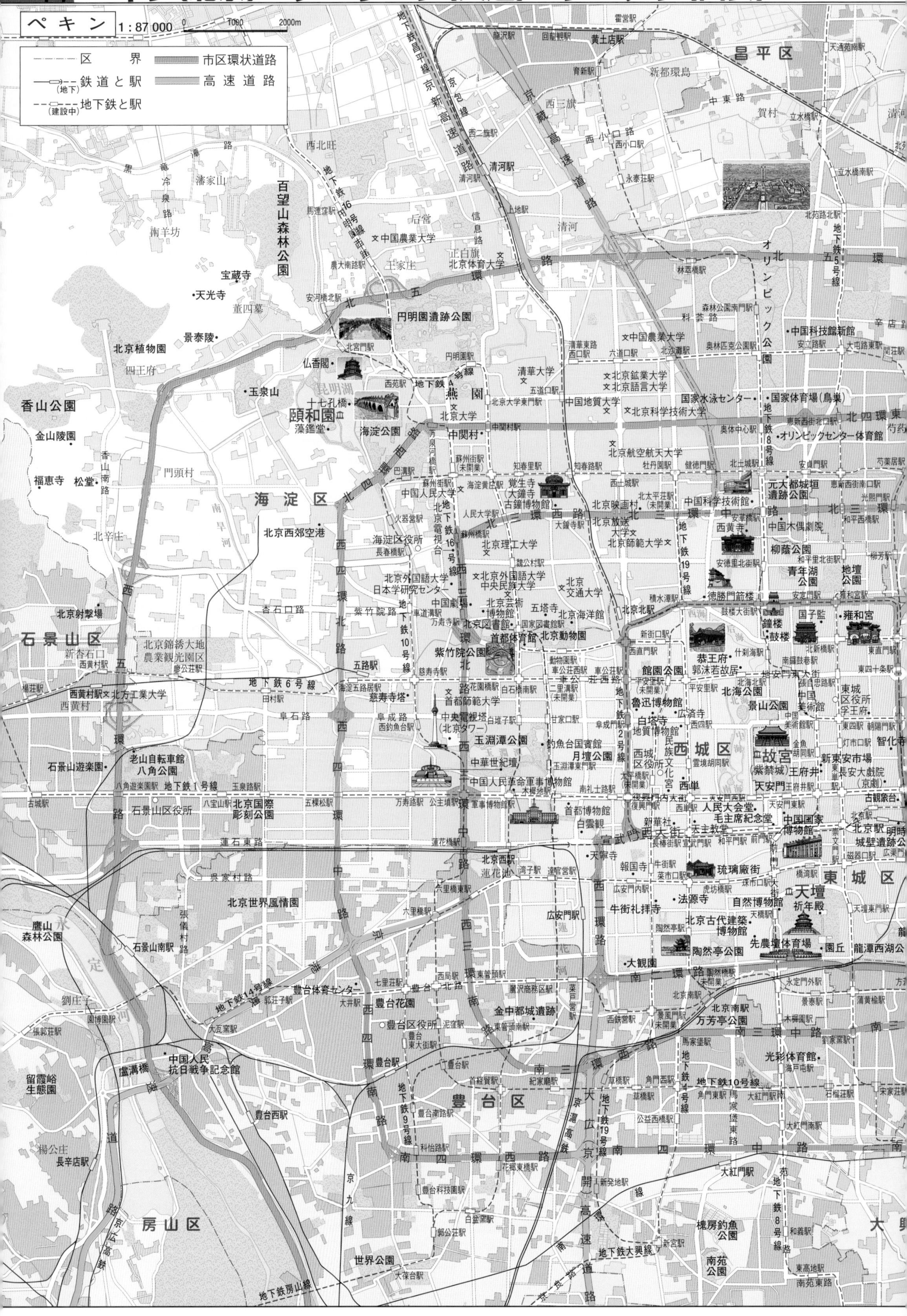

ペキン 1：87 000　0　1000　2000m

凡例：
- ──・──・── 区　界
- ── 鉄道と駅（地下）
- ── 地下鉄と駅（建設中）
- ▨▨ 市区環状道路
- ── 高速道路

（主な地名・駅名・施設名）

昌平区　天通苑南駅　黄土店駅　回龍観駅　龍澤駅

新都環島　中東路　賀村　立水橋南駅　地下鉄5号線

北苑路北駅　立水橋駅　清河駅　永泰荘駅

西北旺　地下鉄16号線　京新高速道路　京蔵高速道路　京包線

西三旗駅　西小口駅　西小口　清河　上地駅

文中国農業大学　北京体育大学　正白旗　王家荘　信息路　五環

百望山森林公園　馬連窪駅　農大南路駅　安河橋北駅　林萃橋駅　森林公園南門駅

宝蔵寺　天光寺　董四墓　円明園遺跡公園　北宮門駅

景泰陵　北京植物園　四王府　仏香閣　円明園駅　清華大学　文中国農業大学　科芸路

香山公園　金山陵園　福恵寺　松堂　玉泉山　十七孔橋　頤和園　藻鑑堂　海淀公園

西苑駅　地下鉄4号線　燕園　北京大学　中関村駅　文北京鉱業大学　文北京語言大学　オリンピック公園

北京大学東門駅　中国地質大学　文北京科学技術大学　国家水泳センター　国家体育場（鳥巣）

奥林匹克公園南門駅　北四環東

門頭村　海淀区　蘇州街駅（未開業）　海淀黄荘駅　知春里駅　知春路駅　北京航空航天大学　健徳門駅　北土城駅　安貞門駅

北京西郊空港　中関村　海淀区役所　長春橋駅　蘇州橋駅　覚生寺（大鐘寺）　古鐘博物館　北京映画村　中国科学技術館　元大都城垣遺跡公園　恵新西街北口駅　光煕門駅

火器営駅　北京外国語大学　北京理工大学　西城区　大鐘寺駅　北京放送　北京師範大学　中安街北駅　西黄寺　中国木偶劇院　和平西橋駅

北辛庄　日本学研究センター　中央民族大学　中国劇院　北京芸術　五塔寺　北京交通大学　安徳里北街駅　柳蔭公園　和平北街駅

北京外郊空港　中国人民大学　人民大学駅　北京図書館　国家図書館駅　北京海洋館　積水潭駅　徳勝門箭楼　青年湖公園　地壇公園

北京射撃場　紫竹院公園北　北京北駅　新街口駅　什刹海　鐘楼　鼓楼　国子監　雍和宮

石景山区　北京錦綉大地農業観光園区　廖公庄駅　首都体育館　北京動物園　動物園駅　西直門駅　恭王府　郭沫若故居　地安門大街　北海公園　東直門駅

新杏石口　西黄村駅　五路駅　地下鉄6号線　慈寿寺　花園橋駅　白石橋南駅　車公荘駅　二里溝駅　平安里駅　景山公園　中国美術館　東四十条駅

慈寿塔　田村駅　首都師範大学　地下鉄2号線　白塔寺　地質博物館　民族文化宮　西四駅　中国美術館

阜石路　阜成門駅　西釣魚台駅　中央電視塔（北京タワー）　玉淵潭公園　玉蜓子駅　家口駅　阜成路　復興門駅　西城区役所　霊境胡同駅　故宮（紫禁城）　王府井　新東安市場（京劇）

老山自転車館　八角公園　西成路　中華世紀壇　中国人民革命軍事博物館　木樨地駅　礼士路駅　復興門　西単駅　天安門　天安門東駅　長安大戯院（京劇）

石景山遊楽園　地下鉄1号線　王泉路駅　軍事博物館駅　公主墳駅　首都博物館　西城区役所　文化宮　西単　人大会堂　天安門西駅　古観象台

八宝山駅　北京国際彫刻公園　五棵松駅　白雲観　新華街　天主教堂　西単大街　毛主席記念堂　中国国家博物館　北京駅　明城壁遺跡公園

石景山区役所　蓮石東路　宣武門大街　宣武門　和平門前駅　文廟　磁器口駅　広渠

鷹山森林公園　北京世界風情園　呉家村路　北京西駅　天寧寺　報国寺　牛街　広安門内駅　琉璃廠街　法源寺　自然博物館　天壇　東城区

六里橋東駅　蓮花池　湾子駅　遠洋営駅　広安門　菜市口駅　虎坊橋駅　天壇祈年殿

六里橋駅　広安門駅　牛街礼拝寺　北京古代建築博物館　天壇東門駅

石景山南駅　張儀村路　広安門駅　陶然亭　北京古代建築博物館　先農壇体育場　園丘　龍潭西湖公園

大観園　陶然亭公園　自然博物館

劉庄子　中国人民抗日戦争記念館　豊台体育センター　西駅　環東管頭駅　北京南駅（未開業）

張郭荘駅　園博園駅　大井駅　郭荘子駅　豊台花園　豊台区役所　泥窪駅　金中都城遺跡　馬家堡駅　南三環中路

大瓦窯駅　豊台東大街駅　環東管頭駅　方荘亭公園　永定門外駅　蒲黄楡駅

楊公庄　留霞峪生態園　盧溝橋　中国人民抗日戦争記念館　地下鉄14号線　豊台駅　北京南駅　北京南駅　光彩体育場　海戸屯駅

長辛店駅　豊台西駅　豊台南駅　首経駅　紀家廟駅　草橋駅　角門西駅　角門東駅　大紅門駅　地下鉄10号線

地下鉄9号線　科怡路駅　花郷橋東駅　新発地駅　地下鉄19号線　公益西橋駅　地下鉄4号線

房山区　世界公園　豊台科技園駅　郭公庄駅　新宮駅　南四環中路　地下鉄8号線

地下鉄房山線　地下鉄大興線　大紅門駅　南苑公園　大興　東高地駅　槐房釣魚駅　和義駅

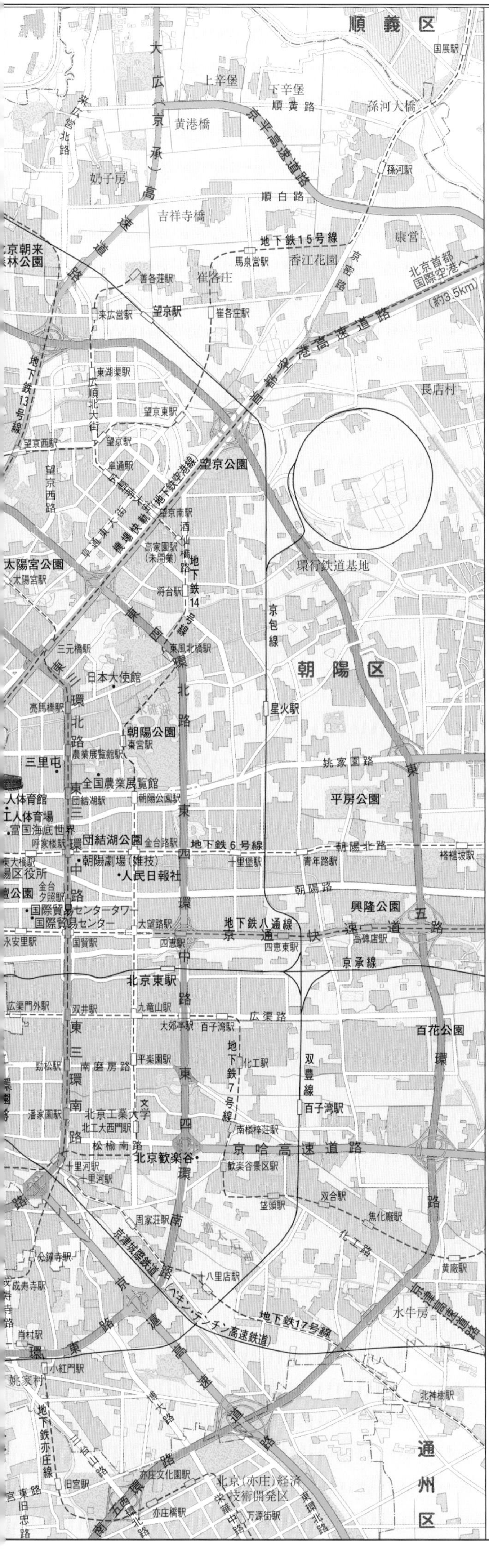

ペキン郊外

イエンチン区（延慶）

ホーペイ（河北省）

コワンティン湖

万里の長城

ホワイロウ区（懐柔）

ミーユン区（密雲）

ホーペイ

明の十三陵

ヤンファン（陽坊）

チャンピン区（昌平）

シュンイー区（順義）

ピングー区（平谷）

ミャオフォン山 1290

北京首都国際空港

テンチン（天津市

メントウコウ区（門頭溝）

故宮 天壇

トンチョウ区（通州）

ペキン（北京）

サンホー（三河）

ターチャン（大廠）

ホーペイ（河北省）

パイホワ山 1990（百花）

シーホワ頂（石花）

ファンシャン区（房山）

ターシン区（大興）

1：1 500 000

0　　20km

シャンホー（香河）

ペキン市街地

区役所

ターリエン　1：113 000

シーアン　1：100 000

業務・商業中心地

文教・公共施設

工業地・倉庫用地

住宅地

公園・緑地

その他

鉄道と駅

地下鉄と駅

明代の城壁

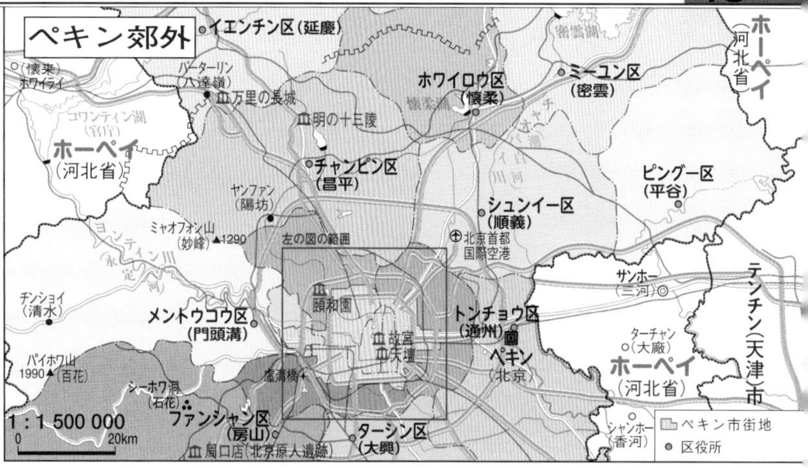

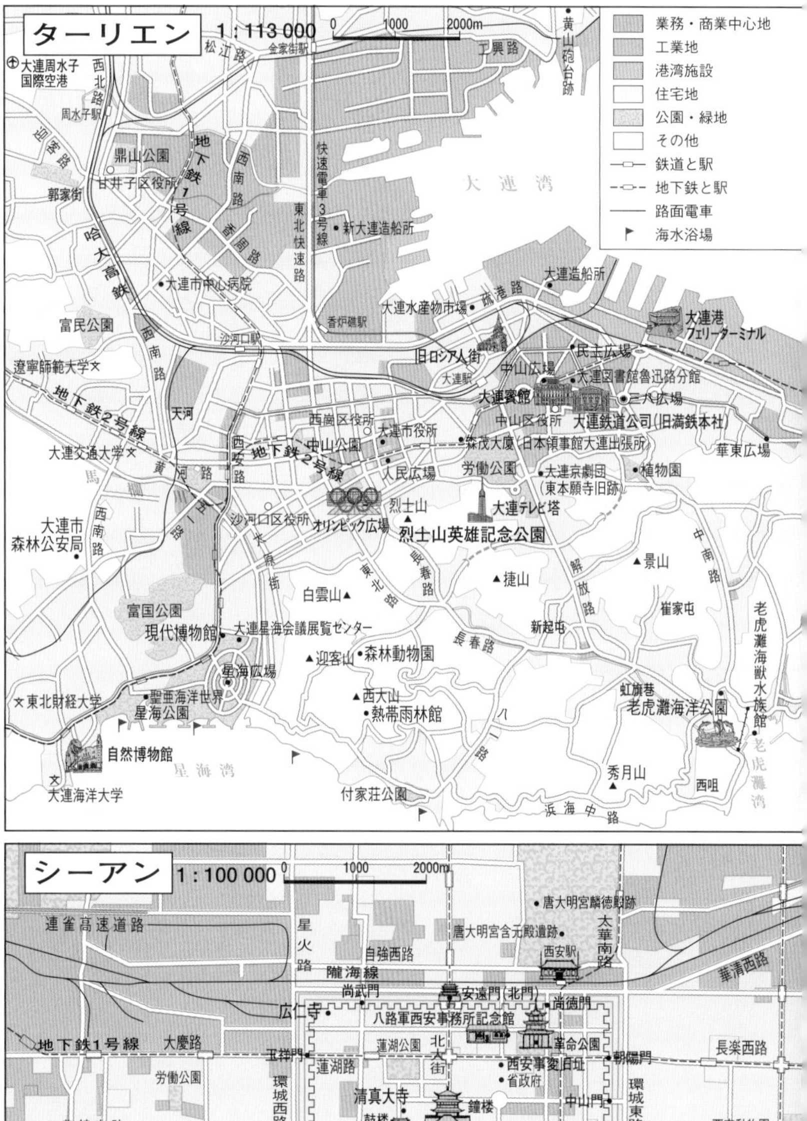

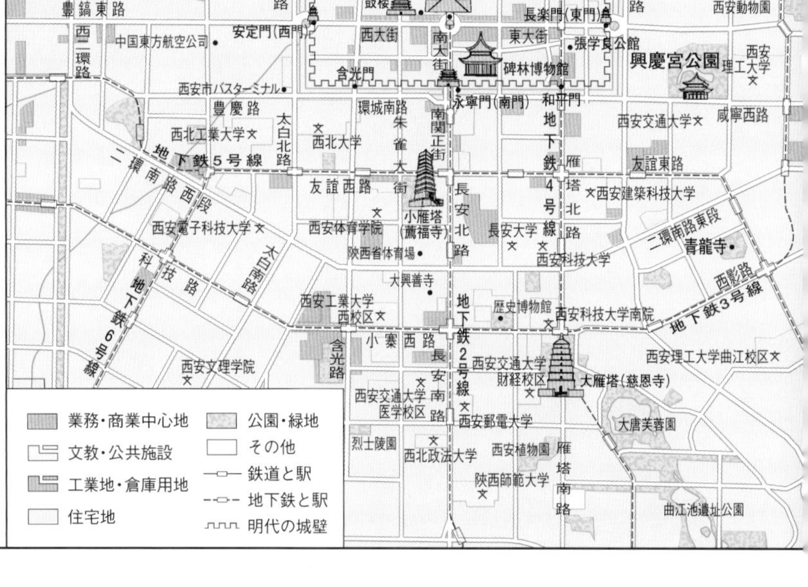

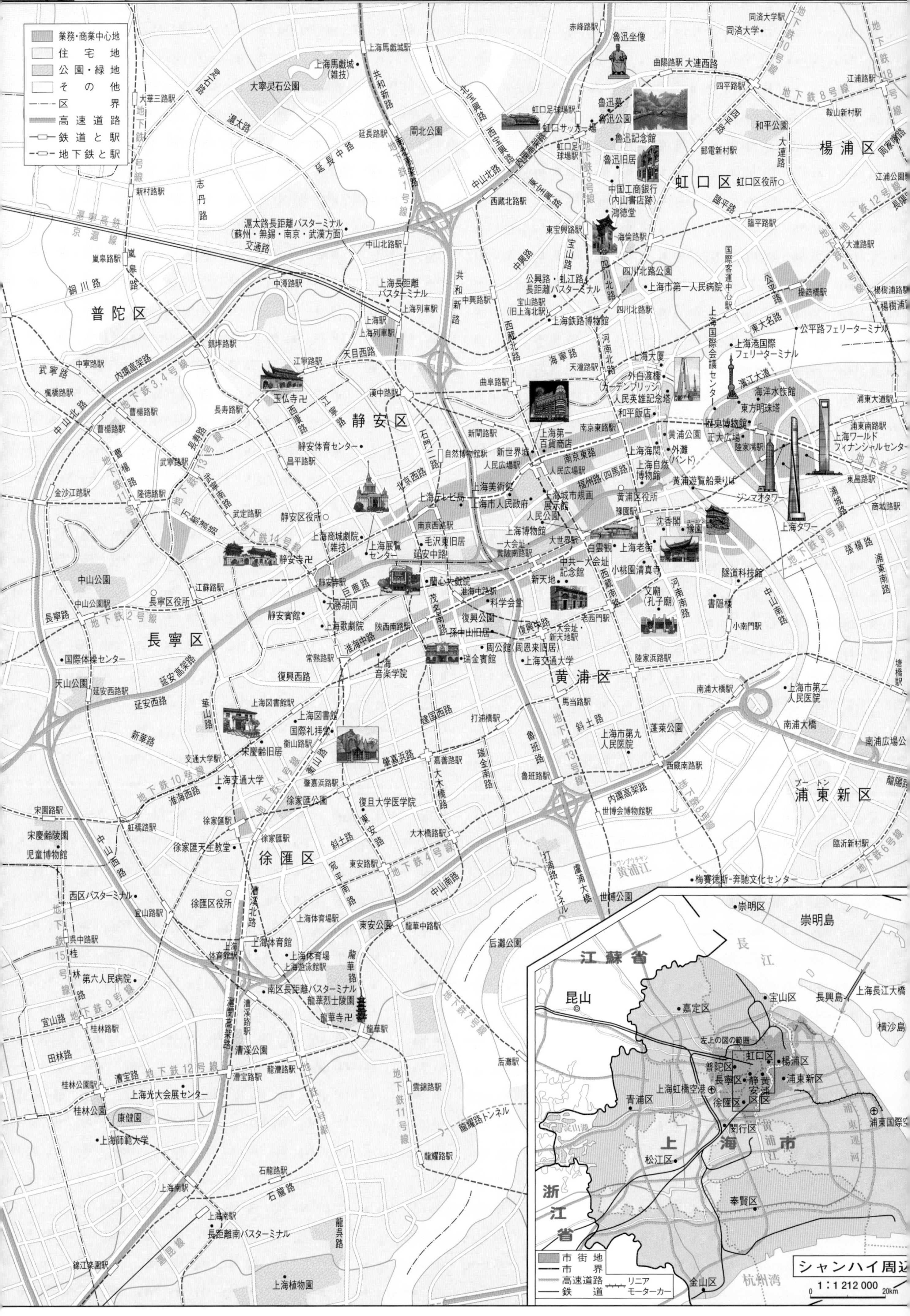

業務・商業中心地
住　宅　地
公園・緑地
そ　の　他
区　界
高速道路
鉄道と駅
地下鉄と駅

普陀区
静安区
長寧区
徐匯区
黄浦区
虹口区
楊浦区
浦東新区

大寧灵石公園
上海馬戯城（雑技）
共和新路
赤峰路駅
魯迅坐像
同済大学駅
同済大学
地下鉄10号線

大華三路駅
閘北公園
延長路駅
曲陽路駅　大連西路
四平路駅
江浦路駅

志丹路
新村路駅
延長中路
虹口足球場駅
魯迅墓　魯迅公園
和平公園
鞍山新村駅

嵐皐路駅　嵐泉
上海長距離バスターミナル（蘇州・無錫・南京・武漢方面）交通路
中山北路駅
虹口サッカー場
魯迅記念館
郵電新村駅
和平公園駅

銅川路
中潭路駅
上海長距離バスターミナル
虹口足球場駅下海
魯迅旧居
大連路

嵐泉路駅
中潭路駅
西藏北路駅
中国工商銀行（内山書店跡）
虹口区役所

武寧路
中寧路駅
上海列車駅
中興路駅
宝山路駅
海倫路駅
臨平路

中山北路
曹楊路駅
上海列車駅
公興路・虹江路長距離バスターミナル（旧上海北駅）
四川北路公園
上海市第一人民病院
提籃橋駅

楓橋路駅
徳徳路駅
天目西路
四川北路駅
上海港国際フェリーターミナル

玉仏寺卍
江寧路駅
漢中路駅
上海鉄路博物館
外白渡橋（ガーデンブリッジ）
上海国際会議中心駅
公平路フェリーターミナル

長寿路駅
曲阜路駅
上海大厦
外白渡橋
濱江大道
上海港国際フェリーターミナルセンタ

自然博物館卍
新聞路駅
北京西路
人民英雄記念塔
和平飯店
海洋水族館
東方明珠塔

金沙江路駅
静安体育センター
昌平路駅
上海第一百貨商店
南京東路駅
上海海関
外灘（バンド）
延安東路駅
正大広場
陸家嘴駅
上海タワー駅

中山公園駅
上海テレビ局
上海美術館
上海自然博物館
黄浦公園
上海ワールドフィナンシャルセンター

武定路駅
静安寺卍
人民広場駅
上海市人民政府
福州路（四馬路）
黄浦遊覧船乗り場
ジンマオタワー

静安寺駅
上海城市規画展示館
人民公園
上海博物館
黄浦区役所
東昌路駅

中山公園
静安区役所
上海商城劇院（雑技）
南京西路駅
大会堂
豫園
商城路駅

長寧路
江蘇路駅
上海展覧中心
延安中路
大世界
白雲観　上海老街
隧道科技館

国際体操センター
静安公園
巨鹿路
恵心大飯店
中共一大会址記念館
小桃園清真寺
張楊路駅

天山公園
大勝胡同
淮海中路
科学会堂
新天地
文廟（孔子廟）
浦東南路駅

延安西路駅
静安賓館
茂名路駅
復興公園
中山公園駅
陝西南路駅
孫中山旧居
毛主席記念館
書隠楼
中山南路駅

延安西路
常熟路駅
復興中路
復興公園駅
新天地駅
天大会址
大会堂
小南門駅

華山路
復興西路
上海音楽学院
陸家浜路駅

新華路
上海図書館駅
国際礼拝堂
建国西路
打浦橋駅
馬当路駅
陸家浜路駅
黄浦区

宋園路駅
上海図書館
衡山路
肇嘉浜路
大木橋駅
魯班路
上海市第九人民医院
南浦大橋駅
上海市第二人民医院

宋慶齢旧居
宋慶齢陵園
国際礼拝堂
嘉善路駅
大木橋路
斜士路
蓬莱公園
南浦大橋

児童博物館
交通大学駅
上海交通大学
徐家匯公園
瑞金南路駅
魯班路駅
西藏南路駅

西区バスターミナル
虹橋路駅
徐家匯駅
復旦大学医学院
大木橋駅
瑞金南路
世博会博物館駅
浦東新区

宜山路駅
淮海西路
徐家匯
斜土路
打浦路トンネル
内環高架路

西区バスターミナル
徐家匯天主教堂
宛平南路駅
中山南路駅
打浦路トンネル
盧浦大橋
黄浦江
臨沂新村駅
地下鉄6号線

徐匯区役所
東安路駅
世博公園
梅賽徳斯-奔馳文化センター

漕溪北路
上海体育場駅
東安公園
龍華中路駅
后灘公園

第六人民病院
上海体育場
上海遊泳館
龍華路
后灘駅

宜山路
桂林路駅
上海体育館
南区長距離バスターミナル
龍華烈士陵園
雲錦路駅

田林路
桂林公園駅
漕宝路駅
龍華寺卍
龍漕路駅
龍華駅

桂林公園
上海光大会展センター
上海南駅
龍耀路駅

健康園
上海師範大学
石龍路駅
石龍路

長距離南バスターミナル
上海南駅

錦江楽園駅
龍呉路
上海植物園

江蘇省
浙江省
上海市
浦東新区

崇明島
崇明区
長江
上海長江大橋
長興島
横沙島

昆山
嘉定区
宝山区

左上の図の範囲
虹口区
楊浦区

上海虹橋空港
普陀区
長寧区
静安区
黄浦区
徐匯区

青浦区
松江区
閔行区
黄浦江
浦東国際空港

奉賢区
金山区
杭州湾

市街地
市界
高速道路
鉄道
リニアモーターカー

20km

ocr

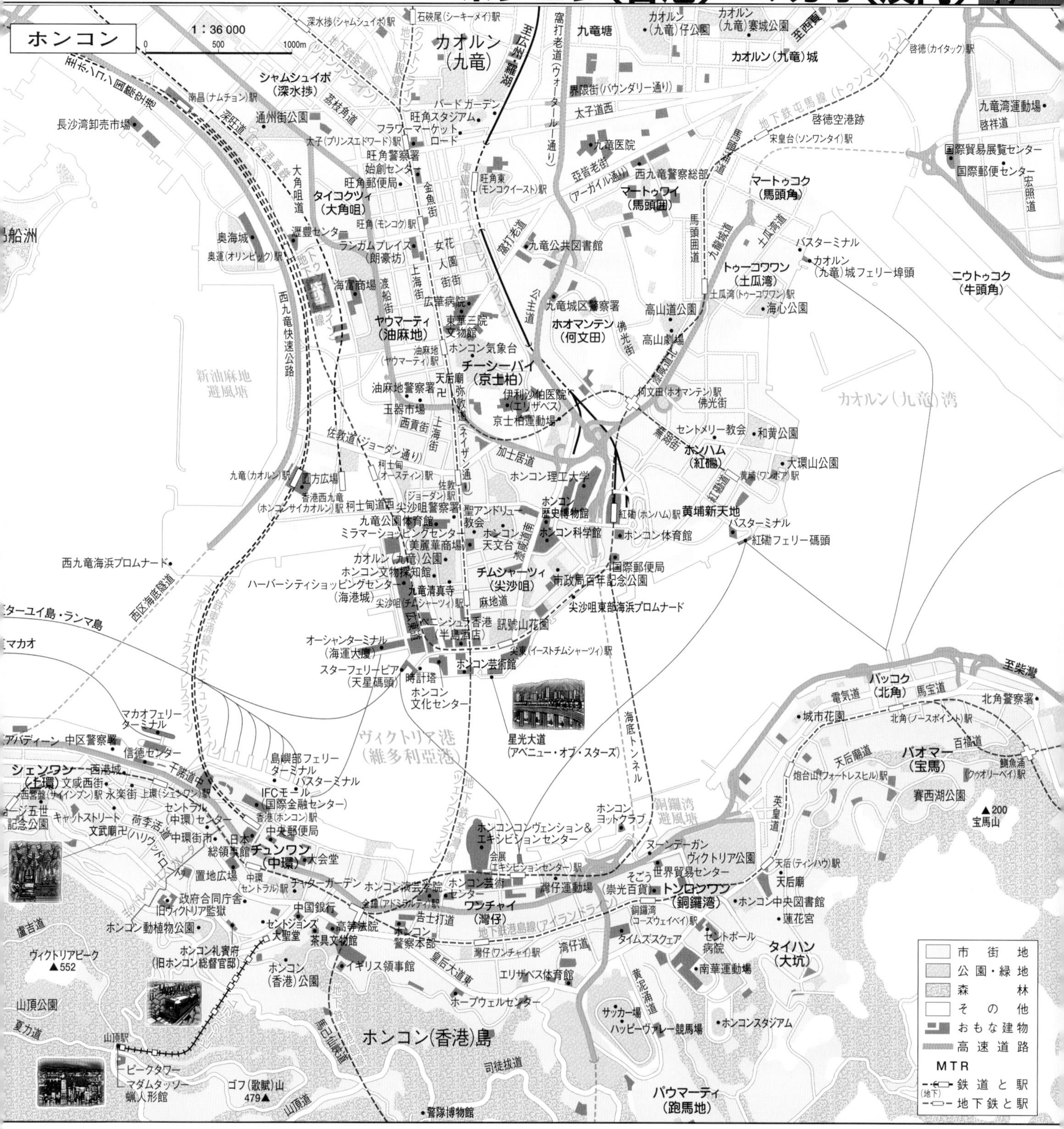

ホンコン

1:36 000
0　500　1000m

石硤尾（シーキーメイ）駅
深水埗（シャムシュイポ）駅
カオルン（九竜）
富打老道（ウォータール一通り）
九竜塘
カオルン（九竜）仔公園
カオルン（九竜）寨城公園
啓徳（カイタック）駅
九竜湾運動場

シャムシュイポ（深水埗）
界限街（バウンダリー通り）
カオルン（九竜）城
啓祥道
太子道西
バードガーデン
旺角スタジアム
フラワーマーケット
フラワーロード
太子（プリンスエドワード）駅
旺角警察署
始創センター
旺角郵便局
金魚街
ランガムプレイス（朗豪坊）
女花人園街市
海富商場
渡船街
上海街
旺角（モンコクイースト）駅
旺角（モンコク）駅
九竜公共図書館
亜皆老街（アーガイル通り）
西九竜警察総部
マートゥコク（馬頭囲）
マートゥコク（馬頭角）
九竜医院
九竜湾
九竜城区警察署
高山道公園
高山劇場
海心公園
トゥーコワワン（土瓜湾）
カオルン（九竜）城フェリー埠頭
ニウトゥコク（牛頭角）
国際貿易展覧センター
国際郵便センター
バスターミナル

奥海城
奥海（オリンピック）駅
タイコクツィ（大角咀）
渥豊センター
ヤウマーティ（油麻地）
チーシーパイ（京士柏）
華華病院
東華三院
ホンコン気象台
油麻地（ヤウマーティ）駅
天后廟
伊利沙伯医院（エリザベス）
京士柏運動場
ホオマンテン（何文田）
何文田（ホオマンテン）駅
佛光街
セントメリー教会
和黄公園
ホンハム（紅磡）
大環山公園
黄埔（ワンポア）駅

佐敦道（ジョーダン通り）
九竜（カオルン）駅
圓方広場
柯士甸（オースティン）駅
香港西九竜（ホンコンサイカオルン）駅
九竜公園体育館
ミラマーショッピングセンター
美麗華商場
カオルン（九竜）公園
ホンコン文物探知館
ハーバーシティショッピングセンター（海港城）
九竜清真寺
尖沙咀（チムシャーツィ）駅
オーシャンターミナル（海運大廈）
スターフェリーピア（天星碼頭）
時計塔
ホンコン文化センター
星光大道（アベニュー・オブ・スターズ）

ジョーダン通り
柯士甸道
加士居道
ホンコン理工大学
ホンコン歴史博物館
聖アンドリュー教会
ホンコン海防博物館
ホンコン天文台
ホンコン科学館
黄埔新天地
紅磡（ホンハム）駅
バスターミナル
紅磡フェリー碼頭
チムシャーツィ（尖沙咀）
国際郵便局
市政局百年記念公園
尖沙咀東部海浜プロムナード

西九竜海浜プロムナード
西九竜快速公路
新油麻地避風塘
西区海底隧道
西区海底トンネル

ヴィクトリア港（維多利亞港）

海底トンネル

バッコク（北角）
馬宝道
北角警察署
電気道
城市花園
北角（ノースポイント）駅
パオモー（宝馬）
百福道
鰂魚涌
クォーリーベイ（鰂魚涌）駅
炮台山（フォートレスヒル）駅
天后廟道
賽西湖公園
▲200 宝馬山

マカオフェリーターミナル
アバディーン・中区警察署
信徳センター
島嶼部フェリーターミナル
バスターミナル
IFCモール（国際金融センター）
香港（ホンコン）駅
中央郵便局
中環（セントラル）駅
ホンコンコンヴェンション＆エキシビションセンター
会展（エキシビションセンター）駅
ヌーンデーガン
ホンコンヨットクラブ
世界貿易センター
そごう百貨
銅鑼湾（コーズウェイ）駅
天后（ティンハウ）駅
天后廟
ホンコン中央図書館
蓮花宮

シェンワン（上環）・西港城
文咸西街
西営盤（サイインプン）駅
永楽街
上環（シェンワン）駅
セントラル（中環）センター
荷李活道
中環郵便局
ジョージ五世記念公園
キャットストリート
文武廟（旧）
ハリウッド
チュンワン（中環）・大会堂
政府合同庁舎
旧ヴィクトリア監獄
中国銀行
セントジョンズ大聖堂
茶具文物館
ホンコン演芸学院
金鐘（アドミラルティ）駅
ホンコン芸術センター
ワンチャイ（灣仔）
吉士打道
湾仔（ワンチャイ）駅
湾仔道
銅鑼湾（コーズウェイ）駅
タイムズスクエア
セントポール病院
トンロンワン（銅鑼湾）

ヴィクトリアピーク ▲552
山頂公園
夏力道
山頂駅
ピークタワー
マダムタッソー蝋人形館
ゴフ（歌賦）山 479▲
山頂道
盧吉道
警隊博物館

ホンコン動植物公園
ホンコン礼賓府（旧ホンコン総督官邸）
ホンコン（香港）公園
イギリス領事館
日本総領事館
添馬（タマー）
ホンコン警察本部
エリザベス体育館
ホープウェルセンター
サッカー場
ハッピーヴァレー競馬場
ホンコンスタジアム
黄泥涌道
南華運動場
タイハン（大坑）
ホンコン（香港）島
パウマーティ（跑馬地）
跑馬地
囚徒抜道

（凡例）
市街地
公園・緑地
森林
その他
おもな建物
高速道路
MTR
鉄道と駅
地下鉄と駅

（マカオ中心部）
市街地
公園・緑地
おもなカジノ

カモンエス公園（白鴿巣賈梅士公園）
廬康若花園
国父記念館（孫文記念館）
二龍喉花園
松山ロープウェイ
東望洋山
聖アントニオ教会
聖ポール天主堂跡（大三巴牌坊）
マカオ博物館
マカオ歴史地区
マカオ中央図書館
モンテの砦（大砲台）
ハイライフ
珠海・深圳行フェリー乗場・ポンテ16
三街会館
ヴァスコ・ダ・ガマ記念像
ギア灯台（松山燈塔）
マカオパレス
マカオフェリーターミナル
聖オーガスティン広場
民政総署
聖ドミニコ教会
ゴールデン・ドラゴン
聖オーガスティン教会
セナド広場
大堂（カテドラル）
ランカイフォン
サンズ
フィッシャーマンズ・ワーフ
聖ヨセフ修道院・聖堂
ジョルジェ・アルヴァレス像
ドン・ペドロ5世劇場
麻地道
リオ
グランドラパ
ダイアモンド
ファラオ・パレス
ワールドトレードセンター
聖ローレンス教会
政府総部（旧政府庁舎）
フォーチュナ
スター・ワールド
グランド・リスボア
リスボア
カムペック友誼広場
バビロン
鄭家屋敷
リラウ広場
音楽噴水
ウイン・マカオ
マカオ文化センター
媽閣廟
港務局
MGMグランド
観音像
聖ローレンス記念像
+ベネシア教会
南湾湖
マカオタイパ橋
海事博物館
旧マカオ総督官邸（礼賓府）
媽閣山
西湾湖
マカオタイパ大橋
マカオタワー

マカオ中心部
1:40 000
0　500　1000m

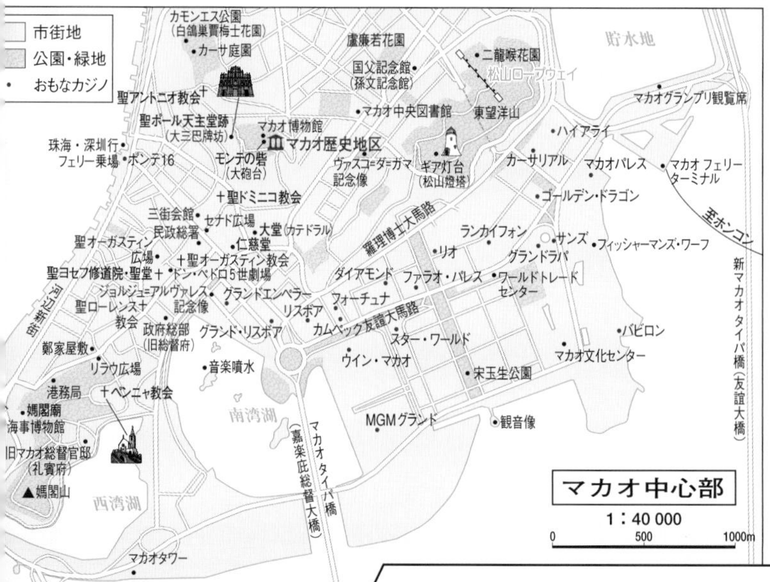

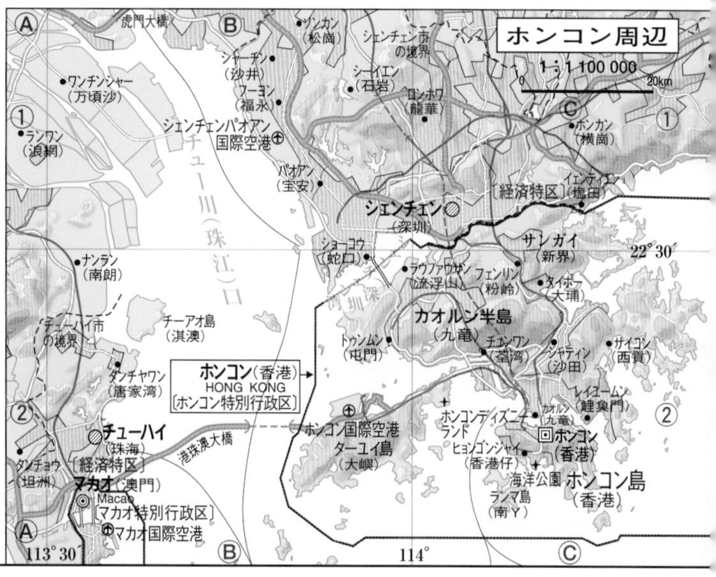

（ホンコン周辺）
1:1 100 000
0　20km

虎門大橋
シーチェン（沙井）
サンガン（松岡）
ワンチンシャー（万頃沙）
フーヨン（福永）
ロンホワ（龍華）
シェンチェンパオアン国際空港
バオアン（宝安）
チューチアン（珠江）川（珠江口）
ランタン（浪崗）
ナンラン（南朗）
ションコウ（蛇口）
チューハイ（珠海）
タンチャウ（唐家湾）
チューチアタオ島（淇澳）
チーアオ島（淇澳）
シェンチェン（深圳）
サンガイ（新界）
ラウファウシャン（流浮山）
フェンリン（粉嶺）
トゥンムン（屯門）
チュンマン（荃湾）
シャーティン（沙田）
サイゴン（西貢）
カオルン半島（九竜・屯門）
ホンコン（香港）HONG KONG（ホンコン特別行政区）
ホンコンディズニーランド
ランタオ島（大嶼山）
ホンコン国際空港
ターユイ島（大嶼）
レイユンムン（鯉魚門）
シティ（市区）
ヒョンゴンジャイ（香港仔）
チューハイ（珠海）経済特区
タンチャウ（唐家湾）
マカオ（澳門）Macau マカオ特別行政区
マカオ国際空港
港珠澳大橋
海洋公園
ホンコン島（香港）
ランマ島（南丫）
ターユイ島・ランマ島
マカオ
経済特区
塩田
ホンカン（横崗）
22°30'
113°30'　114°

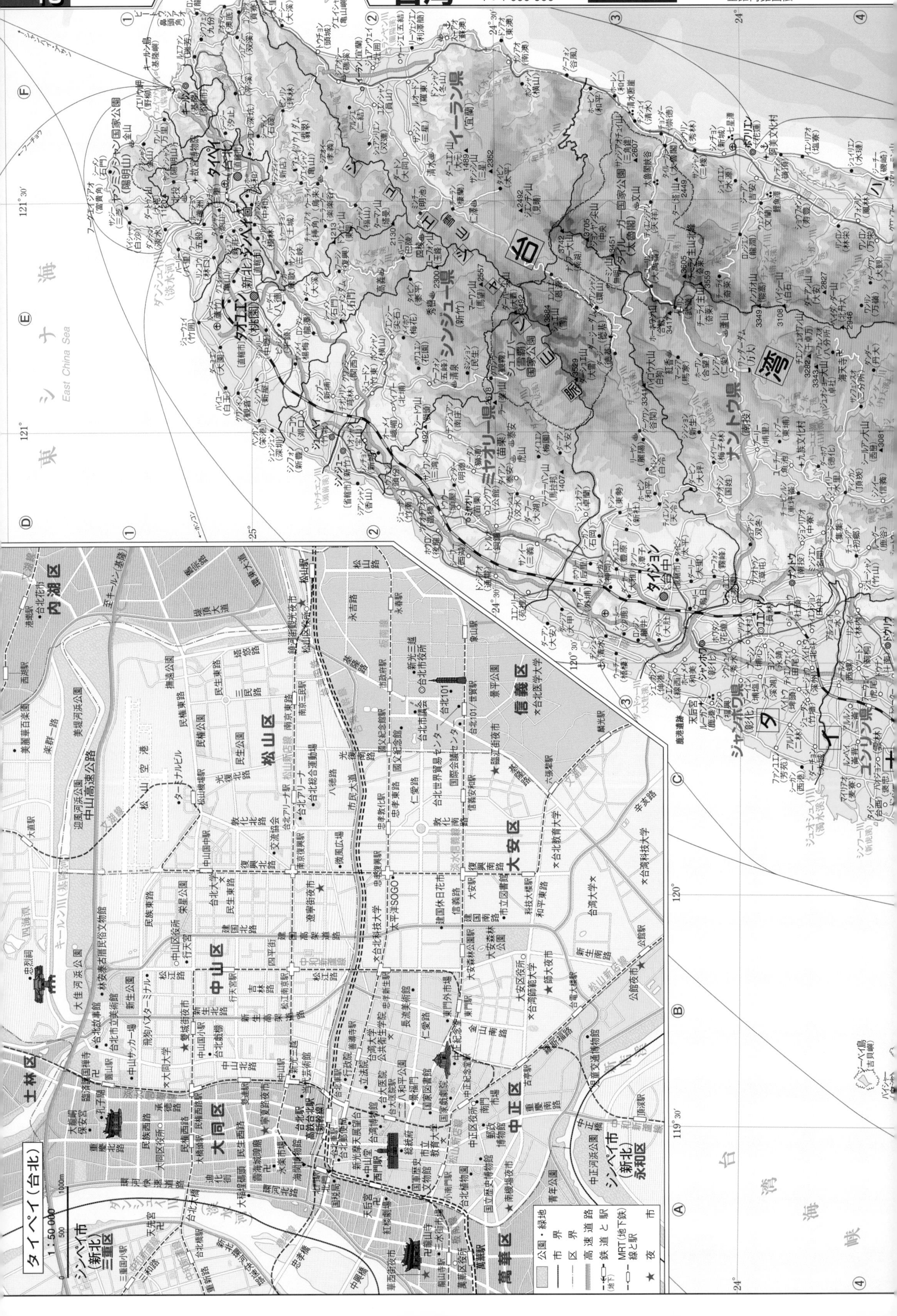

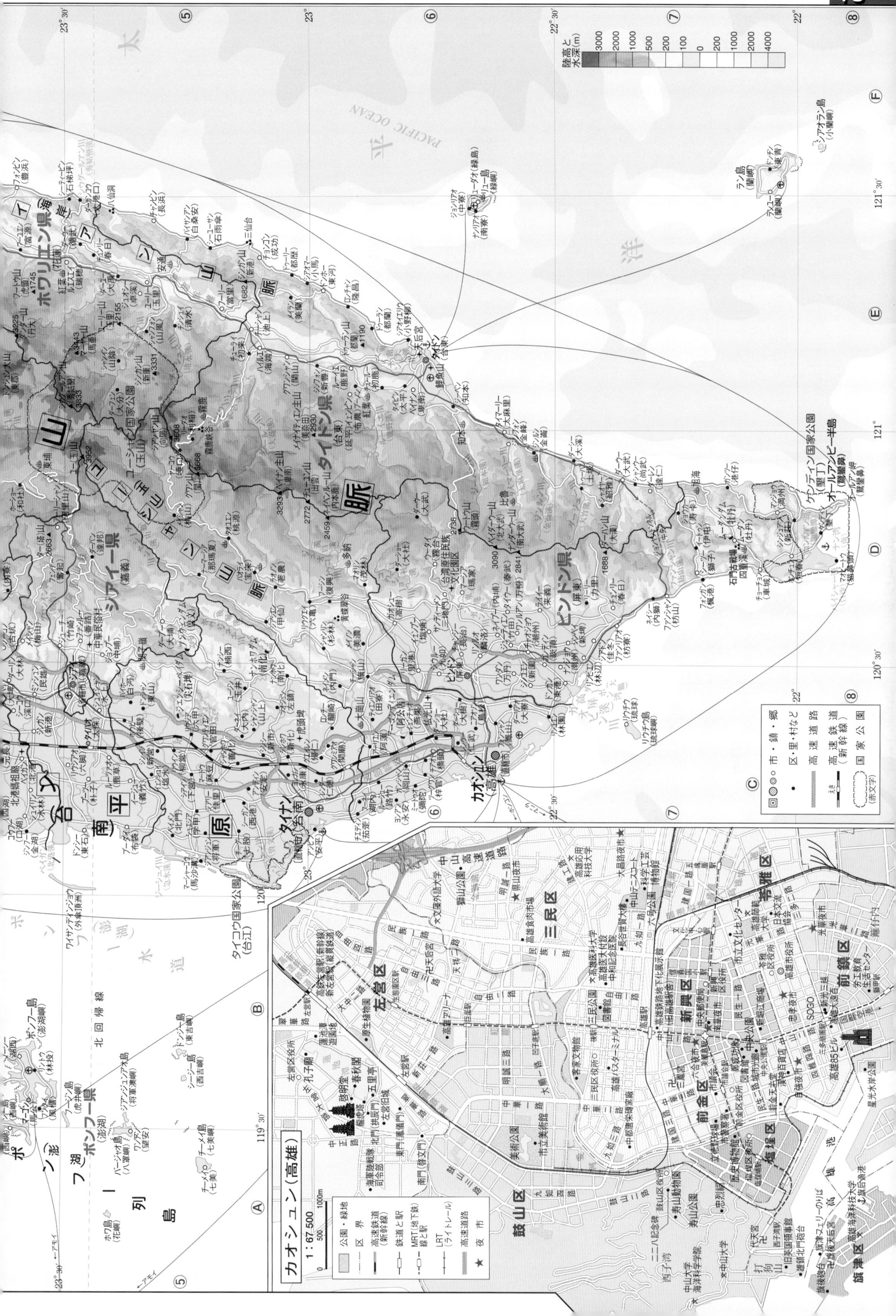
19
カオシュン(高雄)
1：67 500
0 500 1000m
公園・緑地
区界
高速鉄道（新幹線）
鉄道と駅
MRT（地下鉄）線と駅
LRT（ライトレール）
高速道路
夜市
鼓山区
左営区
三民区
新興区
前金区
苓雅区
塩埕区
前鎮区
旗津区
高雄港
高雄駅
左営駅
高鉄左営駅（新幹線）
新左営駅（縦貫鉄道）
孔子廟
啓明堂
春秋閣
龍虎塔
五里亭
蓮池潭
原生植物園
高雄アリーナ
文藻外語大学
獅山公園
中山高速道路
県山夜市
高雄食肉市場
高雄応用科技大学
高雄医科大学
高雄医大付設中和記念医院
長谷世貿大樓
大昌路夜市
中山テニスコート
科学工芸博物館
六号公園
高雄鉄路地下化展示館（旧高雄駅舎）
三民公園
図書館
三民区役所
客家文物館
高雄バスターミナル
中都唐栄磚窯廠
美術公園
市立美術館
寿山動物園
寿山公園
鼓山区役所
二二八記念碑
西子湾
中山大学
海洋科学学院
忠烈祠
打狗山
代天宮
西子湾駅
旧英国領事館
雄鎮北門砲台
旗後砲台
旗津フェリーのりば
旗津天后宮
高雄海洋科技大学
旗后漁港
歴史博物館
市警察署
市議会
塩埕区役所
立徳野球場
前金区役所
六合夜市
美麗島駅
中央郵便局
南華夜市
新興区役所
中央公園
新堀江商場
漢神百貨店
自強夜市
市立文化センター
高雄師範大学
苓雅区役所
高雄市役所
日本交流協会
忠孝夜市
SOGO
新光三越
高雄85ビル
光華夜市
労工教育生活センター
星光水岸公園
ポンフー県
ポンフー島（澎湖嶼）
マーゴン（馬公）
北回帰線
ポンフー（澎湖）列島
ワイサンディンジョウ（外傘頂洲）
タイコウ国家公園（台江）
タイナン（台南）
カオシュン（高雄）
南平原
ジアイー県（嘉義）
ジアイー（嘉義）
ユーシャン国家公園（玉山）
ユー（玉）山 3952
ホワリエン県（花蓮）
タイドン県（台東）
タイドン（台東）
ピンドン県（屏東）
ピンドン（屏東）
ユーシャン山脈
中央山脈
海岸山脈
リウチウ島（琉球嶼）
リュー島（緑島）
ラン島（蘭嶼）
シアオラン島（小蘭嶼）
ケンディン国家公園（墾丁）
オールアンビー半島
オールアンビー岬（鵞鑾鼻）
太平洋
PACIFIC OCEAN
陸高と水深（m）
3000
2000
1000
500
200
100
0
200
1000
2000
4000
市・鎮・郷
区・里・村など
高速道路
高速鉄道（新幹線）
国家公園（赤文字）

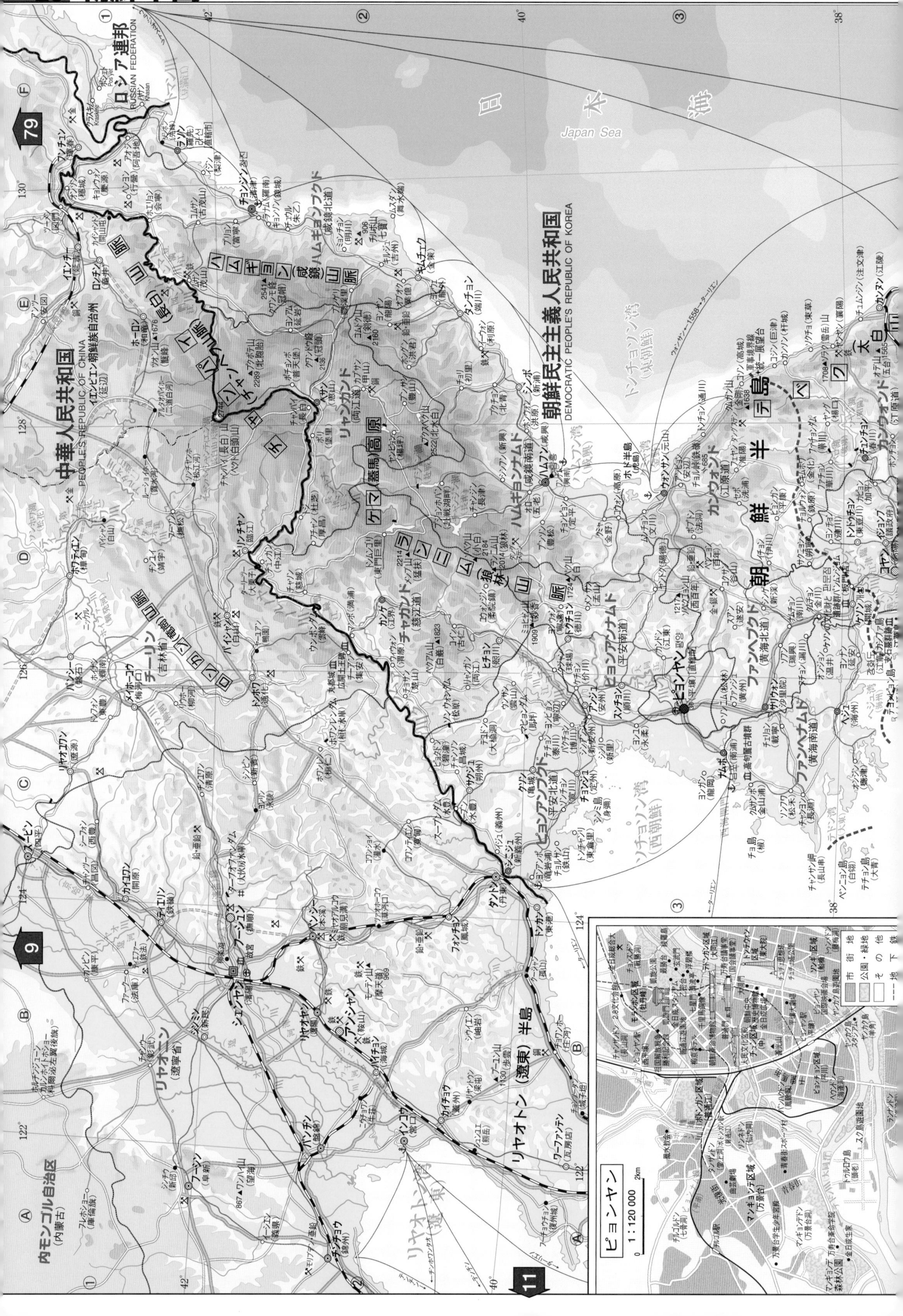

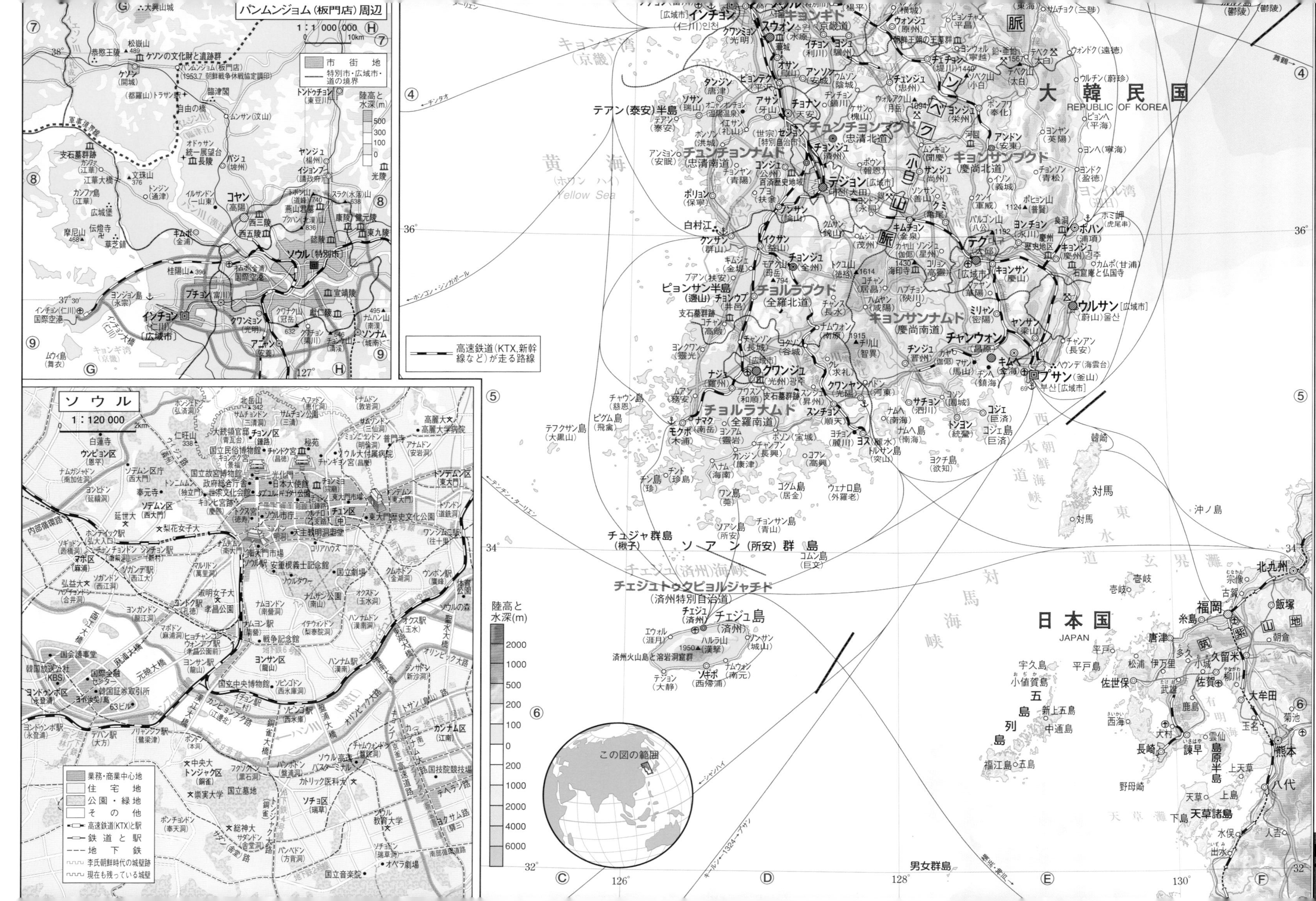
大韓民国
REPUBLIC OF KOREA
日本国
JAPAN
パンムンジョム(板門店)周辺
1：1 000 000
市街地
特別市・広域市・道の境界
陸高と水深(m)
ケソンの文化財と遺跡群
パンムンジョム(板門店)
1953.7 朝鮮戦争休戦協定調印
ソウル[特別市]
インチョン(仁川)[広域市]
インチョン(仁川)国際空港
ソウル
1：120 000
業務・商業中心地
住宅地
公園・緑地
その他
高速鉄道(KTX)と駅
鉄道と駅
地下鉄
李氏朝鮮時代の城壁跡
現在も残っている城壁
高速鉄道(KTX,新幹線など)が走る路線
キョンギド
チュンチョンブクド
チュンチョンナムド
キョンサンブクド
キョンサンナムド
チョルラブクド
チョルラナムド
チェジュトゥクピョルジャチド
(済州特別自治道)
テジョン(大田)[広域市]
テグ(大邱)[広域市]
クワンジュ(光州)[広域市]
ウルサン(蔚山)[広域市]
プサン(釜山)[広域市]
チェジュ島
ハルラ山 1950(漢拏)
済州火山島と溶岩洞窟群
黄海
(ホワン ハイ)
Yellow Sea
朝鮮海峡
対馬海峡
玄界灘
対馬
壱岐
五島列島
男女群島
福岡
北九州
熊本
長崎
佐世保
この図の範囲
陸高と水深(m)
2000
1000
500
200
100
0
200
1000
2000
4000
6000

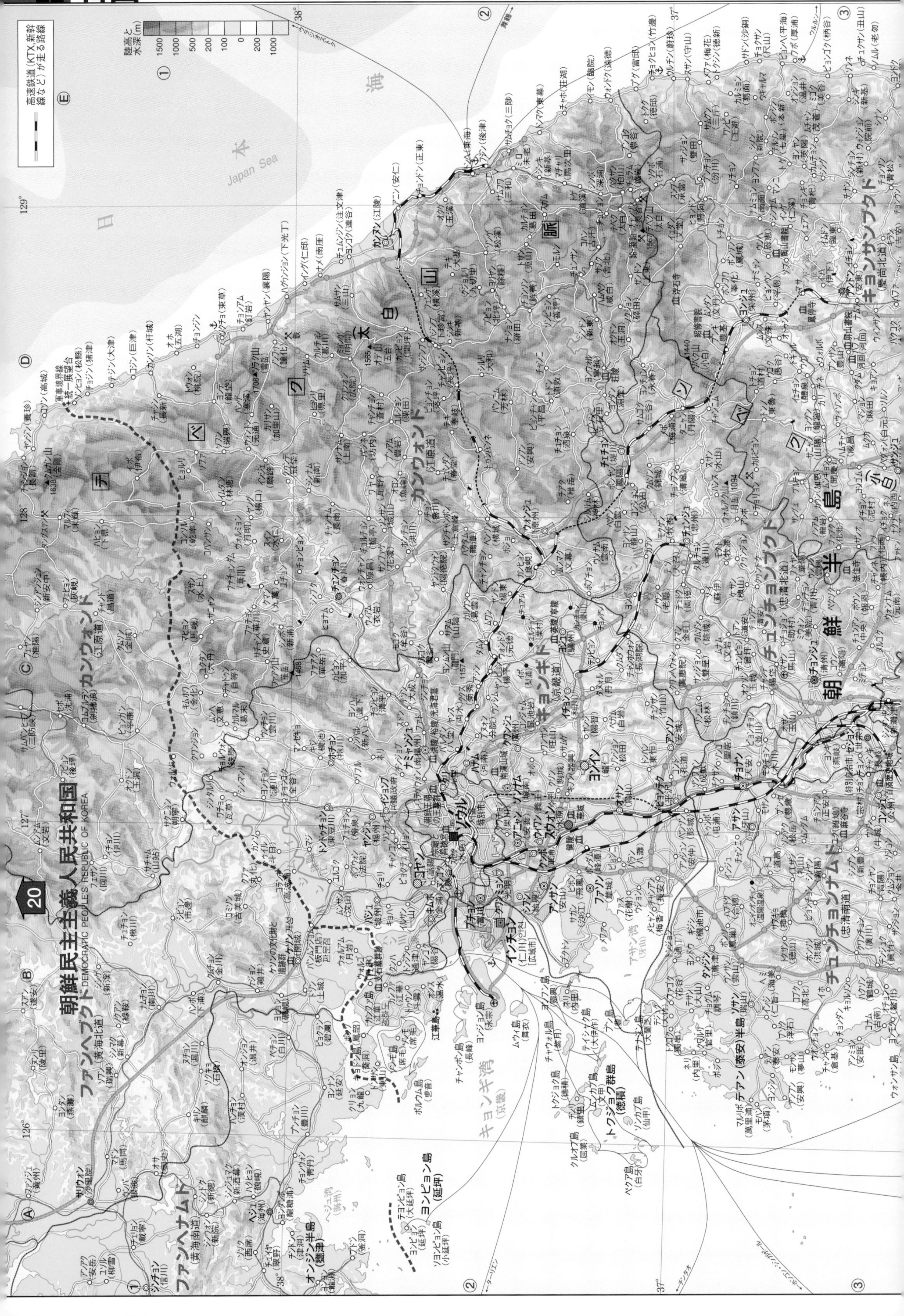
陸高と水深(m)
高速鉄道(KTX,新幹線など)が走る路線
日本海
Japan Sea
朝鮮民主主義人民共和国
DEMOCRATIC PEOPLE'S REPUBLIC OF KOREA
ソウル
インチョン
スウォン
カンウォンド
キョンギド
チュンチョンブクト
チュンチョンナムド
キョンサンブクト
ファンヘブクト
ファンヘナムド
太白山脈
小白山脈
朝鮮半島
チョンジュ
ヨンピョン島
オンジン半島
テアン半島
トクジョク群島

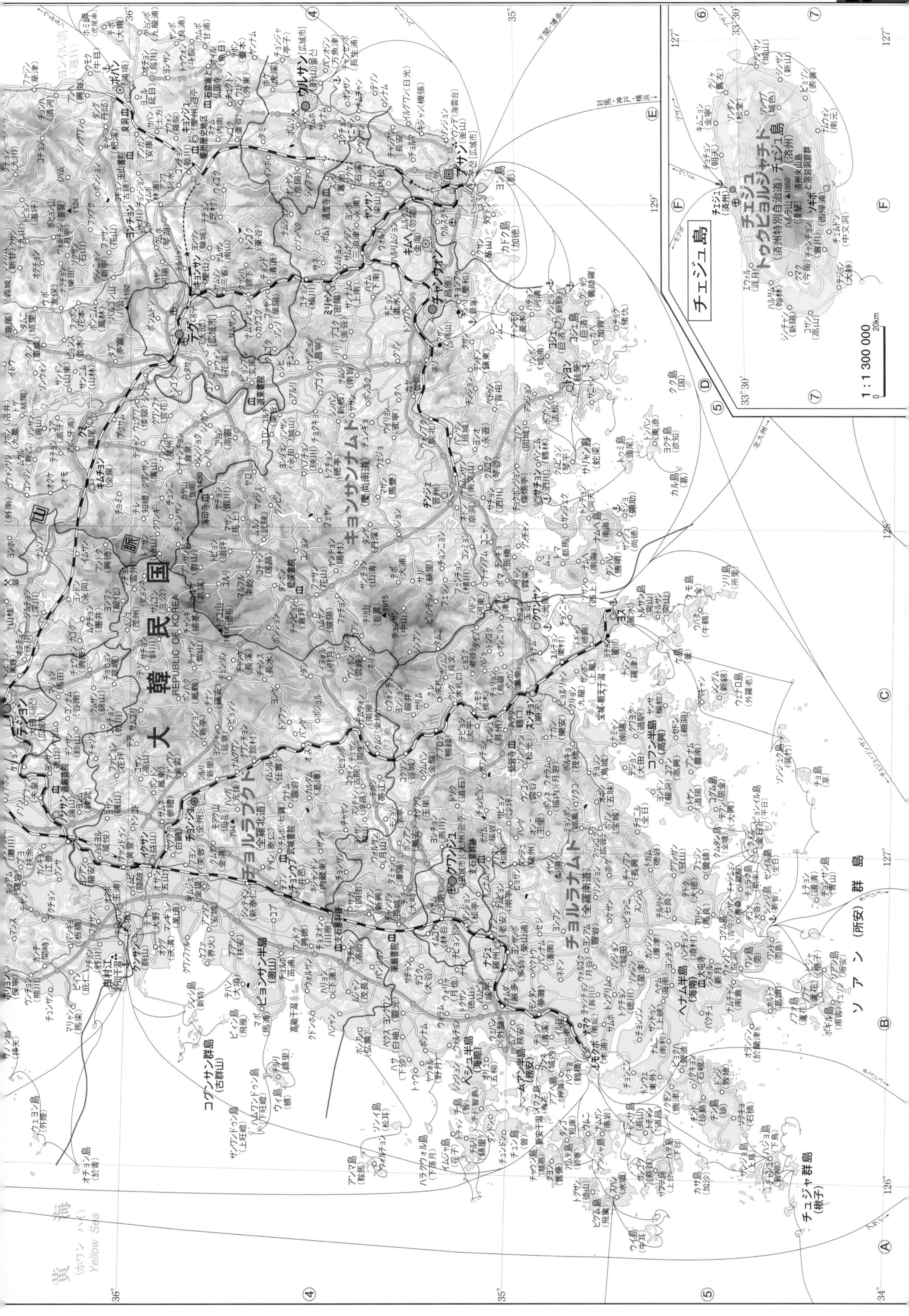

大韓民国
REPUBLIC OF KOREA
キョンサンナムド
(慶尚南道)
チョルラプクト
(全羅北道)
チョルラナムド
(全羅南道)
チェジュ島
チェジュトゥクピョルジャチド
(済州特別自治道)
チェジュ島
1:1 300 000
20km
黄海
(ホワン ハイ)
Yellow Sea
ソアン (所安) 群島
チュジャ群島
(楸子)
コグンサン群島
(古群山)
テグ
プサン
ウルサン
クワンジュ
チョンジュ
マサン
チンジュ
ヨス
モクポ
クンサン
ピョンサン半島
(邊山)
ヘナム半島
(海南)
コフン半島
(高興)
コジェ島
(巨済)
ナムヘ島
(南海)

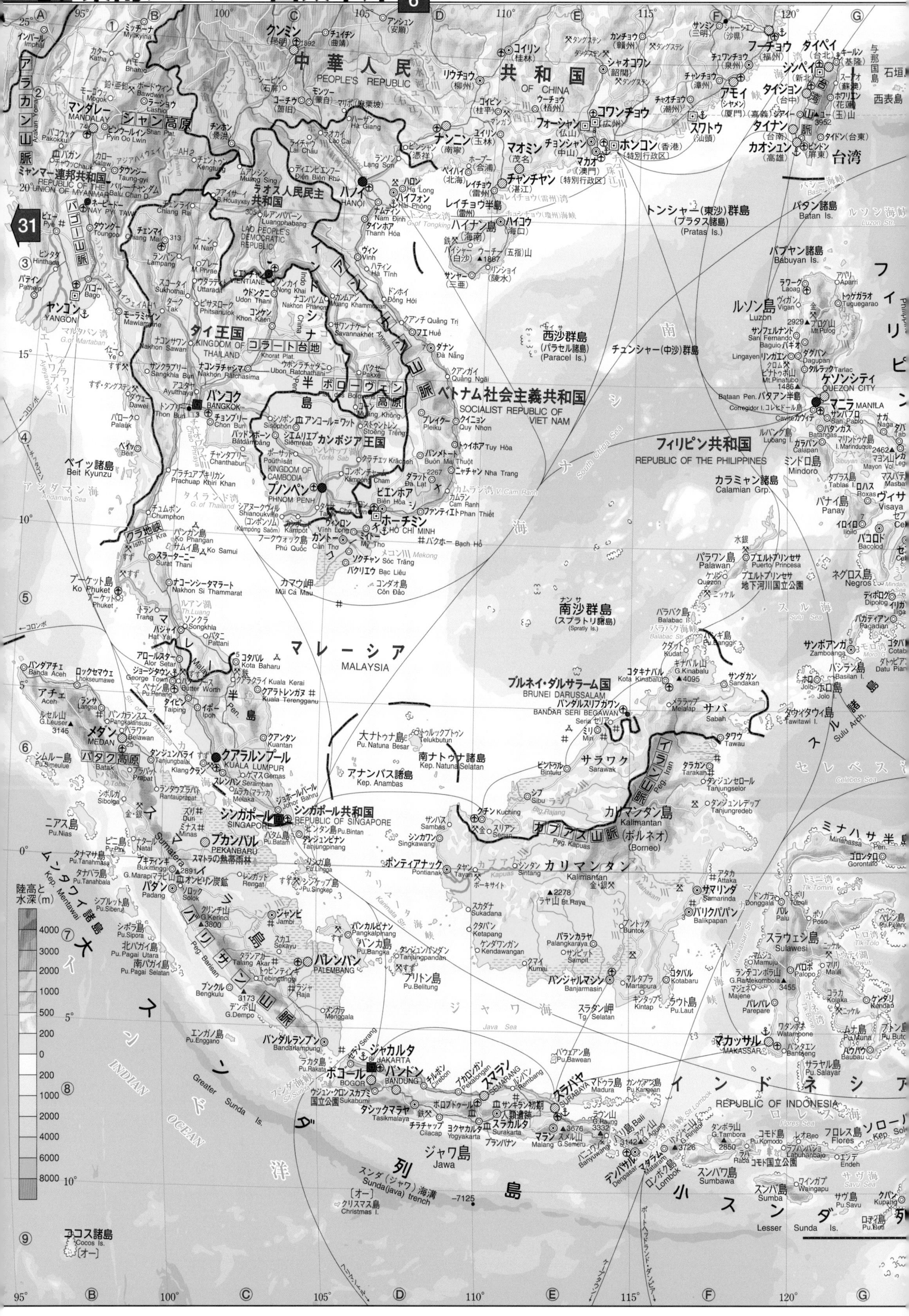
1：15 860 000
0 250 500km
ランベルト正積方位図法
31
中華人民共和国
PEOPLE'S REPUBLIC OF CHINA
ミャンマー連邦共和国
REPUBLIC OF THE UNION OF MYANMAR
ラオス人民民主共和国
LAO PEOPLE'S DEMOCRATIC REPUBLIC
タイ王国
KINGDOM OF THAILAND
カンボジア王国
KINGDOM OF CAMBODIA
ベトナム社会主義共和国
SOCIALIST REPUBLIC OF VIET NAM
フィリピン共和国
REPUBLIC OF THE PHILIPPINES
マレーシア
MALAYSIA
ブルネイ・ダルサラーム国
BRUNEI DARUSSALAM
シンガポール共和国
REPUBLIC OF SINGAPORE
インドネシア
REPUBLIC OF INDONESIA
台湾
南シナ海
South China Sea
インド洋
INDIAN OCEAN
ジャワ海
Java Sea
スル海
Sulu Sea
セレベス海
Celebes Sea
アンダマン海
Andaman Sea
タイランド湾
G. of Thailand
トンキン湾
G. of Tongking
ハノイ
HANOI
バンコク
BANGKOK
ヤンゴン
YANGON
ビエンチャン
VIENTIANE
プノンペン
PHNOM PENH
ホーチミン
HO CHI MINH
マニラ
MANILA
クアラルンプール
KUALA LUMPUR
シンガポール
SINGAPORE
ジャカルタ
JAKARTA
バンダルスリブガワン
BANDAR SERI BEGAWAN
ホンコン(香港)
マカオ(澳門)
タイペイ(台北)
ルソン島
Luzon
カリマンタン島
Kalimantan
(ボルネオ)
(Borneo)
ジャワ島
Jawa
スマトラ島
Sumatera
スラウェシ島
Sulawesi
ハイナン島
パラワン島
Palawan
ミンダナオ島
西沙群島
(パラセル諸島)
(Paracel Is.)
南沙群島
(スプラトリ諸島)
(Spratly Is.)
トンシャー(東沙)群島
(プラタス諸島)
(Pratas Is.)
大スンダ列島
Greater Sunda Is.
小スンダ列島
Lesser Sunda Is.
マレー半島
インドシナ半島
アラカン山脈
シャン高原
コラート台地
ボローヴェン高原
チュオンソン山脈
バリサン山脈
イラン山脈
バタク高原
クラ地峡
スンダ(ジャワ)海溝
Sunda(Java) trench
−7125
ココス諸島
Cocos Is.
クリスマス島
Christmas I.
陸高と水深(m)
4000
3000
2000
1000
500
200
0
200
1000
2000
4000
6000
8000
95° 100° 105° 110° 115° 120°
25° 20° 15° 10° 5° 0° 5° 10°

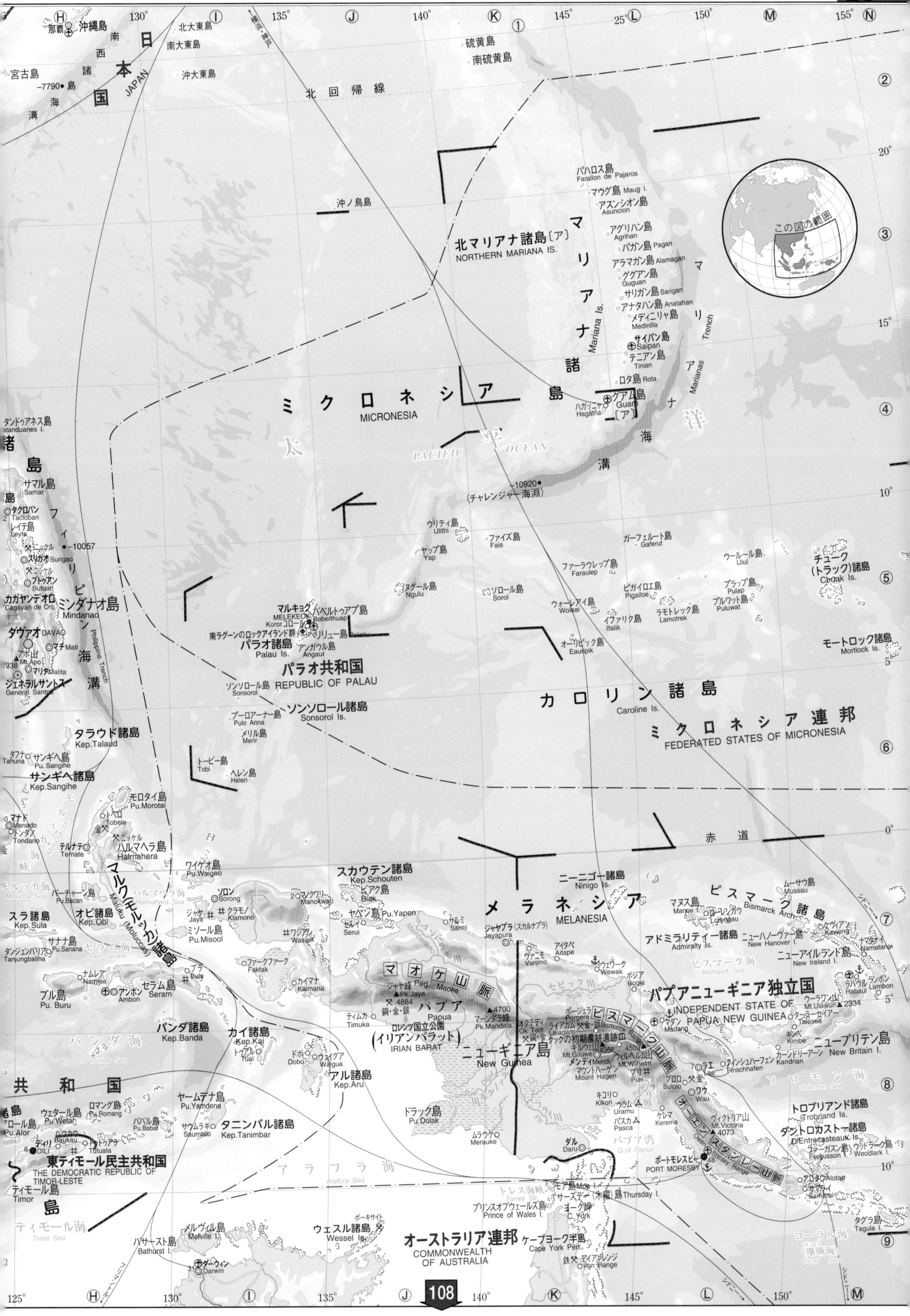
沖縄島
那覇
宮古島
南西諸島
日本国
JAPAN
北大東島
南大東島
沖大東島
硫黄島
南硫黄島
北回帰線
沖ノ鳥島
パハロス島
Farallon de Pajaros
マウグ島 Maug I.
アスンシオン島
Asuncion
アグリハン島
Agrihan
パガン島 Pagan
アラマガン島 Alamagan
ググアン島
Guguan
サリガン島 Sarigan
アナタハン島 Anatahan
メディニリャ島
Medinilla
サイパン島
Saipan
テニアン島
Tinian
ロタ島 Rota
グアム島
Guam
ハガッニャ
Hagåtña
北マリアナ諸島〔ア〕
NORTHERN MARIANA IS.
マリアナ諸島
Mariana Is.
マリアナ海溝
Marianas Trench
この図の範囲
ミクロネシア
MICRONESIA
太平洋
PACIFIC OCEAN
−10920
(チャレンジャー海淵)
ウリティ島
Ulithi
ファイス島
Fais
ガーフェルート島
Gaferut
ヤップ島
Yap
ファーラウレップ島
Faraulep
ウールール島
Ulul
チューク(トラック)諸島
Chuuk Is.
ヌグール島
Ngulu
ソロール島
Sorol
ピガイロエ島
Pigailoe
プラップ島
Pulap
ウォーレアイ島
Woleai
ラモトレック島
Lamotrek
プルワット島
Puluwat
イファリク島
Ifalik
マルキョク
MELEKEOK
バベルトゥアプ島
Babelthuap
コロール
Koror
ペリリュー島
Peleliu
南ラグーンのロックアイランド群
アンガウル島
Angaur
パラオ諸島
Palau Is.
パラオ共和国
REPUBLIC OF PALAU
オーリピック島
Eauripik
モートロック諸島
Mortlock Is.
ソンソロール島
Sonsorol
ソンソロール諸島
Sonsorol Is.
カロリン諸島
Caroline Is.
ミクロネシア連邦
FEDERATED STATES OF MICRONESIA
プーロアーナー島
Pulo Anna
メリル島
Merir
トービー島
Tobi
ヘレン島
Helen
赤道
カタンドゥアネス島
Catanduanes I.
サマル島
Samar
タクロバン
Tacloban
レイテ島
Leyte
フィリピン諸島
−10067
スリガオ
Surigao
ブトゥアン
Butuan
カガヤンデオロ
Cagayan de Oro
ミンダナオ島
Mindanao
ダヴァオ
DAVAO
アポ山
Mt.Apo
マチ
Mati
マリタ
Malita
ジェネラルサントス
General Santos
フィリピン海溝
Philippine Trench
タラウド諸島
Kep.Talaud
タフナ
Tahuna
サンギヘ島
Pu.Sangihe
サンギヘ諸島
Kep.Sangihe
モロタイ島
Pu.Morotai
マナド
Manado
トンダノ
Tondano
トベロ
Tobele
モルッカ海峡
Molucca Str.
テルナテ
Ternate
ハルマヘラ島
Halmahera
モルッカ海
Molucca Sea
マルク(モルッカ)諸島
Maluku (Moluccas)
ワイゲオ島
Pu.Waigeo
ハルマヘラ海
Halmahera Sea
バチャン島
Pu.Bacan
オビ諸島
Kep.Obi
ソロン
Sorong
マノクワリ
Manokwari
スカウテン諸島
Kep.Schouten
ビアク島
Biak
ヤペン島 Pu.Yapen
スラ諸島
Kep.Sula
ジャヤ
Jaya
クラモノ
Klamono
ミソール島
Pu.Misool
ワシアン
Wasian
セルイ
Serui
サルミ
Sarmi
ジャヤプラ(スカルナプラ)
Jayapura
サナナ島
Pu.Sanana
セラム海
Laut Seram
タンジュンバリアワ
Tanjungbaliha
ファークファーク
Fakfak
カイマナ
Kaimana
ブラ
Bula
ナムレア
Namlea
アンボン
Ambon
セラム島
Seram
ブル島
Pu. Buru
マオケ山脈
ジャヤ峰
Pk.Jaya
4884
銅・金・銀
パプア
Papua
4700
マーンダラ峰
Pk.Mandala
ティムカ
Timuka
ロレンツ国立公園
(イリアンバラット)
IRIAN BARAT
ニューギニア島
New Guinea
バンダ諸島
Kep.Banda
カイ諸島
Kep.Kai
トゥアル
Tual
バンダ海
Banda Sea
ドボ
Dobo
ウェイグア
Waigua
アル諸島
Kep.Aru
共和国
ヤームデナ島
Pu.Yamdena
ロマング島
Pu.Romang
ウェタール島
Pu.Wetar
ババル島
Pu.Babar
サウムラキ
Saumlaki
タニンバル諸島
Kep.Tanimbar
アロール島
Pu.Alor
ディリ
DILI
バウカウ
Baukau
トゥトゥアラ
Tutuala
東ティモール民主共和国
THE DEMOCRATIC REPUBLIC OF TIMOR-LESTE
ティモール島
Timor
ティモール海
Timor Sea
ドラック島
Pu.Dolak
メラウケ
Merauke
アラフラ海
Arafura Sea
メルヴィル島
Melville I.
バサースト島
Bathurst I.
ダーウィン
Darwin
ウェスル諸島
Wessel Is.
ボーキサイト
オーストラリア連邦
COMMONWEALTH OF AUSTRALIA
ケープヨーク半島
Cape York Pen.
アイアンレンジ
Iron Range
トレス海峡
Torres Str.
モア島
サーズデー(木曜)島 Thursday I.
プリンスオブウェールズ島
Prince of Wales I.
ヨーク岬
C. York
ダル
Daru
パプア湾
G. of Papua
ニーニゴー諸島
Ninigo Is.
メラネシア
MELANESIA
ビスマーク諸島
Bismarck Arch.
ムーサウ島
Mussau
マヌス島
Manus I.
ロレンガウ
Lorengau
アドミラリティー諸島
Admiralty Is.
ニューハノーヴァー島
New Hanover I.
ケヴィアン
Kavieng
ナマタナイ
Namatanai
ニューアイルランド島
New Ireland I.
ビスマーク海
Bismarck Sea
アイタペ
Aitape
ヴァニモ
Vanimo
ウェワーク
Wewak
セピック川
Sepik
ボジア
Bogia
パプアニューギニア独立国
INDEPENDENT STATE OF PAPUA NEW GUINEA
ラバウル
Rabaul
ランボン
Lambon
ウーラワン山
Mt.Ulawun
2334
タラーセイアー
Talasea
ポージェラ
Porgera
オクテディ
Ok Tedi
ライアガム
Lalagam
ビスマーク山脈
Bismarck Range
クックの初期農耕遺跡
マダン
Madang
ギルウェ山
Mt.Giluwe
4368
4509
ウィルヘルム山
Mt.Wilhelm
メンディ
Mendi
マウントハーゲン
Mount Hagen
ブリ
Puri
キンベ
Kimbe
カンドリアーン
Kandrian
ニューブリテン島
New Britain I.
ラエ
Lae
フィンシュハーフェン
Finschhafen
ブロロ
Bulolo
ワウ
Wau
ソロモン海
Solomon Sea
キコリ
Kikori
ウラム
Uramu
パスカ
Pasca
ケレマ
Kerema
ヴィクトリア山
Mt.Victoria
4073
オーエンスタンレー山脈
Owen Stanley Range
ポートモレスビー
PORT MORESBY
トロブリアンド諸島
Trobriand Is.
ダントルカストー諸島
D'Entrecasteaux Is.
ファーガスン島
Fergusson I.
ウッドラーク島
Woodlark I.
アロタウ
Alotau
サマライ
Samarai
タグラ島
Tagula I.
コーラル海
(珊瑚海)
Coral Sea
シドニー
125°
130°
135°
140°
145°
150°
155°
25°
20°
15°
10°
5°
0°
H
I
J
K
L
M
N
1
2
3
4
5
6
7
8
9

108

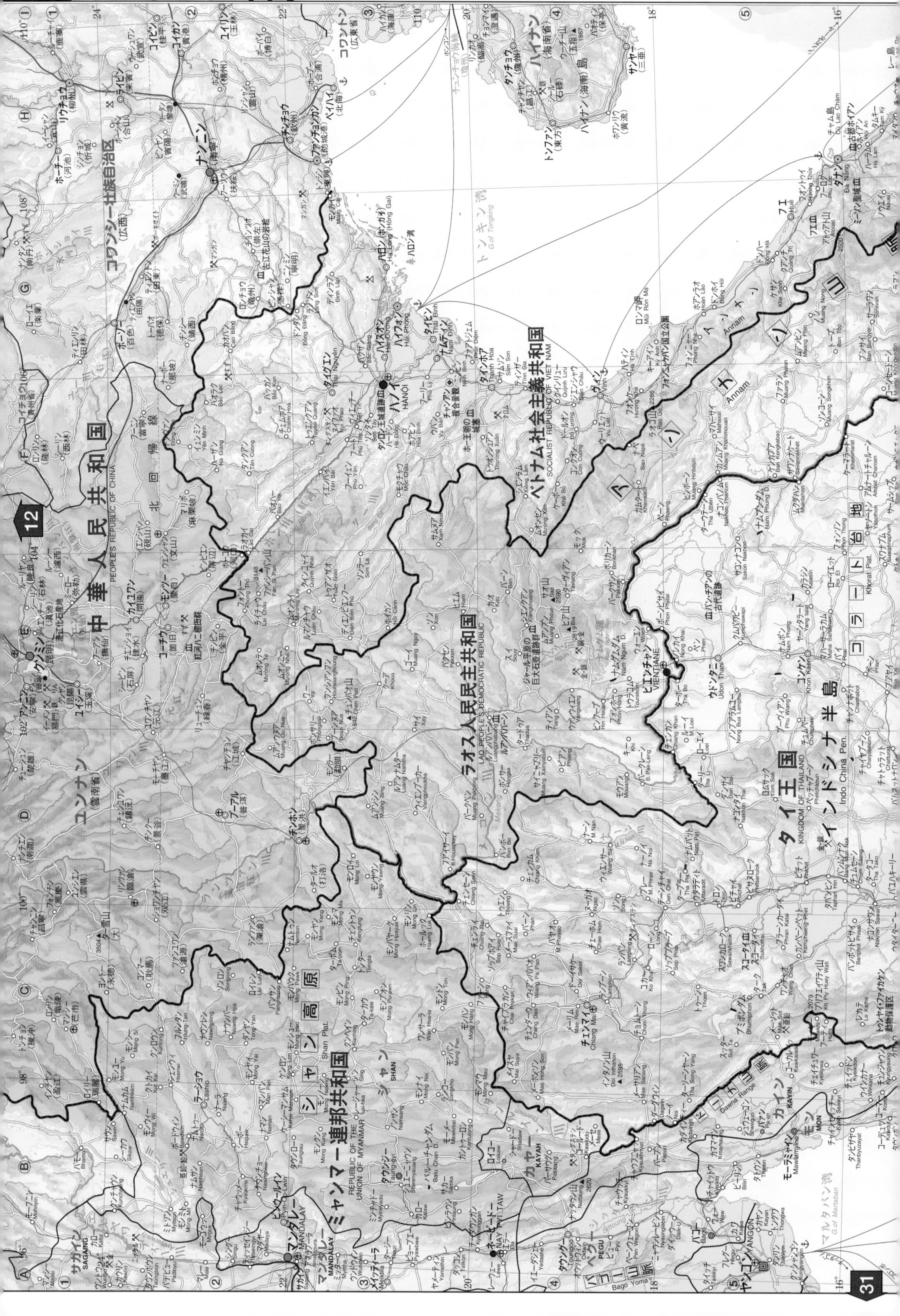

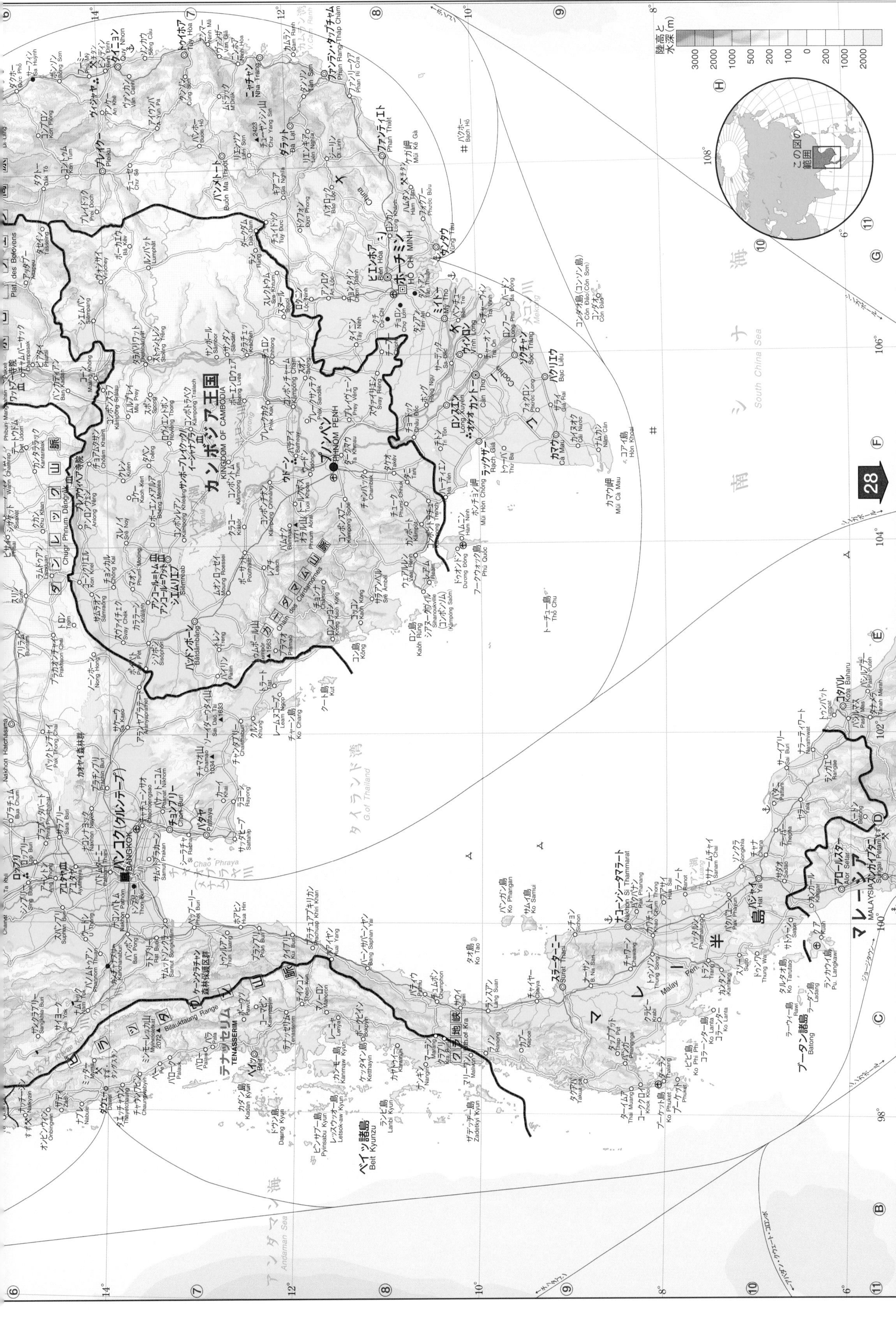
カンボジア王国
KINGDOM OF CAMBODIA
プノンペン
PHNOM PENH
バンコク(クルンテープ)
BANGKOK
ホーチミン
HO CHI MINH
南シナ海
South China Sea
タイランド湾
G.of Thailand
アンダマン海
Andaman Sea
マレー半島
Malay Pen.
マレーシア
MALAYSIA
ダンレック山脈
カルダモン山脈
Chaîne des Cardamomes
テナッセリム
TENASSERIM
Bilauktaung Range
クラ地峡
Isth.of Kra
ベイッ諸島
Beit Kyunzu
ブータン諸島
メコン川
Mekong
チャオプラヤ川
Chao Phraya
シエムリアプ
Siĕmréab
バッドンボーン
Bătdâmbâng
アンコール＝トム
アンコール＝ワット
カントー
Cần Thơ
ダラット
Đà Lạt
ニャチャン
Nha Trang
パタヤ
Pattaya
ハジャイ
Hat Yai
プーケット
Phuket
スラーターニー
Surat Thani
コタバル
Kota Baharu
アロールスター
Alor Setar
コンダオ島(コンソン島)
Côn Đảo (Côn Sơn)
フークウォック島
Phú Quốc
カマウ岬
Mũi Cà Mau
陸高と水深(m)
この図の範囲
28

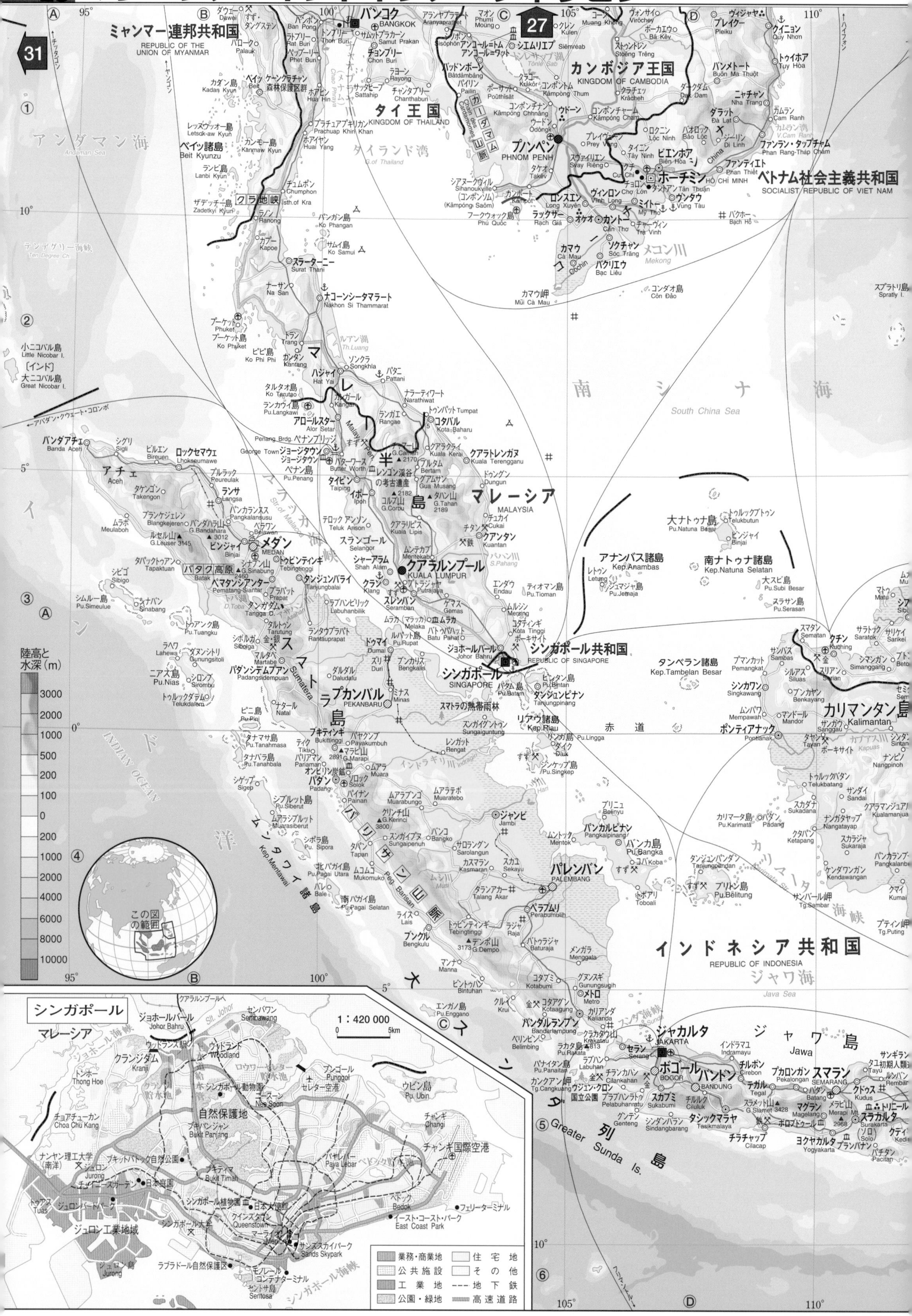

ミャンマー連邦共和国
REPUBLIC OF THE UNION OF MYANMAR

バンコク BANGKOK

タイ王国
KINGDOM OF THAILAND

カンボジア王国
KINGDOM OF CAMBODIA

プノンペン PHNOM PENH

ホーチミン HỒ CHÍ MINH

ベトナム社会主義共和国
SOCIALIST REPUBLIC OF VIET NAM

アンダマン海
Andaman Sea

テンデグリー海峡
Ten Degree Ch.

小ニコバル島
Little Nicobar I.

〔インド〕
大ニコバル島
Great Nicobar I.

クラ地峡
Isth. of Kra

タイランド湾
G. of Thailand

南シナ海
South China Sea

スプラトリ諸島
Spratly I.

マレー半島
Malay

マレーシア
MALAYSIA

クアラルンプール
KUALA LUMPUR

シンガポール共和国
REPUBLIC OF SINGAPORE

シンガポール
SINGAPORE

大ナトゥナ島
Pu.Natuna Besar

アナンバス諸島
Kep.Anambas

南ナトゥナ諸島
Kep.Natuna Selatan

タンベラン諸島
Kep.Tambelan Besar

カリマンタン島
Kalimantan

クチン
Kuching

ポンティアナック
Pontianak

バンダアチェ
Banda Aceh

アチェ
Aceh

メダン
MEDAN

マ
ラ
ッ
カ
海
峡
Strait of Malacca

スマトラ島
Sumatera

PEKANBARU
プカンバル

ジャンビ
Jambi

パレンバン
PALEMBANG

バンカ島
Pu.Bangka

ビリトン島
Pu.Belitung

INDIAN OCEAN

インド洋

ムンタワイ諸島
Kep.Mentawai

ジャカルタ
JAKARTA

ジャワ島
Jawa

ボゴール BOGOR

バンドン BANDUNG

スマラン SEMARANG

スラカルタ
Surakarta

ジャワ海
Java Sea

インドネシア共和国
REPUBLIC OF INDONESIA

大
ス
ン
ダ
列
島
Greater Sunda Is.

陸高と水深(m)

3000
2000
1000
500
200
100
0
200
1000
2000
4000
6000
8000
10000

この図の範囲

マレーシア

ジョホールバル
Johor Bahru

1 : 420 000

0   5km

業務・商業地　住宅地
公共施設　その他
工業地　---地下鉄
公園・緑地　高速道路

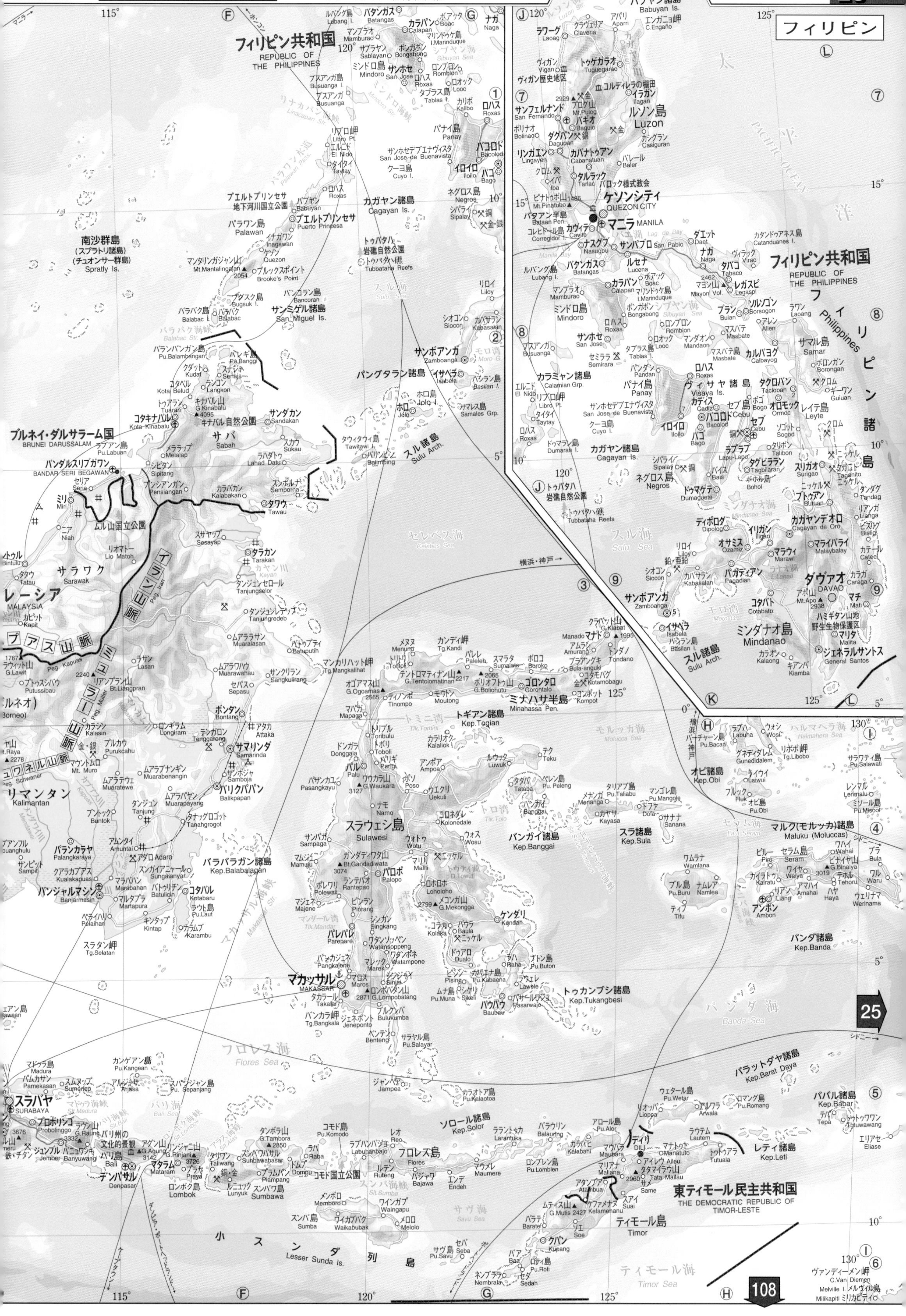
1 : 10 000 000
0 200 400km
ランベルト正積方位図法
フィリピン
フィリピン共和国
REPUBLIC OF THE PHILIPPINES
南沙群島
(スプラトリ諸島)
(チュオンサー群島)
Spratly Is.
パラワン島
Palawan
プエルトプリンセサ
Puerto Princesa
プエルトプリンセサ地下河川国立公園
カガヤン諸島
Cagayan Is.
トゥバタハ岩礁自然公園
トゥバタハ礁
Tubbataha Reefs
スル海
Sulu Sea
サンミゲル諸島
San Miguel Is.
バラバク海峡
Balabac Str.
サンボアンガ
Zamboanga
パングタラン諸島
スル諸島
Sulu Arch.
コタキナバル
Kota Kinabalu
キナバル山
G.Kinabalu
4095
キナバル自然公園
サンダカン
Sandakan
サバ
Sabah
ブルネイ・ダルサラーム国
BRUNEI DARUSSALAM
バンダルスリブガワン
BANDAR SERI BEGAWAN
タワウ
Tawau
サラワク
Sarawak
マレーシア
MALAYSIA
イラン山脈
ミュラー山脈
カプアス山脈
シュワネル山脈
カリマンタン
Kalimantan
(ボルネオ)
(Borneo)
セレベス海
Celebes Sea
タラカン
Tarakan
サマリンダ
Samarinda
バリクパパン
Balikpapan
バンジャルマシン
Banjarmasin
パランカラヤ
Palangkaraya
バラバラガン諸島
Kep.Balabalagan
マカッサル海峡
Makassar Str.
スラウェシ島
Sulawesi
マカッサル
MAKASSAR
パル
Palu
ミナハサ半島
Minahassa Pen.
マナド
Manado
ゴロンタロ
Gorontalo
トミニ湾
Tlk.Tomini
トギアン諸島
Kep.Togian
ケンダリ
Kendari
ボネ湾
Tlk.Bone
ブトン島
Pu.Buton
トゥカンブシ諸島
Kep.Tukangbesi
バンガイ諸島
Kep.Banggai
スラ諸島
Kep.Sula
モルッカ海
Molucca Sea
ハルマヘラ海
Halmahera Sea
オビ諸島
Kep.Obi
マルク(モルッカ)諸島
Maluku (Moluccas)
ブル島
Pu.Buru
セラム島
Seram
セラム海
Laut Seram
アンボン
Ambon
バンダ諸島
Kep.Banda
バンダ海
Banda Sea
フロレス海
Flores Sea
マドゥラ島
Madura
スラバヤ
SURABAYA
バリ島
Bali
デンパサル
Denpasar
ロンボク島
Lombok
マタラム
Mataram
スンバワ島
Sumbawa
コモド島
Pu.Komodo
コモド国立公園
フロレス島
Flores
ソロール諸島
Kep.Solor
スンバ島
Sumba
サヴ海
Savu Sea
小スンダ列島
Lesser Sunda Is.
ティモール島
Timor
ディリ
DILI
東ティモール民主共和国
THE DEMOCRATIC REPUBLIC OF TIMOR-LESTE
クパン
Kupang
ティモール海
Timor Sea
レティ諸島
Kep.Leti
ババル諸島
Kep.Babar
バラットダヤ諸島
Kep.Barat Daya
ルソン島
Luzon
マニラ
MANILA
ケソンシティ
QUEZON CITY
バギオ
Baguio
コルディレラの棚田
バブヤン諸島
Babuyan Is.
ミンドロ島
Mindoro
パナイ島
Panay
ネグロス島
Negros
セブ
Cebu
ヴィサヤ諸島
Visaya Is.
サマル島
Samar
レイテ島
Leyte
ボホール
Bohol
ミンダナオ島
Mindanao
ダヴァオ
DAVAO
アポ山
Mt.Apo
2938
ミンダナオ海
Mindanao Sea
モロ湾
Moro G.
ジェネラルサントス
General Santos
シブヤン海
Sibuyan Sea
太平洋
PACIFIC OCEAN
フィリピン諸島
Philippines
横浜・神戸
シドニー
ケープタウン
25
108

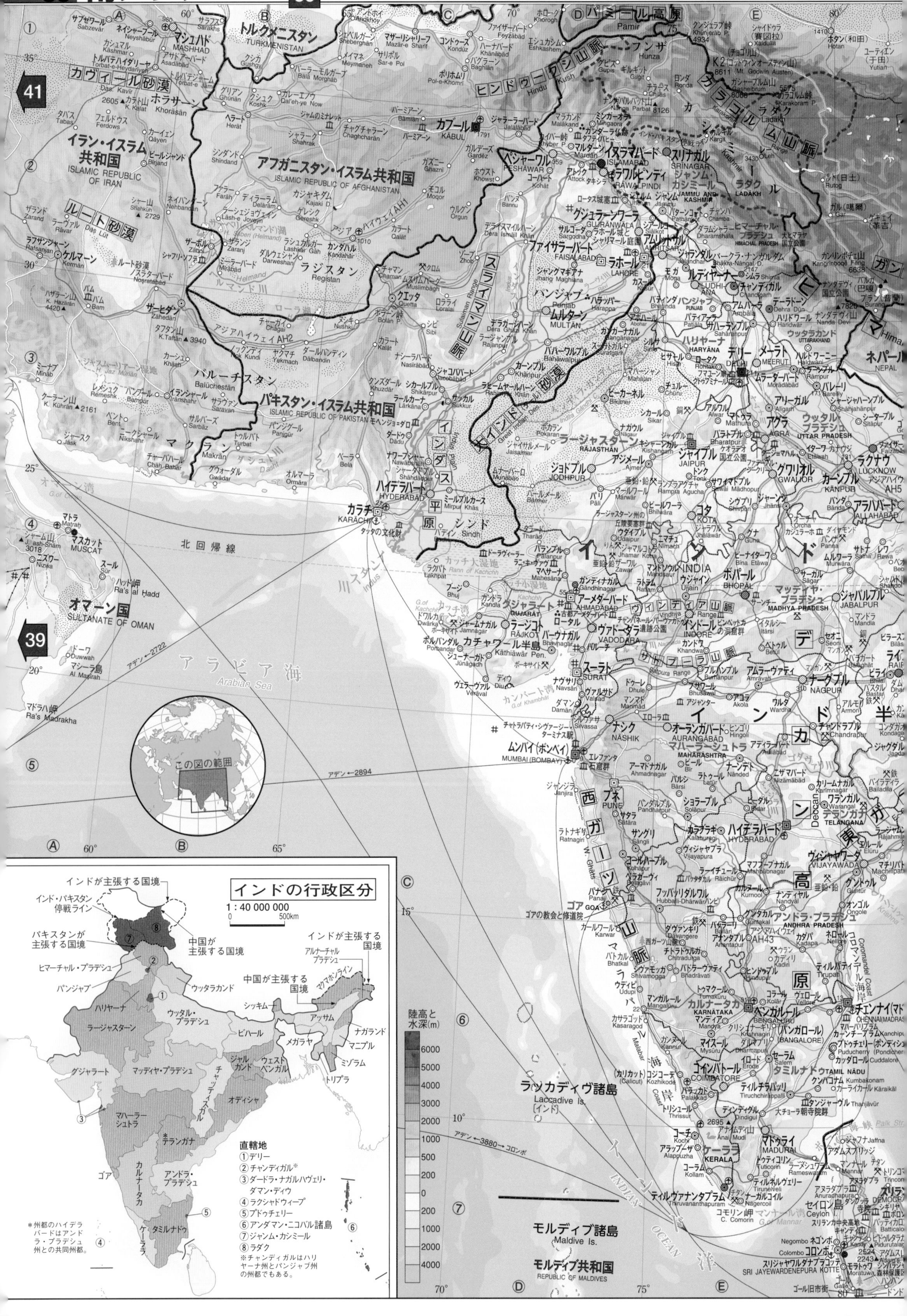

インドの行政区分

1：40 000 000

直轄地
①デリー
②チャンディガル※
③ダードラ・ナガルハヴェリ・ダマン・ディウ
④ラクシャドウィープ
⑤プドゥチェリー
⑥アンダマン・ニコバル諸島
⑦ジャンム・カシミール
⑧ラダック

※チャンディガルはハリヤーナ州とパンジャブ州の州都でもある。

＊州都のハイデラバードはアンドラ・プラデシュ州との共同州都。

6
10
12
26
28

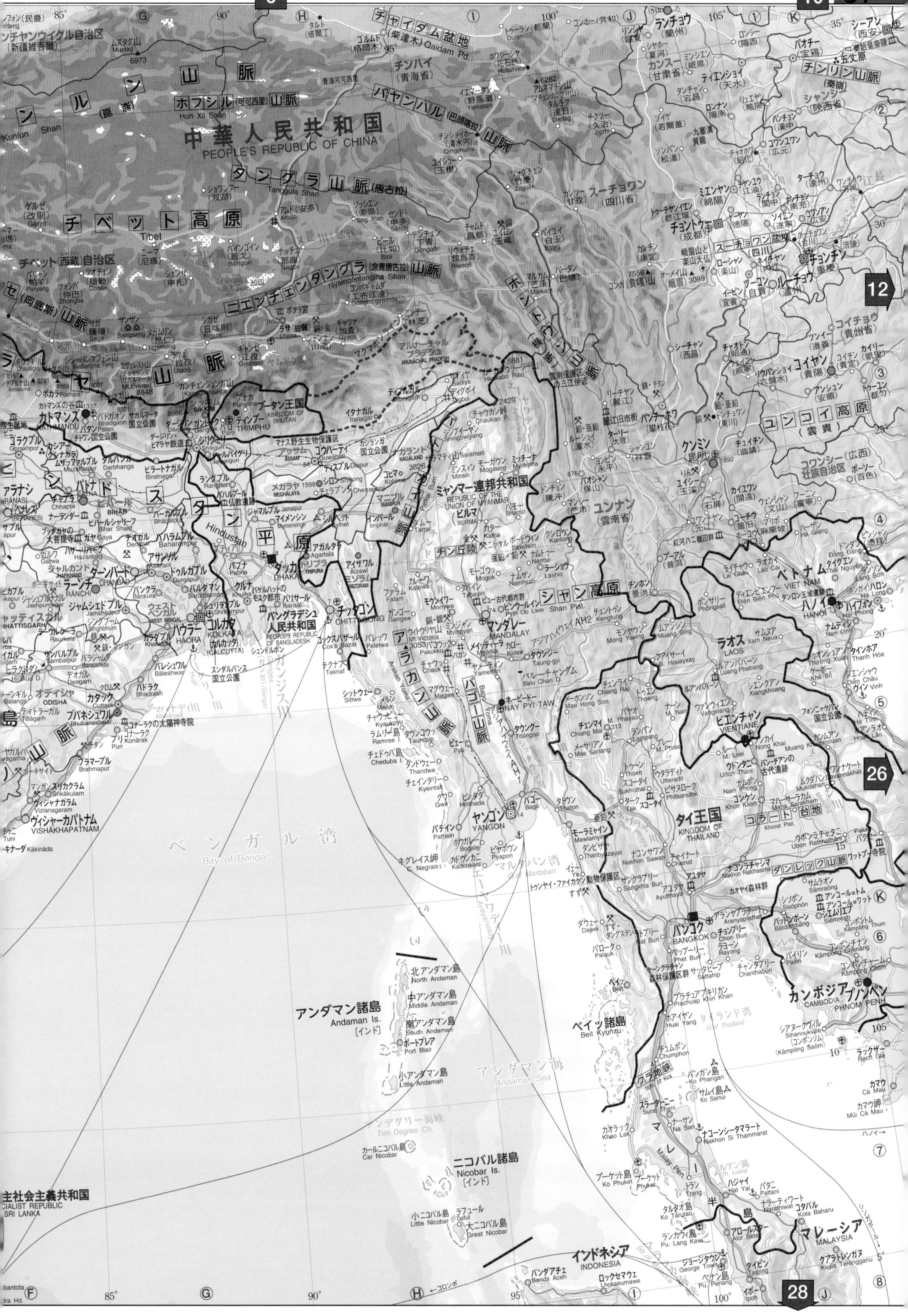
シンチヤンウイグル自治区
(新疆維吾爾)
ムスダグ山
Muztag
6973
クンルン山脈
(崑崙)
Kunlun Shan
ホフシル(可可西里)山脈
Hoh Xil Shan
中華人民共和国
PEOPLE'S REPUBLIC OF CHINA
チャイダム盆地
(柴達木)
Qaidam Pd.
チンハイ
(青海省)
バヤンハル(巴顔喀拉)山脈
タングラ山脈(唐古拉)
Tanggula Shan
チベット高原
Tibet
チベット(西蔵)自治区
ニエンチェンタングラ(念青唐古拉)山脈
Nyainqentanglha Shan
ラサ
Lhasa
ヒマラヤ山脈
エヴェレスト山
Mt.Everest
8848
カンチェンジュンガ山
Kangchenjunga
8586
アルナーチャルプラデシュ
ARUNACHAL PRADESH
ホントワン山脈
(横断)
ランチョウ
(蘭州)
カンスー
(甘粛省)
チンリン山脈
(秦嶺)
シーアン
(西安)
シャンシー
(陝西省)
スーチョワン
(四川省)
チョントウ
(成都)
スーチョワン盆地
(四川)
チョンチン
(重慶)
ルーチョウ
コイチョウ
(貴州省)
コイヤン
(貴陽)
ユンコイ高原
(雲貴)
クンミン
(昆明)
ユンナン
(雲南省)
コワンシー(広西)
壮族自治区
カトマンズ
KATHMANDU
ブータン王国
KINGDOM OF BHUTAN
ティンプー
THIMPHU
ヒンドスタン平原
Hindustan
ガンジス川
ダッカ
DHAKA
バングラデシュ人民共和国
PEOPLE'S REPUBLIC OF BANGLADESH
コルカタ
KOLKATA
(CALCUTTA)
ハウラー
HAORA
チッタゴン
CHITTAGONG
ミャンマー連邦共和国
REPUBLIC OF THE UNION OF MYANMAR
(ビルマ)
BURMA
チン丘陵
アラカン山脈
Arakan Yoma
マンダレー
MANDALAY
シャン高原
Shan Plat.
ネーピードー
NAY PYI TAW
バゴー山脈
ヤンゴン
YANGON
エーヤワディー川
Ayeyarwady
ベンガル湾
Bay of Bengal
マルタバン湾
G.of Martaban
ネグレイス岬
C. Negrais
アンダマン諸島
Andaman Is.
〔インド〕
北アンダマン島
North Andaman
中アンダマン島
Middle Andaman
南アンダマン島
South Andaman
ポートブレア
Port Blair
小アンダマン島
Little Andaman
アンダマン海
Andaman Sea
テンデグリー海峡
Ten Degree Ch.
カールニコバル島
Car Nicobar
ニコバル諸島
Nicobar Is.
〔インド〕
小ニコバル島
Little Nicobar
大ニコバル島
Great Nicobar
インドネシア
INDONESIA
バンダアチェ
Banda Aceh
ベトナム
VIET NAM
ハノイ
HANOI
ハイフォン
ラオス
LAOS
ルアンパバーン
Luang Phabang
ビエンチャン
VIENTIANE
タイ王国
KINGDOM OF THAILAND
コラート台地
Khorat Plat.
バンコク
BANGKOK
タイランド湾
G.of Thailand
カンボジア
CAMBODIA
プノンペン
PHNOM PENH
トンレサップ湖
ダンレック山脈
ベイッ諸島
クラ地峡
マレー半島
Malay Pen.
プーケット島
Ko Phuket
マレーシア
MALAYSIA
ジョージタウン
George Town
スリランカ民主社会主義共和国
SOCIALIST REPUBLIC OF SRI LANKA
ベンガル湾
オディシャ
ODISHA
ヴィシャーカパトナム
VISHAKHAPATNAM
85°
90°
95°
100°
105°
F
G
H
I
J
K

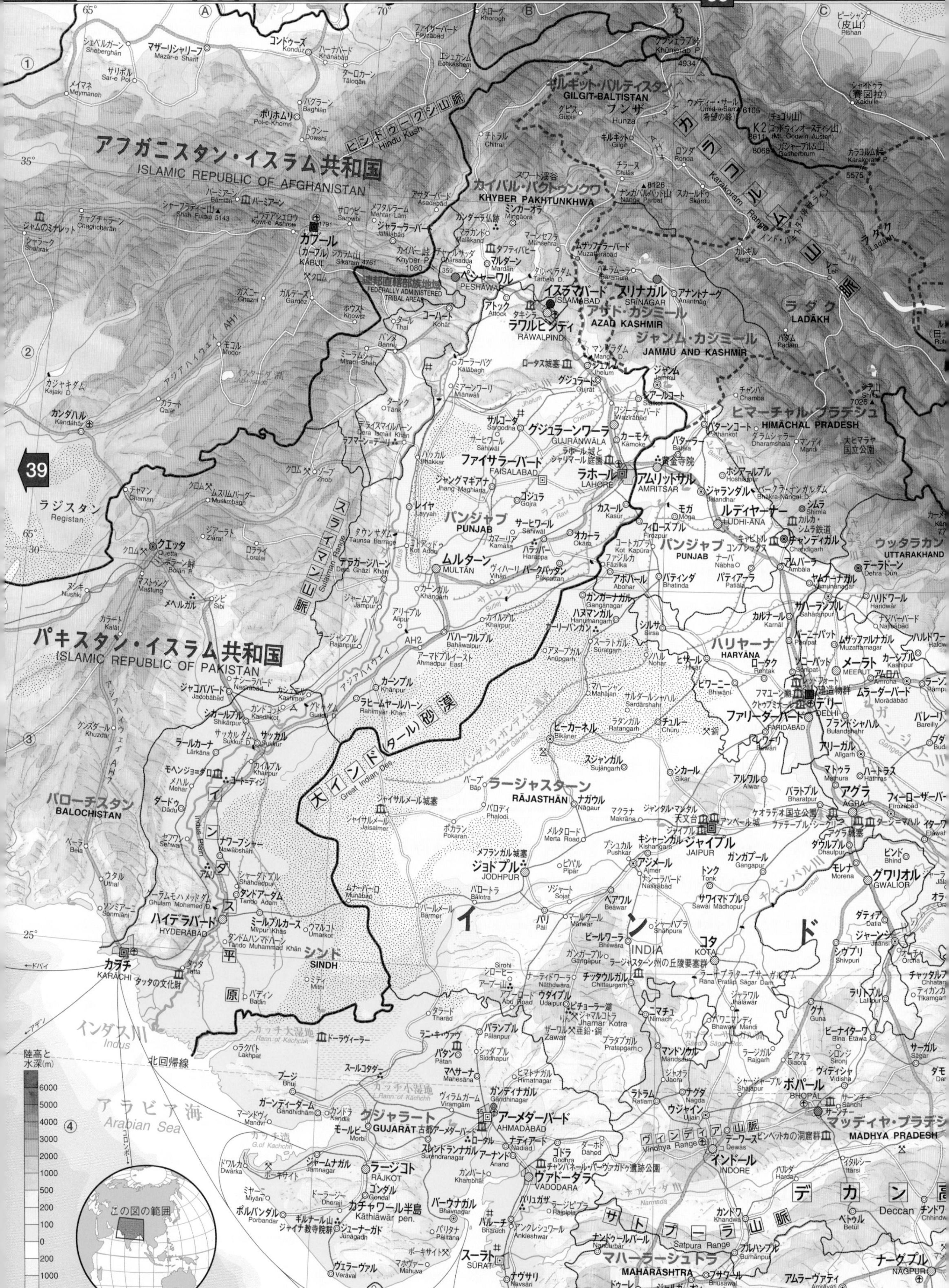

32
インド北部
1：7 000 000
0 100 200km
ランベルト正積方位図法
36
39
34
アフガニスタン・イスラム共和国
ISLAMIC REPUBLIC OF AFGHANISTAN
パキスタン・イスラム共和国
ISLAMIC REPUBLIC OF PAKISTAN
インド
INDIA
ヒンドゥークシ山脈
Hindu Kush
カラコルム山脈
Karakoram Range
ラダク山脈
ギルギット・バルティスタン
GILGIT-BALTISTAN
カイバル・パクトゥンクワ
KHYBER PAKHTUNKHWA
連邦直轄部族地域
FEDERALLY ADMINISTERED TRIBAL AREAS
アザド・カシミール
AZAD KASHMIR
ジャンム・カシミール
JAMMU AND KASHMIR
ラダク
LADAKH
ヒマーチャル・プラデシュ
HIMĀCHAL PRADESH
ウッタラカン
UTTARAKHAND
パンジャブ
PUNJAB
ハリヤーナ
HARYĀNA
ラージャスターン
RĀJASTHĀN
バローチスタン
BALOCHISTAN
シンド
SINDH
グジャラート
GUJARĀT
マッディヤ・プラデシュ
MADHYA PRADESH
マハーラーシュトラ
MAHĀRĀSHTRA
スライマン山脈
Sulaiman Range
大インド（タール）砂漠
Great Indian Des.
インダス平原
Indus Plain
ヴィンディア山脈
Vindhya Range
サトプーラ山脈
Satpura Range
デカン高原
Deccan
アラビア海
Arabian Sea
インダス川
Indus
カッチ大湿地
Rann of Kachchh
カッチ湾
G.of Kachchh
カンバート湾
G.of Khambhāt
カーティアワール半島
Kāthiāwār pen.
北回帰線
ラジスタン
Registan
カブール
KABUL
イスラマバード
ISLAMABAD
ラワルピンディ
RAWALPINDI
ペシャーワル
PESHAWAR
ラホール
LAHORE
アムリットサル
AMRITSAR
ファイサラーバード
FAISALABAD
グジュラーンワーラ
GUJRANWALA
ムルターン
MULTAN
スリナガル
SRINAGAR
クエッタ
Quetta
カンダハル
Kandahār
ハイデラバード
HYDERĀBĀD
カラチ
KARACHI
デリー
DELHI
ジャイプル
JAIPUR
ジョドプル
JODHPUR
アグラ
AGRA
グワリオル
GWALIOR
ボパール
BHOPAL
インドール
INDORE
アーメダーバード
AHMADĀBĀD
ラージコト
RĀJKOT
ヴァドーダラ
VADODARA
スーラト
SŪRAT
ナシク
NĀSHIK
ナーグプル
NAGPUR
チャンディガル
Chandigarh
ルディヤーナー
LUDHIĀNA
メーラト
MEERUT
ファリーダーバード
FARIDĀBĀD
ビーカーネル
Bīkāner
コタ
KOTA
K2
8611
ナンガパルバット山
Nanga Parbat
8126
陸高と水深(m)
6000
5000
4000
3000
2000
1000
500
200
0
200
1000
2000
4000
この図の範囲

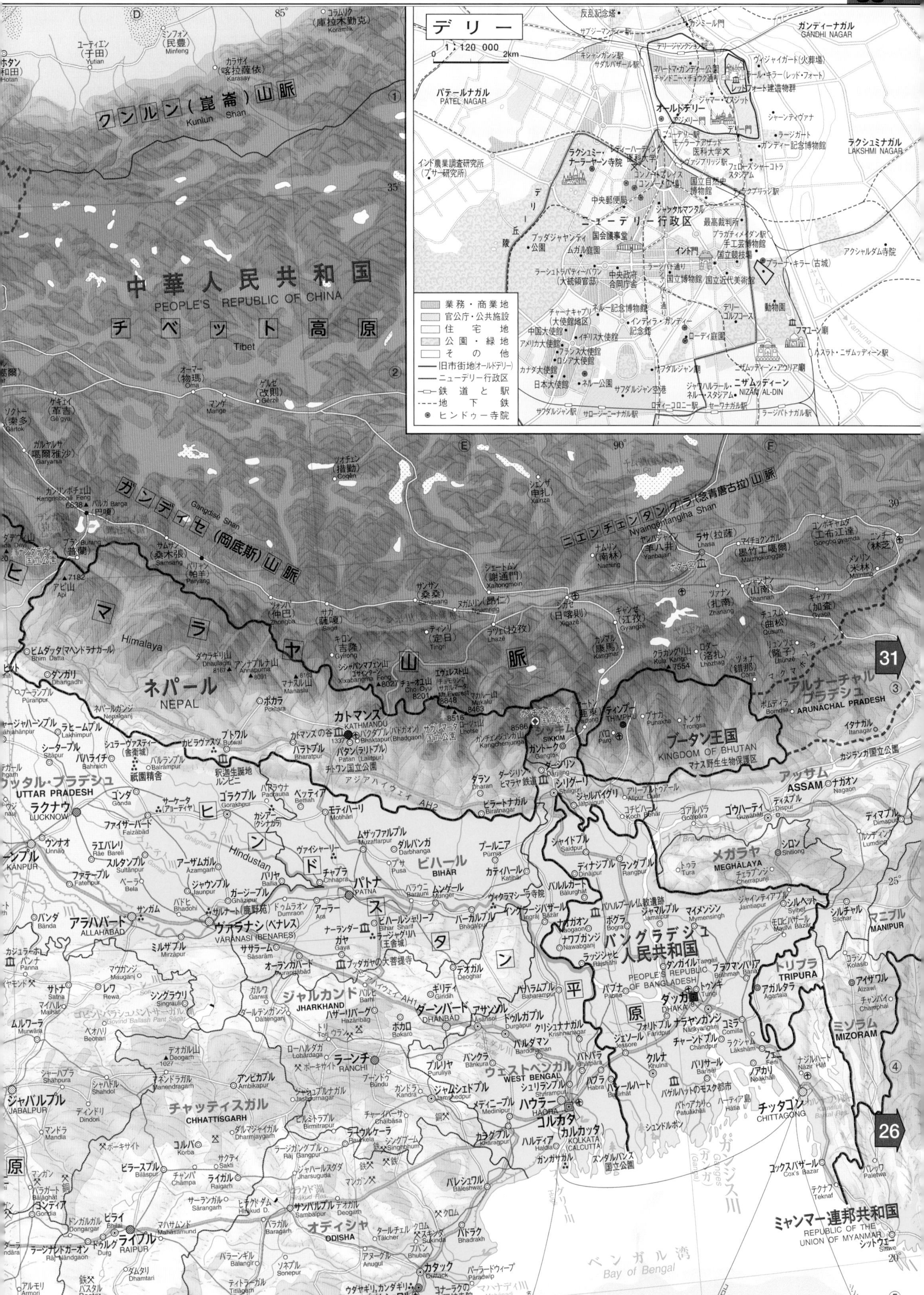
デリー
1:120 000
2km
反乱記念塔
カシミール門
サブジーマンディー駅
ガンディーナガル
GANDHI NAGAR
デリージャンクション駅
キシャンガンジ駅
サダルバザール駅
マハートマ・ガンディー公園
チャンドニー・チョウク通り
ヴィジャイガート(火葬場)
ラール・キラー(レッド・フォート)
レッドフォート建造物群
パテールナガル
PATEL NAGAR
ジャマー・マスジッド
オールドデリー
アジメリ門
デリー門
シャーンティヴァナ
ラージガート
ガンディー記念博物館
ラクシュミナガル
LAKSHMI NAGAR
ニューデリー駅
モーラーナアザッド医科大学
ラクシュミー・ナーラーヤン寺院
レディーハーディング医科大学
インド農業調査研究所(プサー研究所)
ヴァザリブリッジ駅
フェローズシャーコトラスタジアム
コンノートプレイス(コンノート広場)
国立自然史博物館
ティラクブリッジ駅
中央郵便局
ジャンタルマンタル
デリー丘陵
ニューデリー行政区
最高裁判所
ブッダジャヤンティ公園
国会議事堂
プラガティメイダン駅
手工芸博物館
ムガル庭園
インド門
国立競技場
アクシャルダム寺院
ラーシュトラパティーバワン(大統領官邸)
中央政府合同庁舎
ラージパト通り
国立博物館
国立近代美術館
プラーナ・キラー(古城)
業務・商業地
官公庁・公共施設
住宅地
公園・緑地
その他
旧市街地(オールドデリー)
ニューデリー行政区
鉄道と駅
地下鉄
ヒンドゥー寺院
チャーナキャプリ(大使館地区)
ネルー記念博物館
インディラ・ガンディー記念館
デリーゴルフコース
動物園
中国大使館
イギリス大使館
ローディ庭園
フマユーン廟
アメリカ大使館
フランス大使館
ロシア大使館
ハズラト・ニザムッディーン駅
カナダ大使館
サフダルジャン廟
ニザムッディーン・アウリア廟
日本大使館
ネルー公園
ジャワハルラール・ネルー・スタジアム
ニザムッディーン
NIZAM AL-DIN
サフダルジャン空港
サフダルジャン駅
サロージーニーナガル駅
ロディーコロニー駅
セーワナガル駅
ラージパトナガル駅
クンルン(崑崙)山脈
Kunlun Shan
中華人民共和国
PEOPLE'S REPUBLIC OF CHINA
チベット高原
Tibet
ガンディセ(岡底斯)山脈
Gangdisê Shan
ニエンチェンタングラ(念青唐古拉)山脈
Nyainqêntanglha Shan
ヒマラヤ山脈
Himalaya
ネパール
NEPAL
カトマンズ
KATHMANDU
エヴェレスト山
Mt.Everest
8848
チョーオユ山
Cho Oyu
8201
ローツェ山
Lhotse
8516
マカルー山
8463
カンチェンジュンガ山
Kangchenjunga
8586
ダウラギリ山
Dhaulagiri
8167
アンナプルナ山
Annapurna
8091
マナスル山
Manaslu
8163
シシャパンマ山
Xixabangma Feng
8027
カンリンボチェ山
Kangrinboqê Feng
6638
ラサ(拉薩)
Lhasa
ポタラ宮
シガツェ(日喀則)
Xigazê
ギャンツェ(江孜)
Gyangzê
シッキム
SIKKIM
ガントーク
ブータン王国
KINGDOM OF BHUTAN
ティンプー
THIMPHU
パロ
Paro
アルナーチャル・プラデシュ
ARUNACHAL PRADESH
アッサム
ASSAM
メガラヤ
MEGHĀLAYA
シロン
Shillong
グワハティ
マニプル
MANIPUR
ミゾラム
MIZORAM
トリプラ
TRIPURA
アガルタラ
バングラデシュ人民共和国
PEOPLE'S REPUBLIC OF BANGLADESH
ダッカ
DHAKA
チッタゴン
CHITTAGONG
コックスバザール
Cox's Bazar
ミャンマー連邦共和国
REPUBLIC OF THE UNION OF MYANMAR
シットウェー
Sittwe
ウッタル・プラデシュ
UTTAR PRADESH
ラクナウ
LUCKNOW
カーンプル
KANPUR
アラハバード
ALLAHABAD
ヴァラナシ(ベナレス)
VĀRĀNASI (BENARES)
サルナート(鹿野苑)
ヒンドスタン平原
Hindustan
ビハール
BIHĀR
パトナ
PATNA
ブッダガヤの大菩提寺
ジャルカンド
JHARKHAND
ラーンチ
RANCHI
ウェストベンガル
WEST BENGAL
コルカタ(カルカッタ)
KOLKATA (CALCUTTA)
ハウラー
HAORA
シリグーリ
ダージリン
ダージリン・ヒマラヤ鉄道
ジャバルプル
JABALPUR
チャッティスガル
CHHATTISGARH
ライプル
RAIPUR
オディシャ
ODISHA
ブバネシュワル
Bhubaneshwar
カタック
Cuttack
コナーラクの太陽神寺院
プリ
Puri
ルンビニー
ガンジス川
Ganges
ベンガル湾
Bay of Bengal
スンダルバンス国立公園
バゲルハットのモスク都市
アジアハイウェイ AH2
アジアハイウェイ AH1
マナス野生生物保護区
カジランガ国立公園
サガルマータ国立公園
チトワン国立公園
85°
90°
35°
30°
25°
20°
80°

31
26

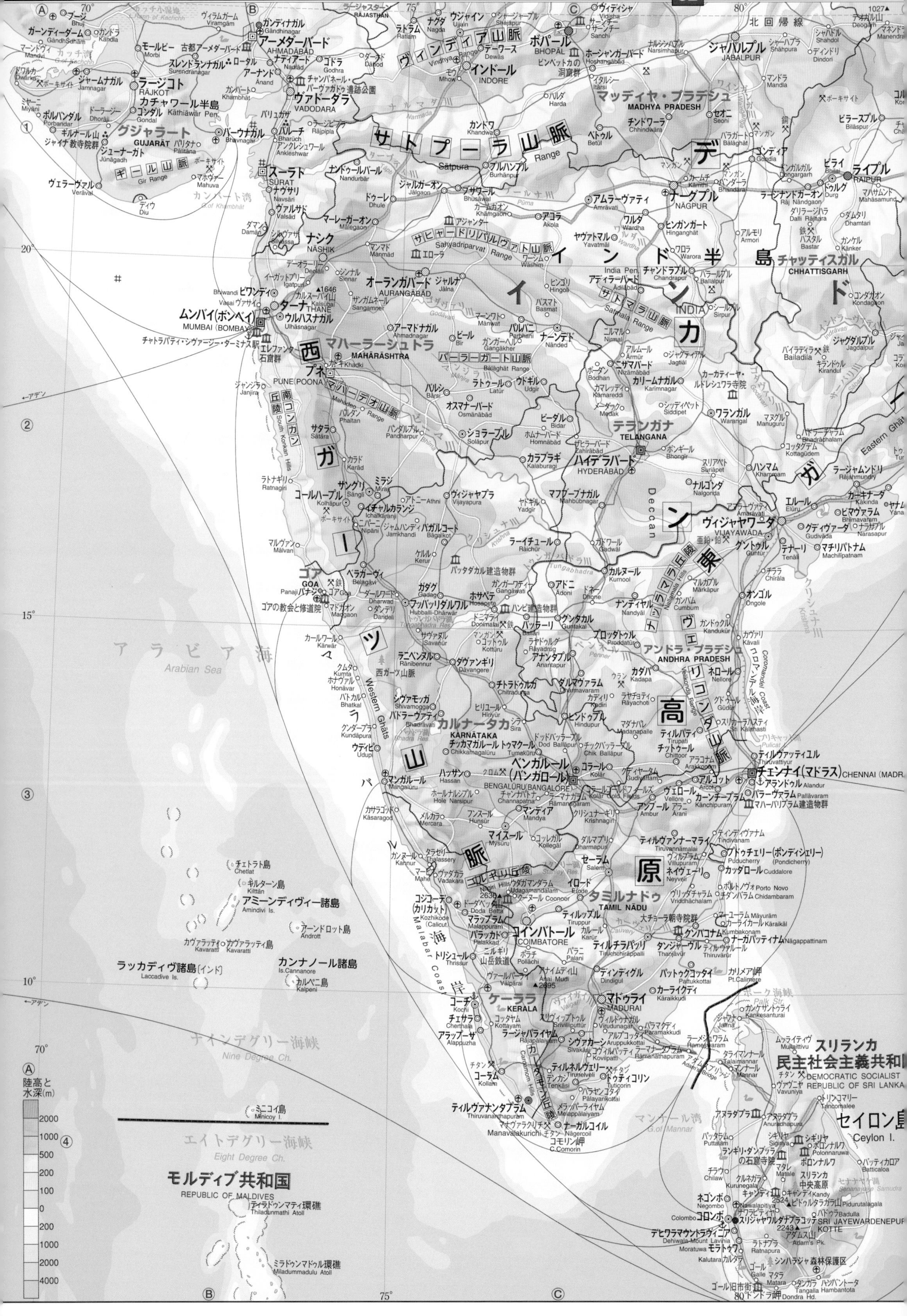
ラージャスターン RAJASTHAN
ブージ Bhuj
ガーンディーダーム Gāndhīdhām
カンドラ Kandla
マーンドヴィー Mandvi
カッチ湾 G.of Kachchh
ガンディナガル Gāndhīnagar
アーメダーバード AHMADĀBĀD
古都アーメダーバード
モールビー Morbi
スレンドラナガル Surendranagar
ロータル
ナディアード Nadiād
ゴドラ Godhra
ダーホド Dāhod
アーナンド Ānand
チャンパネール・パーヴァガドゥ遺跡公園
ヴァドーダラ VADODARA
ドワルカ Dwārka
ジャームナガル Jamnagar
ボーキサイト
ラージコト RĀJKOT
カチャワール半島 Kāthiāwār Pen.
カンバート Khambhāt
ゴンダル Gondal
ミヤーニ Miyāni
ポルバンダル Porbandar
ドーラージー Dhorāji
グジャラート GUJARĀT
バーウナガル Bhavnagar
パーリタナ Pālitāna
バルーチ Bharūch
アンクレシュワール Ankleshwar
ラージピプラ Rājpipla
ギルナール山
ジャイナ教寺院群
ジューナーガト Jūnāgadh
ギール山脈 Gir Range
マホヴァー Mahuva
ヴェラーヴァル Verāval
ディウ Diu
カンバート湾 G.of Khambhāt
スーラト SURAT
ナヴサリ Navsāri
ヴァルサド Valsād
ダマン Damān
シルヴァッサ Silvassa
ウジャイン Ujjain
ナグダ Nagda
ラトラム Ratlam
シャージャープル
デーワース Dewas
ヴィンディア山脈 Vindhya Range
インドール INDORE
モウ Mhow
ボパール BHOPĀL
ヴィディシャ Vidisha
サーンチー
ホーシャンガーバード Hoshangābād
ビンベットカの洞窟群
イタルシー Itārsi
ハルダ Harda
ナルシンハプル Narsimhapur
ジャバルプル JABALPUR
シャーフプラ Shāhpura
シャードル Shahdol
ディンドリ Dindori
デオガル Deogarh
マネンドラ Manendra
マンドラ Mandla
マッディヤ・プラデシュ MADHYA PRADESH
ボーキサイト
チンドワーラ Chhindwāra
セオニ Seoni
バラガート Bālāghāt
ベトゥル Betūl
カンドワ Khandwa
サトプーラ山脈 Sātpura Range
ブルハンプル Burhānpur
ナンドゥールバール Nandurbār
ジャルガーオン Jalgaon
ブサワル Bhusāwal
カームガオン Khāmgaon
ドゥーレ Dhule
マーレーガーオン Mālegaon
アジャンター
アコラ Akola
アムラーヴァティ Amrāvati
ワルダ Wardha
ナーグプル NĀGPUR
カームチ Kāmthi
バンダーラ Bhandāra
ゴンディア Gondia
ドンガルガル Dongargarh
ライプル RAIPUR
ビライ Bhilai
ドゥルグ Durg
ラージナンドガーオン Rāj Nāndgaon
マハサムンド Mahāsamund
ダリラージハラ Dalli Rājhara
ダムタリ Dhamtari
カンケル Kanker
バスタル Bastar
ビラースプル Bilāspur
ヒンガンガート Hinganghāt
アルモリ Armori
ワローラ Warora
ヤヴァトマル Yavatmāl
ワーシム Wāshim
サヒャードリパルヴァト山脈 Sahyadriparvat Range
マンマド Manmād
エローラ
ナシク NĀSHIK
デーオラーリ Deolāli
シンナル Sinnar
イーガットプリー Igatpuri
カルスーバイ山 Kalsubāi
1646
オーランガバード AURANGĀBĀD
ジャルナ Jālna
サンガムネール Sangamner
ビワンディ Bhiwandi
ヴァサイ Vasai
ターナ THANE
ムンバイ（ボンベイ） MUMBAI (BOMBAY)
ウルハスナガル Ulhāsnagar
チャトラパティ・シヴァージー・ターミナス駅
エレファンタ石窟群
マハーラーシュトラ MAHĀRĀSHTRA
アーマドナガル Ahmadnagar
プネ PUNE (POONA)
カドキ Khadki
ジャンジラ Janjira
インド半島 India Pen.
チャンドラプル Chandrapur
バラールプル Ballālpur
アディラーバード Ādilābād
ヒンゴリ Hingoli
バスマト Basmat
サトマラ山脈 Satmala Range
シールプル Sirpur
チャッティスガル CHHATTISGARH
コンダガオン Kondagaon
ジャグダルプル Jagdalpur
バイラディラ Bailadila
キランドゥル Kirandul
マーンワト Mānwat
パルバニ Parbhani
ナーンデド Nānded
ビール Bir
ガンガーヘル Gangākher
バーラーガート山脈 Bālāghāt Range
ニルマル Nirmal
アルムール Armūr
ジャグティアル Jagtiāl
ニザマバード Nizāmābād
ボーダン Bodhan
カリームナガル Karīmnagar
カーカティーヤ・ルドレシュワラ寺院
カマレッディ Kāmāreddi
メーダック Medak
シッディペット Siddipet
ワランガル Warangal
マヌグル Manuguru
ラトゥール Latūr
バルシ Bārsi
ウドギル Udgīr
オスマナーバード Osmānābād
マハーデオ山脈 Mahadeo Range
パルタン Phaltan
南コンカン丘陵 South Konkan Hills
サタラ Sātāra
パンダルプル Pandharpur
ショラープル Solāpur
ビーダル Bidar
ホムナーバード Homnābād
テランガナ TELANGANA
ザヒラーバード Zahīrābād
ボンギール Bhongir
スーリヤペト Suriāpet
ハイデラバード HYDERĀBĀD
カラブラギ Kalaburagi
バドラーチャラム Bhadrāchalam
コッタグデム Kottagūdem
カラド Karād
ラトナギリ Ratnagiri
サングリ Sāngli
ミラジ Miraj
コールハープル Kolhāpur
イチャルカランジ Ichalkaranji
ニパーニ Nipāni
ジャムハンディ Jamkhandi
バガルコート Bāgalkot
ヴィジャヤプラ Vijayapura
ヤドギル Yadgīr
マフブーブナガル Mahbūbnagar
デカン高原 Deccan
ナルゴンダ Nalgonda
ハンマム Khammam
ラージャムンドリ Rājahmundry
カーキナーダ Kākināda
エルール Elūru
ビマヴァラム Bhimavaram
ヤナム Yanam
ナラサプル Narasapur
アマラーヴァティ Amarāvati
ヴィジャヤワーダ VIJAYAWĀDA
グディヴァーダ Gudivāda
マチリパトナム Machilipatnam
グントゥル Guntūr
テナーリ Tenāli
チラーラ Chīrāla
東ガーツ山脈 Eastern Ghats
マルヴァン Mālvan
ケルル Kerur
パッタダカル建造物群
ライチュール Raichūr
ガドワル Gadwāl
クリシュナ川 Krishna
トゥンガバドラ川 Tungabhadra
カルヌール Kurnool
ゴア GOA
パナジ Panaji
ベラガーヴィ Belagāvi
ダーンデリ Dandeli
ゴアの教会と修道院
マドガオン Madgaon
ダールワード Dhārwād
フッバッリ・ダルワル Hubballi-Dhārwār
ガダグ Gadag
ガンガーヴァティ Gangāvati
ホサペテ Hospete
ハンピ建造物群
アドニ Ādoni
ドーネ Dhone
ナンディヤル Nandyāl
マルカプル Mārkāpur
ナッラマラ丘陵 Nallamala Hills
カンバム Cumbum
オンゴル Ongole
カンドゥクル Kandukūr
カーヴァリ Kāvali
グンタカル Guntakal
バッラーリ Ballāri
プロッダトゥル Proddatūr
アンドラ・プラデシュ ANDHRA PRADESH
ヴェリコンダ山脈 Velikonda Range
コロマンデル海岸 Coromandel Coast
カールワール Kārwār
アラビア海 Arabian Sea
サヴァヌール Savanūr
ラニベンヌル Rānibennur
ダヴァンギリ Dāvangere
アナンタプル Anantapur
カダパ Kadapa
ネロール Nellore
クムタ Kumta
ホナヴァル Honāvar
西ガーツ山脈 Western Ghāts
チトラドゥルガ Chitradurga
ダルマヴァラム Dharmavaram
ラヤチョティ Rāyachoti
グードゥル Gūdūr
バトカル Bhatkal
シヴァモッガ Shivamogga
バドラーヴァティ Bhadrāvati
ヒリユール Hiriyūr
シラ Sira
ヒンドゥプル Hindupur
マダナパッレ Madanapalle
ティルパティ Tirupati
スリカラハスティ Sri Kālahasti
クンダープラ Kundāpura
カルナータカ KARNĀTAKA
チッカマガルール Chikkamagalūru
トゥマクール Tumakūru
ドッドバッラープル Dod Ballāpur
チクバッラープル Chik Ballāpur
チットゥール Chittoor
アラコナム Arakkonam
プリカット湖 Pulicat L.
ウディピ Udupi
ハッサン Hassan
ベンガルール（バンガロール） BENGALURU (BANGALORE)
コラール Kolār
コラール・ゴールドフィールズ Kolar Gold Fields
ティルヴァッティユル Thiruvattiyur
チェンナイ（マドラス） CHENNAI (MADRAS)
アランドゥル Alandur
アルコット Arcot
マンガルール Mangaluru
ホールナルシプル Hole Narsipur
チャンナパトナ Channapatna
ラーマナガラ Rāmanagaram
ヴェロール Vellore
カーンチープラム Kānchipuram
パラーヴァラム Pallāvaram
マハーバリプラム建造物群
カサラゴッド Kāsaragod
メルカラ Mercara
フンスール Hunsūr
マンディア Mandya
アンブール Ambūr
クリシュナギリ Krishnagiri
ティンディヴァナム Tindivanam
マイスール Mysuru
コッレガル Kollegāl
ダルマプリ Dharmapuri
ティルヴァンナーマライ Tiruvannāmalai
ヴィルプラム Villupuram
プドゥチェリー（ポンディシェリー） Puducherry (Pondicherry)
カッダロール Cuddalore
カンヌール Kannur
タラセリー Thalassery
マーへ Mahe
ヴァダカラ Vadakara
ニルギリ丘陵 Nilgiri Hills
ウダガマンダラム Udagamandalam
セーラム Salem
ネイヴェーリ Neyveli
ポルトノヴォ Porto Novo
チダンバラム Chidambaram
ヴィリッダチャラム Vriddhāchalam
タミルナドゥ TAMIL NĀDU
コジコーデ（カリカット） Kozhikode (Calicut)
2636
クーヌール Coonoor
イロード Erode
ドーダベッタ Doda Betta
マラップラム Malappuram
ティルップル Tiruppur
大チョーラ朝寺院群
マーユーラム Māyuram
カーライカール Kāraikāl
クンバコナム Kumbakonam
ナーガパッティナム Nāgappattinam
コインバトール COIMBATORE
パラカッド Palakkad
カルール Karūr
ティルチラパッリ Tiruchchirāppalli
タンジャーヴール Thanjāvur
ティルヴァールール Thiruvārūr
マラバール海岸 Malabar Coast
トリシュール Thrissur
ニルギリ山岳鉄道
ポラチ Pollāchi
パラニ Palani
アナイムディ山 Anai Mudi
2695
ヴァールパーライ Vālpārai
ディンディグル Dindigul
パットゥコッタイ Pattukkottai
カリメア岬 Pt.Calimere
ラッカディヴ諸島〔インド〕 Laccadive Is.
カンナノール諸島 Is.Cannanore
カルペニ島 Kalpeni
チェトラト島 Chetlat
キルターン島 Kiltān
アミーンディヴィー諸島 Amindivi Is.
アーンドロット島 Andrott
カヴァラッティ島 Kavaratti
コーチ Kochi
ケーララ KERALA
マドゥライ MADURAI
カーライクディ Kāraikkudi
ポーク海峡 Palk Str.
カンケサントゥライ Kankesanturai
ジャフナ Jaffna
チェサラ Cherthala
コッタヤム Kottayam
アラップーザ Alappuzha
ラージャパライヤム Rājapalaiyam
シヴァカシ Sivakāsi
シヴィリプットゥル Srivilliputtūr
ヴィルドゥナガル Virudunagar
パラマクディ Paramakkudi
アルプコッタイ Aruppukkottai
コヴィルパッティ Kovilpatti
ラーマナータプラム Rāmanāthapuram
ラーメシュワラム Rameswaram
アダムズブリッジ Adam's Bridge
タライマンナール Talaimannar
マンナール Mannar
ナインデグリー海峡 Nine Degree Ch.
チタン
コーラム Kollam
カーダモン丘陵 Cardamom Hills
ティルネルヴェリー Tirunelveli
テンカシ Tenkāsi
トゥティコリン Tuticorin
パラヤンコッタイ Pālayankottai
メラッパーライヤム Melappālaiyam
ティルヴァナンタプラム Thiruvananthapuram
ナーガルコイル Nāgercoil
マナヴァラクリチ Manavalakurichi
コモリン岬 C.Comorin
マンナール湾 G.of Mannar
ムッライティヴ Mullaittivu
スリランカ民主社会主義共和国 DEMOCRATIC SOCIALIST REPUBLIC OF SRI LANKA
ヴァヴニヤ Vavuniya
トリンコマリー Trincomalee
セイロン島 Ceylon I.
アヌラダプラ Anuradhapura
プッタラム Puttalam
シギリヤ Sigiriya
ポロンナルワ Polonnaruwa
ランギリ・ダンブッラの石窟寺院
バッティカロア Batticaloa
チラウ Chilaw
クルネガラ Kurunegala
マタレ Matale
スリランカ中央高原
キャンディ Kandy
セナナヤケ湖 Senanayake Samudra
ネゴンボ Negombo
ナワラピティヤ Nawalapitiya
ピドゥルタラガラ山 Pidurutalagala
2524
ヌワラエリヤ Nuwara Eliya
バドゥッラ Badulla
コロンボ Colombo
スリジャヤワルダナプラコッテ SRI JAYEWARDENEPURA KOTTE
2243
アダムス山 Adam's Pk.
デヒワラマウントラヴィニア Dehiwala-Mount Lavinia
モラトゥワ Moratuwa
ラトナプラ Ratnapura
カルタラ Kalutara
シンハラジャ森林保護区
ゴール Galle
マタラ Matara
タンガラ Tangalla
ハンバントータ Hambantota
ゴール旧市街
ドンドラ岬 Dondra Hd.
ミニコイ島 Minicoy I.
エイトデグリー海峡 Eight Degree Ch.
モルディブ共和国 REPUBLIC OF MALDIVES
ティラドゥンマティ環礁 Thiladunmathi Atoll
ミラドゥンマドゥル環礁 Miladummadulu Atoll
北回帰線
陸高と水深(m)
2000
1000
500
200
100
0
200
1000
2000
4000
←アデン
1027
70°
75°
80°
20°
15°
10°
A
B
C
1
2
3
4

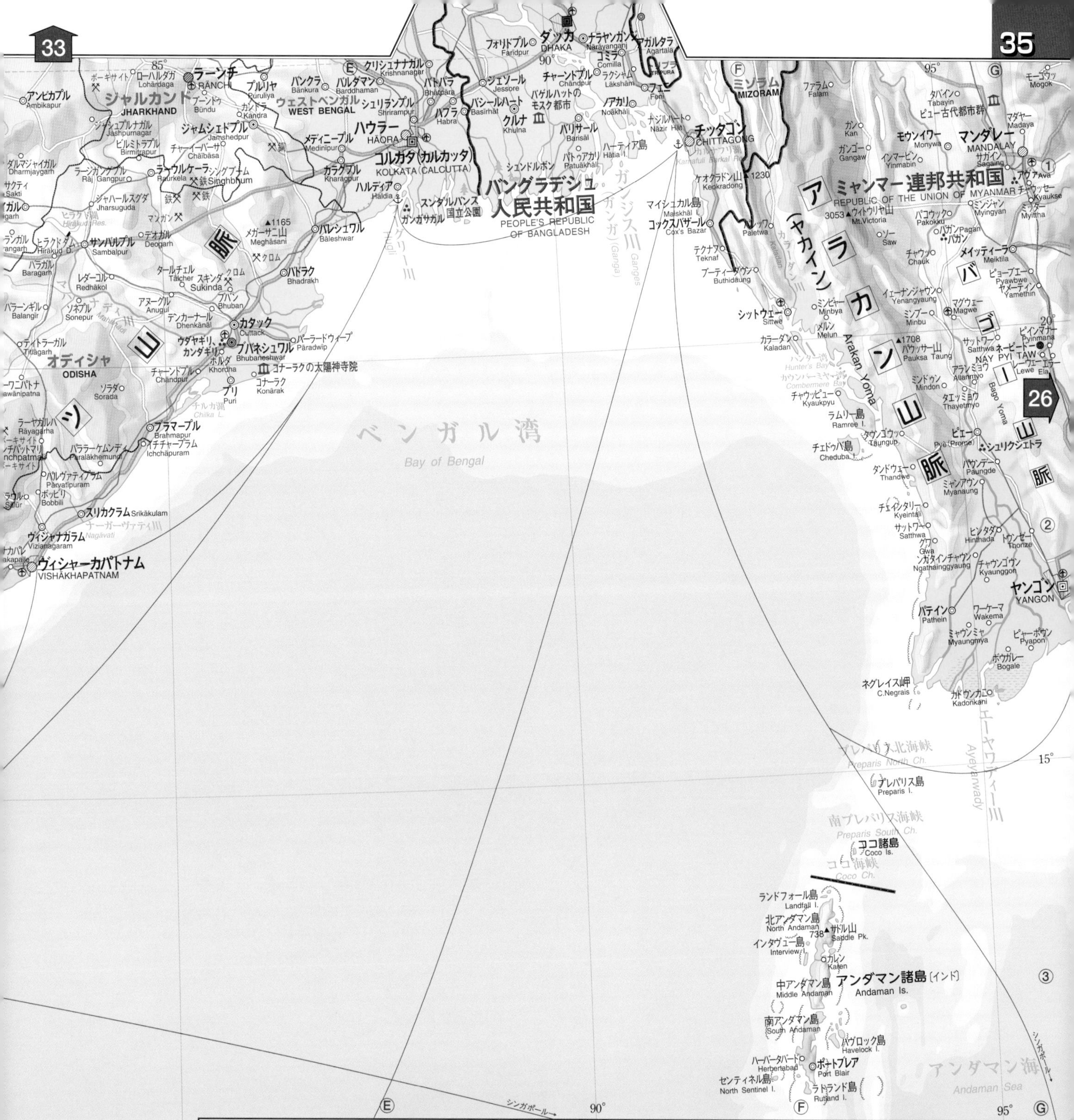

バングラデシュ人民共和国
PEOPLE'S REPUBLIC OF BANGLADESH
ミャンマー連邦共和国
REPUBLIC OF THE UNION OF MYANMAR
ベンガル湾
Bay of Bengal
アンダマン海
Andaman Sea
ジャルカンド
JHARKHAND
ウェストベンガル
WEST BENGAL
オディシャ
ODISHA
ミゾラム
MIZORAM
アラカン(ヤカイン)山脈
Arakan Yoma
バゴー山脈
ヨ
シ
山
脈
ダッカ
DHAKA
ナラヤンガンジ
Narayanganj
アガルタラ
Agartala
コミラ
Comilla
フォリドプル
Faridpur
チャーンドプル
Chandpur
ラクシャム
Lāksham
フェニ
Feni
ノアカリ
Noākhāli
バリサール
Barisāl
クルナ
Khulna
バゲルハットのモスク都市
ジェソール
Jessore
チッタゴン
CHITTAGONG
ハーティア島
Hātia I.
コックスバザール
Cox's Bazar
マイシュカル島
Maiskhāl I.
テクナフ
Teknaf
ケオクラドン山
Keokradong
1230
コルカタ(カルカッタ)
KOLKATA (CALCUTTA)
ハウラー
HĀORA
ハルディア
Haldia
クリシュナナガル
Krishnanagar
バルダマン
Barddhaman
バンクラ
Bānkura
シュリランプル
Shrirampur
ハブラ
Habra
バシールハート
Basirhāt
カラグプル
Kharagpur
メディニープル
Medinipur
ガンガサガル
スンダルバンス国立公園
ラーンチ
RĀNCHI
ジャムシェドプル
Jamshedpur
プルリヤ
Puruliya
ローハルダガ
Lohārdaga
アンビカプル
Ambikapur
ラーウルケーラ
Raurkela
シングブム
Singhbhum
ジャーサグダ
Jharsuguda
サンバルプル
Sambalpur
ヒラクド
Hirakud D.
デオガル
Deogarh
メガーサニ山
Meghāsani
1165
バレシュワル
Bāleshwar
バドラク
Bhadrakh
タールチェル
Tālcher
スキンダ
Sukinda
カタック
Cuttack
ブバネシュワル
Bhubaneshwar
パーラードウィープ
Pāradwip
コナーラクの太陽神寺院
コナーラク
Konārak
プリ
Puri
チルカ湖
Chilka L.
ブラマープル
Brahmapur
イチチャープラム
Ichchāpuram
シュリカクラム
Srikākulam
ナーガーヴァティ川
Nagāvati
ヴィジャナガラム
Vizianagaram
ヴィシャーカパトナム
VISHĀKHAPATNAM
ガンジス川
Ganges
フーグリー川
マンダレー
MANDALAY
モーゴック
Mogok
ピュー古代都市群
モウンイワー
Monywa
サガイン
Sagaing
アヴァ
Ava
ミャンマー
ヴィクトリア山
Mt.Victoria
3053
パコックー
Pakokku
バガン
Bagan
ミンジャン
Myingyan
メイッティーラ
Meiktila
マグウェー
Magwe
ネーピードー
NAY PYI TAW
1708
パウッサー山
Pauksa Taung
シットウェー
Sittwe
チャウッピュー
Kyaukpyu
ラムリー島
Ramree I.
チェドゥバ島
Cheduba I.
タウングッ
Taungup
ピエー
(Prome)
シュリクシェトラ
タンドウェー
Thandwe
ヤンゴン
YANGON
パテイン
Pathein
ピャーポン
Pyapon
ボウガレー
Bogale
ネグレイス岬
C.Negrais
エーヤワディー川
Ayeyarwardy
プレパリス北海峡
Preparis North Ch.
プレパリス島
Preparis I.
南プレパリス海峡
Preparis South Ch.
ココ諸島
Coco Is.
ココ海峡
Coco Ch.
ランドフォール島
Landfall I.
北アンダマン島
North Andaman
サドル山
Saddle Pk.
738
インタヴュー島
Interview I.
カレン
Karen
中アンダマン島
Middle Andaman
アンダマン諸島〔インド〕
Andaman Is.
南アンダマン島
South Andaman
ハヴロック島
Havelock I.
ハーバータバード
Herbertabad
ポートブレア
Port Blair
センティネル島
North Sentinel I.
ラトランド島
Rutland I.
シンガポール
この図の範囲
85°
90°
95°
15°
20°
10°
E
F
G
①
②
③
④
26

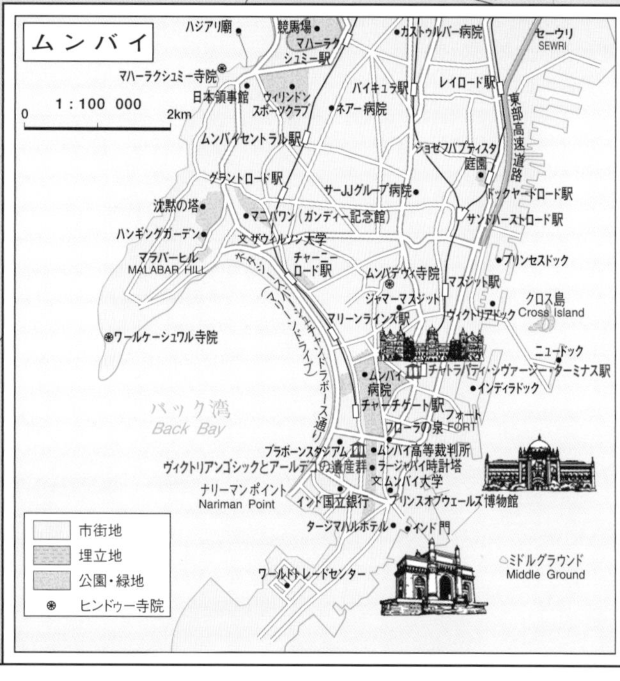

ムンバイ
1:100 000
0
2km
ハジアリ廟
競馬場
マハーラクシュミー駅
カストゥルバー病院
セーウリ
SEWRI
マハーラクシュミー寺院
日本領事館
ウィリンドンスポーツクラブ
バイキュラ駅
レイロード駅
ネアー病院
ムンバイセントラル駅
ジョゼフバプティスタ庭園
東部高速道路
グラントロード駅
サーJJグループ病院
ドックヤードロード駅
沈黙の塔
マニバワン(ガンディー記念館)
サンドハーストロード駅
ハンギングガーデン
ザウィルソン大学
マラバーヒル
MALABAR HILL
チャーニーロード駅
ムンバデヴィ寺院
プリンセスドック
マスジット駅
ジャマーマスジッド
ヴィクトリアドック
クロス島
Cross Island
マリーンラインズ駅
ワールケーシュワル寺院
ニュードック
チハトラパティ・シヴァージー・ターミナス駅
インディラドック
バック湾
Back Bay
チャーチゲート駅
フォート
FORT
フローラの泉
ブラボーンスタジアム
ムンバイ高等裁判所
ヴィクトリアンゴシックとアールデコの遺産群
ラージャバイ時計塔
ムンバイ大学
ナリーマンポイント
Nariman Point
インド国立銀行
プリンスオブウェールズ博物館
タージマハルホテル
インド門
ミドルグラウンド
Middle Ground
ワールドトレードセンター
市街地
埋立地
公園・緑地
ヒンドゥー寺院

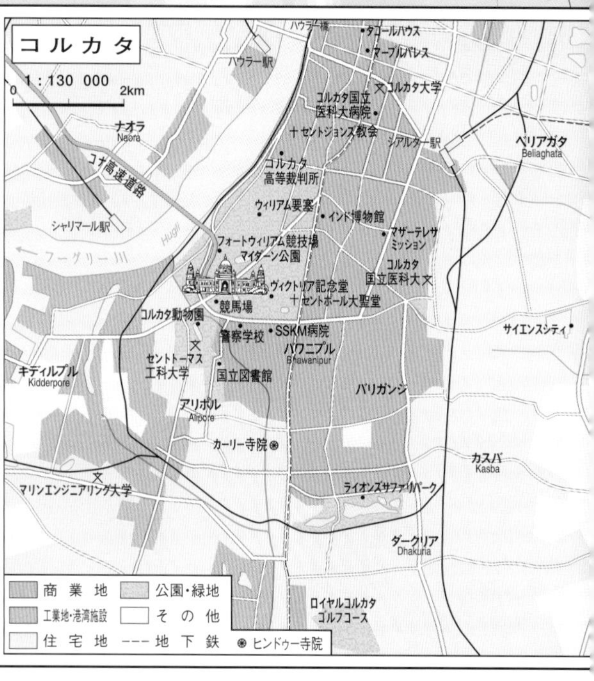

コルカタ
1:130 000
0
2km
ハウラー橋
タゴールハウス
マーブルパレス
ハウラー駅
コルカタ大学
コルカタ国立医科大病院
ナオラ
Neora
セントジョンズ教会
シアルダー駅
ベリアガタ
Beliaghata
コルカタ高等裁判所
コナ高速道路
ウィリアム要塞
インド博物館
シャリマール駅
フォートウィリアム競技場
マイダーン公園
マザーテレサミッション
フーグリー川
Hugli
ヴィクトリア記念堂
セントポール大聖堂
国立医科大
コルカタ動物園
競馬場
警察学校
SSKM病院
サイエンスシティ
バワニプル
Bhawanipur
キディルプル
Kidderpore
セントトーマス工科大学
国立図書館
バリガンジ
アリポル
Alipore
カーリー寺院
カスバ
Kasba
マリンエンジニアリング大学
ライオンズサファリパーク
ダークリア
Dhakuria
ロイヤルコルカタゴルフコース
商業地
公園・緑地
工業地・港湾施設
その他
住宅地
地下鉄
ヒンドゥー寺院

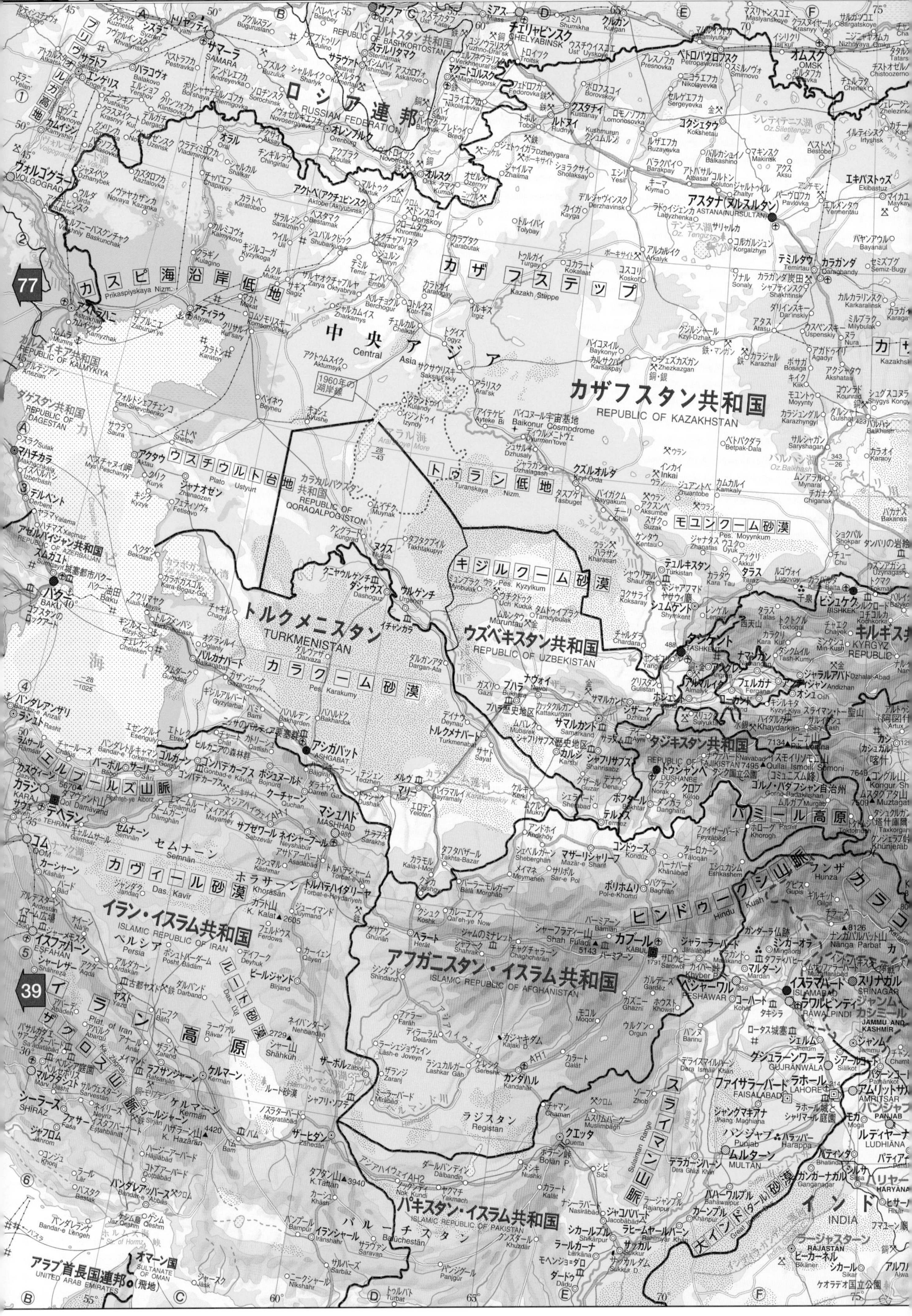
36 中央アジア
1：11 000 000
0 150 300km
正距円錐図法
ロシア連邦
RUSSIAN FEDERATION
バシコルトスタン共和国
REPUBLIC OF BASHKORTOSTAN
カザフスタン共和国
REPUBLIC OF KAZAKHSTAN
カザフステップ
Kazakh Steppe
中央アジア
Central Asia
カスピ海沿岸低地
Prikaspiyskaya Nizm.
カルムイキア共和国
REPUBLIC OF KALMYKIYA
ダゲスタン共和国
REPUBLIC OF DAGESTAN
アゼルバイジャン共和国
REPUBLIC OF AZERBAIJAN
ウスチウルト台地
トゥラン低地
Turanskaya Nizm.
カラカルパクスタン共和国
REPUBLIC OF QORAQALPOGISTON
キジルクーム砂漠
モユンクーム砂漠
トルクメニスタン
TURKMENISTAN
カラクーム砂漠
ウズベキスタン共和国
REPUBLIC OF UZBEKISTAN
タジキスタン共和国
REPUBLIC OF TAJIKISTAN
キルギス共和国
KYRGYZ REPUBLIC
パミール高原
ヒンドゥークシ山脈
アフガニスタン・イスラム共和国
ISLAMIC REPUBLIC OF AFGHANISTAN
イラン・イスラム共和国
ISLAMIC REPUBLIC OF IRAN
ペルシア
Persia
エルブールズ山脈
カヴィール砂漠
イラン高原
ザグロス山脈
ルート砂漠
パキスタン・イスラム共和国
ISLAMIC REPUBLIC OF PAKISTAN
バルーチスタン
スライマン山脈
大インド(タール)砂漠
インド
INDIA
アラブ首長国連邦
UNITED ARAB EMIRATES
オマーン国
SULTANATE OF OMAN
(飛地)
アスタナ(ヌルスルタン)
ASTANA(NURSULTAN)
タシケント
TASHKENT
ビシュケク
BISHKEK
ドゥシャンベ
DUSHANBE
アシガバット
ASHGABAT
カブール
KABUL
イスラマバード
ISLAMABAD
テヘラン
TEHRAN
バクー
BAKU
サマルカンド
ブハラ
マシュハド
MASHHAD
ヴォルゴグラード
VOLGOGRAD
サマーラ
SAMARA
ウファ
UFA
チェリャビンスク
CHELYABINSK
オムスク
OMSK
カラガンダ
アクトベ(アクチュビンスク)
Aktobe(Aktyubinsk)
アティラウ
Atyrau
クズルオルダ
バイコヌール宇宙基地
Baikonur Cosmodrome
1960年の湖岸線
アラル海
Aral'skoye More
バルハシ湖
Oz. Balkhash
テンギス湖
Oz. Tengiz
ペシャーワル
PESHAWAR
ラホール
LAHORE
クエッタ
Quetta
カンダハル
Kandahar
ヘラート
Herāt
イスファハーン
ESFAHAN
シーラーズ
SHIRAZ
ケルマーン
Kermān
ザーヘダーン
Zāhedān
ムルターン
MULTAN
ラジスタン
Registan
77
39

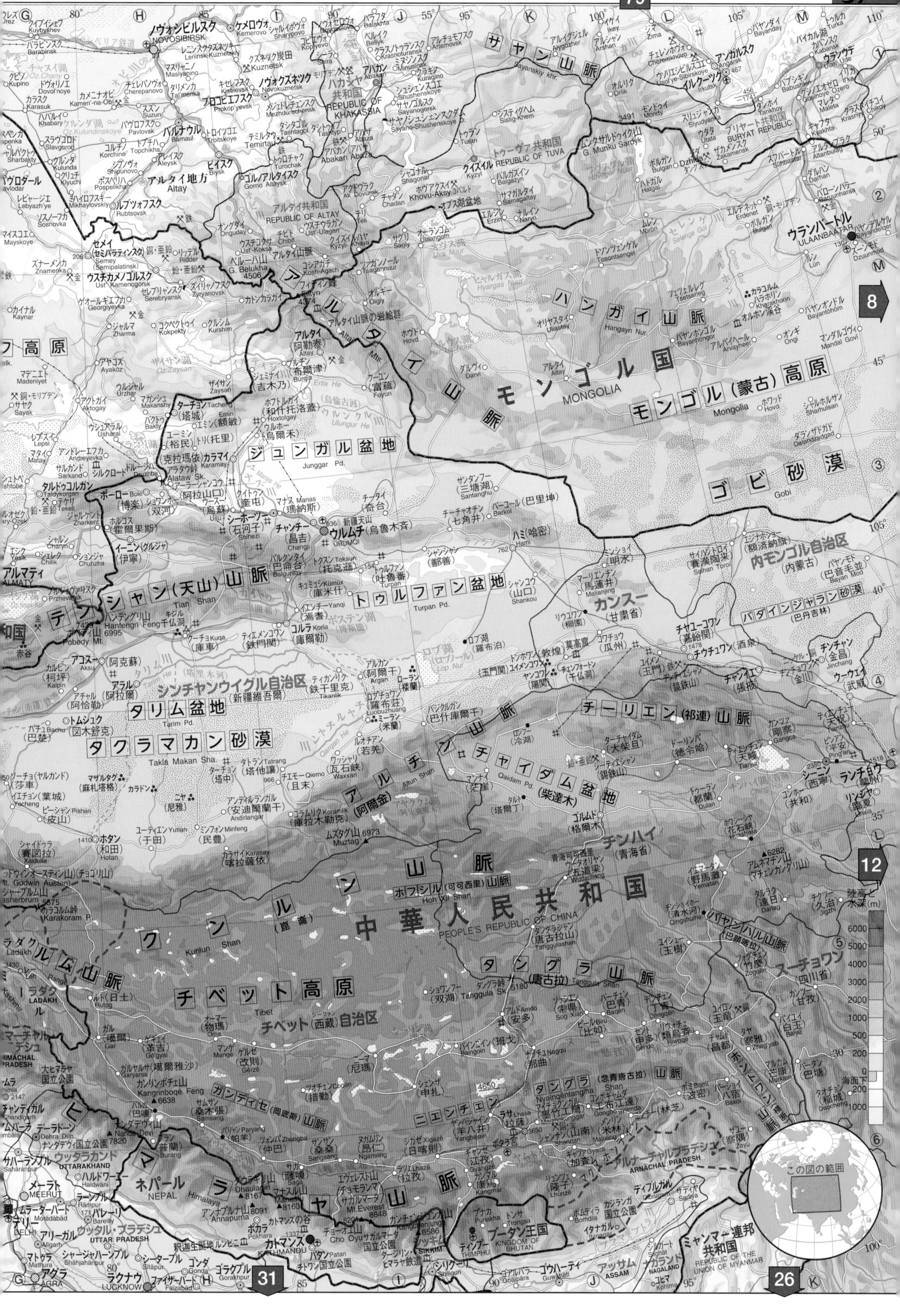
79
8
12
31
26
ノヴォシビルスク
NOVOSIBIRSK
ケメロヴォ
Kemerovo
ノヴォクズネツク
Novokuznetsk
バルナウル
Barnaul
ビイスク
Biysk
アルタイ地方
Altay
ルブツォフスク
Rubtsovsk
セメイ（セミパラチンスク）
Semey (Semipalatinsk)
ウスチカメノゴルスク
Ust'-Kamenogorsk
アバカン
Abakan
ハカシヤ共和国
REPUBLIC OF KHAKASSIA
アルタイ共和国
REPUBLIC OF ALTAY
トゥーヴァ共和国
REPUBLIC OF TUVA
クイズイル
Kyzyl
サヤン山脈
Sayanskiy khr.
イルクーツク
Irkutsk
アンガルスク
Angarsk
ウランウデ
Ulan-Ude
ブリヤート共和国
BURYAT REPUBLIC
ウランバートル
ULAANBAATAR
ハンガイ山脈
Hangayn Nur.
アルタイ山脈
Altai Mts.
モンゴル国
MONGOLIA
モンゴル（蒙古）高原
Mongolia
ゴビ砂漠
Gobi
ジュンガル盆地
Junggar Pd.
ウルムチ
URUMQI
ハミ（哈密）
Hami
トゥルファン盆地
Turpan Pd.
シャン（天山）山脈
Tian Shan
テンシャン
アルマティ
ALMATY
シンチャンウイグル自治区（新疆維吾爾自治区）
タリム盆地
Tarim Pd.
タクラマカン砂漠
Takla Makan Sha.
カンスー（甘粛省）
内モンゴル自治区（内蒙古）
バダインジャラン砂漠（巴丹吉林）
チーリエン（祁連）山脈
チャイダム盆地（柴達木）
Qaidam Pd.
アルチン山脈
Altun Shan
チンハイ（青海省）
クンルン山脈（崑崙）
Kunlun Shan
ホフシル（可可西里）山脈
Hoh Xil Shan
中華人民共和国
PEOPLE'S REPUBLIC OF CHINA
タングラ山脈（唐古拉）
Tanggula Shan
チベット高原
Tibet
チベット（西藏）自治区
カラコルム山脈
ラダク
LADAKH
ガンディセ（岡底斯）山脈
ニエンチエン
タングラ（念青唐古拉）山脈
ラサ
Lhasa
ヒマラヤ山脈
Himalaya
ネパール
NEPAL
カトマンズ
KATHMANDU
エヴェレスト山（チョモランマ）
Mt.Everest
8848
ブータン王国
KINGDOM OF BHUTAN
ティンプー
THIMPHU
アルナーチャルプラデシュ
ARNACHAL PRADESH
アッサム
ASSAM
ミャンマー連邦共和国
REPUBLIC OF THE UNION OF MYANMAR
スーチョワン（四川省）
バヤンハル山脈（巴顔喀拉）
ウッタラカンド
UTTARAKHAND
ウッタル・プラデシュ
UTTAR PRADESH
ヒマチャルプラデシュ
HIMACHAL PRADESH
デリー
DELHI
アグラ
AGRA
ラクナウ
LUCKNOW
メーラト
MEERUT
ランチョウ（蘭州）
シーニン（西寧）
ホタン（和田）
カシュガル
ムスタグ山 6973
Muztag
K2
ゴドウィンオースティン山（チョゴリ山）
Mt. Godwin Austen
陸高・水深（m）
6000
5000
4000
3000
2000
1000
500
200
0
海面下
200
1000
この図の範囲
80°
85°
90°
95°
100°
105°
110°
55°
50°
45°
40°
35°
30°

1：1 500 000
0 15 30km
正距円錐図法
※ 1994年イスラエル・ヨルダン平和条約でのヨルダン放棄地区
ヨルダン川西岸のおもなパレスチナ自治区
イスラエルとシリアの停戦ライン(2006年)
レバノン共和国
LEBANESE REPUBLIC
シリア・アラブ共和国
SYRIAN ARAB REPUBLIC
ゴラン高原
国連監視区
地中海
MEDITERRANEAN SEA
ガリラヤ
Galilee
サマリヤ
Samaria
※ヨルダン川西岸地区
〔パレスチナ自治区〕
パレスチナ
PALESTINA
ガザ地区
〔パレスチナ自治区〕
イスラエル国
STATE OF ISRAEL
ヨルダン・ハシェミット王国
HASHEMITE KINGDOM OF JORDAN
エジプト・アラブ共和国
ARAB REPUBLIC OF EGYPT
ネゲヴ
Negev
ネゲヴ砂漠
ティー高原
G. al Tih
シナイ半島
Sinai
死海
エルサレム
JERUSALEM
アンマン
AMMAN
テルアヴィヴ
Tel Aviv-Yafo
ハイファ
Haifa
アッコ
'Akko
ナザレ
Nazareth
ティベリアス
ガリラヤ湖
ヘブロン
Hebron
ベツレヘム
Bethlehem
イェリコ
Jericho
ガザ
Gaza
アシュドド
Ashdod
アシュケロン
Ashqelon
ベエルシェヴァ
Be'er Sheva
ナブルス
Nablus
ジェニン
Jenin
ラマラ
Ramallah
イルビド
Irbid
ザルカー
Zarqa
ダラア
DAR'A
マダバ
Madaba
カラク
Karak
ペトラ
Petra
マアーン
Ma'an
エーラト
Elat
アカバ
Aqaba
ターバ
Taba
ラーファ
Rafah
ハンユニス
Khan Yunis
キルヤトシェモナ
Qiryat Shemona
ナタニヤ
Netanya
ヘルツリーヤ
Herzliyya
マサダ
Masada
クムラン
Qumran
ワディラム保護区
陸高と水深(m)
2000
1500
1000
500
200
100
0
海面下
200
1000
ブルガリア共和国
REPUBLIC OF BULGARIA
黒海
Black Sea
イスタンブール
ISTANBUL
アンカラ
ANKARA
アナトリア高原
小アジア
Asia Minor
トロス山脈
キプロス共和国
REPUBLIC OF CYPRUS
ニコシア
NICOSIA
ベイルート
BEIRUT
ダマスカス
DAMASCUS
アレクサンドリア
ALEXANDRIA
カイロ
CAIRO
ギーザ
AL GIZA
スエズ
Suez
ポートサイド
Port Said
シナイ半島
エジプト・アラブ共和国
ARAB REPUBLIC OF EGYPT
ナイル川
アスワン
Aswan
ルクソール
Luxor
ヌビア砂漠
Nubian Des.
スーダン共和国
THE REPUBLIC OF THE SUDAN
ハルツーム
KHARTOUM
オムドゥルマン
OMDURMAN
エリトリア国
紅海
51
65
47

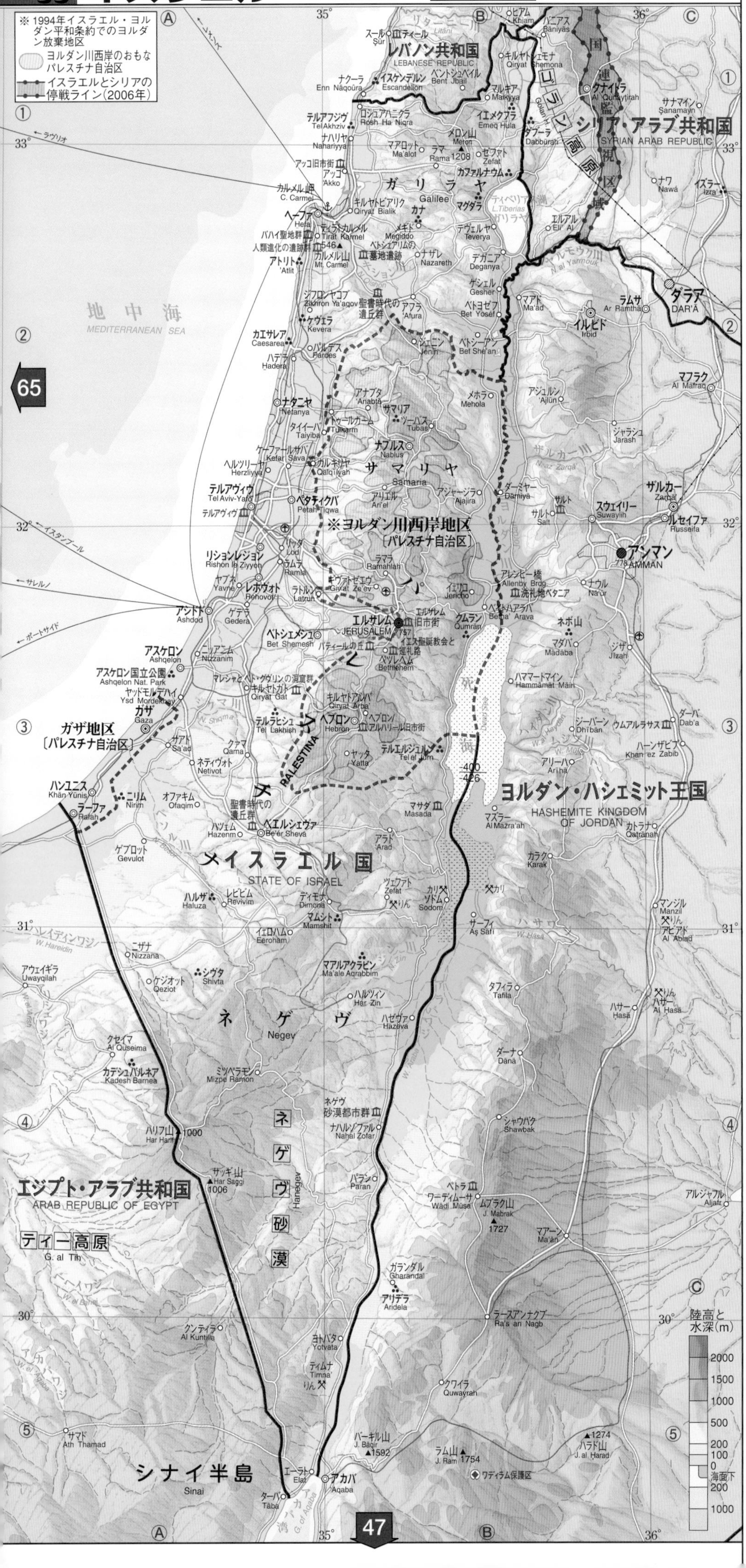

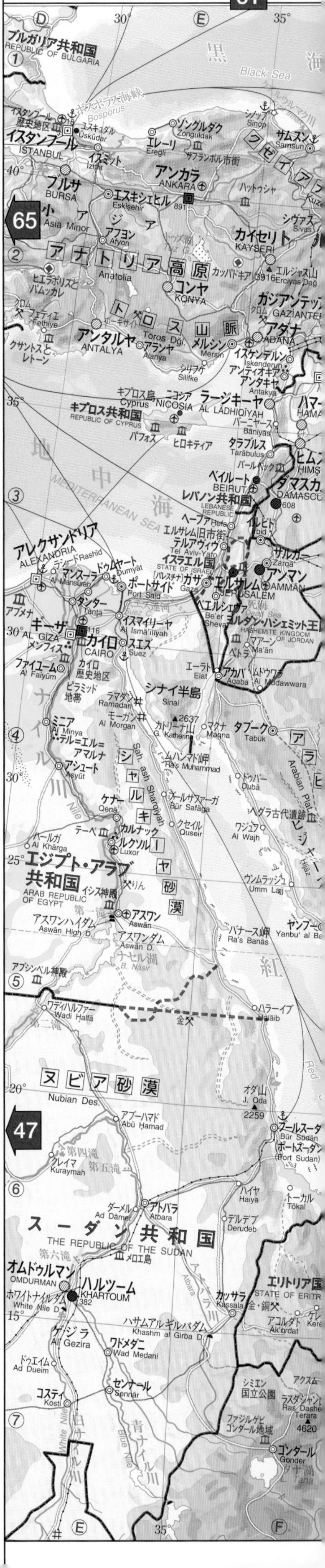

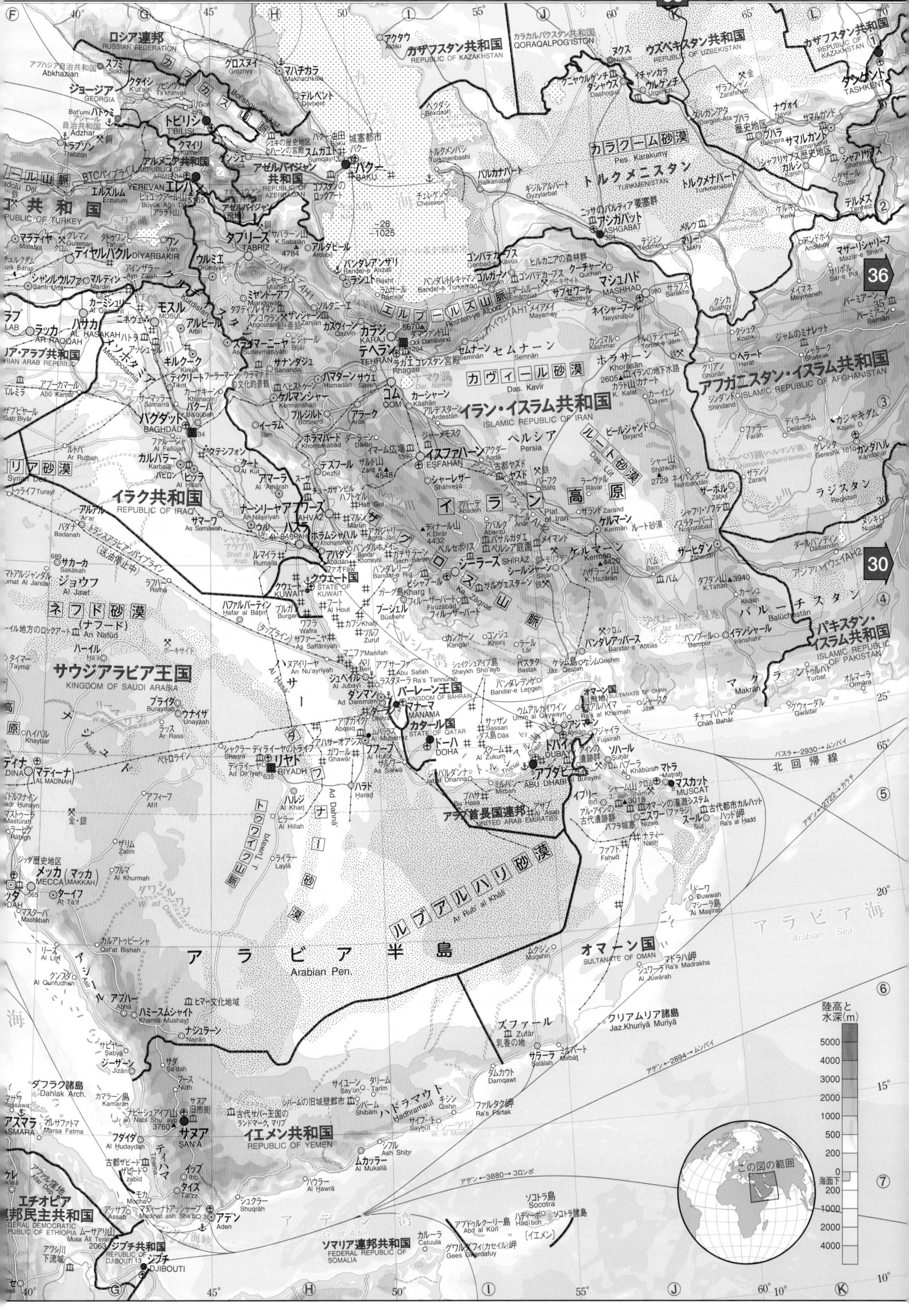

ロシア連邦
RUSSIAN FEDERATION
カザフスタン共和国
REPUBLIC OF KAZAKHSTAN
ウズベキスタン共和国
REPUBLIC OF UZBEKISTAN
カラカルパクスタン共和国
QORAQALPOG'ISTON
ジョージア
GEORGIA
トビリシ
T'BILISI
アルメニア共和国
REPUBLIC OF ARMENIA
エレバン
YEREVAN
アゼルバイジャン共和国
REPUBLIC OF AZERBAIJAN
バクー
BAKU
カラクーム砂漠
Pes. Karakumy
トルクメニスタン
TURKMENISTAN
アシガバット
ASHGABAT
タシケント
TASHKENT
サマルカンド
Samarkand
ブハラ
Bukhara
トルコ共和国
REPUBLIC OF TURKEY
タブリーズ
TABRIZ
エルブールズ山脈
Reshteh-ye Alborz
テヘラン
TEHRAN
マシュハド
MASHHAD
カヴィール砂漠
Das. Kavir
イラン・イスラム共和国
ISLAMIC REPUBLIC OF IRAN
イラン高原
Plat. of Iran
ルート砂漠
Das. Lūt
イスファハーン
EŞFAHAN
ヤズド
Yazd
シーラーズ
SHIRAZ
ケルマーン
Kermān
ザグロス山脈
Kūhhā-ye Zagros
アフガニスタン・イスラム共和国
ISLAMIC REPUBLIC OF AFGHANISTAN
ヘラート
Herat
カンダハル
Kandahar
バルーチスタン
Balūchestān
パキスタン・イスラム共和国
ISLAMIC REPUBLIC OF PAKISTAN
シリア・アラブ共和国
SYRIAN ARAB REPUBLIC
モスル
MOSUL
バグダッド
BAGHDAD
イラク共和国
REPUBLIC OF IRAQ
バスラ
AL BASRAH
クウェート国
STATE OF KUWAIT
ネフド砂漠
(ナフード)
Al Nafūd
サウジアラビア王国
KINGDOM OF SAUDI ARABIA
リヤド
RIYADH
バーレーン王国
KINGDOM OF BAHRAIN
マナーマ
MANAMA
カタール国
STATE OF QATAR
ドーハ
DOHA
アラブ首長国連邦
UNITED ARAB EMIRATES
アブダビ
ABU DHABI
ドバイ
DUBAI
ペルシア湾
Persian Gulf
ホルムズ海峡
Str. of Hormuz
オマーン湾
G. of Oman
マスカット
MUSCAT
オマーン国
SULTANATE OF OMAN
ルブアルハリ砂漠
Ar Rub' al Khālī
アラビア半島
Arabian Pen.
アラビア海
Arabian Sea
メッカ(マッカ)
MECCA(MAKKAH)
メディナ
マディーナ
AL MADINAH
イエメン共和国
REPUBLIC OF YEMEN
サヌア
SAN'A
アデン
Aden
アデン湾
G. of Aden
ソコトラ島
Socotra
ソマリア連邦共和国
FEDERAL REPUBLIC OF SOMALIA
ジブチ共和国
REPUBLIC OF DJIBOUTI
ジブチ
DJIBOUTI
エチオピア連邦民主共和国
FEDERAL DEMOCRATIC REPUBLIC OF ETHIOPIA
アスマラ
ASMARA
北回帰線
陸高と水深(m)
5000
4000
3000
2000
1000
500
200
0
海面下
200
1000
2000
4000
この図の範囲

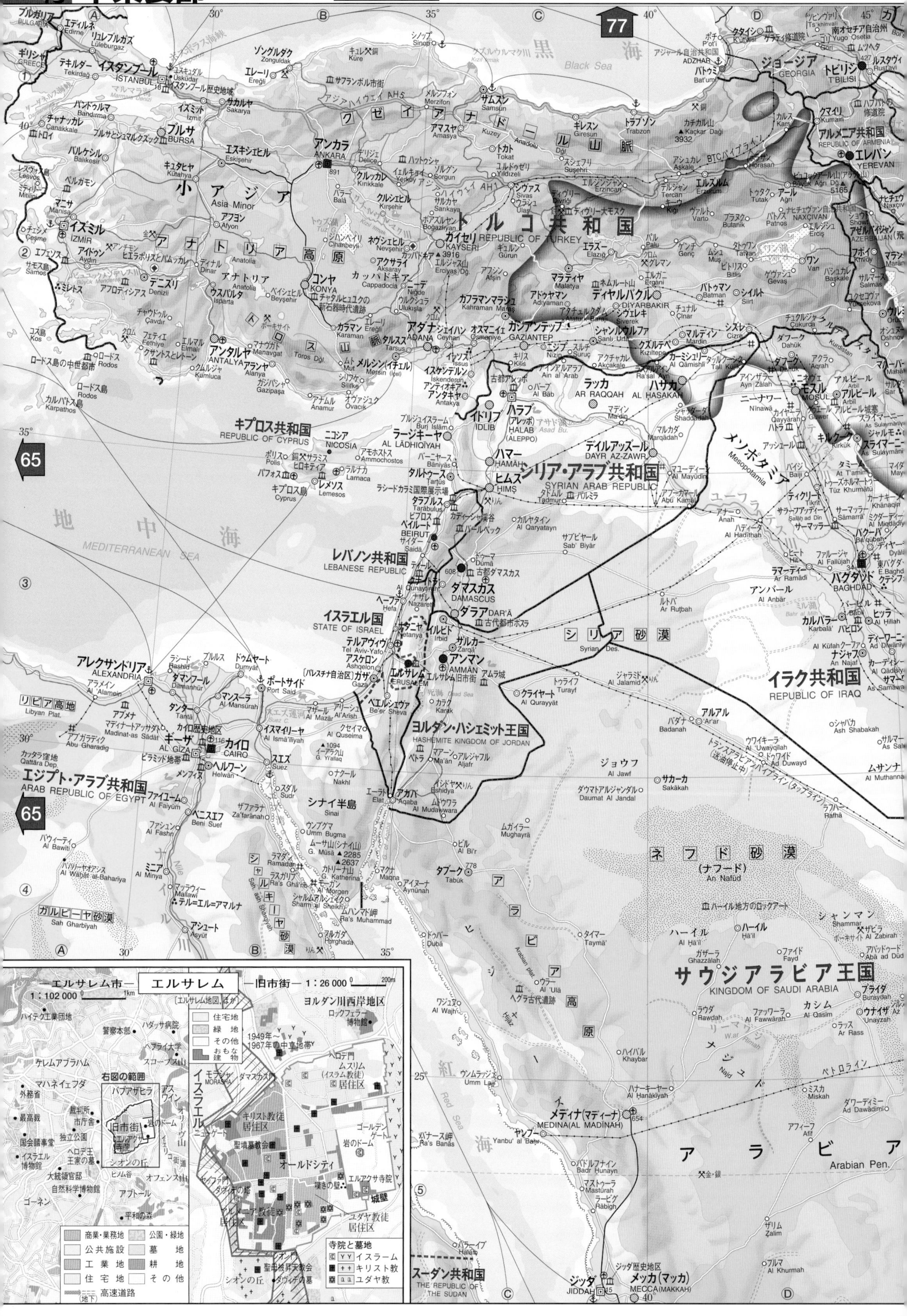

40
中東要部
1：8 400 000
0 100 200km
正距円錐図法
77
65
65
黒海
Black Sea
地中海
MEDITERRANEAN SEA
トルコ共和国
REPUBLIC OF TURKEY
小アジア
Asia Minor
アナトリア高原
クゼイアナドール山脈
トロス山脈
シリア・アラブ共和国
SYRIAN ARAB REPUBLIC
レバノン共和国
LEBANESE REPUBLIC
イスラエル国
STATE OF ISRAEL
ヨルダン・ハシェミット王国
HASHEMITE KINGDOM OF JORDAN
イラク共和国
REPUBLIC OF IRAQ
キプロス共和国
REPUBLIC OF CYPRUS
エジプト・アラブ共和国
ARAB REPUBLIC OF EGYPT
サウジアラビア王国
KINGDOM OF SAUDI ARABIA
ジョージア
GEORGIA
アルメニア共和国
REPUBLIC OF ARMENIA
スーダン共和国
THE REPUBLIC OF THE SUDAN
シリア砂漠
ネフド砂漠
(ナフード)
An Nafūd
アラビア高原
アラビア
Arabian Pen.
シナイ半島
Sinai
メソポタミア
Mesopotamia
リビア高地
Libyan Plat.
カルビーヤ砂漠
紅海
Red Sea
イスタンブール
İSTANBUL
アンカラ
ANKARA
イズミル
İZMİR
ブルサ
BURSA
コンヤ
KONYA
アダナ
ADANA
カイセリ
KAYSERİ
アンタルヤ
ANTALYA
ディヤルバクル
DİYARBAKIR
ガジアンテップ
GAZİANTEP
トラブゾン
Trabzon
サムスン
Samsun
エルズルム
Erzurum
アララト山
ニコシア
NICOSIA
ベイルート
BEIRUT
ダマスカス
DAMASCUS
アレッポ
ALEPPO
ハマー
ヒムス
ラッカ
デイルアッズール
エルサレム
JERUSALEM
テルアヴィヴ
アンマン
AMMAN
アカバ
エーラト
ガザ
バグダッド
BAGHDAD
モスル
MOSUL
キルクーク
アルビール
カルバラー
ナジャフ
カイロ
CAIRO
ギーザ
AL GIZA
アレクサンドリア
ALEXANDRIA
ポートサイド
スエズ
メディナ(マディーナ)
MEDINA(AL MADĪNAH)
メッカ(マッカ)
MECCA(MAKKAH)
ジッダ
JIDDAH
トビリシ
T'BILISI
エレバン
YEREVAN
エルサレム
―エルサレム市― 1：102 000
―旧市街― 1：26 000
ヨルダン川西岸地区
イスラエル
旧市街
オールドシティ
岩のドーム
嘆きの壁
エルアクサ寺院
聖墳墓教会
ムスリム(イスラム教徒)居住区
キリスト教徒居住区
アルメニア教徒居住区
ユダヤ教徒居住区
シオンの丘
城壁
商業・業務地
公園・緑地
公共施設
墓地
工業地
耕地
住宅地
その他
高速道路
寺院と墓地
イスラーム
キリスト教
ユダヤ教

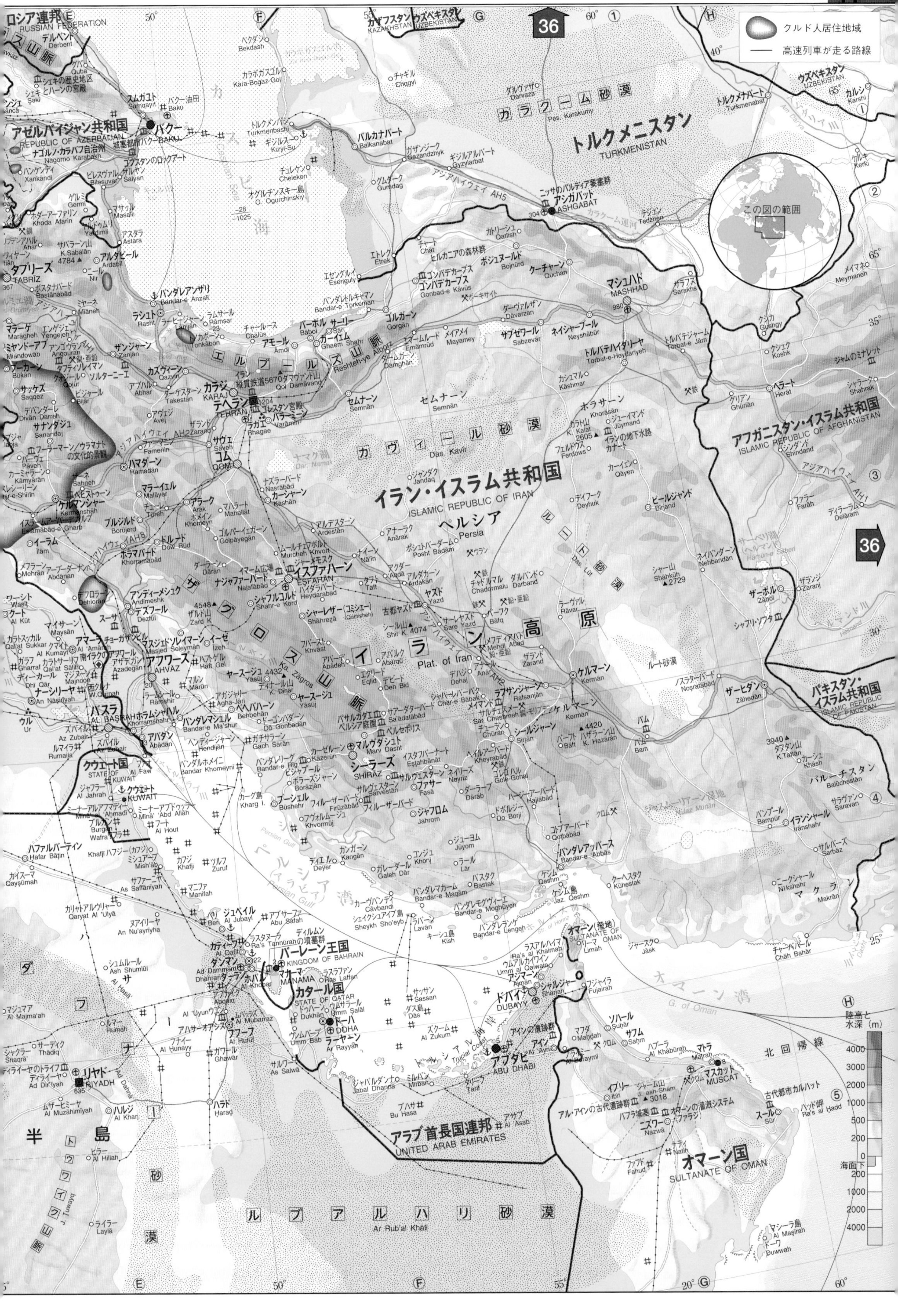
クルド人居住地域
高速列車が走る路線
36
この図の範囲
ロシア連邦
RUSSIAN FEDERATION
デルベント
Derbent
シェキの歴史地区とハーンの宮殿
スムガユト
Sumqayıt
バクー油田
バクー
Baku
アゼルバイジャン共和国
REPUBLIC OF AZERBAIJAN
城塞都市バクー
ナゴルノ・カラバフ自治州
Nagorno Karabakh
ゴブスタンのロックアート
カザフスタン
KAZAKHSTAN
ウズベキスタン
UZBEKISTAN
ベクダシ
Bekdash
カラボガズゴル
Kara-Bogaz-Gol
チャギル
Chagyl
ダルヴァザ
Darvaza
カラクーム砂漠
Pes. Karakumy
トルクメンバシ
Turkmenbashi
バルカナバート
Balkanabat
トルクメニスタン
TURKMENISTAN
トルクメナバート
Turkmenabat
カルシ
Karshi
ガザンジーク
Gazandzhyk
ギジルアルバート
Gyzylarbat
チェレケン
Cheleken
グムダーク
Gumdag
アジアハイウェイ AH5
オグルチンスキー島
O. Ogurchinskiy
ニッサのパルティア要塞群
アシガバット
ASHGABAT
カラクーム運河
テジェン
Tedzhen
カスピ海
Caspian Sea
アスタラ
Astara
アルダビール
Ardabil
タブリーズ
TABRĪZ
サバラーン山
K. Sabalān
4784
エトレク
Etrek
チャート
Chāt
ヒルカニアの森林群
ボジュヌールド
Bojnūrd
クーチャーン
Quchan
マシュハド
MASHHAD
サラフス
Sarakhs
エセングルイ
Esenguly
ゴンバデカーブス
Gonbad-e Kāvūs
バンダレアンザリ
Bandar-e Anzali
バンダレトルキャマン
Bandar-e Torkeman
ゴルガーン
Gorgān
ラシュト
Rasht
ラムサール
Ramsar
チャールース
Chālūs
バーボル
Bābol
サーリー
Sārī
ガーイエム
Ghaem Shahr
サブゼワール
Sabzevār
ネイシャーブール
Neyshābūr
トルバテジャーム
Torbat-e Jām
ザンジャーン
Zanjan
エルブールズ山脈
Reshteh-ye Alborz
ダームガーン
Dāmghān
トルバテハイダリーヤ
Torbat-e Heydariyeh
ジャムのミナレット
カズヴィーン
Qazvin
カラジ
KARAJ
イラン縦貫鉄道
5670 ダマヴァンド山
Qol Damāvand
セムナーン
Semnān
ヘラート
Herāt
テヘラン
TEHRAN
ゴレスターン宮殿
バラーミーン
Varāmīn
ラガエ
Rhagae
ホラサーン
Khorāsān
サヴェ
Sāveh
ゴム
QOM
ハマダーン
Hamadān
カヴィール砂漠
Das. Kavīr
ナマク湖
Dar. Namak
カナート
イランの地下水路
アフガニスタン・イスラム共和国
ISLAMIC REPUBLIC OF AFGHANISTAN
シンダンド
Shindand
アジアハイウェイ AH1
イラン・イスラム共和国
ISLAMIC REPUBLIC OF IRAN
ペルシア
Persia
ケルマンシャー
Kermānshāh
アラーク
Arāk
カーシャーン
Kāshān
ビールジャンド
Birjand
ファラー
Farāh
ディラーラム
Delāram
ブルジルド
Borūjerd
ドルード
Dow Rud
ホラマバード
Khorramabad
イスファハーン
ESFAHAN
ナジャファーバード
Najafabad
ナーイーン
Nā'īn
ルート砂漠
Das. Lūt
シャー山
Shāhkūh
2729
サーベリ湖（ヘルマンド）
ザーボル
Zābol
ザランジ
Zaranj
シャフリ・ソフタ
デズフール
Dezfūl
ザグロス山脈
Ka. Zagros
ザルド山
Zard K.
4548
ヤズド
Yazd
古都ヤズド
シール山
Shir K.
4074
イラン高原
Plat. of Iran
アフワーズ
AHVĀZ
ヤースージ
Yāsūj
4432
ディナール山
K. Dīnār
ケルマーン
Kermān
ノスラタバード
Nosratābād
ザーヘダーン
Zāhedān
パキスタン・イスラム共和国
ISLAMIC REPUBLIC OF PAKISTAN
アマーラ
Al 'Amārah
ナーシリーヤ
An Nāṣirīyah
バスラ
AL BAṢRAH
ホラムシャハル
Khorramshahr
アバダン
Abādān
バンダレマシュル
Bandar-e Ma'shur
ウル
Ur
パサルガダエ
ペルシア庭園
ペルセポリス
マルヴダシュト
Marv Dasht
シーラーズ
SHĪRĀZ
ラフサンジャーン
Rafsanjān
シールジャーン
Sīrjān
4420
ハザーラーン山
K. Hazārān
バム
Bam
3940
タフタン山
K. Taftān
バルーチスタン
Balūchestān
クウェート国
STATE OF KUWAIT
クウェート
KUWAIT
ブーシェル
Būshehr
カーグ島
Kharg I.
ファサー
Fasā
ジャフロム
Jahrom
ヒジュラト・アルバーティン
ハファルバーティン
Hafar Bāṭin
ペルシア（アラビア）湾
Persian Gulf
バンダレアッバース
Bandar-e Abbās
ゲシュム島
Jaz. Qeshm
ホルムズ海峡
St. of Hormuz
イランシャール
Irānshahr
サラヴァン
Saravan
マクラーン
Makrān
チャーバハール
Chāh Bahār
ジュベイル
Al Jubayl
ラスタヌーラ
Ra's Tannūrah
ディルムン
ティルムンの墳墓群
バーレーン王国
KINGDOM OF BAHRAIN
マナーマ
MANAMA
ダンマン
Ad Dammām
ダーラン
Dhahran
ホバル
Al Khubar
オマーン（飛地）
SULTANATE OF OMAN
ラスアルハイマ
Ra's al Khaimah
ウムアルカイワイン
Umm al Qaiwain
アジュマーン
Ajmān
シャルジャ
Sharjah
フジャイラ
Fujairah
ドバイ
DUBAYY
カタール国
STATE OF QATAR
ドーハ
DOHA
アブダビ
ABU DHABI
アインの遺跡群
アイン
Al 'Ayn
ソハール
Ṣuḥār
マスカット
MUSCAT
マトラ
Maṭraḥ
オマーン湾
G. of Oman
北回帰線
古代都市カルハット
ハッド岬
Ra's al Ḥadd
スール
Ṣūr
バフラ城塞
アル・アイン の古代遺跡群
オマーンの灌漑システム
ニズワー
Nazwā
シャーム山
J. ash-Shām
3018
アラブ首長国連邦
UNITED ARAB EMIRATES
オマーン国
SULTANATE OF OMAN
ホフーフ
Al Hufūf
ガワール
Ghawār
ハラド
Ḥaraḍ
リヤド
RIYADH
ハルジ
Al Kharj
ディルイーヤのトライフ地区
ディライーヤ
Ad Dir'īyah
アラビア半島
トゥワイク山脈
Ṭuwayq J.
ダフナー砂漠
ルブアルハリ砂漠
Ar Rub'al Khālī
ライラー
Laylā
マシーラ島
Al Maṣīrah
陸高と水深（m）
4000
3000
2000
1000
500
200
0
海面下
200
1000
2000
4000

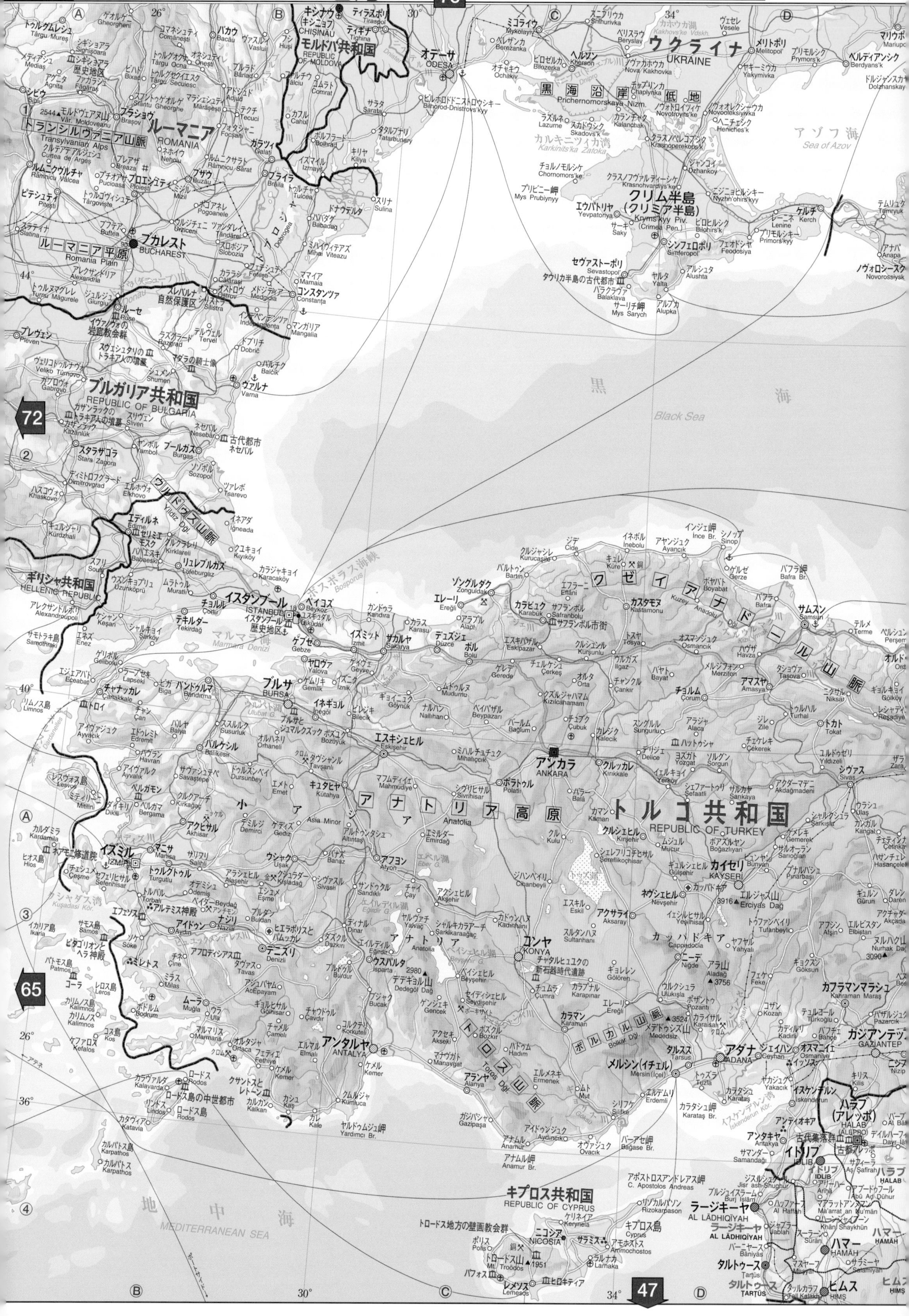

75
1：5 000 000
0 100 200km
正距円錐図法
72
65
47
モルドバ共和国
REPUBLIC OF MOLDOVA
キシナウ
CHIȘINĂU
オデーサ
ODESA
ウクライナ
UKRAINE
黒海沿岸低地
Prichernomorskaya Nizm.
アゾフ海
Sea of Azov
カルキニーツィカ湾
クリム半島
(クリミア半島)
Krymsʹkyy Piv.
(Crimea Pen.)
シンフェロポリ
Simferopol'
セヴァストーポリ
Sevastopol'
ケルチ
Kerch
ルーマニア
ROMANIA
トランシルヴァニア山脈
Transylvanian Alps
ルーマニア平原
Romania Plain
ブカレスト
BUCHAREST
コンスタンツァ
Constanța
ブルガリア共和国
REPUBLIC OF BULGARIA
ヴァルナ
Varna
ブルガス
Burgas
黒海
Black Sea
ギリシャ共和国
HELLENIC REPUBLIC
イスタンブール
ISTANBUL
ボスポラス海峡
Bosporus
マルマラ海
Marmara Denizi
ブルサ
BURSA
イズミル
IZMIR
アンカラ
ANKARA
トルコ共和国
REPUBLIC OF TURKEY
アナトリア高原
Anatolia
小アジア
Asia Minor
クゼイアナドール山脈
Kuzey Anadolu
トロス山脈
Toros Dağ.
ボルカル山脈
Bolkar Dağ.
コンヤ
KONYA
カイセリ
KAYSERI
エルジャス山
Erciyas Dağ
カッパドキア
Cappadocia
アンタルヤ
ANTALYA
アダナ
ADANA
メルシン(イチェル)
Mersin (İçel)
サムスン
Samsun
シヴァス
Sivas
ガジアンテップ
GAZIANTEP
ハラブ
(アレッポ)
HALAB
(ALEPPO)
ラージキーヤ
AL LĀDHIQĪYAH
ハマー
HAMĀH
ヒムス
HIMS
キプロス共和国
REPUBLIC OF CYPRUS
ニコシア
NICOSIA
ロードス島
Rodos
地中海
MEDITERRANEAN SEA

77
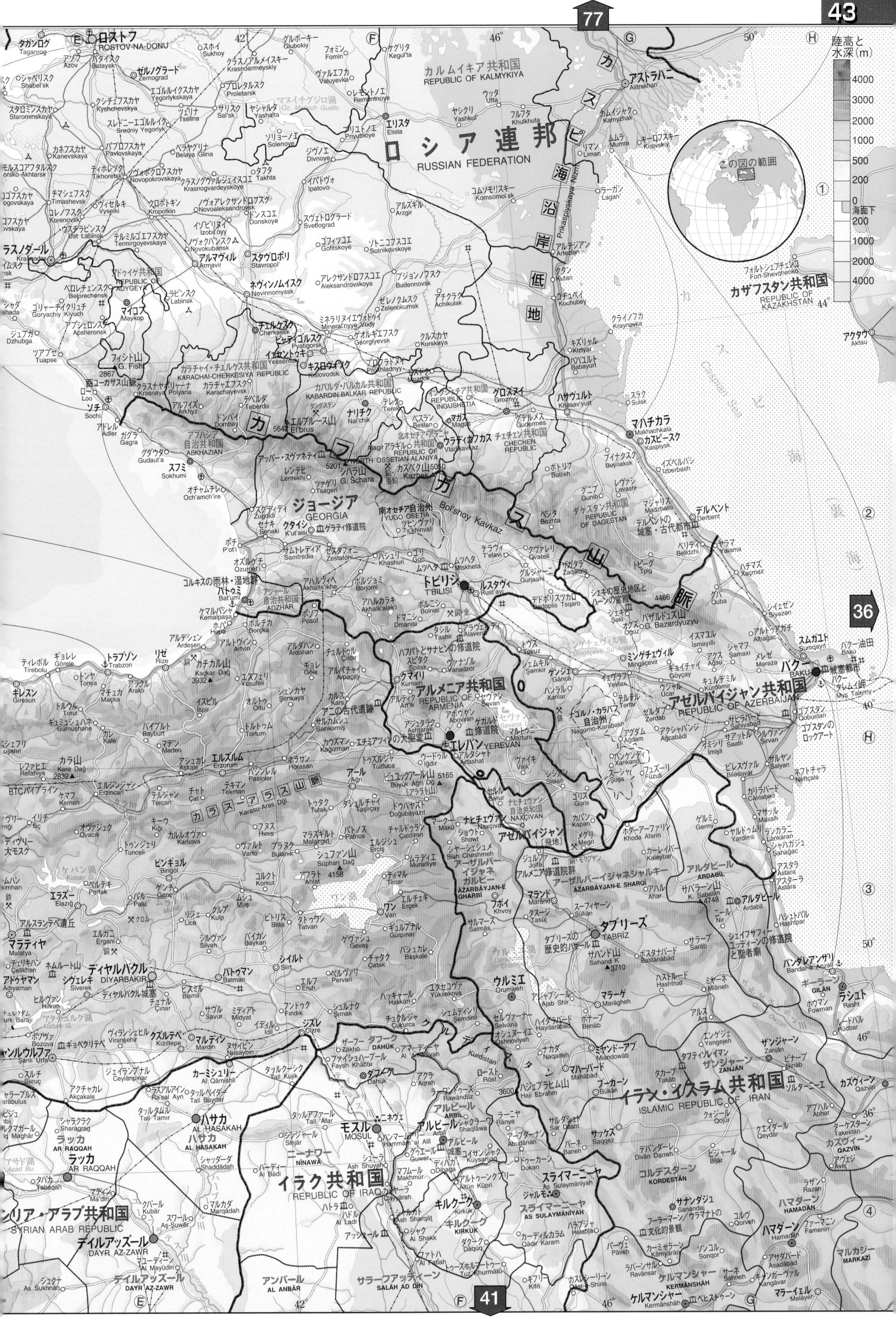

陸高と水深(m)
4000
3000
2000
1000
500
200
0
海面下
200
1000
2000
4000
この図の範囲
ロシア連邦
RUSSIAN FEDERATION
カルムイキア共和国
REPUBLIC OF KALMYKIYA
カスピ海沿岸低地
Prikaspiyskaya Nizm.
カスピ海
Caspian Sea
カザフスタン共和国
REPUBLIC OF KAZAKHSTAN
ロストフ
ROSTOV-NA-DONU
タガンログ
Taganrog
アストラハニ
Astrakhan'
エリスタ
Elista
マヌィチグジロ湖
Oz. Manych Gudilo
スタヴロポリ
Stavropol'
クラスノダール
Krasnodar
アルマヴィル
Armavir
ネヴィンノムイスク
Nevinnomyssk
チェルケスク
Cherkessk
ピャティゴルスク
Pyatigorsk
キスロヴォツク
Kislovodsk
ナリチク
Nal'chik
ウラディカフカス
Vladikavkaz
グロズヌイ
Groznyy
マハチカラ
Makhachkala
カスピースク
Kaspiysk
デルベント
Derbent
ソチ
Sochi
マイコプ
Maykop
アディゲ共和国
REPUBLIC OF ADYGEY
カラチャイ・チェルケス共和国
KARACHAI-CHERKESIYA REPUBLIC
カバルダ・バルカル共和国
KABARDIN-BALKAR REPUBLIC
イングーシ共和国
INGUSHETIA
北オセチア共和国
NORTH OSSETIAN-ALANIYA
チェチェン共和国
CHECHEN REPUBLIC
ダゲスタン共和国
REPUBLIC OF DAGESTAN
フィシト山
G. Fisht
2867
西コーカサス山脈
カフカス山脈
Bol'shoy Kavkaz
エルブルース山
5642
El'brus
シハラ山
5201
G. Schara
カズベク山
5050
Kazbek
4466
アブハジア自治共和国
ABKHAZIAN
スフミ
Sokhumi
ジョージア
GEORGIA
南オセチア自治州
YUGO OSETIA
クタイシ
K'ut'aisi
ゲラティ修道院
ポチ
P'ot'i
トビリシ
T'BILISI
ルスタヴィ
Rust'avi
ムツヘタ
Mtskheta
アジャール自治共和国
ADZHAR
バトゥミ
Bat'umi
コルキスの雨林・湿地群
アゼルバイジャン共和国
REPUBLIC OF AZERBAIJAN
バクー
BAKU
城塞都市
バクー油田
スムガイト
Sumqayıt
ミンゲチェヴィル
Mingəçevir
ミンゲチェヴィル湖
Mingəçevir Su Anbarı
ギャンジャ
Gəncə
シェキの歴史地区とハーンの宮殿
バザルドュズュ山
G. Bazardyuzyu
ゴブスタン
ゴブスタンのロックアート
ナゴルノ・カラバフ自治州
Nagorno-Karabakh
アルメニア共和国
REPUBLIC OF ARMENIA
エレバン
YEREVAN
ギュムリ
Gyumri
セヴァン湖
Sevan Lich
ハフパトとサナヒンの修道院
エチミアツィンの大聖堂
ゲガルド修道院
アゼルバイジャン（飛地）
ナヒチェヴァン自治共和国
NAXÇIVAN
ナヒチェヴァン
Naxçıvan
ビュユックアール山
5165
(アララト山)
アール
Ağrı
トラブゾン
Trabzon
リゼ
Rize
カチカル山
Kaçkar Dağ
3932
エルズルム
Erzurum
カラスーアラス山脈
Karasu-Aras Dğl.
カラ山
Kara Dağ
2832
BTCパイプライン
アニの古代遺跡
カルス
Kars
ワン湖
ワン
Van
シュファン山
Süphan Dağ
4158
ケバン湖
Keban G.
エラズー
Elazığ
マラティヤ
Malatya
ディヤルバクル
DIYARBAKIR
ディヤルバクル城塞
バトゥマン
Batman
アタチュルク湖
Atatürk G.
シャンルウルファ
Şanlı Urfa
マルディン
Mardin
ギョベクリテペ
ネムルート山
アルスランテペ遺丘
ディヴリー大モスク
イラン・イスラム共和国
ISLAMIC REPUBLIC OF IRAN
タブリーズ
TABRĪZ
タブリーズの歴史的バザール
ウルミエ湖
ウルミエ
Orūmīyeh
サハンド山
Sahand K.
3710
サバラーン山
K. Sabalān
4748
アルダビール
Ardabīl
シェイフサフィー・ユッディーンの修道院と聖者廟
アーザルバーイジャネシャルキー
ĀZARBĀYJĀN-E SHARQĪ
アーザルバーイジャネガルビー
ĀZARBĀYJĀN-E GHARBĪ
アルメニア修道院群
ラシュト
Rasht
ギーラーン
GĪLĀN
バンダレアンザリ
Bandar-e Anzalī
ザンジャーン
Zanjān
ソルターニーエ
カズヴィーン
Qazvīn
タフテ・ソレイマン
マハーバード
Mahābād
スライマーニーヤ
As Sulaymānīyah
ハジエブラヒム山
Haji Ebrahim
3600
サナンダジ
Sanandaj
コルデスターン
KORDESTĀN
ハマダーン
Hamadān
ケルマンシャー
Kermānshāh
ビーソトゥーン
イラク共和国
REPUBLIC OF IRAQ
モスル
MOSUL
ニネヴェ
アルビール
ARBĪL
キルクーク
KIRKŪK
ハトラ
アッシュール
ドフーク
DAHŪK
ニーナワー
NĪNAWĀ
サラーフアッディーン
SALĀH AD DĪN
アンバール
AL ANBĀR
シリア・アラブ共和国
SYRIAN ARAB REPUBLIC
ハサカ
AL HASAKAH
ラッカ
AR RAQQAH
ディルアッズール
DAYR AZ-ZAWR
アサド湖
Asad Bu.
チグリス川
Euphrates
アクタウ
Aktau
フォルトシェフチェンコ
Fort-Shevchenko

36
41

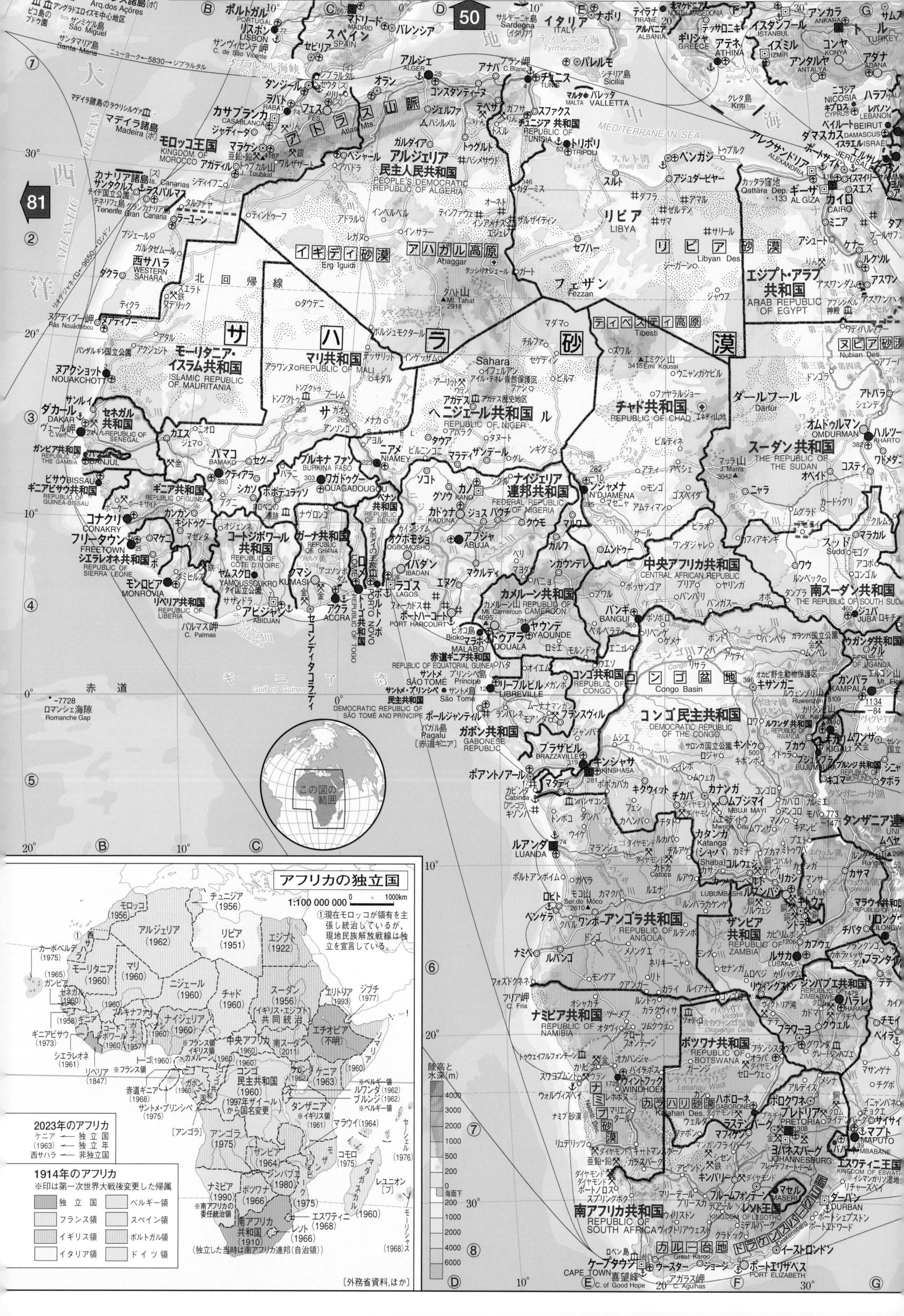

50
81
アゾレス諸島〔ポ〕
ポルトガル PORTUGAL
リスボン LISBON
スペイン SPAIN
マドリード MADRID
バレンシア
イタリア ITALY
ナポリ
サルデーニャ島 Sardegna〔イタリア〕
ティレニア海 Tyrrhenian Sea
パレルモ
シチリア島 Sicilia
マルタ MALTA
バレッタ VALLETTA
ティラナ TIRANE
アルバニア ALBANIA
北マケドニア NORTH MACEDONIA
ギリシャ GREECE
テッサロニキ
アテネ ATHINA
エーゲ海 Aegean Sea
クレタ島 Kriti
アンカラ ANKARA
イスタンブール ISTANBUL
イズミル IZMIR
トルコ TURKEY
コンヤ KONYA
アンタルヤ ANTALYA
アダナ ADANA
ニコシア NICOSIA
キプロス CYPRUS
ベイルート BEIRUT
レバノン LEBANON
ダマスカス DAMASCUS
イスラエル ISRAEL
エルサレム JERUSALEM
地中海 MEDITERRANEAN SEA
ジブラルタル海峡 Str. of Gibraltar
ジブラルタル
タンジール
アルジェ ALGER
オラン
コンスタンティーヌ
アナバ
ブラン岬 C.Blanc
チュニス TUNIS
スファクス
チュニジア共和国 REPUBLIC OF TUNISIA
トリポリ TRIPOLI
ベンガジ
トブルク
スルト湾 Khalīj Surt
スルト
アジュダービヤー
アレクサンドリア ALEXANDRIA
ポートサイド
スエズ
カイロ CAIRO
ギーザ AL GIZA
カッターラ低地 Qattâra Dep.
アトラス山脈 Atlas Mts.
ラバト RABAT
カサブランカ CASABLANCA
フェス
マラケシ
アガディル
ツブカル山 J. Toubkal
モロッコ王国 KINGDOM OF MOROCCO
マデイラ諸島 Madeira〔ポ〕
カナリア諸島〔ス〕 Is. Canarias
ラスパルマス
テネリフェ島 Tenerife
グランカナリア島 Gran Canaria
ラーユーン
西サハラ WESTERN SAHARA
ダクラ
アルジェリア民主人民共和国 PEOPLE'S DEMOCRATIC REPUBLIC OF ALGERIA
ガルダイア
ベシャール
ハシメサウド
トゥグルト
ジェルファ
イギディ砂漠 Erg Iguidi
アハガル高原 Ahaggar
タハト山 Mt. Tahat 2918
タマンラセット
リビア LIBYA
リビア砂漠 Libyan Des.
セブハー
フェザン Fezzan
ティベスティ高原 Tibesti
エミクシ山 3415 Emi Koussi
エジプト・アラブ共和国 ARAB REPUBLIC OF EGYPT
アスワン
アスワンダム
アブシンベル神殿
ナセル湖
ヌビア砂漠 Nubian Des.
北回帰線
サハラ砂漠 Sahara
ヌアディブー岬 Râs Nouâdhibou
ヌアディブー
モーリタニア・イスラム共和国 ISLAMIC REPUBLIC OF MAURITANIA
ヌアクショット NOUAKCHOTT
マリ共和国 REPUBLIC OF MALI
トンブクトゥ
ガオ
ダカール DAKAR
ヴェール岬 C.Vert
セネガル共和国 REPUBLIC OF SENEGAL
ガンビア共和国 REPUBLIC OF THE GAMBIA
バンジュル BANJUL
ビサウ BISSAU
ギニアビサウ共和国 REPUBLIC OF GUINEA-BISSAU
ギニア共和国 REPUBLIC OF GUINEA
コナクリ CONAKRY
フリータウン FREETOWN
シエラレオネ共和国 REPUBLIC OF SIERRA LEONE
モンロビア MONROVIA
リベリア共和国 REPUBLIC OF LIBERIA
パルマス岬 C. Palmas
バマコ BAMAKO
ブルキナファソ BURKINA FASO
ワガドゥグー OUAGADOUGOU
コートジボワール共和国 REPUBLIC OF CÔTE D'IVOIRE
ヤムスクロ YAMOUSSOUKRO
アビジャン ABIDJAN
ガーナ共和国 REPUBLIC OF GHANA
クマシ KUMASI
アクラ ACCRA
トーゴ共和国 REPUBLIC OF TOGO
ロメ LOMÉ
ベナン共和国 REPUBLIC OF BENIN
ポルトノボ PORTO NOVO
ニアメ NIAMEY
ニジェール共和国 REPUBLIC OF NIGER
アガデス
アイル・テネレ自然保護区
ナイジェリア連邦共和国 FEDERAL REPUBLIC OF NIGERIA
カノ KANO
カドゥナ KADUNA
アブジャ ABUJA
イバダン IBADAN
ラゴス LAGOS
ポートハーコート PORT HARCOURT
チャド湖 L. Chad
ンジャメナ N'DJAMENA
チャド共和国 REPUBLIC OF CHAD
エネディ山地
ダールフール Dârfur
マッラ山 J. Marra 3042
スーダン共和国 THE REPUBLIC OF THE SUDAN
ハルツーム KHARTOUM
オムドゥルマン OMDURMAN
南スーダン共和国 REPUBLIC OF SOUTH SUDAN
ジュバ JUBA
スッド Sudd
中央アフリカ共和国 CENTRAL AFRICAN REPUBLIC
バンギ BANGUI
カメルーン共和国 REPUBLIC OF CAMEROON
カメルーン山 Mt.Cameroun 4095
ヤウンデ YAOUNDE
ドゥアラ DOUALA
ビオコ島 Bioko
マラボ MALABO
赤道ギニア共和国 REPUBLIC OF EQUATORIAL GUINEA
サントメ SÃO TOMÉ
プリンシペ島 Principe
サントメ島 São Tomé
サントメ・プリンシペ民主共和国 DEMOCRATIC REPUBLIC OF SÃO TOMÉ AND PRÍNCIPE
パガル島 Pagalu〔赤道ギニア〕
リーブルビル LIBREVILLE
ポールジャンティル
ガボン共和国 GABONESE REPUBLIC
ギニア湾 Gulf of Guinea
赤道
ロマンシェ海隙 Romanche Gap -7728
コンゴ共和国 REPUBLIC OF CONGO
ブラザビル BRAZZAVILLE
キンシャサ KINSHASA
ポアントノアール
コンゴ盆地 Congo Basin
コンゴ民主共和国 DEMOCRATIC REPUBLIC OF THE CONGO
キサンガニ
カンパラ KAMPALA
ウガンダ共和国
ビクトリア湖
キガリ KIGALI
ルワンダ共和国 REPUBLIC OF RWANDA
ブジュンブラ BUJUMBURA
タンガニーカ湖 L. Tanganyika
ムブジマイ MBUJI MAYI
カナンガ
ルブンバシ LUBUMBASHI
カタンガ(シャバ) Katanga (Shaba)
カビンダ Cabinda〔アンゴラ〕
ルアンダ LUANDA
アンゴラ共和国 REPUBLIC OF ANGOLA
ロビト
ベンゲラ
ザンビア共和国 REPUBLIC OF ZAMBIA
ルサカ LUSAKA
ジンバブエ共和国 REPUBLIC OF ZIMBABWE
ハラレ HARARE
ヴィクトリア滝
フリア岬 C. Fria
ナミビア共和国 REPUBLIC OF NAMIBIA
ウィントフック WINDHOEK
ナミブ砂漠
ボツワナ共和国 REPUBLIC OF BOTSWANA
ハボローネ GABORONE
カラハリ砂漠 Kalahari Des.
オカバンゴ湿地 Okavango Delta
プレトリア PRETORIA
ヨハネスバーグ JOHANNESBURG
マプト MAPUTO
エスワティニ王国 KINGDOM OF ESWATINI
南アフリカ共和国 REPUBLIC OF SOUTH AFRICA
ブルームフォンテーン
キンバリー
マセル MASERU
レソト王国
ダーバン DURBAN
ドラケンスバーグ山脈 Drakensberg
カルー台地 Great Karoo
ケープタウン CAPE TOWN
喜望峰 C. of Good Hope
アガラス岬 C. Agulhas
ポートエリザベス PORT ELIZABETH
イーストロンドン
大西洋 ATLANTIC OCEAN
タンザニア連合共和国
陸高と水深(m)
4000 3000 2000 1000 500 200 0 海面下 200 1000 2000 4000 6000
この図の範囲
アフリカの独立国
1:100 000 000　0　1000km
①現在モロッコが領有を主張し統治しているが、現地民族解放戦線は独立を宣言している。
モロッコ (1956)
チュニジア (1956)
アルジェリア (1962)
リビア (1951)
エジプト (1922)
① 西サハラ
カーボベルデ (1975)
モーリタニア (1960)
マリ (1960)
ニジェール (1960)
チャド (1960)
スーダン (1956) (イギリス・エジプト共同統治)
エリトリア (1993)
ジブチ (1977)
エチオピア (不明)
ガンビア (1965)
セネガル (1960)
ギニア (1958)
ギニアビサウ (1973)
シエラレオネ (1961)
リベリア (1847)
ブルキナファソ
ナイジェリア (1960)
トーゴ(1960)
※フランス領
※フランス領 イギリス領 カメルーン (1960)
中央アフリカ (1960)
南スーダン (2011)
ケニア (1963)
赤道ギニア (1968)
サントメ・プリンシペ (1975)
コンゴ民主共和国 (1960) (1997年ザイールから国名変更)
ルワンダ (1962)
ブルンジ (1962)
※ベルギー領
タンザニア ※イギリス領 (1961)
マラウイ (1964)
〔アンゴラ〕
アンゴラ (1975)
ザンビア (1964)
ジンバブエ (1980)
モザンビーク (1975)
マダガスカル (1960)
コモロ (1975)
セーシェル (1976)
レユニオン〔フ〕
モーリシャス (1968)
ナミビア (1990)
※南アフリカの委任統治領
ボツワナ (1966)
南アフリカ共和国 (1910)
エスワティニ (1968)
レソト (1966)
(独立した当時は南アフリカ連邦(自治領))
2023年のアフリカ
ケニア —— 独立国
(1963) —— 独立年
西サハラ —— 非独立国
1914年のアフリカ
※印は第一次世界大戦後変更した帰属
独立国　ベルギー領
フランス領　スペイン領
イギリス領　ポルトガル領
イタリア領　ドイツ領
〔外務省資料,ほか〕

78

39

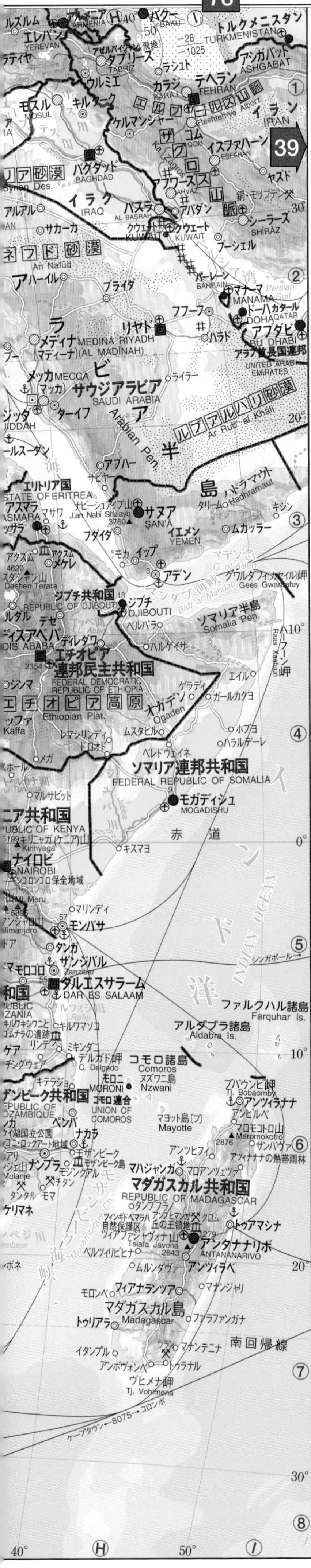

トルクメニスタン
TURKMENISTAN
アシガバット
ASHGABAT
テヘラン
TEHRAN
エルブルズ山脈
イラン
IRAN
イスファハーン
ESFAHAN
ザグロス山脈
バグダッド
BAGHDAD
イラク
IRAQ
バスラ
AL BASRAH
クウェート
KUWAIT
シーラーズ
SHIRAZ
ネフド砂漠
An Nafūd
マナーマ
MANAMA
ドーハ カタール
DOHA QATAR
アブダビ
ABU DHABI
アラブ首長国連邦
UNITED ARAB EMIRATES
リヤド
RIYADH
メディナ
MEDINA
メッカ
MECCA
サウジアラビア
SAUDI ARABIA
アラビア半島
Arabian Pen.
ルブアルハリ砂漠
Ar Rub' al Khālī
ジッダ
JIDDAH
エリトリア国
STATE OF ERITREA
アスマラ
ASMARA
サヌア
SAN'A
イエメン
YEMEN
アデン
ジブチ共和国
REPUBLIC OF DJIBOUTI
ジブチ
DJIBOUTI
ソマリア半島
Somalia Pen.
アジスアベバ
ADDIS ABABA
エチオピア連邦民主共和国
FEDERAL DEMOCRATIC REPUBLIC OF ETHIOPIA
エチオピア高原
Ethiopian Plat.
オガデン
Ogaden
ソマリア連邦共和国
FEDERAL REPUBLIC OF SOMALIA
モガディシュ
MOGADISHU
赤道
ケニア共和国
REPUBLIC OF KENYA
ナイロビ
NAIROBI
モンバサ
ザンジバル
Zanzibar
ダルエスサラーム
DAR ES SALAAM
ファルクハル諸島
Farquhar Is.
アルダブラ諸島
Aldabra Is.
コモロ諸島
Comoros
モロニ
MORONI
コモロ連合
UNION OF COMOROS
マヨット島〔フ〕
Mayotte
モザンビーク共和国
REPUBLIC OF MOZAMBIQUE
マダガスカル共和国
REPUBLIC OF MADAGASCAR
アンタナナリボ
ANTANANARIVO
マダガスカル島
Madagascar
南回帰線
インド洋
INDIAN OCEAN
モザンビーク海峡
ケープタウン←8075→コロンボ

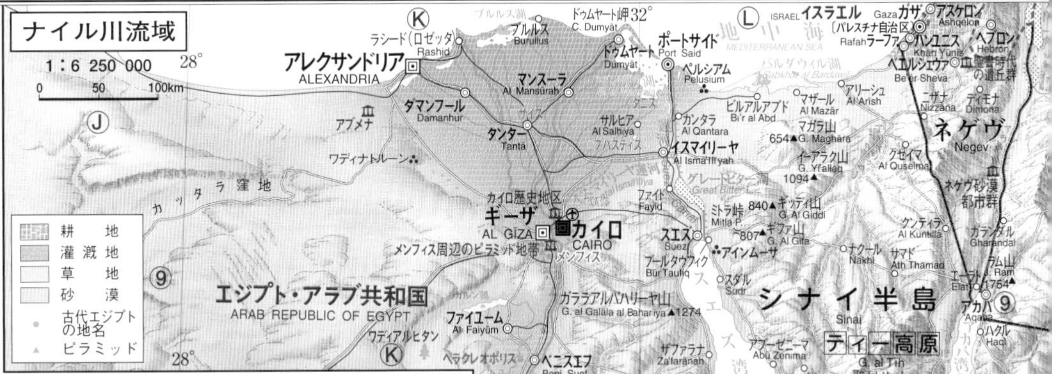

ナイル川流域
1：6 250 000
0 50 100km
耕地
灌漑地
草地
砂漠
古代エジプトの地名
ピラミッド
アレクサンドリア
ALEXANDRIA
ドゥムヤート岬
C. Dumyāt
ポートサイド
Port Said
マンスーラ
Al Manşūrah
ダマンフール
Damanhūr
タンター
Tanţā
イスマイリーヤ
Al Ismā'īlīyah
カッタラ窪地
ギーザ
AL GIZA
カイロ
CAIRO
スエズ
Suez
エジプト・アラブ共和国
ARAB REPUBLIC OF EGYPT
ファイユーム
Al Faiyūm
ベニスエフ
Beni Suef
シナイ半島
Sinai
ティー高原
イスラエル
ISRAEL
ガザ
ネゲヴ
Negev
ミニア
Al Minya
アシュート
Asyūt
ソハーグ
Sohag
ケナー
Qena
ルクソール
Luxor
アラビア砂漠
紅海
Red Sea
フルガダ
Hurghada

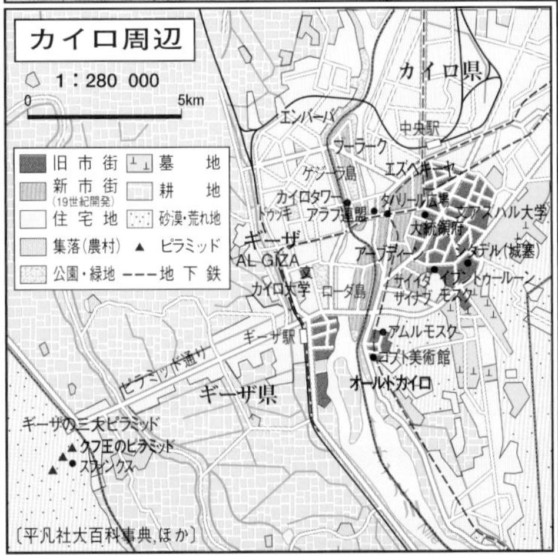

カイロ周辺
1：280 000
0 5km
旧市街
新市街 (19世紀開発)
住宅地
集落(農村)
公園・緑地
墓地
耕地
砂漠・荒れ地
ピラミッド
地下鉄
カイロ県
ギーザ
AL GIZA
ギーザ県
ギーザの三大ピラミッド
クフ王のピラミッド
スフィンクス
オールドカイロ
〔平凡社大百科事典,ほか〕

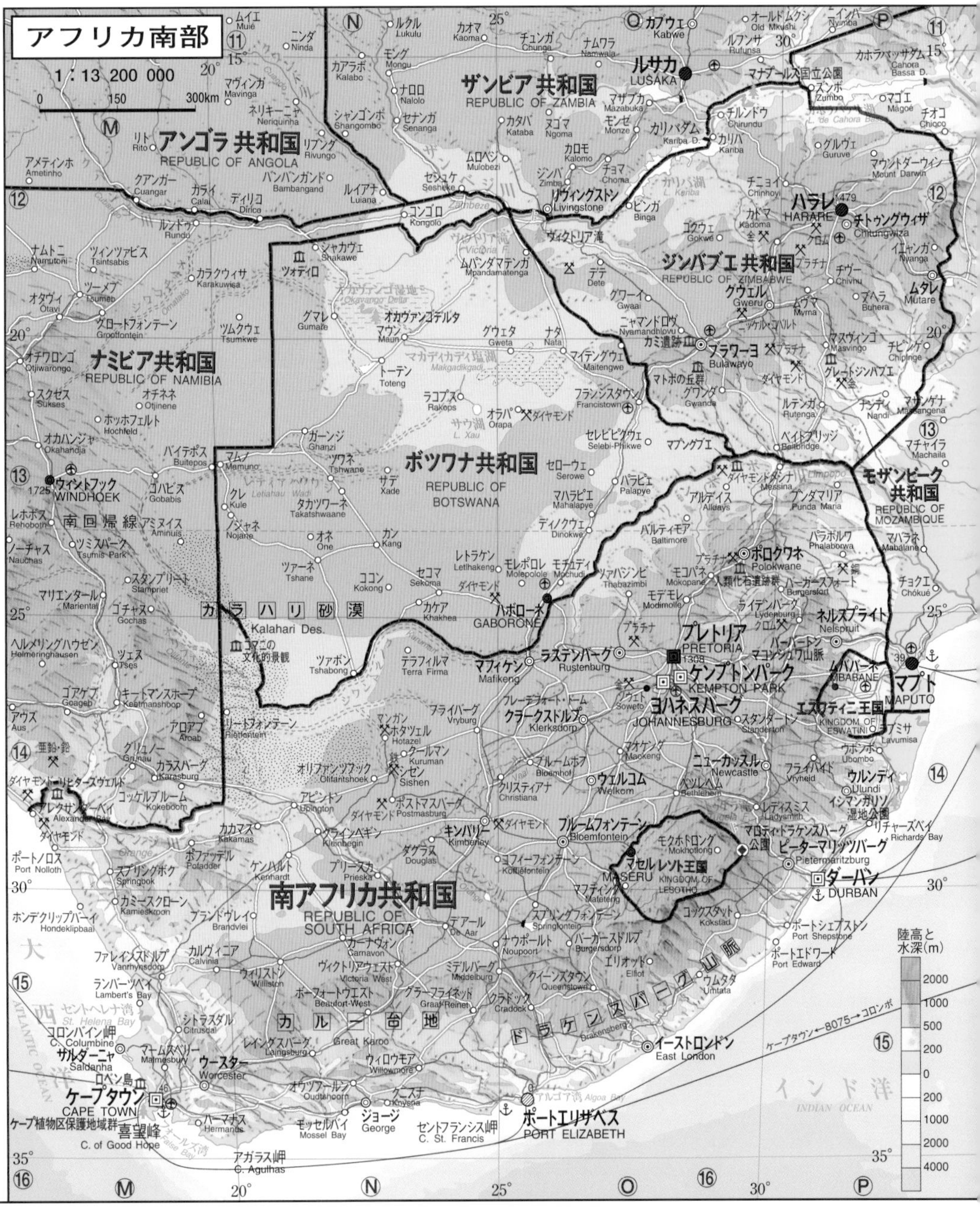

アフリカ南部
1：13 200 000
0 150 300km
アンゴラ共和国
REPUBLIC OF ANGOLA
ザンビア共和国
REPUBLIC OF ZAMBIA
ルサカ
LUSAKA
リヴィングストン
Livingstone
ハラレ
HARARE
ジンバブエ共和国
REPUBLIC OF ZIMBABWE
ブラワーヨ
Bulawayo
モザンビーク共和国
REPUBLIC OF MOZAMBIQUE
ナミビア共和国
REPUBLIC OF NAMIBIA
ウィントフック
WINDHOEK
南回帰線
ボツワナ共和国
REPUBLIC OF BOTSWANA
ハボローネ
GABORONE
カラハリ砂漠
Kalahari Des.
プレトリア
PRETORIA
ヨハネスバーグ
JOHANNESBURG
ケンプトンパーク
KEMPTON PARK
マプト
MAPUTO
エスワティニ王国
KINGDOM OF ESWATINI
ムババーネ
MBABANE
ブルームフォンテーン
Bloemfontein
マセル レソト王国
MASERU KINGDOM OF LESOTHO
ダーバン
DURBAN
南アフリカ共和国
REPUBLIC OF SOUTH AFRICA
ドラケンスバーグ山脈
カルー台地
Great Karoo
イーストロンドン
East London
ポートエリザベス
PORT ELIZABETH
ケープタウン
CAPE TOWN
喜望峰
C. of Good Hope
アガラス岬
C. Agulhas
大西洋
ATLANTIC OCEAN
インド洋
INDIAN OCEAN
ケープタウン←8075→コロンボ
陸高と水深(m)
2000
1000
500
200
0
200
1000
2000
4000

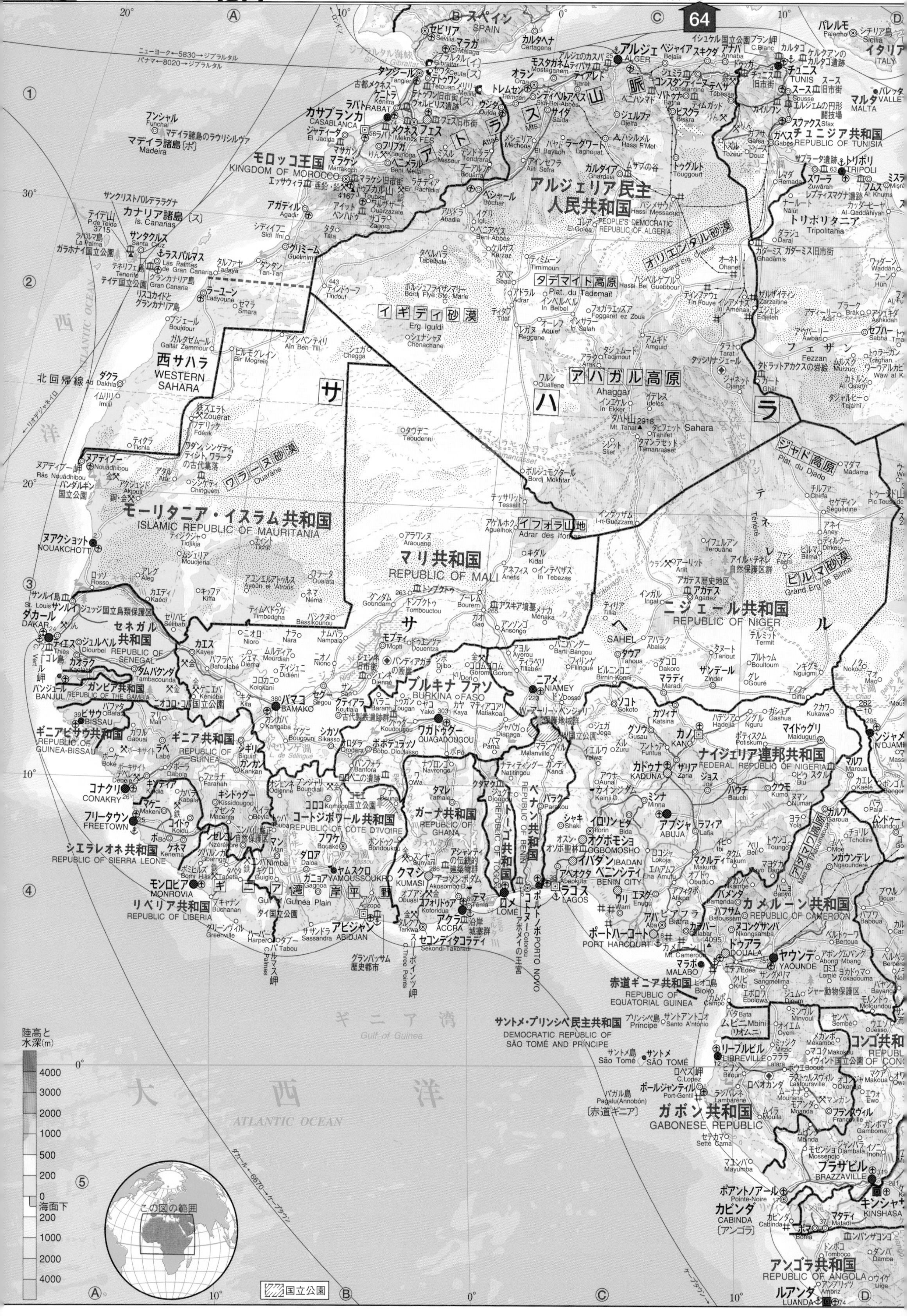
64
スペイン SPAIN
セビリア Sevilla
マラガ Málaga
カルタヘナ Cartagena
ジブラルタル海峡
ジブラルタル〔イ〕
セウタ〔ス〕
タンジール Tangier
テトゥアン
メリリャ〔ス〕
ラバト RABAT
カサブランカ CASABLANCA
メクネス
フェス
マラケシ Marrakech
モロッコ王国 KINGDOM OF MOROCCO
アトラス山脈
アルジェ ALGER
オラン Oran
コンスタンティーヌ Constantine
チュニス TUNIS
チュニジア共和国 REPUBLIC OF TUNISIA
パレルモ Palermo
シチリア島 Sicilia
イタリア ITALY
マルタ MALTA
バレッタ VALLETTA
トリポリ TRIPOLI
トリポリタニア Tripolitania
アルジェリア民主人民共和国 PEOPLE'S DEMOCRATIC REPUBLIC OF ALGERIA
オリエンタル砂漠
タデマイト高原
イギディ砂漠
アハガル高原 Ahaggar
サハラ Sahara
タマンラセット Tamanrasset
ジャド高原
マデイラ諸島〔ポ〕 Madeira
フンシャル Funchal
カナリア諸島〔ス〕 Is. Canarias
サンタクルス Santa Cruz
ラスパルマス Las Palmas de Gran Canaria
テイデ山 3715
ラーユーン Laâyoune
西サハラ WESTERN SAHARA
北回帰線
ダクラ Dakhla
ヌアディブー Nouadhibou
ワラーヌ砂漠
モーリタニア・イスラム共和国 ISLAMIC REPUBLIC OF MAURITANIA
ヌアクショット NOUAKCHOTT
マリ共和国 REPUBLIC OF MALI
トンブクトゥ Tombouctou
ガオ Gao
イフォラ山地 Adrar des Iforas
ニジェール共和国 REPUBLIC OF NIGER
ニアメ NIAMEY
アガデス Agadez
ビルマ砂漠 Grand Erg de Bilma
テネレ Ténéré
サヘル
ダカール DAKAR
セネガル共和国 REPUBLIC OF SENEGAL
ガンビア共和国 REPUBLIC OF THE GAMBIA
バンジュール BANJUL
ギニアビサウ共和国 REPUBLIC OF GUINEA-BISSAU
ビサウ BISSAU
ギニア共和国 REPUBLIC OF GUINEA
コナクリ CONAKRY
フリータウン FREETOWN
シエラレオネ共和国 REPUBLIC OF SIERRA LEONE
モンロビア MONROVIA
リベリア共和国 REPUBLIC OF LIBERIA
バマコ BAMAKO
ブルキナファソ BURKINA FASO
ワガドゥグー OUAGADOUGOU
コートジボワール共和国 REPUBLIC OF CÔTE D'IVOIRE
ヤムスクロ YAMOUSSOUKRO
アビジャン ABIDJAN
ガーナ共和国 REPUBLIC OF GHANA
アクラ ACCRA
クマシ KUMASI
トーゴ共和国 REPUBLIC OF TOGO
ロメ LOMÉ
ベナン共和国 REPUBLIC OF BENIN
ポルトノボ PORTO NOVO
コトヌー Cotonou
ナイジェリア連邦共和国 FEDERAL REPUBLIC OF NIGERIA
アブジャ ABUJA
ラゴス LAGOS
イバダン IBADAN
カノ KANO
カドゥナ KADUNA
ポートハーコート PORT HARCOURT
カメルーン共和国 REPUBLIC OF CAMEROON
ヤウンデ YAOUNDÉ
ドゥアラ DOUALA
カメルーン山 4095
ンジャメナ N'DJAMENA
チャド湖 L. Chad
赤道ギニア共和国 REPUBLIC OF EQUATORIAL GUINEA
マラボ MALABO
サントメ・プリンシペ民主共和国 DEMOCRATIC REPUBLIC OF SÃO TOMÉ AND PRÍNCIPE
サントメ SÃO TOMÉ
ガボン共和国 GABONESE REPUBLIC
リーブルビル LIBREVILLE
コンゴ共和国
ブラザビル BRAZZAVILLE
キンシャサ KINSHASA
カビンダ CABINDA〔アンゴラ〕
アンゴラ共和国 REPUBLIC OF ANGOLA
ルアンダ LUANDA
ギニア湾 Gulf of Guinea
大西洋 ATLANTIC OCEAN
陸高と水深(m)
4000 3000 2000 1000 500 200 0 海面下 200 1000 2000 4000
この図の範囲
国立公園

42

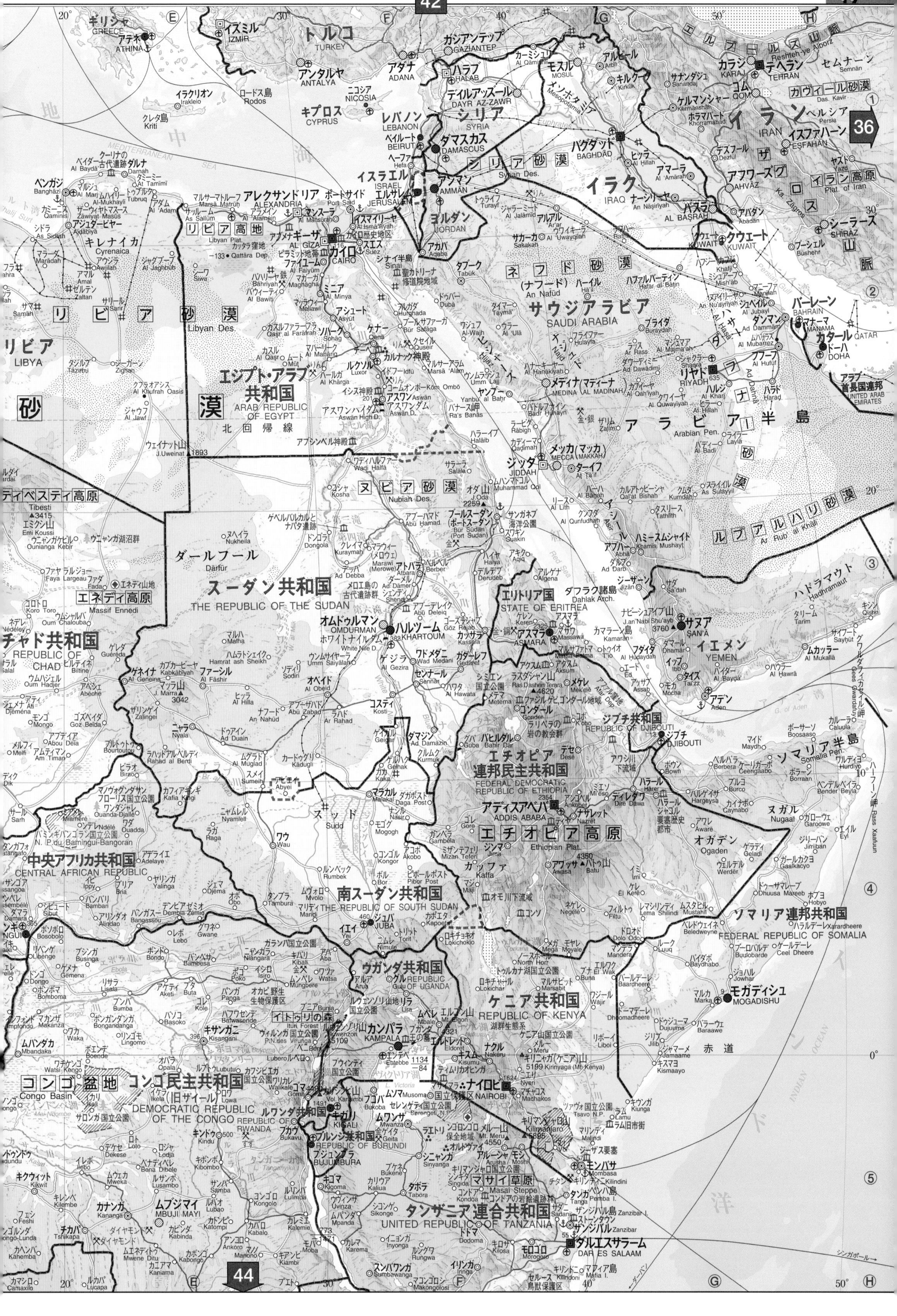
トルコ
TURKEY
ギリシャ
GREECE
アテネ
ATHINA
イズミル
IZMIR
アンタルヤ
ANTALYA
アダナ
ADANA
ガジアンテップ
GAZIANTEP
キプロス
CYPRUS
ニコシア
NICOSIA
ロードス島
Rodos
クレタ島
Kriti
イラクリオン
Irakleio
シリア
SYRIA
ハラブ
HALAB
ダマスカス
DAMASCUS
レバノン
LEBANON
ベイルート
BEIRUT
デイルアッズール
DAYR AZ-ZAWR
モスル
MOSUL
アルビール
Arbil
キルクーク
Kirkuk
メソポタミア
Mesopotamia
バグダッド
BAGHDAD
イラク
IRAQ
バスラ
AL BASRAH
クウェート
KUWAIT
イラン
IRAN
テヘラン
TEHRAN
カラジ
KARAJ
コム
QOM
イスファハーン
ESFAHAN
シーラーズ
SHIRAZ
エルブールズ山脈
カヴィール砂漠
ザグロス山脈
イラン高原
Plat. of Iran
ペルシア湾
Persian Gulf
イスラエル
ISRAEL
エルサレム
JERUSALEM
ヨルダン
JORDAN
アンマン
AMMAN
アカバ
Aqaba
シリア砂漠
Syrian Des.
ネフド砂漠
サウジアラビア
SAUDI ARABIA
リヤド
RIYADH
メディナ(マディーナ)
MEDINA (AL MADINAH)
メッカ(マッカ)
MECCA (MAKKAH)
ジッダ
JIDDAH
ターイフ
アラビア半島
Arabian Pen.
ルブアルハリ砂漠
Ar Rub' al Khali
ダハナ砂漠
バーレーン
BAHRAIN
マナーマ
MANAMA
カタール
QATAR
ドーハ
DOHA
アラブ首長国連邦
UNITED ARAB EMIRATES
ハドラマウト
Hadhramaut
イエメン
YEMEN
サヌア
SAN'A
アデン
Aden
地中海
MEDITERRANEAN SEA
エジプト・アラブ共和国
ARAB REPUBLIC OF EGYPT
カイロ
CAIRO
アレクサンドリア
ALEXANDRIA
ギーザ
AL GIZAH
ポートサイド
Port Said
スエズ
Suez
シナイ半島
Sinai
ルクソル
Luxor
アスワン
Aswan
アスワンハイダム
アブシンベル神殿
北回帰線
リビア高地
Libyan Plat.
カッターラ窪地
Qattara Dep.
リビア砂漠
Libyan Des.
リビア
LIBYA
ベンガジ
キレナイカ
Cyrenaica
クフラオアシス
Al Kufrah Oasis
ウェイナット山
J.Uweinat
1893
ティベスティ高原
Tibesti
エミクシ山
Emi Koussi
3415
エネディ高原
Massif Ennedi
チャド共和国
REPUBLIC OF CHAD
ヌビア砂漠
Nubian Des.
ワディハルファ
Wadi Halfa
スーダン共和国
THE REPUBLIC OF THE SUDAN
ダルフール
Darfur
ハルツーム
KHARTOUM
オムドゥルマン
OMDURMAN
ポートスーダン
Port Sudan
メロエ
アトバラ
ワドメダニ
エルオベイド
マッラ山
J. Marra
3042
スッド
Sudd
南スーダン共和国
THE REPUBLIC OF SOUTH SUDAN
ジュバ
JUBA
ワウ
Wau
マラカル
Malakal
アビエイ
Abyei
エリトリア国
STATE OF ERITREA
アスマラ
ASMARA
マッサワ
Massawa
ダフラク諸島
Dahlak Arch.
紅海
Red Sea
ジブチ共和国
REPUBLIC OF DJIBOUTI
ジブチ
DJIBOUTI
エチオピア連邦民主共和国
FEDERAL DEMOCRATIC REPUBLIC OF ETHIOPIA
アディスアベバ
ADDIS ABABA
エチオピア高原
Ethiopian Plat.
ラスダシャン山
Ras Dashen Terara
4620
タナ湖
ゴンダール
ラリベラの岩の教会群
ディレダワ
ハラール
オガデン
Ogaden
ソマリア半島
Somali Pen.
ハーフーン岬
Raas Xaafuun
グワルダフィ岬
ソマリア連邦共和国
FEDERAL REPUBLIC OF SOMALIA
モガディシュ
MOGADISHU
キスマヨ
Kismaayo
中央アフリカ共和国
CENTRAL AFRICAN REPUBLIC
バンギ
BANGUI
ウガンダ共和国
REPUBLIC OF UGANDA
カンパラ
KAMPALA
エンテベ
Entebbe
ルウェンゾリ山
5109
イトゥリの森
Ituri Forest
ヴィクトリア湖
L. Victoria
トゥルカナ湖
L. Turkana
ケニア共和国
REPUBLIC OF KENYA
ナイロビ
NAIROBI
キリニャガ(ケニア)山
Kirinyaga (Mt.Kenya)
5199
モンバサ
Mombasa
ラム旧市街
赤道
0°
コンゴ民主共和国(旧ザイール)
DEMOCRATIC REPUBLIC OF THE CONGO
コンゴ盆地
Congo Basin
キサンガニ
Kisangani
ルワンダ共和国
REPUBLIC OF RWANDA
キガリ
KIGALI
ブルンジ共和国
REPUBLIC OF BURUNDI
ブジュンブラ
BUJUMBURA
タンガニーカ湖
ムブジマイ
MBUJI MAYI
カナンガ
Kananga
タンザニア連合共和国
UNITED REPUBLIC OF TANZANIA
ダルエスサラーム
DAR ES SALAAM
ドドマ
Dodoma
キリマンジャロ山
Kilimanjaro
5895
セレンゲティ国立公園
マサイ草原
Masai Steppe
ザンジバル島
Zanzibar I.
インド洋
INDIAN OCEAN
20°
30°
40°
50°

36

44

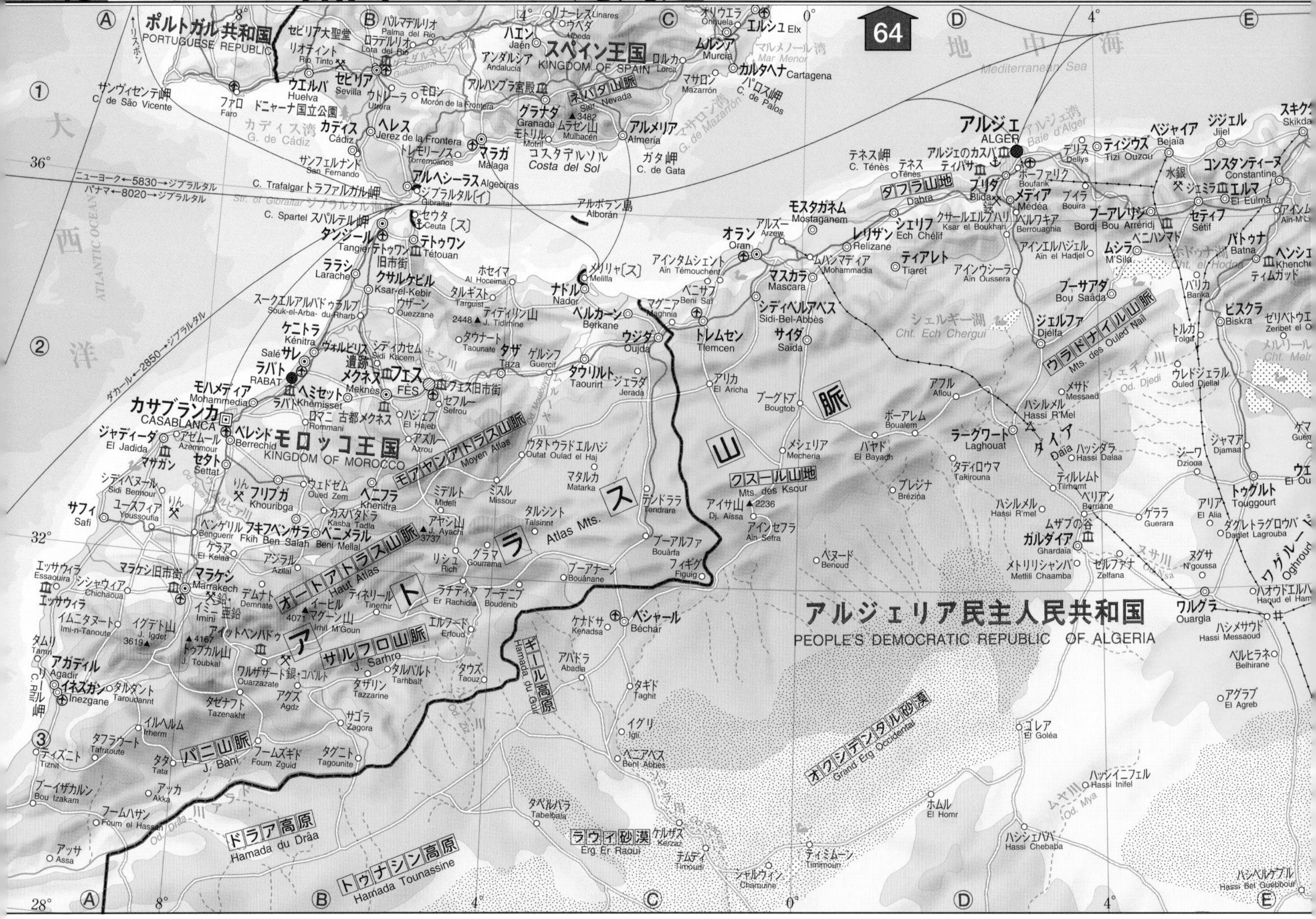

64
ポルトガル共和国
PORTUGUESE REPUBLIC
スペイン王国
KINGDOM OF SPAIN
地中海
Mediterranean Sea
大西洋
ATLANTIC OCEAN
アルジェ
ALGER
オラン
Oran
モロッコ王国
KINGDOM OF MOROCCO
カサブランカ
CASABLANCA
ラバト
RABAT
マラケシ
Marrakech
フェス
Fès
タンジール
Tangier
アトラス山脈
Atlas Mts.
オートアトラス山脈
Haut Atlas
モアヤンアトラス山脈
Moyen Atlas
サルフロ山脈
J. Sarhro
バニ山脈
J. Bani
クスール山地
Mts. des Ksour
ダフラ山地
ウラドナイル山脈
Mts. des Ouled Naïl
アルジェリア民主人民共和国
PEOPLE'S DEMOCRATIC REPUBLIC OF ALGERIA
オクシデンタル砂漠
Grand Erg Occidental
ラウイ砂漠
Erg Er Raoui
ドラア高原
Hamada du Drâa
トゥナシン高原
Hamada Tounassine
ギール高原
Hamada du Guir
セビリア
Sevilla
グラナダ
Granada
アルメリア
Almería
マラガ
Málaga
カディス
Cádiz
ジブラルタル
Gibraltar
セウタ
Ceuta
メリリャ
Melilla
コンスタンティーヌ
Constantine
ベシャール
Béchar
ガルダイア
Ghardaïa
ワルグラ
Ouargla
ラグワート
Laghouat
トレムセン
Tlemcen
ウジダ
Oujda
アガディル
Agadir
36°
32°
28°
8°
4°
0°

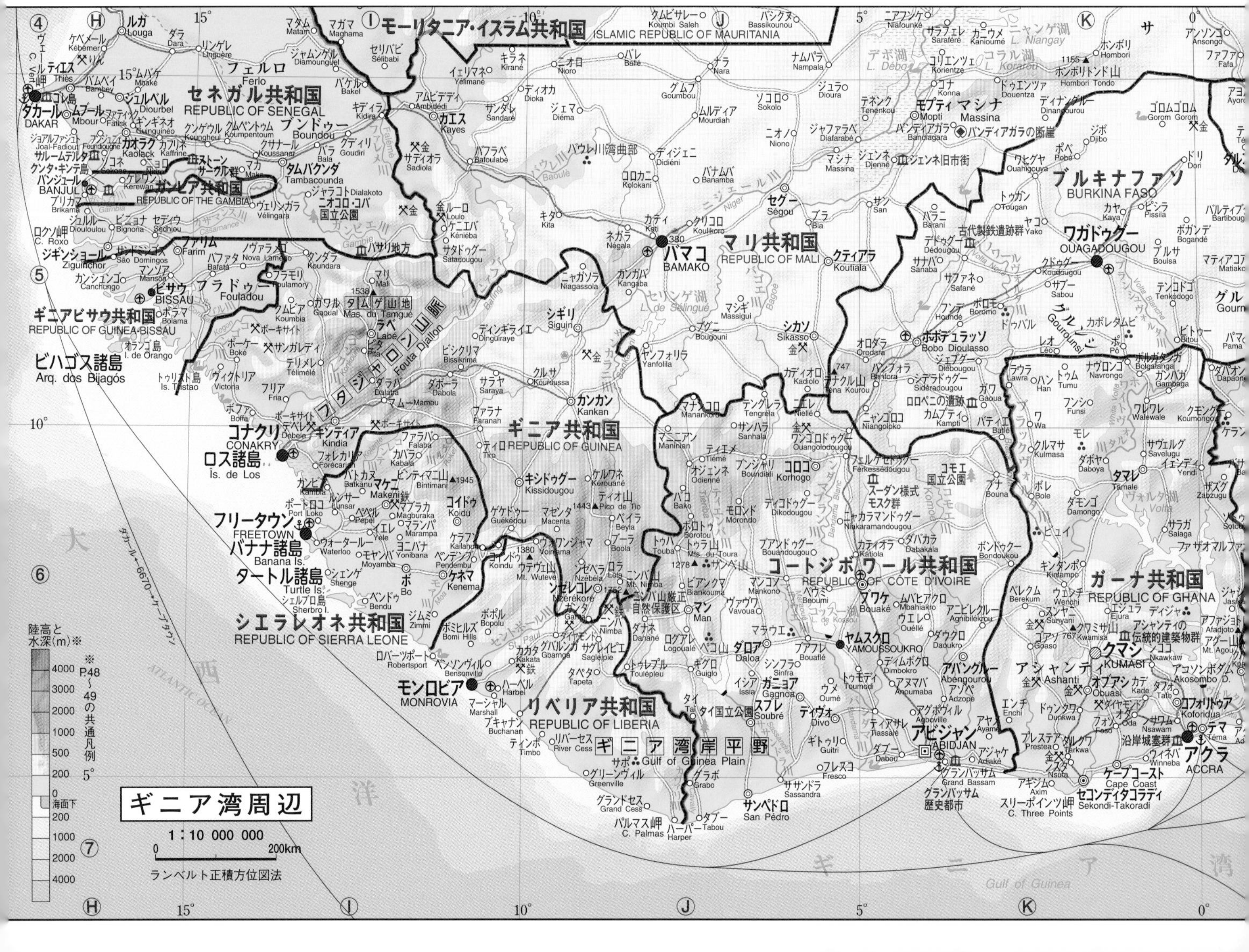

モーリタニア・イスラム共和国
ISLAMIC REPUBLIC OF MAURITANIA
セネガル共和国
REPUBLIC OF SENEGAL
ダカール
DAKAR
ガンビア共和国
REPUBLIC OF THE GAMBIA
バンジュール
BANJUL
ギニアビサウ共和国
REPUBLIC OF GUINEA-BISSAU
ビサウ
BISSAU
ビハゴス諸島
Arq. dos Bijagós
ギニア共和国
REPUBLIC OF GUINEA
コナクリ
CONAKRY
ロス諸島
Îs. de Los
フータジャロン山脈
Fouta Djallon
シエラレオネ共和国
REPUBLIC OF SIERRA LEONE
フリータウン
FREETOWN
バナナ諸島
Banana Is.
タートル諸島
Turtle Is.
リベリア共和国
REPUBLIC OF LIBERIA
モンロビア
MONROVIA
マリ共和国
REPUBLIC OF MALI
バマコ
BAMAKO
ブルキナファソ
BURKINA FASO
ワガドゥグー
OUAGADOUGOU
コートジボワール共和国
REPUBLIC OF CÔTE D'IVOIRE
ヤムスクロ
YAMOUSSOUKRO
アビジャン
ABIDJAN
ガーナ共和国
REPUBLIC OF GHANA
アクラ
ACCRA
クマシ
KUMASI
ギニア湾岸平野
Gulf of Guinea Plain
ギニア湾
Gulf of Guinea
大西洋
ATLANTIC OCEAN
パルマス岬
C. Palmas
スリーポインツ岬
C. Three Points
ダカール←6670→ケープタウン
陸高と水深(m)
※P.48～49の共通凡例
4000
3000
2000
1000
500
200
5°
海面下
200
1000
2000
4000
ギニア湾周辺
1：10 000 000
0
200km
ランベルト正積方位図法
15°
10°
5°
0°

ランベルト正積方位図法　0　200　400km　1：15 000 000

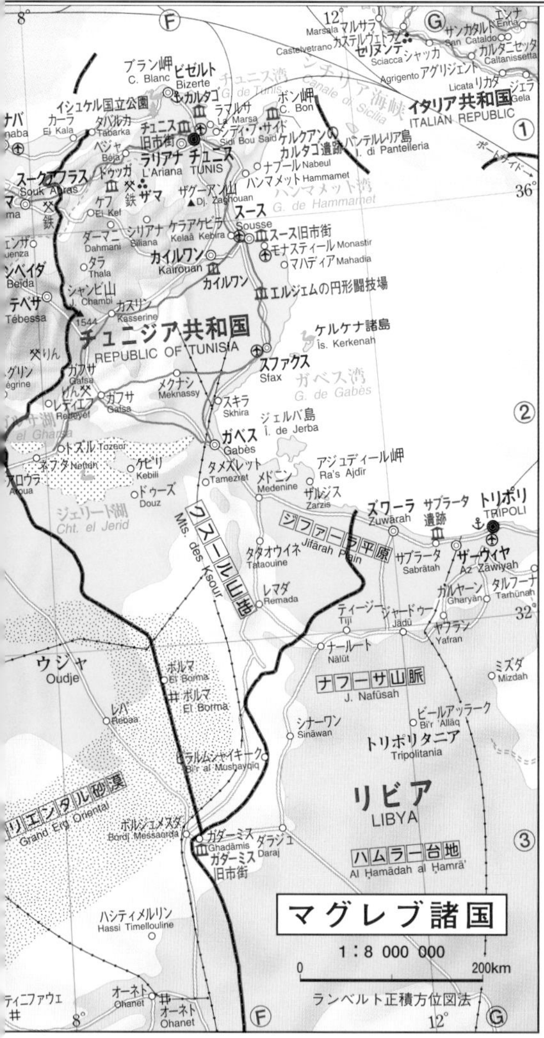

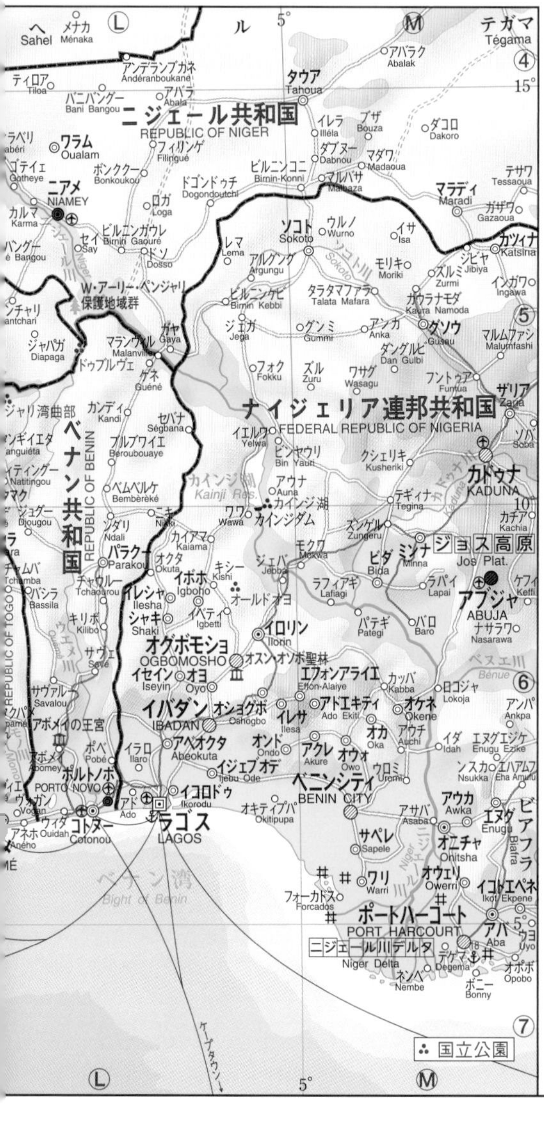

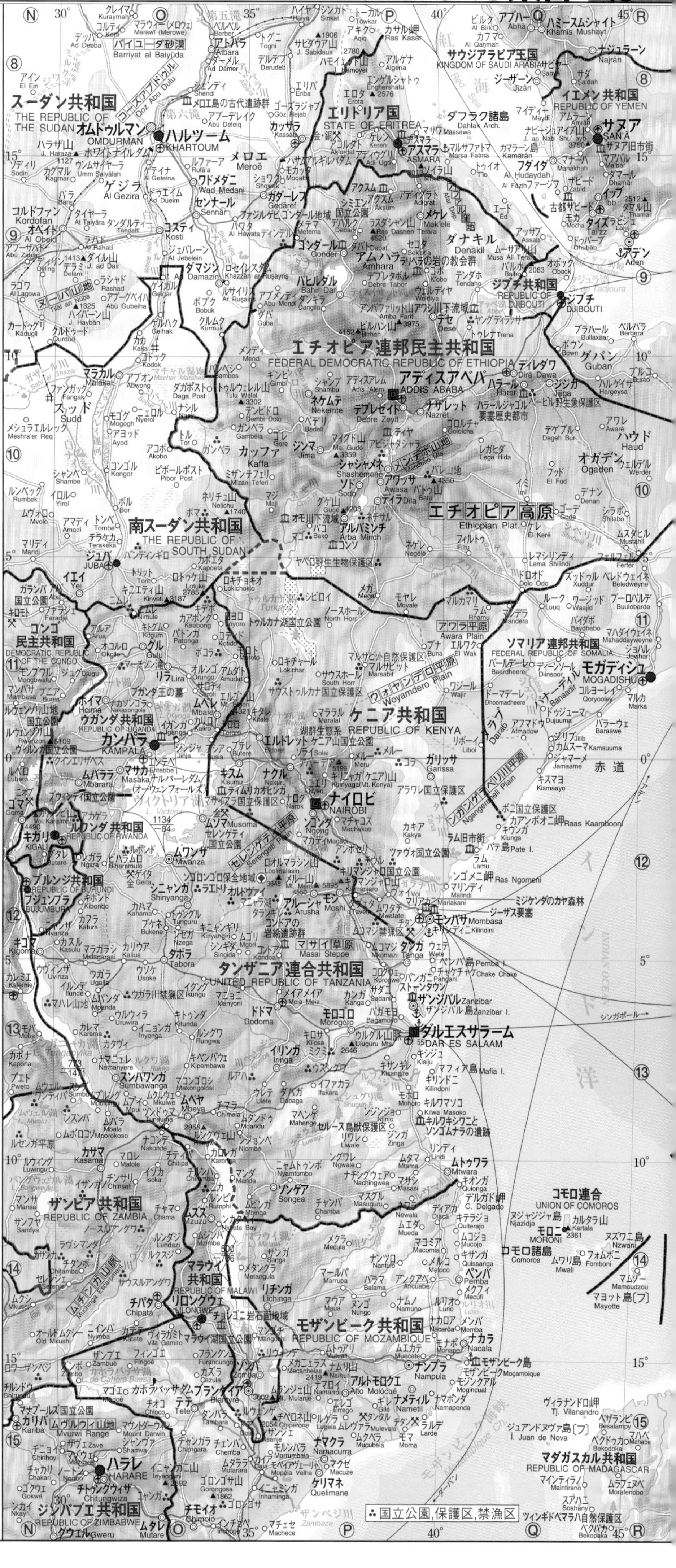

スーダン共和国
THE REPUBLIC OF THE SUDAN

オムドゥルマン
OMDURMAN

ハルツーム
KHARTOUM

エリトリア国
STATE OF ERITREA

アスマラ
ASMARA

イエメン共和国
REPUBLIC OF YEMEN

サヌア
SAN'A

エチオピア連邦民主共和国
FEDERAL DEMOCRATIC REPUBLIC OF ETHIOPIA

アディスアベバ
ADDIS ABABA

ジブチ共和国
REPUBLIC OF DJIBOUTI

ジブチ
DJIBOUTI

エチオピア高原
Ethiopian Plat.

南スーダン共和国
THE REPUBLIC OF SOUTH SUDAN

ジュバ
JUBA

ソマリア連邦共和国
FEDERAL REPUBLIC OF SOMALIA

モガディシュ
MOGADISHU

コンゴ民主共和国
DEMOCRATIC REPUBLIC OF THE CONGO

ウガンダ共和国
REPUBLIC OF UGANDA

カンパラ
KAMPALA

ケニア共和国
REPUBLIC OF KENYA

ナイロビ
NAIROBI

ルワンダ共和国
REPUBLIC OF RWANDA

キガリ
KIGALI

ブルンジ共和国
REPUBLIC OF BURUNDI

ブジュンブラ
BUJUMBURA

タンザニア連合共和国
UNITED REPUBLIC OF TANZANIA

ドドマ
DODOMA

ダルエスサラーム
DAR ES SALAAM

ザンジバル
Zanzibar

ザンビア共和国
REPUBLIC OF ZAMBIA

マラウイ共和国
REPUBLIC OF MALAWI

リロングウェ
LILONGWE

モザンビーク共和国
REPUBLIC OF MOZAMBIQUE

ジンバブエ共和国
REPUBLIC OF ZIMBABWE

ハラレ
HARARE

コモロ連合
UNION OF COMOROS

モロニ
MORONI

マダガスカル共和国
REPUBLIC OF MADAGASCAR

サウジアラビア王国
KINGDOM OF SAUDI ARABIA

インド洋
INDIAN OCEAN

赤道

イタリア共和国
ITALIAN REPUBLIC

チュニジア共和国
REPUBLIC OF TUNISIA

チュニス
TUNIS

トリポリ
TRIPOLI

リビア
LIBYA

マグレブ諸国
1：8 000 000
0　200km
ランベルト正積方位図法

ニジェール共和国
REPUBLIC OF NIGER

ニアメー
NIAMEY

ナイジェリア連邦共和国
FEDERAL REPUBLIC OF NIGERIA

アブジャ
ABUJA

カドゥナ
KADUNA

ジョス高原
Jos Plat.

ベナン共和国
REPUBLIC OF BENIN

ポルトノボ
PORTO-NOVO

ラゴス
LAGOS

イバダン
IBADAN

オグボモショ
OGBOMOSHO

ベニンシティ
BENIN CITY

ポートハーコート
PORT HARCOURT

ニジェール川デルタ
Niger Delta

■国立公園

■国立公園,保護区,禁漁区

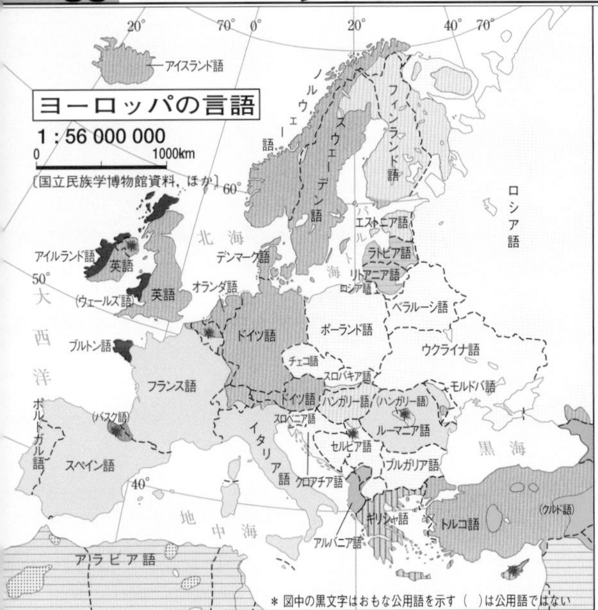

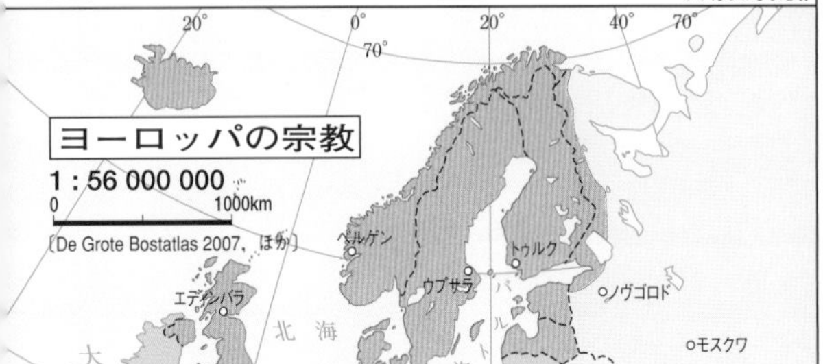

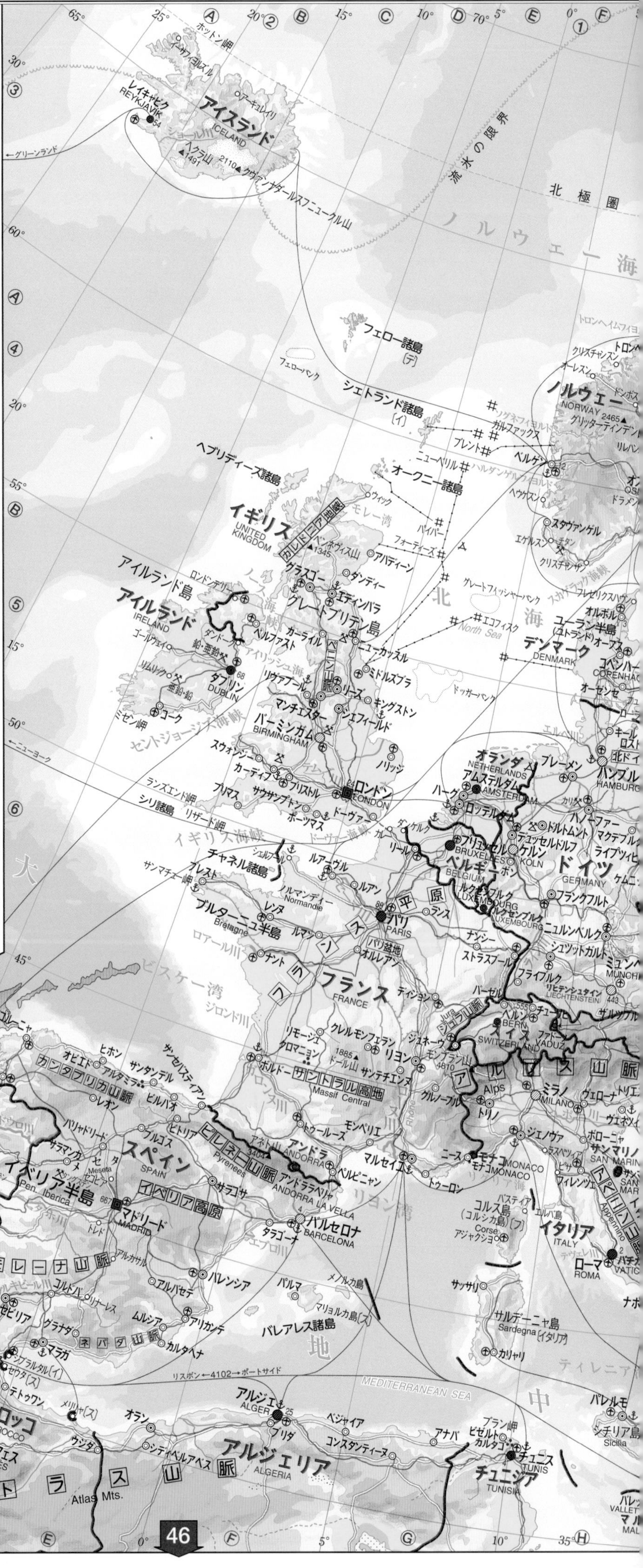

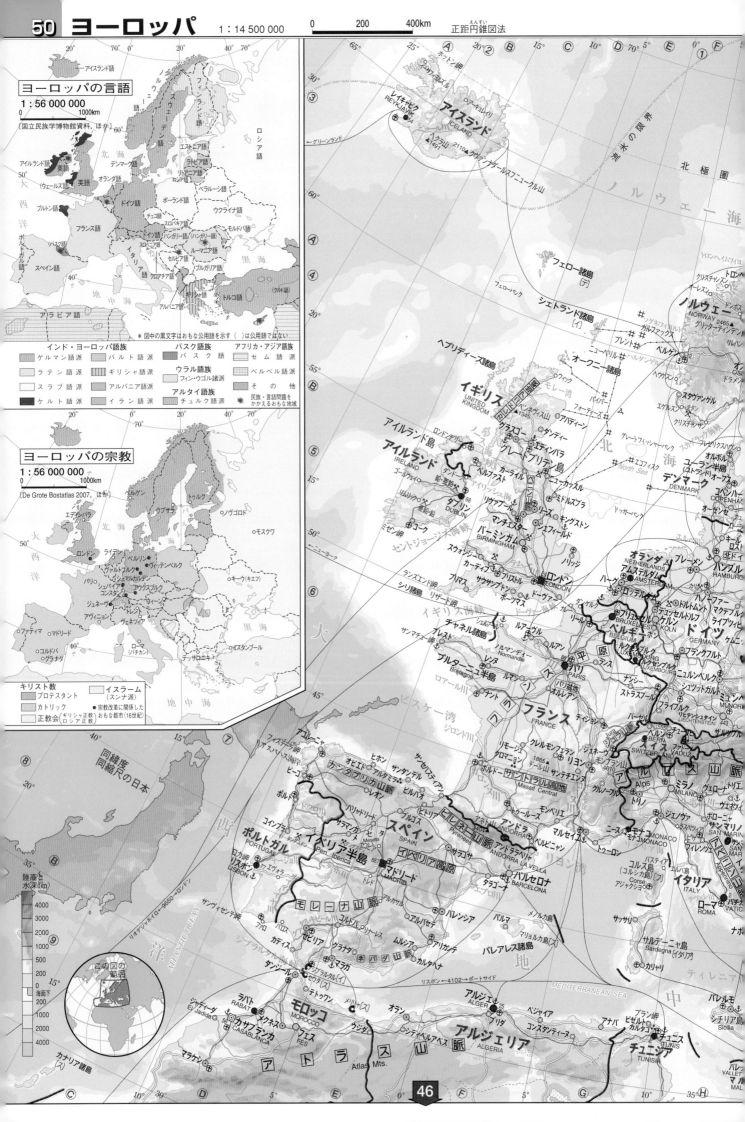

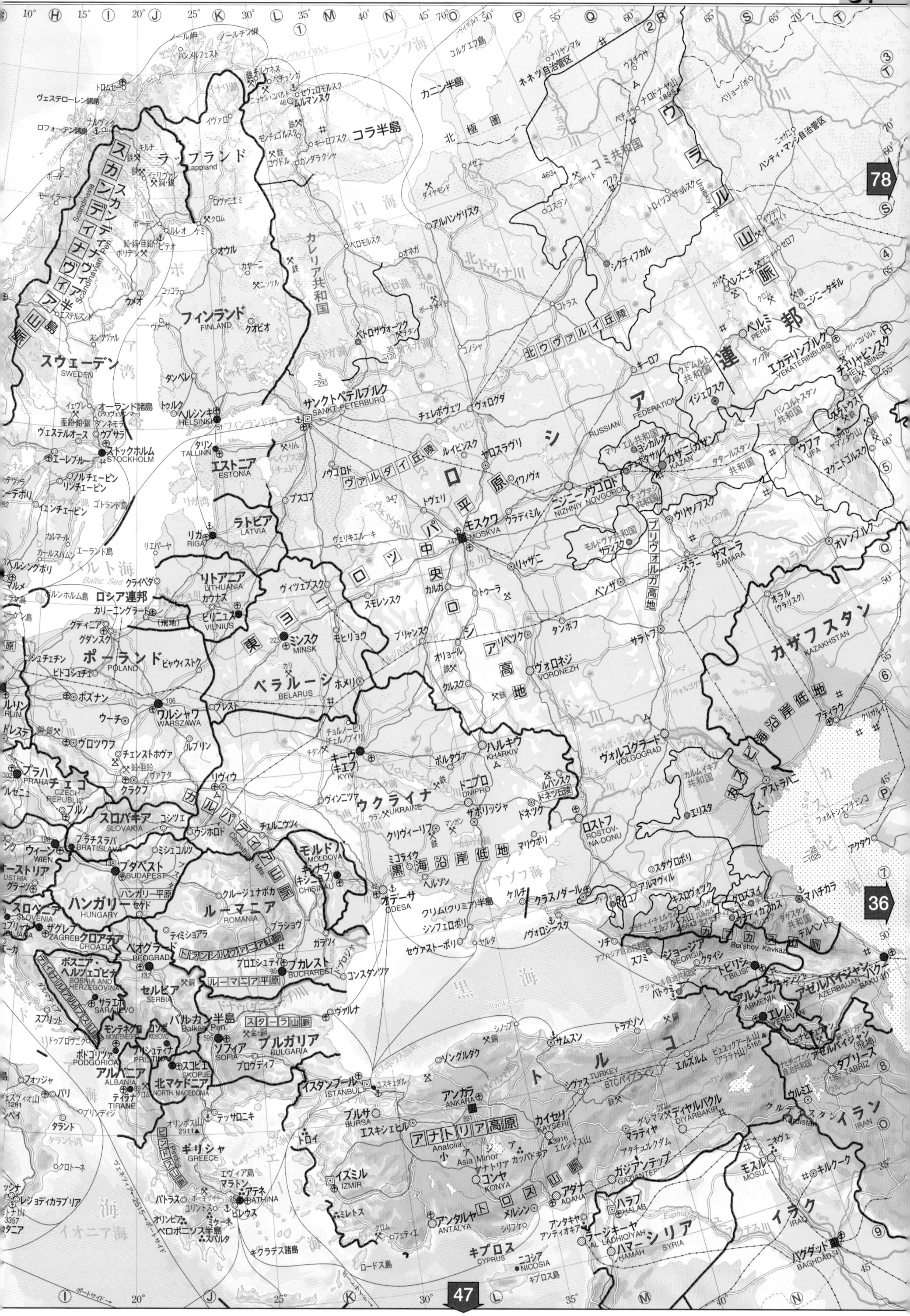
バレンツ海
カニン半島
ネネツ自治管区
コラ半島
ムルマンスク
北極圏
ラップランド
Lappland
スカンディナヴィア半島
Scandinavian Pen.
スカンディナヴィア山脈
コミ共和国
ウラル山脈
Uralskiy Mts.
ハンティ・マンシ自治管区
白海
アルハンゲリスク
カレリア共和国
北ドヴィナ川
シクティフカル
フィンランド
FINLAND
クオピオ
オウル
スウェーデン
SWEDEN
ペトロザヴォーツク
北ウヴァル丘陵
ペルミ
PERM'
エカテリンブルク
YEKATERINBURG
チェリャビンスク
CHELYABINSK
ウドムルト共和国
イジェフスク
サンクトペテルブルク
SANKT PETERBURG
ヴォログダ
キーロフ
ヘルシンキ
HELSINKI
ストックホルム
STOCKHOLM
タリン
TALLINN
エストニア
ESTONIA
ヴァルダイ丘陵
ロシア連邦
RUSSIAN FEDERATION
ヤロスラヴリ
バシコルトスタン共和国
ウファ
UFA
カザン
KAZAN
タタールスタン共和国
ニジニーノヴゴロド
NIZHNIY NOVGOROD
ラトビア
LATVIA
リガ
RIGA
モスクワ
MOSKVA
中央ロシア高地
ウリヤノフスク
サマーラ
SAMARA
オレンブルク
プリヴォルガ高地
リトアニア
LITHUANIA
ビリニュス
VILNIUS
ロシア連邦
カリーニングラード
バルト海
Baltic Sea
東ヨーロッパ平原
スモレンスク
トゥーラ
リャザニ
ペンザ
サラトフ
タンボフ
ミンスク
MINSK
ベラルーシ
BELARUS
ポーランド
POLAND
ワルシャワ
WARSZAWA
ブレスト
ゴメリ
ブリャンスク
オリョール
クルスク
ヴォロネジ
VORONEZH
カザフスタン
KAZAKHSTAN
カスピ海沿岸低地
オラル
(ウラリスク)
アティラウ
ヴォルゴグラード
VOLGOGRAD
ヴォルガ川
Volga
カルムイキア共和国
アストラハン
エリスタ
プラハ
PRAHA
チェコ
CZECH REPUBLIC
ブルノ
キーウ
(キエフ)
KYIV
ハルキウ
KHARKIV
ドニプロ
DNIPRO
ウクライナ
UKRAINE
ドネツク
ルハンスク
ドネツ丘陵
ザポリッジャ
ロストフ
ROSTOV-NA-DONU
スロバキア
SLOVAKIA
ブラチスラバ
BRATISLAVA
ウィーン
WIEN
オーストリア
ブダペスト
BUDAPEST
ハンガリー
HUNGARY
ハンガリー平原
カルパティア山脈
Carpathian Mts.
モルドバ
MOLDOVA
キシナウ
CHISINAU
ルーマニア
ROMANIA
黒海沿岸低地
アゾフ海
オデーサ
ODESA
クリム(クリミア)半島
セヴァストーポリ
クラスノダール
スタヴロポリ
カフカス山脈
Bol'shoy Kavkaz
グロズヌイ
マハチカラ
ジョージア
GEORGIA
トビリシ
T'BILISI
アルメニア
ARMENIA
エレバン
アゼルバイジャン
AZERBAIJAN
バクー
BAKU
スロベニア
SLOVENIA
ザグレブ
ZAGREB
クロアチア
CROATIA
ベオグラード
BEOGRAD
トランシルヴァニア山脈
ブカレスト
BUCHAREST
ルーマニア平原
コンスタンツァ
ボスニア・ヘルツェゴビナ
BOSNIA AND HERZEGOVINA
サラエボ
SARAJEVO
セルビア
SERBIA
ディナルアルプス山脈
モンテネグロ
MONTENEGRO
コソボ
KOSOVO
バルカン半島
Balkan Pen.
スターラ山脈
ソフィア
SOFIA
ブルガリア
BULGARIA
ヴァルナ
黒海
Black Sea
ポドゴリツァ
PODGORICA
アルバニア
ALBANIA
ティラナ
TIRANE
北マケドニア
NORTH MACEDONIA
スコピエ
SKOPJE
イスタンブール
ISTANBUL
アンカラ
ANKARA
トルコ
TURKEY
サムスン
エルズルム
アララト山
ブルサ
BURSA
アナトリア高原
Anatolia
小アジア
Asia Minor
カイセリ
KAYSERI
ディヤルバクル
DIYARBAKIR
タブリーズ
TABRIZ
イラン
IRAN
テッサロニキ
ギリシャ
GREECE
ピンドス山脈
アテネ
ATHINA
ペロポネソス半島
イズミル
IZMIR
コンヤ
KONYA
トロス山脈
アダナ
ADANA
ガジアンテップ
GAZIANTEP
モスル
MOSUL
キルクーク
アンタルヤ
ANTALYA
キプロス
CYPRUS
ニコシア
NICOSIA
ハラブ
HALAB
ラージキーヤ
AL LADHIQIYAH
ハマー
HAMAH
シリア
SYRIA
イラク
IRAQ
バグダッド
BAGHDAD
Euphrates
Tigris
キクラデス諸島
ロードス島
イオニア海
ターラント
バーリ

78
36
47

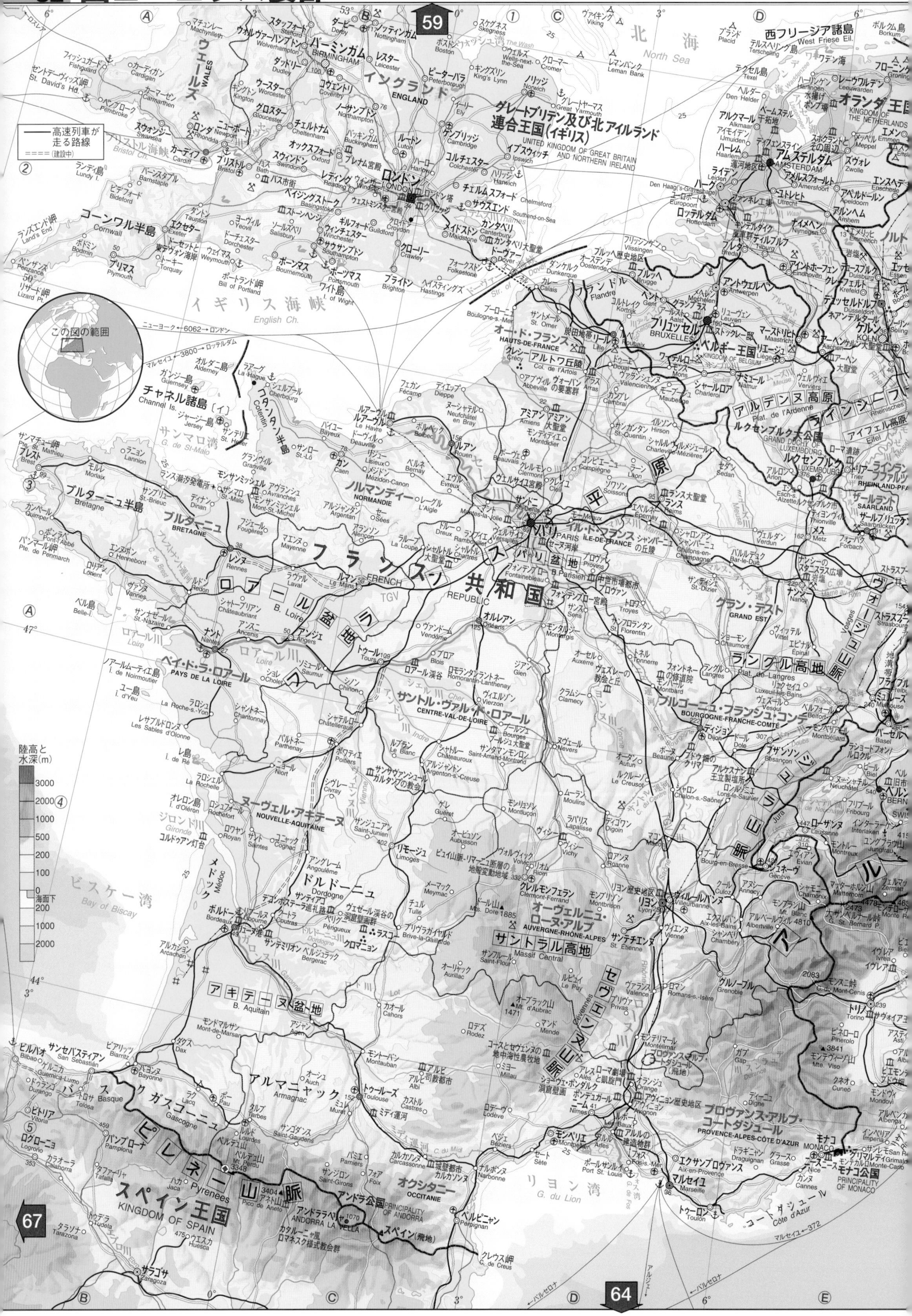
1：4 500 000
0 50 100km
正距円錐図法
59
64
67
高速列車が走る路線
(建設中)
陸高と水深(m)
3000
2000
1000
500
200
100
0
海面下
200
1000
2000
この図の範囲
北海
North Sea
イギリス海峡
English Ch.
ビスケー湾
Bay of Biscay
リヨン湾
G. du Lion
グレートブリテン及び北アイルランド連合王国(イギリス)
UNITED KINGDOM OF GREAT BRITAIN AND NORTHERN IRELAND
イングランド
ENGLAND
ウェールズ
WALES
ロンドン
LONDON
バーミンガム
BIRMINGHAM
コーンウォル半島
Cornwall
ブリストル海峡
Bristol Ch.
チャネル諸島〔イ〕
Channel Is.
オランダ王国
KINGDOM OF THE NETHERLANDS
アムステルダム
AMSTERDAM
ロッテルダム
Rotterdam
西フリージア諸島
West Friese Eil.
ベルギー王国
KINGDOM OF BELGIUM
ブリュッセル
BRUXELLES
アントウェルペン
Antwerpen
ルクセンブルク大公国
GRAND DUCHY OF LUXEMBOURG
ルクセンブルク
LUXEMBOURG
アルデンヌ高原
Plat. de l'Ardenne
ケルン
KÖLN
フランス共和国
FRENCH REPUBLIC
パリ
PARIS
パリ盆地
B. Parisien
イル・ド・フランス
ÎLE-DE-FRANCE
オー・ド・フランス
HAUTS-DE-FRANCE
ノルマンディー
NORMANDIE
ブルターニュ半島
Bretagne
ブルターニュ
BRETAGNE
ロアール盆地
B. Loire
ペイ・ド・ラ・ロアール
PAYS DE LA LOIRE
サントル・ヴァル・ド・ロアール
CENTRE-VAL-DE-LOIRE
グラン・テスト
GRAND EST
ブルゴーニュ・フランシュ・コンテ
BOURGOGNE-FRANCHE-COMTÉ
ヌーヴェル・アキテーヌ
NOUVELLE-AQUITAINE
オーヴェルニュ・ローヌ・アルプ
AUVERGNE-RHÔNE-ALPES
サントラル高地
Massif Central
アキテーヌ盆地
B. Aquitain
セヴェンヌ山脈
ヴォージュ山脈
ラングル高地
Plat. de Langres
ジュラ山脈
アルプス山脈
オクシタニー
OCCITANIE
プロヴァンス・アルプ・コートダジュール
PROVENCE-ALPES-CÔTE D'AZUR
コートダジュール
Côte d'Azur
ピレネー山脈
Pyrenees
スペイン王国
KINGDOM OF SPAIN
アンドラ公国
PRINCIPALITY OF ANDORRA
アンドララベリャ
ANDORRA LA VELLA
モナコ公国
PRINCIPALITY OF MONACO
リヨン
マルセイユ
Marseille
ボルドー
Bordeaux
トゥールーズ
Toulouse
ナント
Nantes
ストラスブール
Strasbourg
ディジョン
Dijon
オルレアン
Orléans
ニース
Nice
トゥーロン
Toulon
モンペリエ
Montpellier
グルノーブル
Grenoble
ジュネーヴ
Genève
バーゼル
Basel
ベルン
BERN
トリノ
Torino
サラゴサ
Zaragoza
ビルバオ
Bilbao
パンプローナ
Pamplona
ペルピニャン
Perpignan
ドルドーニュ
Dordogne
アルマニャック
Armagnac
ガスコーニュ
Gascogne
バスク
Basque
メドック
Médoc
ニューヨーク←6062→ロンドン
マルセイユ←3800→ロッテルダム
マルセイユ←372
←バルセロナ

63

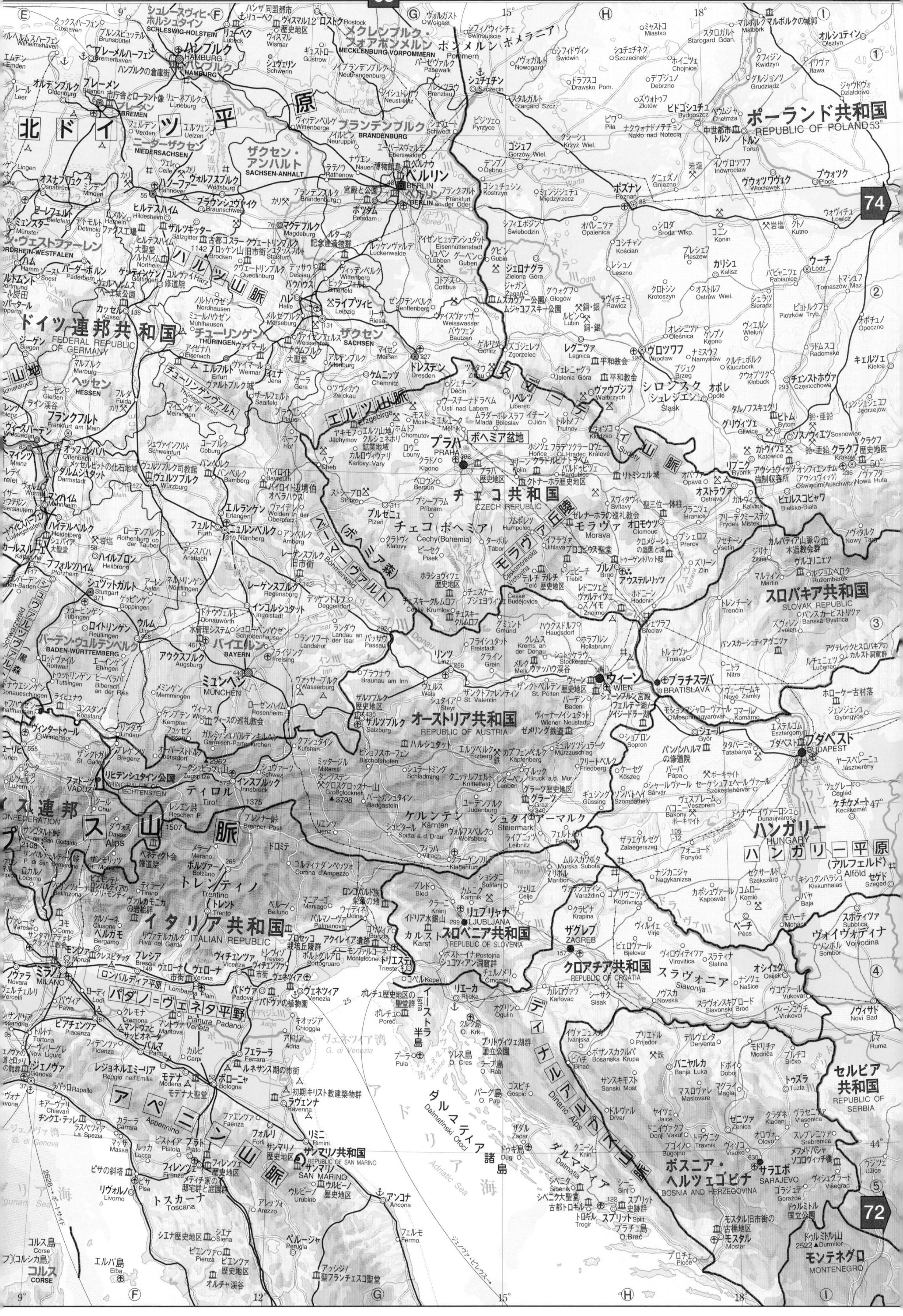

北ドイツ平原
ドイツ連邦共和国
FEDERAL REPUBLIC OF GERMANY
ハンブルク
HAMBURG
ブレーメン
BREMEN
ハノーファー
Hannover
ベルリン
BERLIN
ポツダム
Potsdam
マクデブルク
Magdeburg
ライプツィヒ
Leipzig
ドレスデン
Dresden
エルフルト
Erfurt
フランクフルト
Frankfurt am Main
ニュルンベルク
Nürnberg
シュツットガルト
Stuttgart
ミュンヘン
MÜNCHEN
バイエルン
BAYERN
バーデン・ヴュルテンベルク
BADEN-WÜRTTEMBERG
ザクセン
SACHSEN
ザクセン・アンハルト
SACHSEN-ANHALT
ニーダーザクセン
NIEDERSACHSEN
チューリンゲン
THÜRINGEN
ヘッセン
HESSEN
シュレースヴィヒ・ホルシュタイン
SCHLESWIG-HOLSTEIN
メクレンブルク・フォアポンメルン
MECKLENBURG-VORPOMMERN
ブランデンブルク
BRANDENBURG
ハルツ山脈
チューリンゲンヴァルト
エルツ山脈
ポーランド共和国
REPUBLIC OF POLAND
シュチェチン
Szczecin
ポズナン
Poznań
ヴロツワフ
Wrocław
ウーチ
Łódź
クラクフ
Kraków
カトヴィツェ
Katowice
トルン
Toruń
シロンスク
(シュレジエン)
Śląsk
チェコ共和国
CZECH REPUBLIC
プラハ
PRAHA
ボヘミア盆地
チェコ(ボヘミア)
Čechy(Bohemia)
モラヴァ
Morava
モラヴィア丘陵
ブルノ
Brno
オストラヴァ
Ostrava
ベーマーヴァルト(ボヘミア森)
スデーティ山脈
スロバキア共和国
SLOVAK REPUBLIC
ブラチスラバ
BRATISLAVA
オーストリア共和国
REPUBLIC OF AUSTRIA
ウィーン
WIEN
ザルツブルク
Salzburg
インスブルック
Innsbruck
リンツ
Linz
グラーツ
Graz
ティロル
ケルンテン
シュタイアーマルク
ハンガリー
HUNGARY
ブダペスト
BUDAPEST
ハンガリー平原
(アルフェルド)
Alföld
スイス連邦
CONFEDERATION
リヒテンシュタイン公国
PRINCIPALITY OF LIECHTENSTEIN
VADUZ
アルプス山脈
Alps
イタリア共和国
ITALIAN REPUBLIC
ミラノ
MILANO
ヴェネツィア
Venezia
ヴェローナ
Verona
ボローニャ
Bologna
ジェノヴァ
Genova
フィレンツェ
Firenze
ピサ
Pisa
トスカーナ
Toscana
トレンティノ
ロンバルディア平原
パダノ=ヴェネタ平野
Pianura Padano-Veneta
アペニン山脈
サンマリノ共和国
REPUBLIC OF SAN MARINO
SAN MARINO
アンコナ
Ancona
スロベニア共和国
REPUBLIC OF SLOVENIA
リュブリャナ
LJUBLJANA
クロアチア共和国
REPUBLIC OF CROATIA
ザグレブ
ZAGREB
スラヴォニア
Slavonija
イーストラ半島
ディナルアルプス山脈
Dinaric Alps
ダルマティア諸島
Dalmatinski Otoci
ダルマティア
Dalmatia
スプリット
Split
アドリア海
Adriatic Sea
ヴェネツィア湾
G. di Venezia
ボスニア・ヘルツェゴビナ
BOSNIA AND HERZEGOVINA
サラエボ
SARAJEVO
モスタル
Mostar
セルビア共和国
REPUBLIC OF SERBIA
ヴォイヴォディナ
Vojvodina
ノヴィサド
Novi Sad
モンテネグロ
MONTENEGRO
リグリア海
ジェノヴァ湾
G. di Genova
コルス島
(コルシカ島)
CORSE
エルバ島
Elba

74

72

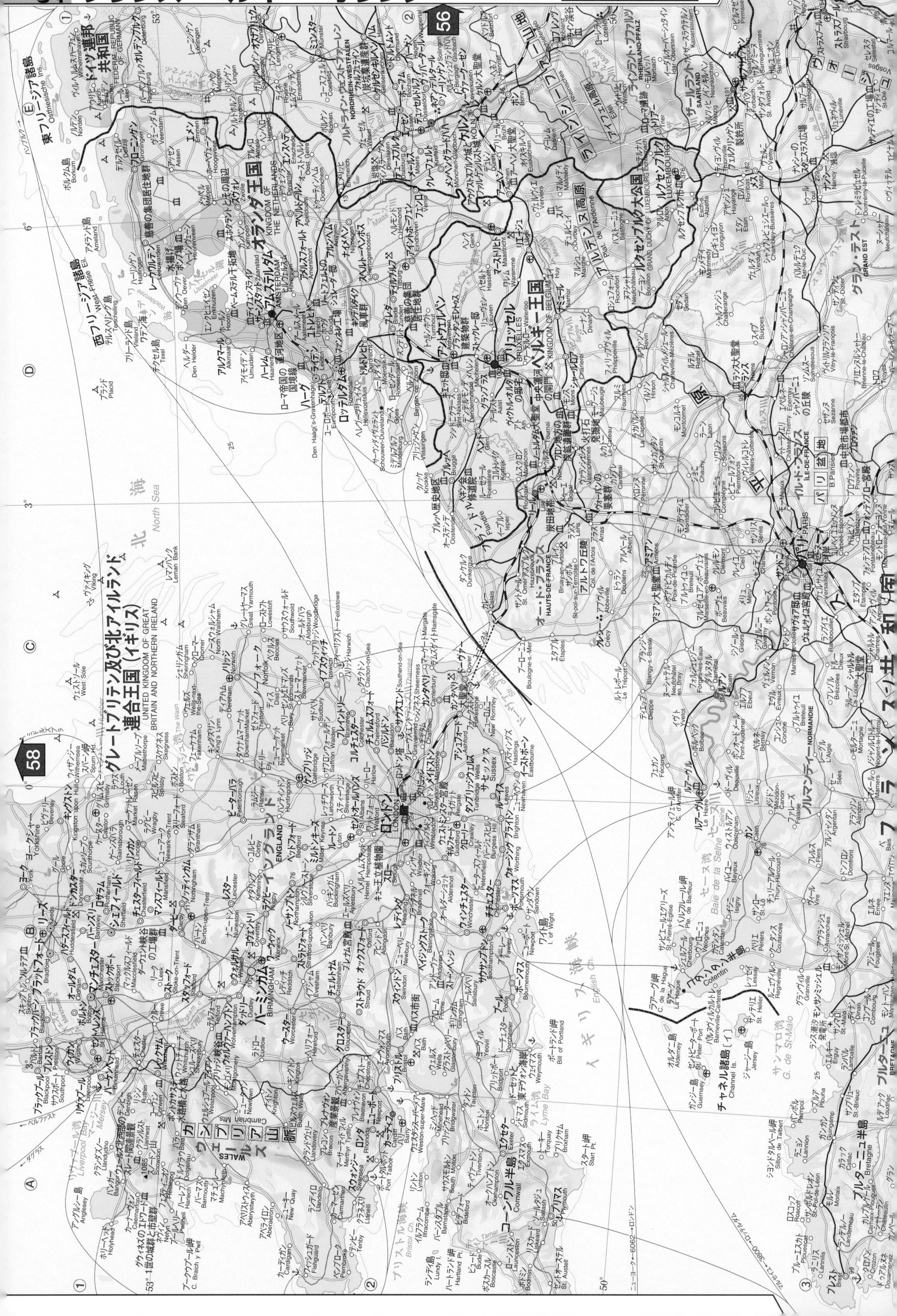

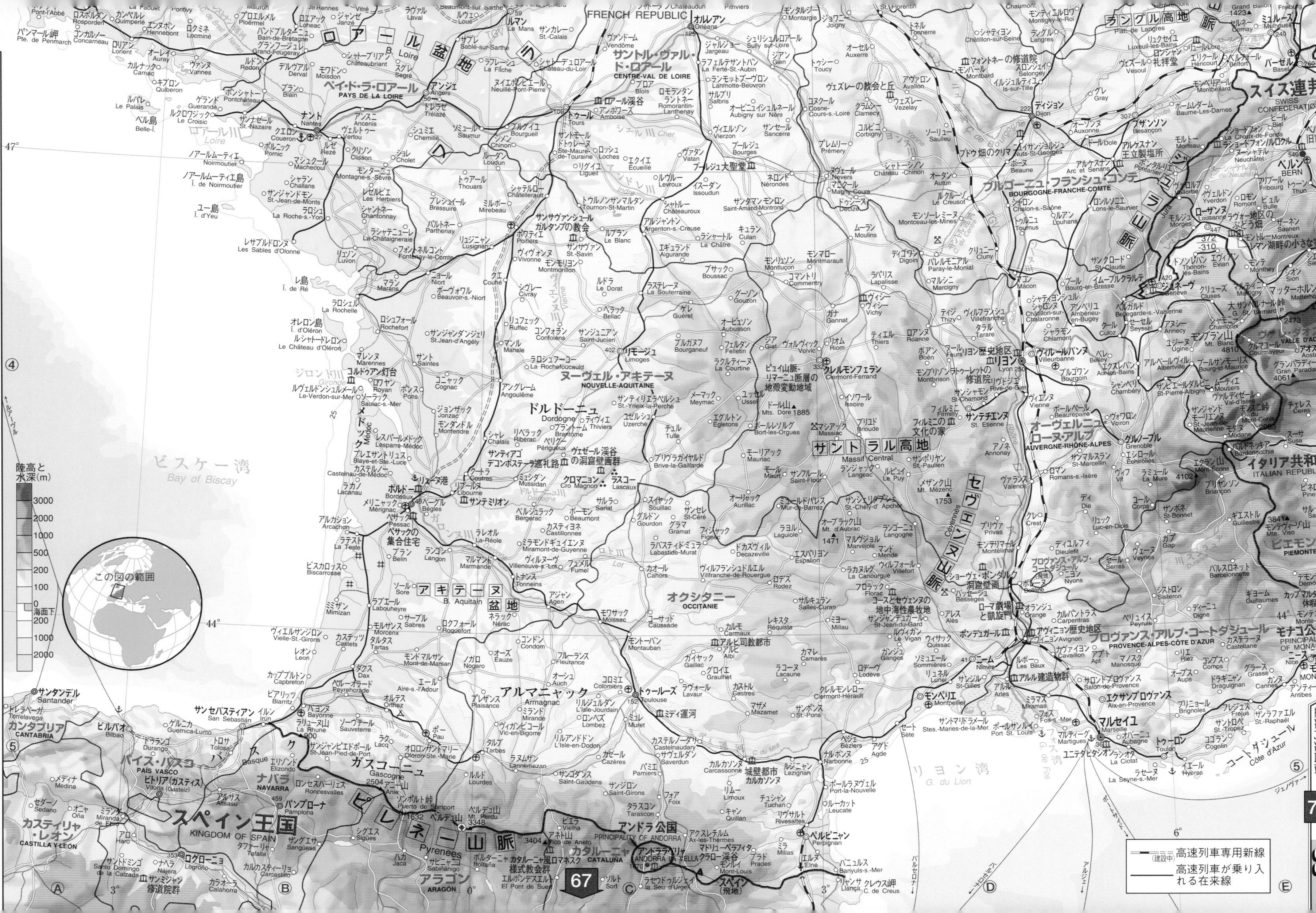
FRENCH REPUBLIC
ロアール盆地
ペイ・ド・ラ・ロアール
PAYS DE LA LOIRE
サントル・ヴァル・ド・ロアール
CENTRE-VAL DE LOIRE
ブルゴーニュ・フランシュ・コンテ
BOURGOGNE-FRANCHE-COMTE
ラングル高地
ジュラ山脈
スイス連邦
SWISS CONFEDERATION
ヌーヴェル・アキテーヌ
NOUVELLE-AQUITAINE
ドルドーニュ
サントラル高地
Massif Central
セヴェンヌ山脈
オーヴェルニュ・ローヌ・アルプ
AUVERGNE-RHÔNE-ALPES
イタリア共和国
ITALIAN REPUBLIC
ピエモンテ
PIEMONTE
プロヴァンス・アルプ・コートダジュール
PROVENCE-ALPES-CÔTE D'AZUR
モナコ公国
PRINCIPALITY OF MONACO
オクシタニー
OCCITANIE
アキテーヌ盆地
B. Aquitain
アルマニャック
ガスコーニュ
ピレネー山脈
Pyrenees
アンドラ公国
PRINCIPALITY OF ANDORRA
スペイン王国
KINGDOM OF SPAIN
バスク
ナバラ
NAVARRA
カスティリャ・レオン
CASTILLA Y LEÓN
アラゴン
ARAGÓN
カタルーニャ
CATALUÑA
カンタブリア
CANTABRIA
バイス・バスコ
PAÍS VASCO
ビスケー湾
Bay of Biscay
リヨン湾
G. du Lion
コートダジュール
Côte d'Azur
パリ
オルレアン
Orléans
トゥール
Tours
ナント
Nantes
アンジェ
Angers
ディジョン
Dijon
ブザンソン
Besançon
リヨン
Lyon
ジュネーヴ
Genève
ローザンヌ
Lausanne
ベルン
BERN
バーゼル
Basel
グルノーブル
Grenoble
クレルモンフェラン
Clermont-Ferrand
リモージュ
Limoges
ポワティエ
Poitiers
ボルドー
Bordeaux
トゥールーズ
Toulouse
モンペリエ
Montpellier
ニーム
Nîmes
アヴィニョン
Avignon
マルセイユ
Marseille
トゥーロン
Toulon
ニース
Nice
モナコ
MONACO
ペルピニャン
Perpignan
カルカソンヌ
Carcassonne
パンプローナ
Pamplona
ビルバオ
Bilbao
サンタンデル
Santander
サンセバスティアン
San Sebastián
ログローニョ
Logroño
マッターホルン山
Matterhorn
モンブラン山
Mt. Blanc
4810
ヴァッレ・ダオスタ
VALLE D'AOSTA
ペルデュ山
Mt. Perdu
3348
アネト山
Pico de Aneto
3404
ロアール渓谷
ブドウ畑のクリマ
ヴェズレーの教会と丘
フォントネーの修道院
王立製塩所
サンテミリオン
ヴェゼール渓谷の洞窟壁画群
ミディ運河
城壁都市カルカソンヌ
アルビ司教都市
ロ－マ劇場と凱旋門
ポンデュガール
アヴィニョン歴史地区
アルル建造物群
リヨン歴史地区
ペサックの集合住宅
ブールジュ大聖堂
シャルトル
この図の範囲
陸高と水深(m)
3000
2000
1000
500
200
100
0
海面下
200
1000
2000
高速列車専用新線
(建設中)
高速列車が乗り入れる在来線
47°
44°
3°
0°
6°
A
B
C
D
E
4
5

70
67

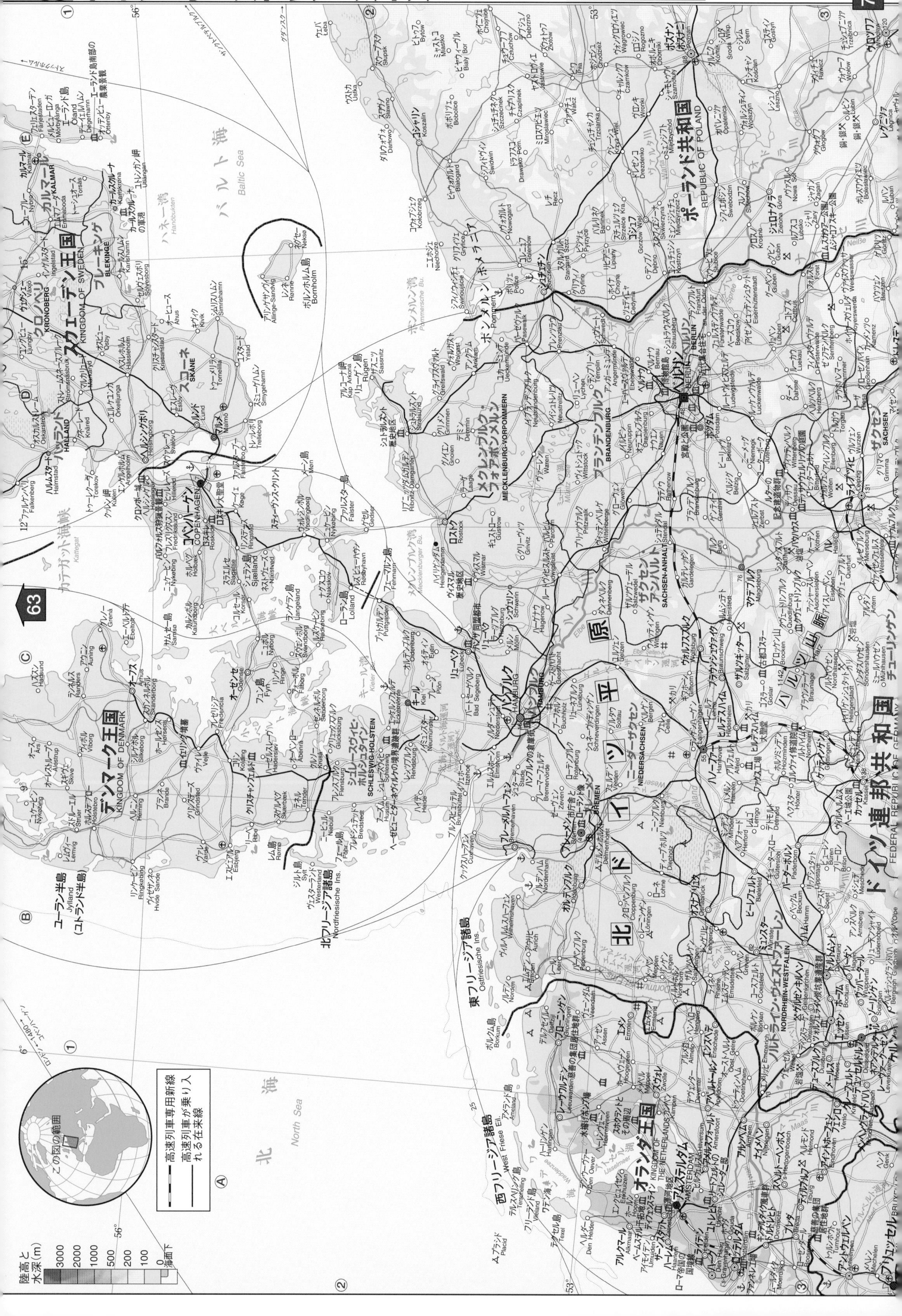

1：3 200 000
0 50 100km
正距円錐図法
74
63
陸高と水深(m)
3000
2000
1000
500
200
100
0
海面下
この図の範囲
高速列車専用新線
高速列車が乗り入れる在来線
ドイツ連邦共和国
FEDERAL REPUBLIC OF GERMANY
ポーランド共和国
REPUBLIC OF POLAND
デンマーク王国
KINGDOM OF DENMARK
スウェーデン王国
KINGDOM OF SWEDEN
オランダ王国
KINGDOM OF THE NETHERLANDS
バルト海
Baltic Sea
北海
North Sea
カテガット海峡
Kattegat
ハネー湾
Hanöbukten
ユーラン半島
Jylland
（ユトランド半島）
北フリージア諸島
Nordfriesische Ins.
東フリージア諸島
Ostfriesische Ins.
西フリージア諸島
West Friese Eil.
キール湾
Kieler Bu.
メクレンブルク湾
Mecklenburger Bu.
ポンメルン湾
Pommersche Bu.
北ドイツ平原
ハルツ山脈
ハンブルク
HAMBURG
ベルリン
BERLIN
コペンハーゲン
COPENHAGEN
アムステルダム
AMSTERDAM
ブレーメン
BREMEN
ハノーファー
Hannover
キール
Kiel
ロストック
Rostock
リューベク
Lübeck
シュチェチン
Szczecin
ポズナン
Poznań
マルメ
Malmö
オーフス
Århus
オーゼンセ
Odense
メクレンブルク・フォアポンメルン
MECKLENBURG-VORPOMMERN
ブランデンブルク
BRANDENBURG
ニーダーザクセン
NIEDERSACHSEN
ザクセン・アンハルト
SACHSEN-ANHALT
シュレースヴィヒ・ホルシュタイン
SCHLESWIG-HOLSTEIN
ノルトライン・ヴェストファーレン
NORDRHEIN-WESTFALEN
ザクセン
SACHSEN
テューリンゲン
ポンメルン（ポメラニア）
Pommern
スコーネ
SKÅNE
ブレーキンゲ
BLEKINGE
クロノベリ
KRONOBERG
カルマール
KALMAR
ハッランド
HALLAND
ボルンホルム島
Bornholm
リューゲン島
Rügen
フェーマルン島
Fehmarn
ローラン島
Lolland
シェラン島
Sjælland
フュン島
Fyn

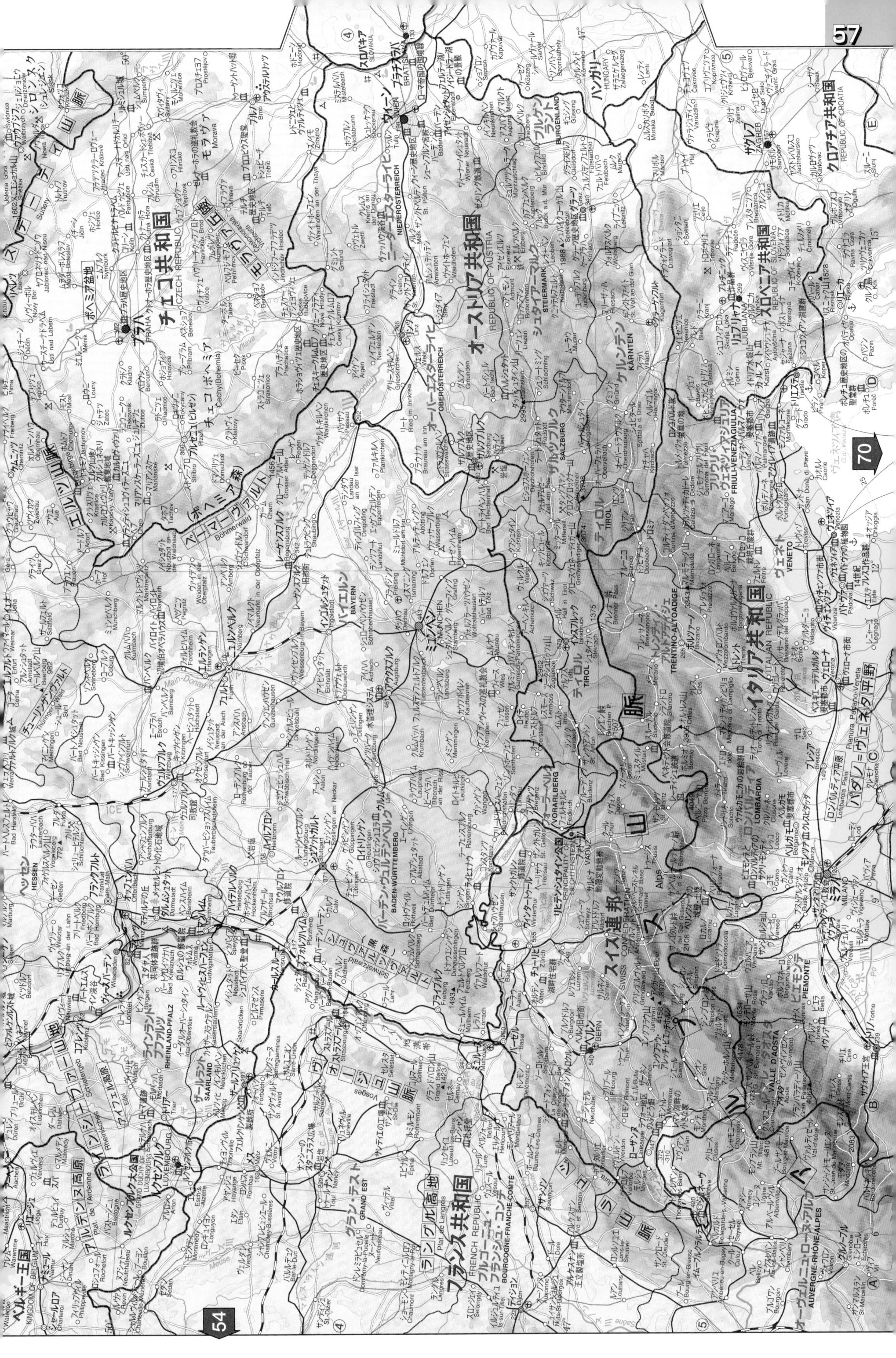

ベルギー王国
KINGDOM OF BELGIUM
アルデンヌ高原
ラインシーファー山地
アイフェル高原
ルクセンブルク大公国
GRAND DUCHY OF LUXEMBOURG
ルクセンブルク
LUXEMBOURG
ヘッセン
HESSEN
フランクフルト
ラインラント・プファルツ
RHEINLAND-PFALZ
ザールラント
SAARLAND
チューリンゲンヴァルト
エルツ山脈
ボヘミア盆地
プラハ
PRAHA
チェコ共和国
CZECH REPUBLIC
チェコ（ボヘミア）
Čechy(Bohemia)
モラヴィア丘陵
モラヴァ
Morava
ズデーティ山脈
シロンスク（シュレジエン）
ニュルンベルク
Nürnberg
ベーマーヴァルト（ボヘミアの森）
ヴォージュ山脈
グラン・テスト
GRAND EST
ラングル高地
フランス共和国
FRENCH REPUBLIC
ブルゴーニュ・フランシュ・コンテ
BOURGOGNE-FRANCHE-COMTÉ
シュヴァルツヴァルト（黒い森）
バーデン・ヴュルテンベルク
BADEN-WÜRTTEMBERG
シュトゥットガルト
バイエルン
BAYERN
ミュンヘン
MÜNCHEN
レーゲンスブルク
ニーダーエスターライヒ
NIEDERÖSTERREICH
ウィーン
WIEN
ブラチスラバ
BRATISLAVA
スロバキア
SLOVAKIA
オーバーエスターライヒ
OBERÖSTERREICH
オーストリア共和国
REPUBLIC OF AUSTRIA
ザルツブルク
SALZBURG
シュタイアーマルク
STEIERMARK
ブルゲンラント
BURGENLAND
ハンガリー
HUNGARY
グラーツ
ケルンテン
KÄRNTEN
ティロル
TIROL
インスブルック
フォーアアールベルク
VORARLBERG
リヒテンシュタイン公国
PRINCIPALITY OF LIECHTENSTEIN
ジュラ山脈
ベルン
BERN
スイス連邦
SWISS CONFEDERATION
アルプス山脈
Alps
ヴァレ・ダオスタ
VALLE D'AOSTA
ピエモンテ
PIEMONTE
オーヴェルニュ・ローヌ・アルプ
AUVERGNE-RHÔNE-ALPES
ロンバルディア
LOMBARDIA
ミラノ
MILANO
ロンバルディア平原
パダノ＝ヴェネタ平野
トレンティーノ・アルトアディジェ
TRENTINO-ALTOADIGE
イタリア共和国
ITALIAN REPUBLIC
ヴェネト
VENETO
ヴェネツィア
フリウリ・ヴェネツィアジュリア
FRIULI-VENEZIAGIULIA
リュブリャナ
LJUBLJANA
スロベニア共和国
REPUBLIC OF SLOVENIA
ザグレブ
ZAGREB
クロアチア共和国
REPUBLIC OF CROATIA
ヴェネツィア湾

54
70

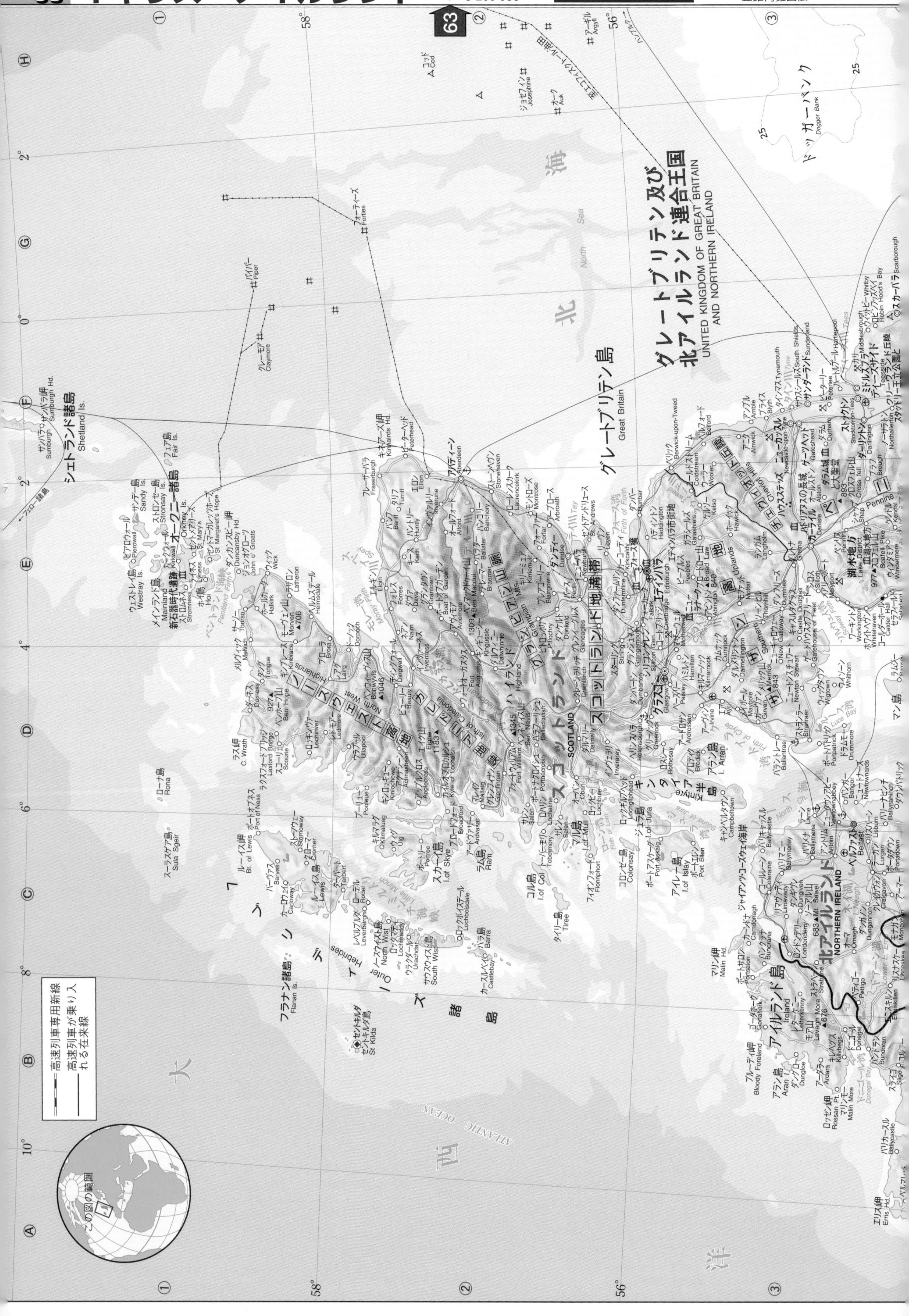

63

グレートブリテン及び
北アイルランド連合王国
UNITED KINGDOM OF GREAT BRITAIN
AND NORTHERN IRELAND

グレートブリテン島
Great Britain

スコットランド
SCOTLAND

北アイルランド
NORTHERN IRELAND

アイルランド
Ireland

シェトランド諸島
Shetland Is.

オークニー諸島
Orkney Is.

北海
North Sea

大西洋
ATLANTIC OCEAN

———高速列車専用新線
———高速列車が乗り入
れる在来線

この図の範囲

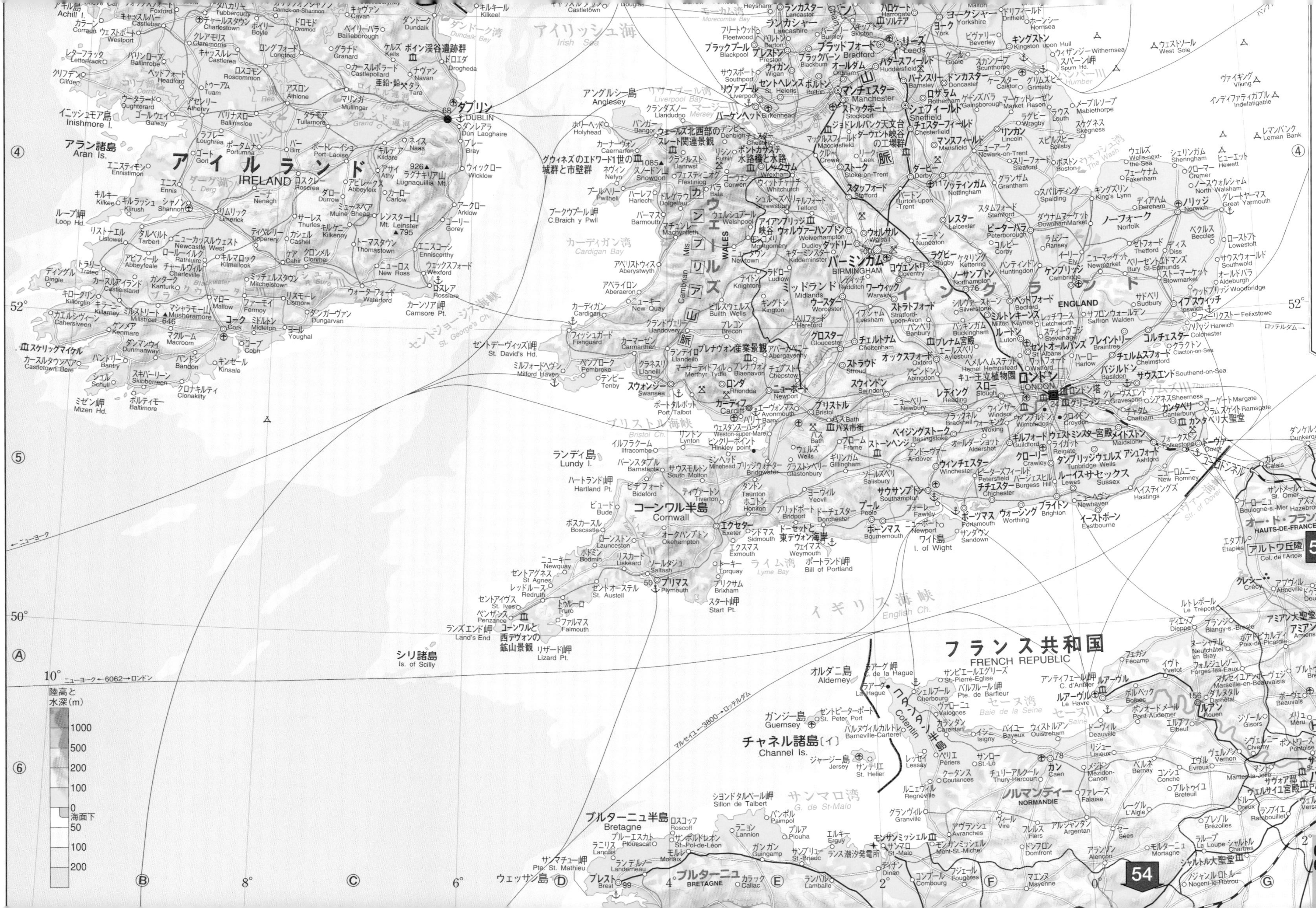
アイルランド
IRELAND
アイリッシュ海
Irish Sea
ダブリン
DUBLIN
ウェールズ
WALES
イングランド
ENGLAND
ロンドン
LONDON
バーミンガム
BIRMINGHAM
マンチェスター
Manchester
リーズ
Leeds
リヴァプール
Liverpool
ブリストル
Bristol
カーディフ
Cardiff
コーンウル半島
Cornwall
ワイト島
I. of Wight
シリ諸島
Is. of Scilly
ランディ島
Lundy I.
アラン諸島
Aran Is.
コーク
Cork
カーディガン湾
Cardigan Bay
ブリストル海峡
Bristol Ch.
セントジョージズ海峡
St. George's Ch.
イギリス海峡
English Ch.
ドーヴァー海峡
Str. of Dover
フランス共和国
FRENCH REPUBLIC
チャネル諸島〔イ〕
Channel Is.
ガンジー島
Guernsey
ジャージー島
Jersey
オルダニ島
Alderney
コタンタン半島
Cotentin
ブルターニュ半島
Bretagne
ブルターニュ
BRETAGNE
ノルマンディー
NORMANDIE
オー・ド・フランス
HAUTS-DE-FRANCE
パリ
PARIS
ルアーヴル
Le Havre
サンマロ湾
G. de St-Malo
セーヌ湾
Baie de la Seine
56
54
陸高と水深(m)
1000
500
200
100
0
海面下
50
100
200
10°
8°
6°
4°
2°
0°
52°
50°
ニューヨーク←6062→ロンドン
マルセイユ←3800→ロッテルダム

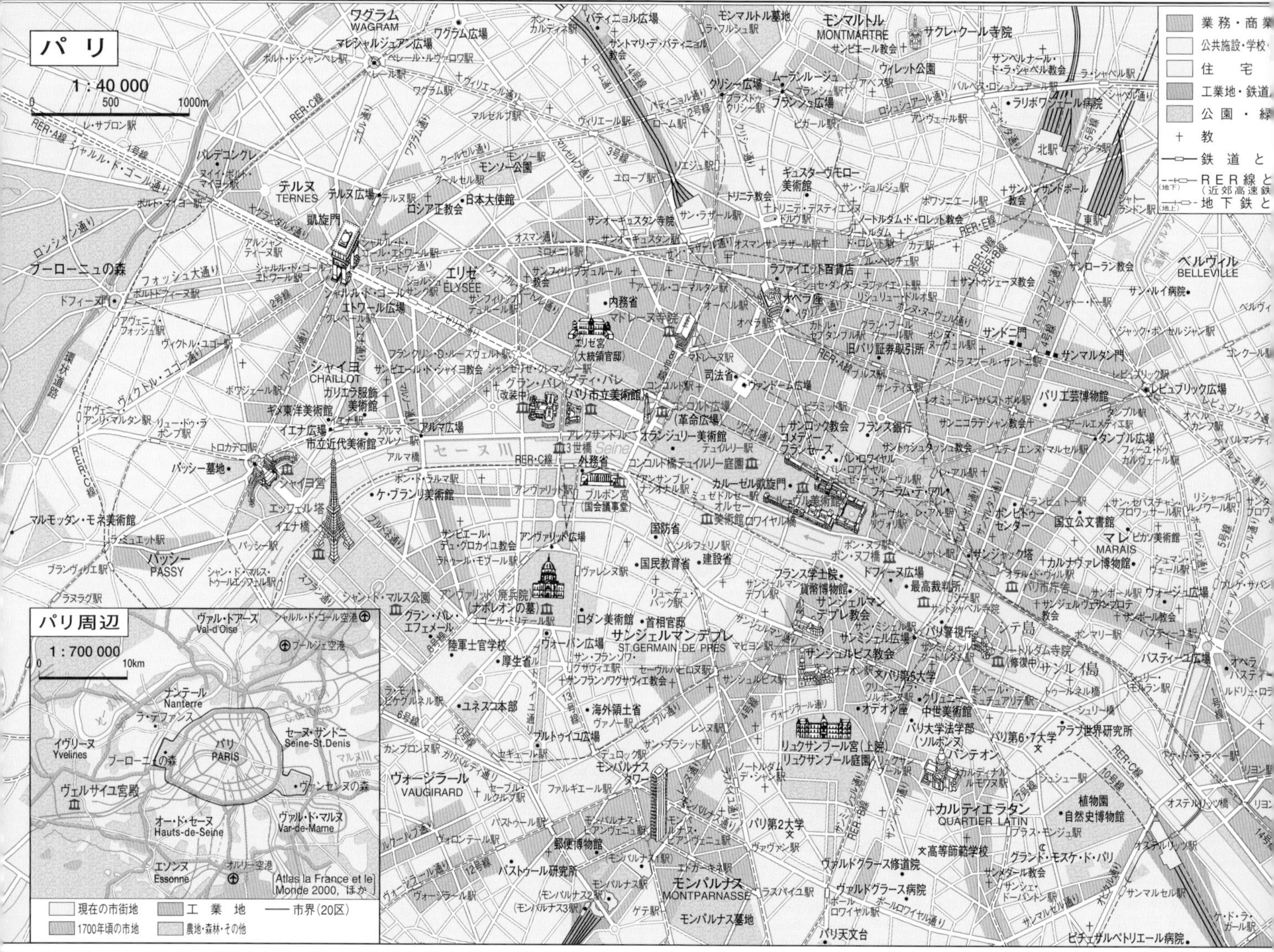

パリ
1:40 000

0　500　1000m

凡例
業務・商業地
公共施設・学校
住宅
工業地・鉄道
公園・緑地
＋ 教会
鉄道と駅
RER線と駅（近郊高速鉄道）
地下鉄と駅

パリ周辺
1:700 000

0　10km

Val-d'Oise
ナンテール Nanterre
ラ・デファンス
イヴリーヌ Yvelines
セーヌ・サンドニ Seine-St.Denis
ブーローニュの森
パリ PARIS
ヴェルサイユ宮殿
オード・セーヌ Hauts-de-Seine
ヴァル・ド・マルヌ Val-de-Marne
エソンヌ Essonne
ヴァンセンヌの森
シャルル・ド・ゴール空港
ブールジェ空港
オルリー空港
マルヌ川 Marne

[Atlas la France et le Monde 2000, ほか]

現在の市街地
1700年頃の市地
工業地
農地・森林・その他
市界(20区)

主な地名・施設
ワグラム WAGRAM
モンマルトル MONTMARTRE
サクレ・クール寺院
テルヌ TERNES
凱旋門
エトワール広場
ブーローニュの森
シャイヨ CHAILLOT
エリゼ ELYSEE
ベルヴィル BELLEVILLE
エッフェル塔
セーヌ Seine
パッシー PASSY
サンジェルマンデプレ ST.GERMAIN DE PRES
マレ MARAIS
ヴォージラール VAUGIRARD
カルティエラタン QUARTIER LATIN
モンパルナスタワー
モンパルナス MONTPARNASSE
モンパルナス墓地
パリ天文台

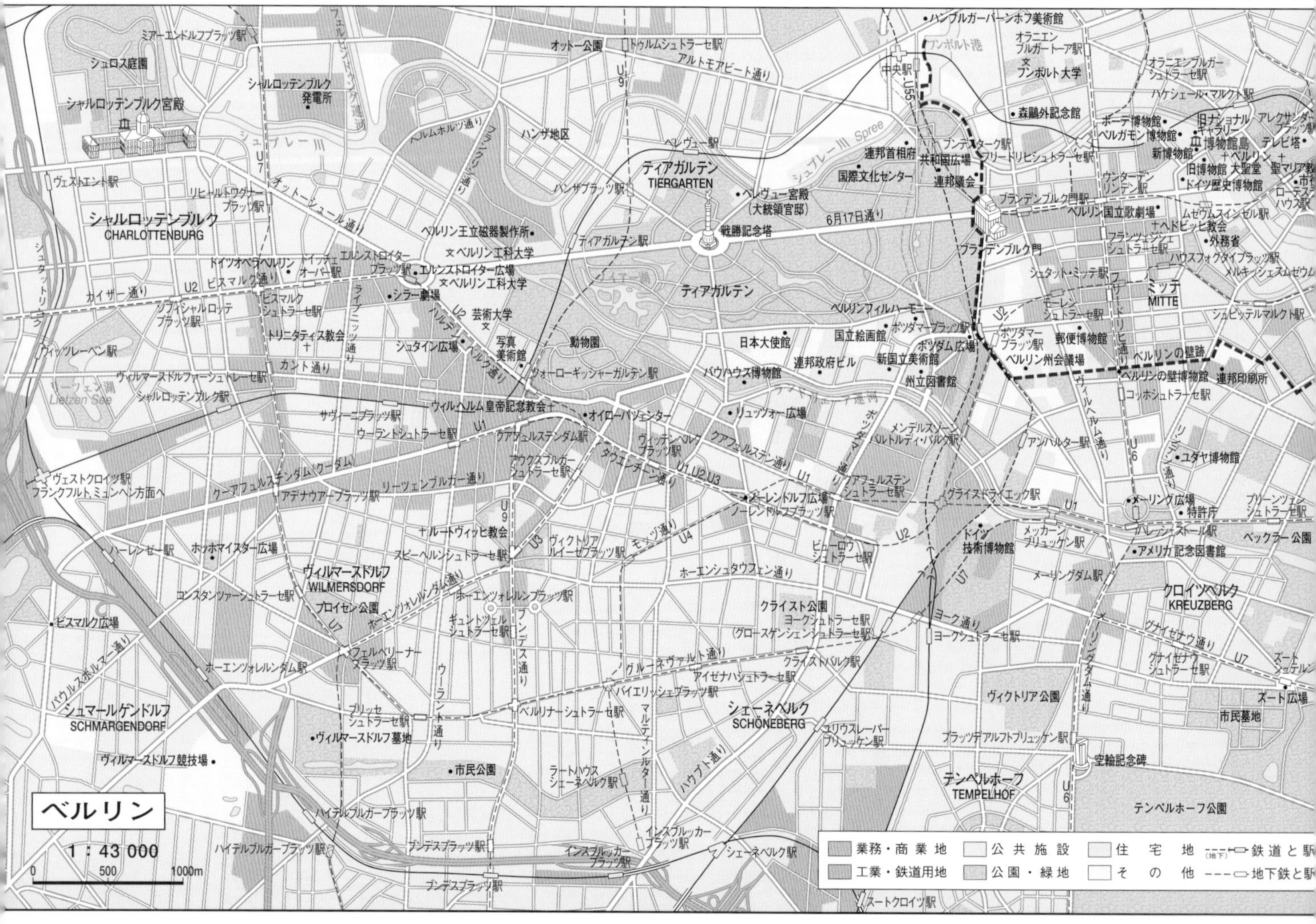

ベルリン
1:43 000

0　500　1000m

業務・商業地
工業・鉄道用地
公共施設
公園・緑地
住宅地
その他
鉄道と駅
地下鉄と駅

主な地名・施設
シャルロッテンブルク宮殿
シャルロッテンブルク CHARLOTTENBURG
ハンザ地区
ティアガルテン TIERGARTEN
シュプレー川 Spree
フンボルト大学
ミッテ MITTE
ブランデンブルク門
連邦議会
戦勝記念塔
ベルリンフィルハーモニー
ポツダム広場
ベルリンの壁跡
ヴィルマースドルフ WILMERSDORF
シェーネベルク SCHONEBERG
クロイツベルク KREUZBERG
シュマールゲンドルフ SCHMARGENDORF
テンペルホーフ TEMPELHOF
テンペルホーフ公園

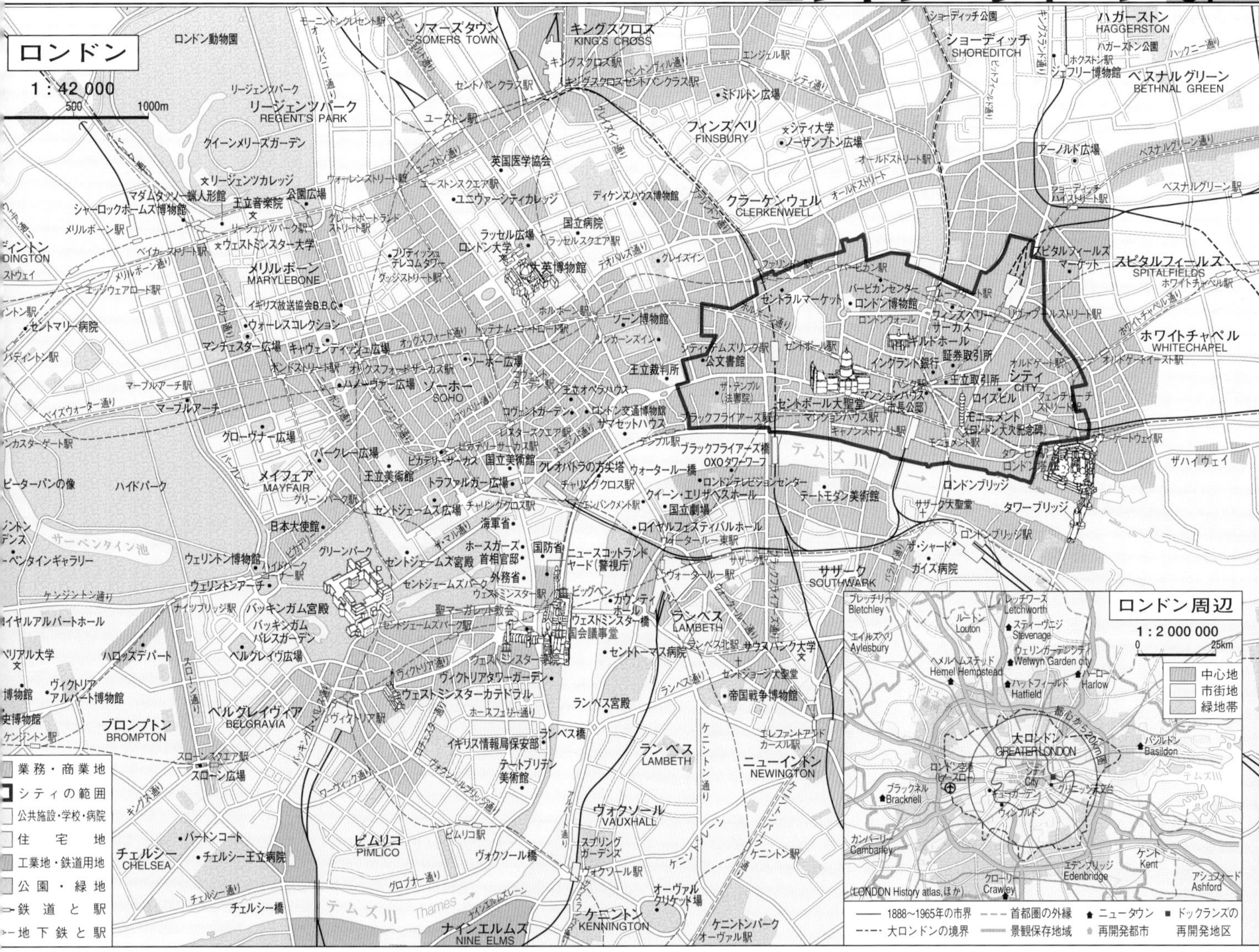

ロンドン

1:42 000
500　1000m

凡例
- 業務・商業地
- シティの範囲
- 公共施設・学校・病院
- 住宅地
- 工業地・鉄道用地
- 公園・緑地
- 鉄道と駅
- 地下鉄と駅

おもな地名・施設

ロンドン動物園　リージェントパーク　REGENT'S PARK　クイーンメリーズガーデン　公園広場　リージェンツカレッジ　王立音楽院　マダムタッソー蝋人形館　シャーロックホームズ博物館　メリルボーン　MARYLEBONE　ウォーレスコレクション　マンチェスター広場　キャヴェンディシュ広場　ハノーヴァー広場　ソーホー広場　オックスフォードサーカス駅　ボンド街駅　ウェストミンスター大学　イギリス放送協会B.B.C.

セント・パンクラス駅　キングスクロスセント・パンクラス駅　ソマーズ・タウン　SOMERS TOWN　キングスクロス　KING'S CROSS　キングスクロス駅　ユーストン駅　英国医学協会　ユニヴァーシティカレッジ　ディケンズハウス博物館　ラッセル広場　ロンドン大学　大英博物館　グレイズイン

ショーディッチ公園　ハガストン　HAGGERSTON　ショーディッチ　SHOREDITCH　ジェフリー博物館　ベスナル・グリーン　BETHNAL GREEN　フィンズベリ　FINSBURY　シティ大学　ソーザンプトン広場　アーノルド広場　クラーケンウェル　CLERKENWELL　オールドストリート駅　バービカン駅　ロンドン博物館　セント・ポール大聖堂　ギルドホール　イングランド銀行　証券取引所　延立取引所　ロイズビル　シティ　CITY　ホワイトチャペル　WHITECHAPEL　スピタルフィールズ　SPITALFIELDS　スピタルフィールズ・マーケット

国立病院　グレイズイン　王立裁判所　公文書館　王立オペラ座　ソーホー　SOHO　コヴェントガーデン　ロンドン交通博物館　サマセットハウス　ソーン博物館　リンカーンズイン　マンションハウス駅　キャノンストリート駅　モニュメント　タワーヒル駅　タワーブリッジ

ハイドパーク　HYDE PARK　ピーターパンの像　サーペンタイン池　サーペンタインギャラリー　ケンジントン通り　ウェリントン博物館　ウェリントンアーチ　メイフェア　MAYFAIR　グリーンパーク　GREEN PARK　バークレー広場　グローヴナー広場　日本大使館　国立美術館　トラファルガー広場　チャリングクロス駅　ネルソン記念塔

ナイツブリッジ駅　バッキンガム宮殿　バッキンガムパレスガーデン　ベルグレイヴ広場　ベルグレイヴィア　BELGRAVIA　ブロンプトン　BROMPTON　ハロッズデパート　ヴィクトリア・アルバート博物館　自然史博物館　ロイヤルアルバートホール　帝国大学　ヴィクトリア駅　VICTORIA　ウェストミンスターカテドラル　スローン広場　スローンスクエア駅

セントジェームズ宮殿　セントジェームズ公園　SAINT JAMES'S PARK　外務省　首相官邸　国防省　ニュースコットランドヤード(警視庁)　ウォータールー駅　WATERLOO　ウォータールー橋　ロイヤルフェスティバルホール　国立劇場　クイーン・エリザベスホール　国立フィルムシアター　テート・モダン美術館　OXOタワーワーフ　ブラックフライアーズ駅　サザーク大聖堂　ガイズ病院　ザ・シャード　ロンドンブリッジ駅　ロンドンブリッジ

ビッグベン　カウンティ・ホール　聖マーガレット教会　ウェストミンスター寺院　国会議事堂　ウェストミンスター橋　ランベス　LAMBETH　ランベス宮殿　セントトマス病院　サウスバンク大学　セントジョージ大聖堂　帝国戦争博物館　ニューイントン　NEWINGTON　エレファント・アンド・カースル駅

チェルシー　CHELSEA　チェルシー王立病院　チェルシー橋　ピムリコ　PIMLICO　ピムリコ駅　テート・ブリテン美術館　イギリス情報局保安部　ヴォクソール　VAUXHALL　ヴォクソール橋　ヴォクソール駅　ナインエルムズ　NINE ELMS　ケニントン　KENNINGTON　ケニントンパーク　オーヴァル駅　オーヴァルクリケット場　テムズ川　Thames

ロンドン周辺

1:2 000 000
0　25km

凡例
- 中心地
- 市街地
- 緑地帯
- ─── 1888～1965年の市界
- ─ ─ 首都圏の外縁
- ─・─ 大ロンドンの境界
- 景観保存地域
- ★ ニュータウン
- ● 再開発都市
- ■ ドックランズの再開発地区

ブレッチリー　Bletchley　レッチワース　Letchworth　ステヴェニジ　Stevenage　ルートン　Luton　エイルズベリ　Aylesbury　ウェリン・ガーデンシティ　Welwyn Garden City　ハットフィールド　Hatfield　ヘメル・ヘムステッド　Hemel Hempstead　ハーロー　Harlow　バシルドン　Basildon　大ロンドン　GREATER LONDON　都心から半径50km　シティ　City　ブラックネル　Bracknell　カンバリー　Camberley　エデンブリッジ　Edenbridge　ケント　Kent　クローリー　Crawley　アシュフォード　Ashford

（LONDON History atlas, ほか）

ウィーン

1:43 000
0　500　1000m

凡例
- 市街地
- 公共施設
- 公園・緑地
- その他
- (地下) 鉄道と駅
- 地下鉄と駅

おもな地名・施設

国連都市（国連ウィーン事務所）　カイザーミューレン　ウィーン国際センター駅　ドナウ島　ドナウインゼル　ドナウインゼル駅　ライヒスブリュッケ桟橋（遊覧船・国際船）　フォアガルテン　シュトラーセ駅　ドナウ川　Donau

ヌスドルファーシュトラーセ駅　ゲルストホーフ　ヘルナルス駅　ヴェーリンガー通り　ウィーン大学　シューベルト生家　フランツ・ヨーゼフ駅　フリーデンスブリュッケ駅　アウガルテン　メッセ/プラター駅　大観覧車　見本市会場　クリアリン駅

ミヒャエルボイエルンAKH駅　アルゲマイネス病院　フロイト記念館　リヒテンシュタイン美術館　ロサウアーレンデ駅　交通局　犯罪博物館　プラター・シュテルン駅　プラター公園　競馬場　コンスタンティン丘　スタディオン駅　ブラーター公園　エルンストハペル　スタジアム　ドナウマリーナ駅

ヴォティーフ教会　ウィーン大学　州裁判所　ショッテントール駅　ショッテン教会　ショウデン教会　ベーター教会　ヨハン・シュトラウス記念館　ネストロイプラッツ駅　ケンストハウスウィーン

市庁舎　ブルク劇場　ラートハウス駅　国会議事堂　フォルクス庭園　裁判所　自然史博物館　王宮カプチーナ教会　美術史博物館　シュテファン寺院　ケルントナー通り　シュテファンプラッツ駅　ショウヴェーデンプラッツ駅　中央郵便局　オーストリア応用美術館　ウィーン　市立公園　国立音楽大学　ロフォスガッセ駅　フンデルトヴァッサーハウス

フォルクステアーター駅　ミュージアム クォーター（メッセ宮殿）　ムゼウムスクォーティア駅　ネイブアウィーン劇場　王宮家具博物館　ヨーゼフシュタッター　シュトラーセ駅　ブルガッセ駅　国立オペラ座　アルベルティーナ　ケルントナーリング　ウィーン博物館　カールスプラッツ駅　シュヴァルツェンベルクプラッツ　ウィーン路面電車博物館

市民会館　シュヴェークラー　シュトラーセ駅　マジョリカハウス　のみの市　工科大学　レンヴェーク駅　アレンベルク公園　ケッテンブリュッケンガッセ駅

ブンデルドルファー　シュトラーセ駅　ヒュッテルドルファー　シュトラーセ駅　ブライデンゼー駅　ヨーン　シュトラーセ駅　ウィーン西駅　ウェストバーンホフ駅　タウシュトラーセ駅　ハイドン記念館　ビルグラムガッセ駅　ロゲンフェルト宮殿　ベルヴェデーレ宮殿　ハウプト　バーンホフ駅　カヴァルチェン　ベルヴェデーレ駅　ズュートバーンホフ　エルトベルク駅

ペンツィング駅　ブラウンシュヴァイク駅　アウアー・ウェルスバッハ公園　産業技術博物館　シェーンブルン駅　シェーンブルン宮殿　温室　日本庭園　動物園　ネプチューン噴水　王宮庭園　ローマの遺跡　チロル庭園　グロリエッテ　キジ庭園

マイトリンク駅　マッハラインドルファープラッツ駅　ケプラープラッツ駅　中央駅　ウィーン中央駅　21世紀現代美術館　軍事史博物館　ザンクト・マルクス墓地　ガゾメーター駅　ズィッツェラーシュトラーセ駅　ハイデプラッツ駅　ロイマンプラッツ駅　エンクプラッツ駅　エルトベルク駅

テムズ川　Thames

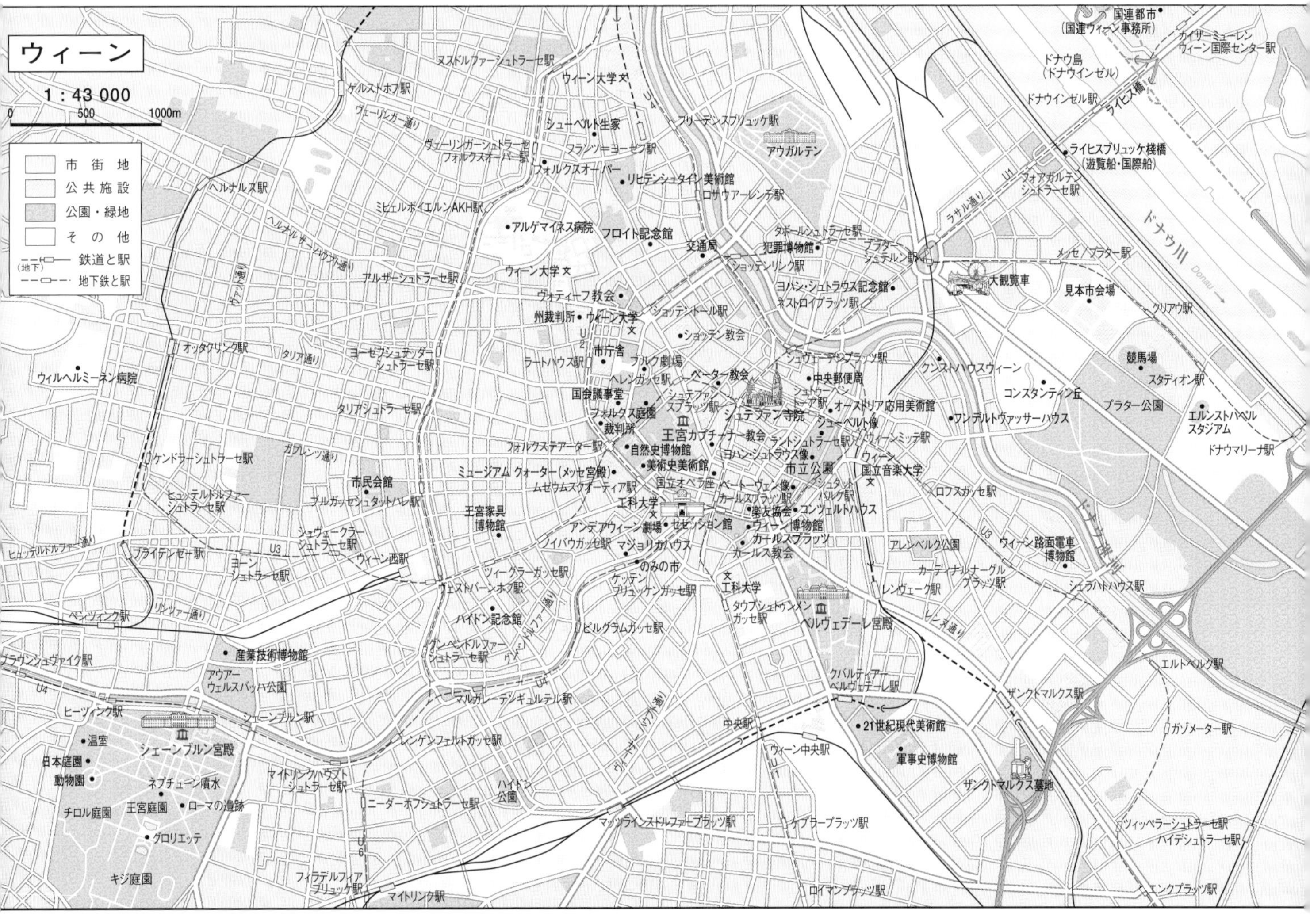

76

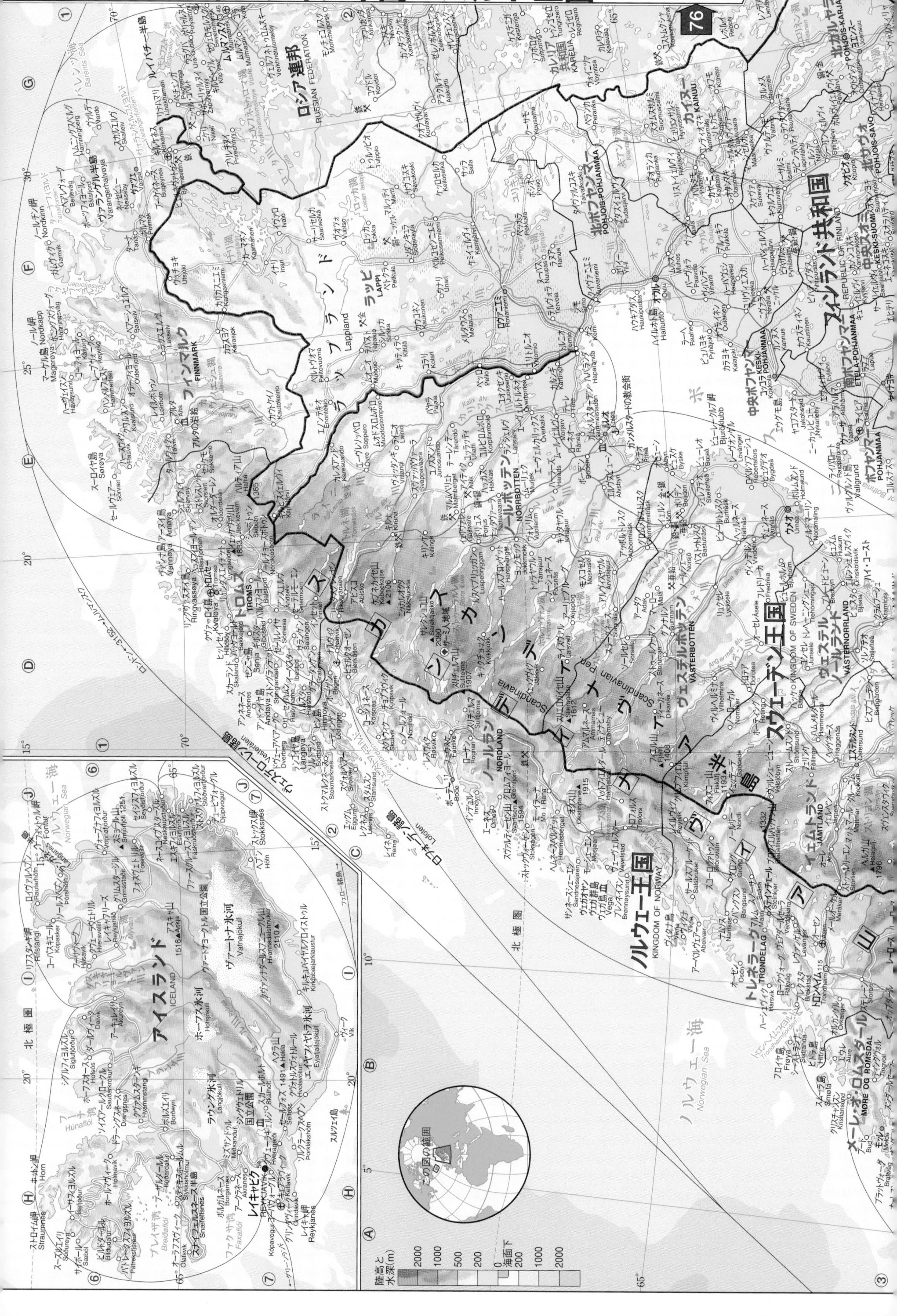
ロシア連邦
RUSSIAN FEDERATION
フィンランド共和国
REPUBLIC OF FINLAND
スウェーデン王国
KINGDOM OF SWEDEN
ノルウェー王国
KINGDOM OF NORWAY
アイスランド
ICELAND
ノルウェー海
Norwegian Sea
バレンツ海
Barents Sea
スカンディナヴィア半島
Scandinavian Pen.
ラップランド
Lappland
フィンマルク
FINNMARK
トロムス
TROMS
ノールラン
NORDLAND
ノルボッテン
NORRBOTTEN
ヴェステルボッテン
VÄSTERBOTTEN
イェムトランド
JÄMTLAND
ヴェステルノールランド
VÄSTERNORRLAND
トレネラーグ
TRØNDELAG
メーレ・オ・ロムスダール
MØRE OG ROMSDAL
ラッピ
LAPPI
カイヌー
KAINUU
北ポフヤンマー
POHJOIS-POHJANMAA
北カルヤラ
POHJOIS-KARJALA
北サヴォ
POHJOIS-SAVO
中央スオミ
KESKI-SUOMI
南ポフヤンマー
ETELÄ-POHJANMAA
中央ポフヤンマー
KESKI-POHJANMAA
ポフヤンマー
POHJANMAA
カレリア共和国
KARELIA
ヴァトナ氷河
Vatnajökull
レイキャビク
REYKJAVÍK
ロフォーテン諸島
Lofoten
ヴェステローレン諸島
Vesterålen
北極圏
ロンドン←3152→ムルマンスク
陸高と水深(m)
2000
1000
500
200
0
海面下
200
1000
2000
この図の範囲

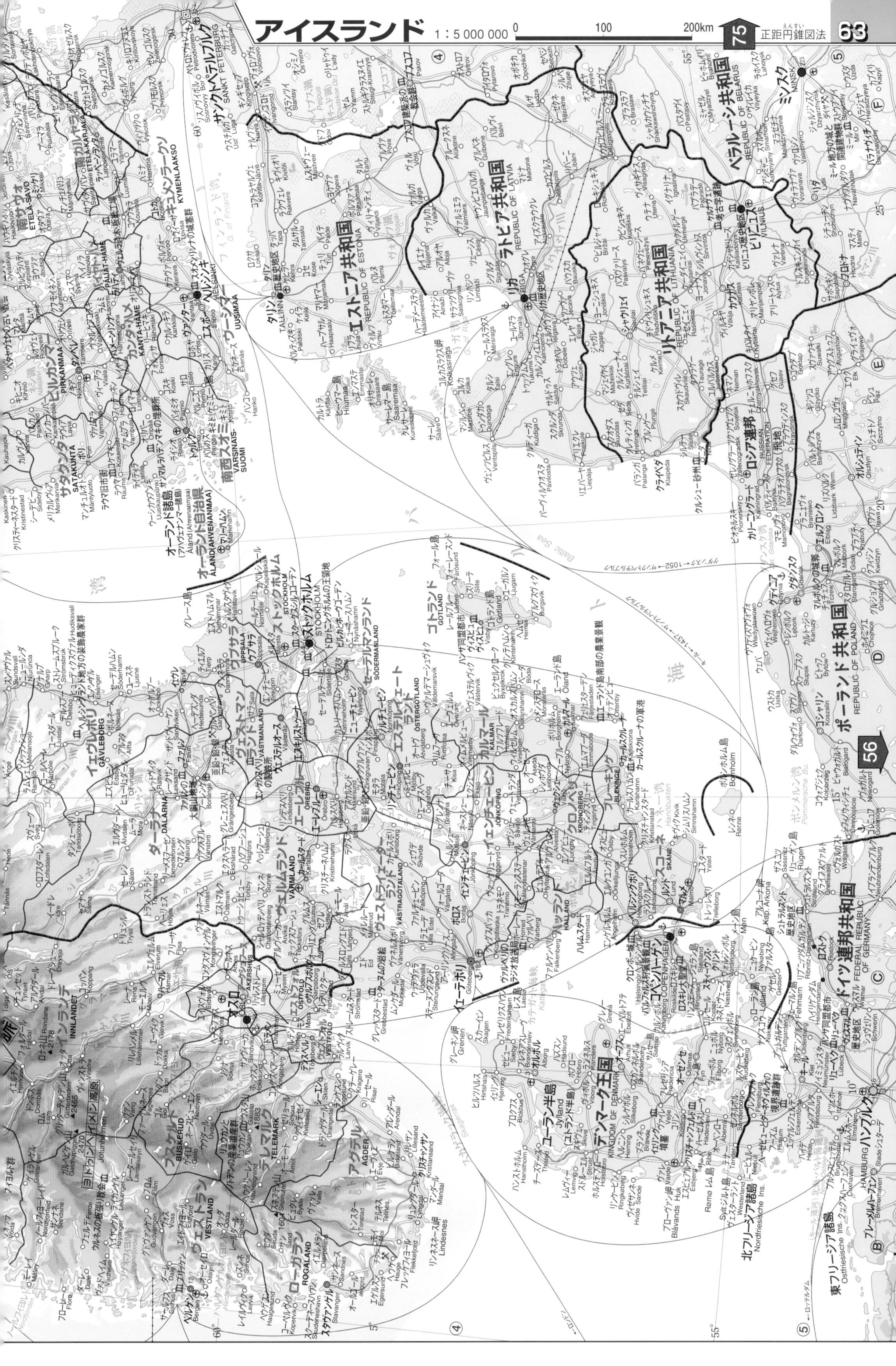

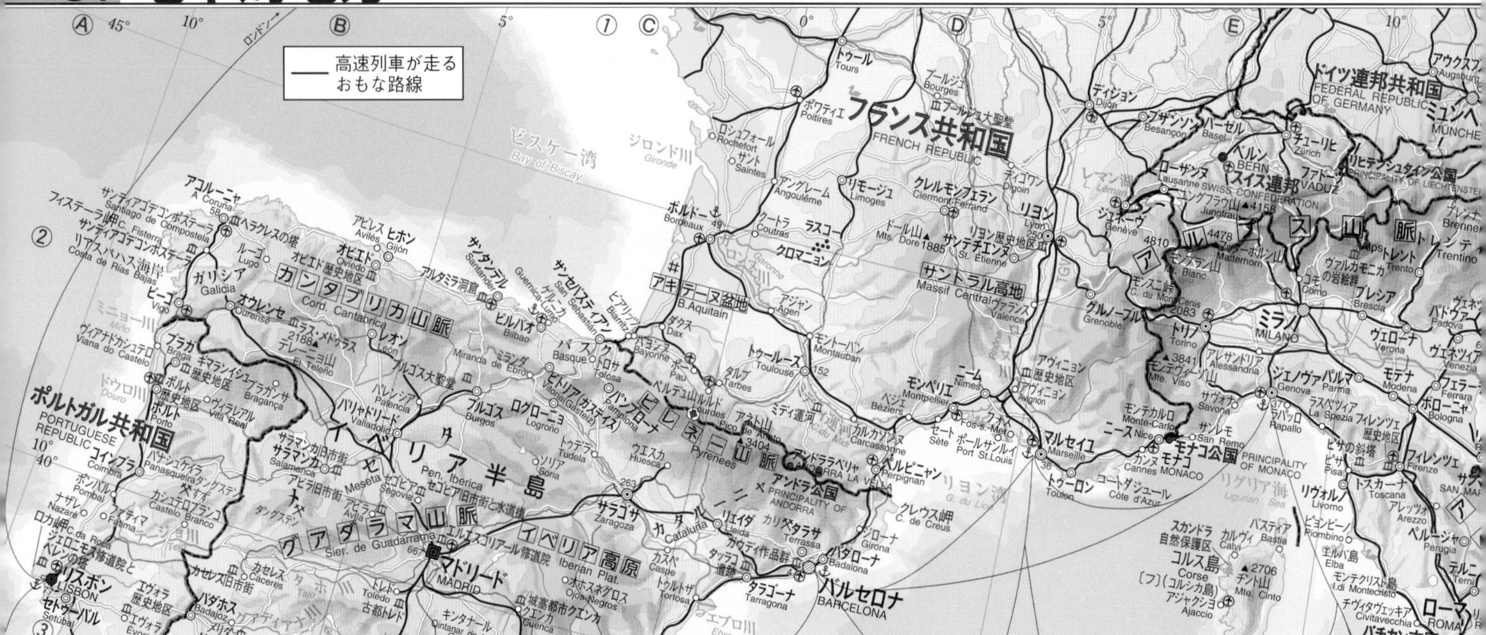

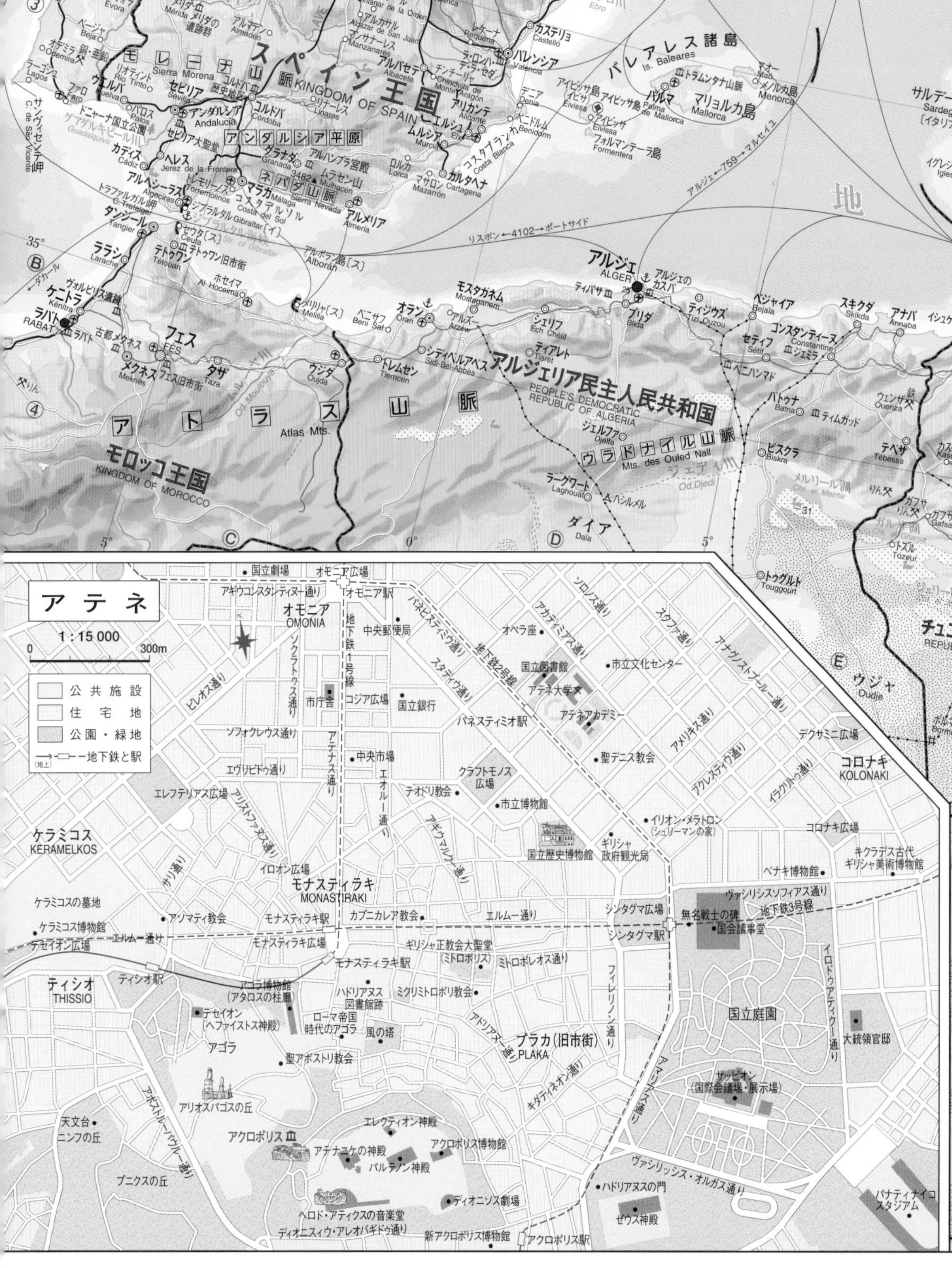

57

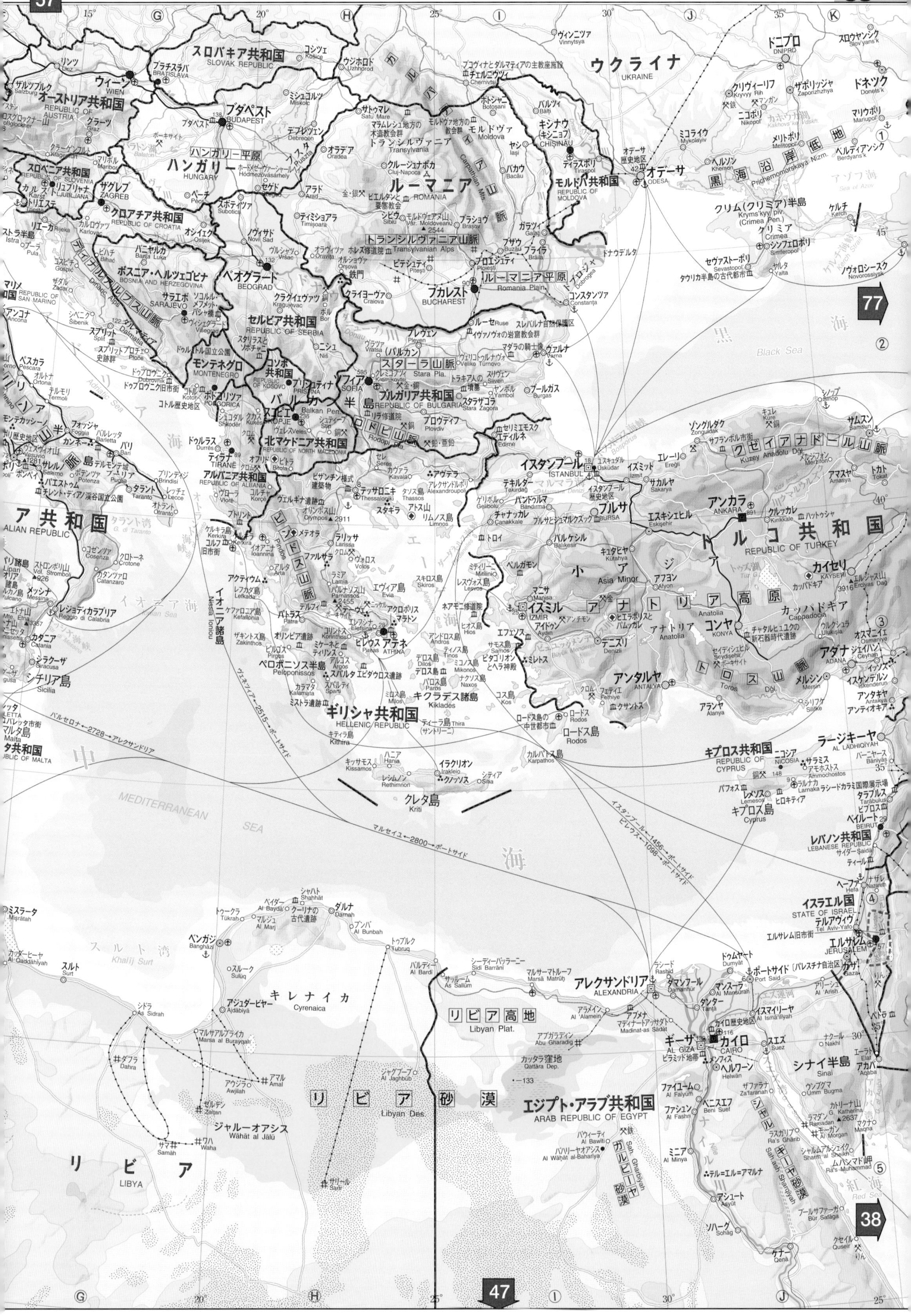

スロバキア共和国
SLOVAK REPUBLIC
ウクライナ
UKRAINE
ウィーン
WIEN
オーストリア共和国
REPUBLIC OF AUSTRIA
ブラチスラバ
BRATISLAVA
ブダペスト
BUDAPEST
ハンガリー平原
ハンガリー
HUNGARY
カルパティア山脈
Carpathian Mts.
ルーマニア
ROMANIA
トランシルヴァニア山脈
Transylvanian Alps
ルーマニア平原
Romania Plain
ブカレスト
BUCHAREST
モルドバ共和国
REPUBLIC OF MOLDOVA
キシナウ
CHIŞINĂU
オデーサ
ODESA
黒海沿岸低地
Prichernomorskaya Nizm.
アゾフ海
Sea of Azov
クリム(クリミア)半島
Krymskyy piv. (Crimea Pen.)
ドニプロ
DNIPRO
ザポリッジャ
ドネツク
Donets'k
スロベニア共和国
REPUBLIC OF SLOVENIA
リュブリャナ
LJUBLJANA
ザグレブ
ZAGREB
クロアチア共和国
REPUBLIC OF CROATIA
ディナルアルプス山脈
Dinaric Alps
ボスニア・ヘルツェゴビナ
BOSNIA AND HERZEGOVINA
サラエボ
SARAJEVO
ベオグラード
BEOGRAD
セルビア共和国
REPUBLIC OF SERBIA
モンテネグロ
MONTENEGRO
ポドゴリツァ
PODGORICA
コソボ共和国
REPUBLIC OF KOSOVO
プリシュティナ
PRISTINA
北マケドニア共和国
REPUBLIC OF NORTH MACEDONIA
スコピエ
SKOPJE
バルカン半島
Balkan Pen.
スターラ山脈
Stara Pla.
ロドピ山脈
Rodopi Pl.
ソフィア
SOFIA
ブルガリア共和国
REPUBLIC OF BULGARIA
ヴァルナ
Varna
黒海
Black Sea
アルバニア共和国
REPUBLIC OF ALBANIA
ティラナ
TIRANE
ピンドス山脈
Pindos
イオニア海
Ionian Sea
アドリア海
Adriatic Sea
イタリア共和国
ITALIAN REPUBLIC
ナポリ
シチリア島
Sicilia
マルタ島
Malta
マルタ共和国
REPUBLIC OF MALTA
ギリシャ共和国
HELLENIC REPUBLIC
アテネ
ATHINA
ペロポニソス半島
Peloponnisos
キクラデス諸島
Kiklades
エーゲ海
テッサロニキ
Thessaloniki
クレタ島
Kriti
イスタンブール
ISTANBUL
ボスポラス海峡
Bosporus
マルマラ海
ブルサ
BURSA
アンカラ
ANKARA
トルコ共和国
REPUBLIC OF TURKEY
クゼイアナドール山脈
Kuzey Anadolu Dağl.
小アジア
Asia Minor
アナトリア高原
Anatolia
イズミル
IZMIR
コンヤ
KONYA
カイセリ
KAYSERI
カッパドキア
Cappadocia
トロス山脈
Toros Dağl.
アダナ
ADANA
アンタルヤ
ANTALYA
ロードス島
Rodos
キプロス共和国
REPUBLIC OF CYPRUS
ニコシア
NICOSIA
キプロス島
Cyprus
レバノン共和国
LEBANESE REPUBLIC
ベイルート
BEIRUT
イスラエル国
STATE OF ISRAEL
テルアヴィヴ
Tel Aviv-Yafo
エルサレム
JERUSALEM
中海
MEDITERRANEAN SEA
地中海
スルト湾
Khalīj Surt
ベンガジ
Banghāzī
キレナイカ
Cyrenaica
リビア高地
Libyan Plat.
リビア砂漠
Libyan Des.
ジャルーオアシス
Wāhāt al Jālū
リビア
LIBYA
アレクサンドリア
ALEXANDRIA
カイロ
CAIRO
ギーザ
AL GĪZA
スエズ
Suez
ポートサイド
Port Said
シナイ半島
Sinai
カッタラ窪地
Qattâra Dep.
エジプト・アラブ共和国
ARAB REPUBLIC OF EGYPT
ナイル川
Nile
紅海
Red Sea
マルセイユ←2800→ポートサイド
バルセロナ←2728→アレクサンドリア
ヴェネツィア←2515→ポートサイド

77

38

47

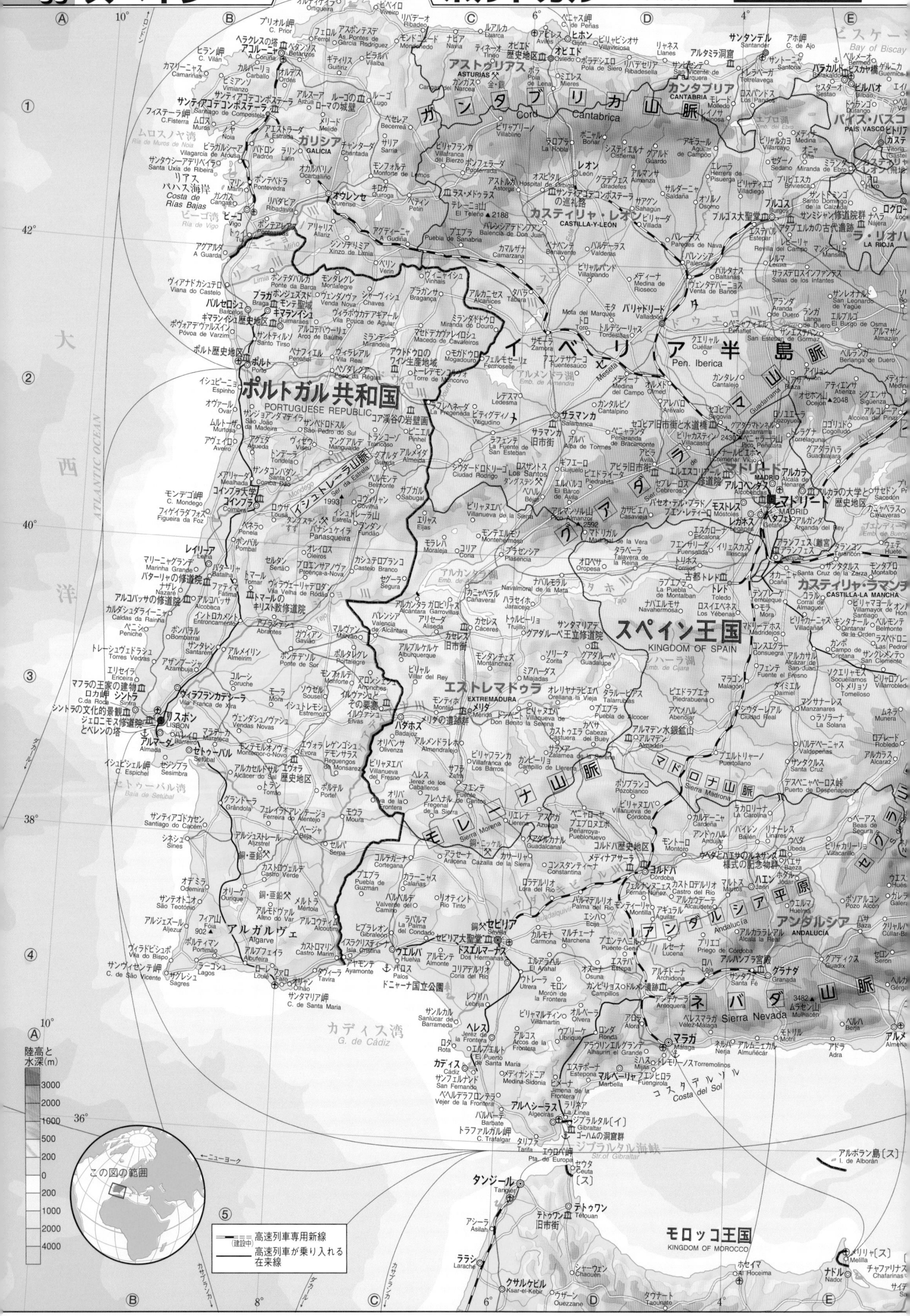

0 50 100km
ポルトガル共和国
PORTUGUESE REPUBLIC
スペイン王国
KINGDOM OF SPAIN
モロッコ王国
KINGDOM OF MOROCCO
大西洋
ATLANTIC OCEAN
イベリア半島
Pen. Iberica
カンタブリカ山脈
Cantabrica
イシュトレーラ山脈
グアダラマ山脈
グアダルーペ山脈
モレーナ山脈
Sierra Morena
マドロナ山脈
Sierra Madrona
ネバダ山脈
Sierra Nevada
アンダルシア平原
ガリシア
GALICIA
アストゥリアス
ASTURIAS
カンタブリア
CANTABRIA
パイス・バスコ
PAIS VASCO
カスティリャ・レオン
CASTILLA-Y-LEON
カスティリャ・ラマンチャ
CASTILLA-LA MANCHA
エストレマドゥラ
EXTREMADURA
アンダルシア
ANDALUCÍA
ラ・リオハ
LA RIOJA
アルガルヴェ
Algarve
マドリード
MADRID
リスボン
LISBON
ポルト
Porto
コインブラ
Coimbra
セビリア
Sevilla
コルドバ
Córdoba
グラナダ
Granada
マラガ
Málaga
カディス
Cádiz
トレド
Toledo
サラマンカ
Salamanca
バリャドリード
Valladolid
ブルゴス
Burgos
レオン
León
オビエド
Oviedo
サンタンデル
Santander
ビルバオ
Bilbao
サンティアゴデコンポステーラ
Santiago de Compostela
アコルーニャ
A Coruña
ビーゴ
Vigo
メリダ
Mérida
バダホス
Badajoz
セトゥーバル
Setúbal
ファロ
Faro
ウエルバ
Huelva
ヘレス
Jerez de la Frontera
アルヘシーラス
Algeciras
ジブラルタル〔イ〕
Gibraltar
ジブラルタル海峡
Str. of Gibraltar
セウタ〔ス〕
Ceuta
メリリャ〔ス〕
Melilla
タンジール
Tanger
テトゥワン
Tetouan
ビスケー湾
Bay of Biscay
カディス湾
G. de Cádiz
ムロスノヤ湾
ビーゴ湾
セトゥーバル湾
コスタデルソル
Costa del Sol
リアス
パハス海岸
Costa de Rías Bajas
ドゥエロ川
タホ川
グアダルキビル川
サンビセンテ岬
C. de São Vicente
トラファルガル岬
C. Trafalgar
ロカ岬
C.da Roca
フィステーラ岬
C.Fisterra
オルテガル岬
C.Ortegal
アルボラン島〔ス〕
I. de Alborán
2592
2188
2430
2048
3482
ムラセン山
Mulhacén
アルハンブラ宮殿
マドリード
アランフェス
セゴビア
アビラ
アルカラの大学と歴史地区
コルドバ歴史地区
セビリア大聖堂
ブルゴス大聖堂
アルタミラ洞窟
エボラ歴史地区
陸高と水深(m)
3000
2000
1000
500
200
0
200
1000
2000
4000
この図の範囲
ニューヨーク
高速列車専用新線
(建設中)
高速列車が乗り入れる在来線

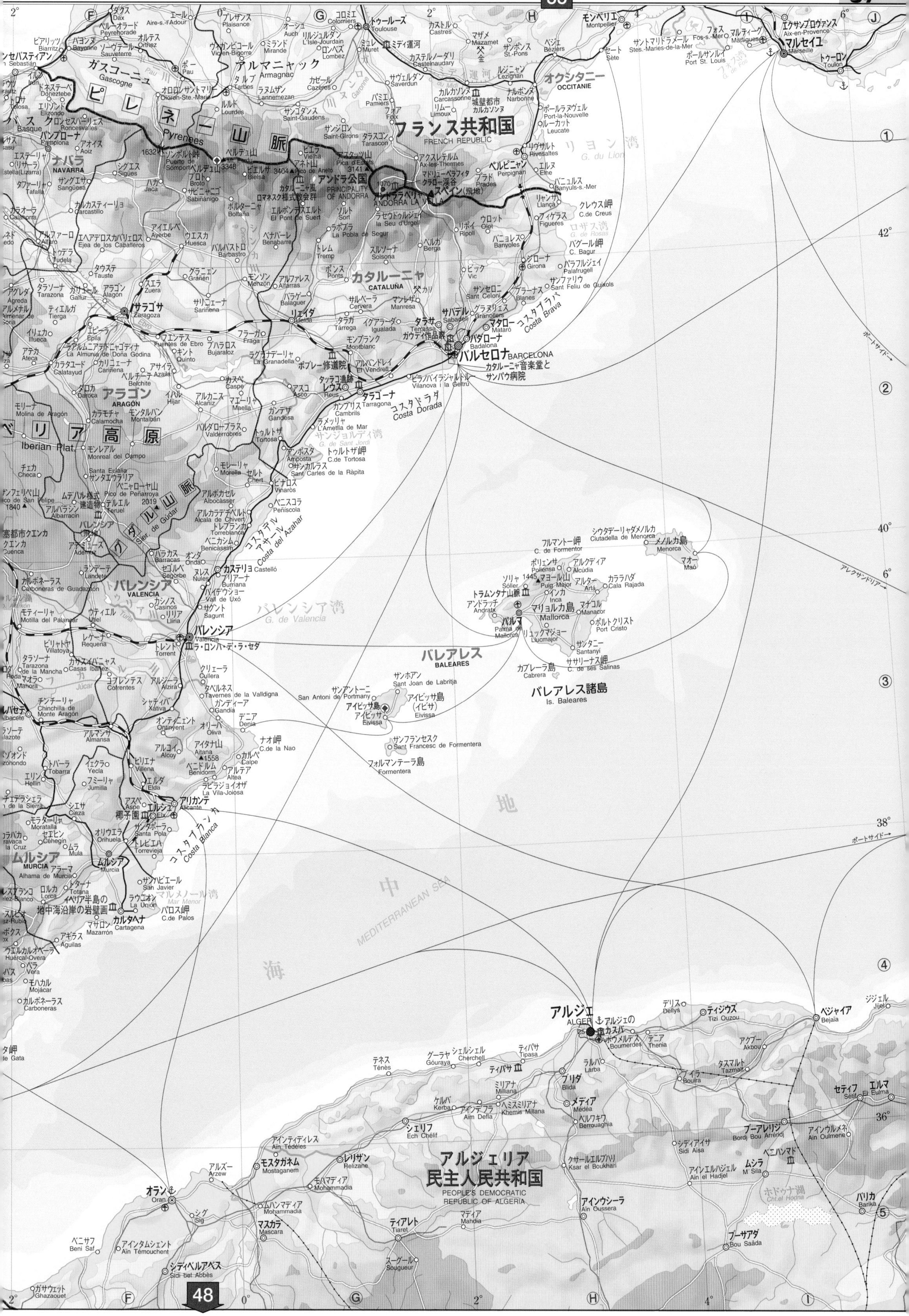
フランス共和国
FRENCH REPUBLIC
ピレネー山脈
Pyrenees
アンドラ公国
PRINCIPALITY OF ANDORRA
アンドララベリャ
ANDORRA LA VELLA
オクシタニー
OCCITANIE
リヨン湾
G. du Lion
ガスコーニュ
Gascogne
アルマニャック
Armagnac
トゥールーズ
Toulouse
モンペリエ
Montpellier
マルセイユ
Marseille
エクサンプロヴァンス
Aix-en-Provence
トゥーロン
Toulon
カルカソンヌ
Carcassonne
城壁都市カルカソンヌ
ナルボンヌ
Narbonne
ペルピニャン
Perpignan
ポー
Pau
バイヨンヌ
Bayonne
ビアリッツ
Biarritz
サンセバスティアン
San Sebastián
パンプローナ
Pamplona
ナバラ
NAVARRA
バスク
Basque
カタルーニャ
CATALUÑA
バルセロナ
BARCELONA
カタルーニャ音楽堂とサンパウ病院
ガウディ作品群
コスタブラバ
Costa Brava
ロザス湾
G. de Rosas
クレウス岬
C.de Creus
ジローナ
Girona
リェイダ
Lleida
タラゴナ
Tarragona
タラッコ遺跡
コスタドラダ
Costa Dorada
サンジョルディ湾
G. de Sant Jordi
トゥルトザ岬
C.de Tortosa
ポブレー修道院
モンブランク
Montblanc
アラゴン
ARAGÓN
サラゴサ
Zaragoza
イベリア高原
Iberian Plat.
ムデハル様式建造物
アルバラシン
Albarracín
テルエル
Teruel
ハバランブレ山脈
バレンシア
VALENCIA
バレンシア湾
G. de Valencia
ラ・ロンハ・デ・ラ・セダ
カステリョ
Castelló
コスタデルアサール
Costa del Azahar
バレアレス
BALEARES
バレアレス諸島
Is. Baleares
マリョルカ島
Mallorca
パルマ
Palma de Mallorca
トラムンタナ山脈
メノルカ島
Menorca
マオー
Maó
シウタデーリャダメノルカ
Ciutadella de Menorca
フルマントー岬
C. de Formentor
カブレーラ島
Cabrera
イビッサ島
Eivissa
フォルマンテーラ島
Formentera
ナオ岬
C.de la Nao
デニア
Denia
アリカンテ
Alicante
エルシェ
Elx
椰子園
コスタブランカ
Costa Blanca
ムルシア
MURCIA
マルメノール湾
Mar Menor
カルタヘナ
Cartagena
パロス岬
C.de Palos
地中海沿岸の岩壁画
地中海
MEDITERRANEAN SEA
アルジェリア民主人民共和国
PEOPLE'S DEMOCRATIC REPUBLIC OF ALGERIA
アルジェ
ALGER
アルジェのカスバ
ティパサ
Tipasa
ブリダ
Blida
メディア
Médéa
シェリフ
Ech Chélif
モスタガネム
Mostaganem
オラン
Oran
シディベルアベス
Sidi Bel Abbès
マスカラ
Mascara
ティアレト
Tiaret
ベジャイア
Bejaïa
セティフ
Sétif
ブーアレリジ
Bordj Bou Arréridj
ムシラ
M'Sila
ホドゥナ湖
Cht.el Hodna
ブーサアダ
Bou Saâda
バリカ
Barika
ポートサイド→
アレクサンドリア→
42°
40°
38°
36°
① ② ③ ④ ⑤
F G H I J

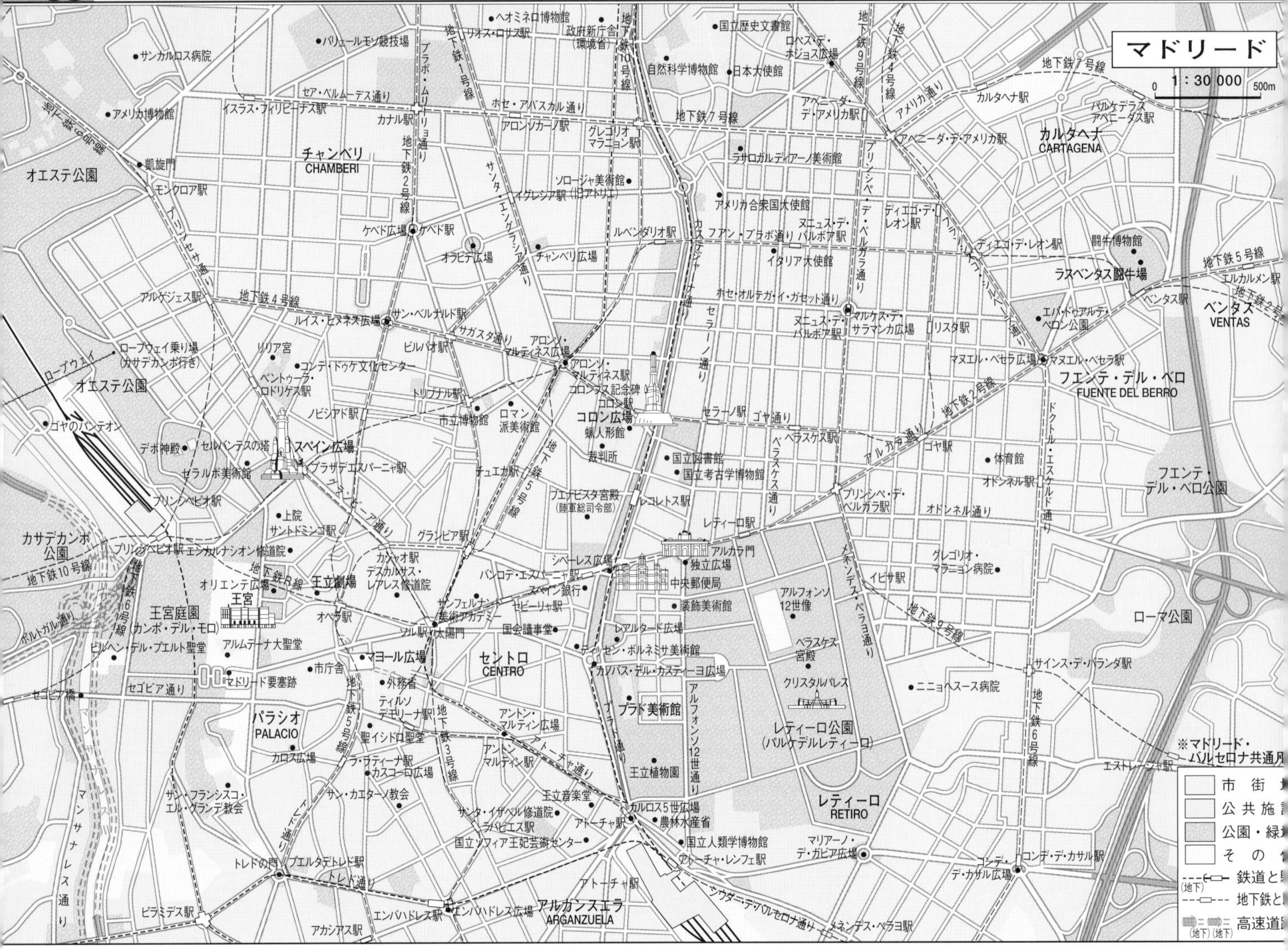

マドリード

1:30 000　500m

チャンベリ CHAMBERI
オエステ公園
カサデカンポ公園
王宮
パラシオ PALACIO
セントロ CENTRO
プラド美術館
レティーロ公園（パルケデルレティーロ）
レティーロ RETIRO
アルガンスエラ ARGANZUELA
カルタヘナ CARTAGENA
フエンテ・デル・ベロ FUENTE DEL BERRO
ベンタス VENTAS
ローマ公園
フエンテ・デル・ベロ公園
ラスベンタス闘牛場

※マドリード・バルセロナ共通凡例
市街
公共施設
公園・緑地
その他
鉄道と駅（地下）
地下鉄と駅
高速道路（地下）

リスボン

1:250 000　4km

ロウザ Lousã
ブセラス Bucelas
ファニョエンス Fanhões
ヴィアロンガ Vialonga
ポヴォア・デ・サンタ・イリア Póvoa de Santa Iria
サンタ・イリア・デ・アゾイア Santa Iria de Azoia
アルマルジェン・ド・ビスポ Almargem do Bispo
サント・アントン・ド・トジャル Sant Antão do Tojal
ロウレス Loures
ウニョス Unhos
カネサス Caneças
カマラテ Camarate
ボバデラ Bobadela
ベラス Belas
オディヴェラス Odivelas
サカヴェン Sacavém
アメイショエイラ Ameixoeira
モスカヴィーデ Moscavide
ヴァスコ・ダ・ガマ橋
ケルース Queluz
アマドラ Amadora
ポンティーニャ Pontinha
カルニーデ Carnide
オリヴァイス Olivais
オリエンテ駅
カンポ・グランデ公園
リスボン動物園
日本総領事館
アズレージョ美術館
リスボン Lisbon
アマルジェン
ベラルカナ Barcarena
カルナシィーデ Carnaxide
モンサント森林公園
グルベンキアン美術館
ケブラダ Quebrada
ジェロニモス修道院
国立古美術館
ベレンの塔
海洋発見記念碑
4月25日橋
アルマーダ Almada
カパリカ Caparica
コヴァ・ダ・ピエダーデ Cova da Piedade
フェイジョ Feijó
バレイロ Barreiro
ラヴラジオ Lavradio
トラファリア Trafaria
コスタ・ダ・カパリカ Costa da Caparica
シャルネカ・デ・カパリカ Charneca de Caparica
アモーラ Amora
コロイオス Corroios
セイシャル Seixal
サント・アンドレ Sant André
パリャイス Palhais
大西洋 Atlantic Ocean
テージョ川

陸高と水深(m)
300
200
100
0
市街地
鉄道と駅（地下）
リスボンの市界
地下鉄

バルセロナ

1:40 000　500m

グラシア GRACIA
サグラダ・ファミリア教会
サグラダ・ファミリア駅
カサ・ビセンス
カサ・ミラ
カサ・バトリョ
アントニ・タピエス美術館
バルセロナ大学
カタルーニャ広場
BARRI GOTIC ゴシック地区
カタルーニャ駅
サンツ SANTS
サンツ・エスタシオ駅
ホアン・ミロ公園
エスパーニャ駅
エスパーニャ広場
国際見本市会場
国際会議場
モンジュイックの丘
オリンピック公園
オリンピック・スタジアム
サン・ジョルディ屋内競技場
モンジュイック城
ミロ美術館
カタルーニャ美術館
スペイン村
ミラマール展望台
世界貿易センター
コロンブスの塔
海洋博物館
バルセロナ港
グエル邸
リセウ劇場
ボケリア市場

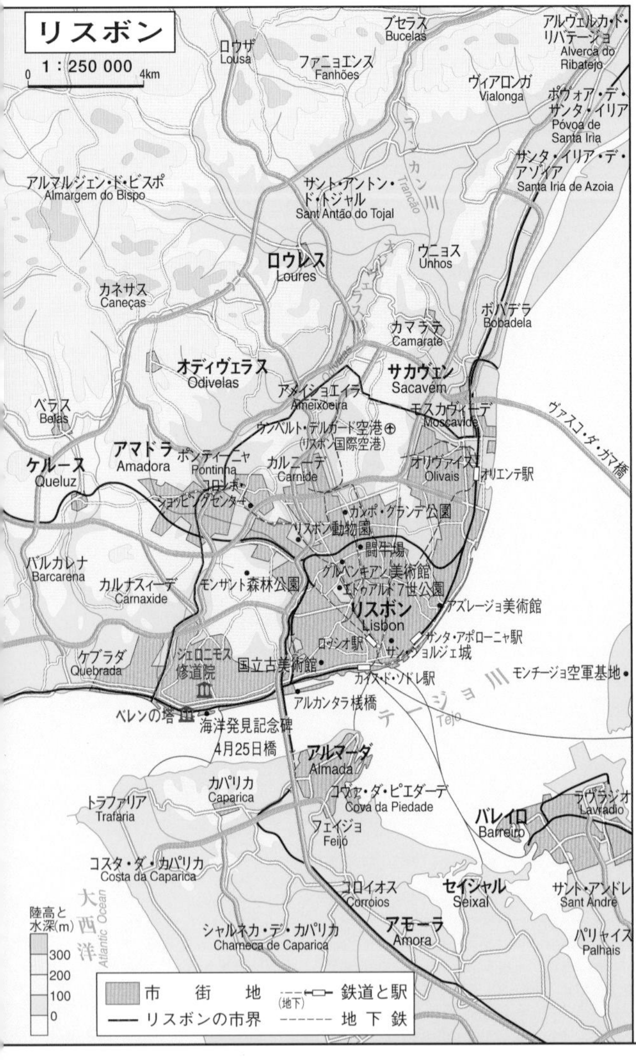

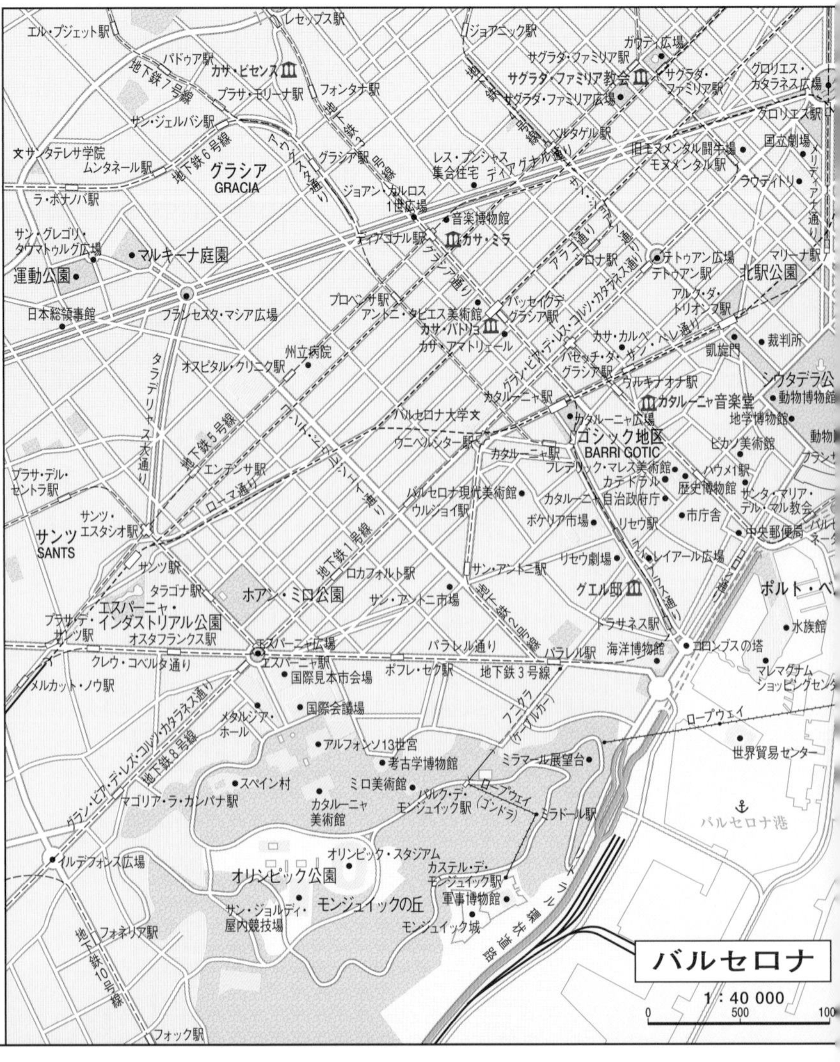

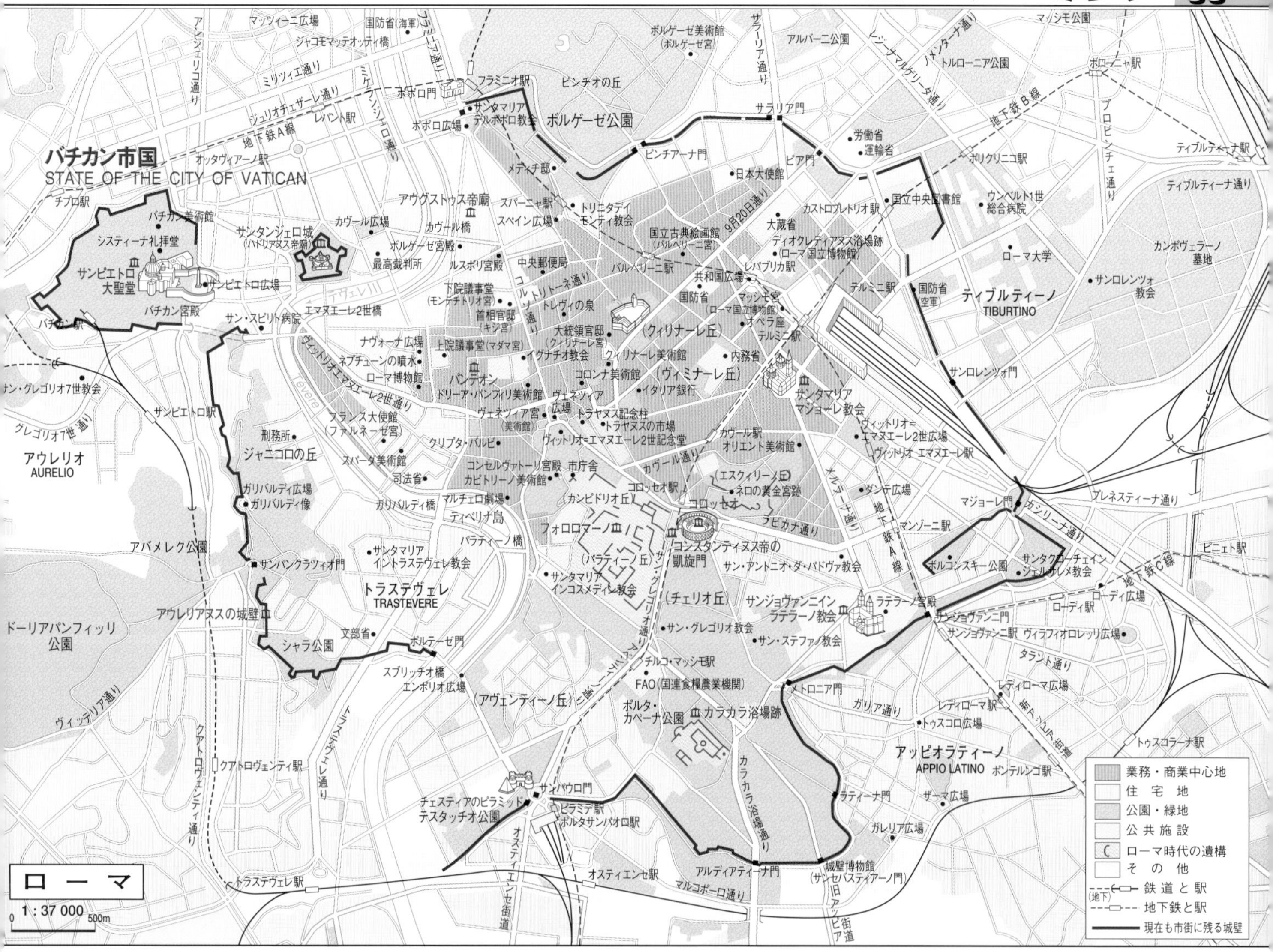

ローマ

バチカン市国
STATE OF THE CITY OF VATICAN

アウレリオ
AURELIO

トラステヴェレ
TRASTEVERE

ティブルティーノ
TIBURTINO

アッピオラティーノ
APPIO LATINO

1:37 000　500m

マッジョーレ広場　ジャコモマッテオッティ橋　国防省海軍省　ボルゲーゼ美術館(ボルゲーゼ宮)　サラリア通り　アルバーニ公園　マッシモ公園
ミリツィエ通り　ミケランジェロ橋　サンタマリアデルポポロ教会　ボルゲーゼ公園　サラリア門　ナツィオナルグリーン公園　トルローニア公園　ボローニャ駅
アンジェリコ通り　シュリオチェザーレ通り　ポポロ門　ポポロ広場　ピンチョの丘　サラリア門　レーテヴェターナ通り　トルローニア通り　プロピンチェ通り
チプロ駅　オッタヴィアーノ駅　地下鉄A線　レパント駅　フラミニオ駅　メディチ邸　ピンチャーナ門　ピア門　労働省運輸省　ポリクリニコ駅　ティブルティーナ通り　ティブルティーナ駅
バチカン美術館　カヴール広場　アウグストゥス帝廟　スパーニャ駅　トリニタディモンティ教会　日本大使館　国立中央図書館　ウンベルト1世総合病院
システィーナ礼拝堂　サンタンジェロ城(ハドリアヌス帝廟)　カヴール橋　9月20日通り　スペイン広場　カストロプレトリオ駅　ディオクレティアヌス浴場跡　ローマ大学　カンポヴェラーノ墓地
サンピエトロ大聖堂　サンピエトロ広場　ボルゲーゼ宮殿　最高裁判所　ルスポリ宮殿　中央郵便局　バルベリーニ宮　大蔵省　ローマ国立博物館　テルミニ駅　国防省空軍　サンロレンツォ教会
バチカン宮殿　下院議事堂(モンテチトリオ)　トリトーネ通り　トレヴィの泉　バルベリーニ広場　レパブリカ駅　テルミニ駅
サンピエトロ駅　フランス大使館(ファルネーゼ宮)　首相官邸　大統領官邸(クィリナーレ宮)　国防省　マッシモ宮　ティブルティーノ
サン・グレゴリオ7世教会　刑務所　上院議事堂(マダマ宮)　クィリナーレ丘　イグナチオ教会　オペラ座　サンロレンツォ門
グレゴリオ7世通り　ジャニコロの丘　ナヴォーナ広場　ネプチューンの噴水　パンテオン　コロンナ美術館　ヴィミナーレ丘　イタリア銀行
ガリバルディ広場　ローマ博物館　ドリア・パンフィリ美術館　ヴェネツィア広場　トラヤヌスの市場　トラヤヌス記念柱　サンタマリアマジョーレ教会　ヴィットリオ
ガリバルディ像　クリプタ・バルビ　スパーダ美術館　ヴェネツィア宮(美術館)　ヴィットリオエマヌエーレ2世記念堂　エマヌエーレ2世広場　ヴィットリオエマヌエーレ駅
コンセルヴァトーリ宮殿　市庁舎　カヴール駅　カヴール通り　カヴール駅　ヴィットリオ美術館
アバメレク公園　マルチェロ劇場　カピトリーノ美術館　カンピドリオ丘　コロッセオ駅　エスクイリーノ丘　ネロの黄金宮殿　ダンテ広場　マジョーレ駅　カシリーナ通り　プレネスティーナ通り
アウレリアヌスの城壁　ガリバルディ橋　ティベリーナ島　フォロロマーノ　コロッセオ　コンスタンティヌス帝の凱旋門　地下鉄A線　マンゾーニ駅
シャラ公園　パラティーノ橋　パラティーノ丘　サン・アントニオ・ダ・パドヴァ教会　ボルコンスキー公園　サンタクローチェインジェルサレメ教会　ビント駅
サンタマリアイントラステヴェレ教会　サンタマリアインコスメディン教会　チェリオ丘　サンジョヴァンニンラテラーノ教会　ラテラーノ宮殿　ロディ駅　ロディ広場　地下鉄C線
文部省　サン・グレゴリオ教会　サンジョヴァンニ門　サンジョヴァンニ駅　ヴィラフィオロレッツィ広場
ボルテーゼ門　チルコ・マッシモ駅　サン・ステファノ教会　タラント通り
スプリッチョ橋　エンポリオ広場　チルコ・マッシモ　メトロニア門　レディローマ広場　レディローマ駅
ヴィッテリア通り　アヴェンティーノ丘　FAO(国連食糧農業機関)　トゥスコロ広場　トゥスコラーナ駅
ドーリアパンフィッリ公園　ボルタ・カペーナ公園　カラカラ浴場跡　メトロニア門　ガリア通り
クアトロヴェンティ駅　スプリッチョ橋　カラカラ浴場跡　アッピオラティーノ　ガレリア広場　ザーマ広場　ボンテレジゴ駅
チェスティアのピラミッド　サンパウロ門　ラティーナ門　トゥスコラーナ駅
テスタッチオ公園　ピラミデ駅　ポルタサンパオロ駅　オスティエンセ駅　アルディアティーナ門　城壁博物館(サンセバスティアーノ門)旧アッピア街道
トラステヴェレ駅　オスティエンセ街道　オスティエンセ駅　マルコボーロ通り

業務・商業中心地
住宅地
公園・緑地
公共施設
ローマ時代の遺構
その他
鉄道と駅
地下鉄と駅
現在も市街に残る城壁

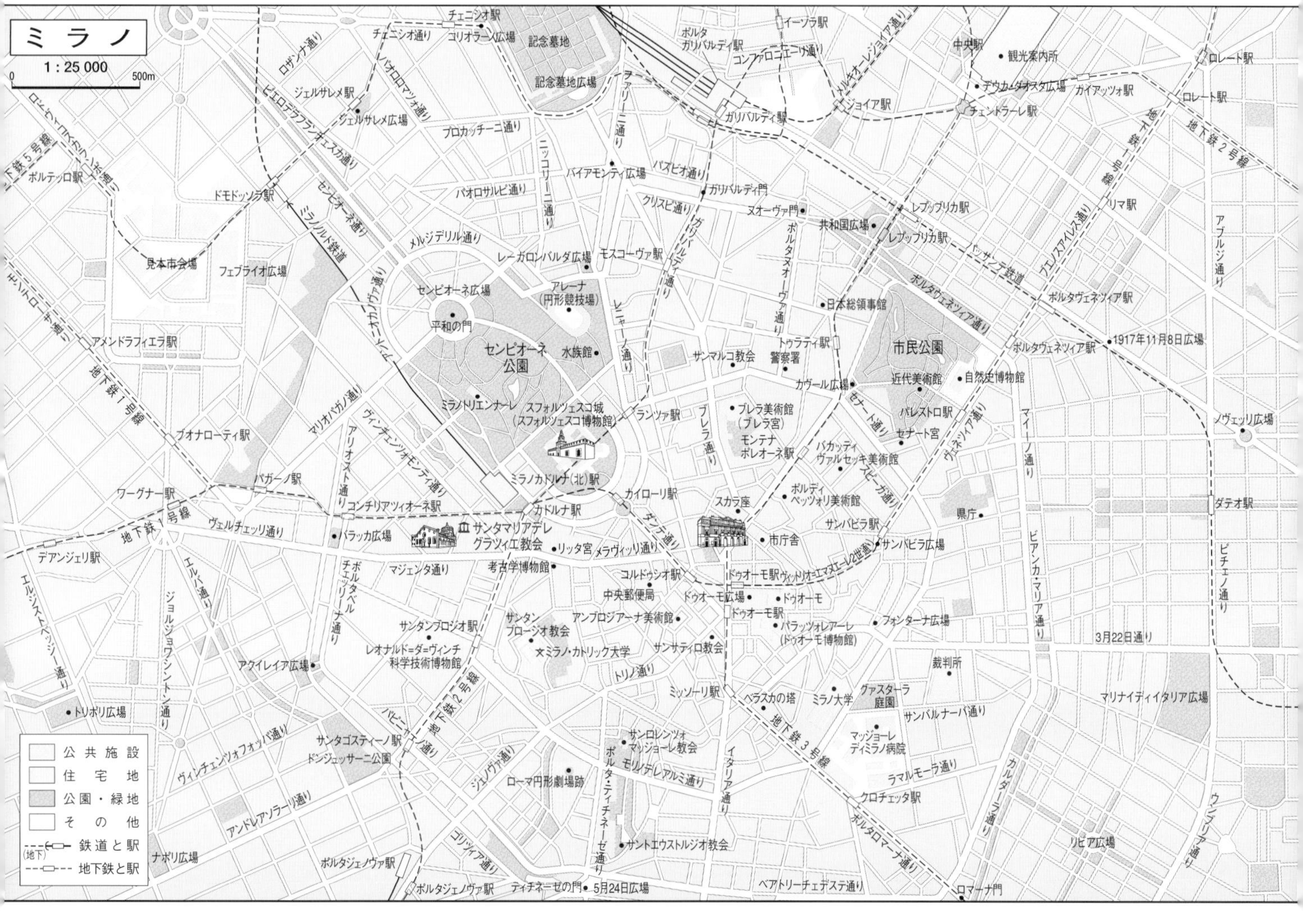

ミラノ

1:25 000　500m

チェニシオ駅　コリオーニ広場　記念墓地　ポルタガリバルディ駅　コンコルディーリ通り　中央駅　観光案内所　ロレート駅
ロザンナ通り　チェニシオ通り　コリオーニ通り　記念墓地広場　ジョイア駅　デウカタオスタ広場　ガイアッツォ駅　ロレート駅
ジェルサレメ駅　ピエロデッラフランチェスカ通り　ガリバルディ駅　メルセニオ通り　チェンドレーレ駅
ポルテッロ駅　ジェルサレメ広場　プロカッチーニ通り　バスビオ通り　ガリバルディ門　リマ駅
ドモドッソラ駅　パオロサルピ通り　クリスピ通り　ヌオーヴァ門　共和国広場　レプップリカ駅　フェンマリア通り
見本市会場　メルジデリオ通り　レガロンバルダ広場　モスコーヴァ駅　レプップリカ駅　アブルッツィ通り
フェブライオ広場　センピオーネ広場　アレーナ(円形競技場)　日本総領事館　ポルタヴェネツィア駅
アメンドラフィエラ駅　平和の門　センピオーネ公園　水族館　サンマルコ教会　市民公園　ポルタヴェネツィア駅　1917年11月8日広場
ブオナローティ駅　ミラノトリエンナーレ　スフォルツェスコ城(スフォルツェスコ博物館)　ランツァ駅　近代美術館　自然史博物館
ワーグナー駅　パガーノ駅　ミラノカドルナ(北)駅　ブレラ美術館(ブレラ宮)　パレストロ駅　セナート宮　メッゼリ広場
ヴェルチェリ通り　カドルナ駅　カイローリ駅　モンテナポレオーネ駅　バカッティ ヴァルセッキ美術館　ビアンカマリア通り
デアンジェリ駅　フラッカ広場　サンタマリアデレグラツィエ教会　リッタ宮　メラヴィリ通り　スカラ座　市庁舎　サンバビラ広場　サンバビラ駅　ダテオ駅　ピチェノ通り
エルバ通り　マジェンタ通り　考古学博物館　コルドゥシオ駅　ドゥオーモ駅　ドゥオーモ　ドゥオーモ博物館　フォンタナ広場
ジョルジョベッシ通り　チリニア通り　中央郵便局　ドゥオーモ駅　県庁　3月22日通り
トリポリ広場　サンタンブロジオ駅　アンブロジアーナ美術館　パラッツォレアーレ(ドゥオーモ博物館)　裁判所
サンタゴスティーノ駅　サンタンブロジオ教会　サンサティロ教会　トリノ通り　クァスター ラ庭園　マリナディイタリア広場
ヴィンチェンツォフォッパ通り　レオナルド=ダ=ヴィンチ科学技術博物館　ミラノ・カトリック大学　ミッソーリ駅　ミラノ大学
ドンジェッツサーニ通り　アクイレイア広場　サンロレンツォマッジョーレ教会　マッジョーレデミラノ病院
ナビリオ広場　ローマ円形劇場跡　ポルタティチネーゼ通り　クロチェッタ駅　リピア広場　ウンガリア-
ポルタジェノヴァ駅　ティチネーゼの門　5月24日広場　ベアトリーチェデステ通り　ロマーナ門

公共施設
住宅地
公園・緑地
その他
鉄道と駅
地下鉄と駅

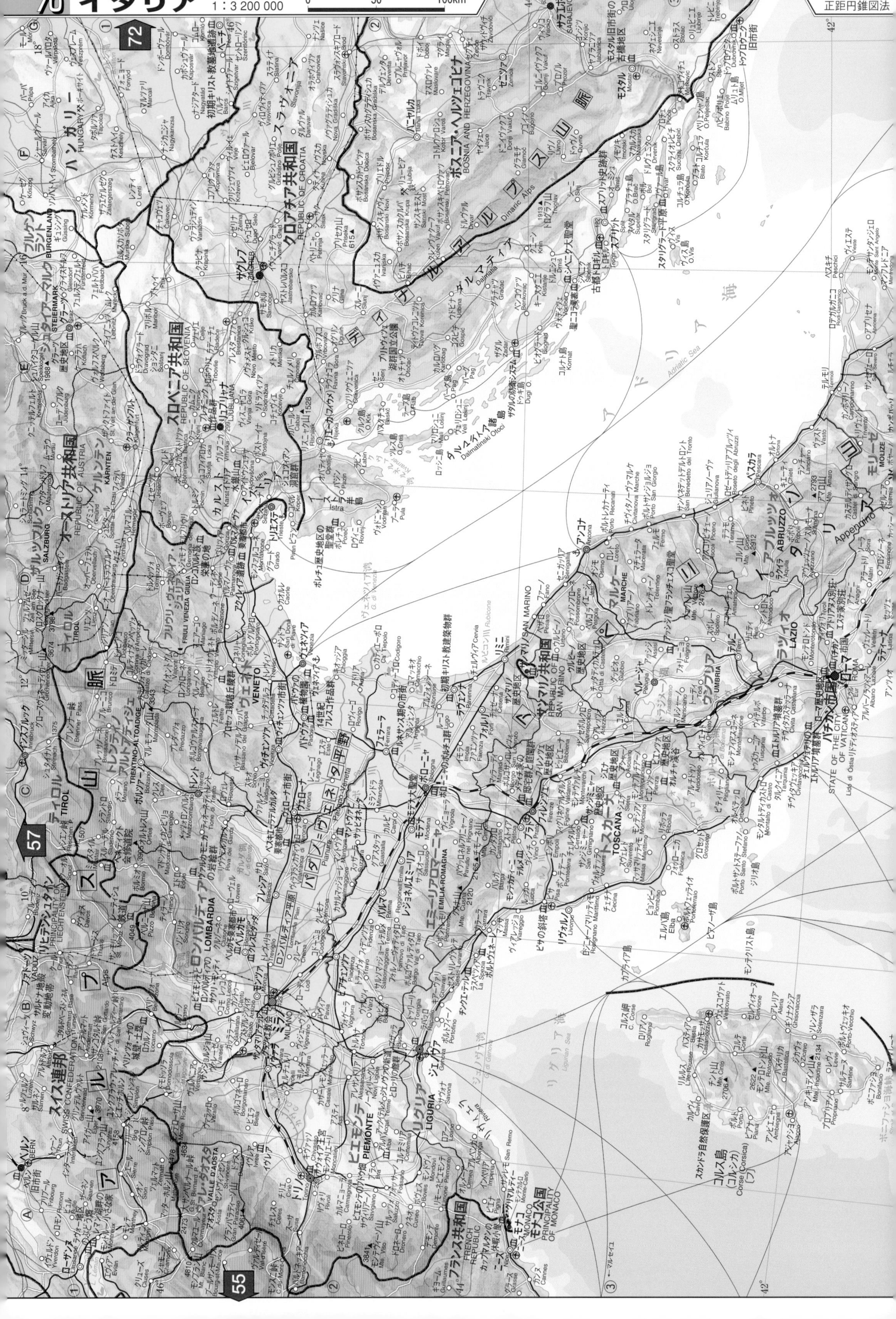

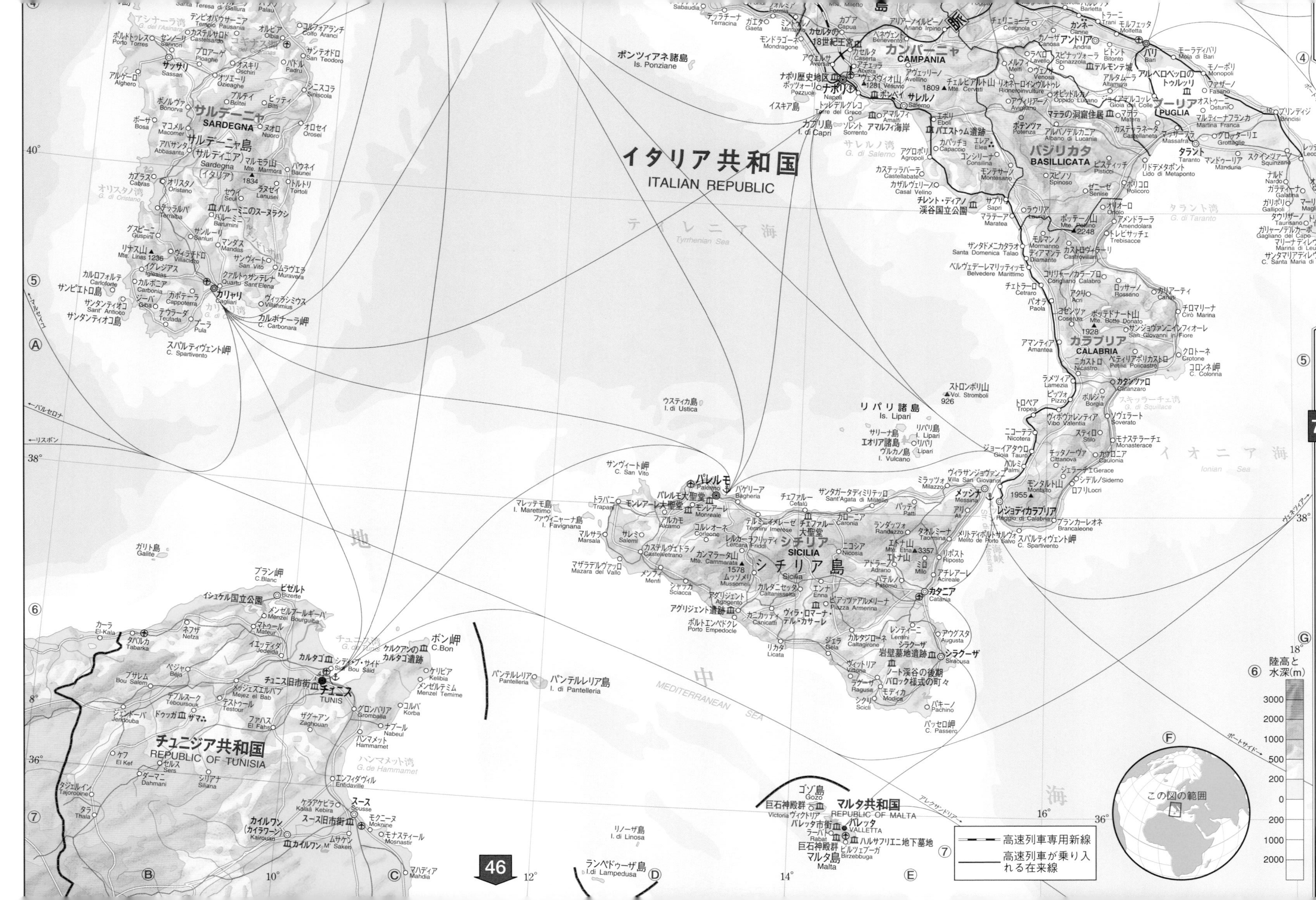

イタリア共和国
ITALIAN REPUBLIC

PUGLIA

BASILICATA

CALABRIA

CAMPANIA

リパリ諸島
Is. Lipari

シチリア島
SICILIA

サルデーニャ島
SARDEGNA

ティレニア海
Tyrrhenian Sea

イオニア海
Ionian Sea

地　中　海
MEDITERRANEAN　SEA

マルタ共和国
REPUBLIC OF MALTA

チュニジア共和国
REPUBLIC OF TUNISIA

ポンツィア諸島
Is. Ponziane

リノーザ島
I. di Linosa

ランペドゥーザ島
I. di Lampedusa

46

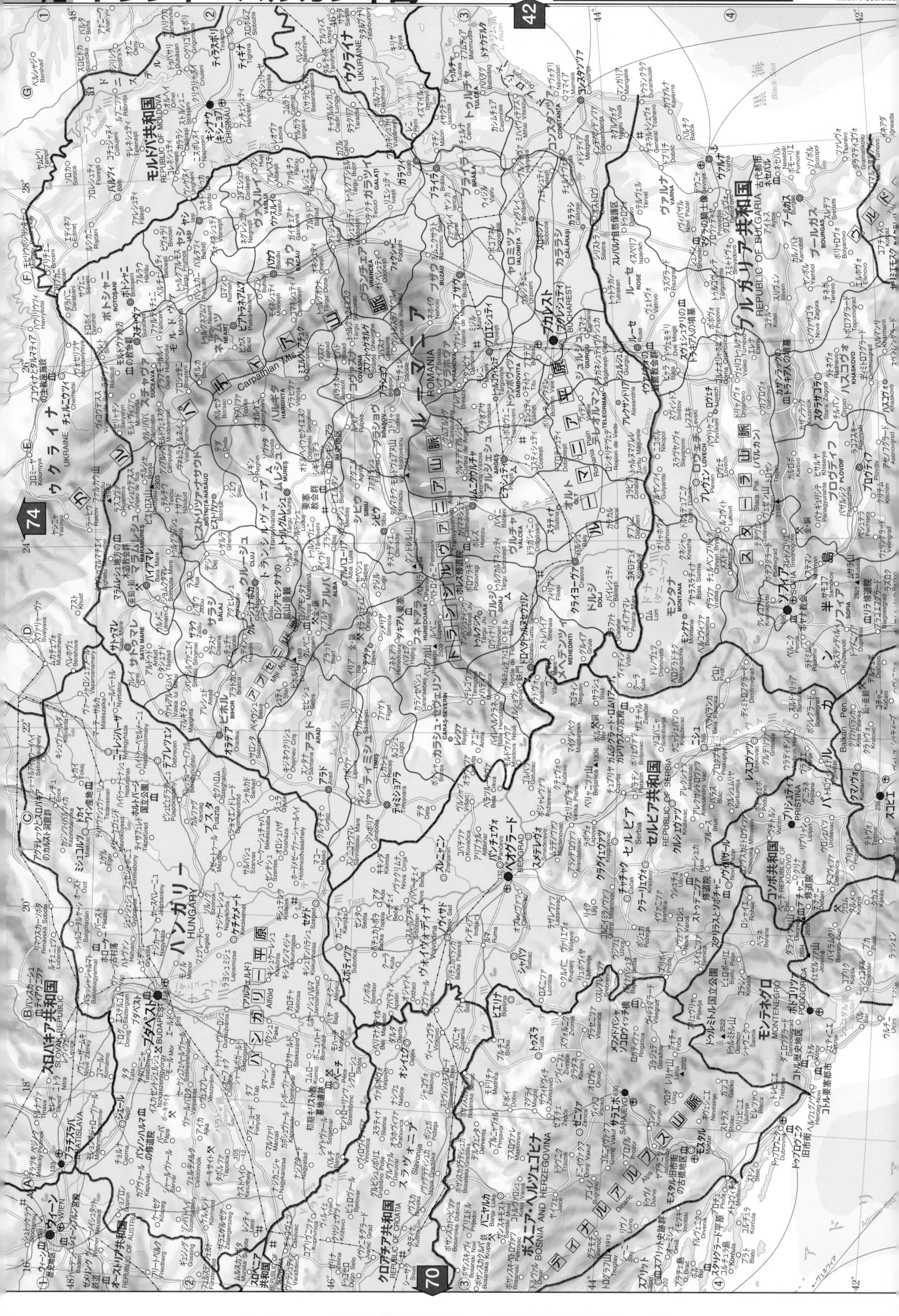

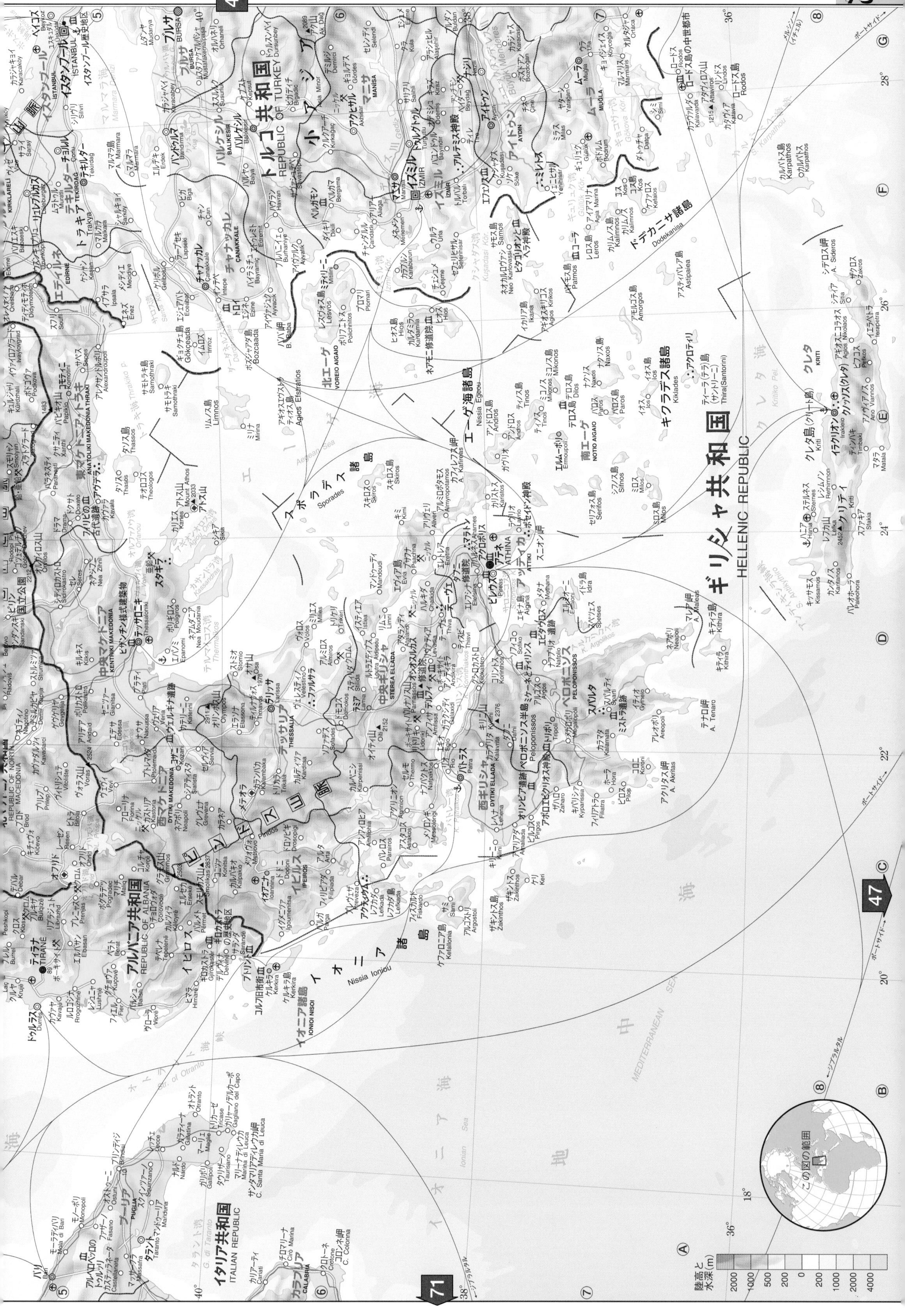
ギリシャ共和国
HELLENIC REPUBLIC
トルコ共和国
REPUBLIC OF TURKEY
アルバニア共和国
REPUBLIC OF ALBANIA
イタリア共和国
ITALIAN REPUBLIC
小アジア
ピンドス山脈
エーゲ海諸島
Nissia Egeou
キクラデス諸島
Kiklades
ドデカニサ諸島
Dodekanisa
スポラデス諸島
Sporades
イオニア諸島
Nissia Ioniou
イオニア海
Ionian Sea
地中海
MEDITERRANEAN SEA
クレタ海
クレタ島(クリート島)
Kriti
アテネ
ATHINA
アクロポリス
ピレウス
Pireas
テッサロニキ
Thessaloniki
イスタンブール
ISTANBUL
イスタンブール歴史地区
イズミル
IZMIR
ブルサ
BURSA
ティラナ
TIRANË
パトラス
Patra
ラリッサ
Larissa
イラクリオン
Iraklio
ロードス島
Rodos
ロードス島の中世都市
ティーラ(テラ)島
(サントリーニ)
Thira(Santorini)
ペロポニソス半島
Peloponissos
中央ギリシャ
STEREA ELLADA
西ギリシャ
DYTIKI ELLADA
南エーゲ
NOTIO AIGAIO
北エーゲ
VOREIO AIGAIO
テッサリア
THESSALIA
中央マケドニア
KENTRIKI MAKEDONIA
東マケドニア・トラキ
ANATOLIKI MAKEDONIA THRAKI
西マケドニア
DYTIKI MAKEDONIA
イピルス
IPEIROS
ペロポニソス
PELOPONISSOS
アッティカ
ATTIKI
クレタ
KRITI
トラキア
Trakya
マルマラ海
Marmara Denizi
陸高と水深(m)
2000
1000
500
200
0
200
1000
2000
4000
この図の範囲
71
42
47

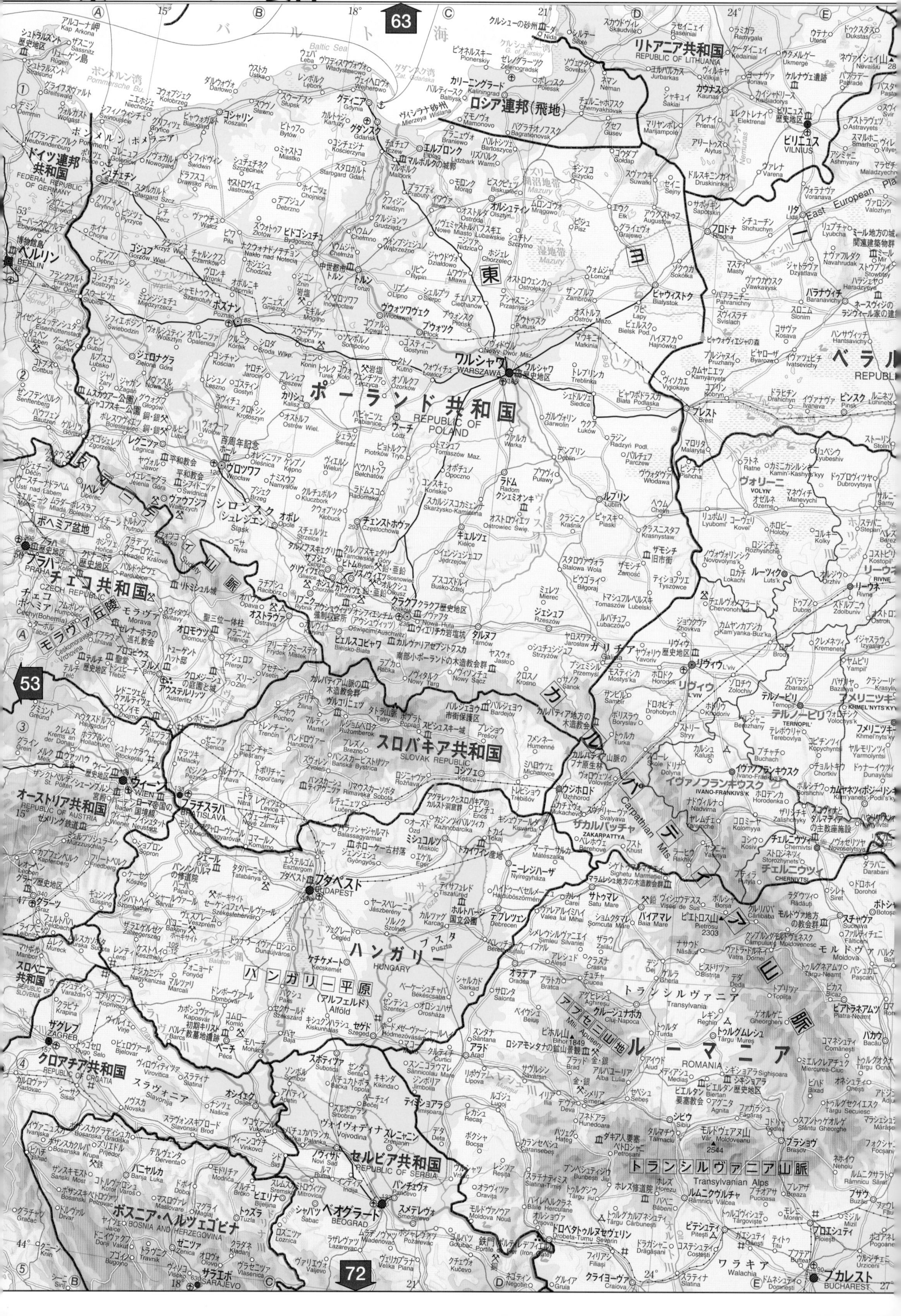

76

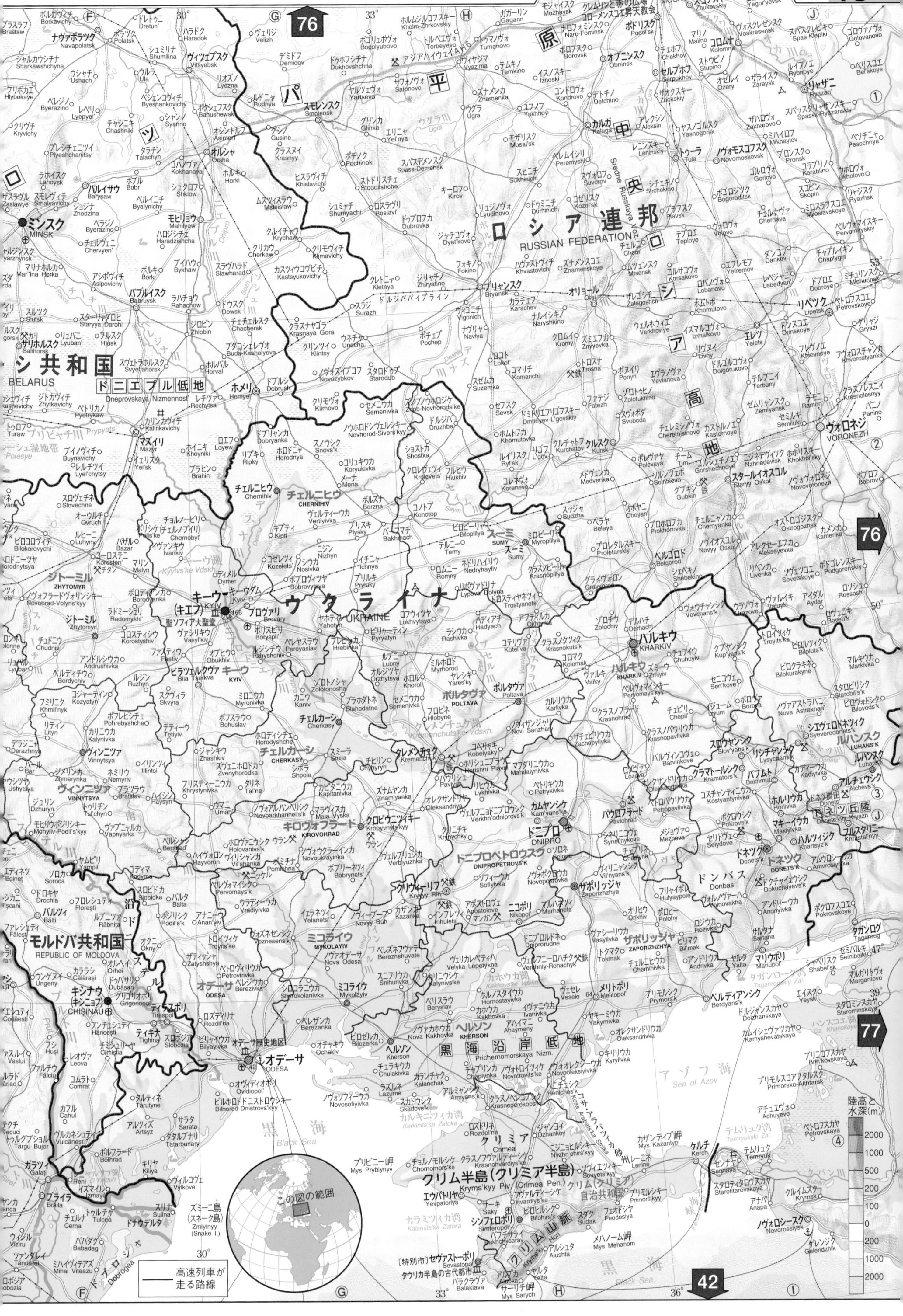
ロシア連邦
RUSSIAN FEDERATION
ウクライナ
UKRAINE
ベラルーシ共和国
BELARUS
モルドバ共和国
REPUBLIC OF MOLDOVA
クリム半島(クリミア半島)
Krymsʼkyy Piv. (Crimea Pen.)
クリム(クリミア)自治共和国
黒海沿岸低地
Prichernomorskaya Nizm.
ドニエプル低地
Dneprovskaya Nizmennostʼ
中央ロシア高地
Sredne Russkaya V.
スモレンスク高地
ドネツ丘陵
クリム山脈
ドンバス
Donbas
アゾフ海
Sea of Azov
黒海
Black Sea
プリピャチ湿地帯
Polesye
モスクワ
MOSKVA
ミンスク
MINSK
キーウ
(キエフ)
KYIV
キシナウ
(キシニョフ)
CHIȘINĂU
オデーサ
ODESA
ハルキウ
KHARKIV
ドニプロ
DNIPRO
ザポリッジャ
ドネツク
ルハンスク
セヴァストーポリ
Sevastopol'
シンフェロポリ
Simferopol'
ケルチ
Kerch
ヴォロネジ
VORONEZH
ブリャンスク
Bryansk
カルーガ
Kaluga
トゥーラ
Tula
オリョール
Orel
クルスク
Kursk
ベルゴロド
Belgorod
リャザニ
Ryazan'
リペツク
Lipetsk
ホメリ
Homyel'
モギリョフ
Mahilyow
ボブルイスク
Babruysk
ヴィテブスク
Vitsyebsk
チェルニヒウ
Chernihiv
スーミ
Sumy
ポルタヴァ
Poltava
ジトーミル
Zhytomyr
ヴィンニツァ
Vinnytsya
チェルカーシ
Cherkasy
クロピウニツィキー
Kropyvnyts'kyy
ミコライウ
Mykolayiv
ヘルソン
Kherson
クリヴィーリフ
Kryvyy Rih
メリトポリ
Melitopol'
マリウポリ
Mariupol'
ベルディアンシク
Berdyans'k
エウパトリヤ
Yevpatoriya
フェオドシヤ
Feodosiya
ノヴォロシースク
Novorossiysk
ガラツィ
Galați
ブライラ
Brăila
バルツィ
Bălți
ティラスポリ
Tiraspol
この図の範囲
ズミー二島
(スネーク島)
Zmiyinyy
(Snake I.)
高速列車が
走る路線
陸高と
水深(m)
2000
1000
500
200
100
0
200
1000
2000
30°
33°
36°
39°
47°
50°
53°

76

77

42

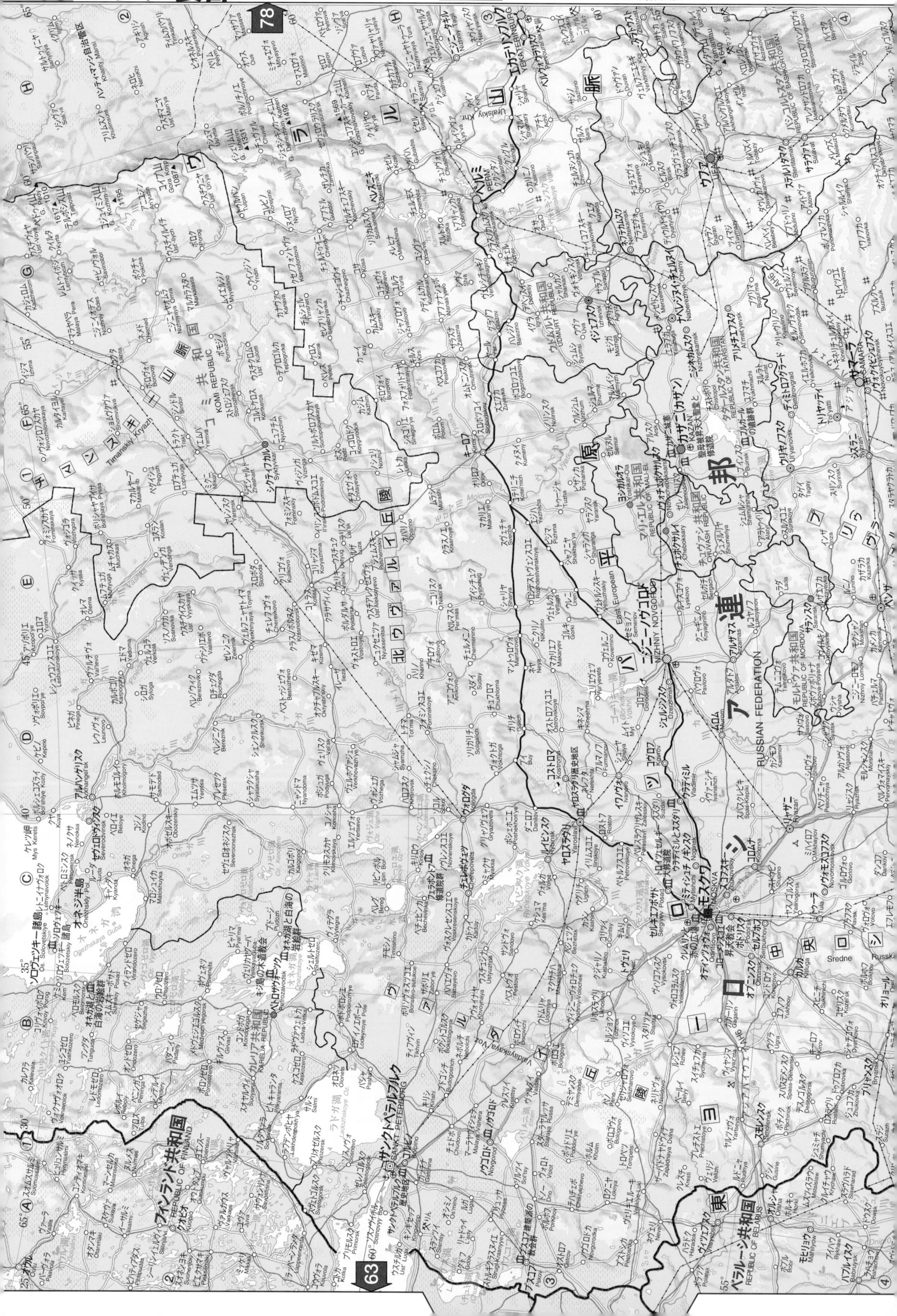

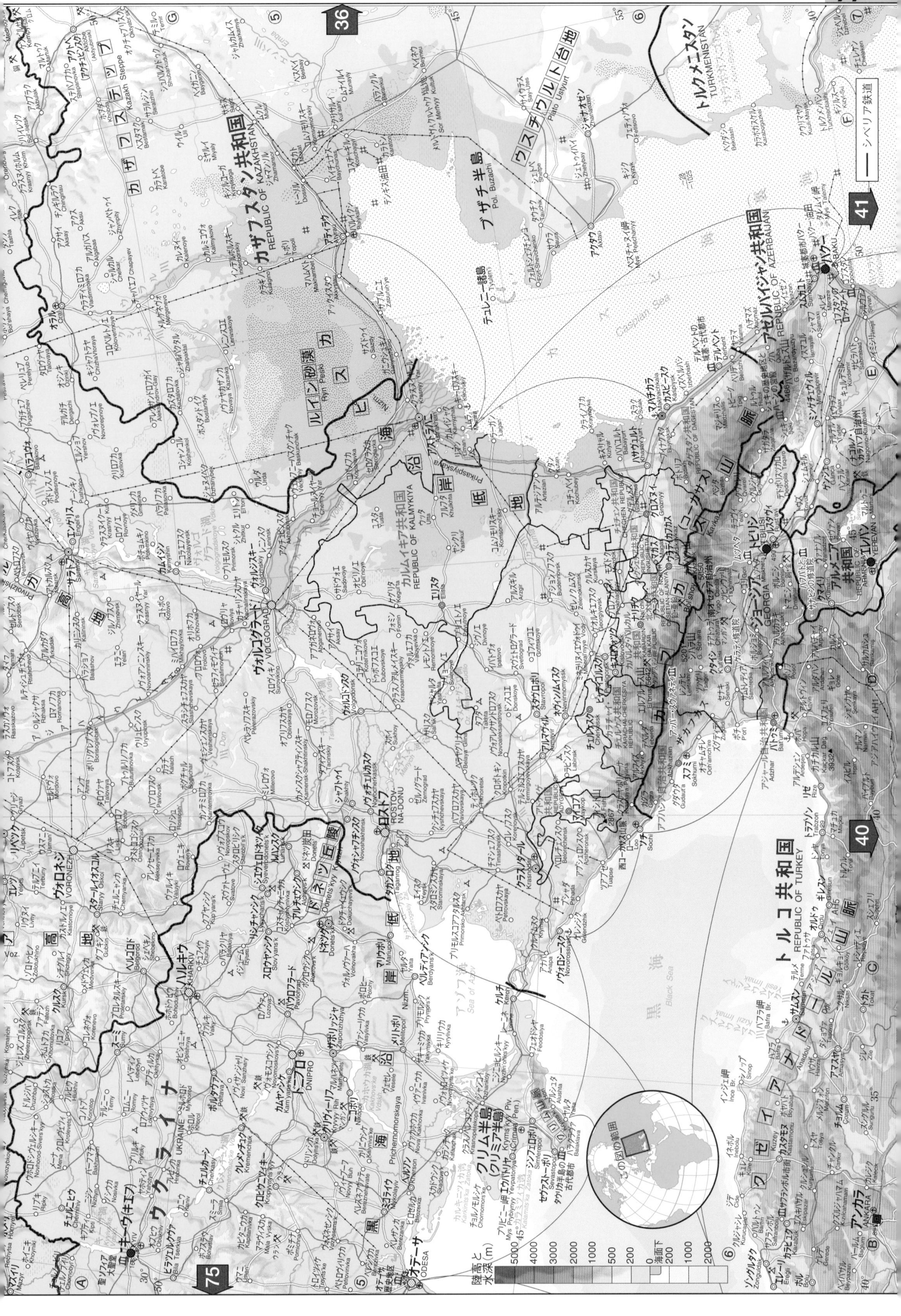
陸高と水深(m)
5000
4000
3000
2000
1000
500
200
0
海面下
200
1000
2000
シベリア鉄道
この図の範囲
ウクライナ UKRAINE
カザフスタン共和国 REPUBLIC OF KAZAKHSTAN
トルクメニスタン TURKMENISTAN
アゼルバイジャン共和国 REPUBLIC OF AZERBAIJAN
アルメニア共和国 REPUBLIC OF ARMENIA
ジョージア GEORGIA
トルコ共和国 REPUBLIC OF TURKEY
カルムイキア共和国 REPUBLIC OF KALMYKIYA
黒海 Black Sea
アゾフ海 Sea of Azov
カスピ海 Caspian Sea
カザフステップ Kazakh Steppe
ウスチュルト台地 Plato Ustyurt
カスピ海沿岸低地
ドネツ丘陵
コーカサス山脈
ポントス山脈
クリミア半島 Krymskyy Piv.
ブザチ半島 Pol. Buzachi
ヴォルゴグラード VOLGOGRAD
ロストフ ROSTOV-NA-DONU
アストラハン Astrakhan
ハルキウ KHARKIV
ドニプロ DNIPRO
オデーサ ODESA
キーウ(キエフ) KYIV
バクー BAKU
トビリシ TBILISI
エレバン YEREVAN
アンカラ ANKARA
36
40
41
75

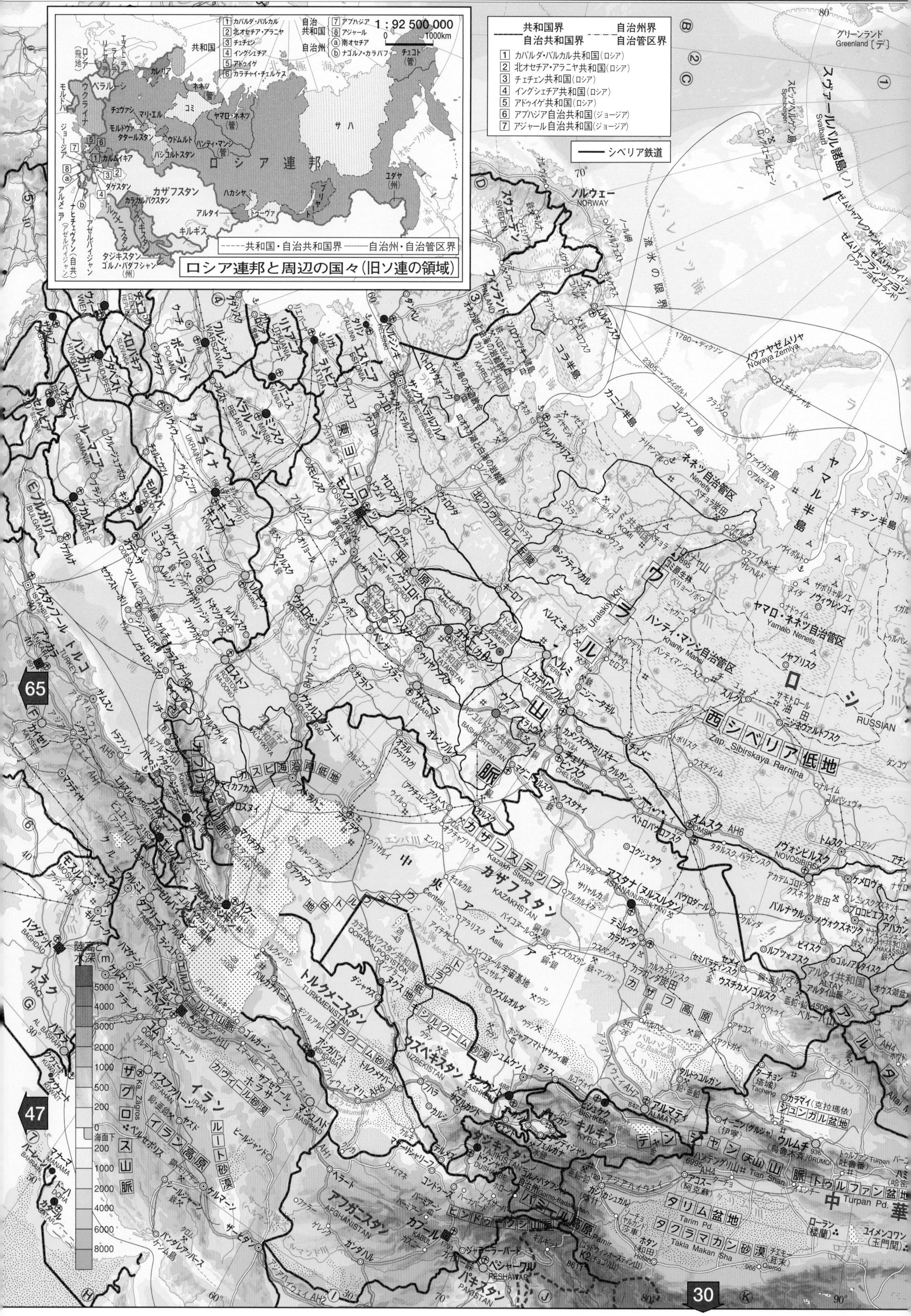

82

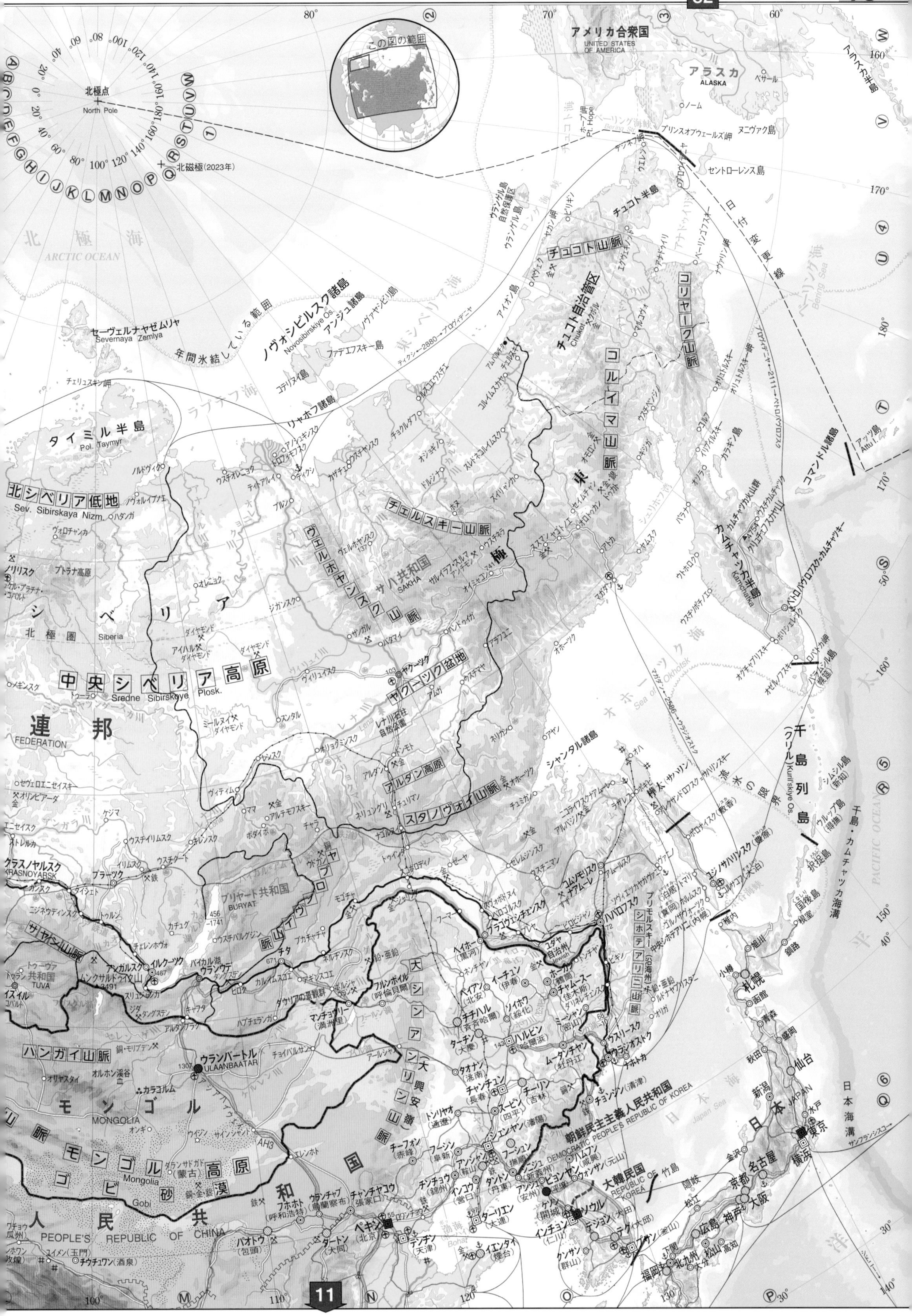
この図の範囲
北極点
North Pole
北磁極(2023年)
北極海
ARCTIC OCEAN
アメリカ合衆国
UNITED STATES OF AMERICA
アラスカ
ALASKA
ベーリング海峡
プリンスオブウェールズ岬
セントローレンス島
ヌニヴァク島
アラスカ半島
チュコト半島
チュコト山脈
チュコト自治管区
コリャーク山脈
ベーリング海
Bering Sea
日付変更線
セーヴェルナヤゼムリヤ
Severnaya Zemlya
年間氷結している範囲
ノヴォシビルスク諸島
Novosibirskiye Os.
アンジュ諸島
東シベリア海
ラプテフ海
リャホフ諸島
タイミル半島
Pol. Taymyr
北シベリア低地
Sev. Sibirskaya Nizm.
コルイマ山脈
チェルスキー山脈
ヴェルホヤンスク山脈
サハ共和国
SAKHA
東
極
シベリア
Siberia
北極圏
中央シベリア高原
Sredne Sibirskoye Plosk.
ヤクーツク盆地
ヤクーツク
オホーツク海
Sea of Okhotsk
カムチャツカ半島
コマンドル諸島
アッツ島
Attu I.
連邦
FEDERATION
シャンタル諸島
アルダン高原
スタノヴォイ山脈
千島列島
(クリル)
Kuril'skiye Os.
千島・カムチャツカ海溝
PACIFIC OCEAN
太平洋
樺太(サハリン)
流氷の限界
クラスノヤルスク
KRASNOYARSK
ブラーツク
ブリヤート共和国
BURYAT
バイカル湖
イルクーツク
ウランウデ
ヤブロノイ山脈
サヤン山脈
トゥーヴァ共和国
TUVA
ハンガイ山脈
ウランバートル
ULAANBAATAR
モンゴル
MONGOLIA
モンゴル高原
Mongolia
ゴビ砂漠
Gobi
大シンアン(大興安嶺)山脈
小シンアン山脈
シホテアリニ山脈
ハバロフスク
ウラジオストク
ハルビン
チチハル
チャンチュン
シェンヤン
ペキン
テンチン
中華人民共和国
PEOPLE'S REPUBLIC OF CHINA
朝鮮民主主義人民共和国
DEMOCRATIC PEOPLE'S REPUBLIC OF KOREA
ピョンヤン
ソウル
大韓民国
REPUBLIC OF KOREA
竹島
日本海
Japan Sea
日本
JAPAN
札幌
仙台
東京
名古屋
京都
大阪
横浜
広島
福岡
日本海溝
択捉島
国後島
色丹島

11

モスクワ周辺
1:650 000
10km

ノヴォ
ホヴリノ
大環状道路
クズコヴォ
モスクワ
MOSKVA
モスクワ大学 文
チェレポヴォ
リュプリノ
コローメンスコエ

凡例
- 1800年ごろの市街地
- 現在の市街地
- 森林・緑地
- その他
- モスクワ市の境界

モスクワ
1:43 000
500 1000

オリンピック・スタジアム
日本大使館
植物園（分園）
レニングラード駅
ヤロスラヴリ駅
カランチェフスカヤ駅
コムソモーリスカヤ駅
カザン駅
運輸省
モスクワ地理・地図大学
クルス駅

競馬場
ベラルーシ駅
グリンカ音楽博物館
チャイコフスキーコンサートホール
イズベスチアホール
プーシキン広場
国会議事堂（上院）
ボリショイ劇場
中央郵便局
旧KGB本部
ルビャンカ広場
モスクワ芸術劇場
マールイ劇場
スタニスラフスキー　国会議事堂
イタルタス通信社　記念館
記念館
革命広場
レーニン廟　赤の広場
グム百貨店
聖ワシリー寺院
クレムリン
クレムリン大宮殿
アルハンゲリスキー大聖堂
高層アパート
タガンカ劇場

生物学博物館
動物園
プラネタリウム
チェーホフ記念館（チェーホフの家）
高層アパート
ロシア連邦内閣ビル
ゴーリキーの家博物館
チャイコフスキー音楽院
ラディソンロイヤルホテル（旧ウクライナホテル）
フェデレーションタワー
タワー2000
外務省
プーシキン美術館
救世主キリスト大聖堂
トレチャコフ美術館
キエフ駅
モスクワ市歴史博物館
トレチャコフ美術館（新館）
トルストイ記念館（トルストイの家）
ムゼオン公園　文学博物館
聖ニコラス教会
ダーウィン博物館
ノヴォデヴィチ池
ノヴォデヴィチ修道院
ゴーリキー公園
ピロゴフ病院
ノヴォスパスキー修道院

凡例
- 業務・商業中心地
- 市街地
- 公園・緑地
- 鉄道と駅
- 地下鉄と駅

モスクワ川 Moskva

ブダペスト
1:40 000
500 1000m

マルギット島
FELHÉVIZ
ルカーチ温泉
キラーイ温泉
ドナウ川 Duna
民族博物館
国会議事堂
自由広場
ハンガリーTV
ハンガリー国立銀行
国立オペラ劇場
切手博物館
聖イシュトバーン大聖堂
ルーズヴェルト広場
王宮の丘
ブダ城
国立美術館
歴史博物館
くさり橋
マーチャーシュ教会
漁夫の砦
TABAN
聖ゲレルトの像
ゲレルトの丘
ツィテダラ要塞
ゲレールト温泉
ルダシュ温泉
自由橋
中央市場
工芸美術館
ブダペスト工科経済大学
自然史博物館

ウーリポートヴァーロシュ
ÚJLIPÓTVÁROS
LÓPORTÁRDÚLÓ
動植物園
セーチェニ温泉
国立美術館
市立公園
英雄広場
ヴァイダフニャド城（農業博物館）
アンドラーシ通り
ホップ・フェレンツ東洋美術館
ウェストエンドシティセンター
西駅
テレーズヴァーロシュ
TERÉZVÁROS
リスト記念博物館
リスト広場
リスト音楽院
エルジェーベトヴァーロシュ
ERZSÉBETVÁROS
ペスト地区
シナゴーグ
市庁舎
ラーコーツィ広場
国立博物館
ラーコーツィ広場駅
教皇ヨハネパウロ2世広場
ケレペシ墓地
東駅
8区

プラハ
1:35 000
500m

ヴルタヴァ川（モルダウ）
フラチャニ HRADCANY
プラハ城
聖ヴィート大聖堂
フラチャニ広場
ロレッタ教会
ストラホフ修道院
マラー・ストラナ MALA STRANA
カンパ島
聖ヤン教会
ペトシーンタワー
ストラホフ競技場
レテンスケー公園
ベルヴェデール宮殿
クラーロフスカー公園
チェフ橋
郵便博物館
旧ユダヤ人墓地
ユダヤ人地区 JOSEFOV
マーネス橋
旧市街広場
ティーン教会
火薬塔
スメタナ博物館
旧市街 スターレ・ミェスト STARE MEST
カレル橋
ミュシャ美術館
日本大使館
国民劇場
中央郵便局
ヴァーツラフ広場
国立オペラ劇場
新市街（ノヴェ・ミャスト）NOVE MEST
キンスキー庭園
新市庁舎
聖シュテファン教会
カルロヴォ広場
ドボルザーク博物館
植物園
警察博物館
ヴィシェフラット民族墓地

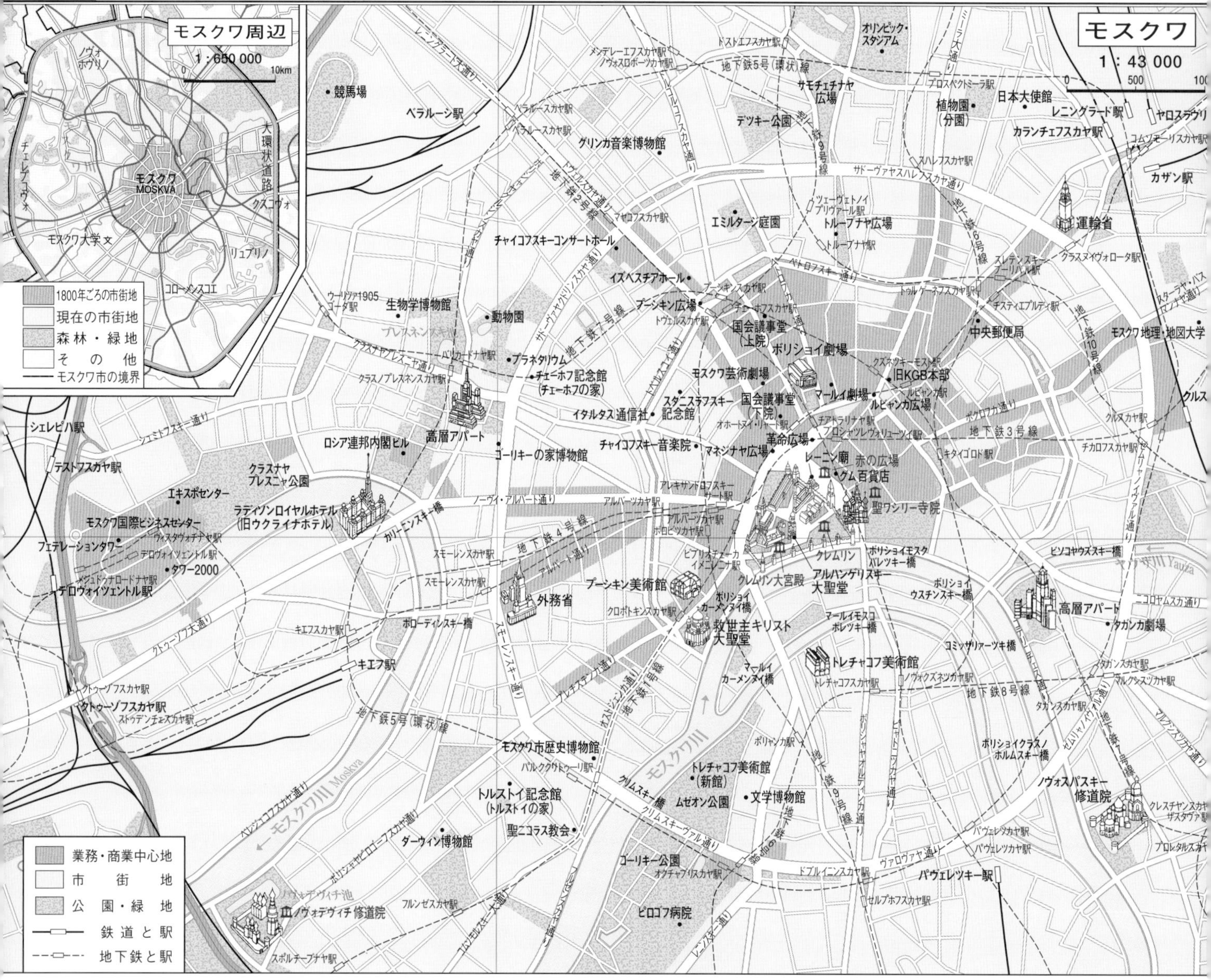

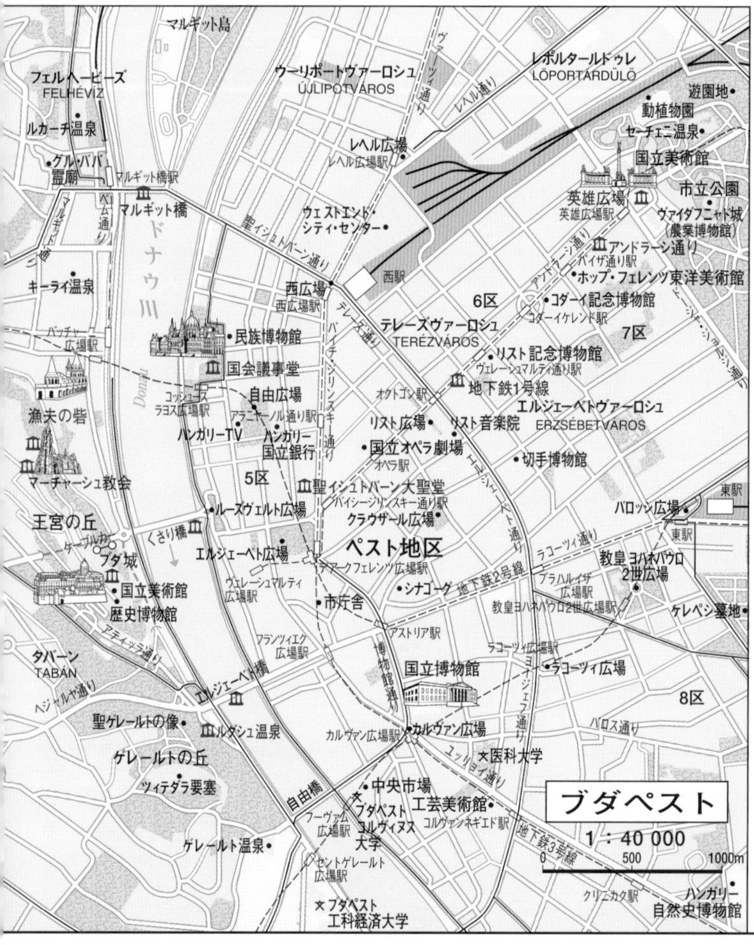

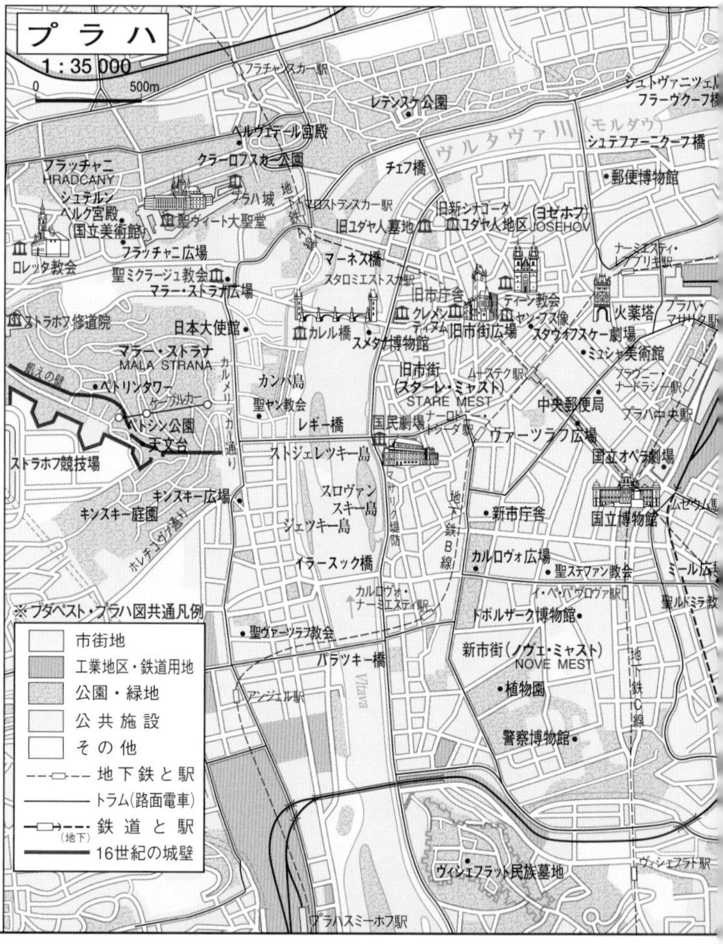

※ブダペスト・プラハ図共通凡例
- 市街地
- 工業地区・鉄道用地
- 公園・緑地
- 公共施設
- その他
- 地下鉄と駅
- トラム（路面電車）
- 鉄道と駅
- 16世紀の城壁

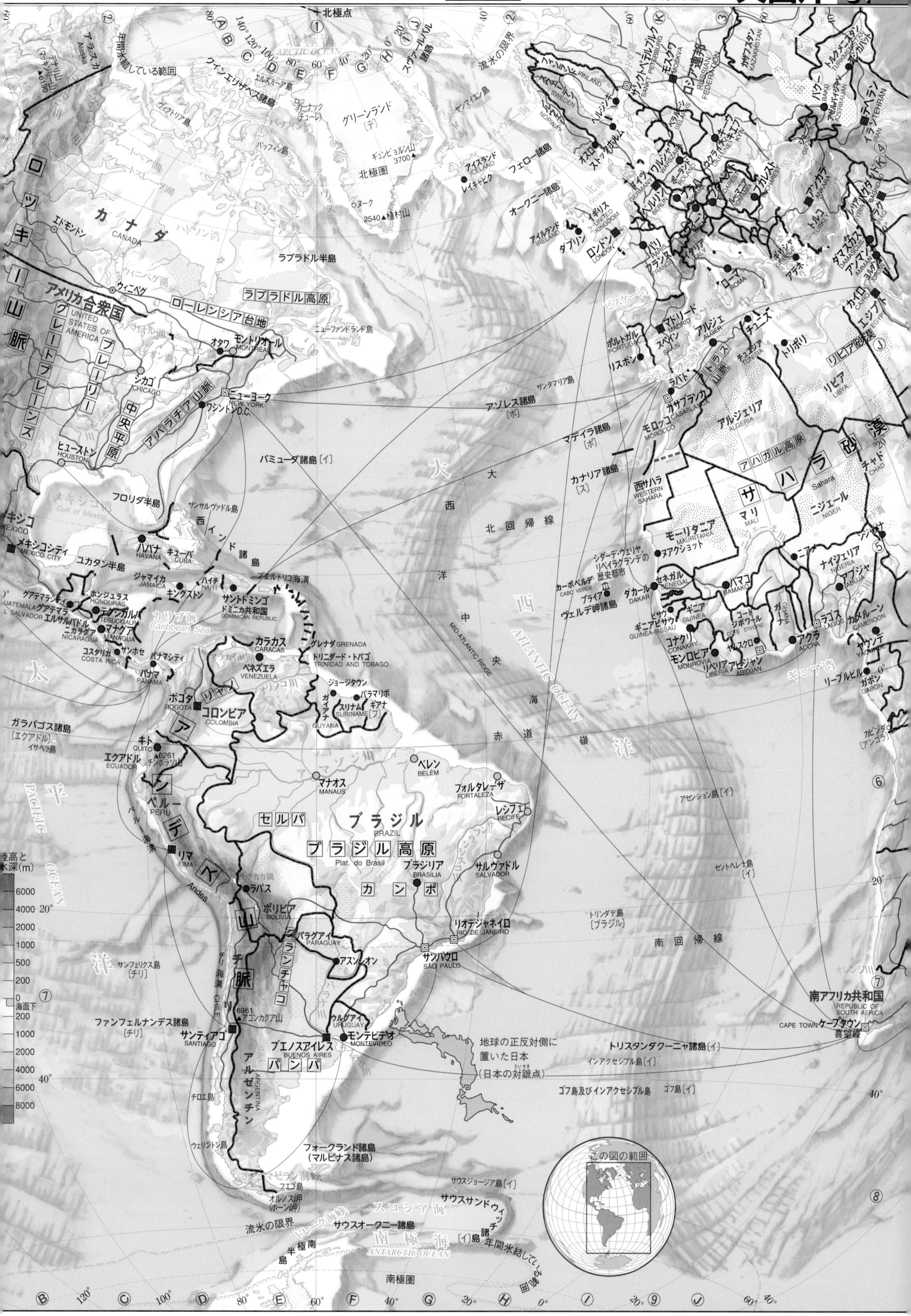

1：60 000 000　　0　500　1000km　　ランベルト正積方位図法

北極点
北極海
ARCTIC OCEAN
スヴァールバル諸島
年間氷結している範囲
アラスカ
Alaska
デナリ山
(マッキンリー)
6190
クイーンエリザベス諸島
エルズミーア島
カーナック
(チューレ)
グリーンランド
〔デ〕
ギュンビョルン山
3700
北極圏
ヌーク
2540
植村山
ヤンマイエン島
流氷の限界
ヴィクトリア島
バッフィン島
アイスランド
ICELAND
レイキャビク
フェロー諸島
オークニー諸島
アイルランド
IRELAND
ダブリン
イギリス
UNITED KINGDOM
ロンドン
LONDON
フィンランド
FINLAND
スウェーデン
SWEDEN
ノルウェー
NORWAY
ヘルシンキ
ストックホルム
オスロ
サンクトペテルブルク
SANKT PETERBURG
モスクワ
ロシア連邦
RUSSIAN FEDERATION
カザフスタン
KAZAKHSTAN
トルクメニスタン
バクー
BAKU
テヘラン
TEHRAN
アンカラ
ANKARA
トルコ
TURKEY
バグダッド
ダマスカス
DAMASCUS
アンマン
AMMAN
ワルシャワ
ポーランド
POLAND
ベルリン
BERLIN
キーウ
ウクライナ
UKRAINE
ブカレスト
BUCHAREST
パリ
フランス
FRANCE
ローマ
ROMA
アテネ
ギリシャ
カイロ
CAIRO
エジプト
EGYPT
ロッキー山脈
カナダ
CANADA
エドモントン
ハドソン湾
ラブラドル半島
ウィニペグ
ラブラドル高原
ローレンシア台地
アメリカ合衆国
UNITED STATES OF AMERICA
グレートプレーンズ
プレーリー
オタワ
モントリオール
MONTREAL
ニューファンドランド島
シカゴ
CHICAGO
ニューヨーク
NEW YORK
ワシントンD.C.
アパラチア山脈
中央平原
ヒューストン
HOUSTON
バミューダ諸島〔イ〕
フロリダ半島
メキシコ湾
Gulf of Mexico
メキシコ
MEXICO
メキシコシティ
MEXICO CITY
ユカタン半島
ハバナ
HAVANA
キューバ
CUBA
西インド諸島
サンサルヴァドル島
プエルトリコ海溝
ジャマイカ
JAMAICA
ハイチ
HAITI
キングストン
サントドミンゴ
ドミニカ共和国
DOMINICAN REPUBLIC
ホンジュラス
HONDURAS
グアテマラ
エルサルバドル
ニカラグア
NICARAGUA
マナグア
コスタリカ
COSTA RICA
サンホセ
カリブ海
Caribbean Sea
パナマシティ
パナマ
PANAMA
グレナダ
GRENADA
トリニダード・トバゴ
TRINIDAD AND TOBAGO
カラカス
CARACAS
ベネズエラ
VENEZUELA
ジョージタウン
パラマリボ
ガイアナ
GUYANA
スリナム
SURINAME
ギアナ
〔フ〕
ボゴタ
BOGOTÁ
コロンビア
COLOMBIA
キト
QUITO
エクアドル
ECUADOR
6261
チンボラソ山
ガラパゴス諸島
〔エクアドル〕
イサベラ島
太平洋
PACIFIC OCEAN
アマゾン川
マナオス
MANAUS
ベレン
BELÉM
フォルタレーザ
FORTALEZA
レシフェ
RECIFE
セルバ
ブラジル
BRAZIL
ブラジル高原
Plat. do Brasil
ブラジリア
BRASÍLIA
カンポ
サルヴァドル
SALVADOR
ペルー
PERU
リマ
LIMA
ペルー海溝
アンデス山脈
Andes
ラパス
ボリビア
BOLIVIA
パラグアイ
PARAGUAY
グランチャコ
アスンシオン
リオデジャネイロ
RIO DE JANEIRO
サンパウロ
SÃO PAULO
トリンダデ島
〔ブラジル〕
南回帰線
サンフェリクス島
〔チリ〕
チリ海溝
チリ
CHILE
6961
アコンカグア山
ファンフェルナンデス諸島
〔チリ〕
サンティアゴ
SANTIAGO
ウルグアイ
URUGUAY
モンテビデオ
MONTEVIDEO
ブエノスアイレス
BUENOS AIRES
パンパ
アルゼンチン
ARGENTINA
チロエ島
ウェリントン島
フォークランド諸島
(マルビナス諸島)
マゼラン海峡
フエゴ島
オルノス岬
(ホーン岬)
ドレーク海峡
スコシア海
サウスジョージア島〔イ〕
サウスサンドウィッチ諸島
〔イ〕
サウスオークニー諸島
流氷の限界
南極半島
南極海
ANTARCTIC OCEAN
年間氷結している範囲
南極圏
地球の正反対側に
置いた日本
(日本の対蹠点)
大西洋
ATLANTIC OCEAN
大西洋中央海嶺
MID-ATLANTIC RIDGE
北回帰線
赤道
アゾレス諸島
〔ポ〕
サンタマリア島
マデイラ諸島
〔ポ〕
カナリア諸島
〔ス〕
ビスケー湾
マドリード
MADRID
ポルトガル
PORTUGAL
リスボン
スペイン
SPAIN
ジブラルタル海峡
アルジェ
ALGER
チュニス
チュニジア
TUNISIA
トリポリ
地中海
Mediterranean Sea
ラバト
カサブランカ
CASABLANCA
アトラス山脈
モロッコ
MOROCCO
アルジェリア
ALGERIA
リビア
LIBYA
リビア砂漠
アハガル高原
サハラ砂漠
Sahara
チャド
CHAD
西サハラ
WESTERN SAHARA
モーリタニア
MAURITANIA
ヌアクショット
マリ
MALI
ニジェール
NIGER
シダーデ・ヴェリャ, リベイラグランデの歴史地区
カーボベルデ
CABO VERDE
プライア
ヴェルデ岬諸島
ダカール
DAKAR
セネガル
SENEGAL
バマコ
BAMAKO
ナイジェリア
NIGERIA
アブジャ
ABUJA
ニアメ
ギニア
GUINEA
ギニアビサウ
GUINEA-BISSAU
コナクリ
CONAKRY
モンロビア
MONROVIA
リベリア
LIBERIA
コートジボワール
ヤムスクロ
アビジャン
ABIDJAN
ガーナ
GHANA
アクラ
ACCRA
ラゴス
LAGOS
カメルーン
CAMEROON
ヤウンデ
YAOUNDÉ
ギニア湾
リーブルビル
ガボン
GABON
カビンダ
(アンゴラ)
アセンション島〔イ〕
セントヘレナ島
〔イ〕
オレンジ川
南アフリカ共和国
REPUBLIC OF SOUTH AFRICA
ケープタウン
CAPE TOWN
喜望峰
トリスタンダクーニャ諸島〔イ〕
インアクセシブル島〔イ〕
ゴフ島及びインアクセシブル島
ゴフ島〔イ〕
この図の範囲
陸高と水深(m)
4000
2000
200
海面下
200
2000
4000
8000

0　　　　500　　　　1000km

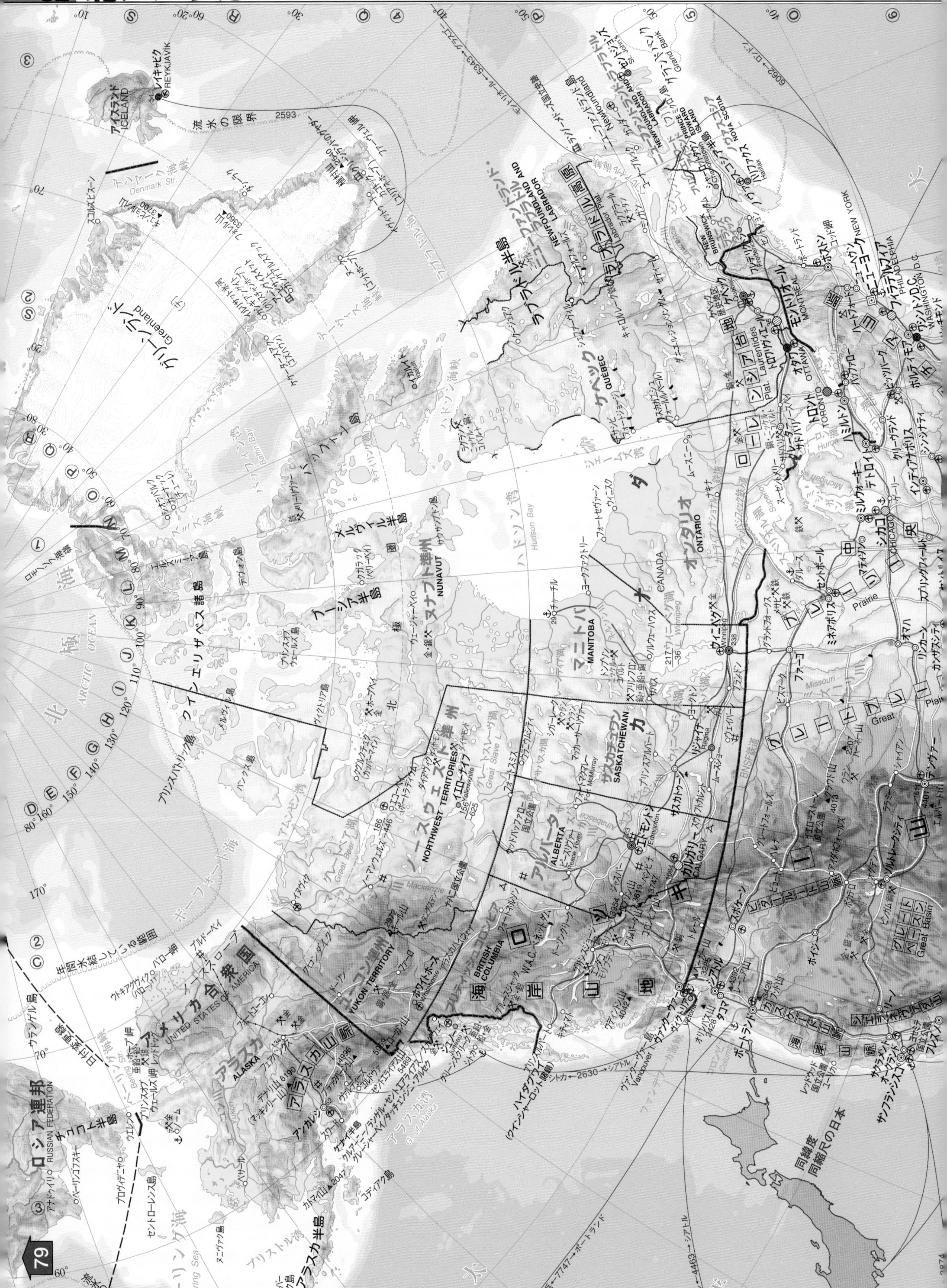

アイスランド
ICELAND
レイキャビク
REYKJAVIK

流氷の限界

グリーンランド
Greenland

バフィン湾
Baffin Bay

ハドソン湾
Hudson Bay

ラブラドル半島
LABRADOR

ニューファンドランド
NEWFOUNDLAND

ケベック
QUEBEC

オンタリオ
ONTARIO

モントリオール
MONTREAL

オタワ
OTTAWA

トロント
TORONTO

ニューヨーク
NEW YORK

ワシントン
WASHINGTON D.C.

フィラデルフィア
PHILADELPHIA

ヌナブト準州
NUNAVUT

ノースウエスト準州
NORTHWEST TERRITORIES

マニトバ
MANITOBA

サスカチュワン
SASKATCHEWAN

カナダ
CANADA

アルバータ
ALBERTA

イエローナイフ
Yellowknife

ウィニペグ
Winnipeg

レジャイナ
Regina

エドモントン
Edmonton

カルガリー
CALGARY

ブリティッシュコロンビア
BRITISH COLUMBIA

ユーコン準州
YUKON TERRITORY

シカゴ
CHICAGO

ミシガン湖
Michigan

アメリカ合衆国
UNITED STATES OF AMERICA

アラスカ
ALASKA

ロシア連邦
RUSSIAN FEDERATION

ベーリング海
Bering Sea

アラスカ湾
G. of Alaska

PACIFIC　OCEAN

北極海
ARCTIC OCEAN

Mackenzie

Missouri

79

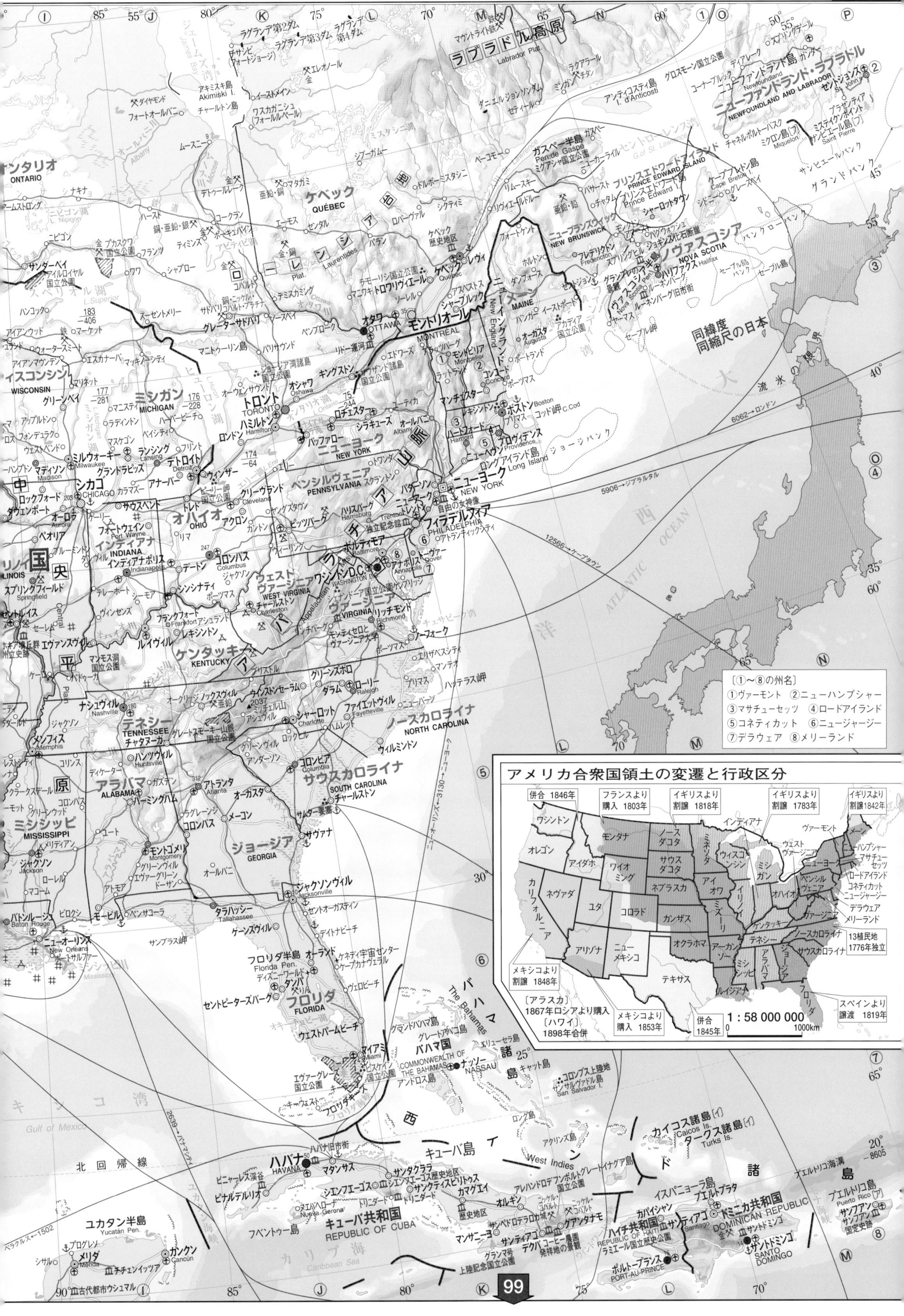
ラブラドル高原
Labrador Plat.
ケベック
QUÉBEC
ロレンシア台地
Laurentides Plat.
オンタリオ
ONTARIO
ニューファンドランド・ラブラドル
NEWFOUNDLAND AND LABRADOR
ニューファンドランド島
Newfoundland
セントジョンズ
St. John's
ミクロン島〔フ〕
Miquelon
サンピエール島〔フ〕
Saint Pierre
グランドバンク
アンティコスティ島
I. d'Anticosti
ガスペー半島
Pen. de Gaspe
セントローレンス湾
G. of St. Lawrence
プリンスエドワードアイランド
PRINCE EDWARD ISLAND
プリンスエドワード島
Prince Edward I.
シャーロットタウン
ケープブレトン島
Cape Breton I.
ノヴァスコシア
NOVA SCOTIA
ノヴァスコシア半島
Nova Scotia Pen.
ハリファクス
Halifax
ニューブランズウィック
NEW BRUNSWICK
フレデリクトン
Fredericton
セーブル島
セーブル岬
バンクロー・バンク
同緯度同縮尺の日本
流氷の限界
メーン
MAINE
ニューイングランド
New England
モントリオール
MONTREAL
ケベック
Quebec
オタワ
OTTAWA
トロント
TORONTO
ハミルトン
Hamilton
オシャワ
Oshawa
キングストン
スペリオル湖
L. Superior
サンダーベイ
ヒューロン湖
L. Huron
ミシガン湖
L. Michigan
オンタリオ湖
L. Ontario
エリー湖
L. Erie
ジェームズ湾
James Bay
アキミスキ島
Akimiski I.
ウィスコンシン
WISCONSIN
ミシガン
MICHIGAN
ミルウォーキー
Milwaukee
マディソン
Madison
シカゴ
CHICAGO
デトロイト
Detroit
グランドラピッズ
ランシング
Lansing
ウィンザー
アナーバー
ボストン
Boston
コッド岬
C.Cod
ジョージバンク
プロヴィデンス
Providence
ハートフォード
Hartford
ニューヘヴン
ロングアイランド島
Long Island
ニューヨーク
NEW YORK
自由の女神像
ニューアーク
トレントン
Trenton
フィラデルフィア
PHILADELPHIA
アトランティックシティ
ニューヨーク
NEW YORK
バッファロー
ロチェスター
シラキューズ
オールバニー
Albany
ペンシルヴェニア
PENNSYLVANIA
ピッツバーグ
ハリスバーグ
Harrisburg
スクラントン
オハイオ
OHIO
クリーヴランド
Cleveland
コロンバス
Columbus
シンシナティ
アクロン
トレド
デートン
インディアナ
INDIANA
インディアナポリス
Indianapolis
フォートウェイン
Fort Wayne
サウスベンド
イリノイ
ILLINOIS
スプリングフィールド
Springfield
ペオリア
ロックフォード
ダヴェンポート
オーロラ
Aurora
セントルイス
ウェストヴァージニア
WEST VIRGINIA
チャールストン
Charleston
ヴァージニア
VIRGINIA
リッチモンド
Richmond
ノーフォーク
ボルティモア
Baltimore
ワシントンD.C.
WASHINGTON D.C.
アナポリス
Annapolis
ドーヴァー
Dover
チェサピーク湾
アパラチア山脈
Appalachian Mts.
ケンタッキー
KENTUCKY
ルイヴィル
レキシントン
フランクフォート
Frankfort
マンモス洞国立公園
テネシー
TENNESSEE
ナシュヴィル
Nashville
メンフィス
Memphis
チャタヌーガ
ノックスヴィル
グレートスモーキー山脈国立公園
ミッチェル山
ノースカロライナ
NORTH CAROLINA
ローリー
Raleigh
シャーロット
Charlotte
グリーンズボロ
ウィンストンセーラム
ダラム
ファイエットヴィル
Fayetteville
ウィルミントン
ハッテラス岬
サウスカロライナ
SOUTH CAROLINA
コロンビア
Columbia
チャールストン
サムター要塞
ジョージア
GEORGIA
アトランタ
Atlanta
オーガスタ
メーコン
サヴァナ
コロンバス
アラバマ
ALABAMA
バーミングハム
ハンツヴィル
Huntsville
モントゴメリ
Montgomery
モービル
ミシシッピ
MISSISSIPPI
ジャクソン
Jackson
バトンルージュ
Baton Rouge
ニューオーリンズ
New Orleans
フロリダ
FLORIDA
フロリダ半島
Florida Pen.
ジャクソンヴィル
Jacksonville
タラハッシー
Tallahassee
ゲーンズヴィル
セントオーガスティン
デイトナビーチ
オーランド
ケネディ宇宙センター
ケープカナヴェラル
タンパ
セントピータースバーグ
ウェストパームビーチ
マイアミ
Miami
オキーチョビー湖
エヴァーグレーズ国立公園
キーウェスト
フロリダキーズ
中央平原
バハマ
The Bahamas
バハマ国
COMMONWEALTH OF THE BAHAMAS
ナッソー
NASSAU
グランドバハマ島
グレートアバコ島
アンドロス島
エリューセラ島
キャット島
コロンブス上陸地
サンサルヴァドル島
San Salvador I.
ロング島
アクリンズ島
カイコス諸島〔イ〕
Caicos Is.
タークス諸島〔イ〕
Turks Is.
西インド諸島
West Indies
キューバ島
ハバナ
HAVANA
ハバナ旧市街
マタンサス
ピニャーレス渓谷
ピナルデルリオ
サンタクララ
シエンフエーゴス
トリニダード
サンクティスピリトゥス
カマグエイ
オルギン
サンティアゴ
グアンタナモ
マンサニーヨ
フベントゥー島
キューバ共和国
REPUBLIC OF CUBA
イスパニョーラ島
ハイチ共和国
REPUBLIC OF HAITI
ポルトープランス
PORT-AU-PRINCE
ドミニカ共和国
DOMINICAN REPUBLIC
サントドミンゴ
SANTO DOMINGO
サンティアゴ
Santiago
プエルトプラタ
カパイシャン
プエルトリコ島
Puerto Rico〔ア〕
サンファン
プエルトリコ海溝
カリブ海
Caribbean Sea
メキシコ湾
Gulf of Mexico
北回帰線
ユカタン半島
Yucatán Pen.
メリダ
Mérida
カンクン
Cancún
チチェンイツァ
ウシュマル
プログレソ
大西洋
ATLANTIC OCEAN
5906→ジブラルタル
6062→ロンドン
12566→ケープタウン
2639→パナマシティ
3130→ニューオーリンズ—ニューヨーク
〔①～⑧の州名〕
①ヴァーモント ②ニューハンプシャー
③マサチューセッツ ④ロードアイランド
⑤コネティカット ⑥ニュージャージー
⑦デラウェア ⑧メリーランド
アメリカ合衆国領土の変遷と行政区分
併合 1846年
フランスより購入 1803年
イギリスより割譲 1818年
イギリスより割譲 1783年
イギリスより割譲1842年
メキシコより割譲 1848年
〔アラスカ〕1867年ロシアより購入
〔ハワイ〕1898年合併
メキシコより購入 1853年
併合 1845年
スペインより譲渡 1819年
13植民地 1776年独立
1 : 58 000 000
ワシントン
オレゴン
カリフォルニア
アイダホ
ネヴァダ
モンタナ
ワイオミング
ユタ
アリゾナ
コロラド
ニューメキシコ
ノースダコタ
サウスダコタ
ネブラスカ
カンザス
オクラホマ
テキサス
ミネソタ
アイオワ
ミズーリ
アーカンソー
ルイジアナ
ウィスコンシン
イリノイ
ミシガン
インディアナ
オハイオ
ケンタッキー
テネシー
ミシシッピ
アラバマ
ジョージア
フロリダ
サウスカロライナ
ノースカロライナ
ヴァージニア
ウェストヴァージニア
ペンシルヴェニア
ニューヨーク
ヴァーモント
メーン
ニューハンプシャー
マサチューセッツ
ロードアイランド
コネティカット
ニュージャージー
デラウェア
メリーランド

99

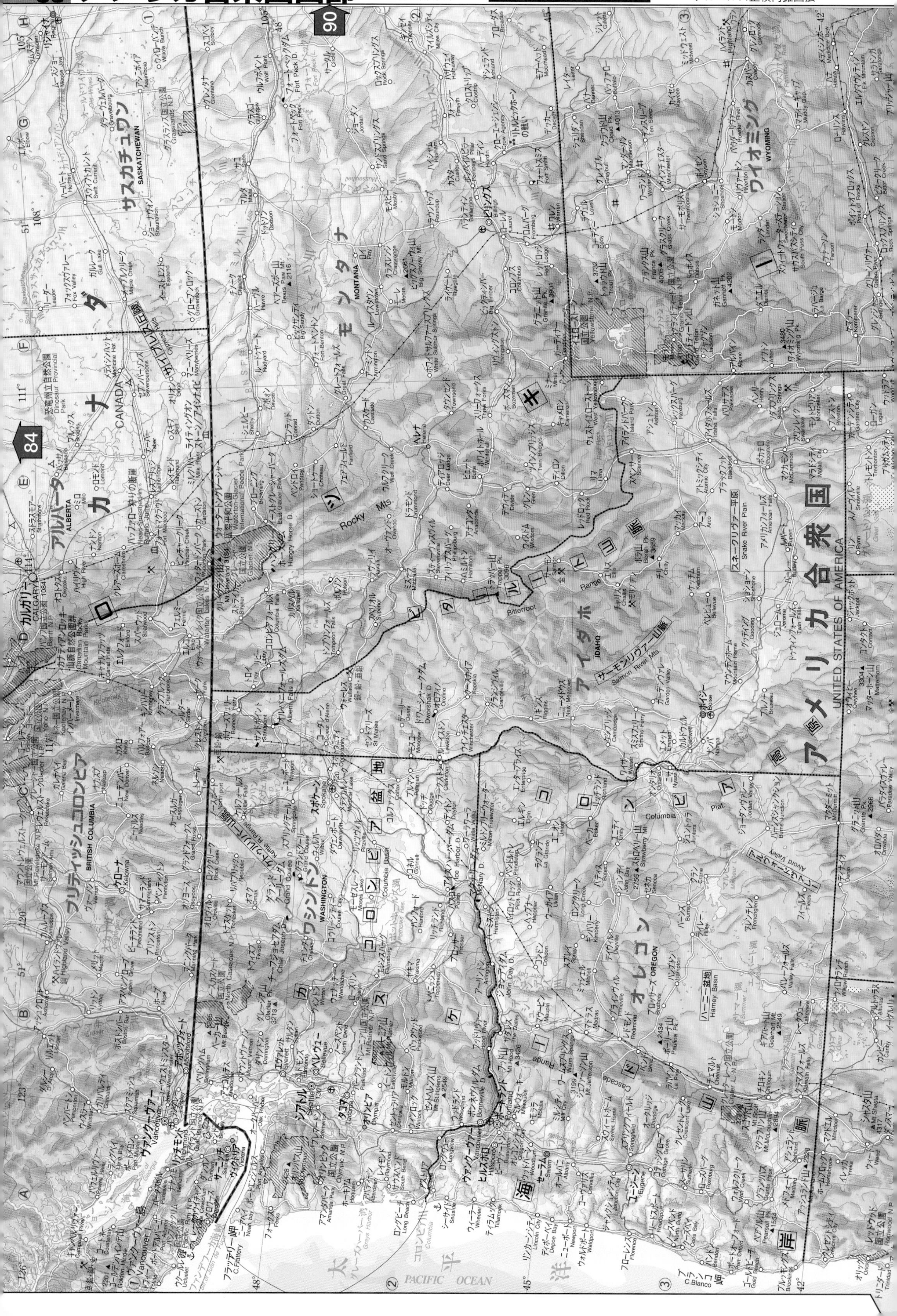

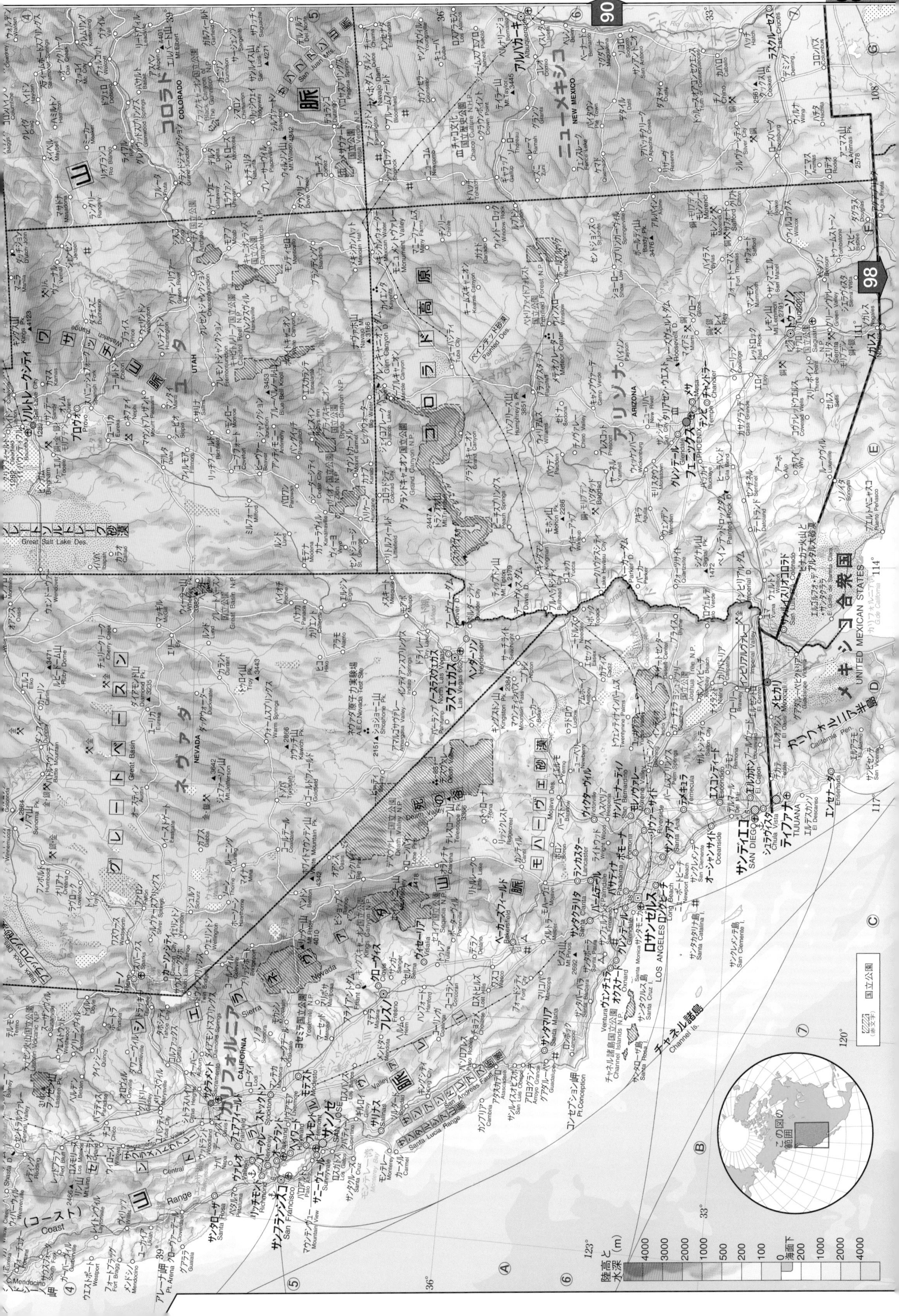
90
98
ネヴァダ
NEVADA
ユタ
UTAH
コロラド
COLORADO
アリゾナ
ARIZONA
ニューメキシコ
NEW MEXICO
カリフォルニア
CALIFORNIA
メキシコ合衆国
UNITED MEXICAN STATES
グレートベースン
Great Basin
グレートソルトレーク砂漠
Great Salt Lake Des.
コロラド高原
モハーヴェ砂漠
Mojave Des.
死の谷
Death Valley
シエラネヴァダ山脈
コースト山脈
Coast Range
サンアンドレアス断層
San Andreas Fault
ワサッチ山脈
Wasatch Range
ロッキー山脈
サンファン山脈
San Juan Mts.
カリフォルニア半島
California Pen.
チャネル諸島
Channel Is.
ペインテッド砂漠
Painted Des.
ブラックロック砂漠
Black Rock Des.
サンフランシスコ
San Francisco
オークランド
Oakland
サンノゼ
SAN JOSE
サクラメント
Sacramento
フレズノ
Fresno
ベーカーズフィールド
Bakersfield
ロサンゼルス
LOS ANGELES
ロングビーチ
Long Beach
サンディエゴ
SAN DIEGO
ティファナ
TIJUANA
メヒカリ
Mexicali
エンセナーダ
Ensenada
ラスヴェガス
Las Vegas
フェニックス
PHOENIX
トゥーソン
Tucson
ソルトレークシティ
Salt Lake City
アルバカーキ
Albuquerque
ラスクルーセス
Las Cruces
グランドキャニオン国立公園
Grand Canyon N.P.
ヨセミテ国立公園
Yosemite N.P.
ネヴァダ原子力実験場
A.E.C.Nevada Test Site
コンセプション岬
Pt.Conception
アレーナ岬
Pt. Arena
国立公園
この図の範囲
陸高と水深（m）
4000
3000
2000
1000
500
200
100
0
海面下
200
1000
2000
4000
123°
120°
117°
114°
111°
108°
39°
36°
33°
A
B
C
D
E
F
G
4
5
6
7

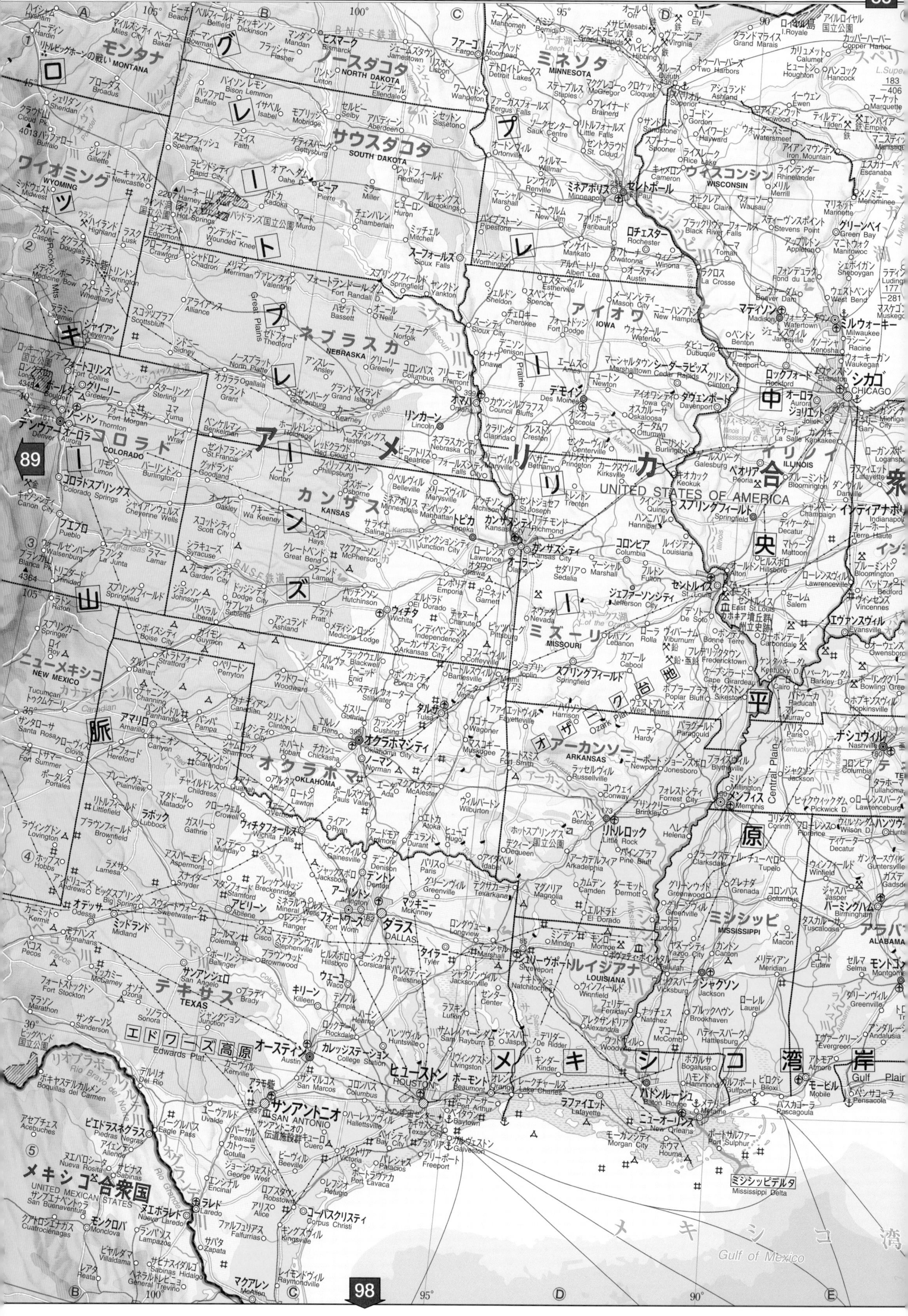

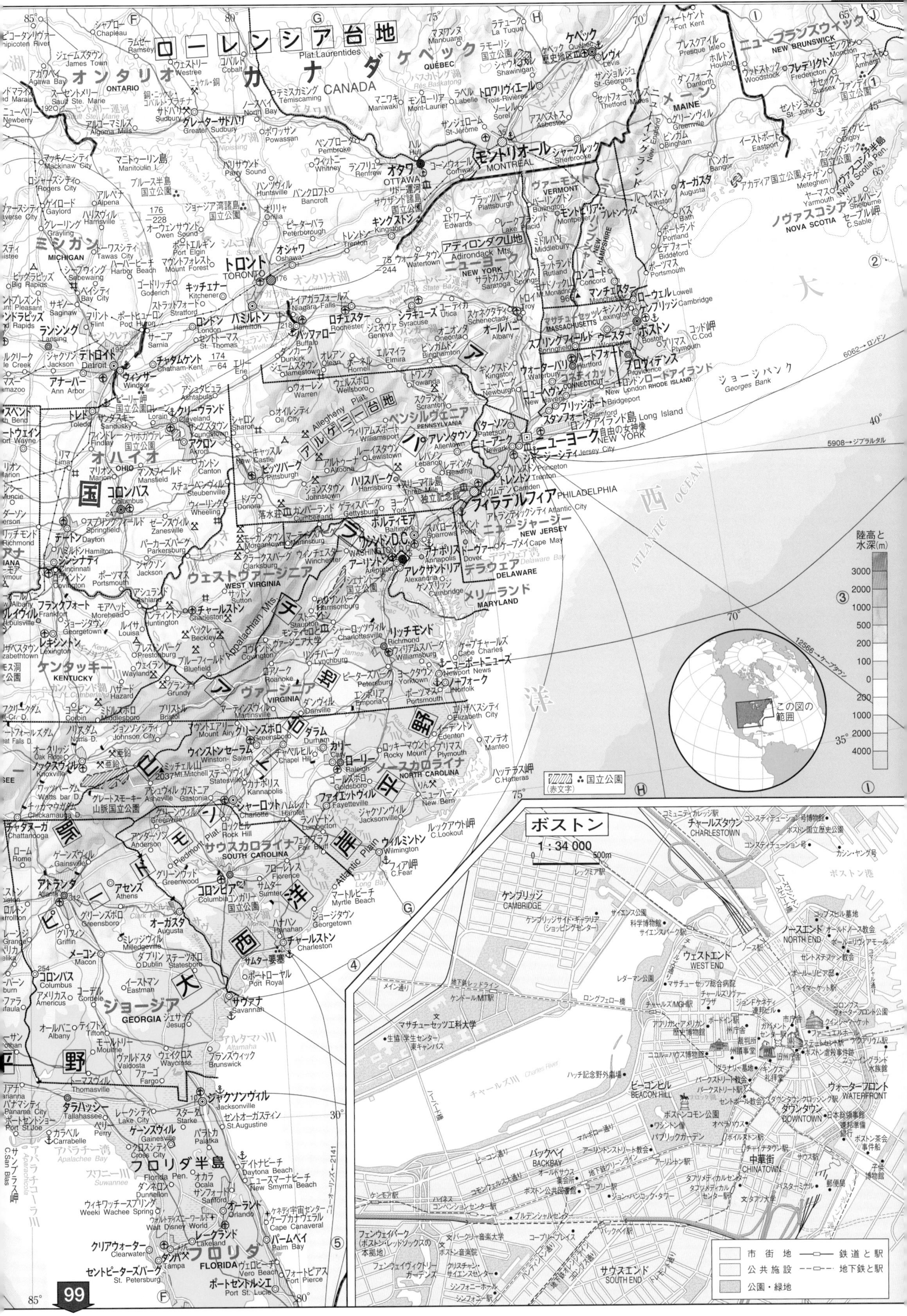

ローレンシア台地 Plat.Laurentides

カ ナ ダ ケベック
CANADA QUÉBEC

オンタリオ ONTARIO

ニュー ブランスウィック NEW BRUNSWICK

メーン MAINE

ノヴァスコシア NOVA SCOTIA

オタワ OTTAWA
モントリオール MONTREAL
ケベック QUÉBEC

ミシガン MICHIGAN

デトロイト Detroit

トロント TORONTO

バーモント VERMONT

ニューハンプシャー NEW HAMPSHIRE

マサチューセッツ MASSACHUSETTS
ボストン Boston

アディロンダック山地 Adirondack Mts.

ニューヨーク NEW YORK

オハイオ OHIO
コロンバス Columbus

ペンシルヴェニア PENNSYLVANIA

アルゲーニー台地 Allegheny Plat.

アパラチア山脈 Appalachian Mts.

コネティカット CONNECTICUT

ロードアイランド RHODE ISLAND

ニューヨーク NEW YORK

ニュー ジャージー NEW JERSEY

フィラデルフィア PHILADELPHIA

ワシントンD.C. WASHINGTON D.C.

ウェストヴァージニア WEST VIRGINIA

ヴァージニア VIRGINIA

デラウェア DELAWARE

メリーランド MARYLAND

ケンタッキー KENTUCKY

ノースカロライナ NORTH CAROLINA

サウスカロライナ SOUTH CAROLINA

大 西 洋 ATLANTIC OCEAN

ジョージア GEORGIA

フロリダ半島 Florida Pen.

フロリダ FLORIDA

Georges Bank ジョージ バンク

陸高と水深(m)
3000
2000
1000
500
200
0
200
1000
2000
4000

国立公園
(赤文字)

この図の範囲

ボストン
1:34 000
0 500m

ケンブリッジ CAMBRIDGE

チャールズタウン CHARLESTOWN

マサチューセッツ工科大学

チャールズ川 Charles River

ノースエンド NORTH END

ウェストエンド WEST END

バックベイ BACKBAY

ビーコンヒル BEACON HILL

ダウンタウン DOWNTOWN

ウォーターフロント WATERFRONT

チャイナタウン CHINATOWN

サウスエンド SOUTH END

市街地　鉄道と駅
公共施設　地下鉄と駅
公園・緑地

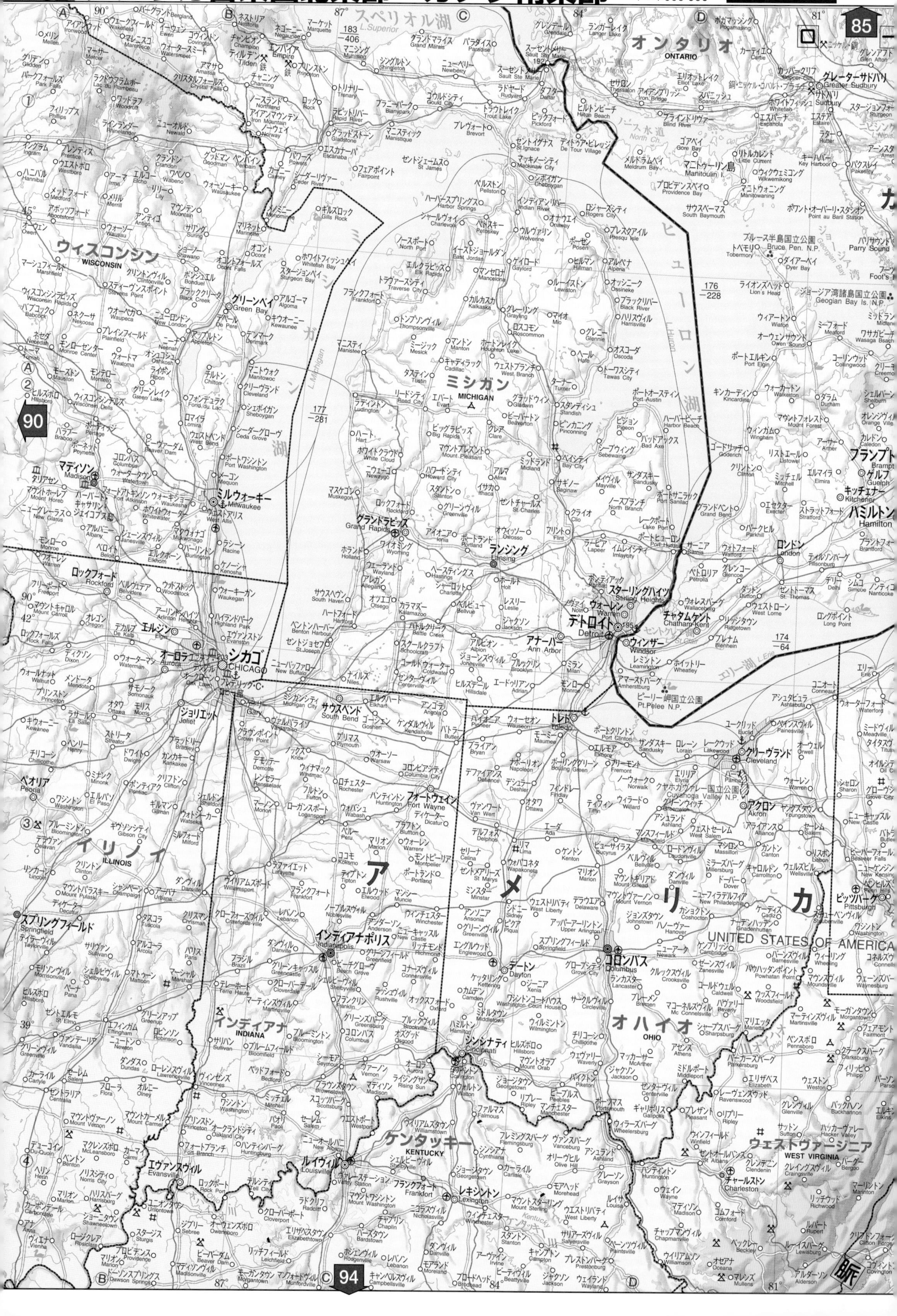
1：4 000 000
0 50 100km
85
90
94
スペリオル湖
L.Superior
オンタリオ
ONTARIO
ウィスコンシン
WISCONSIN
ミシガン
MICHIGAN
ミシガン湖
L. Michigan
ヒューロン湖
L. Huron
エリー湖
L. Erie
イリノイ
ILLINOIS
インディアナ
INDIANA
オハイオ
OHIO
ケンタッキー
KENTUCKY
ウェストヴァージニア
WEST VIRGINIA
アメリカ
UNITED STATES OF AMERICA
シカゴ
CHICAGO
ミルウォーキー
Milwaukee
グリーンベイ
Green Bay
マディソン
Madison
ロックフォード
Rockford
ジョリエット
Joliet
ペオリア
Peoria
スプリングフィールド
Springfield
グランドラピッズ
Grand Rapids
ランシング
Lansing
デトロイト
Detroit
ウィンザー
Windsor
スターリングハイツ
Sterling Heights
アナーバー
Ann Arbor
トレド
Toledo
サウスベンド
South Bend
フォートウェイン
Fort Wayne
インディアナポリス
Indianapolis
クリーヴランド
Cleveland
アクロン
Akron
コロンバス
Columbus
デートン
Dayton
シンシナティ
Cincinnati
ルイヴィル
Louisville
レキシントン
Lexington
フランクフォート
Frankfort
エヴァンズヴィル
Evansville
ピッツバーグ
Pittsburgh
チャールストン
Charleston
ロンドン
London
ハミルトン
Hamilton
キッチェナー
Kitchener
ブラントフォード
グレーターサドバリ
Greater Sudbury
ブルース半島国立公園
Bruce Pen. N.P.
ジョージア湾諸島国立公園
Geogian Bay Is. N.P.
ピーリー岬国立公園
Pt.Pelee N.P.
クヤホガヴァレー国立公園
Cuyahoga Valley N.P.

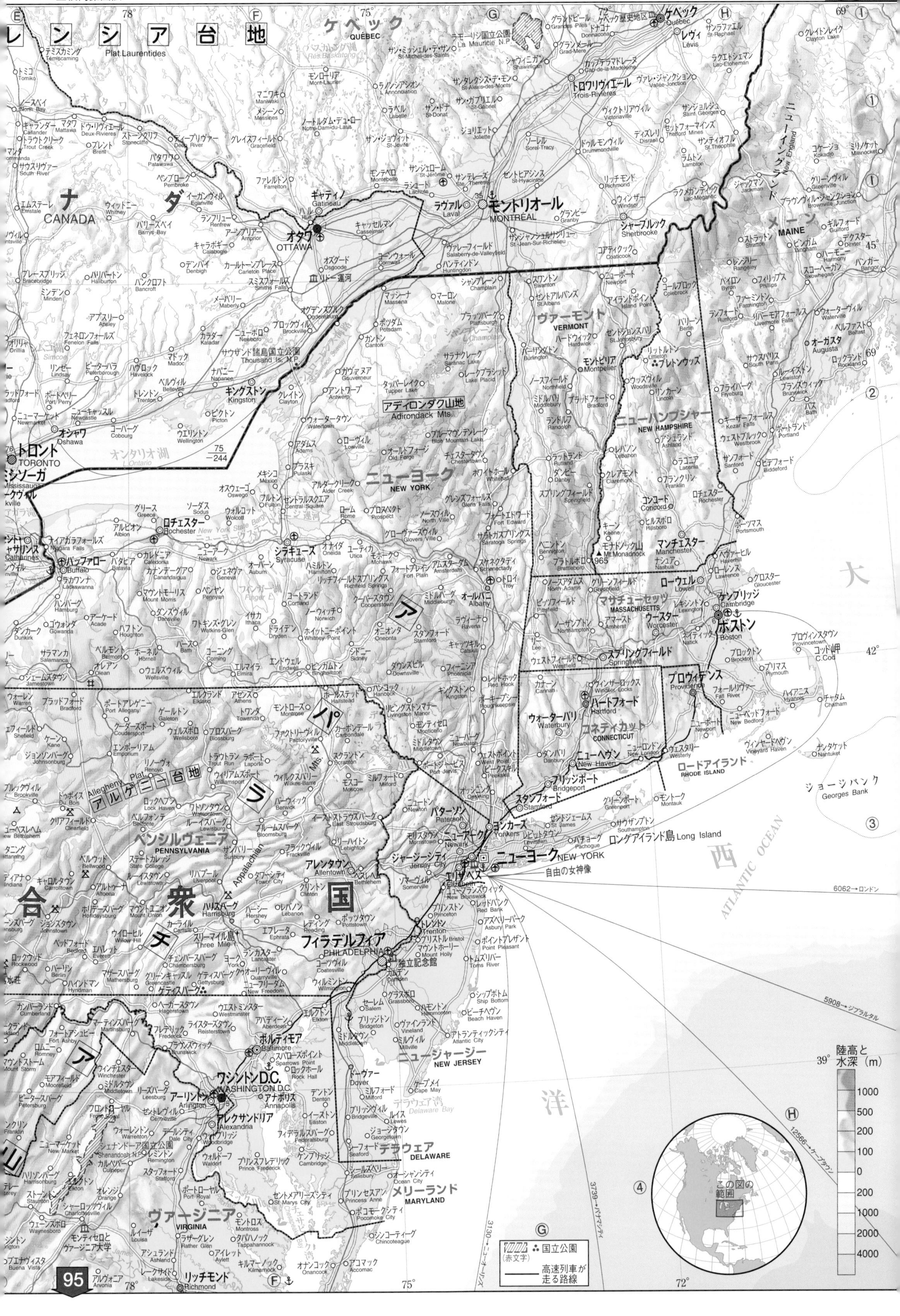

レンシア台地　Plat. Laurentides

ケベック QUÉBEC

ラ・モーリシ国立公園 La Mauricie N.P.

ケベック歴史地区　ケベック Québec

ナ　ダ CANADA

オタワ OTTAWA

ラヴァル Laval　モントリオール MONTREAL

シャーブルック Sherbrooke

メーン MAINE

ヴァーモント VERMONT

モントピリア Montpelier

ニューハンプシャー NEW HAMPSHIRE

オーガスタ Augusta

アディロンダク山地 Adirondack Mts.

ニューヨーク NEW YORK

トロント TORONTO

ミシソーガ Mississauga

オンタリオ湖 L. Ontario

ロチェスター Rochester

バッファロー Buffalo

シラキュース Syracuse

オールバニ Albany

モナドノック山 Mt Monadnock 965

マンチェスター Manchester

ナシュア Nashua

ローウェル Lowell

マサチューセッツ MASSACHUSETTS

ケンブリッジ Cambridge

ボストン Boston

スプリングフィールド Springfield

プロヴィデンス Providence

ハートフォード Hartford

ウォーターバリ Waterbury

コネティカット CONNECTICUT

ニューヘヴン New Haven

ロードアイランド RHODE ISLAND

コッド岬 C. Cod

ジョージバンク Georges Bank

アルゲニー台地 Allegheny Plat.

ペンシルヴェニア PENNSYLVANIA

ブリッジポート Bridgeport

スタンフォード Stamford

ヨンカーズ Yonkers

ニューアーク Newark

ニューヨーク NEW YORK

ロングアイランド島 Long Island

ジャージーシティ Jersey City

アレンタウン Allentown

エリザベス Elizabeth

自由の女神像

合衆国

ハリスバーグ Harrisburg

フィラデルフィア PHILADELPHIA

独立記念館

ニュージャージー NEW JERSEY

アトランティックシティ Atlantic City

ボルティモア Baltimore

ワシントンD.C. WASHINGTON D.C.

アーリントン Arlington

アナポリス Annapolis

アレクサンドリア Alexandria

デラウェア DELAWARE

ケープメイ Cape May

メリーランド MARYLAND

ヴァージニア VIRGINIA

リッチモンド Richmond

大

西

洋

ATLANTIC OCEAN

6062→ロンドン

5908→ジブラルタル

陸高と水深 (m)

1000
500
200
100
0
200
1000
2000
4000

国立公園（赤字）

高速列車が走る路線

この図の範囲

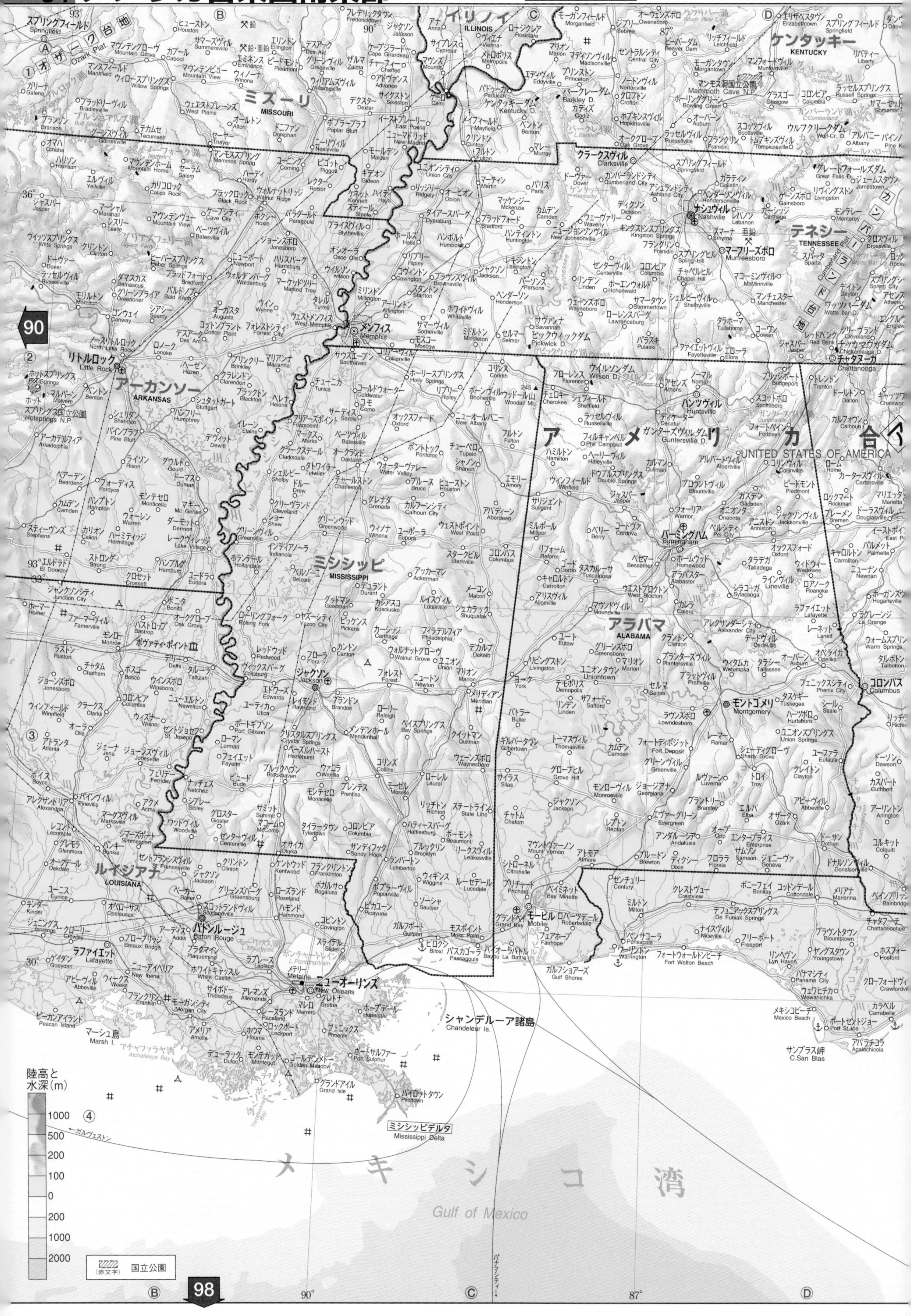

陸高と
水深(m)

国立公園
(赤文字)

メキシコ湾
Gulf of Mexico

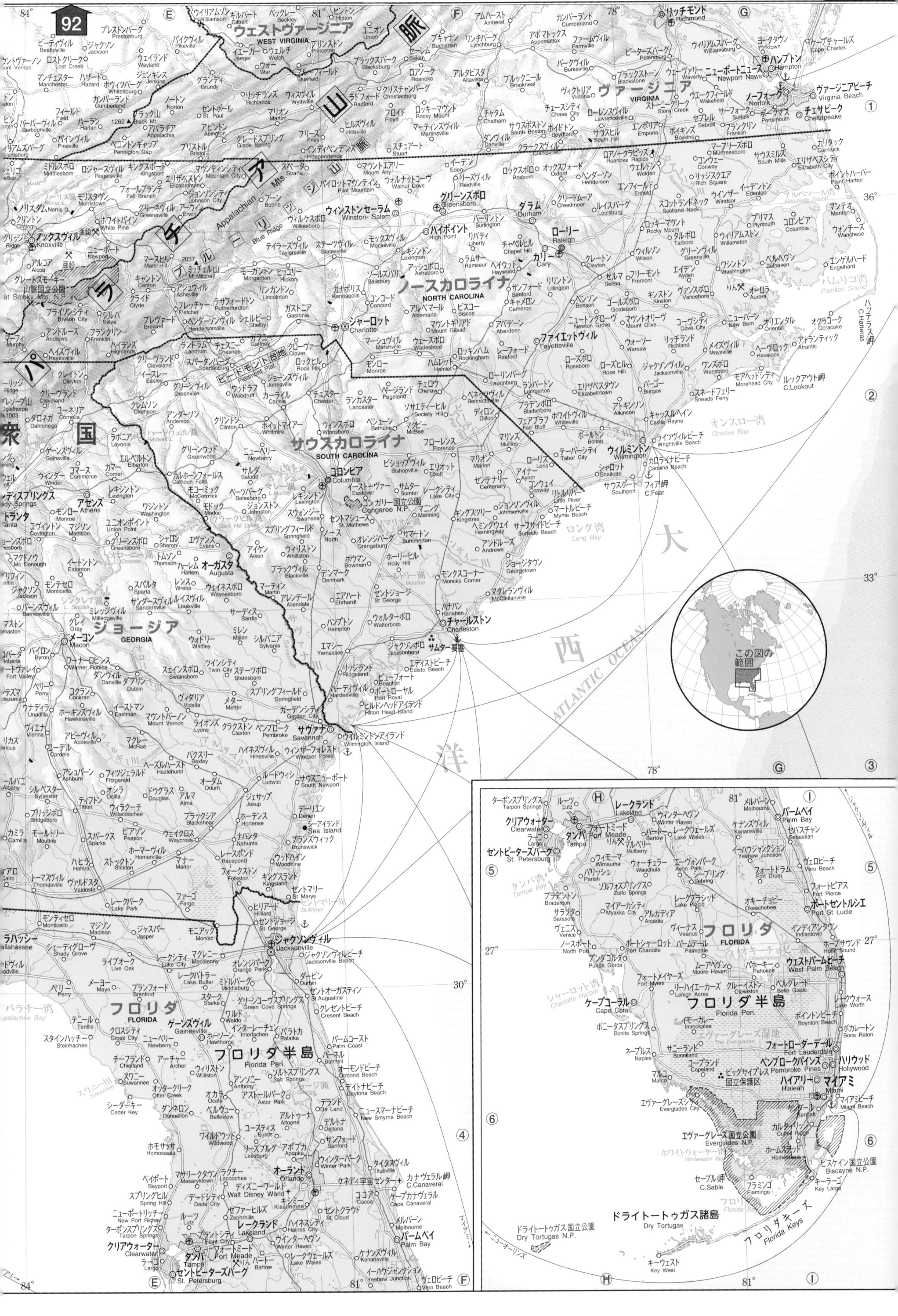
92
ウェストヴァージニア
WEST VIRGINIA
ヴァージニア
VIRGINIA
ノースカロライナ
NORTH CAROLINA
サウスカロライナ
SOUTH CAROLINA
ジョージア
GEORGIA
フロリダ
FLORIDA
フロリダ半島
Florida Pen.
アパラチア山脈
Appalachian Mts.
ブルーリッジ山脈
Blue Ridge
ピードモント台地
Piedmont Plat.
リッチモンド
Richmond
ハンプトン
Hampton
ニューポートニューズ
Newport News
ノーフォーク
Norfolk
ヴァージニアビーチ
Virginia Beach
チェサピーク
Chesapeake
グリーンズボロ
Greensboro
ウィンストンセーラム
Winston-Salem
ダラム
Durham
ローリー
Raleigh
ハイポイント
High Point
カリー
Cary
シャーロット
Charlotte
ファイエットヴィル
Fayetteville
ウィルミントン
Wilmington
アッシュヴィル
Asheville
ノックスヴィル
Knoxville
コロンビア
Columbia
チャールストン
Charleston
サムター要塞
アセンズ
Athens
オーガスタ
Augusta
メーコン
Macon
サヴァナ
Savannah
ジャクソンヴィル
Jacksonville
ゲーンズヴィル
Gainesville
オーランド
Orlando
レークランド
Lakeland
タンパ
Tampa
クリアウォーター
Clearwater
セントピーターズバーグ
St. Petersburg
パームベイ
Palm Bay
カナヴェラル岬
C.Canaveral
ケネディ宇宙センター
ポートセントルシエ
Port St. Lucie
ウェストパームビーチ
West Palm Beach
フォートローダーデール
Fort Lauderdale
ペンブロークパインズ
Pembroke Pines
ハリウッド
Hollywood
ハイアリー
Hialeah
マイアミ
Miami
ケープコーラル
Cape Coral
エヴァーグレーズ国立公園
Everglades N.P.
ビスケイン国立公園
Biscayne N.P.
ビッグサイプレス国立保護区
ドライトートゥガス諸島
Dry Tortugas
ドライトートゥガス国立公園
Dry Tortugas N.P.
キーウェスト
Key West
フロリダキーズ
Florida Keys
グレートスモーキー山脈国立公園
Great Smoky Mts. N.P.
コンガリー国立公園
Congaree N.P.
ハッテラス岬
C.Hatteras
ルックアウト岬
C.Lookout
フィア岬
C.Fear
セーブル岬
C.Sable
パムリコ湾
Pamlico Sound
オンスロー湾
Onslow Bay
ロング湾
Long Bay
アルベマール湾
Albemarle Sound
シャーロット湾
Charlotte Harbor
タンパ湾
Tampa Bay
オキーチョビー湖
エヴァーグレーズ湿地
The Everglades
大西洋
ATLANTIC OCEAN
この図の範囲
84°
81°
78°
36°
33°
30°
27°

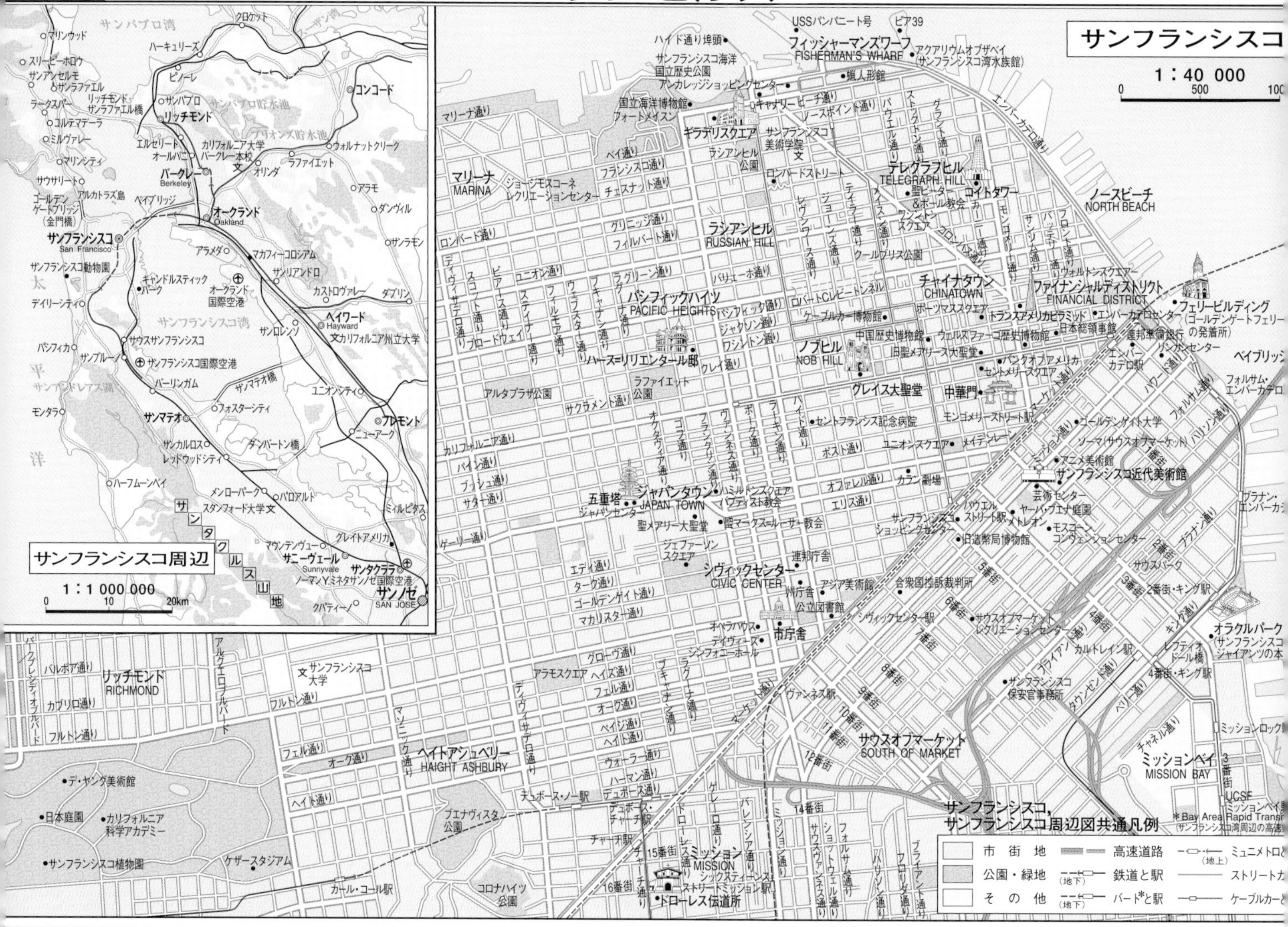

サンフランシスコ

1:40 000

0　500　100

サンフランシスコ周辺

1:1 000 000

0　10　20km

サンパブロ湾

ハーキュリーズ
スリーピーホロウ
サンアンセルモ
ラークスパー
ビノール
テラスパーク
リッチモンド
コルテマデラ
ミルバレー
サウサリート
ゴールデン
ゲートブリッジ
（金門橋）
サンフランシスコ
サンフランシスコ動物園
デイリーシティ
パシフィカ
パシフィカ
モンタラ
ハーフムーンベイ

クロケット
サンパブロ貯水池
サンパブロ
リッチモンド
アルバニー
オリンダ
バークレー
オークランド
アラメダ
マカフィー
国際空港
サンロレンゾ
ヘイワード
フォスターシティ
サンマテオ
サンカルロス
レッドウッドシティ
メンローパーク
パロアルト
マウンテンヴュー
サニーヴェール
サンタクララ
サンノゼ
SAN JOSE

コンコード
ウォルナットクリーク
ダンヴィル
サンラモン
ダブリン
フレモント
ニューアーク
ミルピタス
スタンフォード大学文
グレイトアメリカ

太　平　洋

サンフランシスコ湾
サンアンドレアス湾

サンフランシスコ、サンフランシスコ周辺図共通凡例

市街地	高速道路	ミュニメトロ
公園・緑地	鉄道と駅	ストリートカ
その他	バードと駅	ケーブルカー

FISHERMAN'S WHARF フィッシャーマンズワーフ
USSパンピート号　ピア39
アクアリウムオブザベイ
RUSSIAN HILL ラシアンヒル
PACIFIC HEIGHTS パシフィックハイツ
TELEGRAPH HILL テレグラフヒル
NORTH BEACH ノースビーチ
CHINATOWN チャイナタウン
NOB HILL ノブヒル
FINANCIAL DISTRICT ファイナンシャルディストリクト
JAPAN TOWN ジャパンタウン
ユニオンスクエア
CIVIC CENTER シヴィックセンター
市庁舎
SOUTH OF MARKET サウスオブマーケット
HAIGHT ASHBURY ヘイトアシュベリー
RICHMOND リッチモンド
デ・ヤング美術館
日本庭園
カリフォルニア科学アカデミー
サンフランシスコ植物園
MISSION ミッション
MISSION BAY ミッションベイ
UCSF

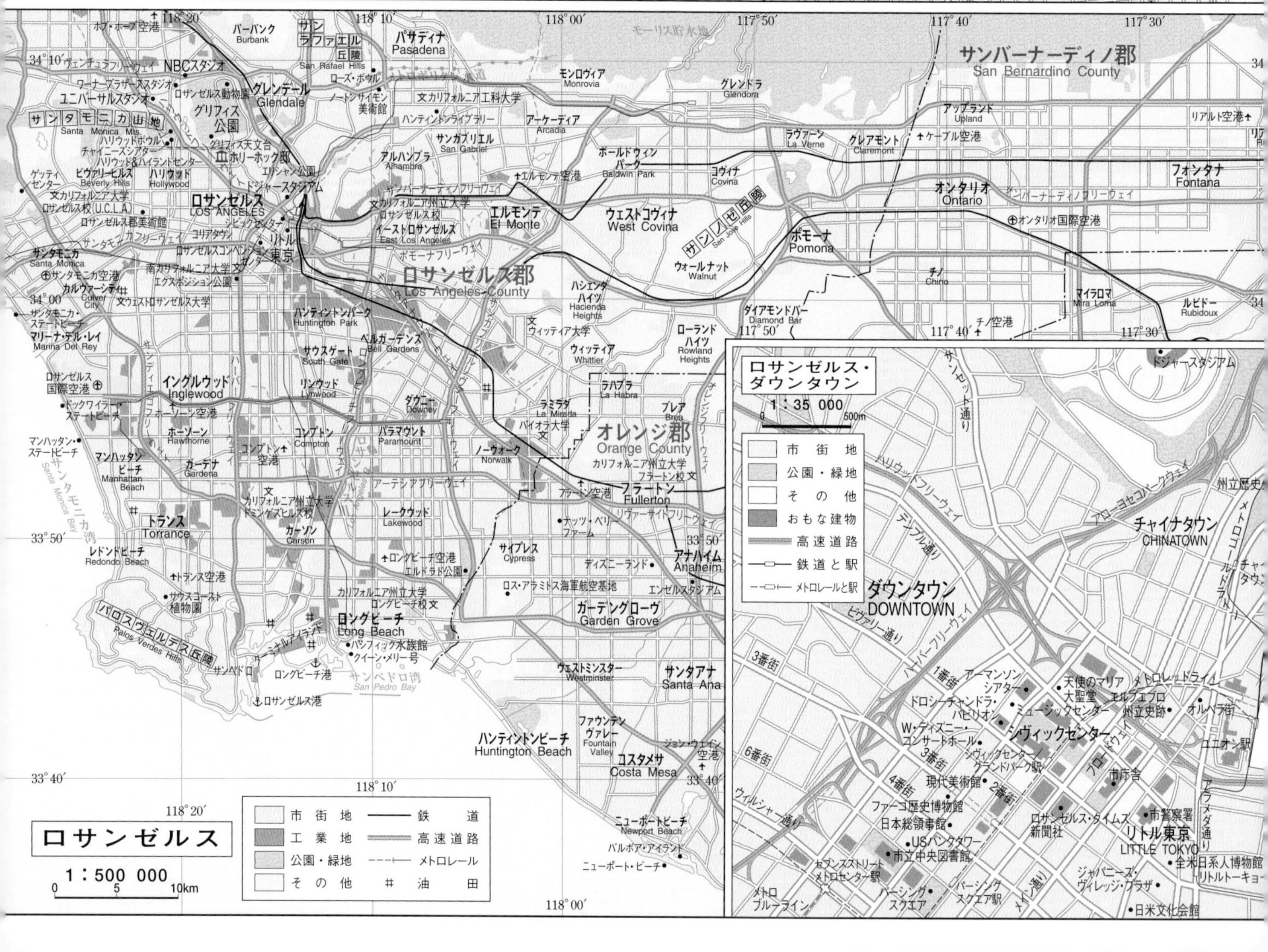

ロサンゼルス

1:500 000

0　5　10km

市街地	鉄道	
工業地	高速道路	
公園・緑地	メトロレール	
その他	油田	

バーバンク　Burbank
NBCスタジオ
パサデナ　Pasadena
サンラファエル丘陵　San Rafael Hills
ローズ・ボウル
文カリフォルニア工科大学
モンロビア　Monrovia
グレンドラ　Glendora
サンバーナーディノ郡　San Bernardino County
アップランド　Upland
リアルト空港

ワーナーブラザーズスタジオ
ユニバーサルスタジオ
グレンデール　Glendale
ロサンゼルス動物園
グリフィス公園
ノートンサイモン美術館
ハンティントンライブラリー
アーケーディア　Arcadia
ラヴァーン　La Verne
クレアモント　Claremont
ケーブル空港

サンタモニカ山地　Santa Monica Mts.
ハリウッド＆ハイランドセンター
チャイニーズシアター
ハリウッド　Hollywood
ホリーホック邸
サンガブリエル　San Gabriel
ボールドウィン
パーク　Baldwin Park
コヴィナ　Covina
オンタリオ　Ontario
フォンタナ　Fontana

ゲッティセンター
ビバリーヒルズ
文カリフォルニア大学ロサンゼルス校（U.C.L.A.）
ロサンゼルス　LOS ANGELES
リトル東京
エルモンテ空港
カリフォルニア州立大学
イーストロサンゼルス　East Los Angeles
エルモンテ　El Monte
ウェストコヴィナ　West Covina
ウォールナット　Walnut
ポモナ　Pomona
チノ　Chino
オンタリオ国際空港
ミラロマ　Mira Loma
ルビドー　Rubidoux

サンタモニカ　Santa Monica
サンタモニカ空港
カルバーシティ　Culver City
ロサンゼルス郡　Los Angeles County
ハシエンダハイツ　Hacienda Heights
ダイアモンドバー　Diamond Bar
ローランドハイツ　Rowland Heights

マリナ・デル・レイ　Marina Del Rey
ロサンゼルス国際空港　Inglewood　イングルウッド
リンウッド　Lynwood
ハンティントンパーク　Huntington Park
ベルガーデンズ　Bell Gardens
サウスゲート　South Gate
ウィッティア　Whittier
ブレア　Brea
オレンジ郡　Orange County

マンハッタン・ステートビーチ　Manhattan Beach
ホーソーン空港
ガーデナ　Gardena
コンプトン空港
コンプトン　Compton
パラマウント　Paramount
ダウニー　Downey
ノーウォーク　Norwalk
ラミラダ　La Mirada
ラハブラ　La Habra
フラートン　Fullerton
アナハイム　Anaheim
ディズニーランド
エンゼルスタジアム

トランス　Torrance
カーソン　Carson
レイクウッド　Lakewood
サイプレス　Cypress
ガーデングローヴ　Garden Grove
サンタアナ　Santa Ana

レドンドビーチ　Redondo Beach
トランス空港
ロングビーチ空港
エルドラド公園
ロングビーチ　Long Beach
パシフィック水族館
クイーン・メリー号
ハンティントンビーチ　Huntington Beach
ウェストミンスター　Westminster
ファウンテンヴァレー　Fountain Valley
コスタメサ　Costa Mesa

パロスヴェルデス丘陵　Palos Verdes Hills
サンペドロ湾　San Pedro Bay
ロサンゼルス港
ニューポートビーチ　Newport Beach
バルボア・アイランド
ニューポート・ビーチ

ロサンゼルス・ダウンタウン

1:35 000

0　500m

市街地	
公園・緑地	
その他	
おもな建物	
高速道路	
鉄道と駅	
メトロレールと駅	

CHINATOWN チャイナタウン
DOWNTOWN ダウンタウン
天使のマリア大聖堂
ドロシーチャンドラー
ミュージックセンター
コンサートホール
W・ディズニー
現代美術館
州立史跡
オルベラ街
シヴィックセンター
市庁舎
ファーゴ歴史博物館
日本総領事館
ロサンゼルス・タイムズ新聞社
LITTLE TOKYO リトル東京
全米日系人博物館
USバンクタワー
市立中央図書館
日米文化会館

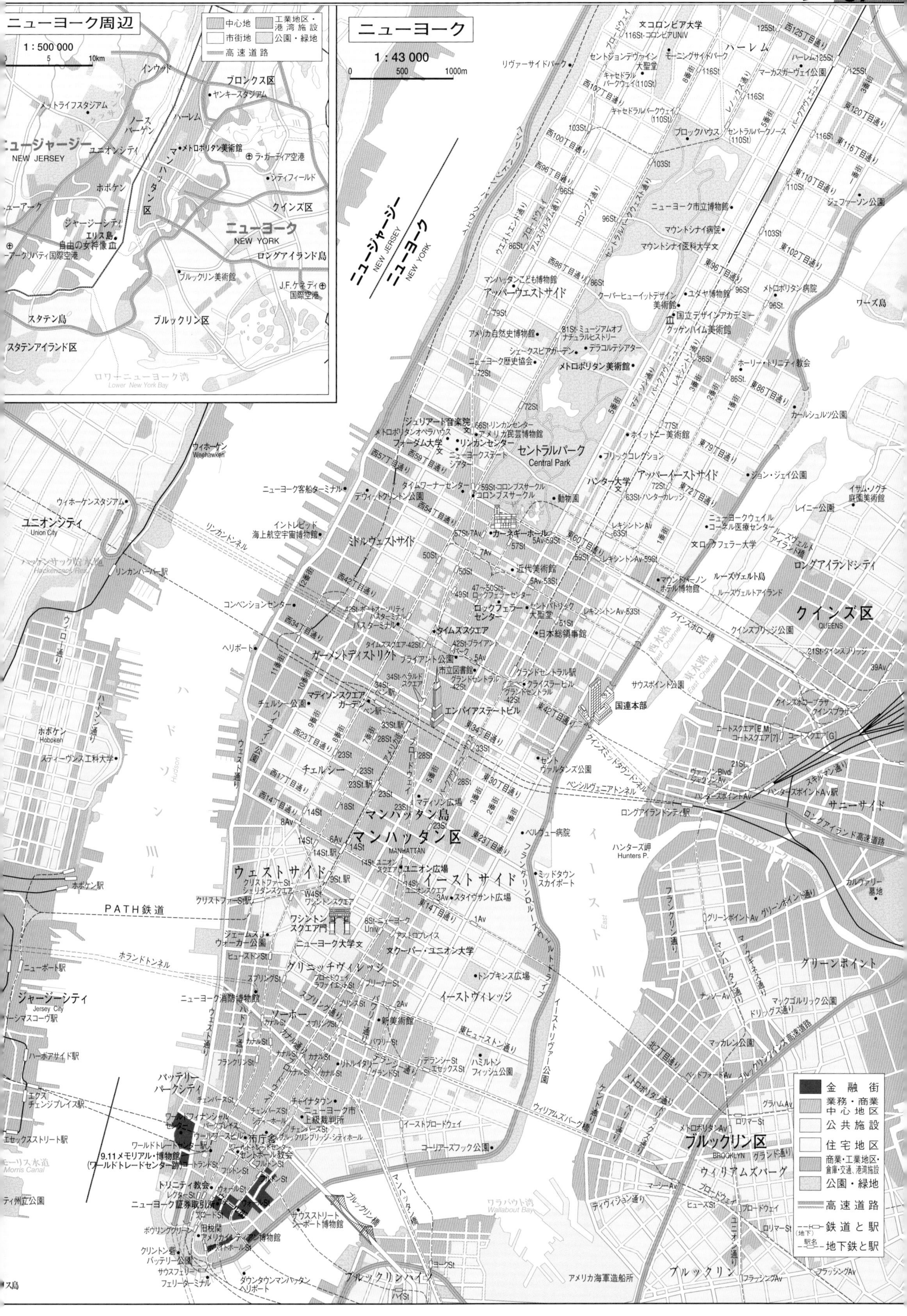

ニューヨーク周辺
1：500 000
0
5
10km
中心地
工業地区・港湾施設
市街地
公園・緑地
高速道路
インウッド
ブロンクス区
ヤンキースタジアム
メトライフスタジアム
ノースバーゲン
ハーレム
ニュージャージー
NEW JERSEY
ユニオンシティ
メトロポリタン美術館
マンハッタン区
ラ・ガーディア空港
シティフィールド
ホボケン
ニューアーク
クインズ区
ジャージーシティ
エリス島
自由の女神像
ニューヨーク
NEW YORK
ニューアークリバティ国際空港
ロングアイランド島
ブルックリン美術館
J.F.ケネディ国際空港
スタテン島
ブルックリン区
スタテンアイランド区
ロワーニューヨーク湾
Lower New York Bay
ニューヨーク
1：43 000
0
500
1000m
ニュージャージー
NEW JERSEY
ニューヨーク
NEW YORK
コロンビア大学
116St-コロンビアUNIV
125St
西125丁目通り
リヴァーサイドパーク
セントジョンデヴァイン大聖堂
モーニングサイドパーク
ハーレム
ハーレム-125St
キャセドラルパークウェイ(110St)
マーカスガーヴェイ公園
西110丁目通り
東120丁目通り
103St
ブロックハウス
セントラルパークノース(110St)
東116丁目通り
西100丁目通り
東110丁目通り
西96丁目通り
96St
ニューヨーク市立博物館
ジェファーソン公園
マウントシナイ病院
マウントシナイ医科大学
東102丁目通り
東96丁目通り
西86丁目通り
86St
マンハッタンこども博物館
アッパーウエストサイド
クーパーヒューイットデザイン美術館
ユダヤ博物館
メトロポリタン病院
国立デザインアカデミー
グッゲンハイム美術館
ワーズ島
79St
アメリカ自然史博物館
81St-ミュージアムオブナチュラルヒストリー
シェークスピアガーデン
デラコルテシアター
ニューヨーク歴史協会
メトロポリタン美術館
ホーリー・トリニティ教会
72St
東86丁目通り
カールシュルツ公園
ジュリアード音楽院
メトロポリタンオペラハウス
66St-リンカンセンター
アメリカ民芸博物館
フォーダム大学
リンカンセンター
ニューヨークステートシアター
セントラルパーク
Central Park
77St
ホイットニー美術館
東79丁目通り
ウィホーケン
Weehawken
西57丁目通り
西59丁目通り
フリックコレクション
アッパーイーストサイド
ハンター大学
ジョン・ジェイ公園
ニューヨーク客船ターミナル
タイムワーナーセンター
59St-コロンブスサークル
コロンブスサークル
63St-ハンターカレッジ
東72丁目通り
イサム・ノグチ庭園美術館
ウィホーケンスタジアム
デウィットクリントン公園
動物園
レイニー公園
ユニオンシティ
Union City
西54丁目通り
レキシントンAv-63St
ニューヨークウェイルコーネル医療センター
イントレピッド海上航空宇宙博物館
57St-7Av
カーネギーホール
ロックフェラー大学
ルーズヴェルトアイランド橋
リンカントンネル
ミドルウェストサイド
東60丁目通り
5Av-59St
レキシントンAv-59St
ロングアイランドシティ
50St
7Av
57St
近代美術館
マウントバーノンホテル博物館
ルーズヴェルト島
ルーズヴェルトアイランド
リンカンパーカー駅
西42丁目通り
49St
47~50St-ロックフェラーセンター
ロックフェラーセンター
5Av-53St
セントパトリック大聖堂
コンベンションセンター
42St-ポートオーソリティバスターミナル
バスターミナル
レキシントンAv-53St
51St
クイーンズボロ橋
クイーンズブリッジ公園
クインズ区
QUEENS
西34丁目通り
タイムズスクエア
日本総領事館
ヘリポート
タイムズスクエア-42St
42St-ブライアントパーク
ガーメントディストリクト
ブライアント公園
市立図書館
グランドセントラル
グランドセントラル駅
21St-クインズブリッジ
34St-ヘラルドスクエア
34St-ペン駅
クライスラービル
グランドセントラル-42St
サウスポイント公園
39Av
マディソンスクエアガーデン
ペン駅
エンパイアステートビル
国連本部
クインズボロープラザ
クインズプラザ
チェルシー公園
東42丁目通り
ホボケン
Hoboken
西23丁目通り
33St駅
東34丁目通り
コートスクエア[E.M]
コートスクエア[7]
コートスクエア[G]
28St
33St
ハイライン公園
クインズミッドタウントンネル
セントヴァルタンズ公園
スティーヴンス工科大学
チェルシー
23St
西17丁目通り
東30丁目通り
ヴァーノンBlvd-ジャクソンAv
ペンシルヴェニアトンネル
ハンターズポイントAv
ハンターズポイントAv駅
ロングアイランドシティ駅
サニーサイド
西14丁目通り
14St
18St
マディソン広場
マンハッタン島
ロングアイランド高速道路
8Av
マンハッタン区
MANHATTAN
東23丁目通り
ベルヴュー病院
ハンターズ岬
Hunters P.
14St-ユニオンスクエア
ユニオン広場
ウェストサイド
イーストサイド
ミッドタウンスカイポート
カルヴァリー墓地
ホボケン駅
クリストファーSt-シェリダンスクエア
W4St-ワシントンスクエア
3Av
スタイヴサント広場
PATH鉄道
東14丁目通り
1Av
ワシントンスクエア門
8St-ニューヨークUniv
アストロプレイス
グリーンポイントAv
ジェームスJ.ウォーカー公園
ニューヨーク大学
クーパー・ユニオン大学
ヒューストンSt
ホランドトンネル
グリーンポイント
ニューポート駅
グリニッチヴィレッジ
トンプキンス広場
スプリングSt
ジャージーシティ
Jersey City
イーストヴィレッジ
ニューヨーク消防博物館
マックゴルリック公園
ソーホー
新美術館
東ヒューストン通り
ハーボアサイド駅
マッカレン公園
ハミルトンフィッシュ公園
北7丁目通り
フランクリンSt
バッテリーパークシティ
イーストリヴァー公園
ベッドフォードAv
エクスチェンジプレイス駅
チャイナタウン
ニューヨーク市上級裁判所
ワールドフィナンシャルセンター
シティーホール
エセックスストリート駅
ワールドトレードセンター駅
市庁舎
ウィリアムズバーグ橋
ロリマーSt
9.11メモリアル・博物館
(ワールドトレードセンター跡)
セントポール教会
コーリアーズフック公園
ブルックリン区
BROOKLYN
グランド通り
モーリス運河
Morris Canal
トリニティ教会
ウィリアムズバーグ
ニューヨーク証券取引所
ウォール街
ワラバウト湾
Wallabout Bay
ディヴィジョン通り
ステイツ州立公園
ボウリンググリーン
旧税関
アメリカインディアン博物館
サウスストリートシーポート博物館
ブルックリン橋
マンハッタン橋
クリントン砦
バッテリー公園
サウスフェリー
フェリーターミナル
ダウンタウンマンハッタンヘリポート
ブルックリンハイツ
アメリカ海軍造船所
ブルックリン
フラッシングAv
金融街
業務・商業中心地区
公共施設
住宅地区
商業・工業地区・倉庫・交通、港湾施設
公園・緑地
高速道路
鉄道と駅
地下鉄と駅

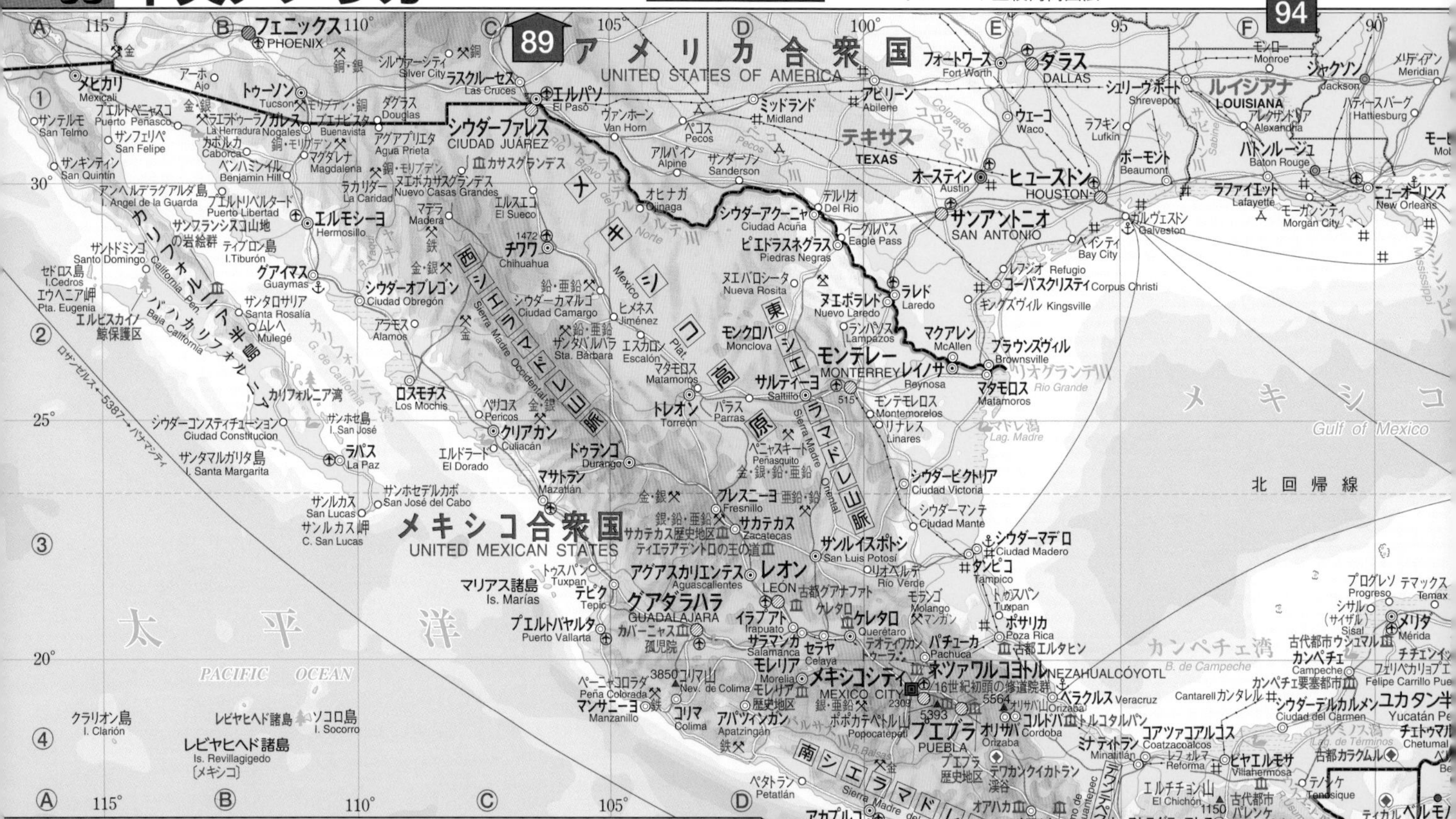

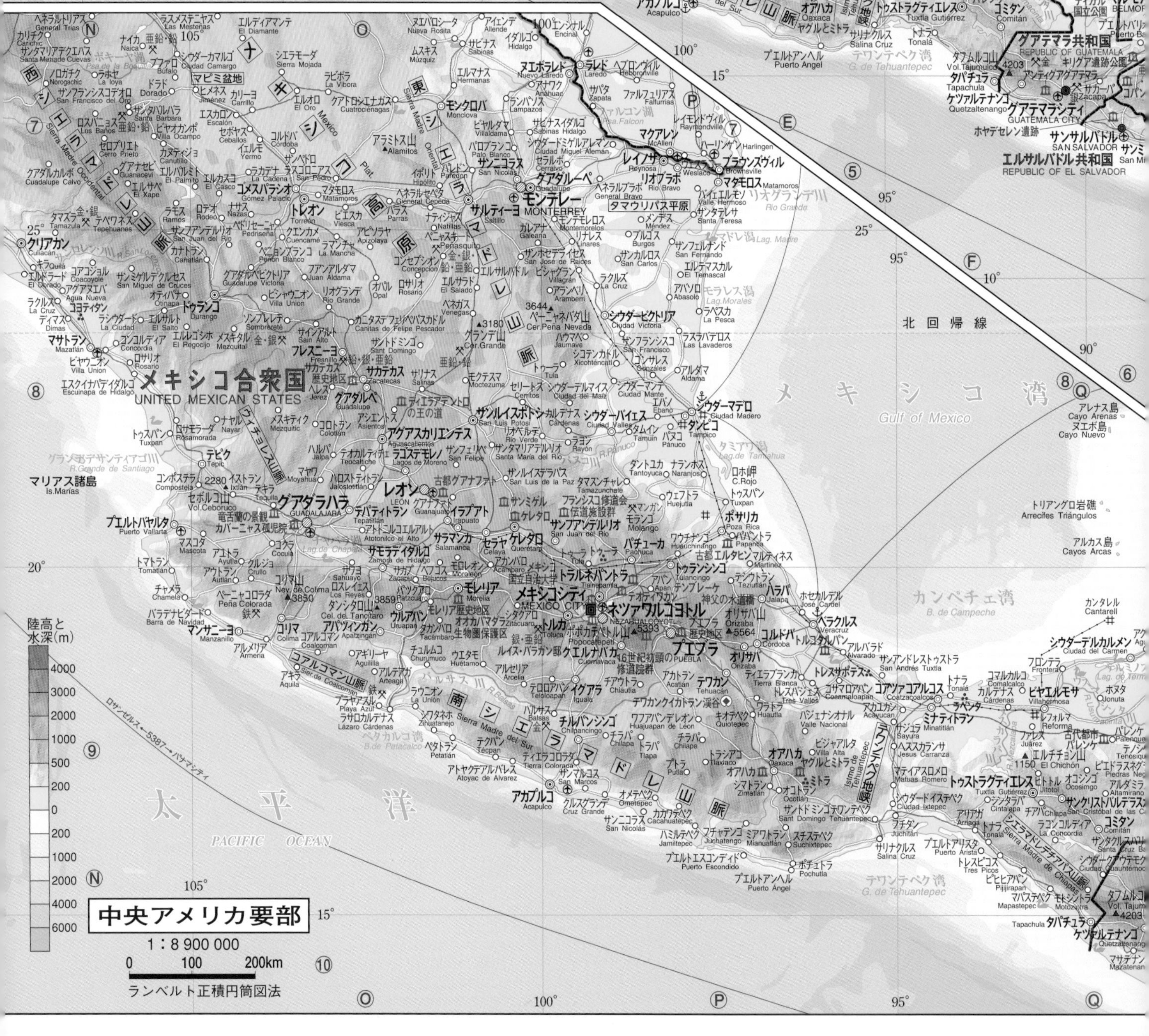

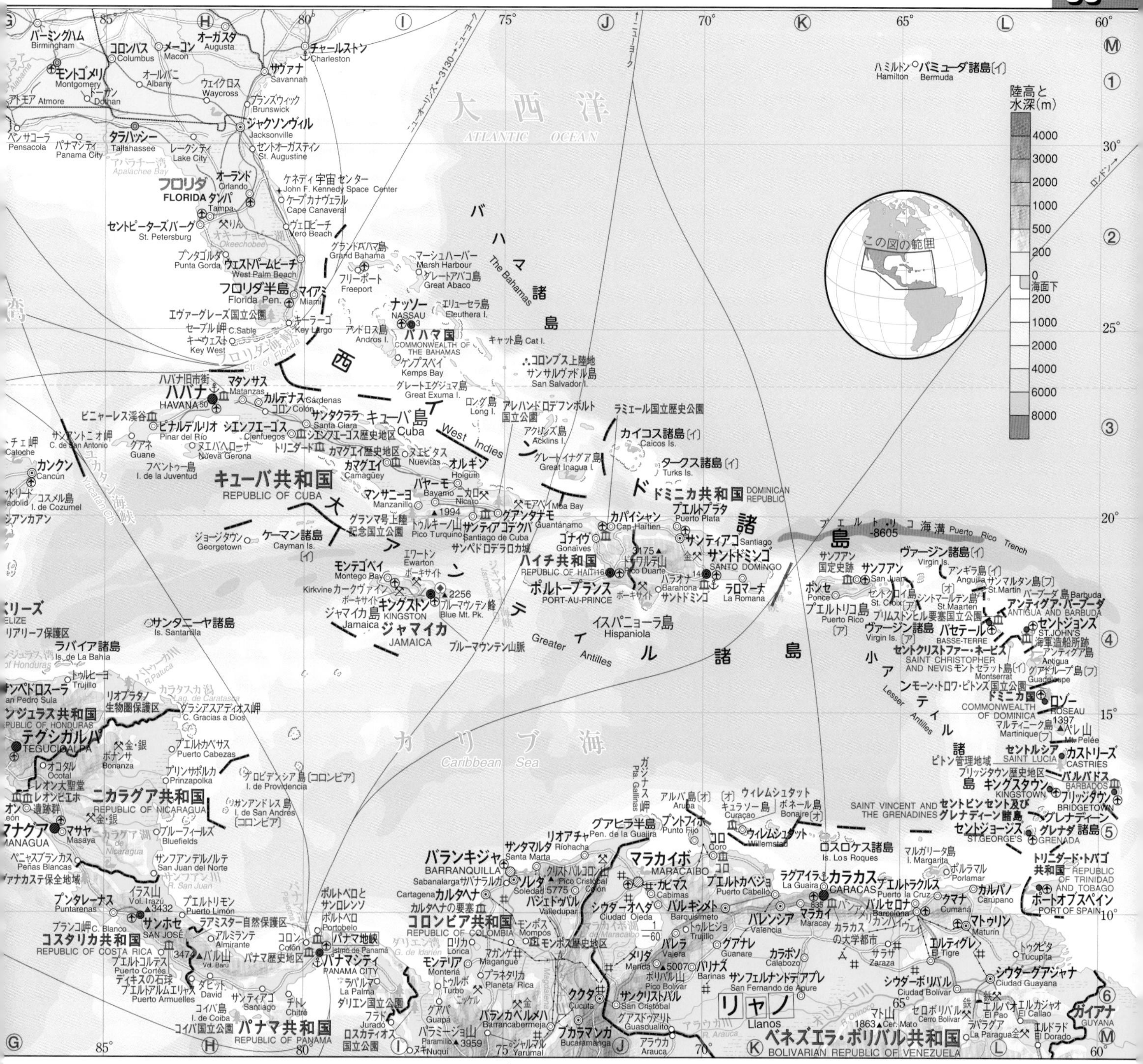

大西洋
ATLANTIC OCEAN
バハマ諸島
The Bahamas
西インド諸島
West Indies
大アンティル諸島
Greater Antilles
小アンティル諸島
Lesser Antilles
カリブ海
Caribbean Sea
陸高と水深(m)
4000
3000
2000
1000
500
200
0
海面下
200
1000
2000
4000
6000
8000
この図の範囲
バーミングハム Birmingham
コロンバス Columbus
メーコン Macon
オーガスタ Augusta
チャールストン Charleston
モントゴメリ Montgomery
サヴァナ Savannah
ジャクソンヴィル Jacksonville
タラハッシー Tallahassee
パナマシティ Panama City
ペンサコーラ Pensacola
セントオーガスティン St. Augustine
オーランド Orlando
フロリダ FLORIDA
タンパ Tampa
ケネディ宇宙センター John F. Kennedy Space Center
ケープカナヴェラル Cape Canaveral
セントピーターズバーグ St. Petersburg
ヴェロビーチ Vero Beach
プンタゴルダ Punta Gorda
ウェストパームビーチ West Palm Beach
フロリダ半島 Florida Pen.
マイアミ Miami
エヴァーグレーズ国立公園
キーラーゴ Key Largo
キーウェスト Key West
フロリダ海峡
グランドバハマ島 Grand Bahama
フリーポート Freeport
マーシュハーバー Marsh Harbour
グレートアバコ島 Great Abaco
ナッソー NASSAU
エリューセラ島 Eleuthera I.
アンドロス島 Andros I.
バハマ国 COMMONWEALTH OF THE BAHAMAS
キャット島 Cat I.
コロンブス上陸地
サンサルヴァドル島 San Salvador I.
ケンプスベイ Kemps Bay
グレートエグジューマ島 Great Exuma I.
ロング島 Long I.
アレハンドロデフンボルト国立公園
ラミエール国立歴史公園
ハバナ HAVANA
マタンサス Matanzas
カルデナス Cárdenas
コロン Colón
ピニャーレス渓谷
ピナルデルリオ Pinar del Rio
サンタクララ Santa Clara
シエンフエーゴス Cienfuegos
キューバ島 Cuba
シエンフエーゴス歴史地区
トリニダード
カマグエイ歴史地区
カマグエイ Camagüey
ヌエビタス Nuevitas
オルギン Holguín
アクリンズ島 Acklins I.
グレートイナグア島 Great Inagua I.
カイコス諸島 Caicos Is.
タークス諸島 Turks Is.
ヌエバヘローナ Nueva Gerona
フベントゥー島 I. de la Juventud
キューバ共和国 REPUBLIC OF CUBA
バヤーモ Bayamo
マンサニーヨ Manzanillo
ニカロ Nicaro
グアンタナモ Guantánamo
モアベイ Moa Bay
グラシマ号上陸記念国立公園
トゥルキーノ山 Pico Turquino
サンティアゴデクバ Santiago de Cuba
サンペドロデラロカ城
ジョージタウン Georgetown
ケーマン諸島 Cayman Is.
カンクン Cancún
コスメル島 I. de Cozumel
モンテゴベイ Montego Bay
エワートン Ewarton
キングストン KINGSTON
ジャマイカ島 Jamaica
ジャマイカ JAMAICA
ブルーマウンテン峰 Blue Mt. Pk.
ブルーマウンテン山脈
カパイシャン Cap-Haïtien
ゴナイヴ Gonaïves
ハイチ共和国 REPUBLIC OF HAITI
ポルトープランス PORT-AU-PRINCE
ドゥアルテ山 Pico Duarte
プエルトプラタ Puerto Plata
サンティアゴ Santiago
ドミニカ共和国 DOMINICAN REPUBLIC
サントドミンゴ SANTO DOMINGO
バラオナ Barahona
ラロマーナ La Romana
イスパニョーラ島 Hispaniola
プエルトリコ海溝 Puerto Rico Trench
-8605
バミューダ諸島 Bermuda
ハミルトン Hamilton
サンファン San Juan
ポンセ Ponce
プエルトリコ島 Puerto Rico
ヴァージン諸島 Virgin Is.
アンギラ島 Anguilla
サンマルタン島 St.Martin
バーブーダ島 Barbuda
アンティグア・バーブーダ ANTIGUA AND BARBUDA
セントジョンズ ST.JOHN'S
セントクリストファー・ネービス SAINT CHRISTOPHER AND NEVIS
バセテール BASSE-TERRE
モントセラット島 Montserrat
グアドループ島 Guadeloupe
ドミニカ国 COMMONWEALTH OF DOMINICA
ロゾー ROSEAU
マルティニーク島 Martinique
プレー山 Mt. Pelée
セントルシア SAINT LUCIA
カストリーズ CASTRIES
バルバドス BARBADOS
ブリッジタウン BRIDGETOWN
セントビンセント及びグレナディーン諸島 SAINT VINCENT AND THE GRENADINES
キングスタウン KINGSTOWN
グレナダ GRENADA
セントジョージズ ST.GEORGE'S
トリニダード・トバゴ共和国 REPUBLIC OF TRINIDAD AND TOBAGO
ポートオブスペイン PORT OF SPAIN
ベリーズ BELIZE
サンタニーヤ諸島 Is. Santanilla
バライア諸島 Is. de La Bahía
サンペドロスーラ San Pedro Sula
ホンジュラス共和国 REPUBLIC OF HONDURAS
テグシガルパ TEGUCIGALPA
グラシアスアディオス岬 C. Gracias a Dios
プエルトカベサス Puerto Cabezas
ニカラグア共和国 REPUBLIC OF NICARAGUA
マナグア MANAGUA
マサヤ Masaya
レオン León
ブルーフィールズ Bluefields
ニカラグア湖
サンアンドレス島 I. de San Andrés
プロビデンシア島 I. de Providencia
サンファンデルノルテ San Juan del Norte
プンタレーナス Puntarenas
サンホセ SAN JOSÉ
イラス山 Vol. Irazú
プエルトリモン Puerto Limón
コスタリカ共和国 REPUBLIC OF COSTA RICA
パナマ地峡 Istmo de Panamá
パナマシティ PANAMA CITY
パナマ共和国 REPUBLIC OF PANAMA
ポルトベロとサンロレンソ
ダビッド David
バランキージャ BARRANQUILLA
サンタマルタ Santa Marta
カルタヘナ Cartagena
コロンビア共和国 REPUBLIC OF COLOMBIA
モンポス歴史地区
リオアチャ Riohacha
グアヒラ半島 Pen. de la Guajira
ガジナス岬 Pta. Gallinas
アルバ島 Aruba
キュラソー島 Curaçao
ボネール島 Bonaire
ウィレムシュタット Willemstad
マラカイボ MARACAIBO
マラカイボ湖
プントフィホ Punto Fijo
コロ Coro
バルキシメト Barquisimeto
プエルトカベジョ Puerto Cabello
バレンシア Valencia
マラカイ Maracay
カラカス CARACAS
ラグアイラ La Guaira
バルセロナ Barcelona
プエルトラクルス Puerto la Cruz
クマナ Cumaná
カルパノ Carúpano
マトゥリン Maturín
ロスロケス諸島 Is. Los Roques
マルガリータ島 I. Margarita
メリダ Mérida
ククタ Cúcuta
ブカラマンガ Bucaramanga
サンクリストバル San Cristóbal
バリナス Barinas
リャノ Llanos
シウダーボリバル Ciudad Bolívar
シウダーグアヤナ Ciudad Guayana
エルティグレ El Tigre
オリノコ川 R. Orinoco
アラウカ Arauca
ベネズエラ・ボリバル共和国 BOLIVARIAN REPUBLIC OF VENEZUELA
ガイアナ GUYANA
ニューオーリンズ―3130―ニューヨーク
ロンドンへ

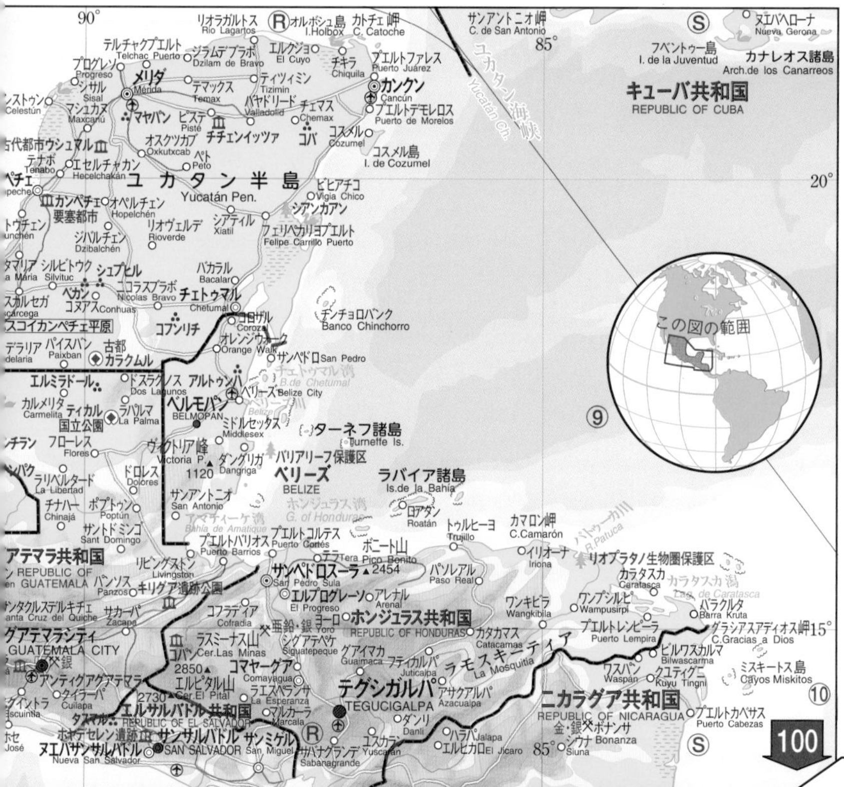

ユカタン半島 Yucatán Pen.
メリダ Mérida
カンクン Cancún
コスメル島 I. de Cozumel
カトチェ岬 C. Catoche
キューバ共和国 REPUBLIC OF CUBA
カナレオス諸島 Arch.de los Canarreos
ユカタン海峡
古代都市ウシュマル
カンペチェ
チチェンイッツァ
チェトゥマル Chetumal
ベリーズシティ Belize City
ベルモパン BELMOPAN
ベリーズ BELIZE
ターネフ諸島
バリアリーフ保護区
バライア諸島 Is.de la Bahía
ティカル
グアテマラ共和国 REPUBLIC OF GUATEMALA
グアテマラシティ GUATEMALA CITY
サンペドロスーラ
ホンジュラス共和国 REPUBLIC OF HONDURAS
テグシガルパ TEGUCIGALPA
エルサルバドル共和国 REPUBLIC OF EL SALVADOR
サンサルバドル SAN SALVADOR
ニカラグア共和国 REPUBLIC OF NICARAGUA
リオプラタノ生物圏保護区
グラシアスアディオス岬 C.Gracias a Dios
この図の範囲

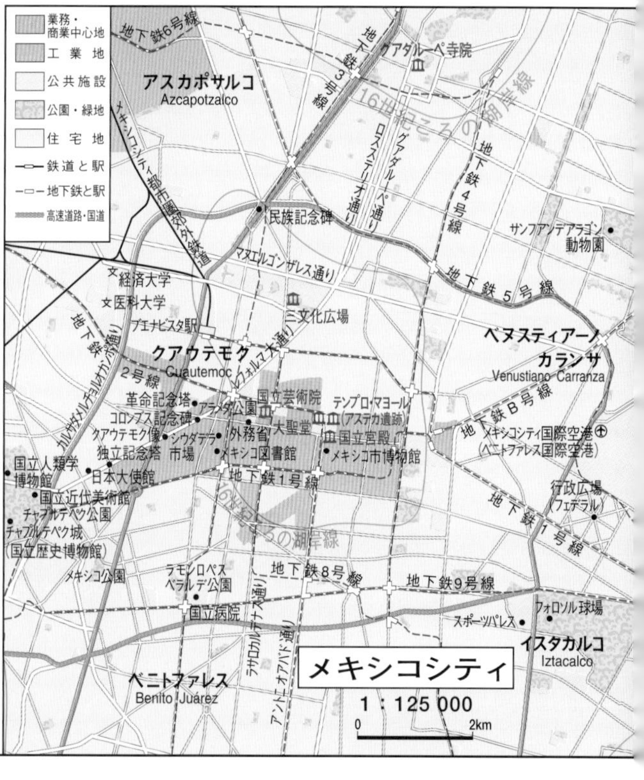

業務・商業中心地
工業地
公共施設
公園・緑地
住宅地
鉄道と駅
地下鉄と駅
高速道路・国道
アスカポサルコ Azcapotzalco
グアダルーペ寺院
民族記念碑
経済大学
医科大学
三文化広場
クアウテモク Cuauhtemoc
ベヌスティアーノ・カランサ Venustiano Carranza
革命記念塔
国立芸術院
テンプロ・マヨール
外務省
大聖堂
国立宮殿
メキシコ図書館
メキシコ市博物館
国立人類学博物館
日本大使館
国立近代美術館
チャプルテペク公園
国立歴史博物館
メキシコシティ国際空港
行政広場
国立病院
スポーツパレス
フォロソル球場
イスタカルコ Iztacalco
ベニトファレス Benito Juárez
メキシコシティ
1:125 000
0 2km

100

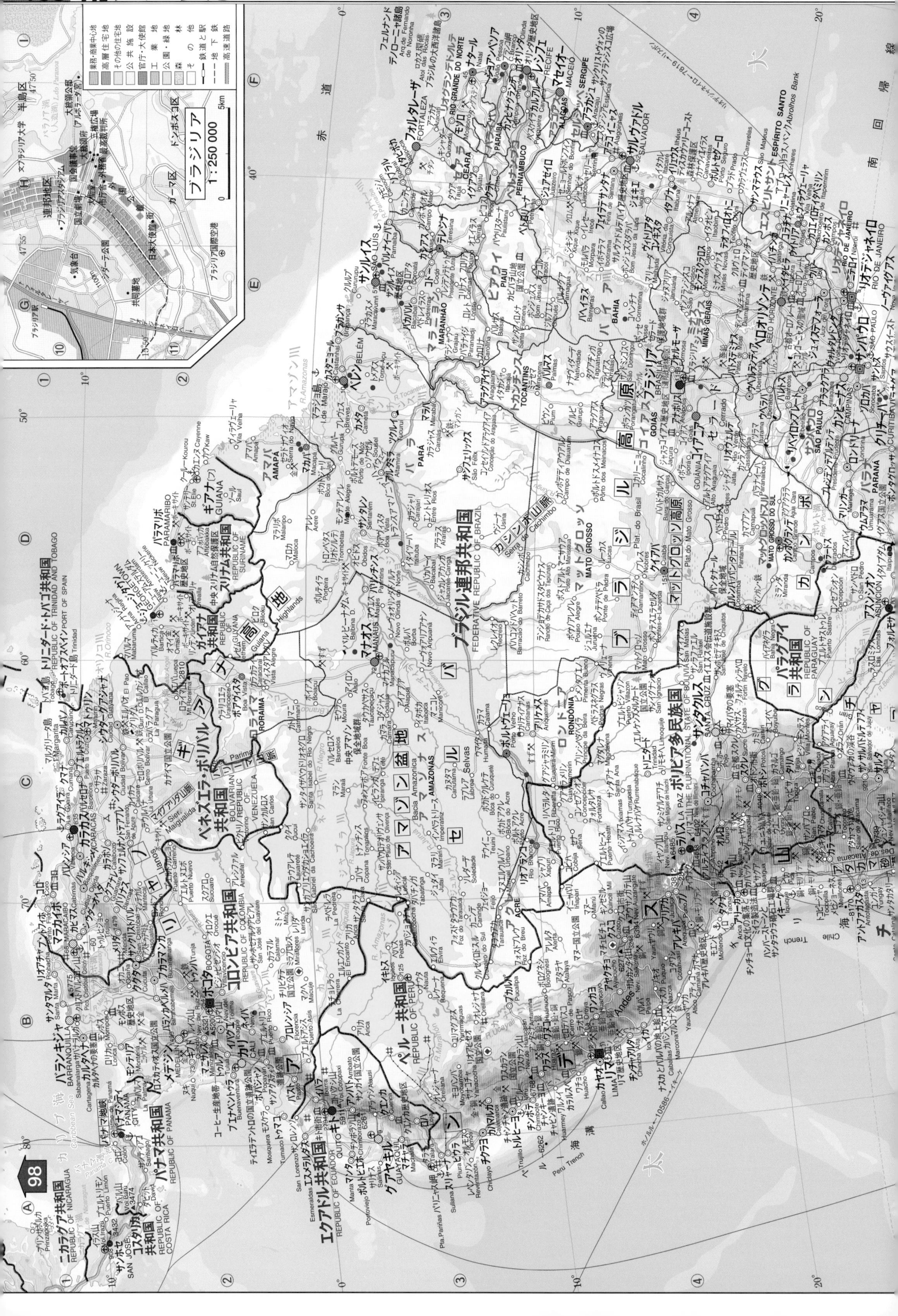

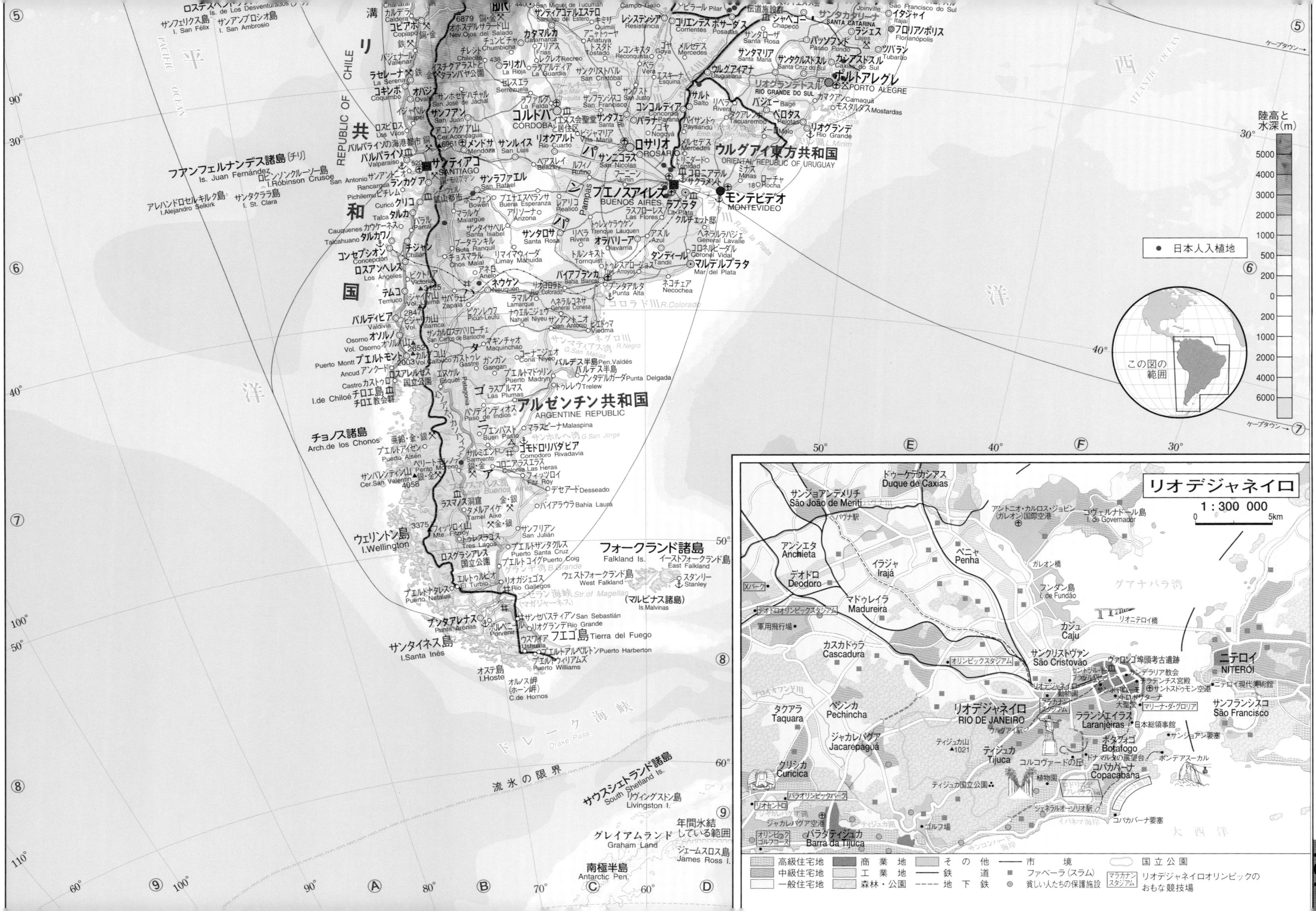

リオデジャネイロ
1：300 000
5km
リオデジャネイロ RIO DE JANEIRO
ニテロイ NITERÓI
サンフランシスコ São Francisco
グアナバラ湾
コパカバーナ Copacabana
ボタフォゴ Botafogo
ラランジェイラス Laranjeiras
チジュカ Tijuca
サンクリストヴァン São Cristovão
カジュ Caju
ペーニャ Penha
ドゥーケデカシアス Duque de Caxias
イラジャ Irajá
マドゥレイラ Madureira
カスカドゥラ Cascadura
ペシンカ Pechincha
ジャカレパグア Jacarepaguá
バラダティジュカ Barra da Tijuca
クリシカ Curicica
タクアラ Taquara
デオドロ Deodoro
アンシエタ Anchieta
サンジョアンデメリチ São João de Meriti
フンダン島 I. de Fundão
ゴヴェルナドール島 I. do Governador
ティジュカ山 ▲1021
ティジュカ国立公園
大西洋
高級住宅地
中級住宅地
一般住宅地
商業地
工業地
森林・公園
その他
ファベーラ(スラム)
貧しい人たちの保護施設
市境
鉄道
地下鉄
国立公園
リオデジャネイロオリンピックのおもな競技場
陸高と水深(m)
日本人入植地
この図の範囲
西
洋
平
洋
PACIFIC OCEAN
ATLANTIC OCEAN
チリ共和国 REPUBLIC OF CHILE
アルゼンチン共和国 ARGENTINE REPUBLIC
ウルグアイ東方共和国 ORIENTAL REPUBLIC OF URUGUAY
ブエノスアイレス BUENOS AIRES
モンテビデオ MONTEVIDEO
サンティアゴ SANTIAGO
コルドバ CÓRDOBA
ロサリオ ROSARIO
ポルトアレグレ PORTO ALEGRE
フロリアノポリス Florianópolis
マルデルプラタ Mar del Plata
バイアブランカ Bahía Blanca
メンドサ Mendoza
バルパライソ Valparaíso
コンセプシオン Concepción
バルディビア Valdivia
プエルトモント Puerto Montt
チロエ島 I.de Chiloé
チョノス諸島 Arch.de los Chonos
ウェリントン島 I.Wellington
サンタイネス島 I.Santa Inés
フエゴ島 Tierra del Fuego
プンタアレナス Punta Arenas
ウスワイア Ushuaia
オルノス岬(ホーン岬) C.de Hornos
フォークランド諸島 Falkland Is.
(マルビナス諸島) Is.Malvinas
スタンリー Stanley
ドレーク海峡 Drake Pass.
南極半島 Antarctic Pen.
サウスシェトランド諸島 South Shetland Is.
グレイアムランド Graham Land
流氷の限界
年間氷結している範囲
フアンフェルナンデス諸島(チリ) Is. Juan Fernández
ロビンソンクルーソー島 I.Robinson Crusoe
アレハンドロセルキルク島 I.Alejandro Selkirk
サンフェリクス島 I. San Félix
サンアンブロシオ島 I. San Ambrosio
パンパ Pampas
パタゴニア Patagonia
コロラド川 R.Colorado
ネグロ川 R.Negro

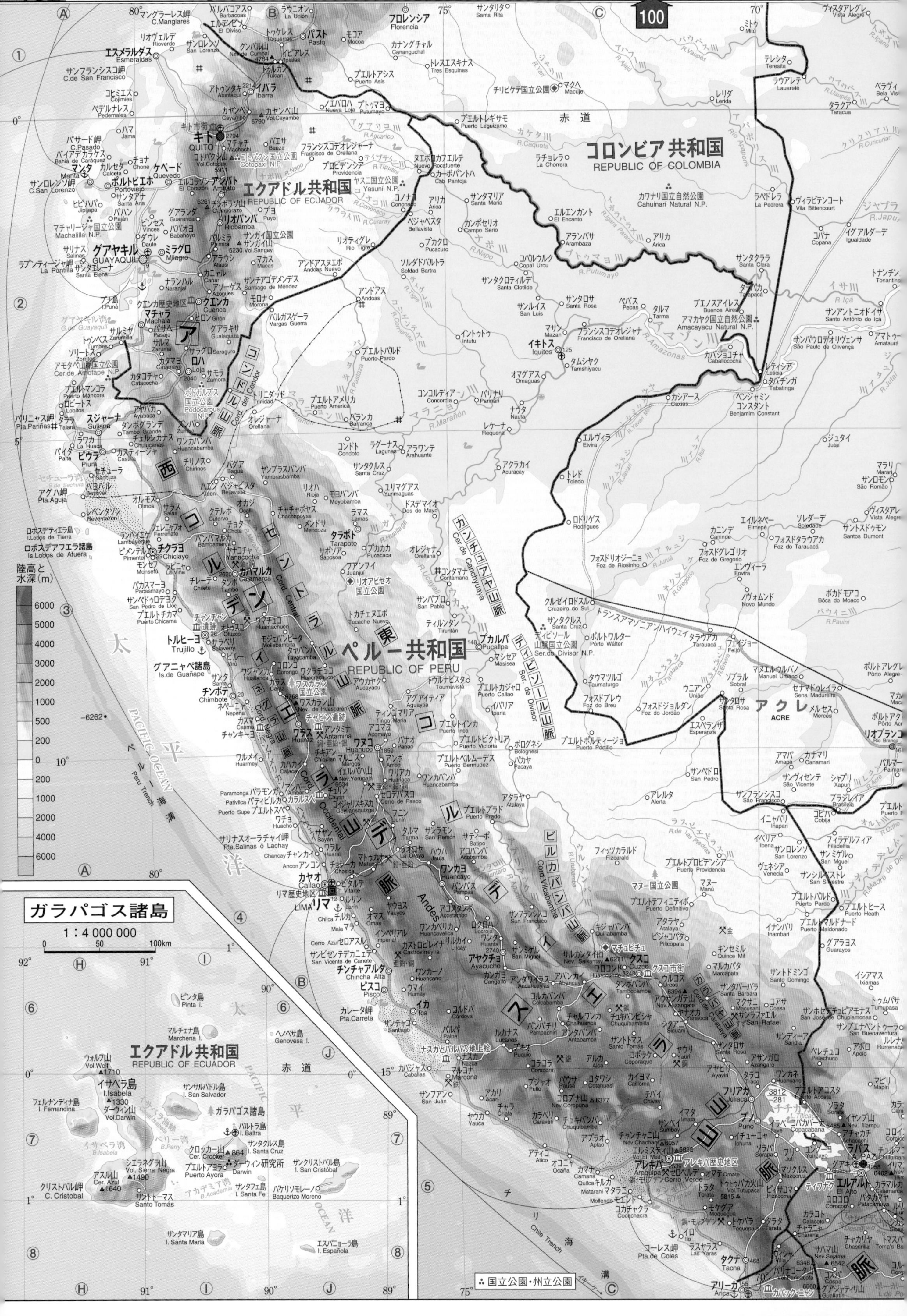
1：8 000 000
0
200km
ランベルト正積方位図法
100
コロンビア共和国
REPUBLIC OF COLOMBIA
エクアドル共和国
REPUBLIC OF ECUADOR
ペルー共和国
REPUBLIC OF PERU
赤道
アクレ
ACRE
キト
QUITO
グアヤキル
GUAYAQUIL
イキトス
Iquitos
リマ
LIMA
カヤオ
Callao
クスコ
Cuzco
アレキパ
Arequipa
ラパス
LA PAZ
チクラヨ
Chiclayo
トルヒーヨ
Trujillo
ピウラ
Piura
プカルパ
Pucallpa
フロレンシア
Florencia
パスト
Pasto
クエンカ
Cuenca
リオバンバ
Riobamba
マチュピチュ
チチカカ湖
西コルディエラ山脈
中央コルディエラ山脈
東コルディエラ山脈
コンドル山脈
Cord. del Condor
カンチュアヤ山脈
Cer. de Canchyuaya
ディビソール山脈
Ser. de Divisor
ビルカバンバ山脈
Cord. Vilcabamba
カラバヤ山脈
Cord. de Carabaya
ワスカラン山
6768
アマゾン川
R. Amazonas
マラニョン川
R. Marañón
ウカヤリ川
R. Ucayali
ナポ川
R. Napo
プトゥマヨ川
R. Putumayo
カケタ川
R. Caqueta
トランスアマゾニアンハイウェイ
太平洋
PACIFIC OCEAN
ペルー海溝
Peru Trench
チリ海溝
Chile Trench
陸高と水深(m)
6000
5000
4000
3000
2000
1000
500
200
0
200
1000
2000
4000
6000
ガラパゴス諸島
1：4 000 000
0
50
100km
エクアドル共和国
REPUBLIC OF ECUADOR
イサベラ島
I.Isabela
フェルナンディナ島
I. Fernandina
サンタクルス島
I. Santa Cruz
サンクリストバル島
I. San Cristóbal
サンサルバドル島
I. San Salvador
マルチェナ島
Marchena I.
ピンタ島
Pinta I.
ヘノベサ島
Genovesa I.
サンタマリア島
I. Santa María
エスパニョーラ島
I. Española
サンタフェ島
I. Santa Fe
ガラパゴス諸島
ダーウィン研究所
Darwin
プエルトアヨラ
Puerto Ayora
バケリソモレーノ
Baquerizo Moreno
ウォルフ山
Vol.Wolf
1710
ダーウィン山
Vol.Darwin
シエラネグラ山
Vol. Sierra Negra
1490
アスル山
Cer. Azul
1640
国立公園・州立公園

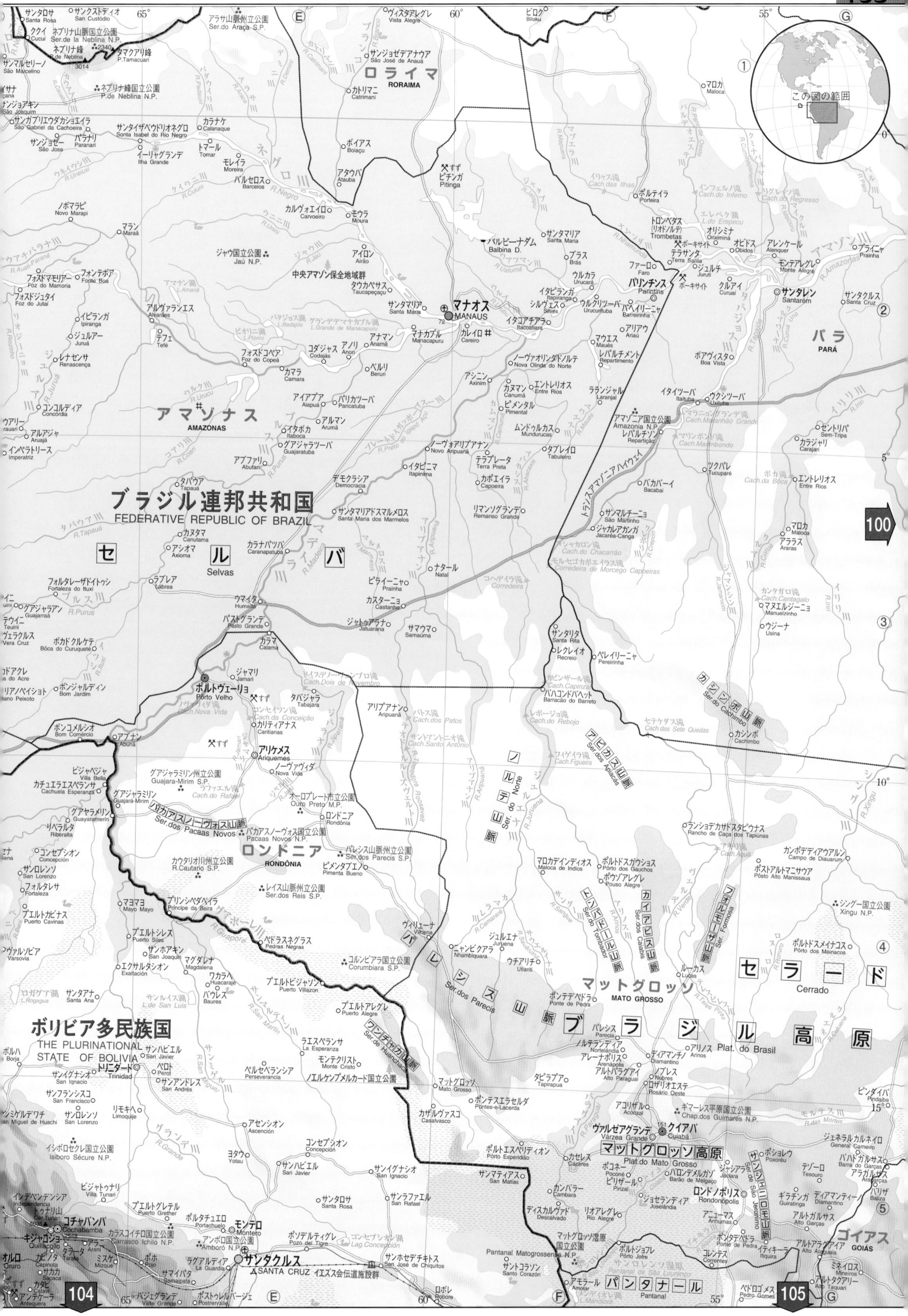

この図の範囲

サンタロサ　Santa Rosa
ククイ　Cucui
サンクストディオ　San Custódio
アラサ山脈州立公園　Ser.de la Neblina N.P.
ネブリナ峰△2340　P.Tamacuari
タマクアリ峰
65°
E
ビロク　Biloku
ヴィスタアレグレ　Vista Alegre
60°
サンジョゼデアナウア　São José de Anauá
55°
G

サナ　Çana
サンマルセリーノ　São Marcelino
ネブリナ峰国立公園　P.de Neblina N.P.
ロライマ　RORAIMA

サンジョアキン　São Joaquim
サンガブリエウダカショエイラ　Santa Gabriel da Cachoeira
サンタイザベウドリオネグロ　Sonta Isabel do Rio Negro
カラナケ　Calanaque
カトリマニ　Catrimani

サンジョゼ　São José
パラナリ　Paranari
イーリャグランデ　Ilha Grande
トマール　Tomar
モレイラ　Moreira
ボイアス　Boiaçu

ウエイクン川　R.Uneuixi
ノボマラピ　Novo Marapi
マラン　Maraã
バルセロス　Barcelos
カルヴォエイロ　Carvoeiro
モウラ　Moura
アタウバ　Atauba
すずピチンガ　Pitinga

ウアカバラナ川
フォスドメモリアー　Foz do Mamoria
フォンテボア　Fonte Boa
アルヴァランエス　Alvarães
ジャウ国立公園　Jaú N.P.
中央アマゾン保全地域群
タウカペサウ　Taucapeçaçu
サンタマリア　Santa Maria
マナオス　MANAUS
カレイロ　Careiro

フォズドジュタイ　Foz do Jutaí
イピランガ　Ipiranga
テフェ　Tefé
フォスドコペア　Foz do Copeá
コダジャス　Codajás
アナノ　Anori
アナマン　Anamã
マナカプル　Manacapuru

アマゾナス　AMAZONAS
ジュルアー　Juruá
カマラ　Camara
ベルリ　Beruri
アシニン　Axinim
カヌマン　Canumã
マウエス　Maués

レナセンサ　Renascença
イアプア　Iapuá
パリカツーバ　Paricatuba
エントレリオス　Entre Rios
ムンドゥルカス　Mundurucas

ウアリー　uari
アルアジャ　Araujá
イタボカ　Itaboca
アルマン　Arumã
ノーヴァアリプアナン　Nova Aripuanan
タブレイロ　Tabuleiro

インペラトリス　Imperatriz
アブファリ　Abufari
グアジャラツーバ　Guajaratuba
イタピニマ　Itapinima
カポエイラ　Capoeira

ブラジル連邦共和国　FEDERATIVE REPUBLIC OF BRAZIL
タブアウ　Tapauá
デモクラシア　Democracia
サンタマリアドスマルメロス　Santa Maria dos Marmelos
リマンソグランデ　Remanso Grande

セ　カヌタマ　Canutama
ル　アンソマ　Axioma
カラナパツバ　Caranapatuba
バ　ナタール　Natal
Selvas

タパウア川　R.Tapauá
ラブレア　Lábrea
ピラーイーニャ　Prainha
カスターニョ　Castanho

ポルトヴェーリョ　Pôrto Velho
ウマイタ　Humaitá
パストグランデ　Pasto Grande
ジャトゥアラナ　Jatuarana
サマウマ　Samaúma

ジャマリ　Jamari
タバジャラ　Tabajara
アリプアナン　Aripuanã

ボンジャルディン　Bom Jardim
ボンコメルシオ　Bom Comércio
アブナ　Abunã
アリケメス　Ariquemes
ノーヴァヴィダ　Nova Vida

ビジャベジャ　Villa Bella
カチュエラエスペランサ　Cachuela Esperanza
グアジャラミリン　Guajará-Mirim
グアジャラミリン州立公園　Guajara-Mirim S.P.

グアヤラメリン　Guayaramerin
パカアスノーヴォス山脈　Ser.dos Pacaas Novos
パカアスノーヴォス国立公園　Pacaas Novos N.P.
ロンドニア　RONDÔNIA

リベラルタ　Riberalta
R.カウタリオ川州立公園　R.Cautario S.P.
パレシス山脈州立公園　Ser.dos Parecis S.P.
ピメンタブエノ　Pimenta Bueno

センナ　Sena
コンセプシオン　Concepción
サンロレンソ　San Lorenzo
マヨマヨ　Mayo Mayo
プリンシパデベイラ　Principe da Beira
レイス山脈州立公園　Ser.dos Reis S.P.

フォルタレサ　Fortaleza
プエルトシレス　Puerto Siles
ヴィエーナ　Vilhena

ヴァルソビア　Varsovia
プエルトカビナス　Puerto Cavinas
サンホアキン　San Joaquim
マグダレナ　Magdalena
ペドラスネグラス　Pedras Negras

ボリビア多民族国　THE PLURINATIONAL STATE OF BOLIVIA

アマゾンズ　AMAZONAS

100

パラ　PARÁ

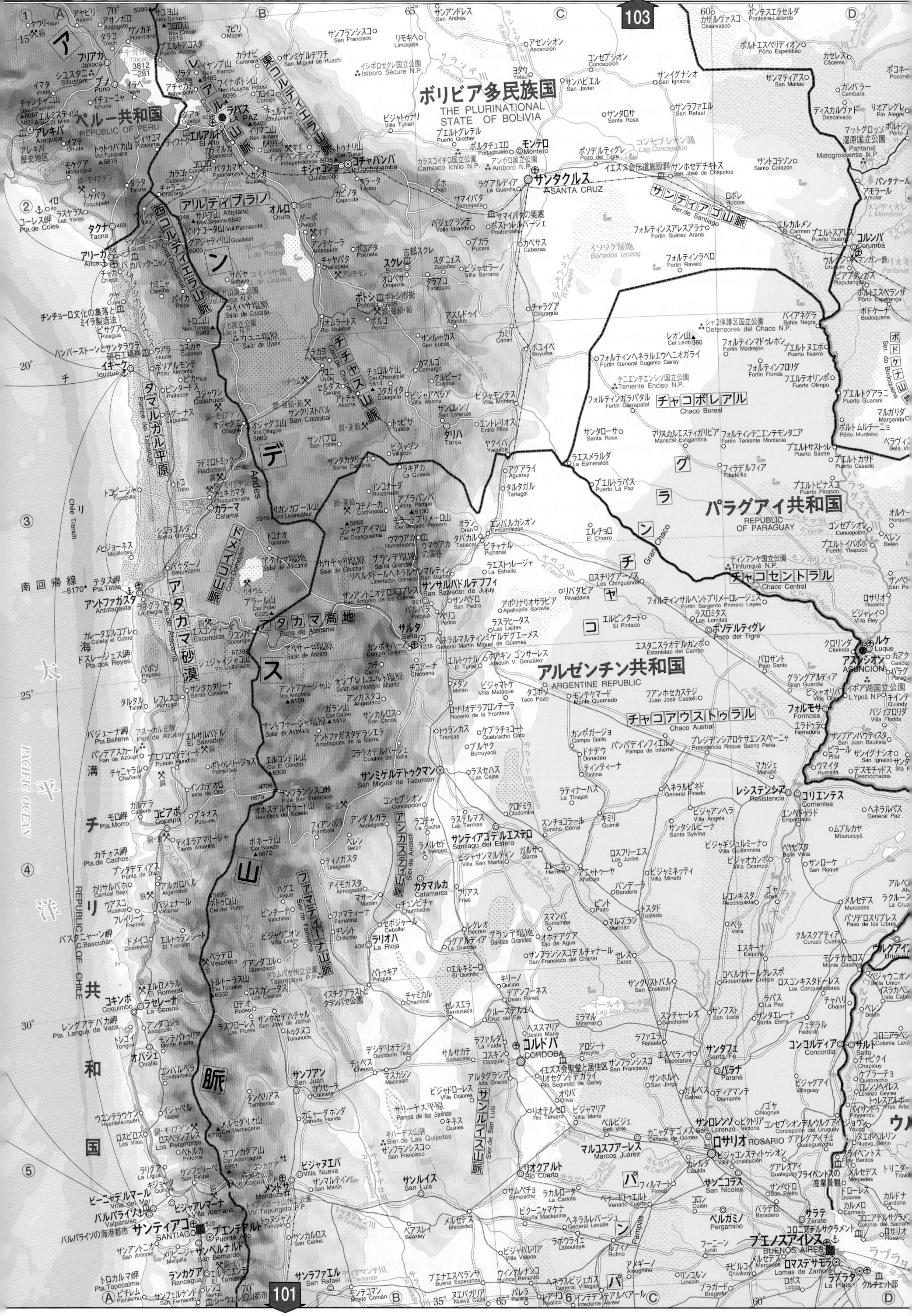

104 南アメリカ要部
1：8 000 000
0 200km
ランベルト正積方位図法
103
101
ボリビア多民族国
THE PLURINATIONAL STATE OF BOLIVIA
ペルー共和国
REPUBLIC OF PERU
パラグアイ共和国
REPUBLIC OF PARAGUAY
アルゼンチン共和国
ARGENTINE REPUBLIC
チリ共和国
REPUBLIC OF CHILE
太平洋
PACIFIC OCEAN
アンデス山脈
Andes
グランチャコ
Gran Chaco
パンパ
Pampas
アルティプラノ
Altiplano
アタカマ高地
Puna de Atacama
アタカマ砂漠
Des. de Atacama
タマルガル平原
Pampa del Tamarugal
東コルディエラ山脈
西コルディエラ山脈
Cord. Occidental
ドメイコ山脈
Cord. Domeyko
チチャス山脈
アンカスティ山脈
ファマティーナ山脈
サンルイス山脈
サンティアゴ山脈
Ser. de Santiago
チャコボレアル
Chaco Boreal
チャコセントラル
Chaco Central
チャコアウストゥラル
Chaco Austral
チリ海溝
Chile Trench
南回帰線
ラパス
LA PAZ
サンタクルス
SANTA CRUZ
スクレ
Sucre
コチャバンバ
Cochabamba
ポトシ
Potosí
オルロ
Oruro
アスンシオン
ASUNCIÓN
サンティアゴ
SANTIAGO
バルパライソ
Valparaíso
アントファガスタ
Antofagasta
イキーケ
Iquique
アリーカ
Arica
アレキパ
Arequipa
コルドバ
CÓRDOBA
ロサリオ
ROSARIO
ブエノスアイレス
BUENOS AIRES
サンミゲルデトゥクマン
San Miguel de Tucumán
サルタ
Salta
メンドサ
Mendoza
サンフアン
San Juan
コリエンテス
Corrientes
レシステンシア
Resistencia
サンタフェ
Santa Fe
パラナ
Paraná
コルンバ
Corumbá
ティティカカ湖
L. Titicaca
ポーポ湖
L. de Poopó
ウユニ塩原
Salar de Uyuni
アタカマ塩原
Salar de Atacama
アコンカグア山
Cer. Aconcagua
6961
オホスデルサラード山
Nev. Ojos del Salado
6879

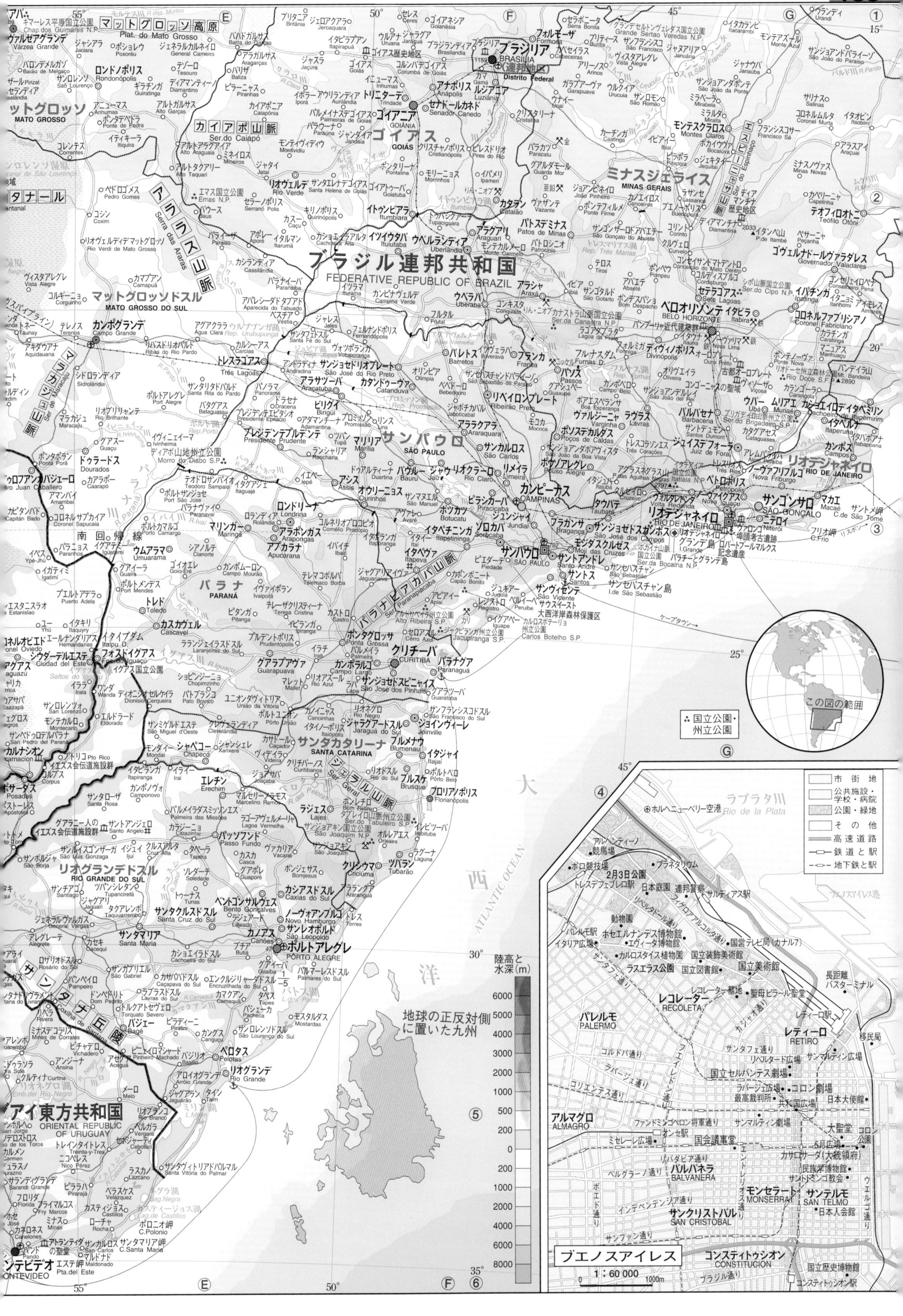

ブラジル連邦共和国
FEDERATIVE REPUBLIC OF BRAZIL
ブラジリア
BRASÍLIA
(連邦地区)
Distrito Federal
マットグロッソ高原
Plat. do Mato Grosso
マットグロッソ
MATO GROSSO
カイアポ山脈
Ser. do Caiapó
ゴイアス
GOIÁS
ゴイアニア
GOIÂNIA
アナポリス
Anápolis
ミナスジェライス
MINAS GERAIS
ベロオリゾンテ
BELO HORIZONTE
エスピニャソ山脈
アララス山脈
Serra das Araras
パンタナール
マットグロッソドスル
MATO GROSSO DO SUL
カンポグランデ
Campo Grande
マラカジュ山脈
ウベルランディア
ウベラバ
Uberaba
リベイロンプレート
Ribeirão Preto
サンパウロ
SÃO PAULO
カンピーナス
CAMPINAS
サントス
Santos
リオデジャネイロ
RIO DE JANEIRO
サンゴンサロ
SÃO GONÇALO
ニテロイ
ペトロポリス
Petrópolis
ジュイスデフォーラ
Juiz de Fora
パラナ
PARANÁ
クリチーバ
CURITIBA
パラナグア
Paranaguá
ロンドリーナ
Londrina
マリンガー
Maringá
パラナピアカバ山脈
フォスドイグアス
Foz do Iguaçu
イグアス国立公園
南回帰線
サンタカタリーナ
SANTA CATARINA
ジョインヴィーレ
Joinville
ブルメナウ
Blumenau
フロリアノポリス
Florianópolis
ジェラル山脈
リオグランデドスル
RIO GRANDE DO SUL
ポルトアレグレ
PORTO ALEGRE
カシアスドスル
Caxias do Sul
ペロタス
Pelotas
リオグランデ
Rio Grande
パトス湖
L. dos Patos
ミリン湖
サンタナ丘陵
ウルグアイ東方共和国
ORIENTAL REPUBLIC OF URUGUAY
モンテビデオ
MONTEVIDEO
大西洋
ATLANTIC OCEAN
地球の正反対側に置いた九州
陸高と水深(m)
6000
5000
4000
3000
2000
1000
500
200
0
200
1000
2000
4000
6000
8000
国立公園・州立公園
この図の範囲
ブエノスアイレス
1：60 000
ラプラタ川
Rio de la Plata
市街地
公共施設・学校・病院
公園・緑地
その他
高速道路
鉄道と駅
地下鉄と駅
パレルモ
PALERMO
レコレータ
RECOLETA
レティーロ
RETIRO
アルマグロ
ALMAGRO
バルバネラ
BALVANERA
モンセラート
MONSERRAT
サンテルモ
SAN TELMO
サンクリストバル
SAN CRISTOBAL
コンスティトゥシオン
CONSTITUCION
国会議事堂
5月広場
大聖堂
コロン劇場

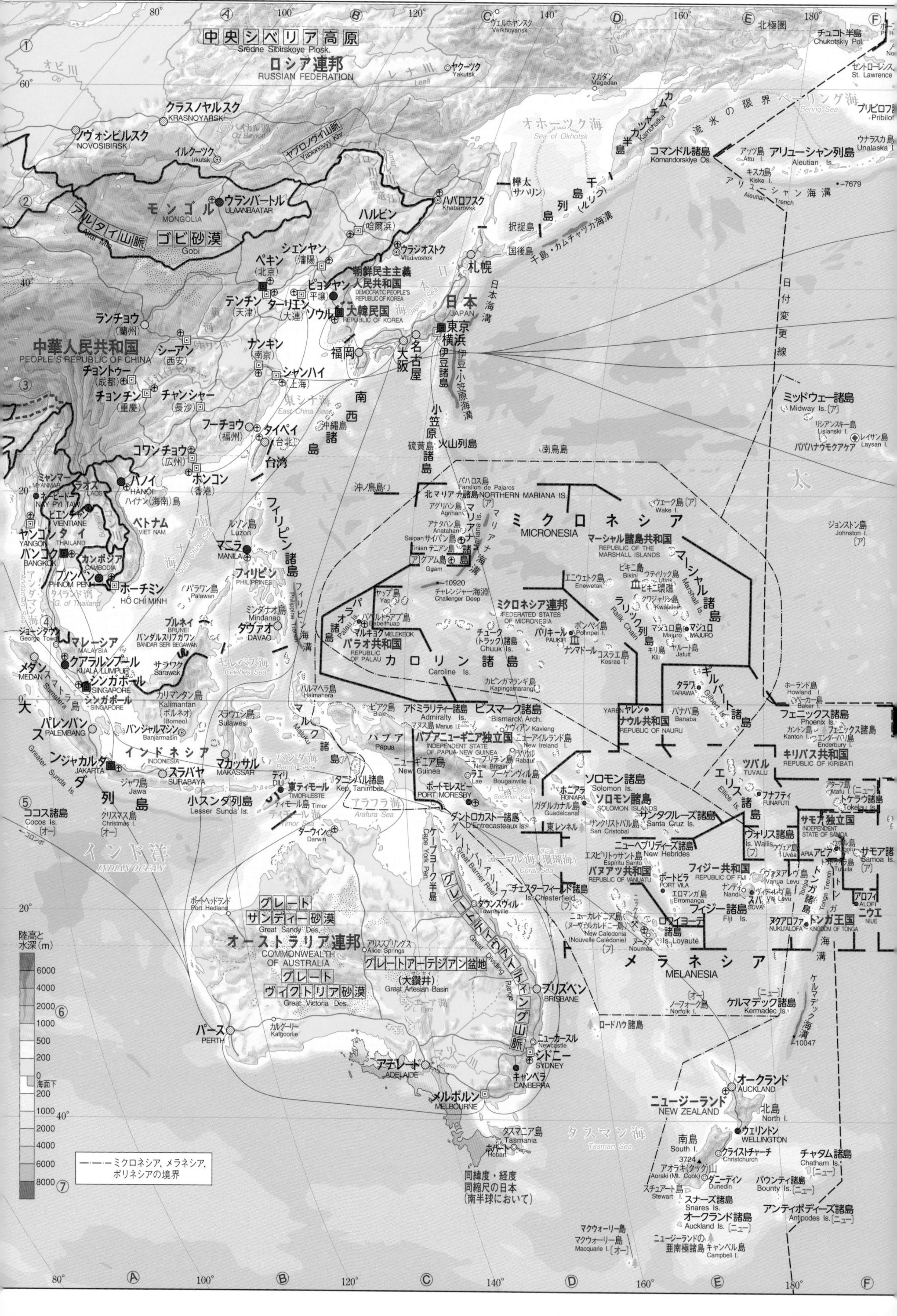
1：55 000 000
0 500 1000 1500km
ロビンソン図法
中央シベリア高原
Sredne Sibirskoye Plosk.
ロシア連邦
RUSSIAN FEDERATION
クラスノヤルスク
KRASNOYARSK
ノヴォシビルスク
NOVOSIBIRSK
イルクーツク
Irkutsk
ヤブロノヴイ山脈
Yablonovyy Khr.
ヤクーツク
Yakutsk
マガダン
Magadan
オホーツク海
Sea of Okhotsk
カムチャツカ半島
Kamchatka
コマンドル諸島
Komandorskiye Os.
アリューシャン列島
Aleutian Is.
アリューシャン海溝
Aleutian Trench
ベーリング海
Bering Sea
流氷の限界
北極圏
チュコト半島
Chukotskiy Pol.
セントローレンス
St. Lawrence
プリビロフ
Pribilof
ウナラスカ島
Unalaska I.
-7679
ウランバートル
ULAANBAATAR
モンゴル
MONGOLIA
アルタイ山脈
Altai Mts.
ゴビ砂漠
Gobi
ハバロフスク
Khabarovsk
ハルビン
(哈爾浜)
ウラジオストク
Vladivostok
シェンヤン
(瀋陽)
ペキン
(北京)
朝鮮民主主義人民共和国
DEMOCRATIC PEOPLE'S REPUBLIC OF KOREA
ピョンヤン
(平壌)
大韓民国
REPUBLIC OF KOREA
ソウル
テンチン
(天津)
ターリエン
(大連)
樺太
(サハリン)
千島列島
(クリル)
択捉島
国後島
千島・カムチャツカ海溝
札幌
日本
JAPAN
日本海
Japan Sea
日本海溝
東京
横浜
名古屋
大阪
福岡
伊豆諸島
伊豆・小笠原海溝
日付変更線
ランチョウ
(蘭州)
中華人民共和国
PEOPLE'S REPUBLIC OF CHINA
シーアン
(西安)
ナンキン
(南京)
シャンハイ
(上海)
チョントゥー
(成都)
チョンチン
(重慶)
チャンシャー
(長沙)
東シナ海
East China Sea
南西諸島
沖縄島
フーチョウ
(福州)
タイペイ
(台北)
台湾
小笠原諸島
火山列島
硫黄島
南鳥島
コワンチョウ
(広州)
ホンコン
(香港)
ミッドウェー諸島
Midway Is.
リシアンスキー島
Lisianski I.
レイサン島
Laysan I.
パパハナウモクアケア
ミャンマー
MYANMAR
ネーピードー
NAY PYI TAW
ラオス
LAOS
ハノイ
HANOI
ビエンチャン
VIENTIANE
ハイナン(海南)島
ベトナム
VIET NAM
沖ノ鳥島
北マリアナ諸島
NORTHERN MARIANA IS.
ファラリョン・デ・パハロス
マリアナ諸島
マリアナ海溝
ミクロネシア
MICRONESIA
ウェーク島
Wake I.
ジョンストン島
Johnston I.
太
ヤンゴン
YANGON
タイ
THAILAND
バンコク
BANGKOK
カンボジア
CAMBODIA
プノンペン
PHNOM PENH
ホーチミン
HO CHI MINH
ルソン島
Luzon
マニラ
MANILA
フィリピン諸島
フィリピン
PHILIPPINES
南シナ海
South China Sea
サイパン島
テニアン島
グアム島
Guam
-10920
チャレンジャー海淵
Challenger Deep
マーシャル諸島共和国
REPUBLIC OF THE MARSHALL ISLANDS
マーシャル諸島
エニウェトク島
ビキニ島
ビキニ環礁
クワジャリン島
ラリック列島
マジュロ
MAJURO
ヤップ島
パラオ諸島
マルキョク
MELEKEOK
パラオ共和国
REPUBLIC OF PALAU
ミクロネシア連邦
FEDERATED STATES OF MICRONESIA
パリキール
PALIKIR
ポンペイ島
ナンマドール
チューク(トラック)諸島
コスラエ島
キリ島
ヤルート島
カロリン諸島
Caroline Is.
カピンガマランギ島
パラワン島
Palawan
ミンダナオ島
Mindanao
ダヴァオ
DAVAO
フィリピン海溝
Philippine Trench
アンダマン海
Andaman Sea
タイランド湾
G. of Thailand
ジョージタウン
George Town
マレーシア
MALAYSIA
ブルネイ
BRUNEI
バンダルスリブガワン
BANDAR SERI BEGAWAN
サラワク
Sarawak
セレベス海
Celebes Sea
クアラルンプール
KUALA LUMPUR
シンガポール
SINGAPORE
メダン
MEDAN
スマトラ島
Sumatera
パレンバン
PALEMBANG
カリマンタン島
Kalimantan
(ボルネオ)
(Borneo)
スラウェシ島
Sulawesi
ハルマヘラ島
Halmahera
モルッカ諸島
Maluku
バンジャルマシン
Banjarmasin
インドネシア
INDONESIA
マカッサル
MAKASSAR
ジャカルタ
JAKARTA
スラバヤ
SURABAYA
ジャワ島
Jawa
大スンダ列島
Greater Sunda Is.
小スンダ列島
Lesser Sunda Is.
バンダ海
Banda Sea
ビアク島
ニューギニア島
New Guinea
パプア
Papua
アドミラルティ諸島
Admiralty Is.
マヌス島
ビスマーク諸島
Bismarck Arch.
カビエング
ニューアイルランド島
New Ireland I.
パプアニューギニア独立国
INDEPENDENT STATE OF PAPUA NEW GUINEA
ニューブリテン島
New Britain I.
ラバウル
ラエ
Lae
ブーゲンヴィル島
Bougainville I.
ポートモレスビー
PORT MORESBY
ケプ・タニンバル諸島
Kep. Tanimbar
ディリ
DILI
東ティモール
TIMOR-LESTE
ティモール島
Timor
ティモール海
Timor Sea
アラフラ海
Arafura Sea
ダントルカストー諸島
D'Entrecasteaux Is.
ダーウィン
Darwin
ケープヨーク半島
Cape York Pen.
グレートバリアリーフ
Great Barrier Reef
コーラル海(珊瑚海)
Coral Sea
ココス諸島
Cocos Is.
クリスマス島
Christmas I.
インド洋
INDIAN OCEAN
ポートヘッドランド
Port Hedland
グレートサンディー砂漠
Great Sandy Des.
オーストラリア連邦
COMMONWEALTH OF AUSTRALIA
アリススプリングス
Alice Springs
グレートアーテジアン盆地
(大鑽井)
Great Artesian Basin
グレートヴィクトリア砂漠
Great Victoria Des.
グレートディヴァイディング山脈
Great Dividing Range
タウンズヴィル
Townsville
ブリズベン
BRISBANE
パース
PERTH
カルグーリー
Kalgoorlie
ニューカースル
Newcastle
シドニー
SYDNEY
キャンベラ
CANBERRA
アデレード
ADELAIDE
メルボルン
MELBOURNE
タスマニア島
Tasmania
ホバート
Hobart
タスマン海
Tasman Sea
ソロモン諸島
Solomon Is.
ソロモン諸島
SOLOMON ISLANDS
ホニアラ
HONIARA
ガダルカナル島
Guadalcanal
サンタクルーズ諸島
Santa Cruz Is.
サンクリストバル島
San Cristobal
東レンネル
ニューヘブリディーズ諸島
New Hebrides
エスピリトゥサント島
Espiritu Santo
バヌアツ共和国
REPUBLIC OF VANUATU
ポートビラ
PORT VILA
エロマンガ島
Erromanga
チェスターフィールド諸島
Is. Chesterfield
ニューカレドニア島
New Caledonia
ヌーメア
Nouméa
ロワイヨーテ諸島
Is. Loyauté
メラネシア
MELANESIA
フィジー共和国
REPUBLIC OF FIJI
ヴィティレヴ島
ヴァヌアレヴ島
ナンディ
スバ
SUVA
フィジー諸島
Fiji Is.
トンガ諸島
トンガ海溝
Tonga Trench
ヌクアロファ
NUKUALOFA
トンガ王国
KINGDOM OF TONGA
アロフィ
ALOFI
ニウエ
NIUE
ギルバート諸島
Gilbert Is.
タラワ
TARAWA
ヤレン
YAREN
ナウル共和国
REPUBLIC OF NAURU
バナバ島
Banaba
ホーランド島
Howland I.
ベーカー島
Baker I.
フェニックス諸島
Phoenix Is.
カントン島
Kanton I.
エンダーバリ島
Enderbury I.
キリバス共和国
REPUBLIC OF KIRIBATI
ツバル
TUVALU
エリス諸島
Ellice Is.
フナフティ
FUNAFUTI
アタフ島
Atafu I.
トケラウ諸島
Tokelau Is.
サモア独立国
INDEPENDENT STATE OF SAMOA
アピア
APIA
ウポル島
ツツイラ島
Tutuila
サモア諸島
Samoa Is.
ウォリス諸島
Is. Wallis
ウヴェア島
ケルマデック諸島
Kermadec Is.
ケルマデック海溝
-10047
ノーフォーク島
Norfolk I.
ロードハウ諸島
オークランド
AUCKLAND
ニュージーランド
NEW ZEALAND
北島
North I.
ウェリントン
WELLINGTON
南島
South I.
クライストチャーチ
Christchurch
3724
アオラキ(クック)山
Aoraki (Mt. Cook)
ダニーディン
Dunedin
スチュアート島
Stewart I.
スナーズ諸島
Snares Is.
オークランド諸島
Auckland Is.
チャタム諸島
Chatham Is.
バウンティ諸島
Bounty Is.
アンティポディーズ諸島
Antipodes Is.
マクウォーリー島
Macquarie I.
ニュージーランドの亜南極諸島
キャンベル島
Campbell I.
同緯度・経度
同縮尺の日本
(南半球において)
陸高と水深(m)
6000
4000
2000
1000
500
200
0
海面下
200
1000
2000
4000
6000
8000
ミクロネシア，メラネシア，ポリネシアの境界

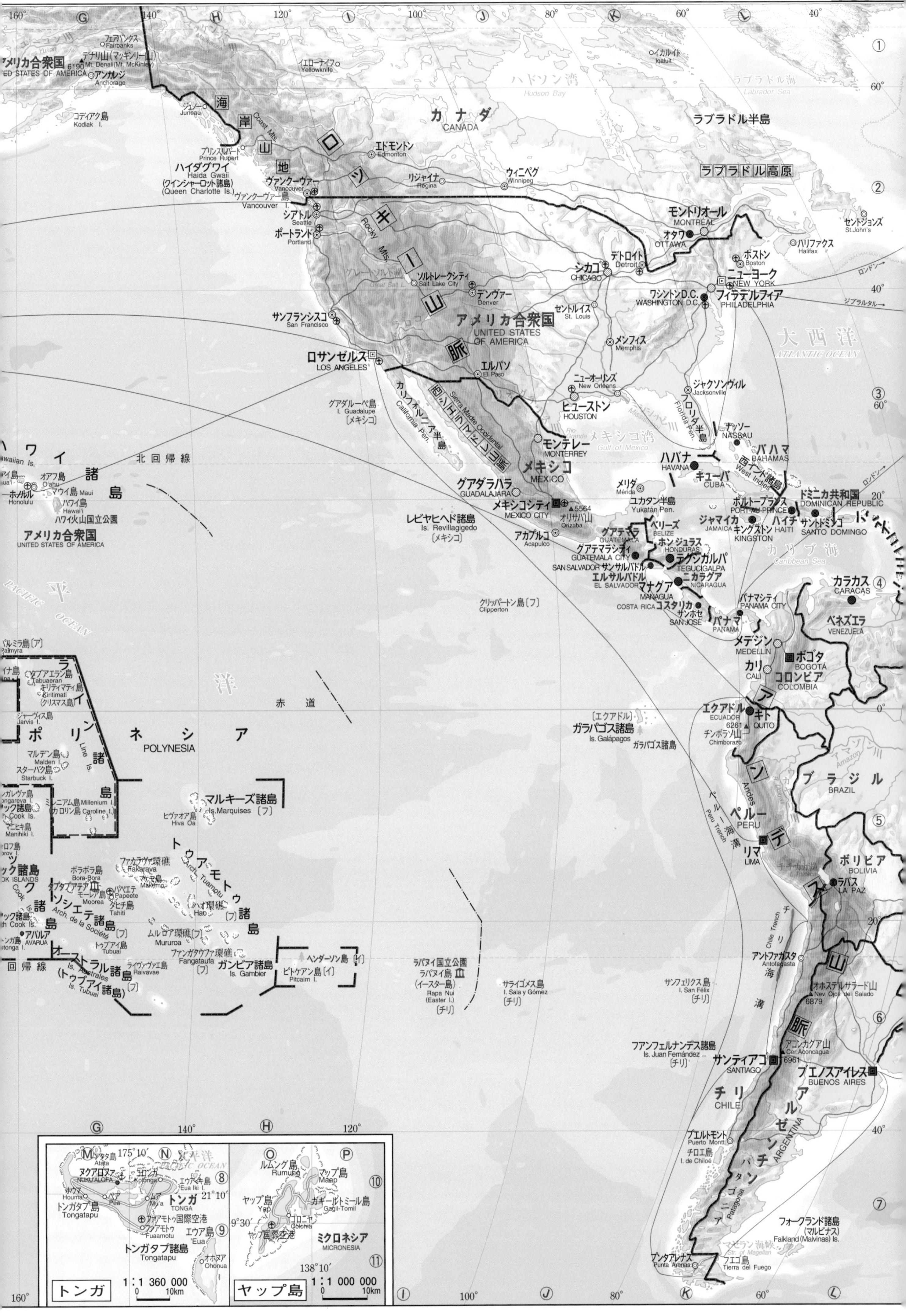

アメリカ合衆国
UNITED STATES OF AMERICA
コディアク島
Kodiak I.
フェアバンクス
Fairbanks
デナリ山（マッキンリー山）
Mt. Denali (Mt. McKinley)
6190
アンカレジ
Anchorage
イエローナイフ
Yellowknife
イカルイト
Iqaluit
ハドソン湾
Hudson Bay
ラブラドル海
Labrador Sea
ジュノー
Juneau
海岸山地
Coast Mts.
プリンスルパート
Prince Rupert
ハイダグワイ
（クインシャーロット諸島）
Haida Gwaii
(Queen Charlotte Is.)
ヴァンクーヴァー
Vancouver
ヴァンクーヴァー島
Vancouver I.
シアトル
Seattle
ポートランド
Portland
エドモントン
Edmonton
リジャイナ
Regina
ウィニペグ
Winnipeg
カナダ
CANADA
ラブラドル半島
ラブラドル高原
ロッキー山脈
Rocky Mts.
セントジョンズ
St. John's
ハリファクス
Halifax
モントリオール
MONTREAL
オタワ
OTTAWA
デトロイト
Detroit
シカゴ
CHICAGO
ボストン
Boston
ニューヨーク
NEW YORK
ワシントンD.C.
WASHINGTON D.C.
フィラデルフィア
PHILADELPHIA
ロンドン
ジブラルタル
ソルトレークシティ
Salt Lake City
グレートソルト湖
Great Salt L.
デンバー
Denver
セントルイス
St. Louis
サンフランシスコ
San Francisco
ロッキー山脈
メンフィス
Memphis
大西洋
ATLANTIC OCEAN
ロサンゼルス
LOS ANGELES
エルパソ
El Paso
アメリカ合衆国
UNITED STATES
OF AMERICA
ニューオーリンズ
New Orleans
ヒューストン
HOUSTON
ジャクソンヴィル
Jacksonville
フロリダ半島
Florida Pen.
ナッソー
NASSAU
バハマ
BAHAMAS
グアダルーペ島
I. Guadalupe
〔メキシコ〕
カリフォルニア半島
California Pen.
シエラマドレオクシデンタル
Sierra Madre Occidental
西シエラマドレ山脈
モンテレー
MONTERREY
メキシコ湾
Gulf of Mexico
メリダ
Mérida
ユカタン半島
Yucatán Pen.
西インド諸島
West Indies
キューバ
CUBA
ハバナ
HAVANA
ドミニカ共和国
DOMINICAN REPUBLIC
ハイチ
HAITI
サントドミンゴ
SANTO DOMINGO
北回帰線
ハワイ諸島
Hawaiian Is.
オアフ島
O'ahu
マウイ島
Maui
ハワイ島
Hawai'i
ホノルル
Honolulu
ハワイ火山国立公園
アメリカ合衆国
UNITED STATES
OF AMERICA
グアダラハラ
GUADALAJARA
メキシコ
MEXICO
レビヤヒヘド諸島
Is. Revillagigedo
〔メキシコ〕
メキシコシティ
MEXICO CITY
▲5564
オリサバ山
Orizaba
アカプルコ
Acapulco
グアテマラ
GUATEMALA
ベリーズ
BELIZE
グアテマラシティ
GUATEMALA CITY
ホンジュラス
HONDURAS
テグシガルパ
TEGUCIGALPA
サンサルバドル
SAN SALVADOR
エルサルバドル
EL SALVADOR
ニカラグア
NICARAGUA
マナグア
MANAGUA
ポルトープランス
PORT-AU-PRINCE
ジャマイカ
JAMAICA
キングストン
KINGSTON
カラカス
CARACAS
パナマシティ
PANAMA CITY
パナマ
PANAMA
コスタリカ
COSTA RICA
サンホセ
SAN JOSE
ベネズエラ
VENEZUELA
メデジン
MEDELLIN
ボゴタ
BOGOTA
カリ
CALI
コロンビア
COLOMBIA
クリッパートン島〔フ〕
Clipperton
カリブ海
Caribbean Sea
平洋
PACIFIC OCEAN
パルミラ島〔ア〕
Palmyra
タブアエラン島
Tabuaeran
キリティマティ島
（クリスマス島）
Kiritimati
(Christmas I.)
ジャーヴィス島
Jarvis I.
ライン諸島
Line Is.
ポリネシア
POLYNESIA
赤道
ガラパゴス諸島
Is. Galápagos
ガラパゴス諸島
エクアドル
ECUADOR
キト
QUITO
〔エクアドル〕
チンボラソ山
Chimborazo
6261
アンデス山脈
Andes
ブラジル
BRAZIL
マルデン島
Malden
スターバック島
Starbuck I.
ミレニアム島
Millennium I.
カロリン島
Caroline I.
マルキーズ諸島
Is. Marquises〔フ〕
ヒヴァオア島
Hiva Oa
ペルー
PERU
ペルー海溝
Peru Trench
ペルー・チリ海溝
リマ
LIMA
デ
ファカラヴァ環礁
Fakarava
マカテア島
Makatea
トゥアモトゥ諸島
Arch. Tuangtu
ボリビア
BOLIVIA
ラパス
LA PAZ
ボラボラ島
Bora-Bora
タプタプアテア島
モーレア島
Moorea
パペーテ
Papeete
タヒチ島
Tahiti
ハオ環礁
Hao
トシエテ諸島
Arch. de la Société〔フ〕
ムルロア環礁
Mururoa
アンデス山脈
チリ海溝
Chile Trench
クック諸島
Cook Islands
アヴァルア
AVARUA
トゥブアイ島
Tubuai
オーストラル諸島
（トゥブアイ諸島）
Is. Australes
(Is. Tubuai)〔フ〕
ライヴァヴァエ島
Raivavae
ガンビア諸島
Is. Gambier
ファンガタウファ環礁
Fangataufa〔フ〕
ヘンダーソン島
Henderson I.〔イ〕
ピトケアン島〔イ〕
Pitcairn I.
ラパヌイ国立公園
ラパヌイ島
（イースター島）
Rapa Nui
(Easter I.)
〔チリ〕
サラゴメス島
I. Sala y Gómez
〔チリ〕
サンフェリクス島
I. San Félix
〔チリ〕
アンデス山脈
アントファガスタ
Antofagasta
南回帰線
ファンフェルナンデス諸島
Is. Juan Fernández
〔チリ〕
オホスデルサラード山
Nev. Ojos del Salado
6879
アコンカグア山
Cer. Aconcagua
6961
サンティアゴ
SANTIAGO
ブエノスアイレス
BUENOS AIRES
チリ
CHILE
アルゼンチン
ARGENTINA
パタゴニア
Patagonia
プエルトモント
Puerto Montt
チロエ島
I. de Chiloé
マゼラン海峡
Strait of Magellan
フエゴ島
Tierra del Fuego
フォークランド諸島
（マルビナス）
Falkland (Malvinas) Is.
プンタアレナス
Punta Arenas

トンガ
TONGA
アタ島
Alata
ヌクアロファ
NUKU'ALOFA
トンガタプ島
Tongatapu
ホウマ
Houma
コロンガ島
Kolonga
エウアイキ島
'Eua Iki
エウア島
'Eua
ペア
Pea
ムア
Mu'a
ファンガモトゥ国際空港
Fua'amotu
オホヌア
Ohonua
トンガタプ諸島
Tongatapu
トンガ
TONGA
1:1 360 000
10km

ヤップ島
Yap
ルムング島
Rumung
マープ島
Maap
ガギール=トミール島
Gagil-Tomil
コロニア
Colonia
ヤップ国際空港
ミクロネシア
MICRONESIA
ヤップ島
1:1 000 000
10km

108 オーストラリア・ニュージーランド
1：16 000 000
0 200 400km
ランベル
インドネシア
INDONESIA
東ティモール
TIMOR-LESTE
ティモール島
Timor
ソロール諸島
Kep. Solor
ティモール海
Timor Sea
アラフラ海
Arafura Sea
ニューギニア島
New Guinea
トレス海峡
プリンスオブウェールズ島
Prince of Wales I.
メルヴィル島
Melville I.
コーバーグ半島
Cobourg Pen.
ウェスル諸島
Wessel Is.
ダーウィン
Darwin
カカドゥ国立公園
アーネムランド半島
Arnhem Land
グルートアイランド島
Groote Eylandt
カーペンタリア湾
G. of Carpentaria
サーエドワードペリュー諸島
Sir Edward Pellew Group
ウェルズリー諸島
Wellesley Is.
モーニントン島
Mornington I.
ケープヨーク半島
インド洋
INDIAN OCEAN
キンバリー高原
Kimberley Plat.
ダンピアランド
Dampier Land
バークリー台地
Barkly Tableland
タナミ砂漠
Tanami Des.
ノーザンテリトリー
NORTHERN TERRITORY
グレートサンディー砂漠
Great Sandy Des.
オーストラリア連邦
COMMONWEALTH OF AUSTRALIA
クインズランド
QUEENSLAND
ハマーズリー山脈
Hamersley Range
マクドネル山脈
Macdonnell Ranges
アリススプリングス
Alice Springs
グレートアーテジアン盆地（大鑽井）
Great Artesian Basin
ギブソン砂漠
Gibson Des.
ウルル（エアーズロック）
Uluru Ayers Rock
シンプソン砂漠
Simpson Des.
ウェスタンオーストラリア
WESTERN AUSTRALIA
マスグレーヴ山脈
Musgrave Range
レークエーア盆地
Lake Eyre Basin
サウスオーストラリア
SOUTH AUSTRALIA
エーア湖
スタート砂漠
グレートヴィクトリア砂漠
Great Victoria Des.
フリンダーズ山脈
Flinders Range
バリア山脈
Barrier Range
グレイ山脈
Grey Range
ナラボー平原
Nullarbor Plain
パース
PERTH
アデレード
ADELAIDE
エーア半島
Eyre Pen.
カンガルー島
Kangaroo I.
グレートオーストラリア湾
Great Australian Bight
マリーダーリング盆地
Murray-Darling Basin
ニューサ
ヴィク
VICTO
ほ乳類化石地域
スターリング山脈
ダーリングレンジ
Darling Range
ルーイン岬
C. Leeuwin
官公庁
業務・商業中心地区
住宅地区
工業地区
公園・緑地
博物館・大学・病院など
路面電車と駅
キャンベラ
1：75 000
0 1000m
市政庁区
住宅区
行政区
国会議事堂
キャピタルヒル
オーストラリア国立大学
オーストラリア戦争記念館
バーリーグリフィン湖
シドニー
1：77 000
0 1000m
ハーバーブリッジ
オペラハウス
ロックス
ダーリングハースト
キングスクロス
シドニー大学
セントラル駅
ダーリング港
商業地
住宅地
宗教施設
鉄道と駅
公共施設
港湾施設
その他
路面電車
公園・緑地
スポーツ・娯楽施設
高速道路
[The New Jacaranda Atlas 2007年版, ほか]
タスマニア島
1：8 000 000
0 100km
ファーノー諸島
Furneaux Group
タスマニア島
Tasmania
タスマニア
TASMANIA
ホバート
Hobart
タスマニア原生地域
タスマン半島
Tasman Pen.
サウスイースト岬
South East C.
※ 陸(等高線)と海(等深線)の凡例はP.110に同じ。

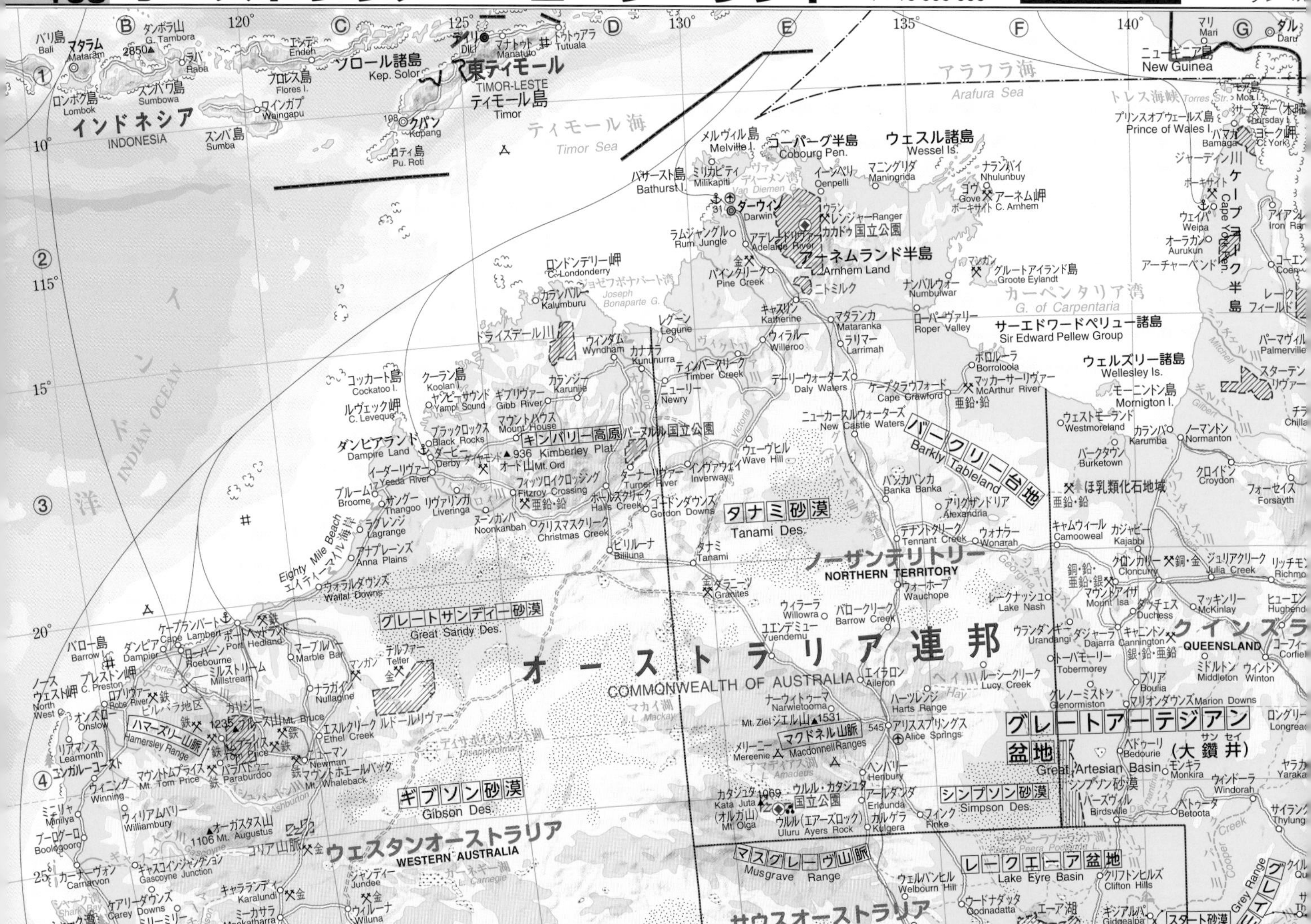

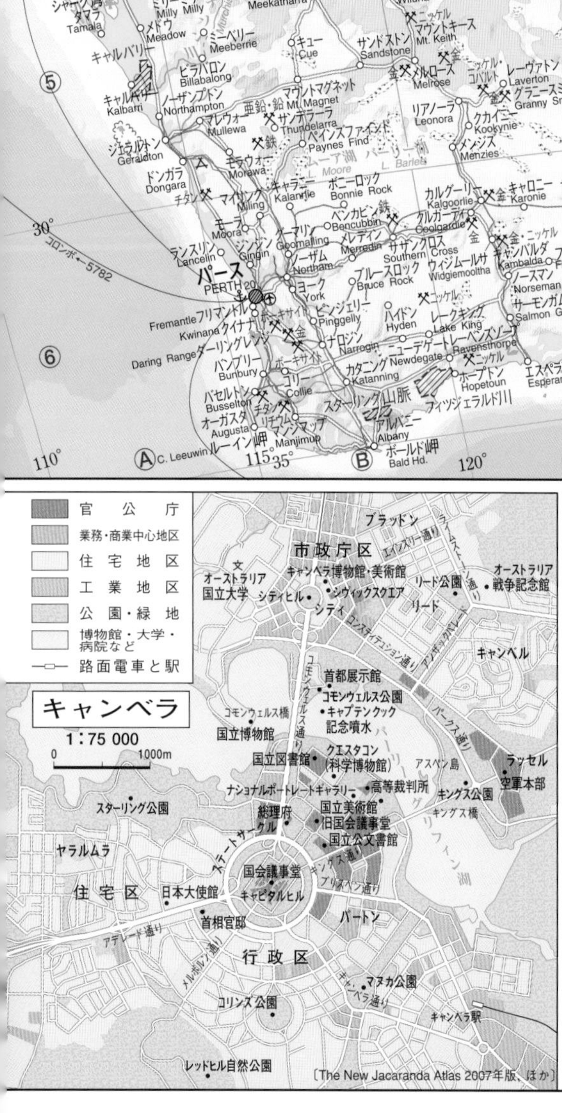

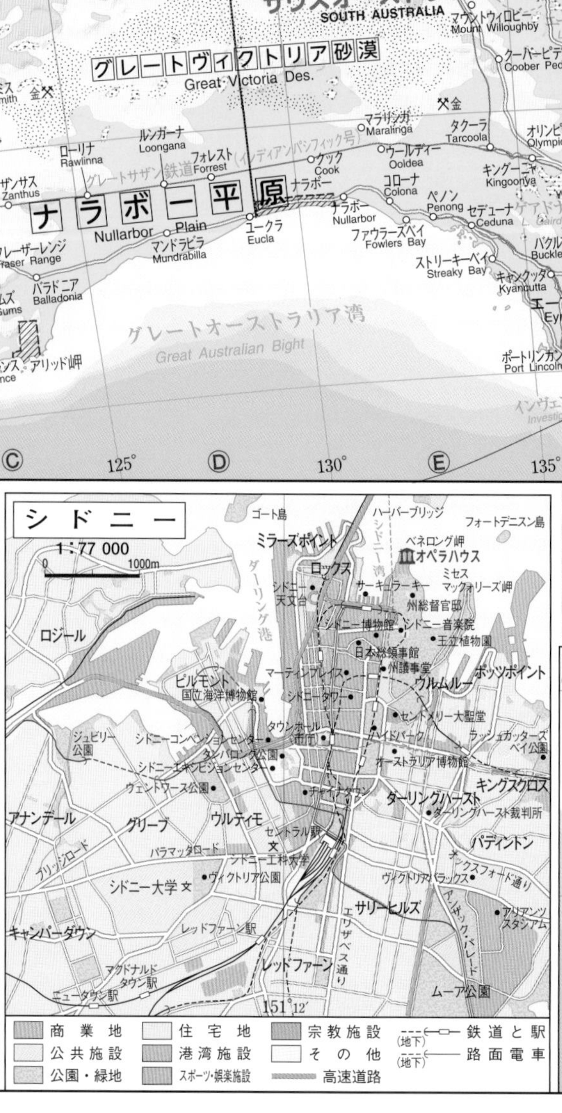

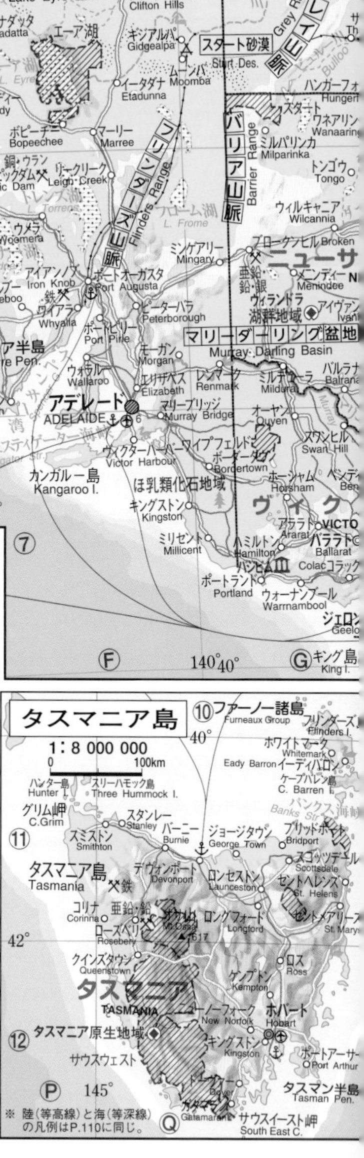

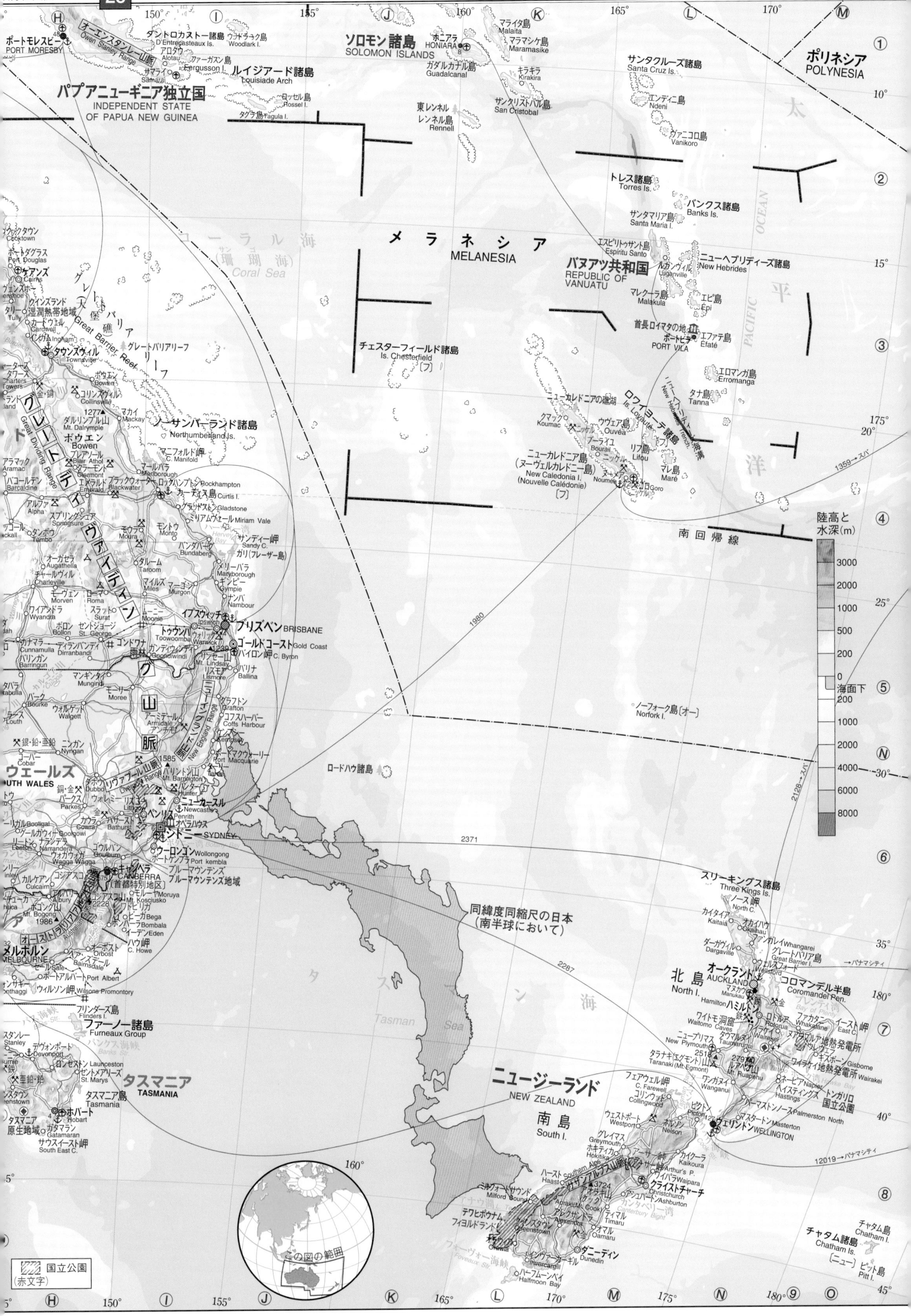
ソロモン諸島
SOLOMON ISLANDS
ポリネシア
POLYNESIA
パプアニューギニア独立国
INDEPENDENT STATE
OF PAPUA NEW GUINEA
ポートモレスビー
PORT MORESBY
オーエンスタンレー山脈
Owen Stanley Range
ダントルカストー諸島
D'Entrecasteaux Is.
ウッドラーク島
Woodlark I.
ファーガスン島
Fergusson I.
ルイジアード諸島
Louisiade Arch
ロッセル島
Rossel I.
タグラ島
Tagula I.
ホニアラ
HONIARA
ガダルカナル島
Guadalcanal
マライタ島
Malaita
マラマシケ島
Maramasike
キラキラ
Kirakira
サンクリストバル島
San Cristobal
東レンネル
レンネル島
Rennell
サンタクルーズ諸島
Santa Cruz Is.
エンディニ島
Ndeni
ヴァニコロ島
Vanikoro
トレス諸島
Torres Is.
バンクス諸島
Banks Is.
サンタマリア島
Santa Maria I.
エスピリトゥサント島
Espiritu Santo
ルガンヴィル
Luganville
ニューヘブリディーズ諸島
New Hebrides
バヌアツ共和国
REPUBLIC OF VANUATU
マレクーラ島
Malakula
エピ島
Epi
首長ロイマタの地
ポートビラ
PORT VILA
エファテ島
Efaté
エロマンガ島
Erromanga
タナ島
Tanna
メラネシア
MELANESIA
コーラル海
(珊瑚海)
Coral Sea
グレートバリア堡礁
Great Barrier Reef
グレートバリアリーフ
チェスターフィールド諸島
Is. Chesterfield
〔フ〕
ノーサンバーランド諸島
Northumberland Is.
ロワイヨテ諸島
Is. Loyauté
ウヴェア島
Ouvéa
リフ島
Lifou
マレ島
Maré
ニューカレドニア島
(ヌーヴェルカレドニー島)
New Caledonia I.
(Nouvelle Calédonie)
〔フ〕
ヌーメア
Nouméa
クマック
Koumac
ニューヘブリディーズ海溝
New Hebrides Trench
太平洋
PACIFIC OCEAN
南回帰線
陸高と水深(m)
3000
2000
1000
500
200
0
海面下
200
1000
2000
4000
6000
8000
ノーフォーク島〔オー〕
Norfolk I.
ロードハウ諸島
グレートディヴァイディング山脈
Great Dividing Range
ニューイングランド山脈
New England Range
リヴァプール山脈
Liverpool Range
オーストラリアアルプス山脈
ケアンズ
Cairns
タウンズヴィル
Townsville
マッカイ
Mackay
ロックハンプトン
Rockhampton
バンダバーグ
Bundaberg
メリーバラ
Maryborough
ブリズベン
BRISBANE
ゴールドコースト
Gold Coast
バイロン岬
C. Byron
ニューカースル
Newcastle
シドニー
SYDNEY
ウーロンゴン
Wollongong
ブルーマウンテンズ
ブルーマウンテンズ地域
キャンベラ
CANBERRA
〔首都特別地区〕
コジアスコ山
Mt. Kosciusko
ハウ岬
C. Howe
メルボルン
MELBOURNE
ウィルソン岬
Wilsons Promontory
ウェールズ
SOUTH WALES
フリンダーズ島
Flinders I.
ファーノー諸島
Furneaux Group
バンクス海峡
Banks Str.
デヴォンポート
Devonport
ロンセストン
Launceston
タスマニア
TASMANIA
タスマニア島
Tasmania
ホバート
Hobart
タスマニア原生地域
サウスイースト岬
South East C.
同緯度同縮尺の日本
(南半球において)
タスマン海
Tasman Sea
スリーキングス諸島
Three Kings Is.
ノース岬
North C.
カイタイア
Kaitaia
ファンガレイ
Whangarei
グレートバリア島
Great Barrier I.
北島
North I.
オークランド
AUCKLAND
コロマンデル半島
Coromandel Pen.
ハミルトン
Hamilton
ワイトモ洞窟
Waitomo Caves
ロトルア
Rotorua
タウポ湖
ニュープリマス
New Plymouth
タラナキ(エグモント)山
Taranaki (Mt. Egmont)
ルアペフ山
Mt. Ruapehu
ワイラケイ地熱発電所
ギズボーン
Gisborne
ネーピア
Napier
ヘイスティングス
Hastings
トンガリロ国立公園
パーマストンノース
Palmerston North
ウェリントン
WELLINGTON
ニュージーランド
NEW ZEALAND
南島
South I.
フェアウェル岬
C. Farewell
ネルソン
Nelson
ウェストポート
Westport
グレイマス
Greymouth
ホキティカ
Hokitika
カイコウラ
Kaikoura
サザンアルプス山脈
Southern Alps
クック山
Mt. Cook
クライストチャーチ
Christchurch
カンタベリー湾
Canterbury Bight
ミルフォードサウンド
Milford Sound
テワヒポウナム
クイーンズタウン
Queenstown
ティマル
Timaru
オアマル
Oamaru
ダニーディン
Dunedin
インヴァーカーギル
Invercargill
フォーヴォー海峡
Foveaux Str.
ハーフムーンベイ
Halfmoon Bay
チャタム島
Chatham I.
チャタム諸島
Chatham Is.
〔ニュー〕
ピット島
Pitt I.
この図の範囲
国立公園
(赤文字)
1980
2371
2287
1359→スバ
2128→スバ
12019→パナマシティ
→パナマシティ
10°
15°
20°
25°
30°
35°
40°
45°
150°
155°
160°
165°
170°
175°
180°

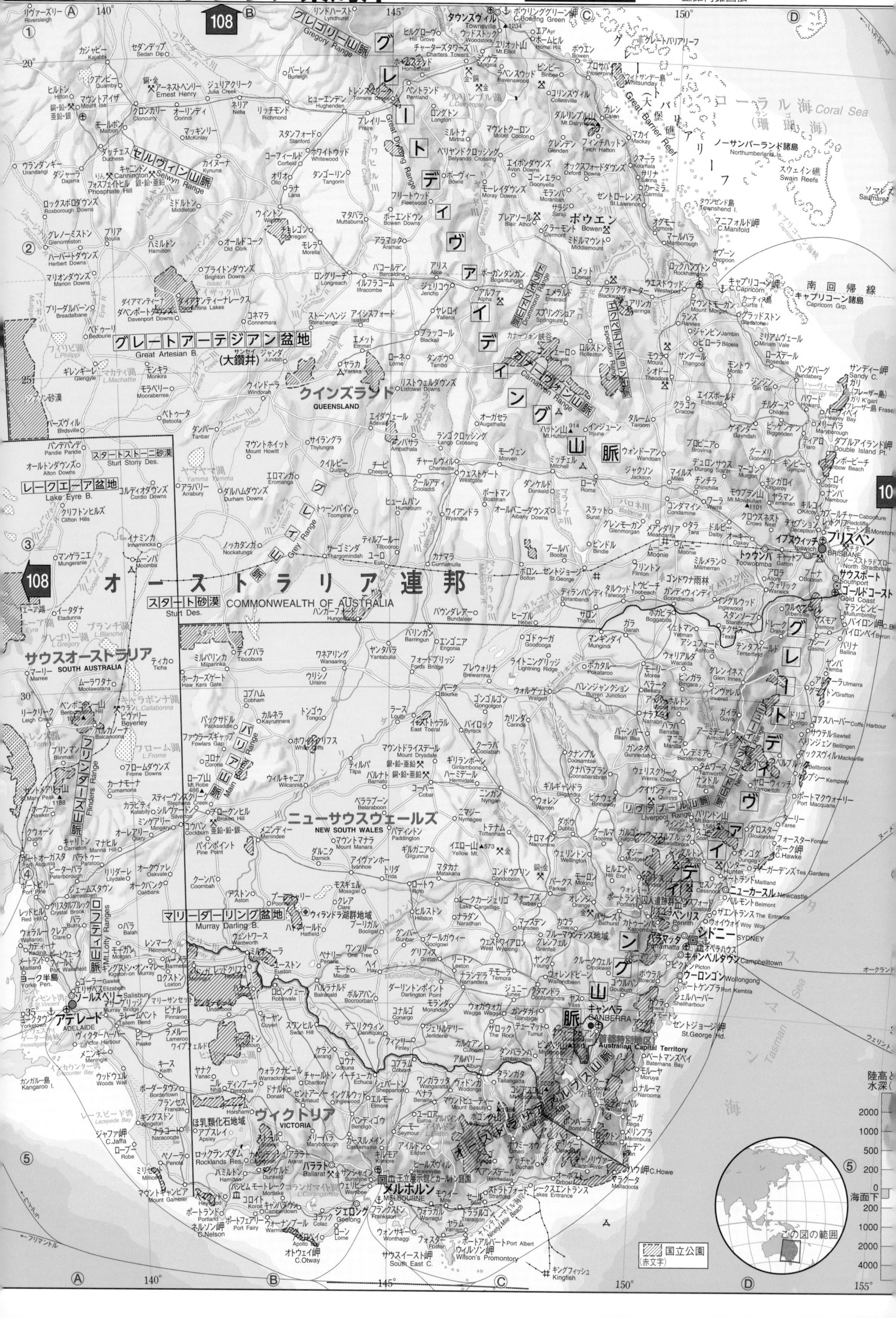

110 オーストラリア東海岸
1：8 000 000
0 100 200km
正距円錐図法
108
108
オーストラリア連邦
COMMONWEALTH OF AUSTRALIA
クインズランド
QUEENSLAND
ニューサウスウェールズ
NEW SOUTH WALES
ヴィクトリア
VICTORIA
サウスオーストラリア
SOUTH AUSTRALIA
首都特別地区
Australian Capital Territory
グレートディヴァイディング山脈
Great Dividing Range
グレートバリアリーフ（大堡礁）
Great Barrier Reef
コーラル海（珊瑚海）
Coral Sea
タスマン海
Tasman Sea
グレートアーテジアン盆地
Great Artesian B.
（大鑽井）
マリーダーリング盆地
Murray Darling B.
レークエーア盆地
Lake Eyre B.
スタートストーニ砂漠
Sturt Stony Des.
スタート砂漠
Sturt Des.
グレゴリー山脈
Gregory Range
セルウィン山脈
Selwyn Range
フリンダーズ山脈
Flinders Range
ロフティ山脈
Mt.Lofty Ranges
バリア山脈
オーストラリアアルプス山脈
南回帰線
ブリスベン
BRISBANE
シドニー
SYDNEY
キャンベラ
CANBERRA
メルボルン
MELBOURNE
アデレード
ADELAIDE
ニューカースル
Newcastle
ウーロンゴン
Wollongong
タウンズヴィル
Townsville
ロックハンプトン
Rockhampton
トゥウンバ
Toowoomba
ゴールドコースト
Gold Coast
イプスウィッチ
Ipswich
ジロング
Geelong
バララト
Ballarat
ペンリス
Penrith
パラマッタ
Parramatta
キャンベルタウン
Campbelltown
ボウエン
Bowen
マウントアイザ
Mount Isa
ブロークンヒル
Broken Hill
ハウ岬
C.Howe
オトウェイ岬
C.Otway
ウィルソン岬
Wilson's Promontory
サウスイースト岬
South East C.
陸高と水深
2000
1000
500
200
0
海面下
200
1000
2000
4000
この図の範囲
国立公園
（赤文字）
140°
145°
150°
155°
20°
25°
30°
35°

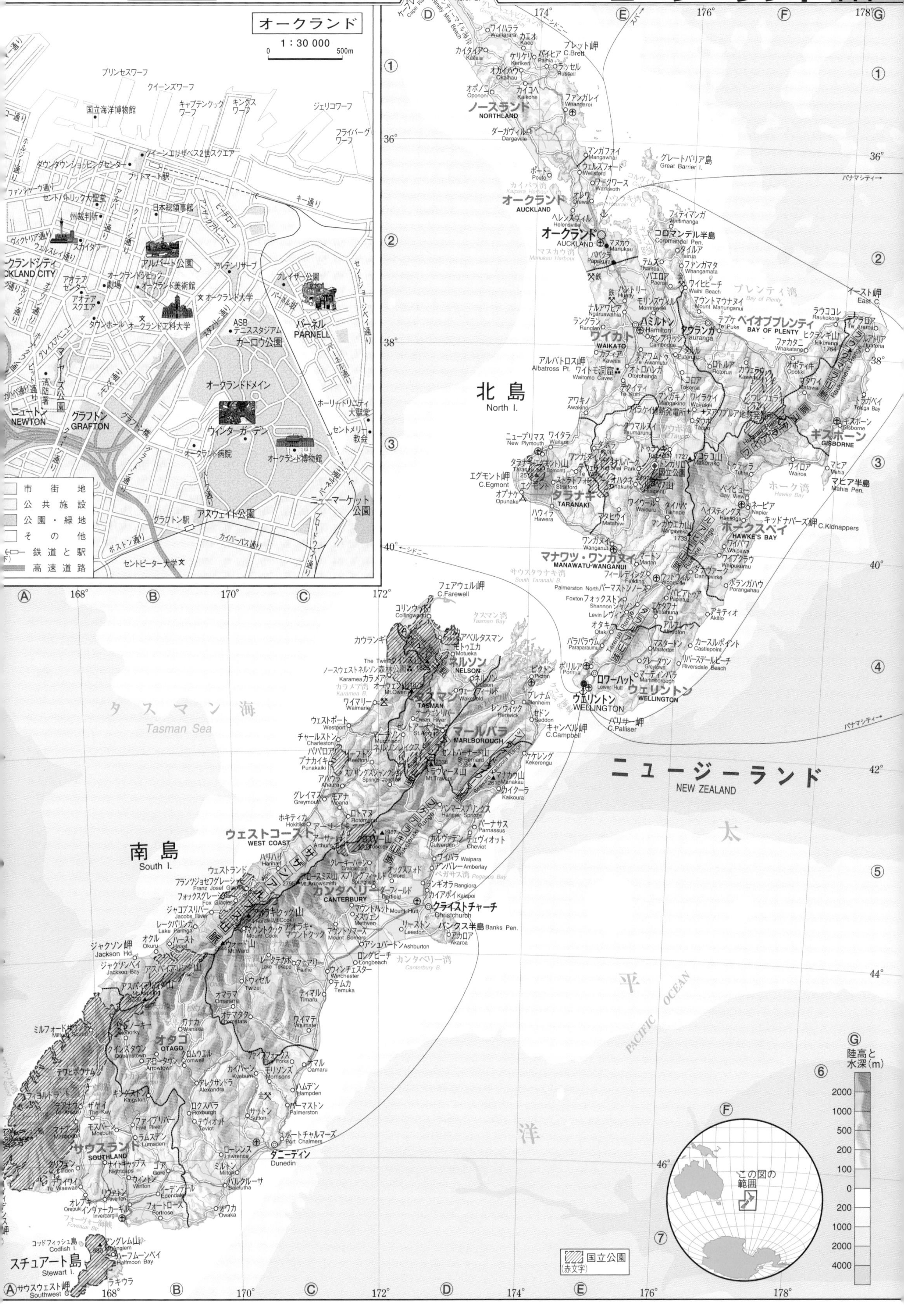
オークランド
1：30 000
0 500m
プリンセスワーフ
クイーンズワーフ
国立海洋博物館
キャプテンクックワーフ
キングスワーフ
ジェリコワーフ
フライバーグワーフ
クイーンエリザベス2世スクエア
ダウンタウンショッピングセンター
ブリトマート駅
キー通り
セントパトリック大聖堂
日本総領事館
州裁判所
スカイタワー
アルバート公園
オークランドシビック
オークランド美術館
オークランド大学
オークランド工科大学
フレイザー公園
パーネル
PARNELL
ASB テニススタジアム
カーロウ公園
オークランドドメイン
ウィンターガーデン
オークランド病院
オークランド博物館
ホーリートリニティ大聖堂
セントメリー教会
ニューマーケット公園
グラフトン駅
アヌウェイト公園
セントピーター大学
ニュートン
NEWTON
グラフトン
GRAFTON
消防署
市街地
公共施設
公園・緑地
その他
鉄道と駅
高速道路
北島
North I.
南島
South I.
タスマン海
Tasman Sea
ニュージーランド
NEW ZEALAND
太平洋
PACIFIC OCEAN
ノースランド
NORTHLAND
オークランド
AUCKLAND
ワイカト
WAIKATO
ハミルトン
Hamilton
タウランガ
Tauranga
ベイオブプレンティ
BAY OF PLENTY
ギズボーン
GISBORNE
タラナキ
TARANAKI
ホークスベイ
HAWKE'S BAY
マナワツ・ワンガヌイ
MANAWATU-WANGANUI
ウェリントン
WELLINGTON
ネルソン
NELSON
タスマン
TASMAN
マールバラ
MARLBOROUGH
ウェストコースト
WEST COAST
カンタベリー
CANTERBURY
クライストチャーチ
Christchurch
オタゴ
OTAGO
ダニーディン
Dunedin
サウスランド
SOUTHLAND
スチュアート島
Stewart I.
ノース岬
North C.
レインガ岬
Cape Reinga
グレートバリア島
Great Barrier I.
コロマンデル半島
Coromandel Pen.
イースト岬
East C.
エグモント岬
C.Egmont
マヒア半島
Mahia Pen.
キッドナパーズ岬
C.Kidnappers
パリサー岬
C.Palliser
キャンベル岬
C.Campbell
フェアウェル岬
C.Farewell
バンクス半島
Banks Pen.
クック山
ヒクランギ山
ルアペフ山
タラナキ(エグモント)山
国立公園
(赤文字)
陸高と水深(m)
2000
1000
500
200
100
0
200
1000
2000
4000
この図の範囲

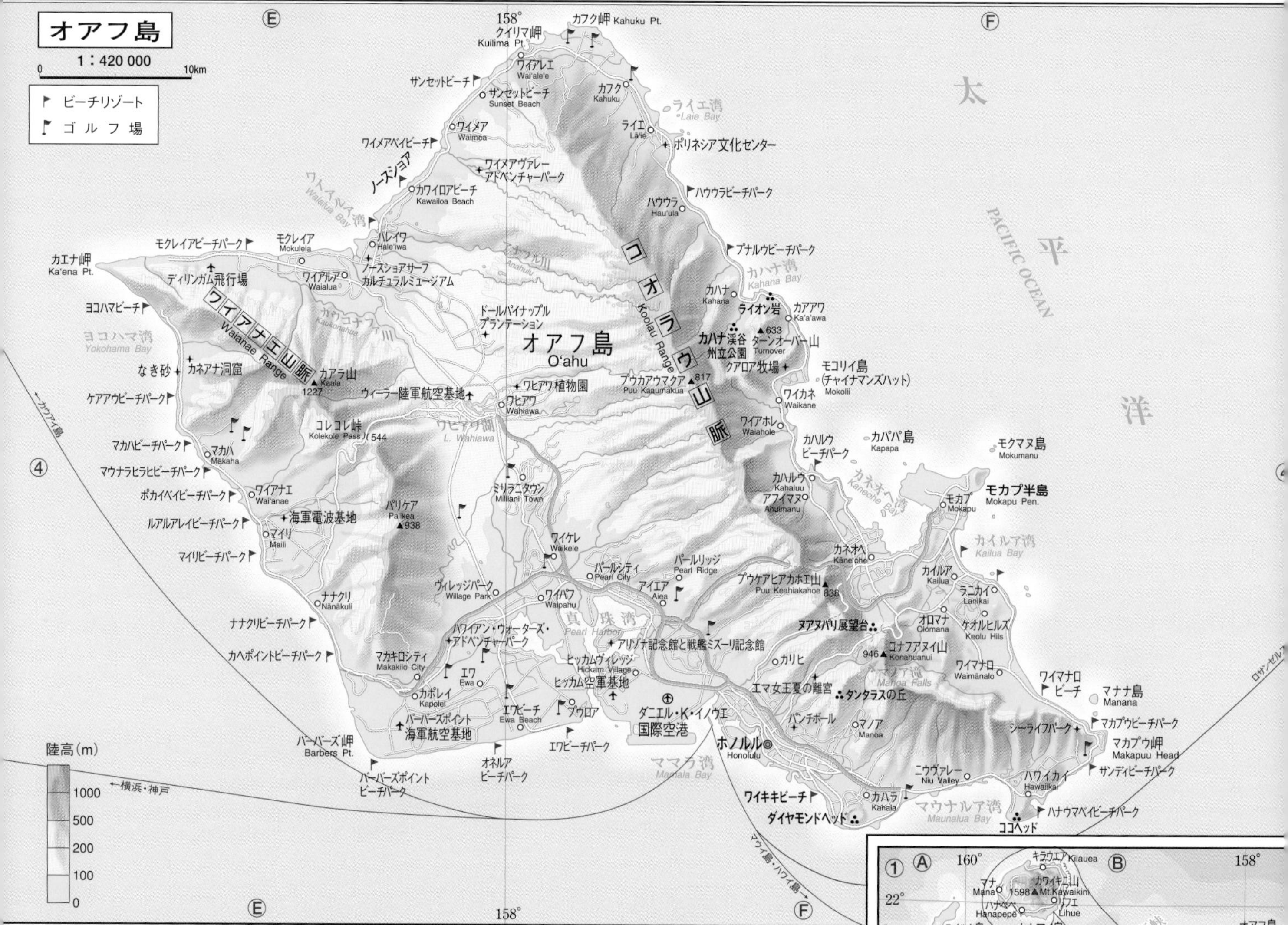

オアフ島

1：420 000

0　10km

▶ ビーチリゾート
▶ ゴルフ場

太平洋 PACIFIC OCEAN

クイリマ岬 Kuilima Pt.
カフク岬 Kahuku Pt.
158°
サンセットビーチ Sunset Beach
ワイアレエ Wai'ale'e
カフク Kahuku
ライエ湾 Laie Bay
ライエ Laie
ワイメア Waimea
ワイメアベイビーチ
ポリネシア文化センター
ワイメアヴァレー・アドベンチャーパーク
ノースショア
カワイロアビーチ Kawailoa Beach
ハウウラ Hau'ula
ハウウラビーチパーク
ハレイワ Hale'iwa
プナルウビーチパーク
モクレイアビーチパーク
モクレイア Mokuleia
カエナ岬 Ka'ena Pt.
ワイアルア Waialua
ディリンガム飛行場
ノースショアサーフ・カルチュラルミュージアム
ワイアルア湾 Waialua Bay
ワ　イ　ア　ル　ア
コオラウ山脈 Koolau Range
カハナ Kahana
ゴ　オ　ラ　ウ
ライオン岩 Ka'a'awa
カアアワ Ka'a'awa
ヨコハマビーチ
ワイアエエ山脈 Waianae Range
ドールパイナップルプランテーション
カアラ山 Ka'ala 1227
カハナ湾 Kahana Bay
カハナ渓谷州立公園
ターンオーバー山 Turnover
633
ヨコハマ湾 Yokohama Bay
オアフ島 O'ahu
プウカアウマクア山 Puu Kaaunakua 817
クアロア牧場
ワイカネ Waikane
モコリイ島（チャイナマンズハット） Mokolii
なき砂
カネアナ洞窟
ケアアウビーチパーク
ウィーラー陸軍航空基地
ワヒアワ植物園
ワヒアワ Wahiawa
ワイカネ
山　脈
ワイアホ Waiahole
カパパ島 Kapapa
モクマヌ島 Mokumanu
カポレイ峠 Kolekole Pass 544
L. ワヒアワ L. Wahiawa
ワイアホレビーチパーク
カパパ Kapapa
モカプ半島 Mokapu Pen.
マカハビーチパーク
マウナラヒビーチパーク
マカハ Makaha
ミリラニタウン Millani Town
カハルウ Kahaluu
モカ Moka
ポカイベイビーチパーク
ワイアナエ Wai'anae
938
アフイマヌ Ahuimanu
モカプ Mokapu
ルアルアレイビーチパーク
海軍電波基地
パリケア Palikea
ワイケレ Waikele
カネネ Kane'ohe
カネオヘ湾 Kaneohe Bay
カイルア湾 Kailua Bay
マイリ Maili
マイリビーチパーク
ヴィレッジパーク Village Park
ワイパフ Waipahu
パールシティ Pearl City
アイエア Aiea
パールリッジ Pearl Ridge
プウケアヒアカホエ山 Puu Keahiakahoe 836
カネオヘ Kane'ohe
カイルア Kailua
ナナクリ Nanakuli
ナナクリビーチパーク
真珠湾 Pearl Harbor
ラニカイ Lanikai
カヘポイントビーチパーク
マカキロシティ Makakilo City
ハワイアン・ウォーターズ・アドベンチャーパーク
ヌウアヌパリ展望台
オロマナ Olomana
ケオルヒルズ Keolu Hils
カポレイ Kapolei
エワ Ewa
ヒッカムヴィレッジ Hickam Village
アリゾナ記念館と戦艦ミズーリ記念館
コナアフヌ山 Konahuanui 946
ワイマナロ Waimanalo
マナナ島 Manana
バーバーズポイント海軍航空基地
エワビーチ Ewa Beach
ヒッカム空軍基地
プウロア Puuloa
カリヒ Kalihi
エマ女王夏の離宮
ダンタラスの丘
ワイマナロビーチ Waimanalo
ダニエル・K・イノウエ国際空港
マノア Manoa
パンチボール
シーライフパーク
バーバーズ岬 Barbers Pt.
エワビーチ Ewa Beach
エワビーチパーク
オネウラビーチパーク
ママラ湾 Maunala Bay
ホノルル Honolulu
マカプウ岬 Makapuu Head
バーバーズポイントビーチパーク
ニウヴァレー Niu Valley
マカプウビーチパーク
陸高(m)
1000
500
200
100
0
←横浜・神戸
ワイキキビーチ Waikiki Beach
ダイヤモンドヘッド
カハラ Kahala
ハワイカイ Hawaiikai
マウナルア湾 Maunalua Bay
ココヘッド
ハナウマベイビーチパーク
サンディビーチパーク
←ラハイナ・マウイ島へ
E
158°
F

ホノルル

1：25 000

0　500m

		市街地	H	ホテル
		公園・緑地	S	ショッピングセンター
		その他		
		高速道路	▶	ビーチリゾート

ルーズヴェルト高校
日本総領事館
パンチボール
国立太平洋記念墓地
マキキ MAKIKI
マキキ墓地
パリハイウェイ
至ダニエル・K・イノウエ国際空港
プロスペクト通り
ワイルダー通り
展望台
イオラニ通り
フォスター植物園
ワード通り
シュライナーズ小児科病院
チャイナタウン CHINA TOWN
パンチボール通り
ベンサコラ通り
ペンサコラ通り
ベレタニア通り
ダウンタウン DOWNTOWN
クイーンズ・メディカルセンター
ホノルル美術館
サウスキング通り
ルナリロフリーウェイ
ハワイ州立美術館
セントアンドリュース大聖堂
ワシントンプレイス（州知事官舎）
ベレタニア通り
トーマス広場
ケアアウモク通り
パゴダ
H
イオラニ宮殿
ハワイ州庁
ハワイ州立図書館
ホノルルハレ（市庁舎）
ミッションハウス博物館
中央警察署
NBコンサートホール
マッキンレー高校
シェリダン公園
アラモアナ ALAMOANA
ウォルマート
H
ハワイアンモナーク
ハワイコンベンションセンター
アラワイ運河
カメハメハ大王像
アリイオラニ・ハレ（州最高裁判所）
カワイアハオ教会
NBアリーナ
ニールブレイズデルセンター
カピオラニ通り
コナ通り
H
アラモアナ
カラカウア王像
クヒオ通り
ロイヤルハワイアン
アラワイ通り
カラカウア通り
インターナショナルマーケットプレ
アロハタワー
スターオブホノルル乗船場
ハワイ地区地方裁判所
クイーン通り
ワードビレッジ S
アラモアナセンター
H
H
プリンスワイキキ・ラマダプラザ
H イリカイ
リッツカールトンレジデンス
ラグジュアリーロウ
ワイキキショッピングプラザ
Tギャラリアハワイ By
アロハタワーマーケットプレイス
ウォーターフロントプラザ
ワードセンター S
ワードビレッジ S
マッコイパビリオン
アラモアナビーチパーク
H
H
H
トランプインターナショナル
エンバシースイーツ
ロイヤルハワイアンセンター
アウトリガーリーフ
ロイヤルハワイアン
米国移民・関税執行局
カカアコ KAKA'AKO
アラモアナ通り
観光船乗船場
アラモアナビーチ
アラワイヨットハーバー
H
H
ヒルトンハワイアンビレッジ
陸軍博物館
観光潜水艦アトランティス乗船場
ハルクラニ
H
シェラトンワイ
チルドレンズディスカバリーセンター
ケワロ湾
グレイズビーチ
えひめ丸慰霊碑
ママラ湾 Maunala Bay
カカアコウォーターフロントパーク

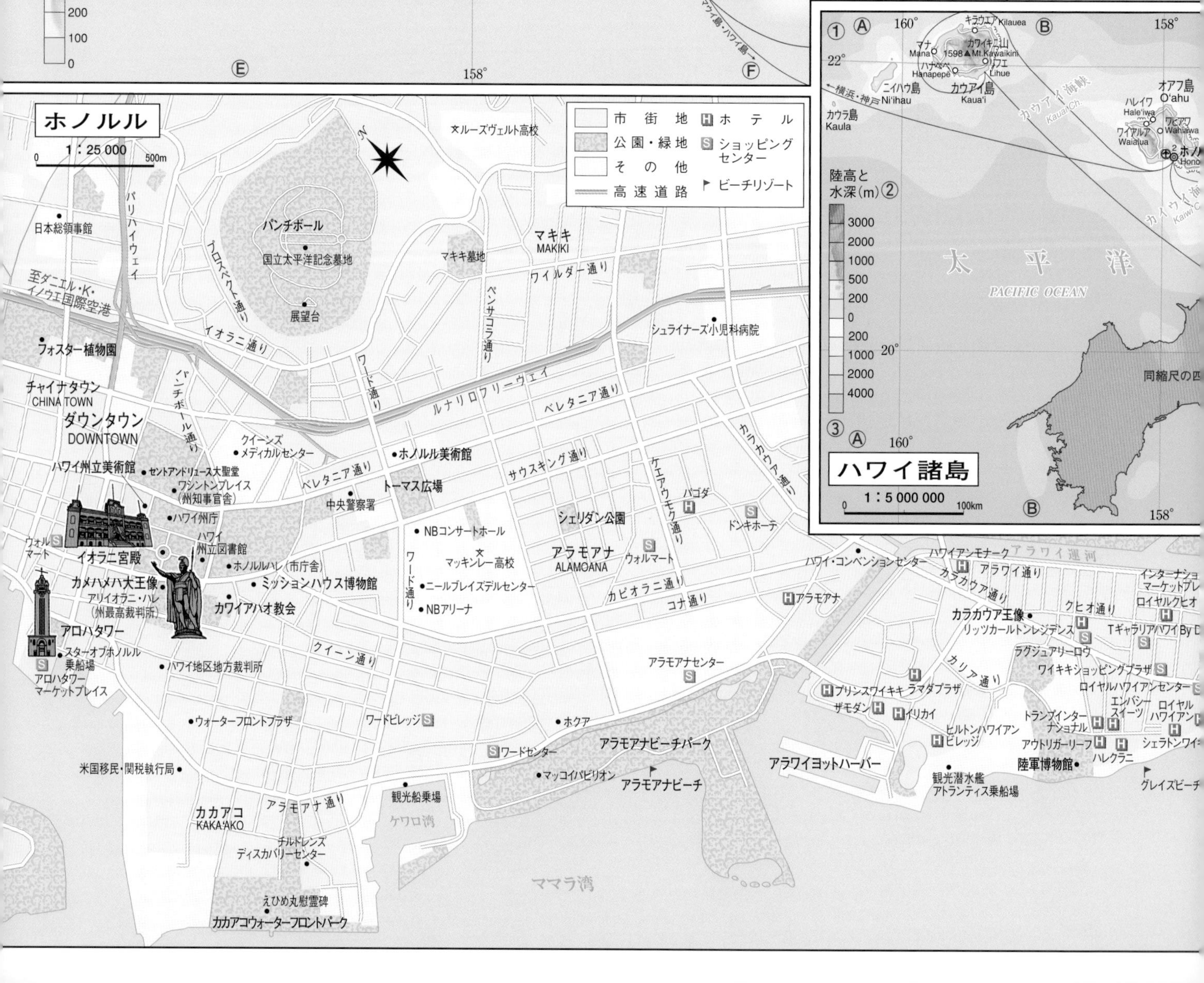

ハワイ諸島

1：5 000 000

0　100km

① A 160°
キラウエア Kilauea
マナ Mana
カワイキニ山 Mt.Kawaikini 1598
リフエ Lihue
22°
ハナペペ Hanapepe
カウアイ島 Kaua'i
ニイハウ島 Ni'ihau
横浜・神戸→
カウラ島 Kaula
カウアイ海峡 Kaua'i Ch.
オアフ島 O'ahu
ハレイワ Hale'iwa
ワイアルア Waialua
ワヒアワ Wahiawa
② ホノルル Honolulu
太平洋 PACIFIC OCEAN
陸高と水深(m) ②
3000
2000
1000
500
200
0
200
1000
2000
3000
4000
20°
③ A 160°
同縮尺の四
158°
B

マウイ島・モロカイ島・
ラナイ島・カフラウエ島
1：740 000
ビーチリゾート
ゴルフ場
モロカイ島
Moloka'i
ラナイ島
Lāna'i
マウイ島
Maui
カフラウエ島
Kahoolawe
太平洋
PACIFIC OCEAN
パイロロ海峡
Pailolo Channel
カロヒ海峡
Kalohi Channel
ケアライカヒキ海峡
Kealaikahiki Channel
アララケイキ海峡
Alalakeiki Channel
ハラワ渓谷
ハラワ岬
C. Hālawa
カマコウ山
Kamakou
1515
カウナカカイ
Kaunakakai
モロカイ空港
マウナロア
Mauna Loa
ラアウ岬
Laau Pt.
カプアイワ
ココナツグローヴ
ルアヒアの石文字
ラナイシティー
Lāna'i City
ラナイ空港
マネレベイ
Manele Bay
カウマラパウ
Kaumalapau
カパルアウエストマウイ空港
ラハイナ
Lahaina
砂糖キビ列車
ラハイナショッピングセンター
プウククイ山
Pukukui
1765
イアオ渓谷
州立公園
イアオニードル
ワイルク
Wailuku
カフルイ空港
アレキサンダー&ボールドウィン
砂糖博物館
ハレアカラ山のクレーター
ハレアカラ国立公園
レッドヒル
Red Hill
3055
（ハレアカラ山の
最高地点）
ハナ空港
ワイアナパナパ
州立公園
ハナ
Hāna
ハナ博物館
ケアナエ半島
キヘイ
Kihei
ワイレア
Wailea
マケナ
Makena
モロキニ島
Molokini
ククイ岬
Kukui Pt.
アポレ岬
Apole Pt.
ブラックサンドビーチ
陸高（m）
2000
1000
500
200
100
0
アメリカ合衆国
UNITED STATES OF AMERICA
ハワイ
HAWAII
アレヌイハハ海峡
Alenuihaha Ch.
ハワイ島
Hawai'i
マウナケア山
Mauna Kea
4205
マウナロア山
Mauna Loa
4170
キラウエア山
Kilauea Crater
1222
ハワイ火山国立公園
カラエ岬
Ka Lae
アラワイゴルフコース
アラワイ通り
ワイキキ
WAIKIKI
カパフル
KAPAHULU
カイムキ
KAIMUKI
カピオラニパーク
カラカウア通り
ワイキキ水族館
ホノルル動物園
クヒオビーチパーク
クイーンズサーフビーチ
カイマナビーチ
ハワイ島
1：950 000
ウポル岬
Upolu Pt.
カメハメハ大王像
ポロル渓谷
ワイピオ渓谷
ラパカヒ州立歴史公園
パーカーランチビジターセンター
ワイメアコハラ空港
マウナケア天文台群
すばる望遠鏡
アカカ滝州立公園
ハワイトロピカル植物園
ヒロ国際空港
マカデミアナッツ農園
コナ国際空港
ファアラライ山
Hualalai
2523
フリヘエ宮殿
キャプテンクック記念碑
プウホヌアオホナウナウ
国立歴史公園
カオヘ山
Kaohe
2837
サルファコーン山
Sulphur Cone
3453
アリカコーン山
Alika Cone
2391
キラウエアビジターセンター
チェーン・オブ・クレーターズ・ロード
カラパナ黒砂ビーチ
ホレイシーアーチ
溶岩樹州立公園
クムカヒ岬
C. Kumukahi
アプア岬
Apua Pt.
プナルウ黒砂ビーチ
マヌカ州立公園
グリーン・サンドビーチ
陸高（m）
3000
2000
1000
500
200
0

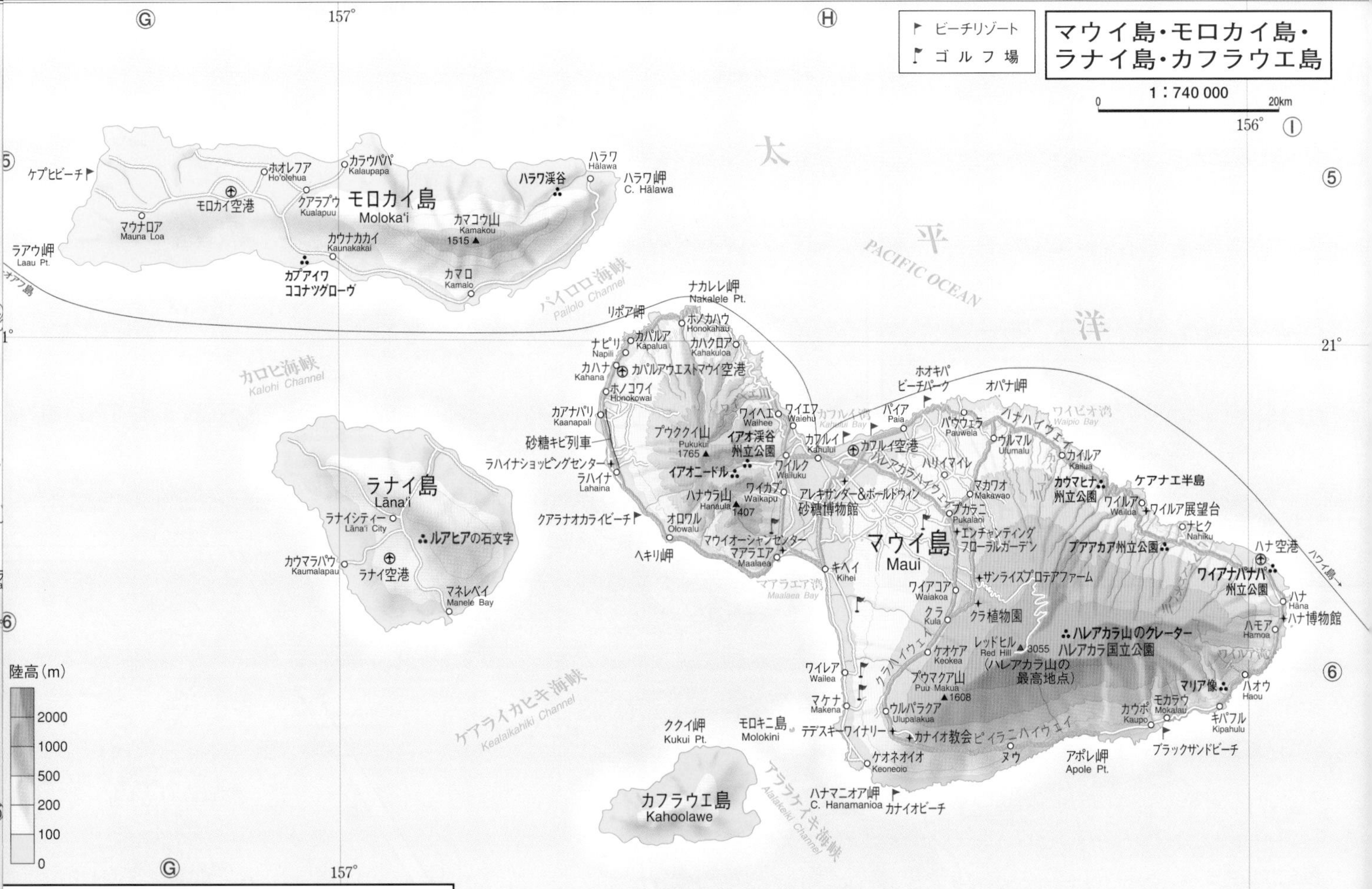

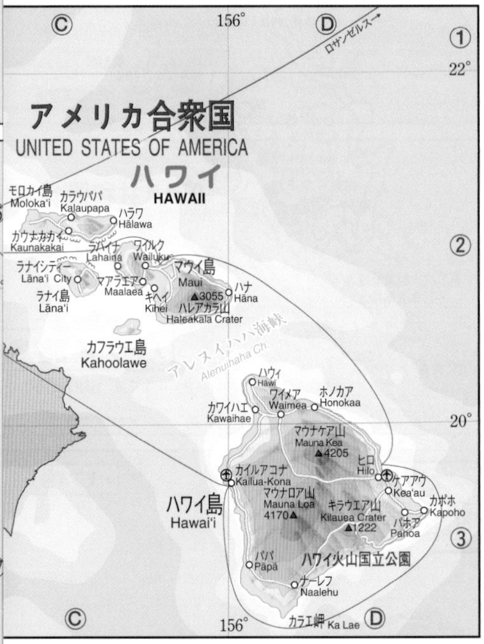

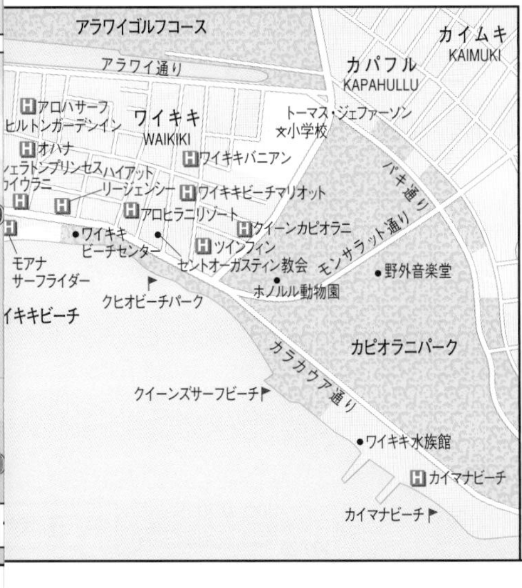

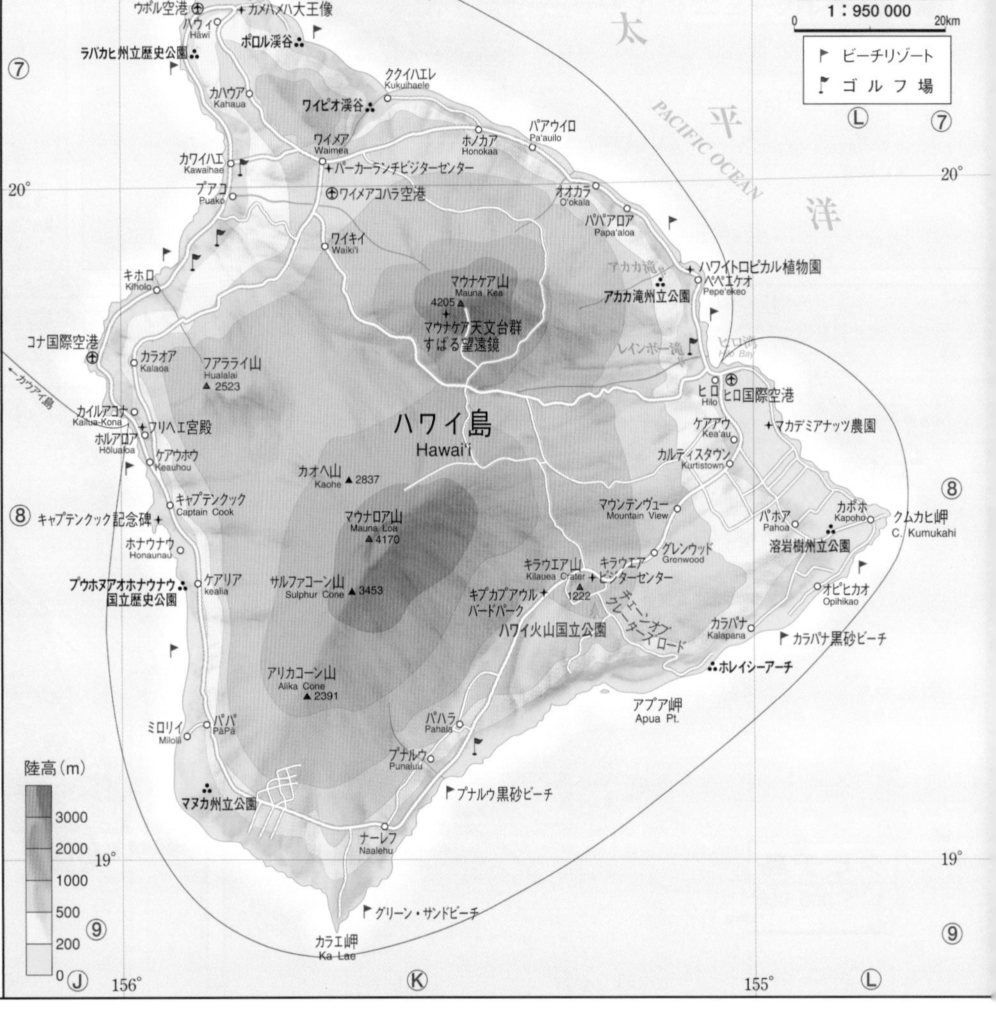

1：52 600 000
0 500 1000km
ランベルト正積方位図法
北極
年間氷結している範囲
おもな気象観測所
おもな探検ルート
ベーリング〔ロシア〕(1728年)
ノルデンショルド〔スウェーデン〕のベガ号(1878～79年)
ナンセン〔ノ〕のフラム号(1893～96年)
アムンゼン〔ノ〕のヨーア号(1903～06年)
ピアリー〔ア〕(1909年)
アムンゼン〔ノ〕のノルゲ号(飛行船)(1926年)
植村直己〔日本〕(1978年)
陸高と水深(m)
ラブラドル海
ラブラドル半島
ハドソン湾
流氷の限界
カナダ
ロッキー山脈
イエローナイフ
グレートスレーブ湖
グレートベア湖
ホワイトホース
ローガン山 5959
バッフィン島
バッフィン湾
デーヴィス海峡
ゴットホープ
ヌーク
2540 植村山
北極圏(66°33′39″N)
クインエリザベス諸島
カーナック(チューレ)
エルズミーア島
グリーンランド
レイキャビク
アイスランド
ボーフォート海
アンカレジ
6190 デナリ山(マッキンリー山)
アメリカ合衆国
アラスカ
アラスカ半島
アリューシャン列島
ウトキアグヴィク(バロー)
ノーム
ウランゲル島
チュコト半島
北極海
北極点
1909年4月6日、アメリカのピアリーが初到達
北磁極(2023年)
大西洋
アイルランド
ダブリン
イギリス
ロンドン
グリーンランド海
ノルウェー海
フランス
パリ
オランダ
ノルウェー
オスロ
スヴァールバル諸島〔ノ〕
トロムセー
スウェーデン
ストックホルム
ドイツ
ベルリン
スイス
イタリア
チェコ
ポーランド
ワルシャワ
ハンガリー
ルーマニア
ブカレスト
ウクライナ
キーウ(キエフ)
ベラルーシ
ミンスク
ラトビア
リガ
フィンランド
ヘルシンキ
ムルマンスク
バレンツ海
ゼムリャフランツァヨシファ
ノヴァヤゼムリャ
カラ海
セーヴェルナヤゼムリャ
ラプテフ海
ノヴォシビルスク諸島
東シベリア海
ベーリング海
タイミル半島
エニセイ川
オビ川
レナ川
ノリリスク
ヤクーツク
モスクワ
ロシア連邦
ウラル山脈
エカテリンブルク
カザフスタン
黒海
トルコ
中国
北極圏
オホーツク海
カムチャツカ半島
ペトロパブロフスク=カムチャツキー
千島(クリル)列島
樺太(サハリン)
札幌
日本
太平洋
日付変更線
南極
インド洋
南アフリカ共和国
オーストラリア
メルボルン
南極海
南極圏(66°33′39″S)
南磁極(2023年)
ミールヌイ基地〔ロシア〕
ランバート氷河
アメリカ高地
エンダービーランド
3355 メンジス山
1957年開設 日本初の南極観測基地
昭和基地
オングル島
みずほ基地 1978～1986年
クインメリーランド
ウィルクスランド
3488 ヴォストーク基地〔ロシア〕
ヴィクトリアランド
やまと山脈
あすか基地 1985～1992年
ドームふじ基地 1995年開設
クインモードランド
南極点
1911年12月14日、ノルウェーのアムンゼンが初到達 ついで1912年1月17日、イギリスのスコットが到達
南極高原
アムンゼン・スコット基地〔ア〕
4350 マーカム山
マクマード基地〔ア〕
ロス島
3794 エレバス山
2140 永田山
バレニー諸島
ニュージーランド
ロス海
ロス棚氷
ルーズヴェルト島
大和雪原
コーツランド
ウェッデル海
ベルグラーノII基地〔アルゼンチン〕
バークナー島
ロンネ棚氷
4892 ヴィンソンマッシーフ
マリーバードランド
エルズワースランド
パーマーランド
アムンゼン海
ベリングスハウゼン海
サウスオークニー諸島
南極半島
高木岬
シャルコ島
アレクサンダー島
サウスジョージア島
流氷の限界
ドレーク海峡
フォークランド諸島(マルビナス諸島)
アルゼンチン
フエゴ島
チリ
大西洋
太平洋
棚氷の範囲
年間氷結している範囲
おもな観測基地
日本の観測基地
おもな探検ルート
アムンゼン〔ノ〕(1911～12年)
スコット〔イ〕(1911～13年)
白瀬矗(のぶ)〔日本〕(1910～12年)
イギリス隊(1957～58年)
ソ連隊(1959～60年)
アメリカ隊(1960～61年)
日本隊(1967～69年)
南極大陸の断面図
※A－Bは西経140度線～東経40度線
ドームふじ基地〔日本〕

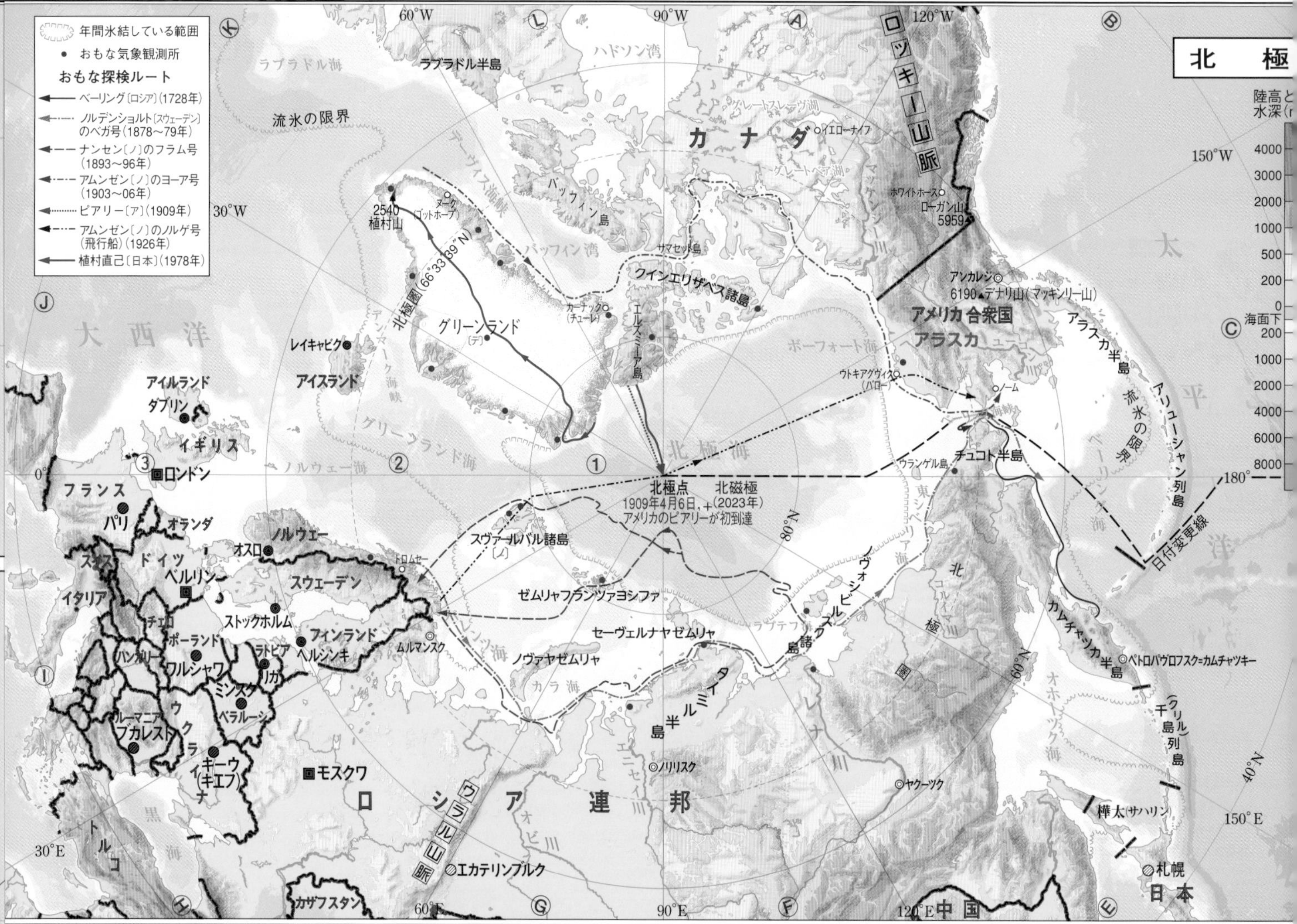

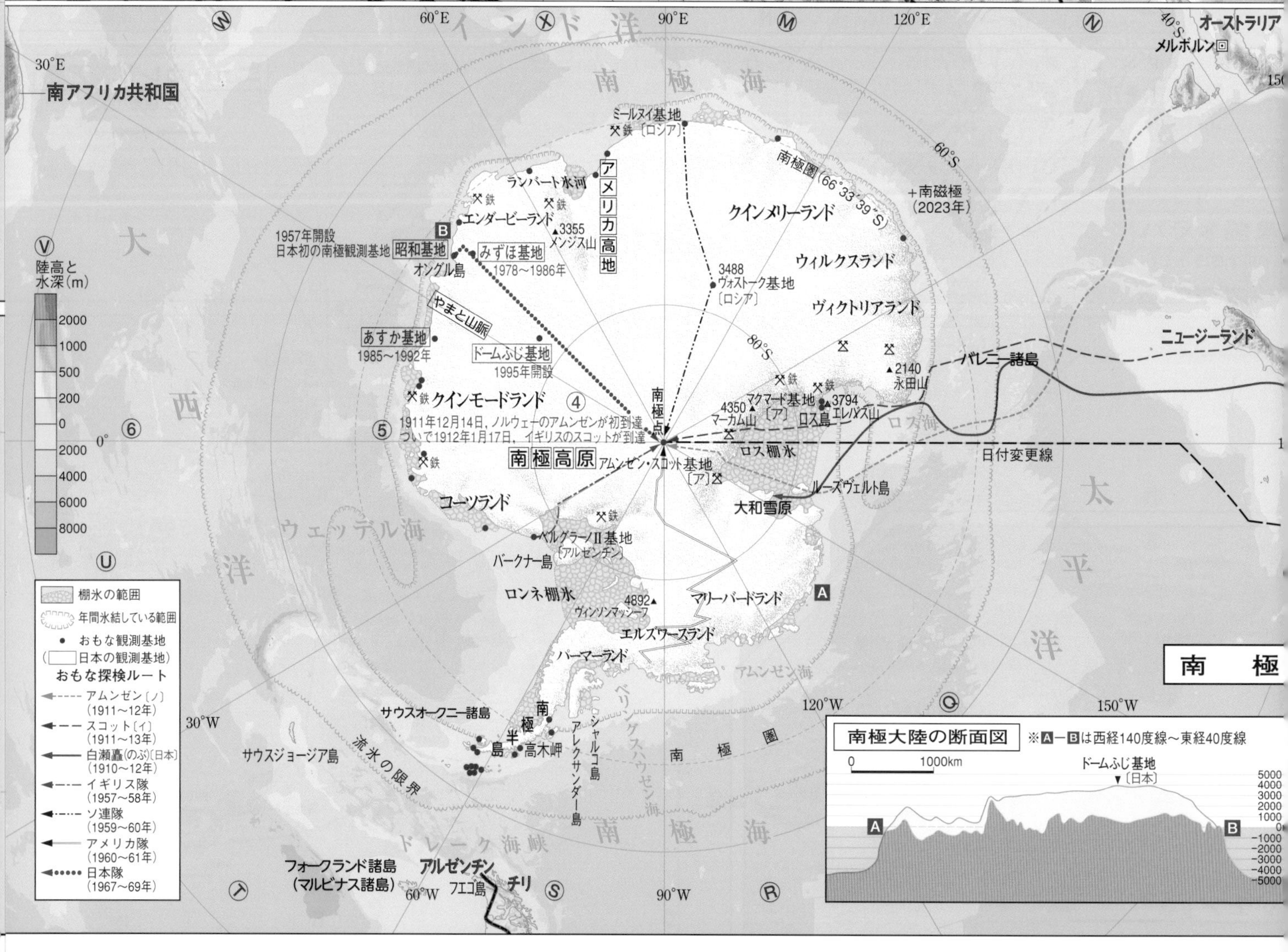

1：20 000 000　0　250　500km　正距方位図法

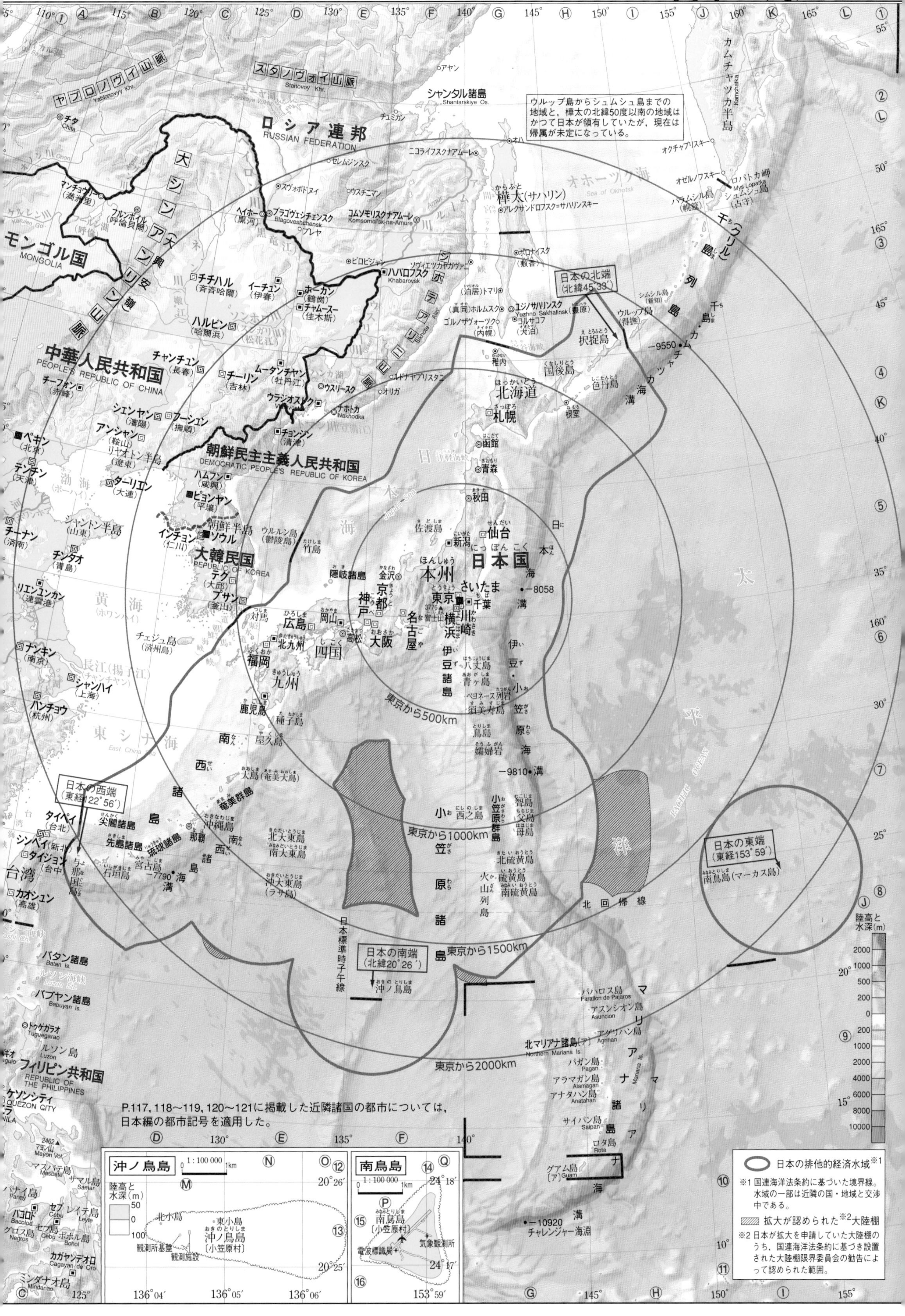

ウルップ島からシュムシュ島までの地域と、樺太の北緯50度以南の地域はかつて日本が領有していたが、現在は帰属が未定になっている。

ロシア連邦
RUSSIAN FEDERATION

スタノヴォイ山脈
Stanovoy Khr.

ヤブロノヴイ山脈
Yablonovyy Khr.

チタ
Chita

大シンアンリン嶺

モンゴル国
MONGOLIA

ケルレン川
Kerulen Gol.

マンチョウリ
（満洲里）

フルンボイル高原
（呼倫貝爾）

チチハル
（斉斉哈爾）

イーチュン
（伊春）

ホーガン
（鶴崗）

チャムスー
（佳木斯）

ハルピン
（哈爾浜）

中華人民共和国
PEOPLE'S REPUBLIC OF CHINA

チーフォン
（赤峰）

チャンチュン
（長春）

チーリン
（吉林）

ムータンチャン
（牡丹江）

ウスリースク
Ussuriysk

ナホトカ
Nakhodka

シェンヤン
（瀋陽）

フーシュン
（撫順）

アンシャン
（鞍山）

リヤオトン半島
（遼東）

ターリエン
（大連）

チョンジン
（清津）

朝鮮民主主義人民共和国
DEMOCRATIC PEOPLE'S REPUBLIC OF KOREA

ハムフン
（咸興）

ピョンヤン
（平壌）

ペキン
（北京）

テンチン
（天津）

渤海
（ボーハイ）

チーナン
（済南）

チンタオ
（青島）

シャントン半島
（山東）

リエンユンカン
（連雲港）

黄海
（ホワンハイ）

朝鮮半島

ソウル
（ソウル）

インチョン
（仁川）

ウルルン島
（鬱陵島）

竹島

大韓民国
REPUBLIC OF KOREA

テグ
（大邱）

プサン
（釜山）

チェジュ島
（済州島）

ナンキン
（南京）

シャンハイ
（上海）

長江（揚子江）
チャンチヤン

ハンチョウ
（杭州）

東シナ海
East China Sea

隠岐諸島

松江川
スンホワ川

ハバロフスク
Khabarovsk

ビロビジャン

ソヴィェツカヤガヴァニ

ブラゴヴェシチェンスク
Blagoveshchensk

ヘイホー
（黒河）

ブレヤ川

ズヴォボドヌイ
Svobodnyy

ウスチニマン

セレムジンスク

黒竜江

アムール川

チュミカン

ニコライフスクナアムーレ

アヤン

シャンタル諸島
Shantarskiye Os.

樺太（サハリン）
Sakhalin

アレクサンドロフスク＝サハリンスキー

ポロナイスク
（敷香）

オホーツク海
Sea of Okhotsk

間宮海峡

ユジノサハリンスク（豊原）
Yuzhno Sakhalinsk

（真岡）ホルムスク
（泊居）トマリ

ゴルノザヴォーツク
（内幌）

コルサコフ
（大泊）

稚内

オクチャブリスキー

ラペルーズ岬

日本の北端
（北緯45°33′）

択捉島

国後島

色丹島

北海道
HOKKAIDO

札幌

函館

根室

カムチャツカ半島
Kamchatka

ロパトカ岬
Mys Lopatka

シュムシュ島
（占守）

パラムシル島
（幌筵）

オゼルノフスキー

千島（クリル）列島

シムシル島
（新知）

ウルップ島
（得撫）

－9550・ム

カムチャツカ海溝

日本海
Japan Sea

青森

秋田

仙台

新潟

佐渡島

本州
HONSHU

日本国
JAPAN

金沢

京都

神戸

名古屋

大阪

本
ほん
州
しゅう

日本海溝
にっぽんかいこう
－8058

東京
TOKYO

さいたま

千葉

川崎

横浜

富士山
3776

伊豆諸島
い
ず
しょとう

八丈島

青ヶ島

ベヨネース列岩

須美寿島

鳥島

孀婦岩
そうふがん

小笠原海溝
おがさわら

－9810・溝

太平洋
PACIFIC OCEAN

広島

岡山

北九州

福岡

高松

四国
SHIKOKU

九州
KYUSHU

鹿児島

種子島

屋久島

南西諸島
なんせいしょとう

奄美大島
（奄美大島）
あまみおおしま

奄美群島

沖縄島

那覇

北大東島

南大東島

日本の西端
（東経122°56′）

尖閣諸島
せんかくしょとう

先島諸島
さきしましょとう

琉球諸島
りゅうきゅうしょとう

宮古島

石垣島

与那国島
よなぐにじま

沖大東島
（ラサ島）

－7790・海溝

南鳥島（マーカス島）

日本の東端
（東経153°59′）

東京から500km

東京から1000km

東京から1500km

東京から2000km

小笠原群島
おがさわら

西之島
にしのしま

父島

母島

小笠原諸島
おがさわらしょとう

北硫黄島

硫黄島

南硫黄島

火山列島
かざんれっとう

北回帰線

日本の南端
（北緯20°26′）

沖ノ鳥島
おきのとりしま

日本標準時子午線

ファラロス島
Farallon de Pajaros

アスンシオン島
Asuncion

アグリハン島
Agrihan

パガン島
Pagan

アラマガン島
Alamagan

アナタハン島
Anatahan

北マリアナ諸島（ア）
Northern Mariana Is.

サイパン島
Saipan

テニアン島

ロタ島
Rota

グアム島（ア）
Guam

マリアナ諸島

マリアナ海溝

チャレンジャー海淵
－10920

タイペイ（台北）
シンペイ（新北）
タイチョン（台中）

台湾

カオシュン（高雄）

バタン諸島
Batan Is.

バブヤン諸島
Babuyan Is.

ルソン海峡
Luzon Str.

トゥゲガラオ
Tuguegarao

バギオ

ルソン島
Luzon

フィリピン共和国
REPUBLIC OF THE PHILIPPINES

ケソンシティ
QUEZON CITY

マニラ
MANILA

マヨン山 2462
Mayon Vol.

マスバテ島
Masbate

サマル島
Samar

セブ
Cebu

レイテ島
Leyte

バコロド
Bacolod

ネグロス島
Negros

ボホル島
Bohol

カガヤンデオロ
Cagayan de Oro

ミンダナオ島
Mindanao

P.117, 118〜119, 120〜121に掲載した近隣諸国の都市については、日本編の都市記号を適用した。

陸高と水深(m)

2000
1000
500
200
0
200
1000
2000
4000
6000
8000
10000

沖ノ鳥島
1：100 000
0　1km

陸高と水深(m)
0
100

北小島
ひがしこじま
東小島
沖ノ鳥島
（小笠原村）

観測施設
観測基盤

136°04′　136°05′　136°06′

20°26′
20°25′

南鳥島
1：100 000
0　1km

南鳥島
みなみとりしま
（小笠原村）

電波標識所

気象観測所

153°59′

24°18′
24°17′

日本の排他的経済水域※1

※1 国連海洋法条約に基づいた境界線。水域の一部は近隣の国・地域と交渉中である。

拡大が認められた※2大陸棚

※2 日本が拡大を申請していた大陸棚のうち、国連海洋法条約に基づき設置された大陸棚限界委員会の勧告によって認められた範囲。

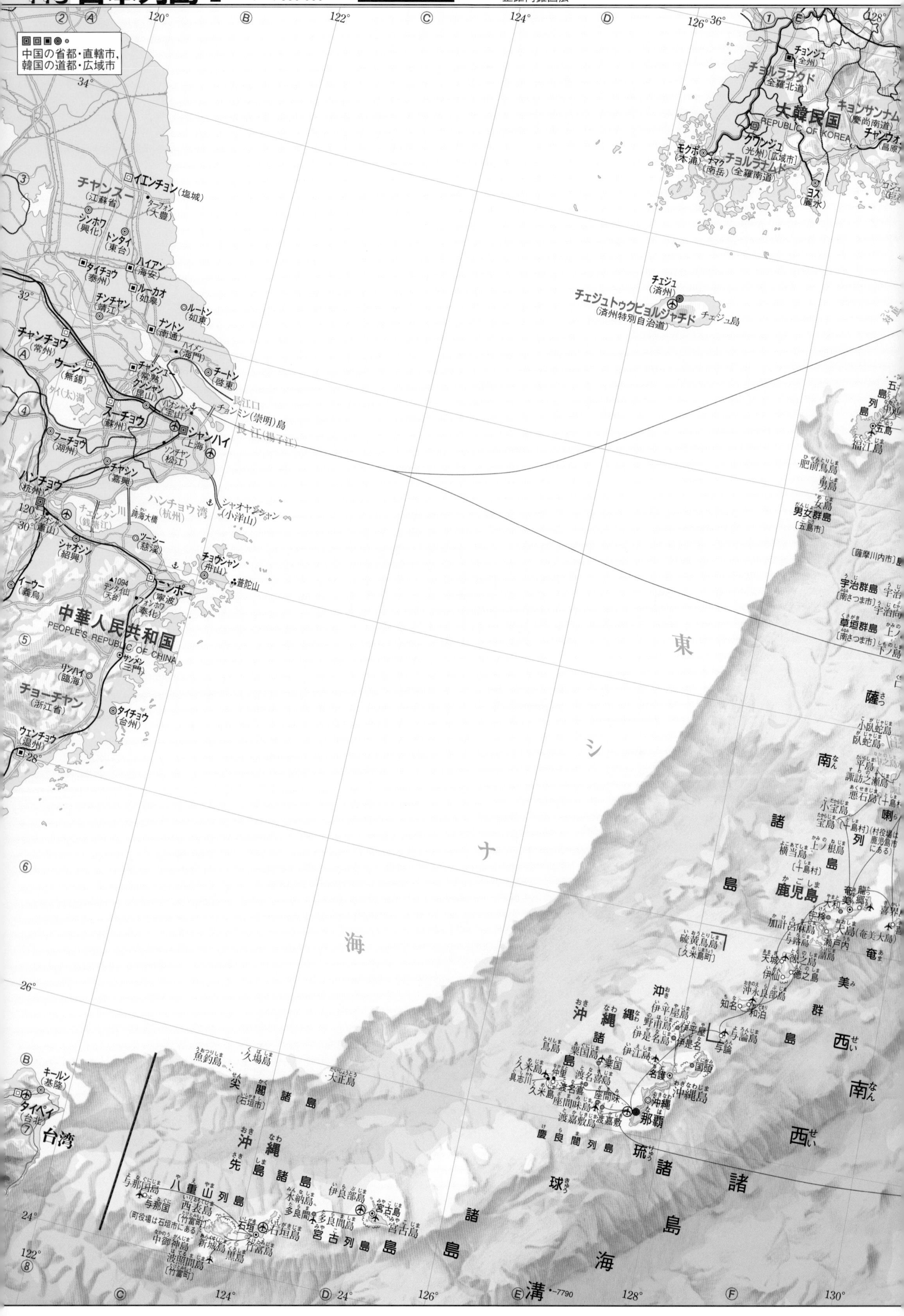

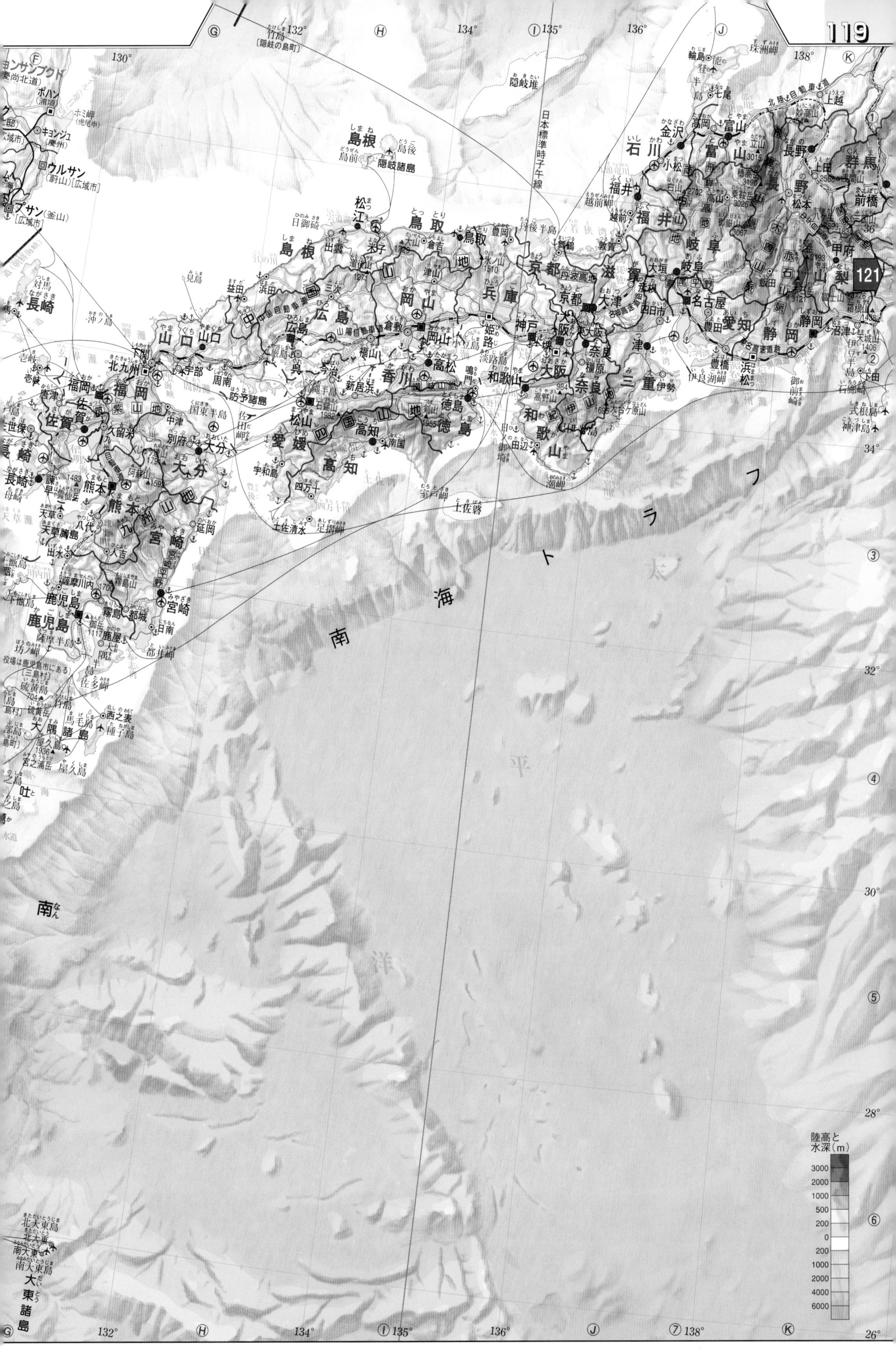

陸高と
水深(m)

3000
2000
1000
500
200
0
200
500
1000
2000
3000
4000
6000

121

G 竹島 132° H 134° I 135° J 136° 138° K
（隠岐の島町）

130° F

ヨンサンプクド
慶尚北道
ポハン
（浦項）
ホミ岬
キョンジュ
（慶州）
ウルサン
（蔚山）[広域市]
プサン（釜山）
[広域市]

隠岐堆

島根
島後
島前
隠岐諸島

日本標準時子午線

輪島
七尾
半島
上越
妙高山
北陸自動車道
富山
立山
3015
高山
乗鞍岳
3026

石川
金沢
小松
福井
越前岬
敦賀
若狭湾

長野
長野
上田
2568
松本
赤石山
3190
3067
岐阜
甲府
山梨
3193
1406
2702

群馬
前橋
36°

松江
島根
日御碕
出雲
浜田
益田
見島

鳥取
鳥取
倉吉
氷ノ山
1510
兵庫
京都
丹波高地
滋賀
大津
琵琶湖
大垣
岐阜
名古屋
愛知
豊田
静岡
浜松
沼津
伊豆半島

34°

山口
山口
宇部
周南
防予諸島
呉
広島
広島
岡山
岡山
高松
香川
徳島
鳴門
淡路島
姫路
神戸
大阪
大阪
奈良
奈良
橿原
三重
伊勢
津

北九州
福岡
福岡
筑紫山地
中国自動車道
山陽自動車道
新居浜
松山
愛媛
石鎚山
1982
四国山地
高知
高知
南国
徳島
徳島
1955
和歌山
和歌山
紀伊山地
高野山
984
御前崎

佐賀
対馬
長崎
壱岐

佐賀
久留米
別府
大分
阿蘇山
1592
熊本
九州山地
宮崎
宇和島
四万十川
足摺岬
土佐清水
室戸岬

フ
ラ
ト

長崎
天草諸島
八代
出水
人吉
延岡
都城
日南
都井岬

南
海

太
平

鹿児島
鹿児島
薩摩半島
霧島山
1700
鹿屋
佐多岬
坊ノ岬
大隅半島

32°

三島村
硫黄岳
704
竹島
西之表
馬毛島
種子島
屋久島
宮之浦岳
1936

洋

大隅諸島

30°

南
なん

吐
之
島

役場は鹿児島市にある

北大東島
北大東
南大東島
南大東
大東諸島

28°

G 132° H 134° I 135° 136° J 138° K

26°

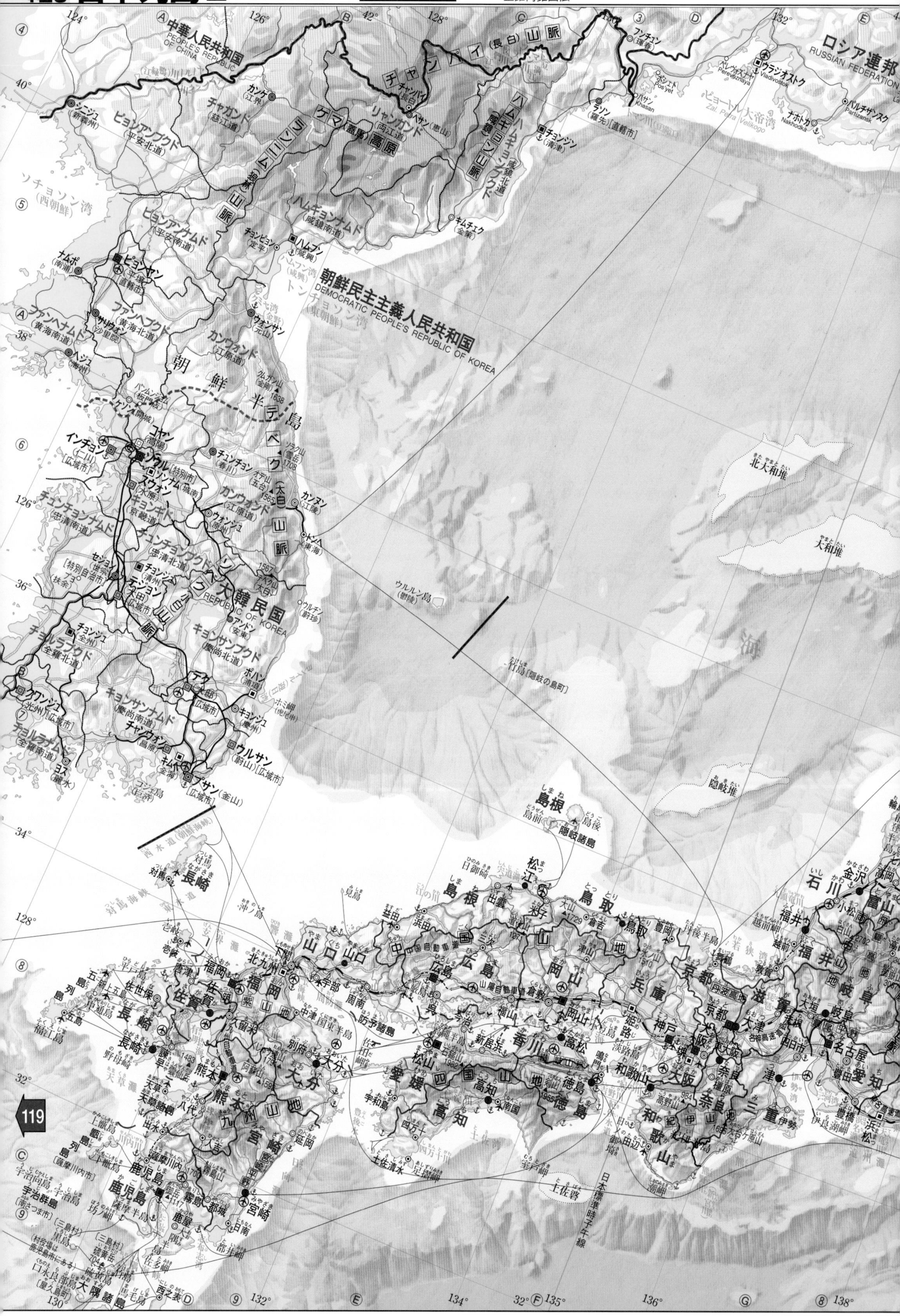

④ 中華人民共和国 PEOPLE'S REPUBLIC OF CHINA
(長白)山脈
ロシア連邦 RUSSIAN FEDERATION
ウラジオストク Vladivostok
パルチザンスク Partizansk
ナホトカ Nakhodka

チャンバイ
ピョートル大帝湾 Zal. Petra Velikogo
ハサン Khasan

チャガンド 慈江道
ゲマ 高原
リャンガン 両江道

ソチョソン湾 (西朝鮮)
ピョンアンブクド 平安北道
ナムボ 南浦
ピョンヤン 平壌[直轄市]
サリウォン 沙里院

咸鏡南道
ハムギョンナムド
ハムフン 咸興
ウォンサン 元山

チョンジン 清津[直轄市]

朝鮮民主主義人民共和国 DEMOCRATIC PEOPLE'S REPUBLIC OF KOREA (東朝鮮)

ファンヘナムド 黄海南道
ハジュ 海州

朝鮮半島
クリス 開城

北大和堆

インチョン 仁川
ソウル [特別市]
スウォン 水原
チョンチョンナムド 忠清南道
チョンジュ 清州

カンウォンド 江原道
ウォンジュ 原州
カンヌン 江陵

大和堆

太白山脈

ウルルン島 (鬱陵)

竹島 [隠岐の島町]

テジョン 大田[広域市]
チョンジュ 全州
テジョン 大田

大韓民国 REPUBLIC OF KOREA
キョンサンブクド 慶尚北道
ポハン 浦項

隠岐堆

チョルラブクド 全羅北道
クワンジュ 光州[広域市]
キョンサンナムド 慶尚南道
チャンウォン 昌原[広域市]
テグ 大邱[広域市]
キョンジュ 慶州
ウルサン 蔚山[広域市]
プサン 釜山[広域市]

島根
島前 隠岐諸島 島後

石川
金沢
富山
福井

チョルラナムド 全羅南道
ヨス 麗水

朝鮮海峡

対馬
長崎
壱岐島
見島

日御碕
松江
島根
鳥取
鳥取
倉吉
米子
中国自動車道

京都
滋賀
岐阜
愛知
名古屋
三重

福岡
北九州
山口
山口
広島
広島
岡山
兵庫
姫路
神戸
大阪
奈良
和歌山

佐賀
長崎
大分
熊本
愛媛
松山
香川
高松
徳島
高知
高知

五島列島
福江島

宮崎
鹿児島
鹿児島

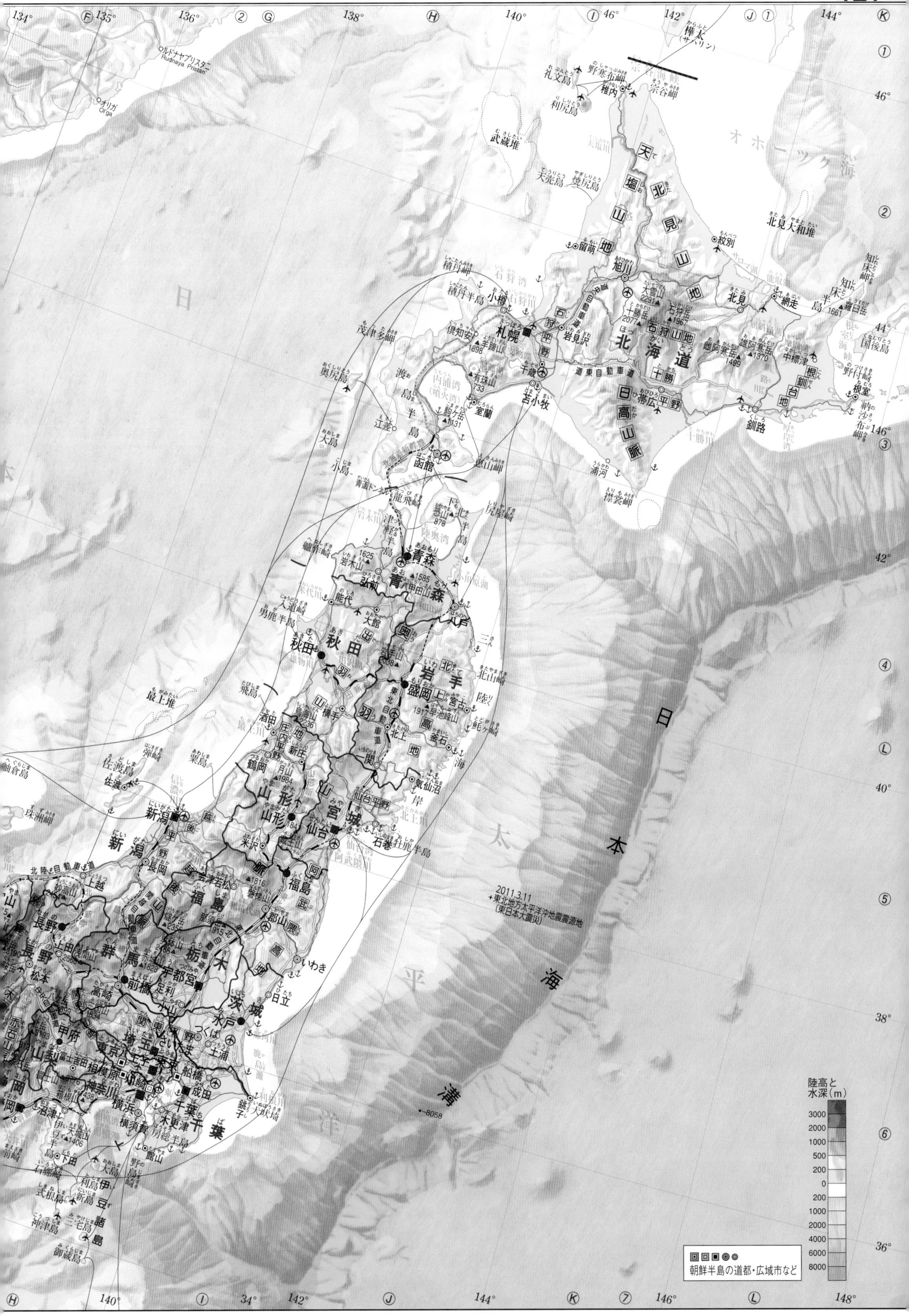

北海道

オホーツク海

日本海

太平洋

礼文島
利尻島
稚内
宗谷岬
野寒布岬
北見大和堆

天塩山地
北見山地
留萌
旭川
大雪山 2291
十勝岳 2077
北見
網走
知床半島
羅臼岳 1661
斜里
知床岬

石狩湾
積丹半島
小樽
札幌
岩見沢
富良野
十勝平野
帯広
根釧台地
釧路
根室
納沙布岬

倶知安
羊蹄山 1898
内浦湾（噴火湾）
有珠山 733
駒ヶ岳 1131
室蘭
苫小牧
千歳
日高山脈
浦河
襟裳岬

渡島半島
江差
函館
青函トンネル
龍飛崎
大島
小島
奥尻島

下北半島
尻屋崎
陸奥湾
青森
八甲田山 1585
恐山 878
むつ
むつ小川原
三沢

弘前
岩木山 1625
津軽半島
青森

能代
大館
奥羽山脈
八幡平

秋田
男鹿半島
八郎潟
雄物川

飛島
最上堆

岩手
北上高地
盛岡
早池峰山 1917
宮古
北上川
釜石
大船渡

横手
岩手山 2038

山形
月山 1984
鳥海山 2236
酒田
庄内平野
最上川
鶴岡

佐渡島
弾崎
新潟

宮城
仙台
仙台平野
仙台湾
石巻
牡鹿半島
女川
気仙沼
北上川

山形
米沢
吾妻山 2035

福島
会津若松
磐梯山 1816
郡山
阿武隈川
阿武隈高地
いわき
日立

新潟
長岡
上越
信濃川
北陸自動車道

群馬
栃木
宇都宮
前橋
高崎
日光
那須岳 1915

茨城
水戸
土浦
つくば
霞ヶ浦
利根川

富山
長野
上田
松本
赤石山脈
甲府

埼玉
東京
横浜
千葉
成田
房総半島
木更津
館山
銚子
犬吠埼
九十九里浜

神奈川
横須賀
三浦半島
相模湾

伊豆半島
伊豆諸島
大島
三宅島
御蔵島
新島
式根島
神津島

沼津
下田

2011.3.11
東北地方太平洋沖地震震源地
（東日本大震災）

8058

樺太（サハリン）

武蔵堆
天売島
焼尻島

国後島

陸高と
水深(m)

3000
2000
1000
500
200
0
200
1000
2000
3000
4000
6000
8000

朝鮮半島の道都・広域市など

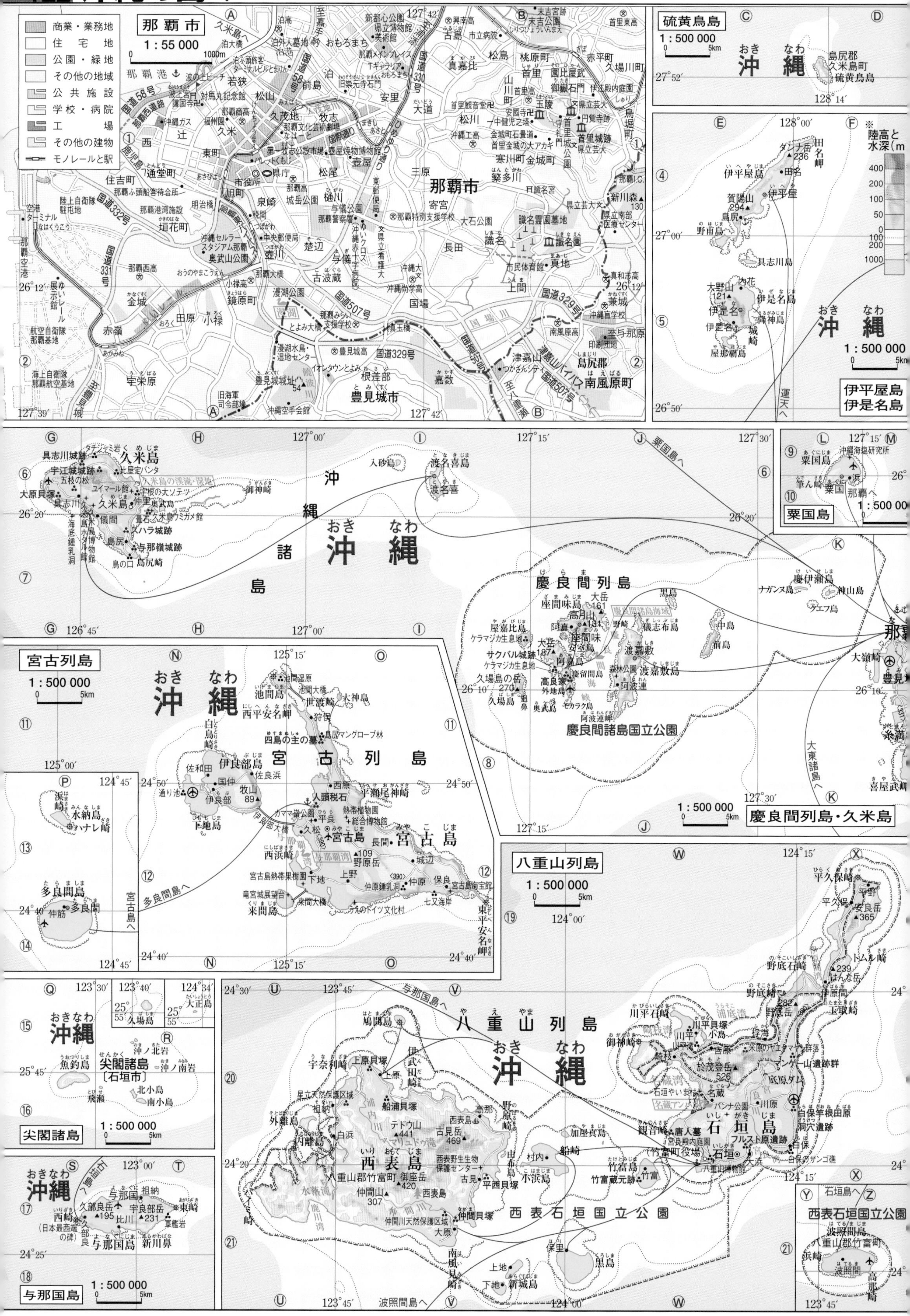

凡例
- 商業・業務地
- 住宅地
- 公園・緑地
- その他の地域
- 公共施設
- 学校・病院
- 工場
- その他の建物
- モノレールと駅

那覇市　1：55 000

新都心公園　末吉宮跡　末吉公園　首里東町
泊　おもろまち　美術館　古島　市立病院
泊外人墓地跡　県立博物館　赤平町　首里
泊港　T ギャラリア　真嘉比　園比屋武　御嶽石門　伊江御殿内庭園
那覇メインプレイス　山川　首里高　玉陵　県立芸大
那覇商高　松島　桃原町　川首里高　守礼門　首里城跡　堀端町
若狭　真和志　大道　首里観音堂　首里寺町　県立芸大
国道58号　松山　安里　首里寺町　円覚寺跡　那覇IC.
対馬丸記念館　松川　中健児之塔　首里城跡
沖縄ガス　久茂地　牧志　識名　新川森　県立芸大
福州園　国際通り　壺屋　識名園　県立南部医療センター
第一牧志公設市場　壺屋焼物博物館　松尾　三原　識名霊園墓地
沖縄文化芸術劇場　三原　月誦宮
西　県庁　松尾　城岳公園　東　寄宮　那覇特別支援学校
辻　通堂町　旭町　泉崎　那覇署　城岳　与儀公園　大石公園
陸上自衛隊駐屯地　那覇ふ頭旅客船待合所　城岳　ゆいクロス　長田
那覇港湾施設　明治橋　那覇便局　中央郵便局　県立南部看護大
国道332号　垣花町　那覇　与儀　沖縄大　市民体育館　真地
空港ターミナル　那覇空港　金城　小禄高　おうのやまこうえん　上間
なはくうこう　田原　小禄　鏡原町　古波蔵　沖縄尚学高　国場
展示場　赤嶺　那覇西高　漫湖公園　国道507号　国場　国道329号
ゆいレール　国道331号　那覇大橋　横田橋　兼当
金城　宇米原　漫湖水鳥・湿地センター　南風原町　印刷団地
海上自衛隊那覇航空基地　とよみ大橋支援学校　豊見城城址　54　津嘉山　島尻郡
旧海軍司令部壕　イオンタウンとよみ　根差部　つかざんシティ　南風原町
沖縄空手会館　豊見城市　嘉数　国道507号

硫黄鳥島　1：500 000
沖縄　島尻郡　久米島町　硫黄鳥島
27°52′　128°14′

伊平屋島　伊是名島　1：500 000
ダナ岳 236　田名岬　伊平屋島　田名
賀陽山 294　伊平屋　鳥尻　野甫島　其志川島
大野山 121　内花　伊是名島　伊是名　城崎　屋那覇島
陸高と水深（m）　沖縄
運天へ

久米島　（慶良間列島・久米島　1：500 000）
具志川城跡　ガラジャミ岩　宇江城城跡　比屋定バンタ
五枝の松　久米島　入砂島　渡名喜島　渡名喜
大原貝塚　ユイマール館　宇根の大ソテツ　御神崎
具志川　久米島　伊中里之津　久米島ウミガメ館
海底鍾乳洞　儀間　ズハラ城跡　島尻
鳥の口　島尻崎　与那嶺城跡

沖縄諸島　沖縄

慶良間列島　慶良間諸島海域　黒島
座間味島　大岳 161　高月山　慶伊瀬島　ナガンヌ島　クエフ島
屋嘉比島　阿嘉島　131　義志布島　神山島
ケラマジカ生息地　座間味　野崎　中島　那覇
大岳 187　安室島　前島
サクバル城跡　阿嘉　阿嘉大橋　渡嘉敷島
久場島の岳　森林公園　渡嘉敷
高良家　外地島　セクラ島　阿波連
久場島　奥武島　渡波連峰
慶良間諸島国立公園

粟国島　1：500 000
粟国　沖縄海塩研究所
筆ん崎　粟国　那覇
9　10

宮古列島　1：500 000
池間湿原　池間島　木神島
池間大橋　世渡崎　島尻マングローブ林
西平安名崎　狩俣
白鳥崎　四島の主の墓
佐和田　西原　大神島
伊良部島　伊良部　国仲　佐良浜
通り池　牧山 89　人頭税石　平瀬尾神崎
下地島　カママ嶺公園　熱帯植物園　総合博物館
伊良部大橋　一松　宮古島
西浜崎　宮古島　長間　宮古島　城辺
宮古島熱帯果樹園　下地　上野　中原　宮古島海宝館
竜宮城展望台　仲原鍾乳洞　保良
来間島　衆間大橋　くりまじま　七又海岸
えらぶのドイツ文化村　東平安名崎
△109　野原岳　△390

多良間島
水納島　ハナレ崎　浜崎
多良間島　仲筋　多良間　宮古島へ
多良間島へ

尖閣諸島　〔石垣市〕　1：500 000
大正島　沖ノ北岩　沖ノ南岩
魚釣島　尖閣諸島
北小島　南小島　飛瀬

与那国島　1：500 000
祖納　宇良部岳　東崎
久部良岳 △195 △231　比川　与那国町
西崎（日本最西端の碑）　与那国島　新川鼻

八重山列島　1：500 000
鳩間島　上原貝塚　川平石崎　平久保崎　平野
伊武田崎　浦底　平久保　安良岳 365
宇奈利崎　上原　野底石崎　野底岳　野原間
船浦貝塚　船浦　伊原間 282　野底崎　玉取崎
西表島　テドウ山 441　古見岳 469　川平石崎　小底原
星立天然保護区域　西表野生生物保護センター　川平貝塚
外離島　内離島　白浜　西表石垣国立公園　於茂登岳 526　バンナ公園
仲間山 307　マーレユドゥ滝　由布島　船崎　川原
水落滝　古見　マングローブ群　底原ダム
八重山郡竹富町　御座岳 420　小浜島　唐人墓　名蔵アンパル
仲間貝塚　仲間川天然保護区域　大原　平西貝塚　竹富　観音崎
八重山博物館　宮良殿内庭園　フルスト原遺跡
南風見崎　上地　下地　新城島　竹富町役場　石垣
白保サンゴ礁　バンナ公園　洞穴遺跡
石垣島　サンダー山遺跡群　放茂登岳 526

西表石垣国立公園
波照間島　重山郡竹富町　高那崎　浜崎　波照間

陸高と水深（m）
400　200　100　50　0
-100　-200　-1000

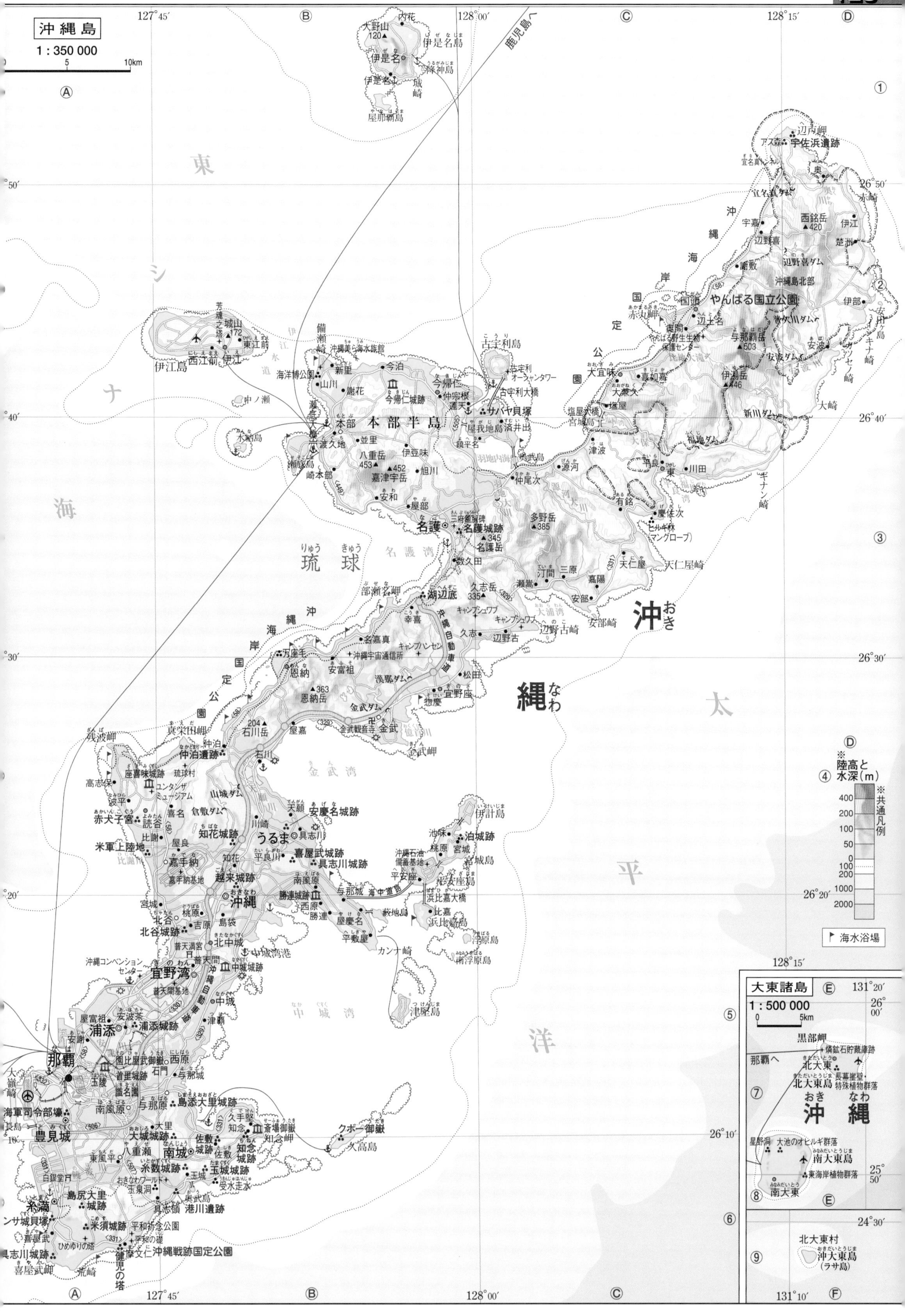

沖縄島
1：350 000
5　10km

東　シ　ナ　海

琉　球　海　岸　国　定　公　園

沖　縄　海　岸　国　定　公　園

太　平　洋

沖おき
縄なわ

127°45′　B　128°00′　鹿児島　C　128°15′　D

大野山
120
内花
伊是名島
伊是名
伊是名
城崎
降神島
屋那覇島

①

辺戸岬
アス森
宇佐浜遺跡
奥
宜名真
沖
縄
海
岸
国
定
公
園
赤丸岬
国頭
やんばる国立公園
西銘岳
420
伊江
楚洲
辺野喜
安田
安波
辺野喜ダム
沖縄島北部
伊部
与那覇岳
503
伊湯岳
446
新川ダム

②

50′

芳種之きゆう
城山
172
東江前
西江前
伊江
伊江島
中ノ瀬
水納島

備瀬崎
沖縄美ら海水族館
海洋博公園
海洋公園
山川
謝花
今帰仁城跡
新里
今泊
今帰仁
仲宗根
古宇利島
古宇利大橋
古宇利タワー
屋我地島済井出
サバヤ貝塚

大宜味
大兼久
喜如嘉
塩屋
宮城北
新川ダム

大崎

26°50′

40′

本部半島
渡久地
崎本部
瀬底本部
瀬底島

並里
八重岳
453
嘉津宇岳
452
旭川
安和
屋部
名護
三府藏原碑
名護城跡
名護岳
345
数久田

伊豆味

羽地内海
仲尾次
津波
源河
有銘

東
川田
慶佐次
ヒルギ林
（マングローブ）

キナン崎

③

26°40′

琉　球　名　護　湾

部瀬名岬
湖辺底
335
幸喜
名嘉真
恩納
万座毛
安富祖
恩納岳
363
金武ダム

久志岳
335
汀間
三原
嘉陽
瀬嵩
キャンプシュワブ
キャンプハンセン
久志
辺野古
松田
沖縄宇宙通信所
沖縄自動車道
宜野座
物慶

天仁屋
天仁屋崎
安部
安部

安富祖

30′

真栄田岬
沖泊
石川岳
204
屋嘉
金武観音寺
金武
石川
金武湾

陸高と
水深（m）
※共通凡例
400
200
100
50
0
100
200
1000
2000

26°30′

D

④

残波岬
高志保
波平
喜名
赤犬子宮
読谷
米軍上陸地
比謝
嘉手納
嘉手納基地
座喜味城跡
琉球村
ユンタンザ
ミュージアム

山城ダム
倉敷ダム
知花城跡
越来城跡
沖縄
勝連城跡

安慶名城跡
具志川
喜屋武城跡
具志川城跡
うるま

伊計島
池味
宮城
桃原
泊城跡
城島

沖縄石油
備蓄基地
平安座
浜比嘉大橋
浜比嘉島
比嘉
藪地島

海水浴場

128°15′

⑤

20′

宮城
北谷城跡
北谷
吉原
島袋
北中城
中城湾港

普天満宮
普天満
中城城跡
中城

与那城
西原
勝連
屋慶名
平敷屋
カンナ崎

浮原島
南浮原島

津堅島

26°20′

大東諸島
1：500 000
0　5km
那覇へ

131°20′
26°00′

黒部岬
燐鉱石貯蔵庫跡

⑥

沖縄コンベンション
センター
宜野湾
西普天間
中城

安波茶
浦添城跡
浦添

津覇

中城湾

北大東
北大東島
長幕壁・
特殊植物群落

⑦

おき
なわ
沖縄

大嶺崎
那覇
玉城
首里城跡
識名園
石門
西原
与那原
島添大里城跡

屋富祖
西比屋武御嶽
石門
豊見城

星野洞　大池のオヒルギ群落
南大東島
東海岸植物群落

⑧

南大東

E

海軍司令部壕
長嶺
白銀堂
豊見城

南風原
大里
知念
大城城跡
佐敷
知念岬
久手堅
知念
斎場御嶽
クボー御嶽
久高島

131°10′

24°30′

⑨

北大東村
おきだいとうじま
沖大東島
（ラサ島）

糸満
ンサ城貝塚
喜屋武
具志川城跡
喜屋武

島尻大里
城跡
糸数城跡
玉城城跡
南城
受水走水
玉東洞
具志頭
港川遺跡
米須城跡
平和祈念公園
平和の塔
ひめゆりの塔
健児の塔
荒崎
摩文仁沖縄戦跡国定公園

南城

127°45′　A　128°00′　B　C　131°10′　F

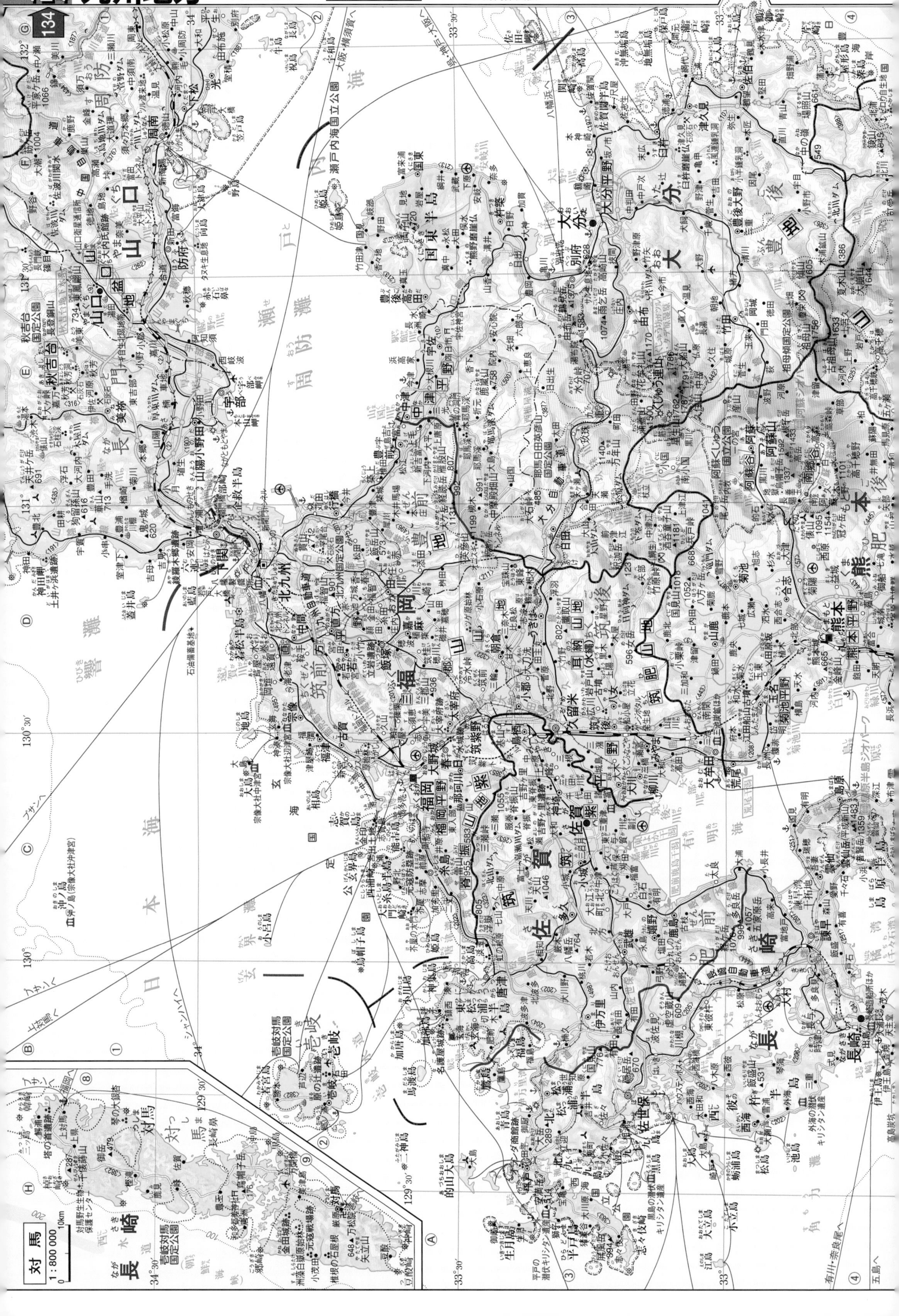
1：920 000
0 10 20km
正角円錐図法
134
対馬
1：800 000
長崎
壱岐
日本海
響灘
玄界灘
周防灘
瀬戸内海国立公園
山口
北九州
下関
福岡
佐賀
大分
熊本
国東半島
阿蘇くじゅう国立公園
くじゅう連山
祖母傾国定公園
雲仙岳
島原半島
佐世保
有明海

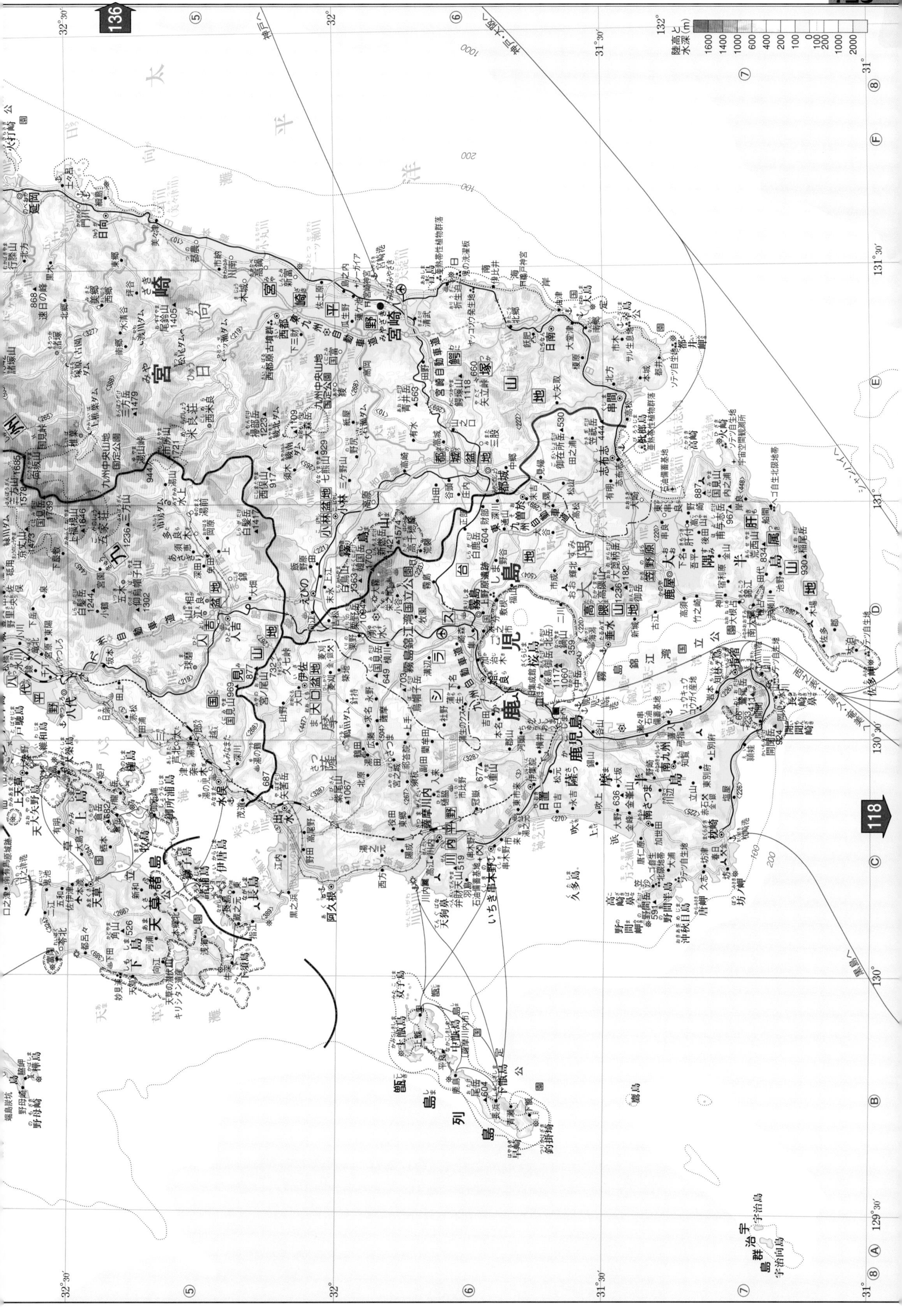

宮崎
鹿児島
都城
延岡
日向
日南
串間
志布志
鹿屋
指宿
枕崎
薩摩川内
出水
水俣
人吉
八代
霧島
桜島
小林
えびの
宮崎平野
都城盆地
大口盆地
人吉盆地
薩摩半島
大隅半島
天草諸島
上島
下島
甑島列島
宇治群島
太平洋
日向灘
陸高と水深(m)

136
118

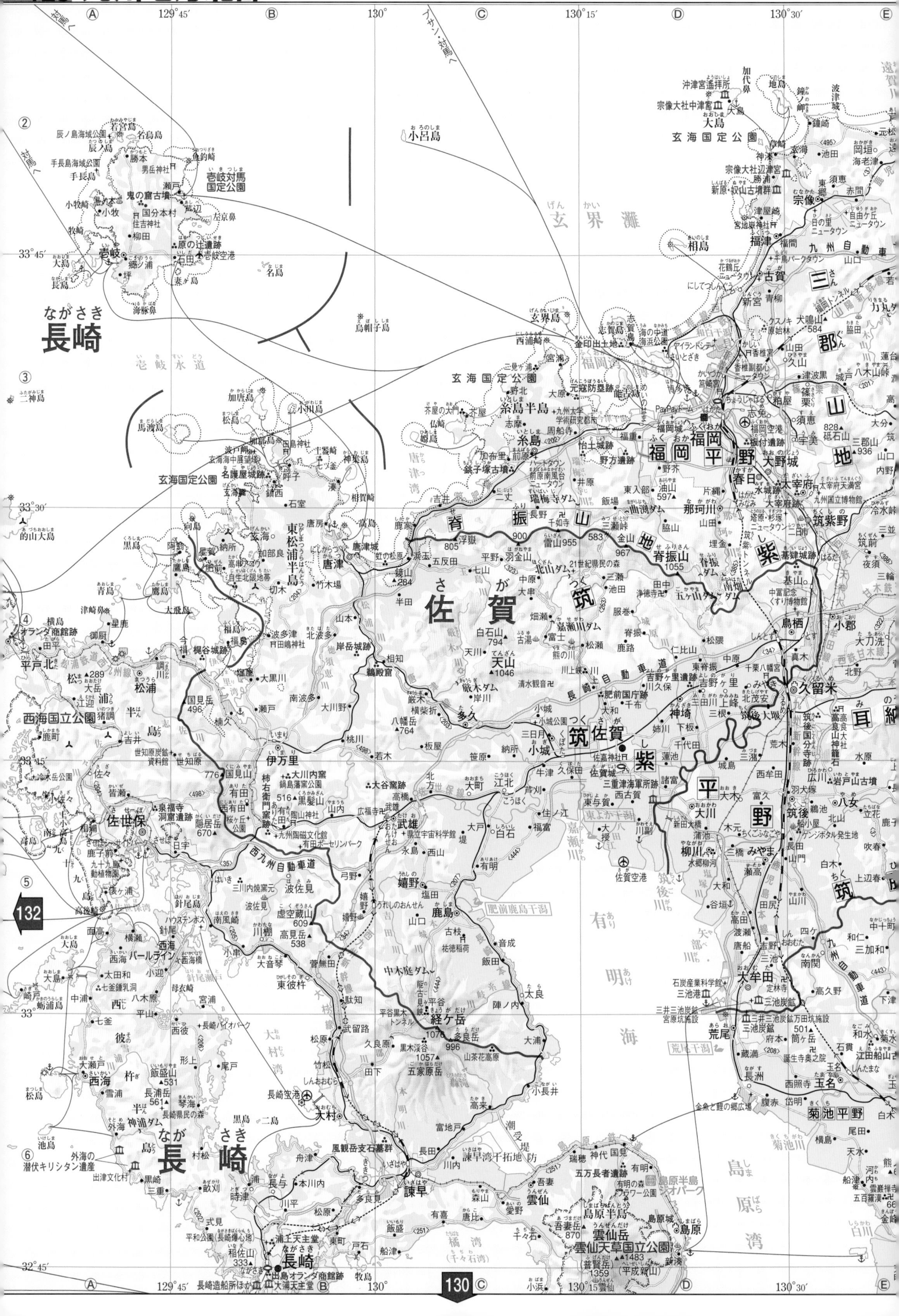
長崎
玄界灘
壱岐水道
壱岐対馬国定公園
玄海国定公園
西海国立公園
雲仙天草国立公園
壱岐
小呂島
名島
烏帽子島
玄界島
志賀島
相島
大島
宗像
福津
古賀
福岡
福岡平野
春日
大野城
太宰府
筑紫野
那珂川
糸島
糸島半島
唐津
東松浦半島
伊万里
有田
佐世保
平戸
松浦
北松浦半島
佐賀
佐賀平野
筑紫平野
鳥栖
久留米
小郡
三養基
神埼
小城
多久
武雄
嬉野
鹿島
太良
白石
大川
柳川
筑後
八女
大牟田
荒尾
玉名
有明海
島原湾
島原半島
島原
雲仙
雲仙岳
諫早
大村
長崎空港
大村湾
橘湾
長崎
西彼杵半島
脊振山地
三郡山地
耳納山地
天山
脊振山
経ケ岳
多良岳
長崎自動車道
西九州自動車道
九州自動車道
長崎本線
鹿児島本線
筑後川
嘉瀬川
福岡空港
佐賀空港
プサン・対馬へ
対馬へ
132
130

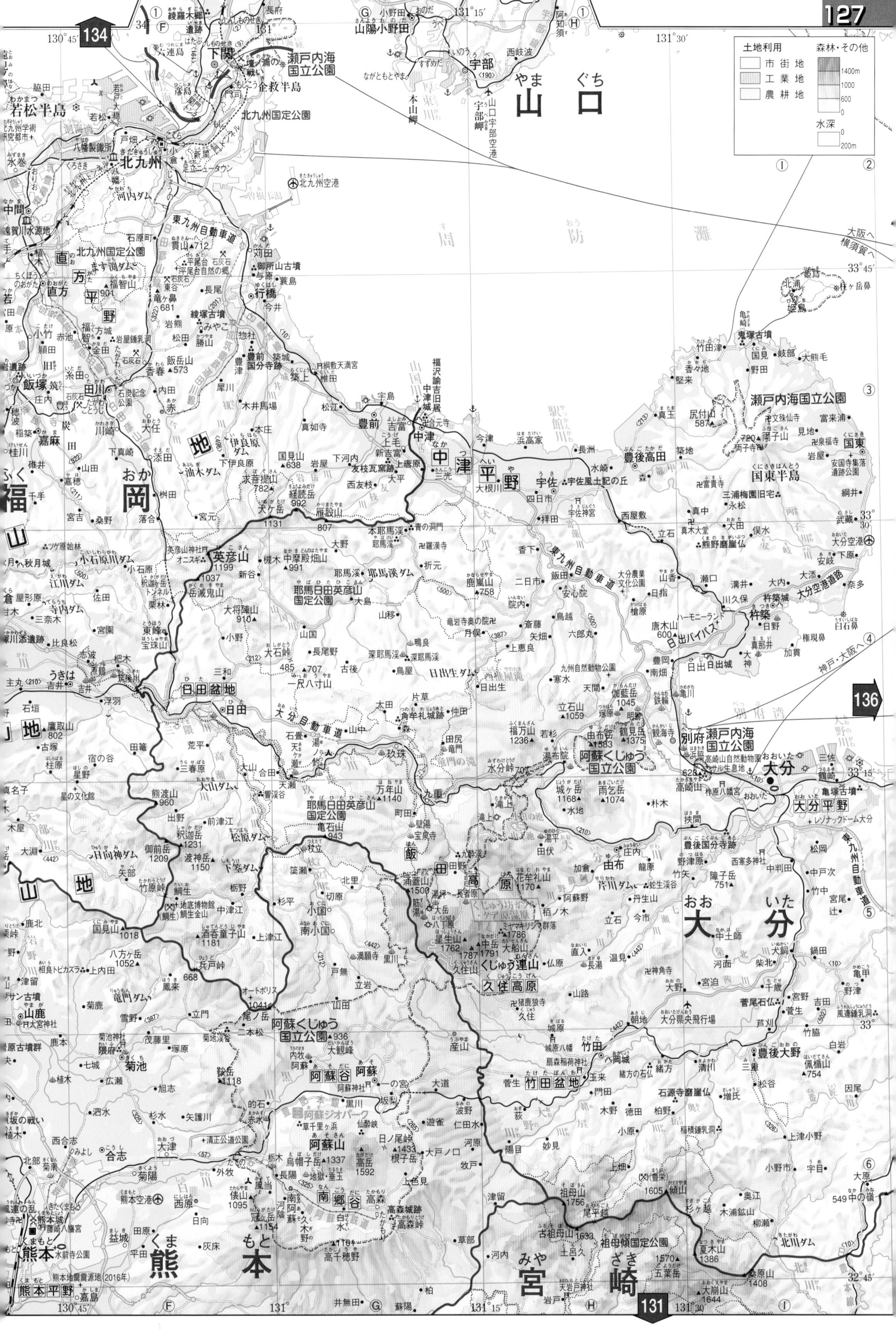
134
136
131
土地利用
市街地
工業地
農耕地
森林・その他
1400m
1000
600
0
水深
0
200m
山口
周防灘
下関
北九州
瀬戸内海国立公園
北九州国定公園
宇部
山陽小野田
北九州空港
中津
中津平野
豊前
宇佐
豊後高田
国東半島
国東
姫島
大分空港
杵築
別府
大分
大分平野
由布
阿蘇くじゅう国立公園
耶馬日田英彦山国定公園
英彦山
日田
日田盆地
玖珠
九重
くじゅう連山
久住高原
飯田高原
竹田
竹田盆地
豊後大野
大分県央飛行場
祖母傾国定公園
祖母山
傾山
阿蘇
阿蘇谷
阿蘇山
高岳
南郷谷
阿蘇ジオパーク
高千穂
菊池
熊本
熊本空港
熊本平野
熊本地震震源地（2016年）
福岡
直方
直方平野
飯塚
田川
嘉麻
うきは
筑後川
山鹿
大阪へ
横須賀へ
神戸・大阪へ
東九州自動車道
大分自動車道
宮崎
大分

1：200 000
0 1 2 3 4 5km
福岡周辺の行政区分
福岡市
中央区
博多区
東区
南区
城南区
早良区
西区
糸島市
古賀市
新宮町
久山町
粕屋町
篠栗町
志免町
須恵町
宇美町
糟屋郡
宮若市
飯塚市
太宰府市
大野城市
春日市
那珂川市
筑紫野市
朝倉郡
筑前町
朝倉市
桂川町
嘉穂郡
嘉麻市
佐賀
佐賀市
背振山地
福岡湾
博多湾
福岡
北九州周辺の行政区分
響灘
下関市
山口
北九州市
若松区
戸畑区
小倉北区
小倉南区
門司区
八幡西区
八幡東区
芦屋町
遠賀郡
岡垣町
水巻町
遠賀町
中間市
宗像市
鞍手郡
鞍手町
宮若市
直方市
京都郡
苅田町
行橋市
みやこ町
平尾台
北九州空港

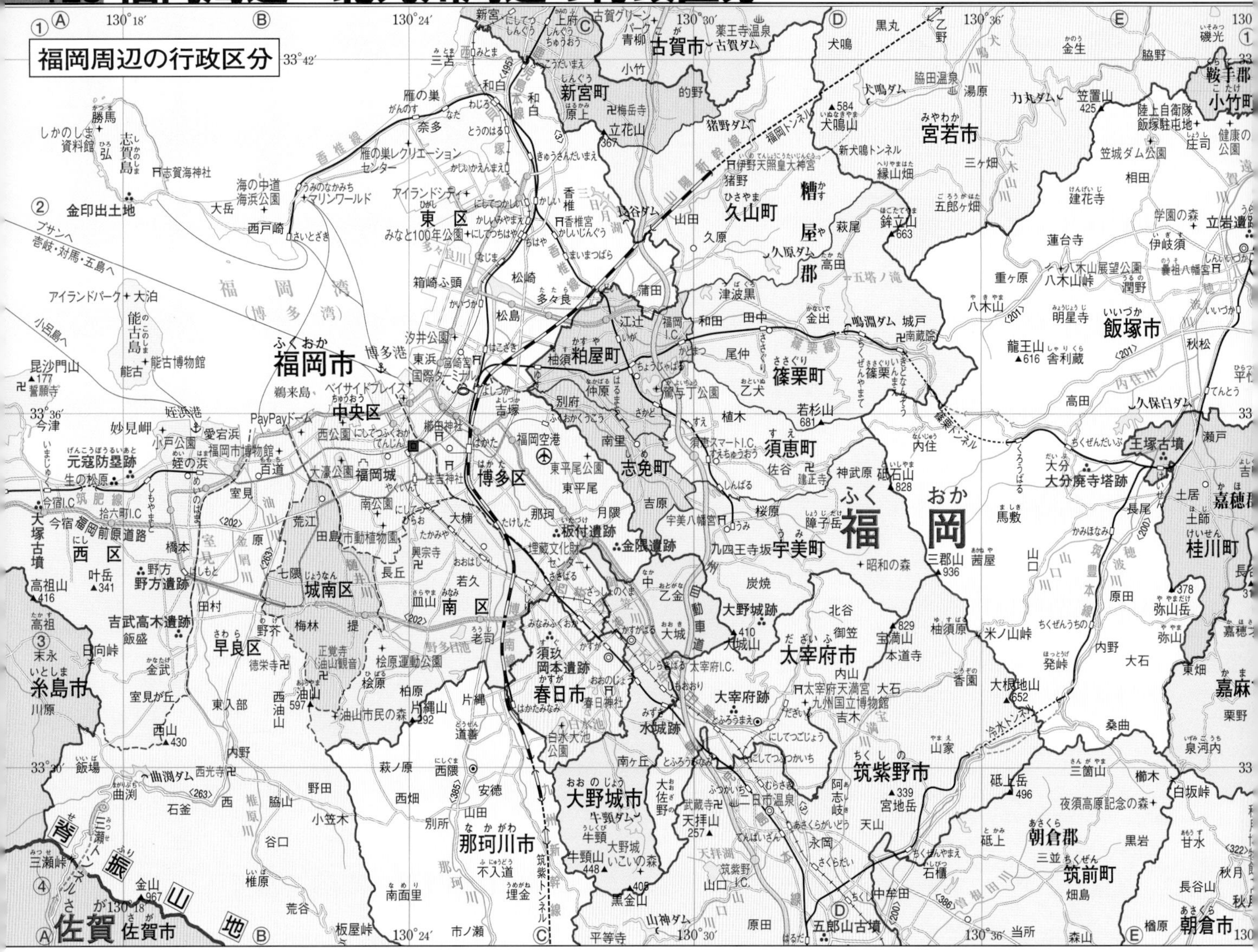

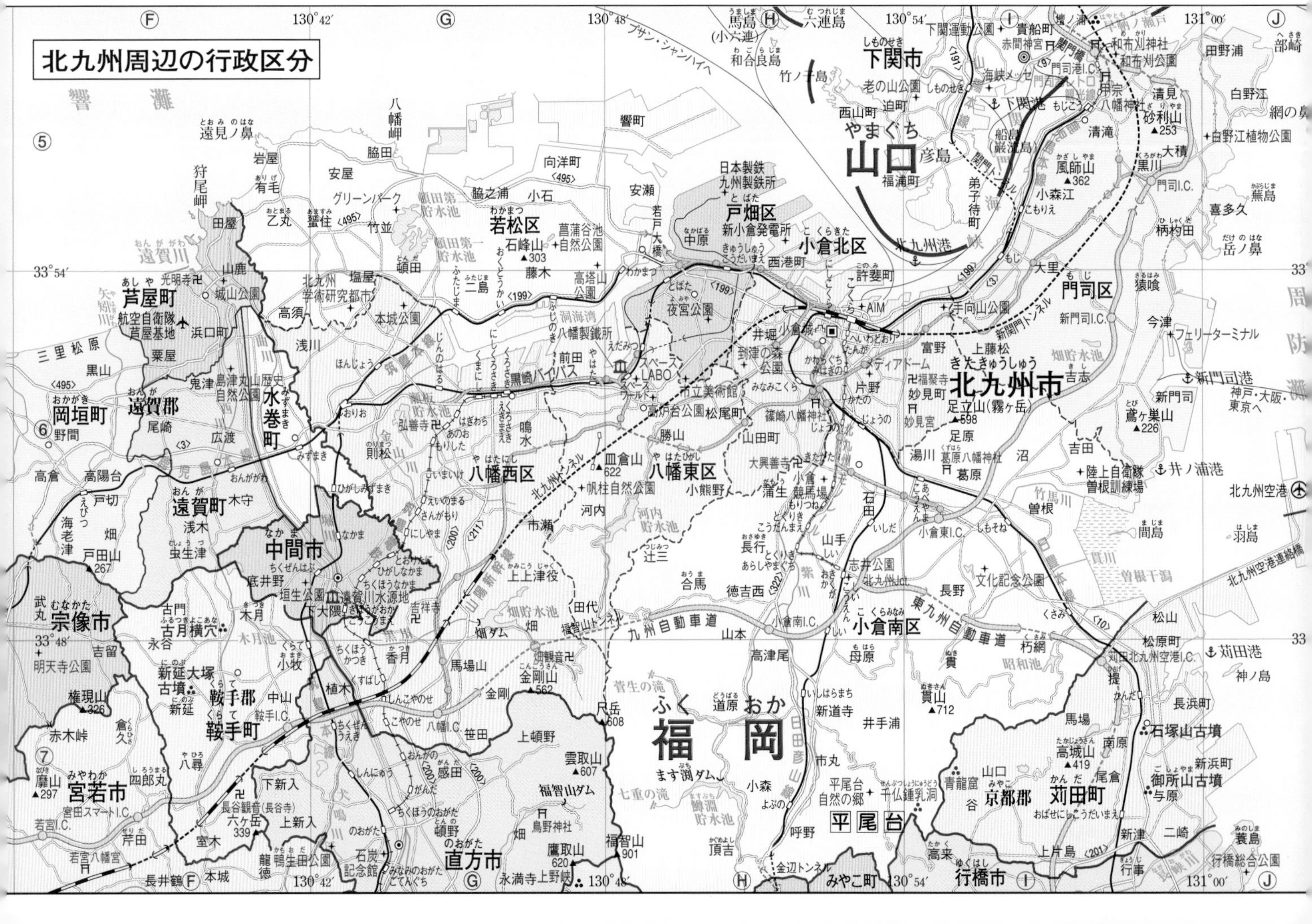

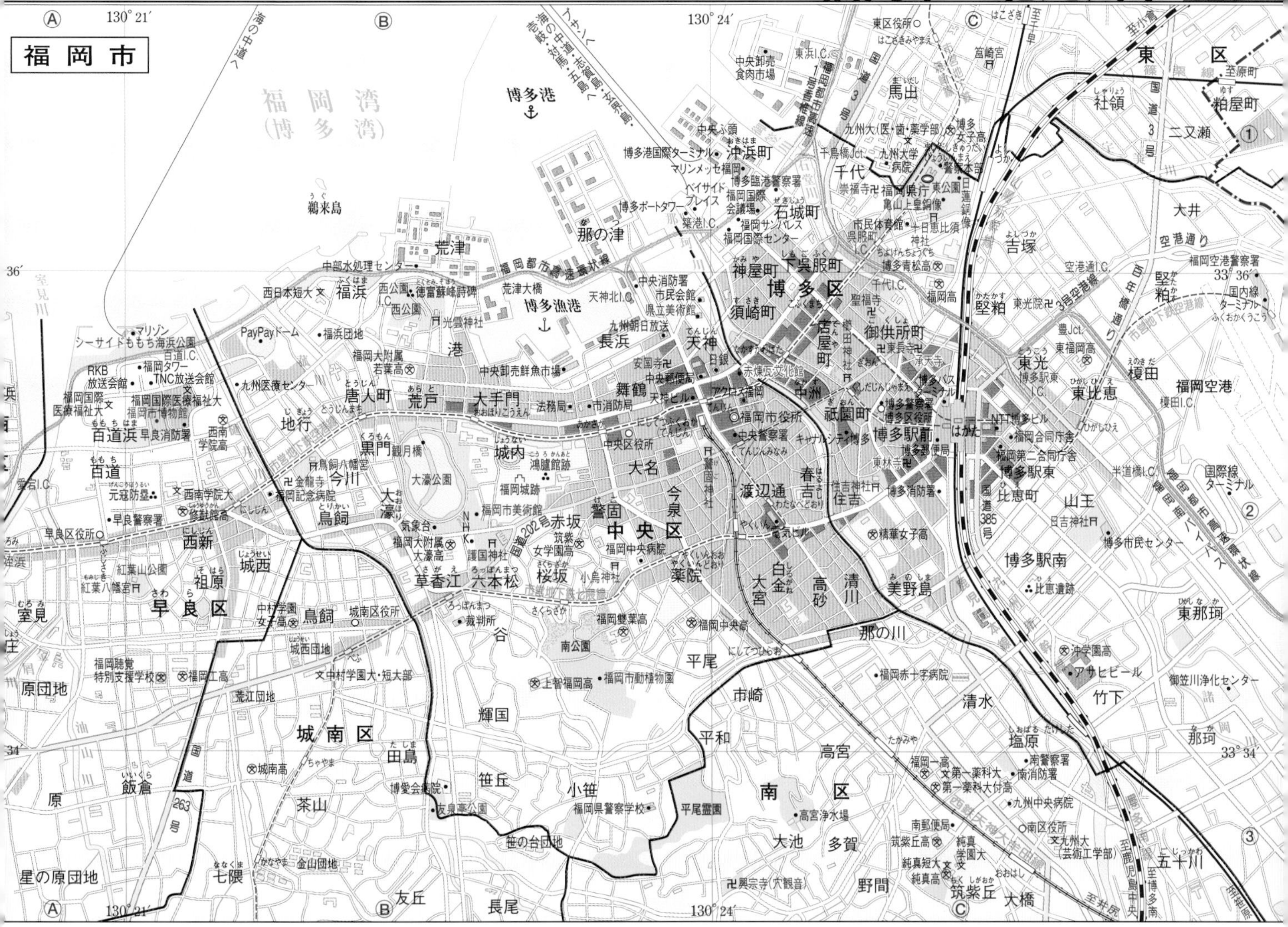

福岡市
福岡湾
(博多湾)
博多港
鵜来島
荒津
那の津
博多漁港
博多区
東区
中央区
南区
城南区
早良区
馬出
千代
石城町
沖浜町
神屋町
下呉服町
須崎町
天神
長浜
舞鶴
大手門
荒戸
唐人町
福浜
地行
百道浜
百道
西新
祖原
城西
鳥飼
今川
黒門
大濠
大濠公園
城内
赤坂
警固
大名
今泉
薬院
桜坂
六本松
草香江
谷
平尾
輝国
田島
笹丘
小笹
茶山
七隈
友丘
長尾
飯倉
原
星の原団地
原団地
室見
渡辺通
春吉
住吉
白金
大宮
高砂
清川
美野島
那の川
市崎
平和
高宮
大池
多賀
野間
筑紫丘
大橋
塩原
清水
竹下
那珂
東那珂
五十川
博多駅前
博多駅東
博多駅南
比恵町
山王
東比恵
東光
榎田
福岡空港
堅粕
吉塚
社領
二又瀬
粕屋町
大井
祇園町
中洲
店屋町
御供所町
冷泉町
上呉服町
福岡タワー
PayPayドーム
福岡市役所
福岡城跡
鴻臚館跡
福岡県庁
九州大学病院
キャナルシティ博多
アクロス福岡
国道202号
国道3号
国道263号
国道385号
福岡都市高速環状線
博多臨港警察署
福岡高
福岡中央病院
福岡赤十字病院
福岡市動植物園
南公園
平尾霊園
笹の台団地
城西団地
荒江団地
金山団地
高宮浄水場
比恵遺跡
アサヒビール
御笠川浄化センター
博多市民センター
九州中央病院
九州大(芸術工学部)
筑紫丘高
純真高
興宗寺(大観音)
130°21′
130°24′
33°36′
33°34′

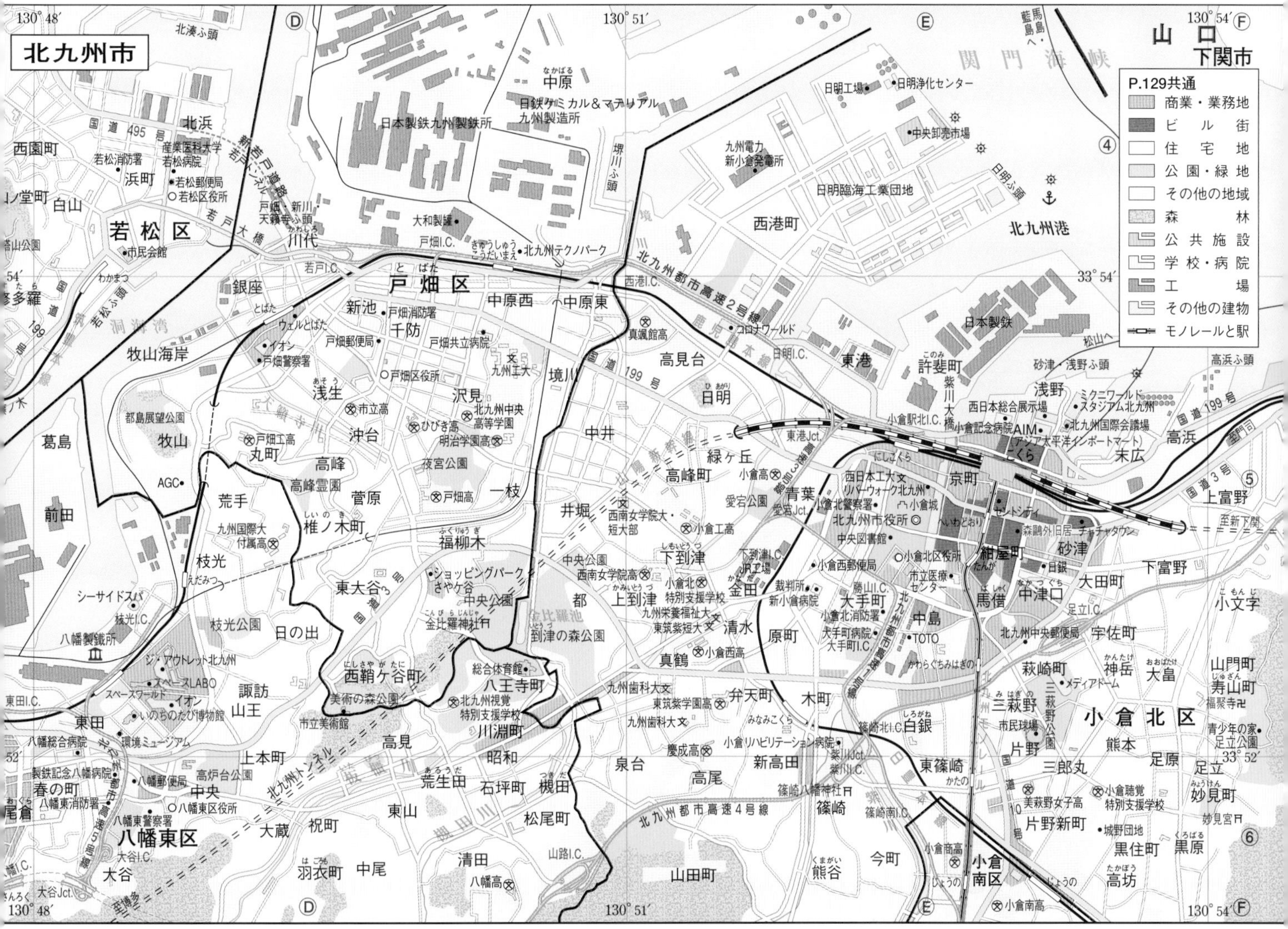

北九州市
山口
下関市
関門海峡
北九州港
洞海湾
若松区
戸畑区
八幡東区
小倉北区
小倉南区
北浜
西園町
浜町
白山
若戸大橋
川代
銀座
牧山海岸
牧山
葛島
前田
枝光
東田
春の町
尾倉
中央
大蔵
大谷
羽衣町
中尾
祝町
東山
清田
山田町
松尾町
槻田
石坪町
荒生田
昭和
高見
川淵町
八王寺町
西鞘ケ谷町
日の出
東大谷
福柳木
椎ノ木町
菅原
高峰
沖台
浅生
新池
千防
沢見
境川
中井
一枝
井堀
上到津
下到津
金田
真鶴
清水
弁天町
泉台
高尾
新高田
篠崎
熊谷
今町
木町
白銀
東篠崎
三萩野
片野
片野新町
黒原
高坊
東住町
熊本
足原
足立
妙見町
寿山町
山門町
大畠
神岳
萩崎町
宇佐町
小文字
大田町
下富野
上富野
中津口
馬借
紺屋町
砂津
京町
末広
高浜
浅野
許斐町
東港
日明
高見台
緑ケ丘
高峰町
青葉
原町
大手町
中島
中原
中原西
中原東
西港町
日明臨海工業団地
日本製鉄九州製鉄所
日本製鉄
九州電力新小倉発電所
中央卸売市場
北九州市役所
小倉城
スタジアム北九州
西日本総合展示場
北九州国際会議場
メディアドーム
ミクニワールド
チャチャタウン
リバーウォーク北九州
スペースLABO
スペースワールド
ジ・アウトレット北九州
いのちのたび博物館
環境ミュージアム
八幡製鉄所
北九州トンネル
国道3号
国道199号
国道495号
北九州都市高速2号線
北九州都市高速4号線
130°48′
130°51′
130°54′
33°54′
33°52′
P.129共通
商業・業務地
ビル街
住宅地
公園・緑地
その他の地域
森林
公共施設
学校・病院
工場
その他の建物
モノレールと駅

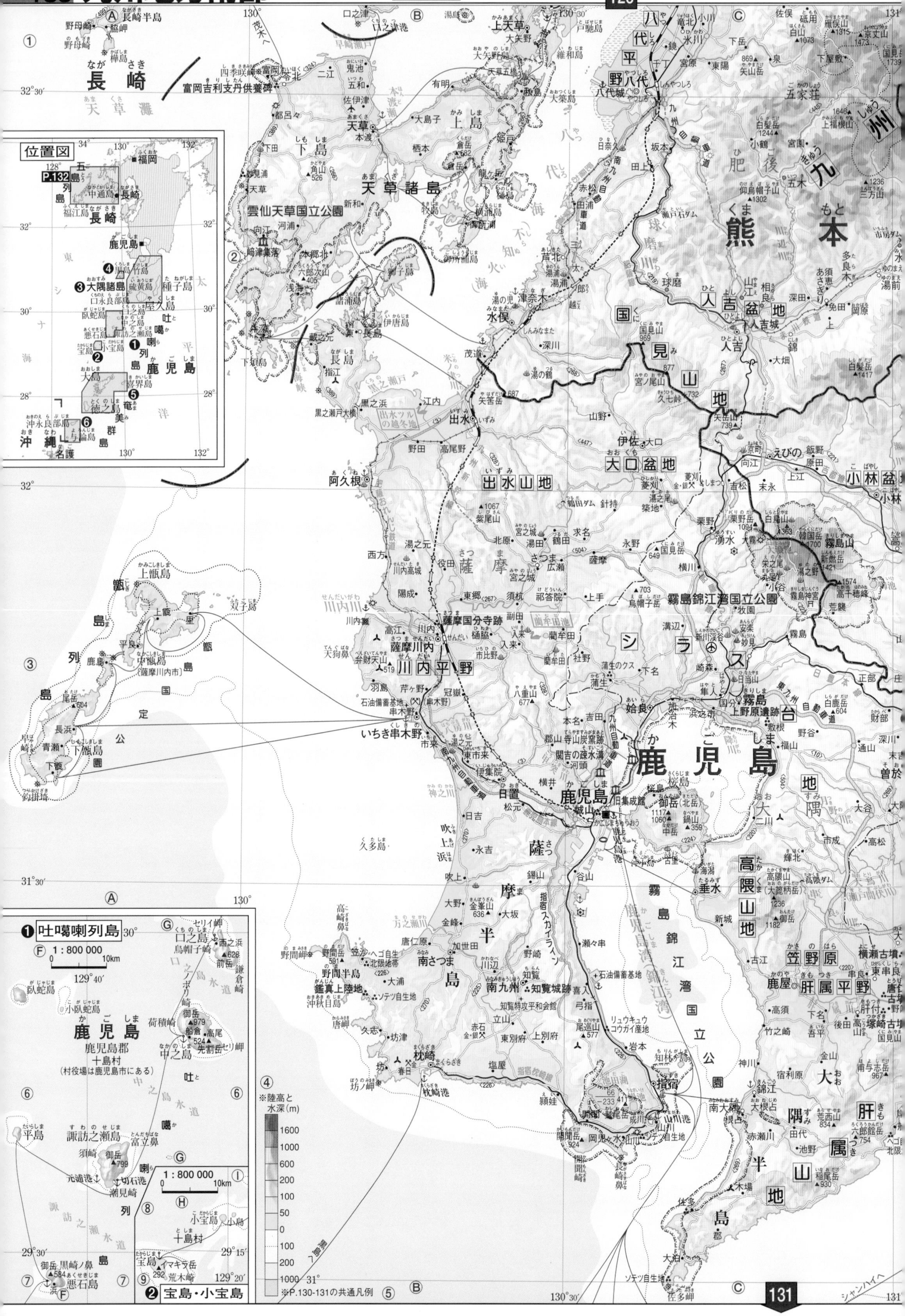
長崎
天草灘
位置図
P.132
福岡
長崎
鹿児島
五島列島
中通島
福江島
❹黒島
❸大隅諸島
種子島
屋久島
口永良部島
臥蛇島
悪石島
小宝島
宝島
❶吐噶喇列島
❷
奄美大島
喜界島
❺徳之島
❻沖永良部島
与論島
沖縄
名護
東シナ海
太平洋
鹿児島
奄美群島
天草諸島
上島
下島
天草
本渡
雲仙天草国立公園
﨑津集落
富岡吉利支丹供養碑
長島
獅子島
伊唐島
黒之瀬戸
出水ツルの越冬地
出水
阿久根
八代
八代平野
水俣
人吉
人吉盆地
国見山地
大口盆地
出水山地
伊佐
えびの
小林盆地
霧島山
韓国岳
新燃岳
高千穂峰
霧島錦江湾国立公園
シラス台地
薩摩川内
川内平野
薩摩国分寺跡
甑島列島
上甑島
中甑島
下甑島
甑島国定公園
いちき串木野
日置
鹿児島
鹿児島城山
桜島
御岳（北岳）
姶良
霧島
上野原遺跡
鹿児島湾（錦江湾）
垂水
高隈山地
鹿屋
笠野原
肝属平野
肝属山地
大隅半島
薩摩半島
南さつま
南九州
知覧城跡
枕崎
指宿
開聞岳
山川
池田湖
野間半島
鑑真上陸地
熊本
九州山地
吐噶喇列島
1：800 000
口之島
中之島
諏訪之瀬島
平島
悪石島
臥蛇島
小臥蛇島
鹿児島郡
十島村
（村役場は鹿児島市にある）
宝島・小宝島
※陸高と水深（m）
1600
1000
600
200
100
50
0
100
200
1000
※P.130-131の共通凡例

127

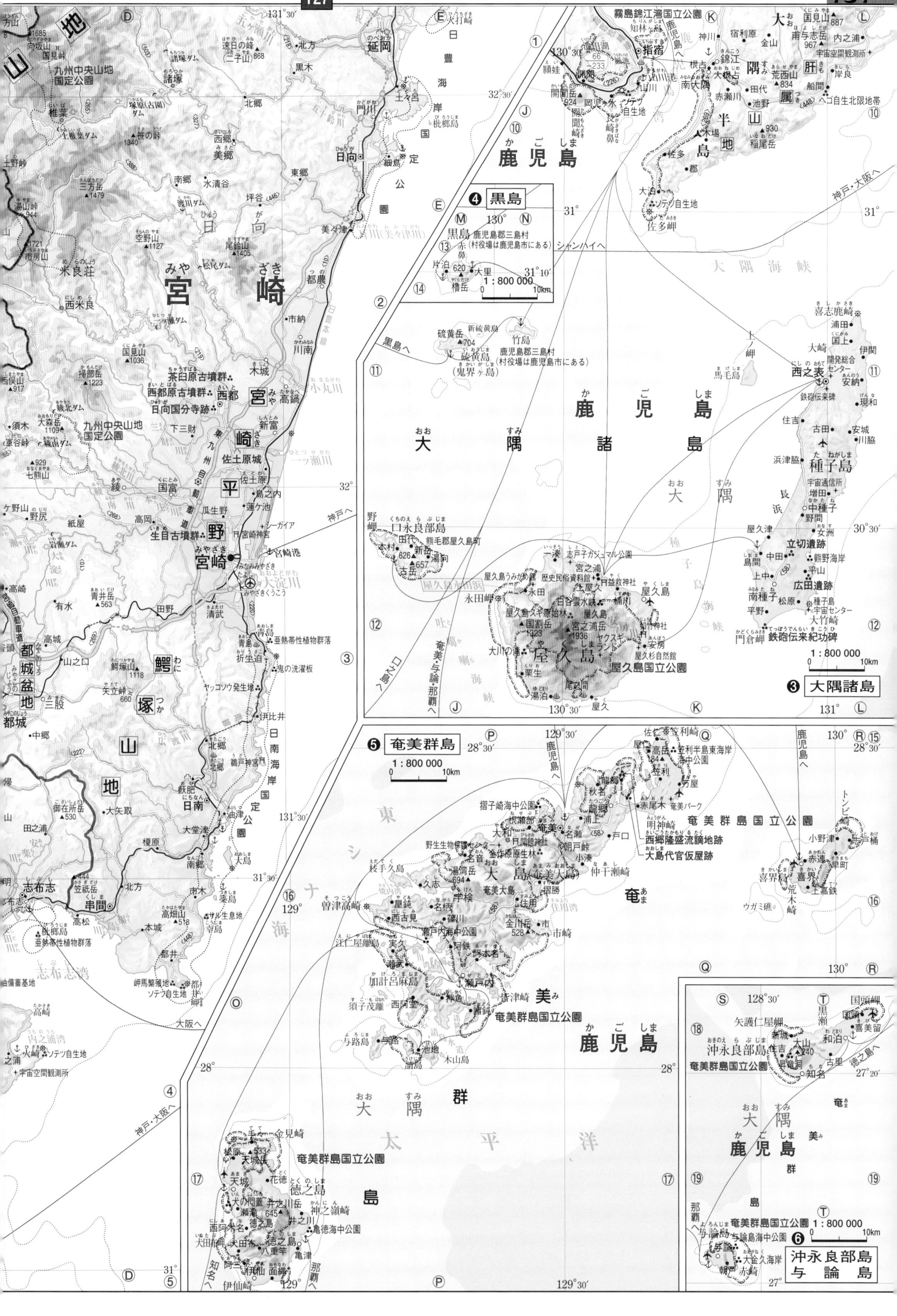

宮崎
日向
九州中央山地国定公園
延岡
日向
都農
宮崎
西都
宮崎平野
佐土原
都城盆地
都城
鰐塚山地
日南
串間
志布志
志布志湾
日南海岸国定公園
日豊海岸国定公園
霧島錦江湾国立公園
鹿児島
大隅半島
肝属山地
鹿屋
指宿
佐多岬
大隅海峡
④ 黒島
黒島 鹿児島郡三島村
(村役場は鹿児島市にある)
1 : 800 000
硫黄島
竹島
鹿児島郡三島村
(村役場は鹿児島市にある)
鹿児島
大隅諸島
口永良部島
熊毛郡屋久島町
屋久島
宮之浦岳
1936
屋久島国立公園
種子島
西之表
中種子
南種子
宇宙センター
種子島宇宙センター
鉄砲伝来紀功碑
③ 大隅諸島
1 : 800 000
⑤ 奄美群島
1 : 800 000
東シナ海
奄美大島
奄美
名瀬
奄美群島国立公園
喜界島
加計呂麻島
請島
与路島
徳之島
奄美群島国立公園
太平洋
大隅群島
鹿児島
⑥ 沖永良部島 与論島
1 : 800 000
沖永良部島
与論島
奄美群島国立公園

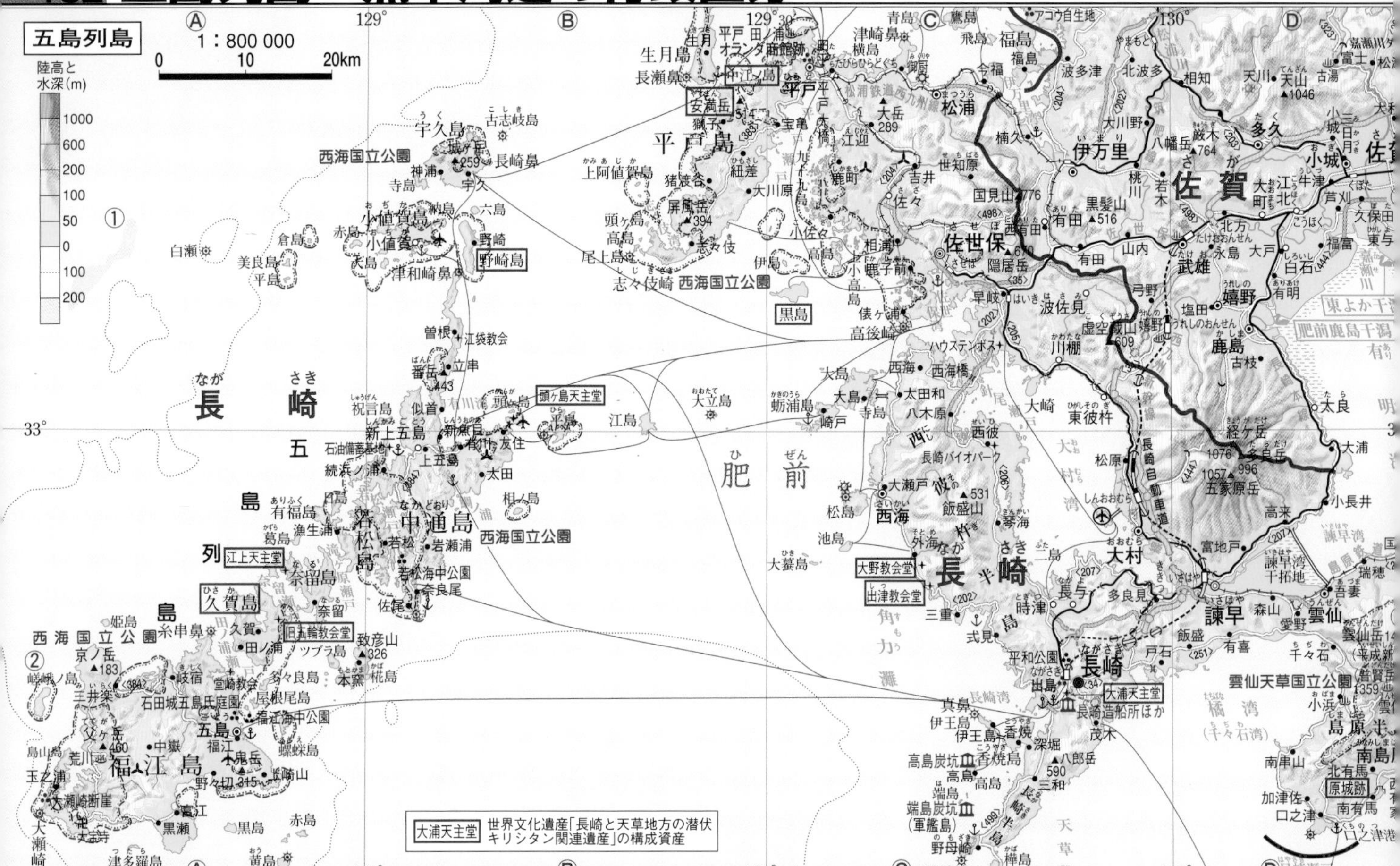

五島列島

1:800 000

陸高と水深(m)

1000 / 600 / 200 / 100 / 50 / 0 / 100 / 200

0　10　20km

①

②

③

④

⑤

⑥

野崎島

黒島

頭ヶ島天主堂

江上天主堂

久賀島

旧五輪教会堂

大野教会堂

出津教会堂

大浦天主堂

129°　129°30′　130°

西海国立公園

長崎　五島列島　中通島　若松島　福江島

平戸島　佐世保　伊万里　佐賀　武雄　嬉野　鹿島

長崎　諫早　大村　雲仙　島原半島　天草灘

肥前灘　有明海　橘湾　島原湾

大浦天主堂　世界文化遺産「長崎と天草地方の潜伏キリシタン関連遺産」の構成資産

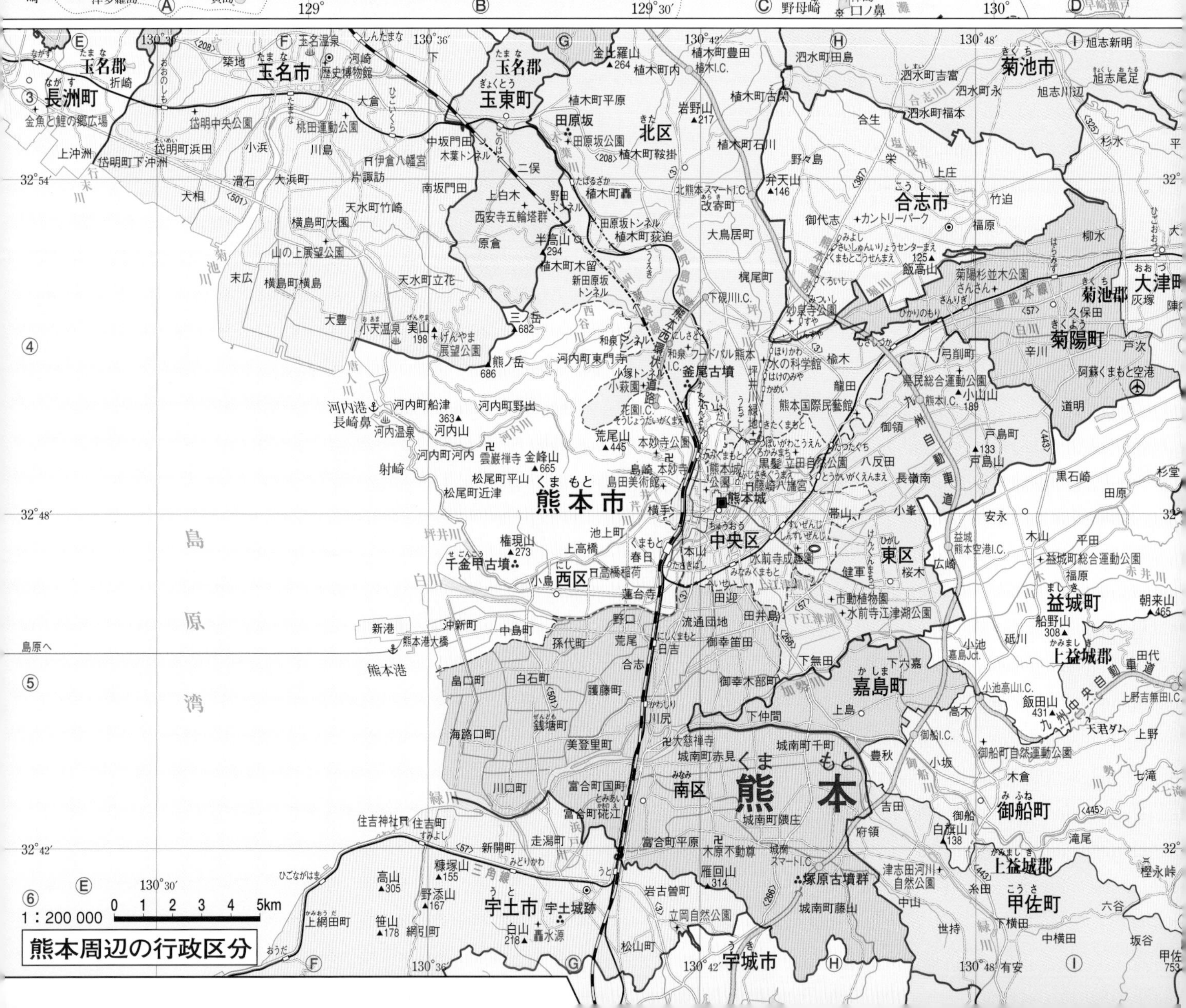

熊本周辺の行政区分

1:200 000

0　1　2　3　4　5km

130°30′　130°36′　130°42′　130°48′

玉名郡　玉名市　玉東町　菊池市

長洲町　北区　合志市　大津町　菊池郡　菊陽町

熊本市　西区　中央区　東区　益城町　上益城郡

南区　熊本　嘉島町　御船町　甲佐町

宇土市　宇城市

熊本城

阿蘇くまもと空港

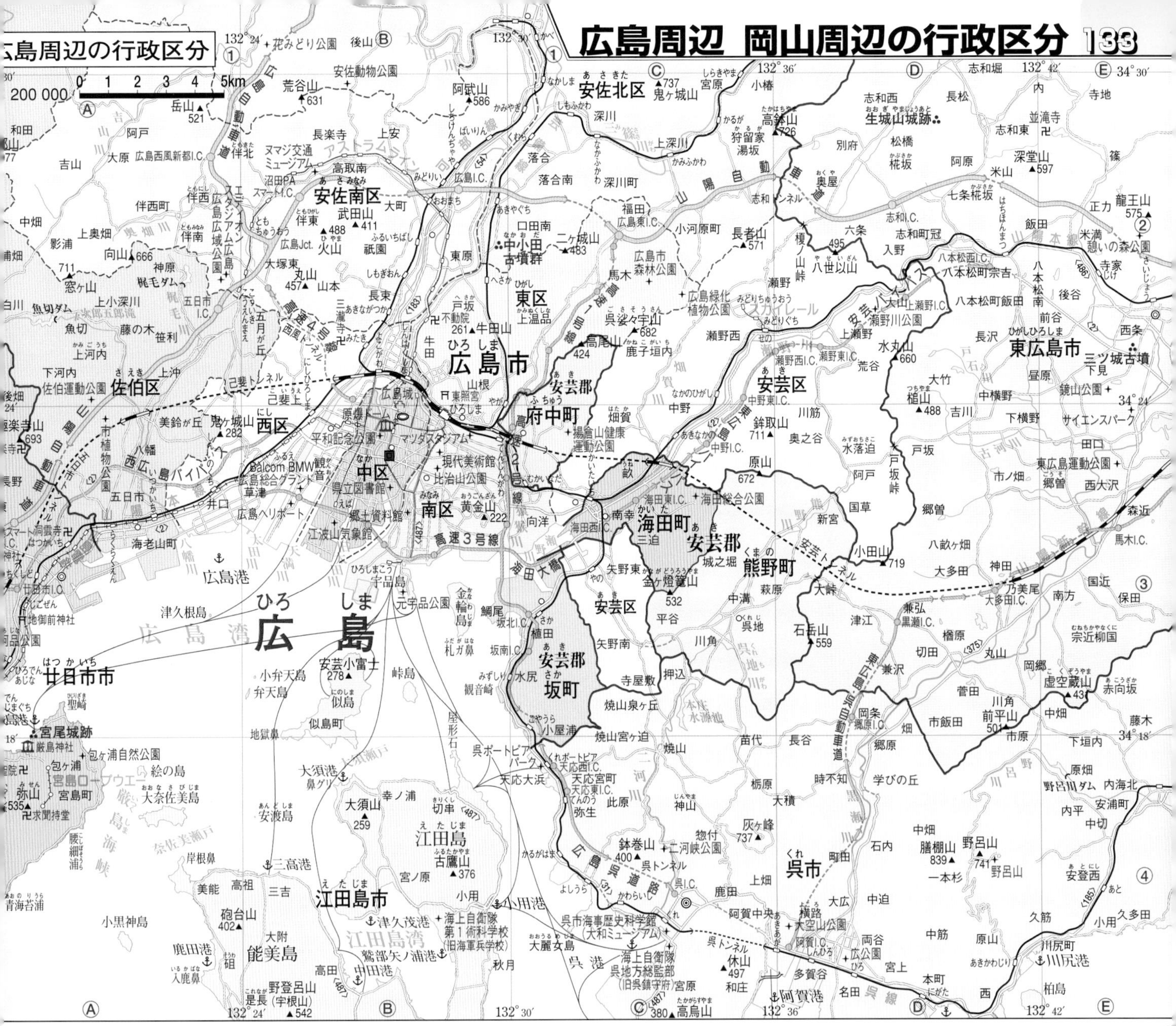

広島周辺の行政区分
1：200 000
0 1 2 3 4 5km
広島市
安佐北区
安佐南区
東区
西区
中区
南区
佐伯区
安芸区
安芸郡
府中町
海田町
熊野町
坂町
廿日市市
東広島市
呉市
江田島市
広島
広島湾
広島港
宮島町
弥山
厳島神社
宮尾城跡
能美島
江田島
似島
金輪島
広島城
平和記念公園
マツダスタジアム
県立図書館
現代美術館
比治山公園
広島ヘリポート
黄金山
江波山気象館
宇品島
倉橋島
三高港
呉港
阿賀港
大麗女島
休山
灰ヶ峰
野呂山
高鉢山
八世以山
鬼ヶ城山
阿武山
荒谷山
岳山
武田山
火山
丸山
牛田山
呉娑々宇山
高尾山
鉢巻山
石岳山
小田山
鈴取山
槌山
虚空蔵山
前平山
龍王山
深堂山
生城山城跡
三ツ城古墳
中小田古墳群
山陽自動車道
広島岩国道路
東広島呉自動車道
高速3号線
安芸トンネル
呉トンネル
132°24′
132°30′
132°36′
132°42′
34°30′
34°24′
34°18′

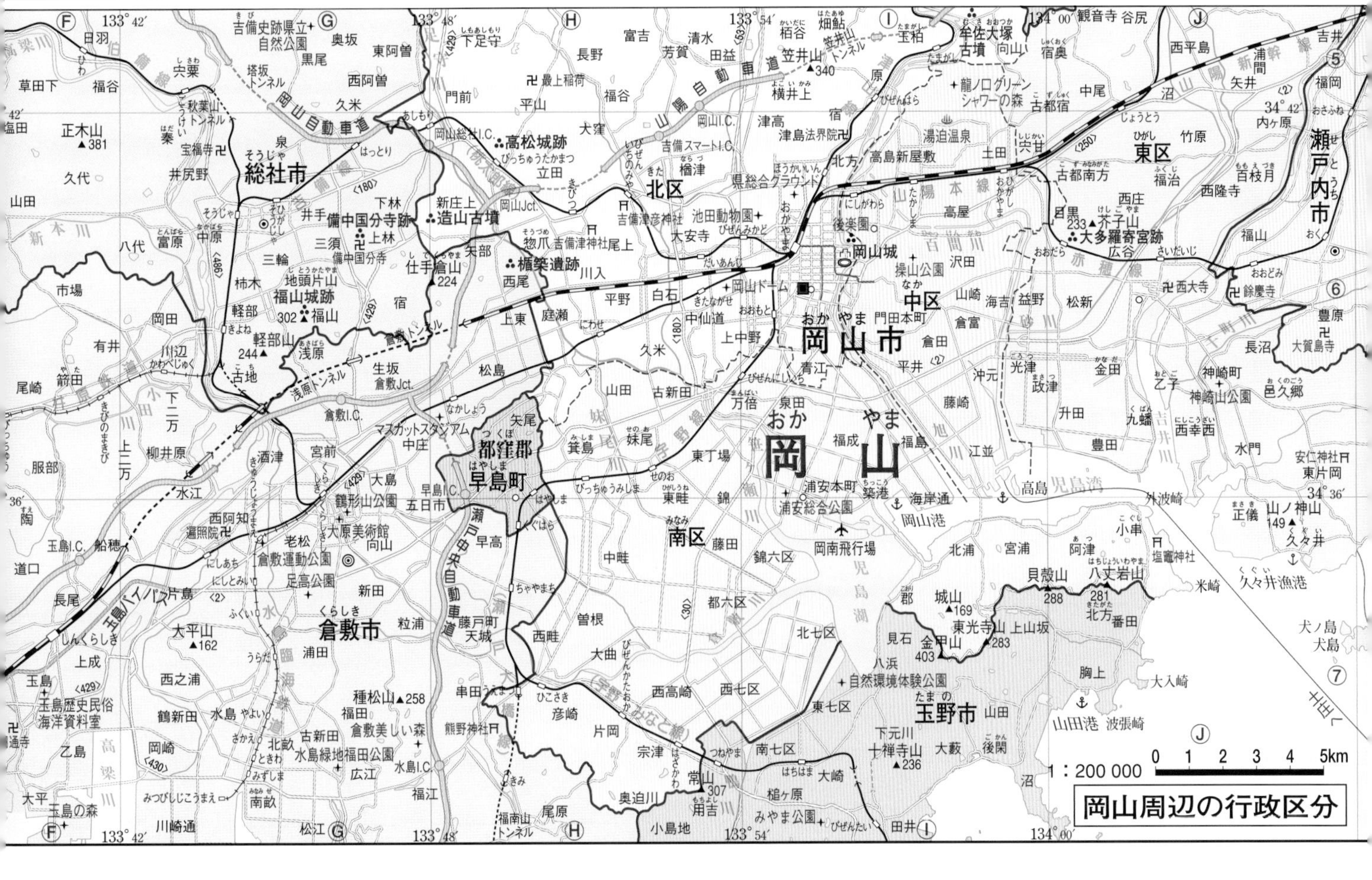

岡山周辺の行政区分
1：200 000
0 1 2 3 4 5km
岡山市
北区
中区
東区
南区
岡山
総社市
倉敷市
都窪郡
早島町
玉野市
瀬戸内市
岡山城
後楽園
岡山駅
岡山ドーム
岡山港
岡南飛行場
児島湾
鬼ノ城
備中国分寺跡
造山古墳
楯築遺跡
高松城跡
福山城跡
大多羅寄宮跡
牟佐大塚古墳
龍ノ口グリーンシャワーの森
県総合グラウンド
池田動物園
吉備津神社
吉備津彦神社
吉備路
倉敷運動公園
大原美術館
水島緑地福田公園
金甲山
八丈岩山
貝殻山
十禅寺山
常山
芥子山
正木山
種松山
大平山
山陽自動車道
岡山自動車道
瀬戸中央自動車道
玉島バイパス
山陽新幹線
山陽本線
赤穂線
宇野線
133°42′
133°48′
133°54′
134°00′
34°42′
34°36′

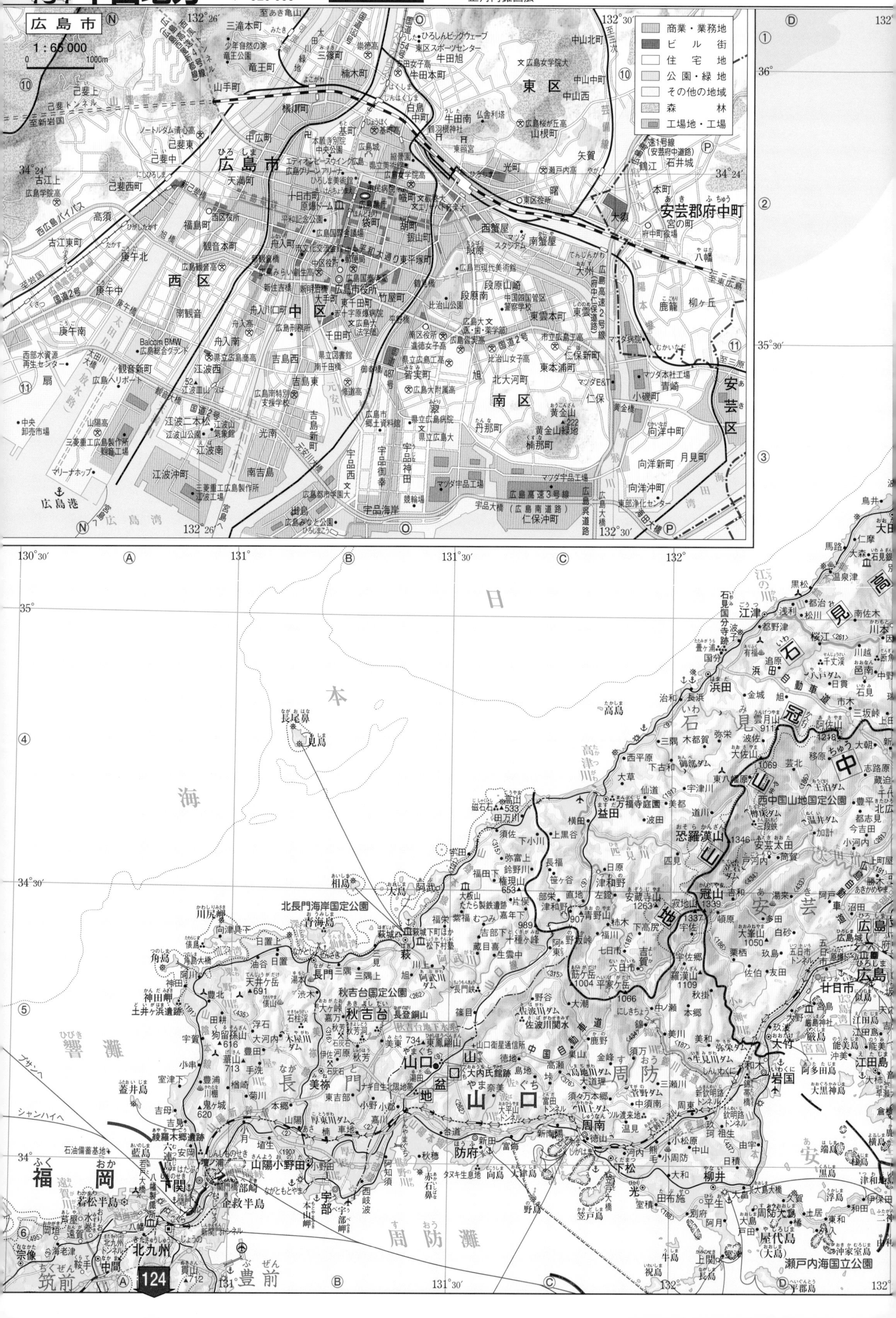
1：920 000
0 10 20km
正角円錐図法
広島市
1：65 000
0 1000m
商業・業務地
ビル街
住宅地
公園・緑地
その他の地域
森林
工場地・工場
東区
広島市
西区
中区
南区
安芸区
安芸郡府中町
広島港
広島湾
日本海
響灘
周防灘
豊前
筑前
福岡
長門
周防
石見
安芸
山口
北長門海岸国定公園
秋吉台国定公園
西中国山地国定公園
瀬戸内海国立公園
中国自動車道
山陽自動車道
浜田自動車道
中国山地
下関
北九州
宇部
山陽小野田
防府
周南
下松
光
柳井
岩国
大竹
廿日市
萩
長門
美祢
益田
浜田
江津
津和野
恐羅漢山
冠山
見島
相島
大島
屋代島
プサンへ
シャンハイへ
124

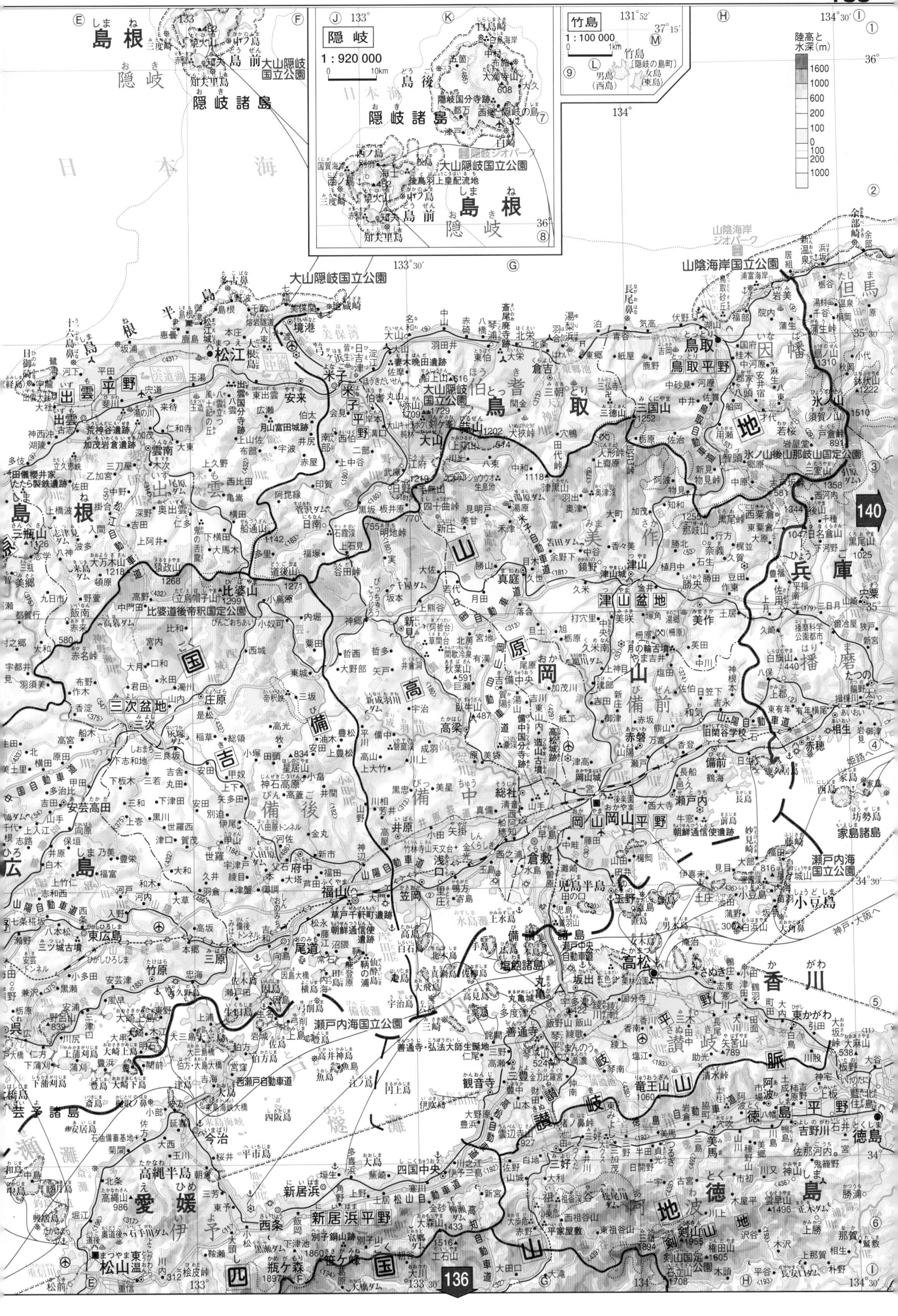

島根

隠岐

隠岐諸島

日本海

140

隠岐
1:920 000

竹島
1:100 000

竹島〔隠岐の島町〕
男島（西島）　女島（東島）

陸高と水深(m)

1600
1000
600
200
100
0
-100
-200
-1000

隠岐諸島

隠岐ジオパーク

大山隠岐国立公園

島根　隠岐

山陰海岸ジオパーク

山陰海岸国立公園

大山隠岐国立公園

出雲平野

松江

米子平野

境港

安来

鳥取平野

鳥取

因幡

但馬

氷ノ山

兵庫

中国山地

大山

伯耆

津山盆地

美作

津山

岡山

岡山平野

倉敷

備前

備中

高梁

井原

福山

笠岡

尾道

三原

竹原

呉

東広島

広島

三次盆地

吉備高原

中国山地

備後

瀬戸内海国立公園

小豆島

高松

讃岐平野

香川

讃岐山脈

徳島平野

徳島

四国山地

剣山

松山

松山平野

新居浜

新居浜平野

四国中央

愛媛

伊予

三瓶山

三次

庄原

比婆山

日本海

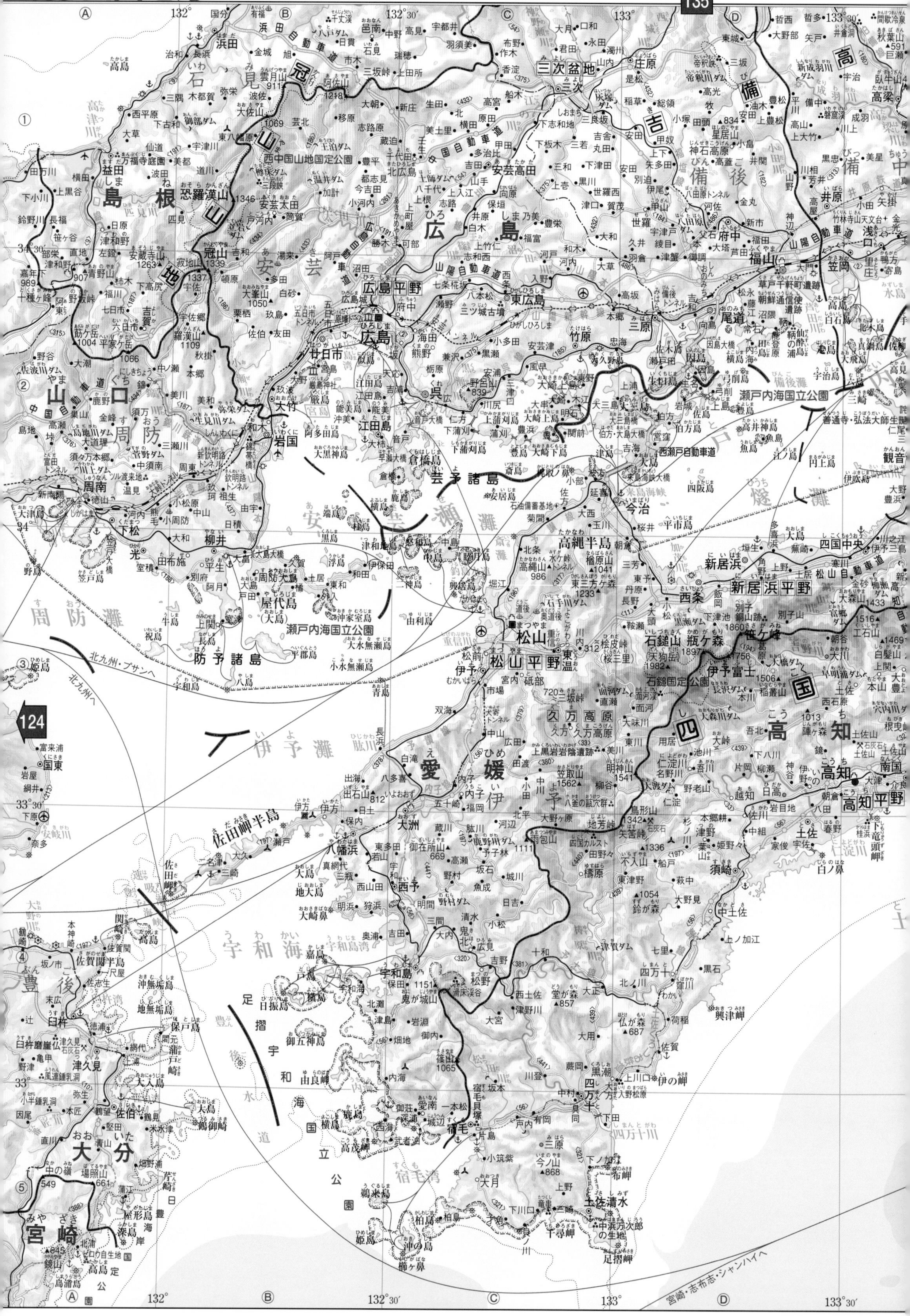

1：920 000　0　10　20km　正角円錐図法

135

124

Ⓐ　132°　Ⓑ　132°30′　Ⓒ　133°　Ⓓ　133°30′

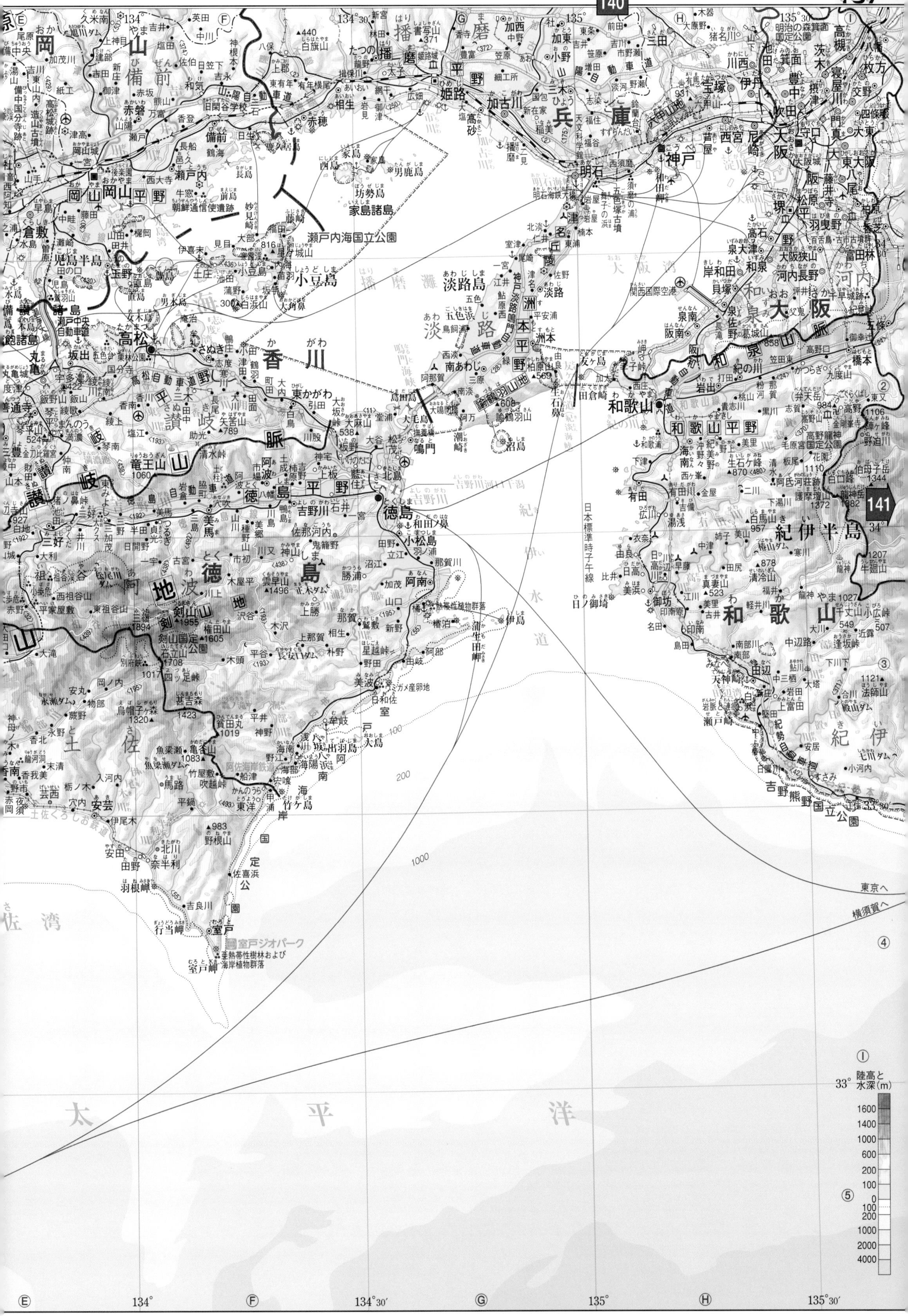
140
141
岡山
備前
赤磐
倉敷
岡山平野
児島半島
玉野
瀬戸内
牛窓
朝鮮通信使遺跡
小豆島
瀬戸内海国立公園
家島諸島
坊勢島
男鹿島
播磨
播磨平野
姫路
相生
赤穂
たつの
加古川
明石
兵庫
神戸
西宮
尼崎
宝塚
伊丹
池田
箕面
豊中
吹田
高槻
茨木
枚方
寝屋川
大阪
東大阪
八尾
堺
松原
羽曳野
岸和田
泉大津
和泉
貝塚
泉佐野
泉南
阪南
関西国際空港
河内長野
富田林
大阪湾
播磨灘
淡路島
淡路
洲本
南あわじ
明石海峡大橋
紀淡海峡
友ヶ島
鳴門海峡
大鳴門橋
鳴門
香川
高松
坂出
丸亀
善通寺
観音寺
さぬき
東かがわ
讃岐平野
讃岐山脈
竜王山
1060
阿波
徳島
徳島平野
吉野川
小松島
阿南
剣山
1955
剣山国定公園
四国山地
美馬
三好
神山
勝浦
那賀
美波
牟岐
海陽
室戸
室戸岬
室戸ジオパーク
土佐
安芸
安田
奈半利
羽根岬
行当岬
吉良川
室戸阿南海岸国定公園
佐湾
和歌山
和歌山平野
海南
有田
湯浅
御坊
日高
印南
田辺
白浜
日ノ御埼
紀伊水道
紀伊半島
和泉山脈
紀の川
橋本
高野山
高野龍神国定公園
伯母子岳
1344
護摩壇山
1372
吉野熊野国立公園
日本標準時子午線
太平洋
東京へ
横須賀へ
134°
134°30′
135°
135°30′
34°
33°30′
33°
200
1000
陸高と水深(m)
1600
1400
1000
600
200
100
0
100
200
1000
2000
4000
E
F
G
H
I
1
2
3
4
5

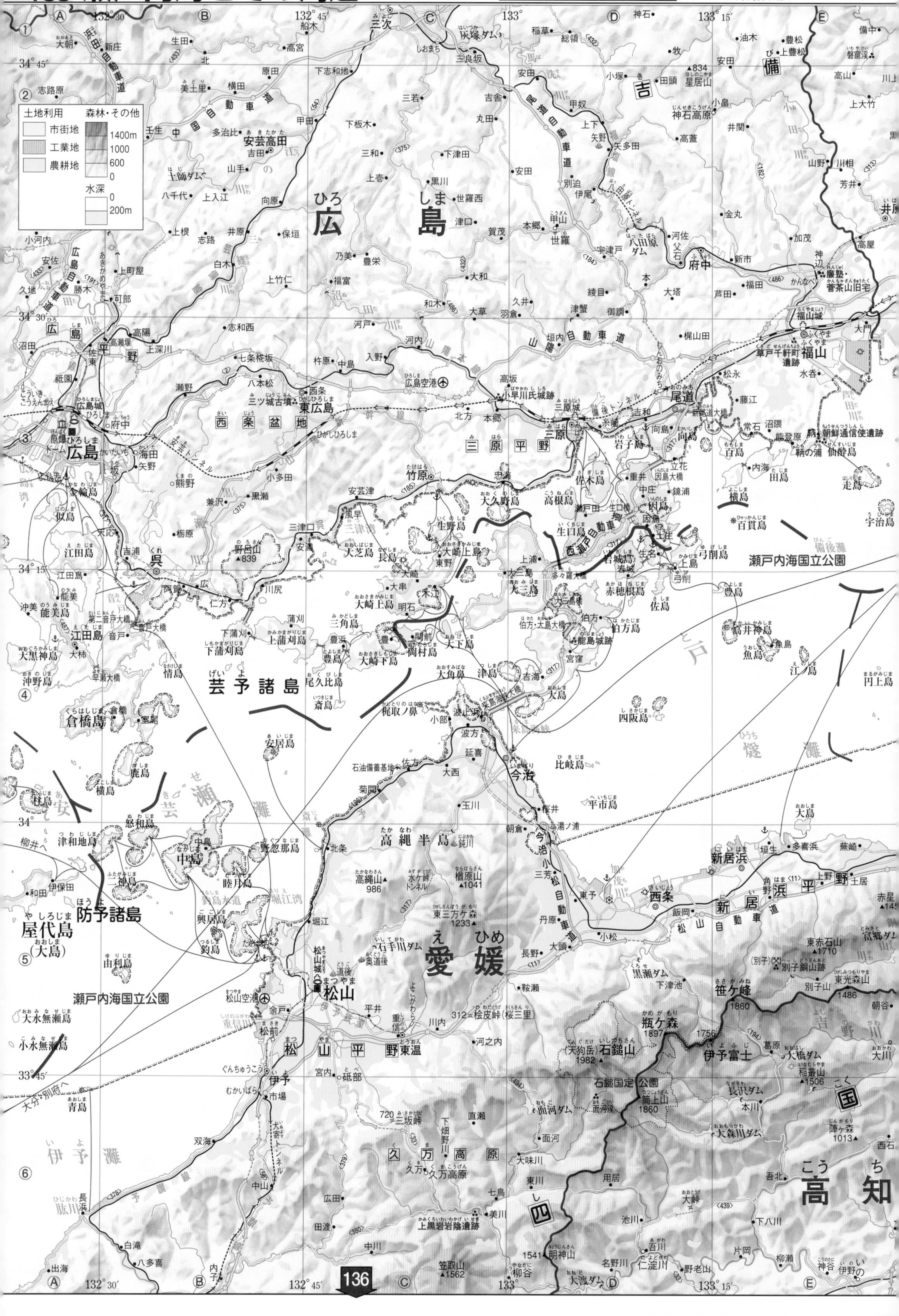

土地利用
市街地
工業地
農耕地
森林・その他
1400m
1000
600
0
水深
0
200m
広島
愛媛
高知
吉備
国
四
三次
安芸高田
東広島
西条盆地
広島
呉
竹原
三原
三原平野
尾道
福山
府中
芸予諸島
防予諸島
屋代島
(大島)
倉橋島
江田島
大黒神島
能美島
似島
大崎上島
大崎下島
上蒲刈島
下蒲刈島
豊島
大三島
伯方島
大島
生口島
因島
向島
佐木島
岩子島
高根島
百島
田島
横島
走島
宇治島
百貫島
弓削島
魚島
江ノ島
円上島
四阪島
比岐島
平市島
大島
今治
高縄半島
西条
新居浜
松山
松山平野
東温
伊予
松前
松山空港
中島
怒和島
津和地島
睦月島
野忍那島
興居島
釣島
由利島
大水無瀬島
小水無瀬島
青島
伊予灘
安芸灘
斎灘
燧灘
備後灘
瀬戸内海国立公園
石鎚山
1982
瓶ケ森
1897
笹ケ峰
1860
伊予富士
1756
東赤石山
1710
久万高原
石鎚国定公園
面河ダム
大森川ダム
長沢ダム
稲叢山
1506
陣ケ森
1013
東光森山
1486
別子銅山跡
石手川ダム
奥道後
東三方ケ森
1233
皿ケ嶺
楢原山
1041
高縄山
986
野呂山
839
星居山
834
笠取山
1562
明神山
1541
上黒岩岩陰遺跡
三坂峠
720
桜皮峠(桜三里)
312
中国自動車道
山陽自動車道
松山自動車道
西瀬戸自動車道
浜田自動車道
尾道自動車道
広島空港
草戸千軒町遺跡
朝鮮通信使遺跡
鞆の浦
小早川氏城跡
三ツ城古墳
原爆ドーム
来島海峡大橋
安芸灘大橋
音戸大橋
大分・別府へ
柳井へ
136

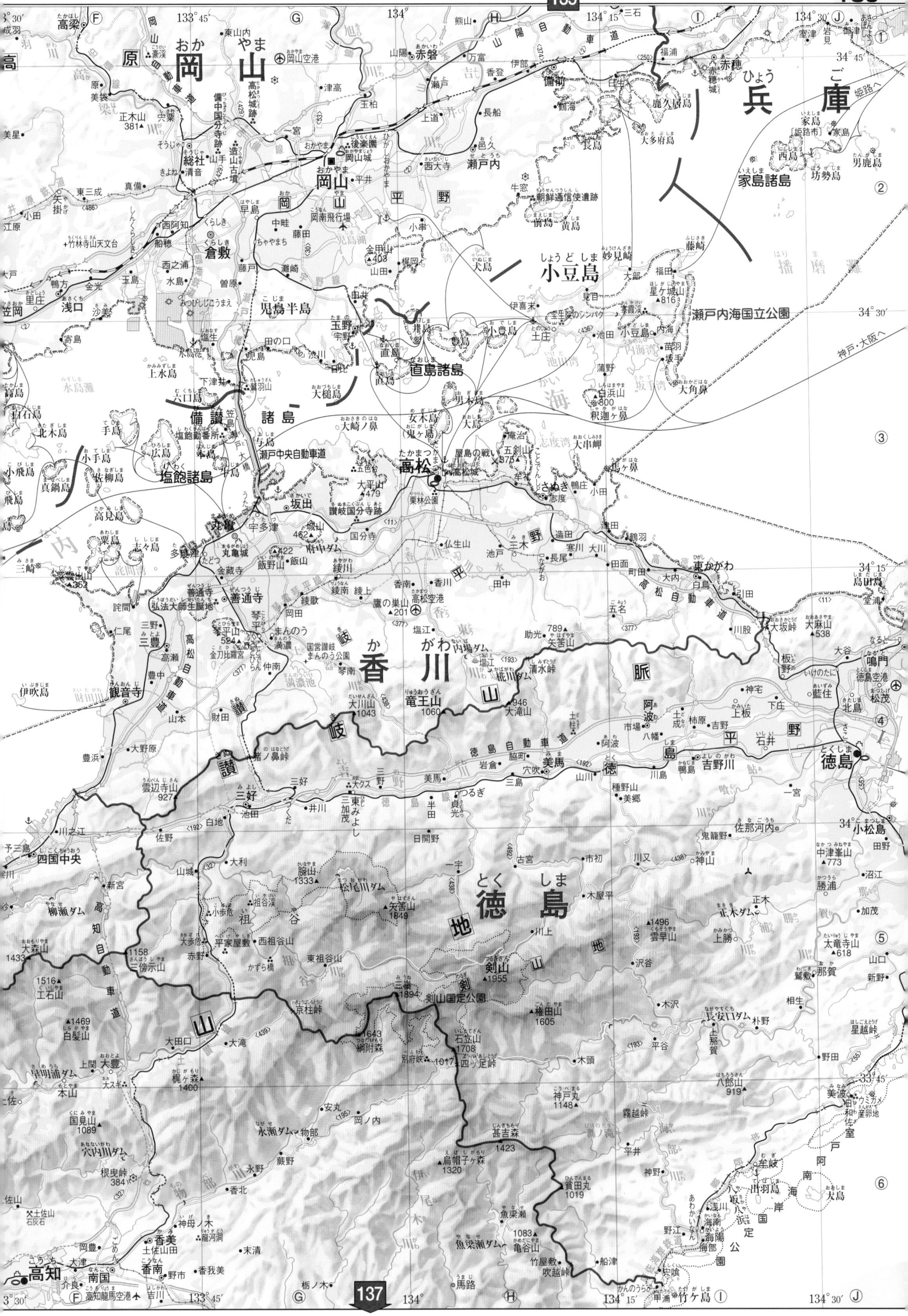

岡山
おかやま

岡山

倉敷

児島半島

備讃諸島

塩飽諸島

高松
たかまつ

坂出

丸亀城

善通寺

観音寺

香川
かがわ

讃岐
さぬき

山脈

平野

小豆島
しょうどしま

瀬戸内海国立公園

瀬戸内

内海
うみ

灘
はり

播磨灘

兵庫
ひょうご

ご
庫

家島諸島

神戸・大阪へ

高知
自動車道

四国中央

徳島
とくしま

地

山

脈

徳島
とくしま

地

剣山
1955

剣山国定公園

吉野川

徳島

阿波

脇町

美馬

三好

池田

東かがわ

鳴門

松茂

徳島空港

徳島

小松島

高知
こうち

南国

高知龍馬空港

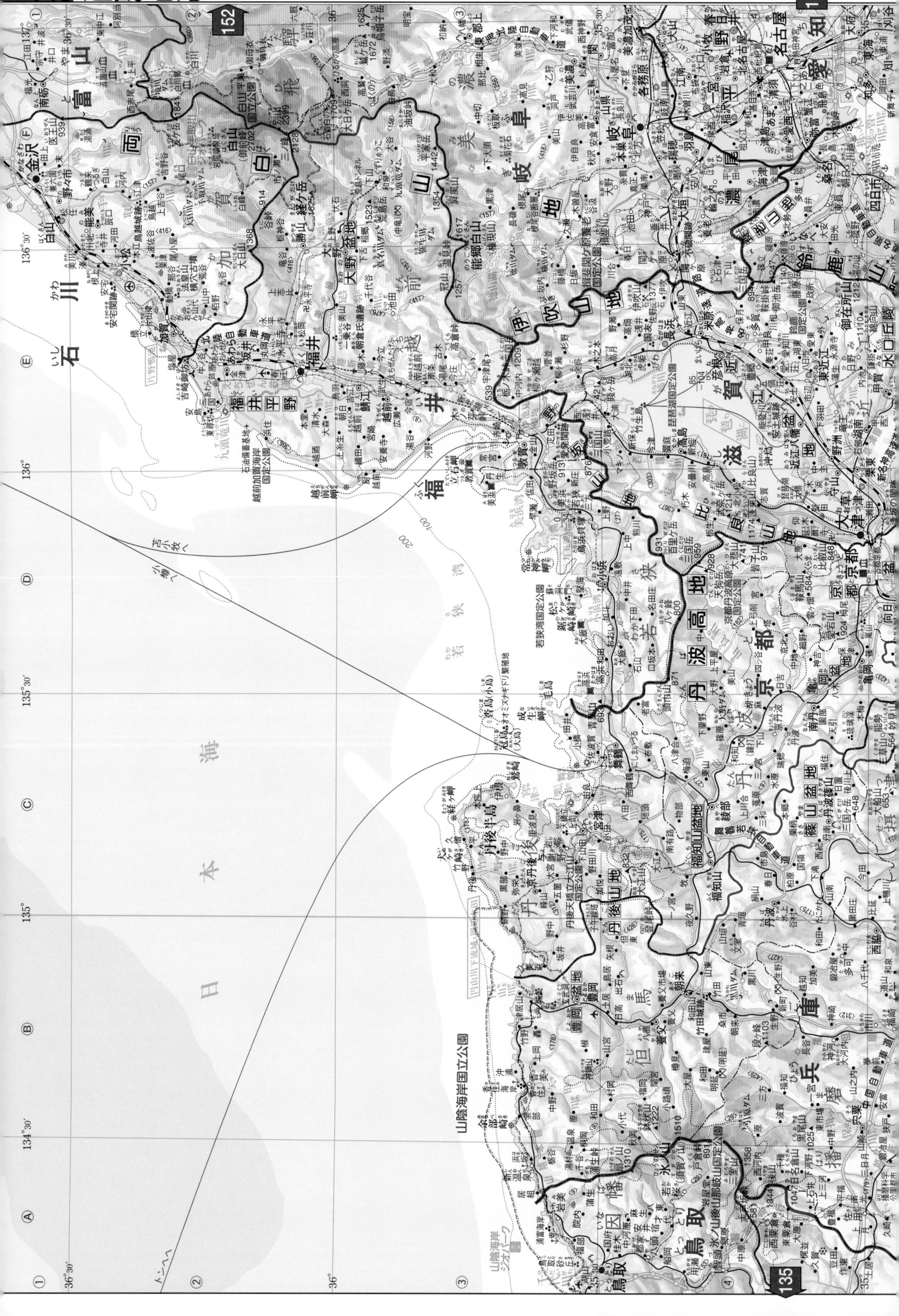

0　10　20km　正角円錐図法

日本海
若狭湾
石川
富山
福井
岐阜
滋賀
京都
兵庫
鳥取
愛知
丹後半島
丹波高地
若狭湾国定公園
琵琶湖国定公園
山陰海岸国立公園
白山国立公園
金沢
福井
岐阜
大津
京都
名古屋
鳥取
152
153
135

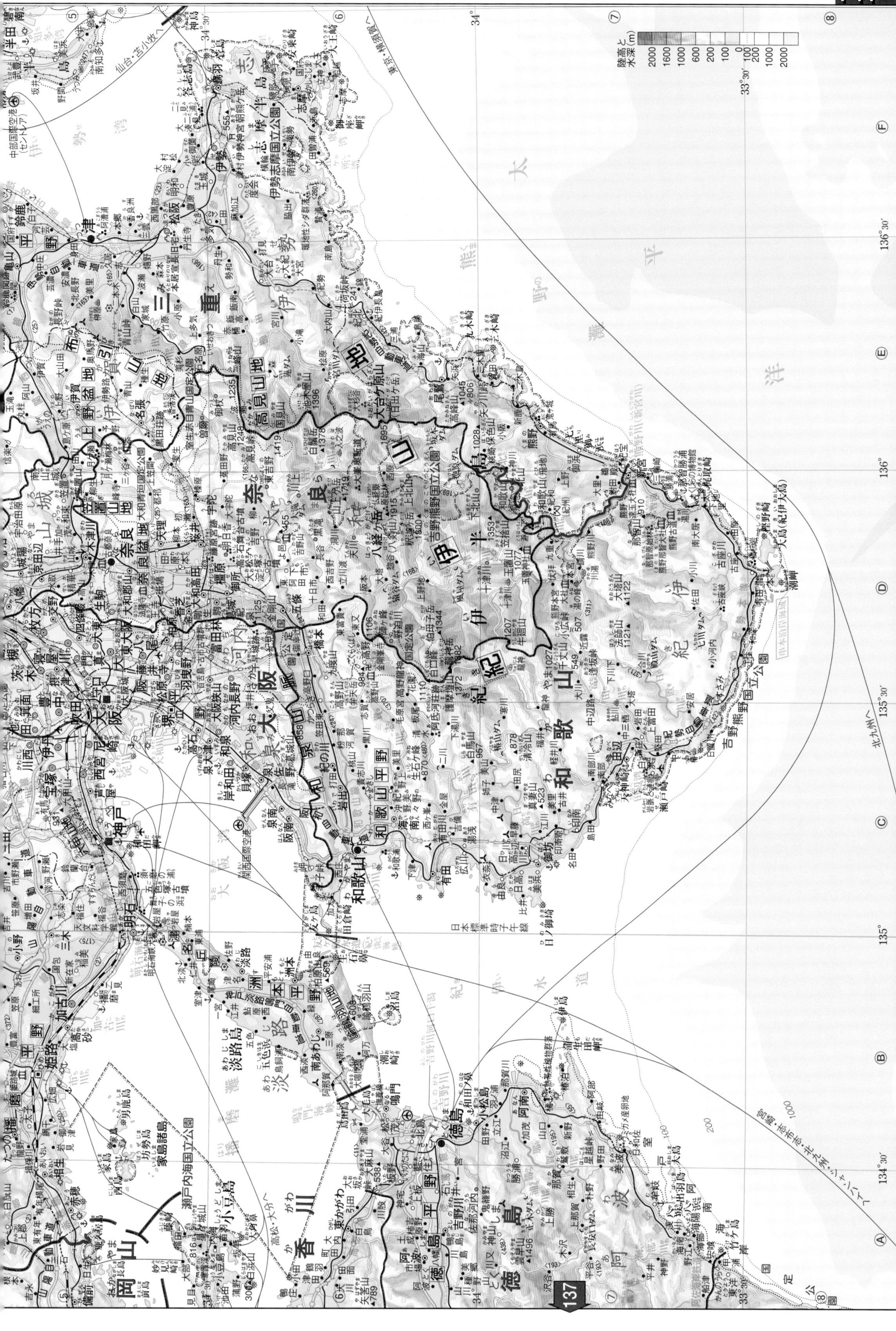
和歌山
大阪
奈良
神戸
徳島
津
三重
淡路島
香川
岡山
吉野熊野国立公園
伊勢志摩国立公園
瀬戸内海国立公園
太平洋
熊野灘
紀伊水道

137

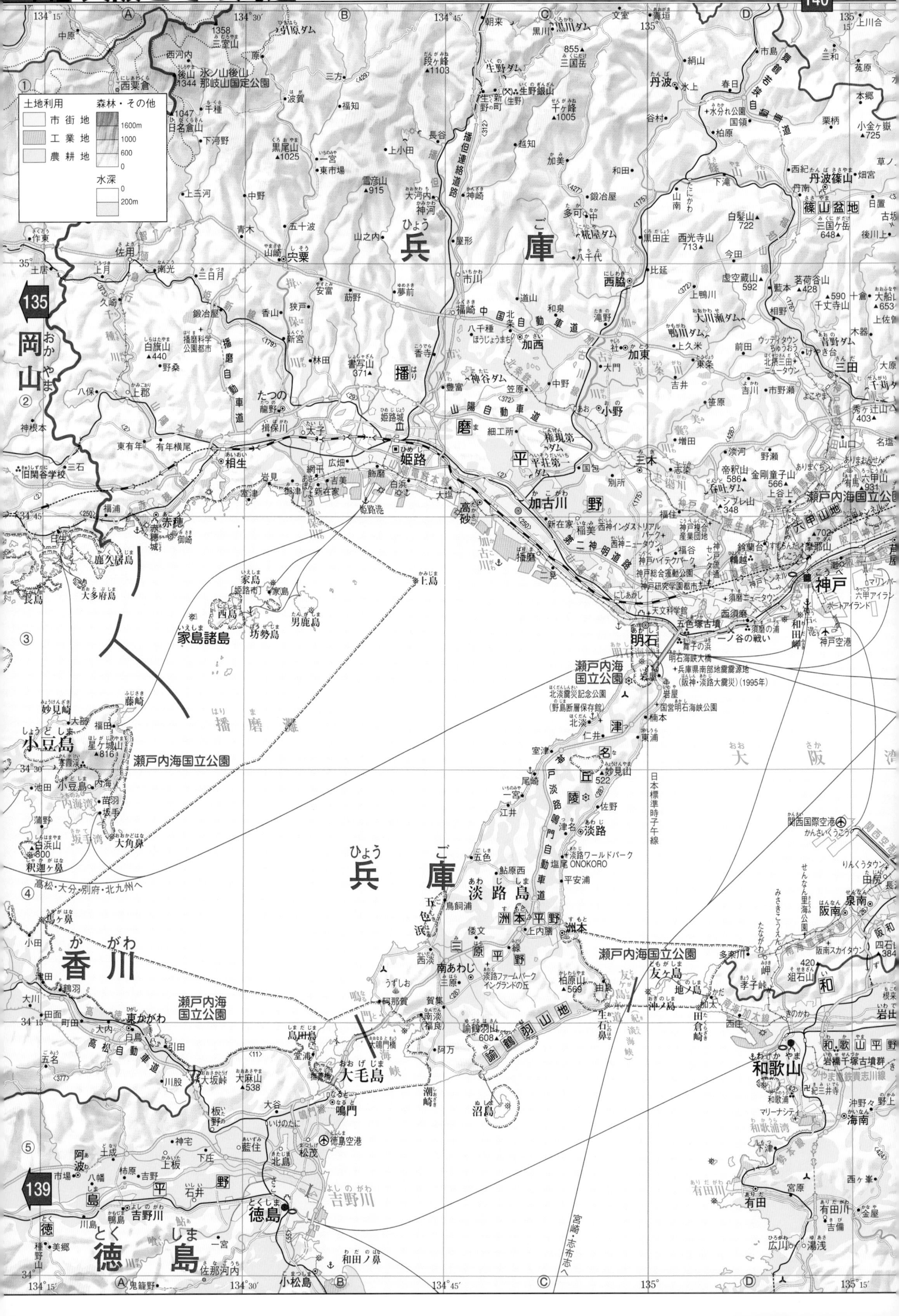

1：500 000
0 5 10km
正角円錐図法
140
135
139
土地利用
市街地
工業地
農耕地
森林・その他
1600m
1000
600
0
水深
0
200m
兵庫
岡山
香川
徳島
播磨
播磨灘
大阪湾
小豆島
家島諸島
淡路島
姫路
明石
神戸
加古川
高砂
相生
赤穂
西脇
加西
加東
小野
三木
三田
丹波
丹波篠山
篠山盆地
たつの
宍粟
洲本
南あわじ
鳴門
徳島
和歌山
有田
海南
阪南
泉南
中国自動車道
山陽自動車道
播磨自動車道
播但連絡道路
第二神明道路
神戸淡路鳴門自動車道
高松自動車道
舞鶴若狭自動車道
山陽新幹線
山陽本線
瀬戸内海国立公園
明石海峡大橋
大鳴門橋
関西国際空港
神戸空港
徳島空港
日本標準時子午線
六甲山地
諭鶴羽山地
淡路島
沼島
友ヶ島
吉野川
紀淡海峡
鳴門海峡
高松・大分・別府・北九州へ
宮崎・志布志へ

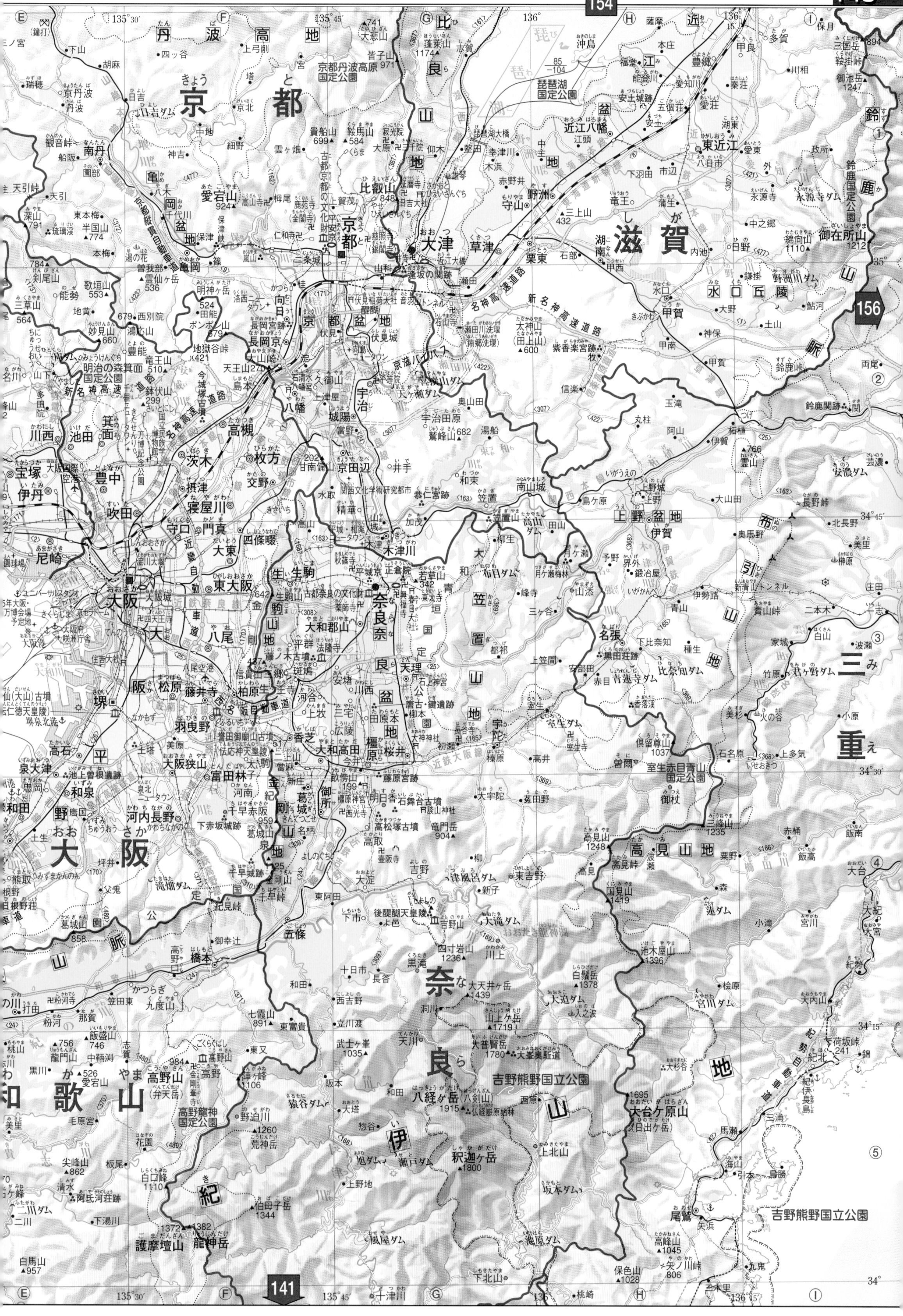
154
丹波高地
京都
京都丹波高原国定公園
比良山地
近江盆地
琵琶湖
琵琶湖国定公園
沖島
近江八幡
安土城跡
東近江
八日市
彦根
多賀
甲良
豊郷
愛知川
愛荘
五個荘
鈴鹿山脈
鈴鹿国定公園
御在所山
1212
御池岳
1247
三国岳
894
永源寺
永源寺ダム
綿向山
1110
日野
竜王
蒲生
野洲
守山
三上山
432
滋賀
湖南
栗東
草津
大津
比叡山
848
愛宕山
924
京都
嵯峨
亀岡
亀岡盆地
南丹
京丹波
園部
胡麻
日吉
日吉ダム
京北
鞍馬山
584
大原
貴船山
699
向日
長岡京
京都盆地
伏見
醍醐
宇治
八幡
城陽
京田辺
精華
木津川
宇治田原
鷲峰山
682
湯船
和束
笠置
南山城
信楽
紫香楽宮跡
甲賀
水口
水口丘陵
甲南
太神山
600
名神高速道路
新名神高速道路
瀬田
石部
甲西
湖南
156
鈴鹿峠
鈴鹿関跡
関
つげ
伊賀
上野盆地
上野
伊賀
名張
布引山地
青山峠
青山
阿山
玉滝
丸柱
島ヶ原
大山田
長野峠
美里
榊原
安濃ダム
霊山
766
三重
君ヶ野ダム
比奈知ダム
青蓮寺ダム
赤目
室生
室生ダム
室生寺
倶留尊山
1037
曽爾
御杖
室生赤目青山国定公園
三峰山
1235
高見山
1248
高見山地
飯南
飯高
粟野
大台
大紀
宮川
宮川ダム
大内山
紀勢
荷坂峠
241
紀北
紀伊長島
尾鷲
三浦
海山
引本
馬瀬
矢浜
高峰山
1045
矢ノ川峠
806
保色山
1028
大台ケ原山
(日出ヶ岳)
1695
池木屋山
1396
白髭岳
1378
国見山
1419
大迫ダム
入之波
大普賢岳
1780
大峯奥駈道
吉野熊野国立公園
上北山
坂本ダム
池原ダム
下北山
山上ヶ岳
1719
大天井ヶ岳
1439
天川
洞川
八経ヶ岳
(八剣山)
1915
仏経嶽原始林
釈迦ヶ岳
1800
前鬼
大峰山脈
奈良
大台ケ原
奈良盆地
奈良
大和郡山
天理
桜井
橿原
大和高田
香芝
葛城
御所
明日香
石舞台古墳
高松塚古墳
高取
竜門岳
904
大宇陀
宇陀
榛原
初瀬
大和青垣国定公園
笠置山地
都祁
山添
月ヶ瀬
布目ダム
生駒
生駒山地
平城京
正倉院
若草山
342
法隆寺
斑鳩
平群
王寺
三郷
上牧
広陵
田原本
吉野
吉野山
大淀
下市
津風呂ダム
新子
大滝ダム
川上
四寸岩山
1236
黒滝
十日市
長谷
五條
和田
西吉野
東富貴
七霞山
891
立川渡
武士ヶ峯
1035
大塔
猿谷ダム
野迫川
荒神岳
1260
旭ダム
瀬戸ダム
上野地
伯母子岳
1344
風屋ダム
十津川
141
護摩壇山
1372
龍神岳
1382
高野山
(弁天岳)
高野龍神国定公園
陣ヶ峰
1106
白口峰
1110
花園
清水
阿氏河荘跡
尖峰山
862
二川ダム
下湯川
白馬山
957
和歌山
高野
九度山
橋本
かつらぎ
笠田東
紀見峠
御幸辻
葛城山
858
和泉山脈
金剛山
1125
金剛山地
葛城山
959
千早赤阪
千早城跡
下赤坂城跡
河内長野
富田林
大阪狭山
羽曳野
藤井寺
松原
柏原
八尾
東大阪
大東
四條畷
門真
寝屋川
守口
大阪
大阪城
堺
高石
泉大津
和泉
岸和田
貝塚
熊取
大阪
大阪港
尼崎
伊丹
宝塚
川西
池田
箕面
豊中
吹田
摂津
茨木
高槻
枚方
交野
明治の森箕面国定公園
天王山
270
大山崎
島本
ポンポン山
679
剣尾山
784
能勢
三草山
564
天引峠
深山
791
妙見山
660
豊能
歌垣山
553
半国山
774
湯の花
霊仙ヶ岳
536
明神ヶ岳
地獄谷峠
421
竜王山
510
135°30'
135°45'
136°
136°15'
35°
34°45'
34°30'
34°15'
34°

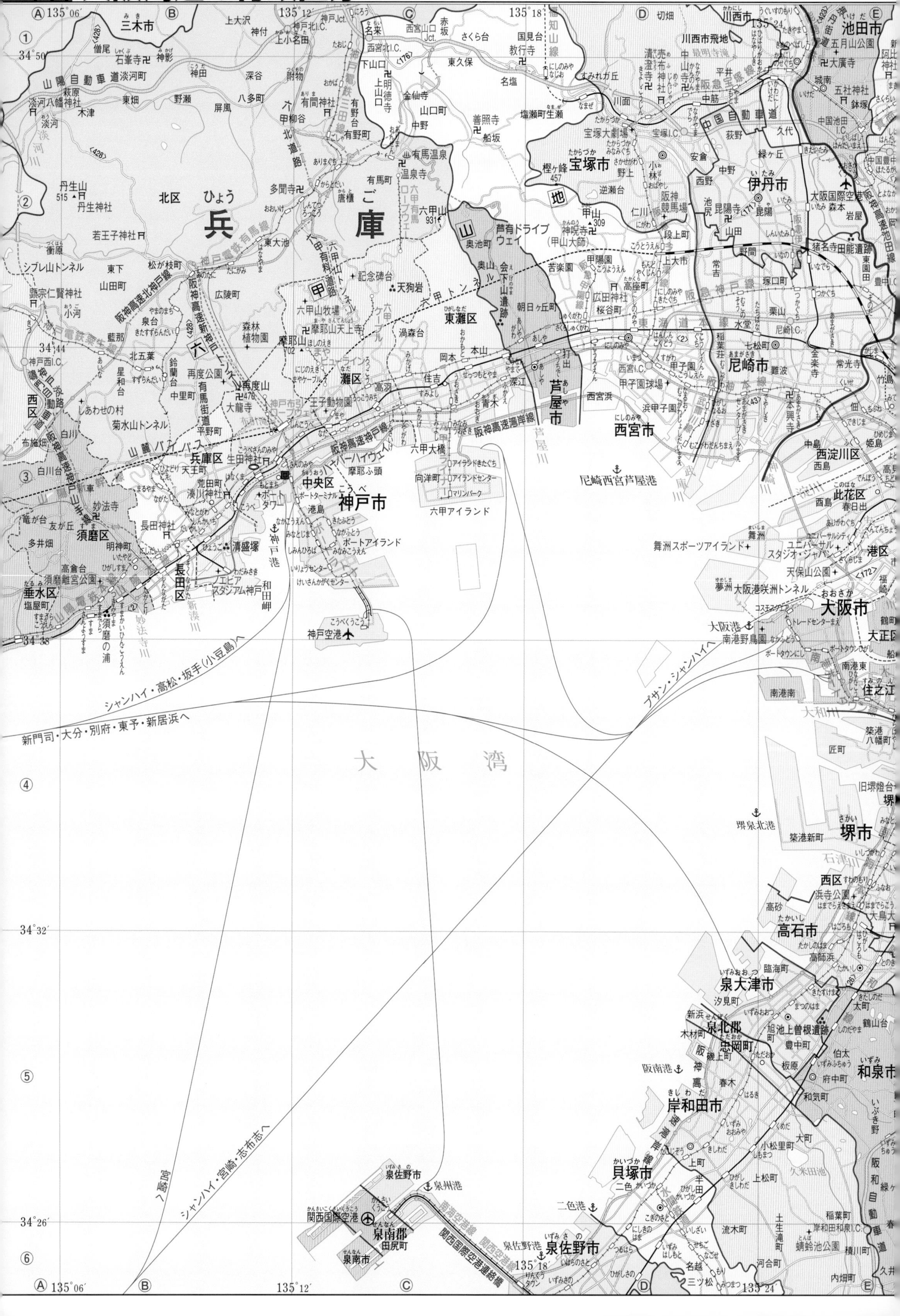

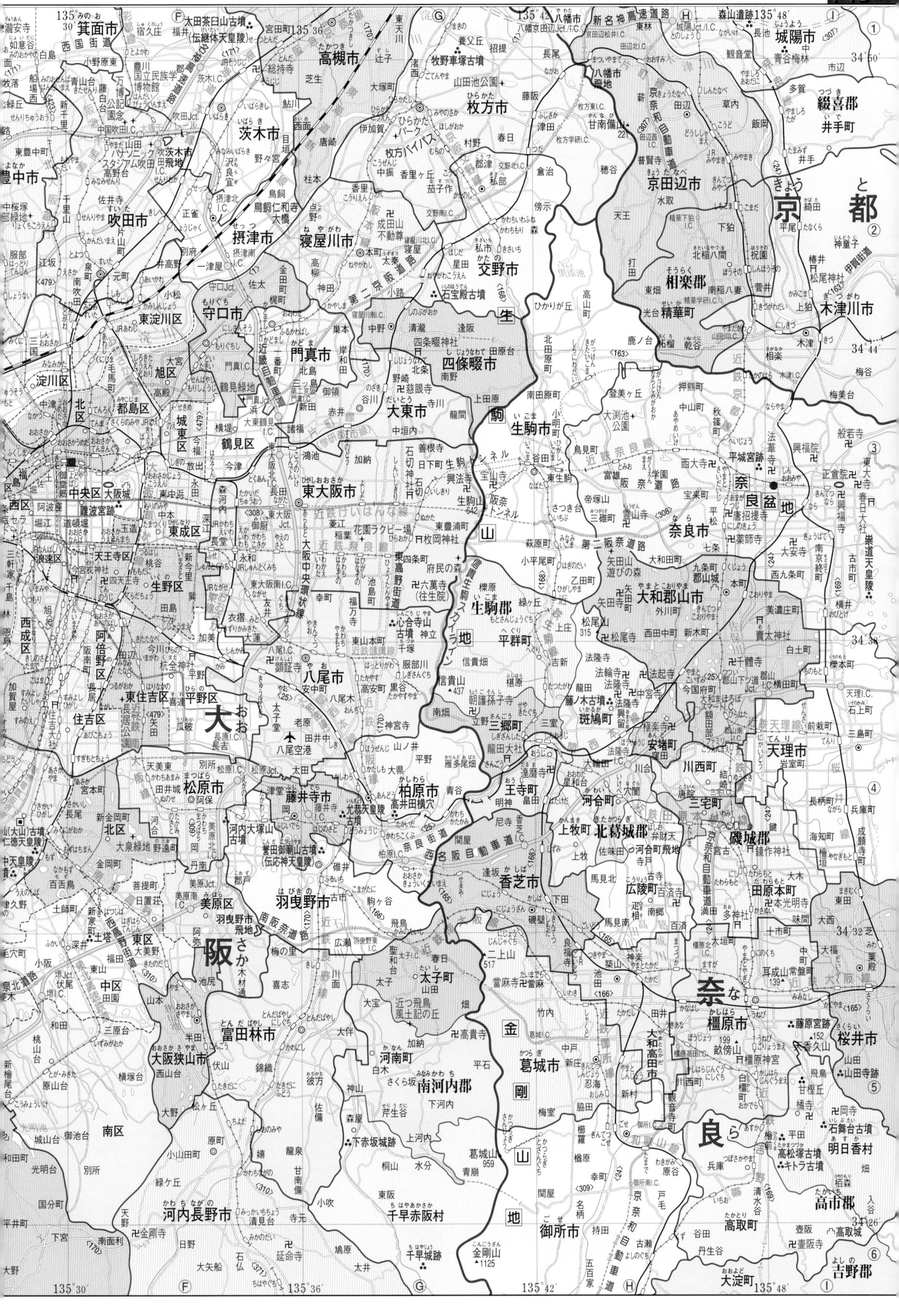
京都
大阪
奈良
生駒山地
金剛山地
箕面市
高槻市
茨木市
枚方市
摂津市
寝屋川市
交野市
吹田市
豊中市
守口市
門真市
四條畷市
大東市
東大阪市
生駒市
奈良市
八幡市
京田辺市
相楽郡
精華町
木津川市
城陽市
綴喜郡
井手町
甘南備山
淀川区
北区
旭区
都島区
城東区
鶴見区
東淀川区
中央区
西区
東成区
生野区
天王寺区
浪速区
阿倍野区
西成区
東住吉区
平野区
住吉区
松原市
八尾市
柏原市
藤井寺市
羽曳野市
富田林市
大阪狭山市
河内長野市
太子町
河南町
千早赤阪村
南河内郡
堺市
中区
東区
美原区
南区
生駒郡
平群町
三郷町
斑鳩町
安堵町
王寺町
大和郡山市
天理市
川西町
三宅町
磯城郡
田原本町
河合町
北葛城郡
上牧町
広陵町
香芝市
葛城市
大和高田市
橿原市
桜井市
高市郡
明日香村
高取町
御所市
吉野郡
大淀町
八尾空港
金剛山
葛城山
信貴山
第二京阪道路
第二阪奈道路
阪奈道路
西名阪自動車道
南阪奈道路
京奈和自動車道
近畿自動車道
名神高速道路
新名神高速道路
135°30′
135°36′
135°42′
135°48′
34°50′
34°44′
34°38′
34°32′
34°26′

1:47 000

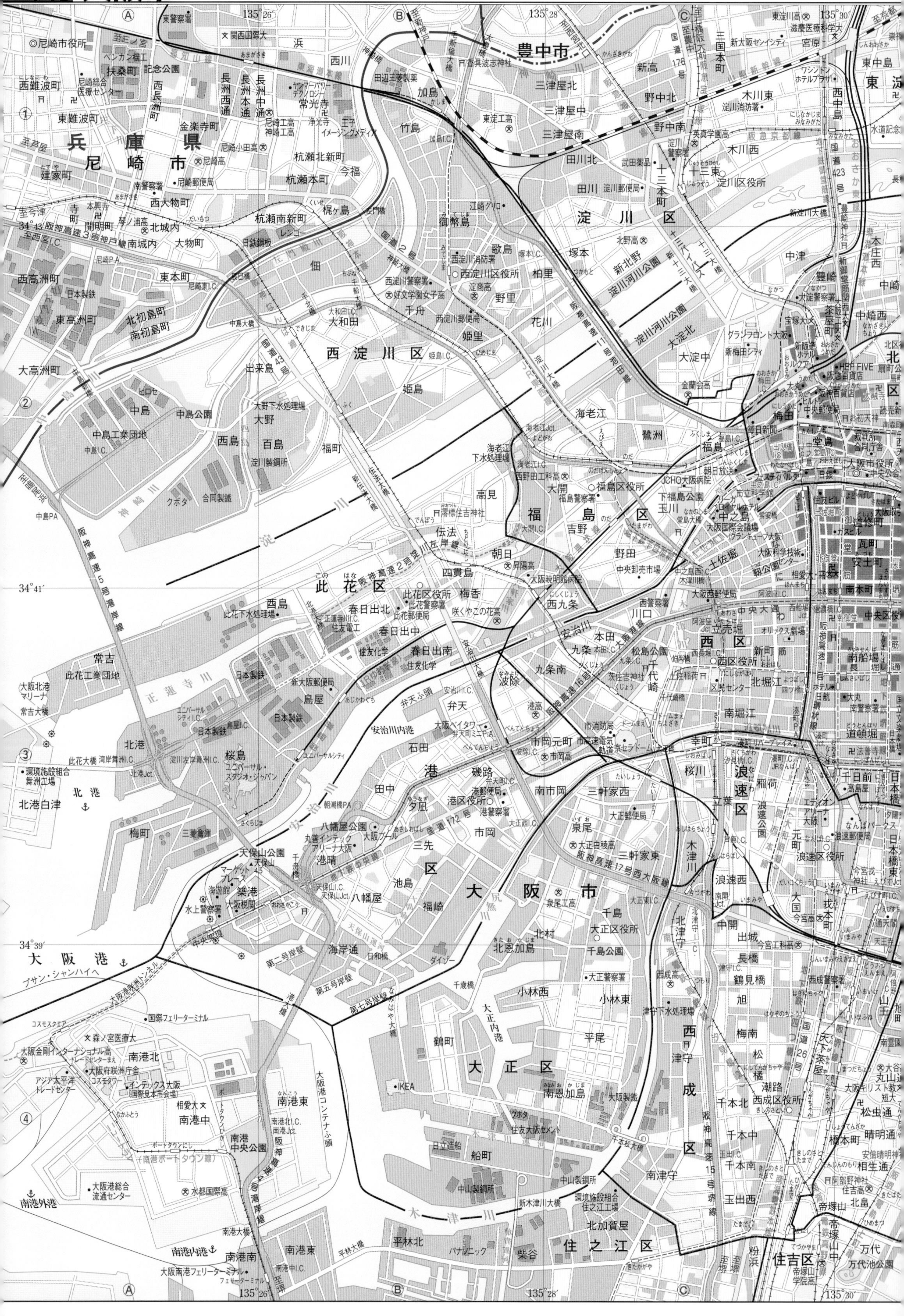

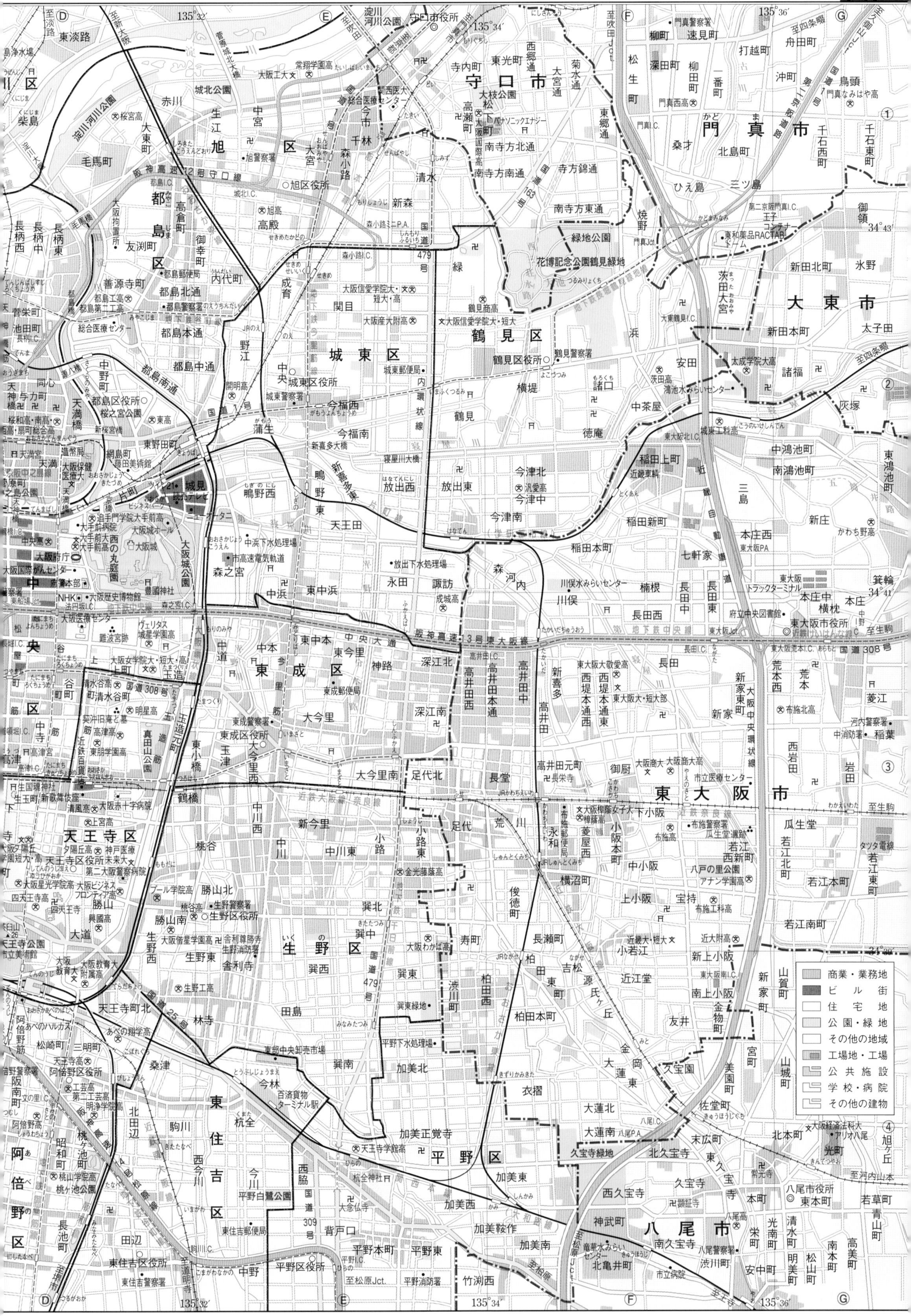
守口市
門真市
大東市
東大阪市
八尾市
旭区
都島区
城東区
鶴見区
東成区
生野区
平野区
東住吉区
天王寺区
中央区
阿倍野区
守口市役所
旭区役所
都島区役所
城東区役所
鶴見区役所
東成区役所
生野区役所
東住吉区役所
平野区役所
東大阪市役所
八尾市役所
大阪城
大阪城公園
花博記念公園鶴見緑地
鶴見緑地公園
久宝寺緑地
長居公園
天王寺公園
阪神高速12号守口線
阪神高速3号東大阪線
近畿自動車道
中央環状線
国道1号
国道163号
国道308号
国道479号
国道25号
国道309号
内環状線
近鉄奈良線
関西本線
大和川
寝屋川
第二寝屋川
平野川
淀川
商業・業務地
ビル街
住宅地
公園・緑地
その他の地域
工場地・工場
公共施設
学校・病院
その他の建物
135°32′
135°34′
135°36′
34°43′
34°41′
34°39′

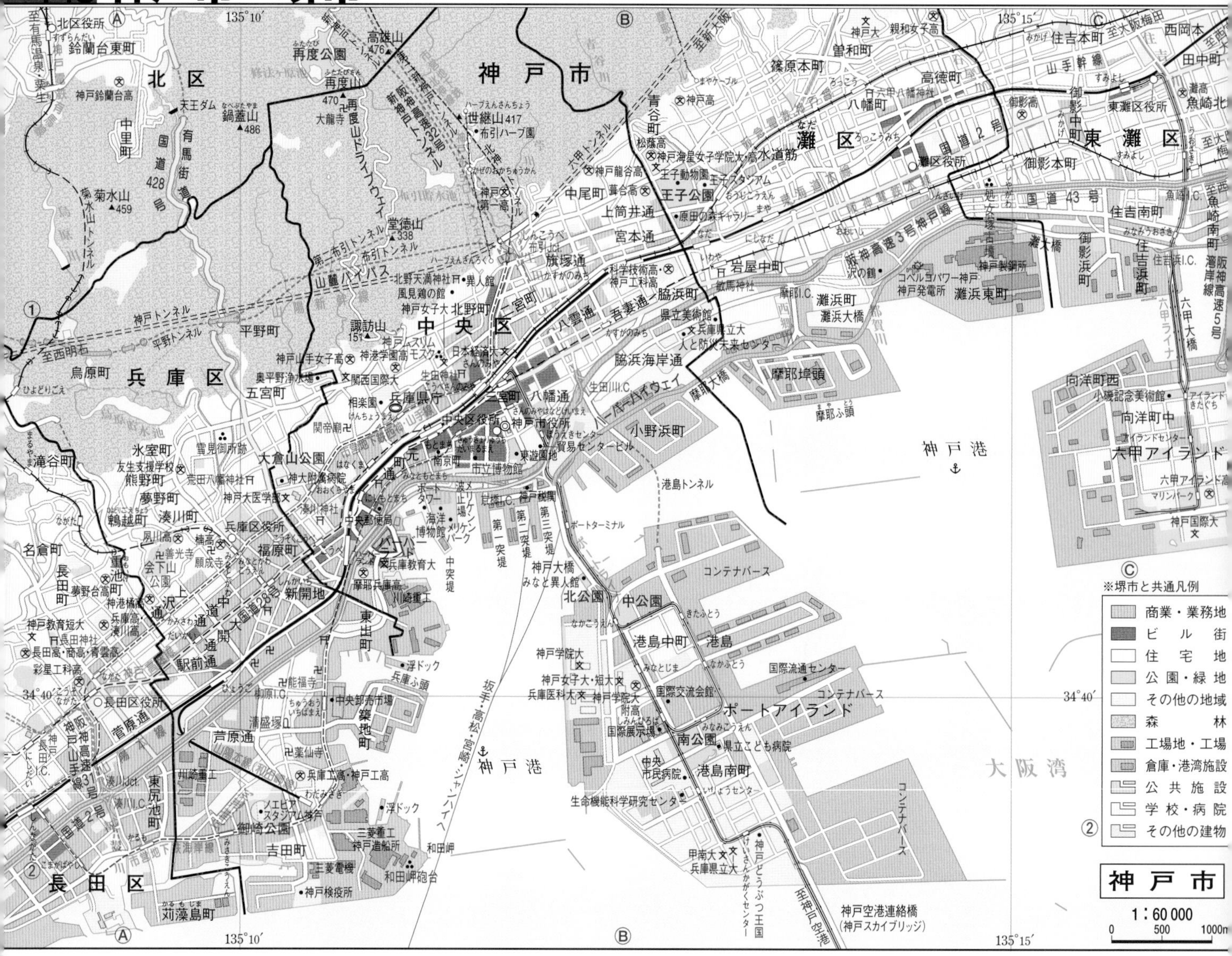

神戸市

北区
中央区
兵庫区
長田区
灘区
東灘区

六甲アイランド

神戸港
大阪湾

ポートアイランド

※堺市と共通凡例

▨	商業・業務地
■	ビル街
□	住宅地
▨	公園・緑地
□	その他の地域
▨	森林
▨	工場地・工場
▨	倉庫・港湾施設
□	公共施設
□	学校・病院
□	その他の建物

神戸市
1:60 000
0　500　1000m

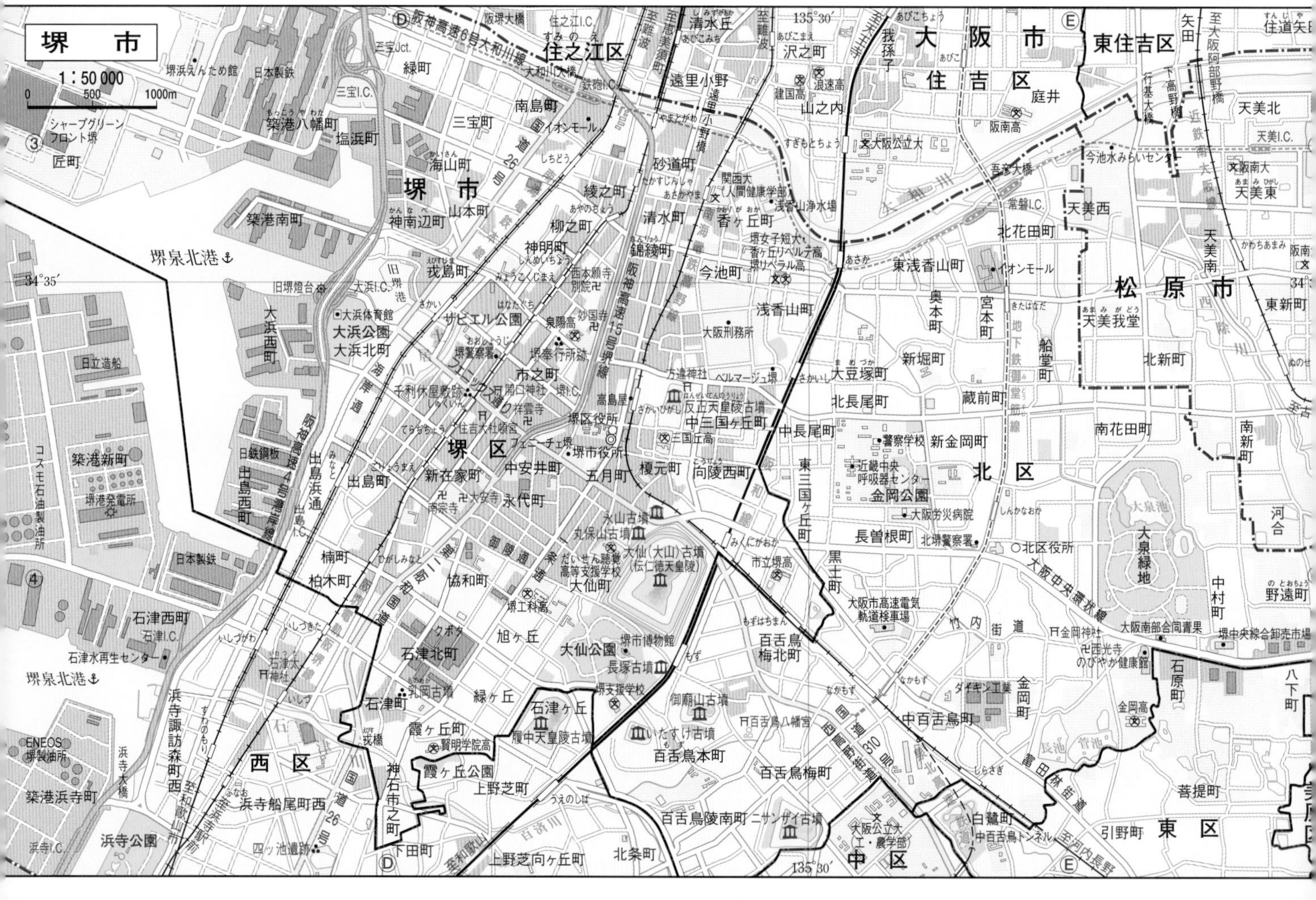

堺市

1:50 000
0　500　1000m

堺市
堺区
西区
北区

大阪市
住之江区
住吉区
東住吉区
松原市
中区
東区

大仙（大山）古墳
（伝仁徳天皇陵）

大仙公園
堺市博物館

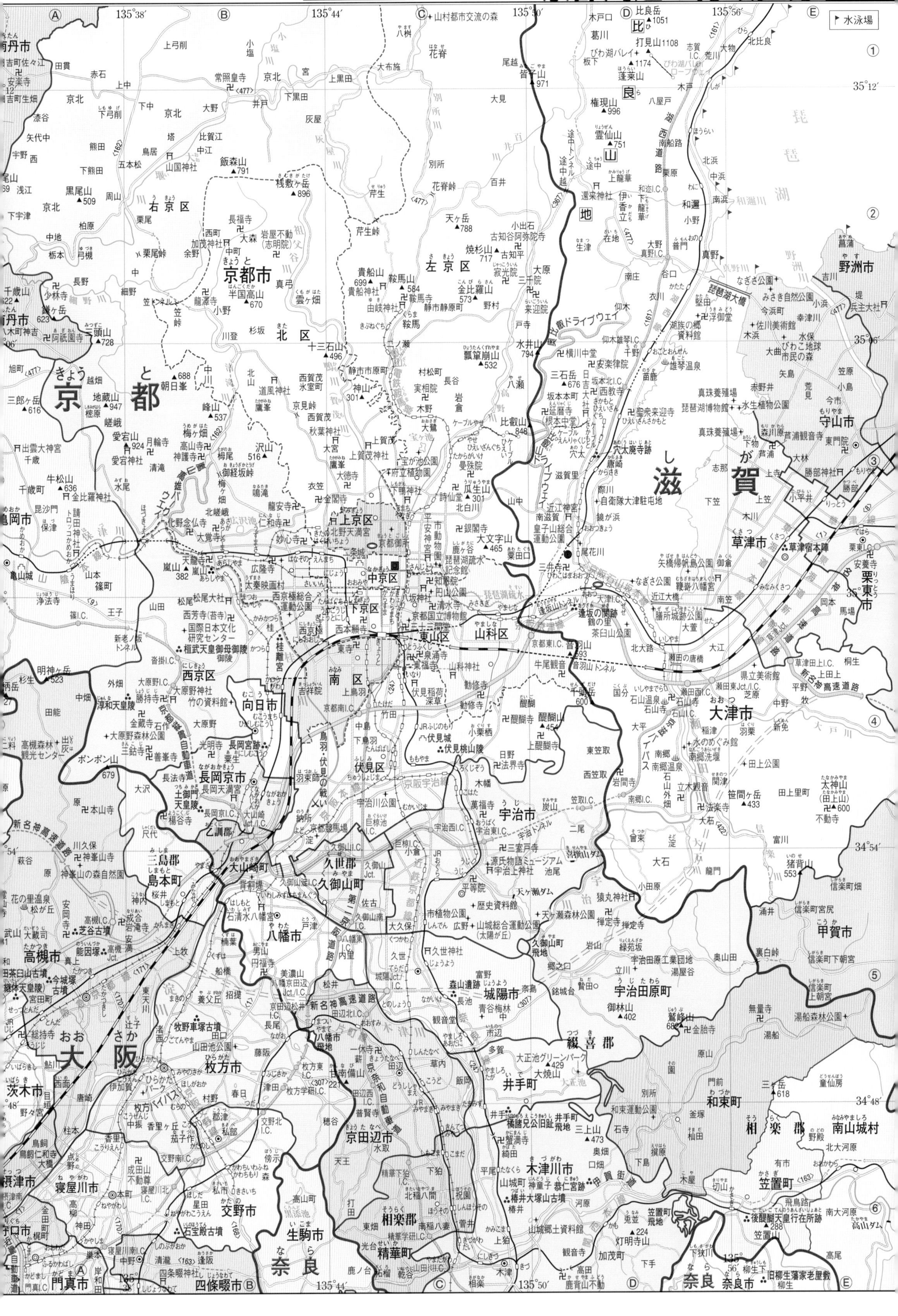
京都周辺の行政区分
149
0 1 2 3 4 5km
1：200 000
水泳場
京北
右京区
京都市
北区
左京区
上京区
中京区
下京区
東山区
山科区
西京区
南区
伏見区
京都
滋賀
大津市
草津市
守山市
野洲市
栗東市
比良山
琵琶湖
向日市
長岡京市
乙訓郡
大山崎町
三島郡
島本町
高槻市
茨木市
大阪
摂津市
寝屋川市
枚方市
交野市
門真市
四條畷市
守口市
久世郡
久御山町
八幡市
宇治市
城陽市
京田辺市
綴喜郡
井手町
宇治田原町
木津川市
相楽郡
精華町
和束町
笠置町
南山城村
奈良
奈良市
生駒市
亀岡市
鞍馬
大原
比叡山
嵐山
宇治川
琵琶湖大橋
近江大橋
甲賀市
信楽町

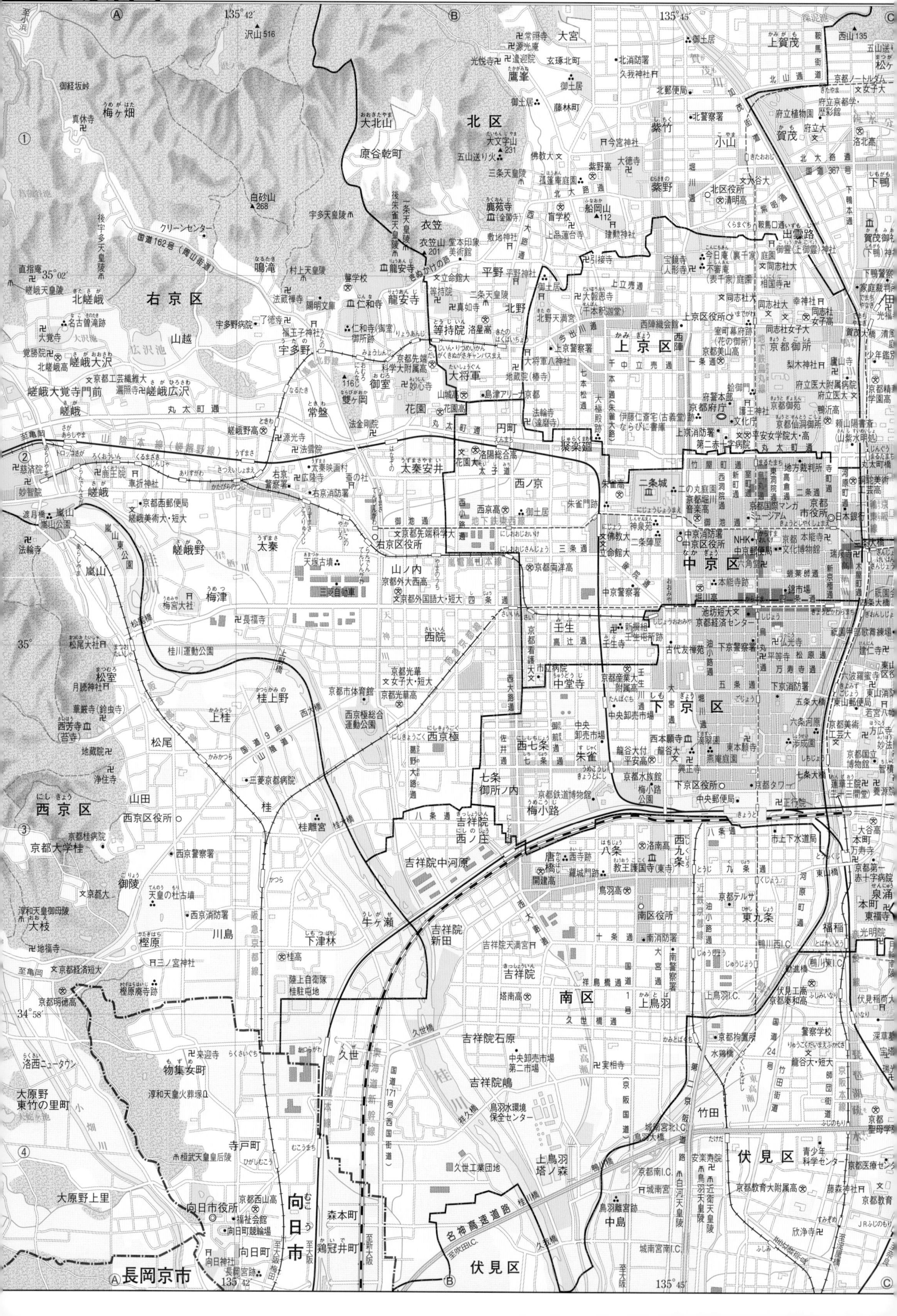

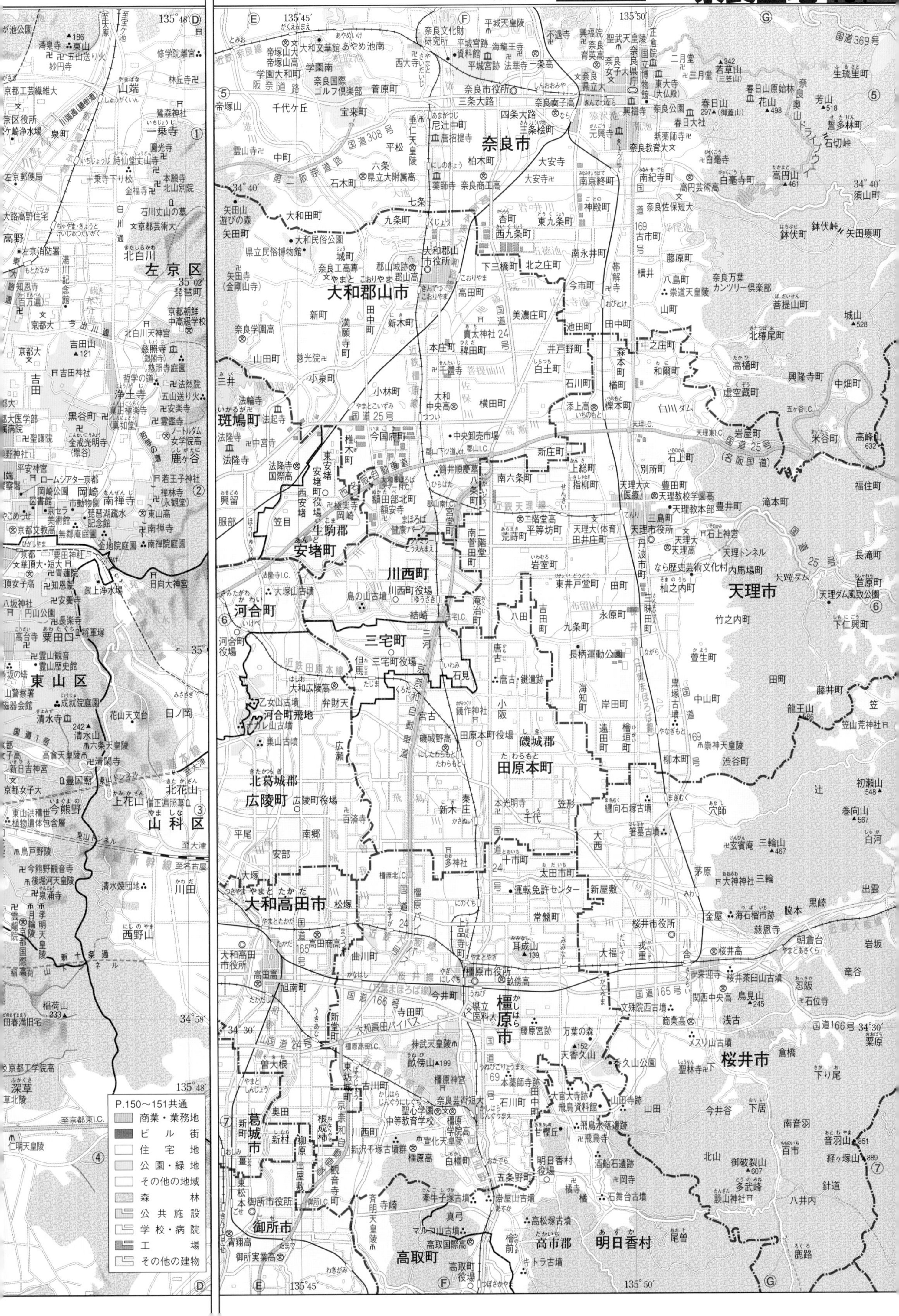
1：100 000
0 1000 2000m
P.150～151共通
商業・業務地
ビル街
住宅地
公園・緑地
その他の地域
森林
公共施設
学校・病院
工場
その他の建物
奈良市
大和郡山市
天理市
桜井市
橿原市
大和高田市
葛城市
御所市
高取町
明日香村
高市郡
田原本町
磯城郡
三宅町
川西町
安堵町
生駒郡
斑鳩町
河合町
広陵町
北葛城郡
左京区
東山区
山科区
国道25号
国道24号
国道165号
国道166号
国道169号
国道308号
国道369号
平城宮跡
奈良市役所
天理市役所
桜井市役所
橿原市役所
大和郡山市役所
大和高田市役所
御所市役所
東大寺
春日大社
興福寺
薬師寺
唐招提寺
法隆寺
中宮寺
法起寺
藤原宮跡
飛鳥寺
石舞台古墳
高松塚古墳
キトラ古墳
大神神社
崇神天皇陵
景行天皇陵
神武天皇陵
耳成山
畝傍山
天香久山
三輪山
若草山
春日山
高円山
龍王山
音羽山
吉田山
清水寺
銀閣寺
南禅寺
平安神宮
京都大
天理大
奈良女子大
奈良教育大
奈良県立医科大
135°45′
135°50′
135°48′
34°40′
34°30′

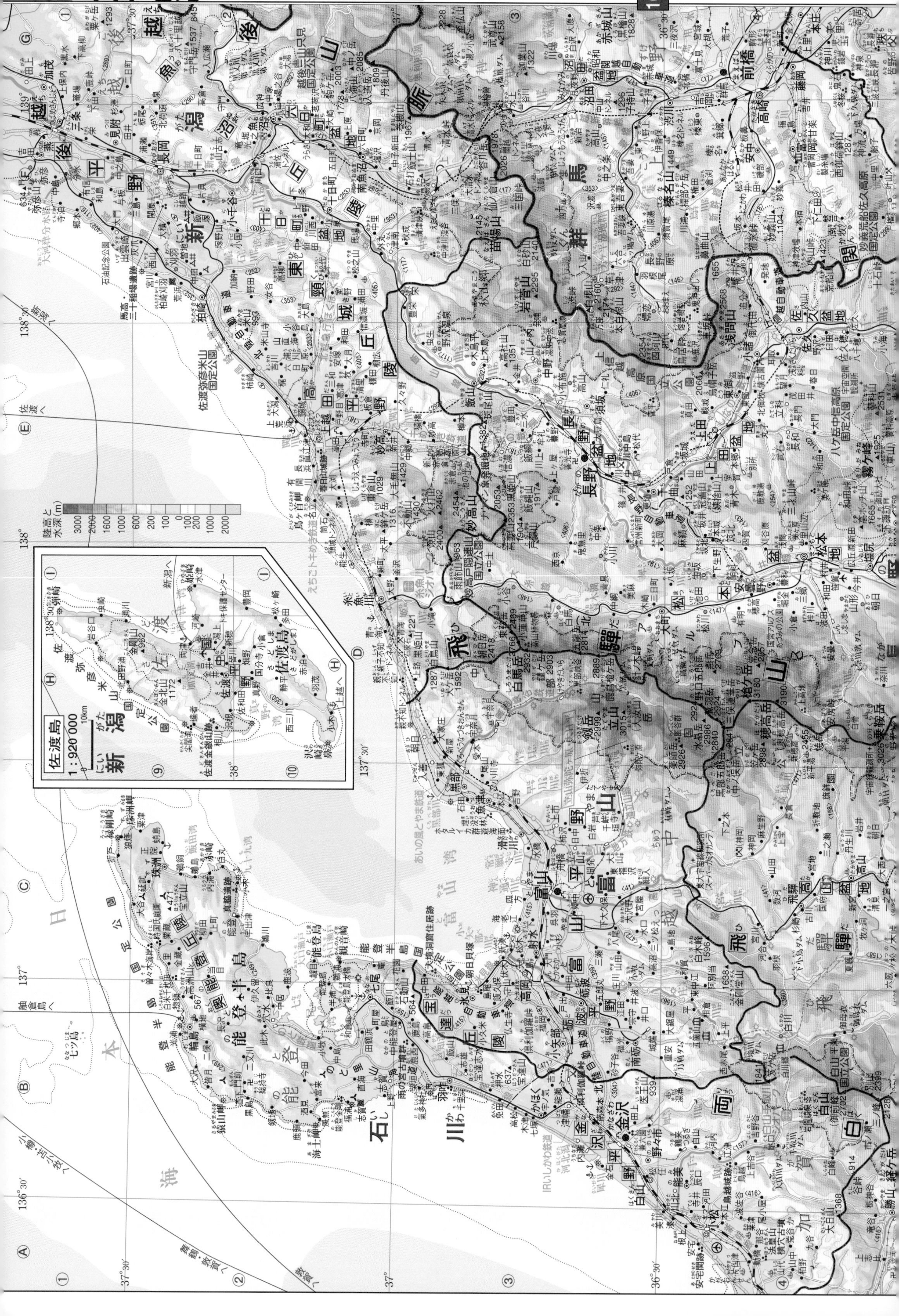
1：920 000
0 10 20km
正角円錐図法
166
佐渡島
1：920 000
新潟
長野
富山
金沢
前橋
高崎
松本
上田
日本海
富山湾
能登半島
佐渡島
佐渡弥彦米山国定公園
妙高戸隠連山国立公園
白山国立公園
陸高と水深(m)

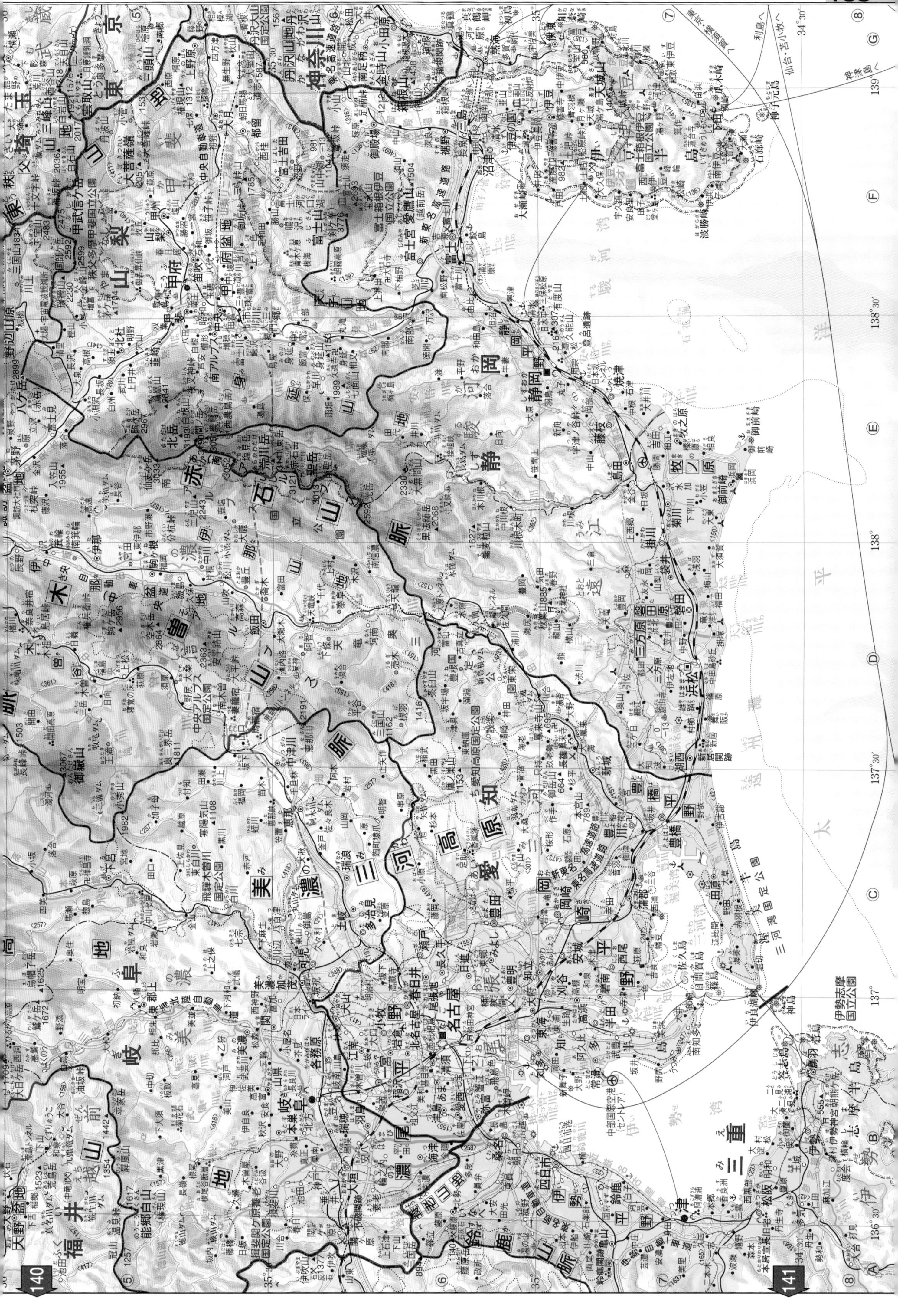

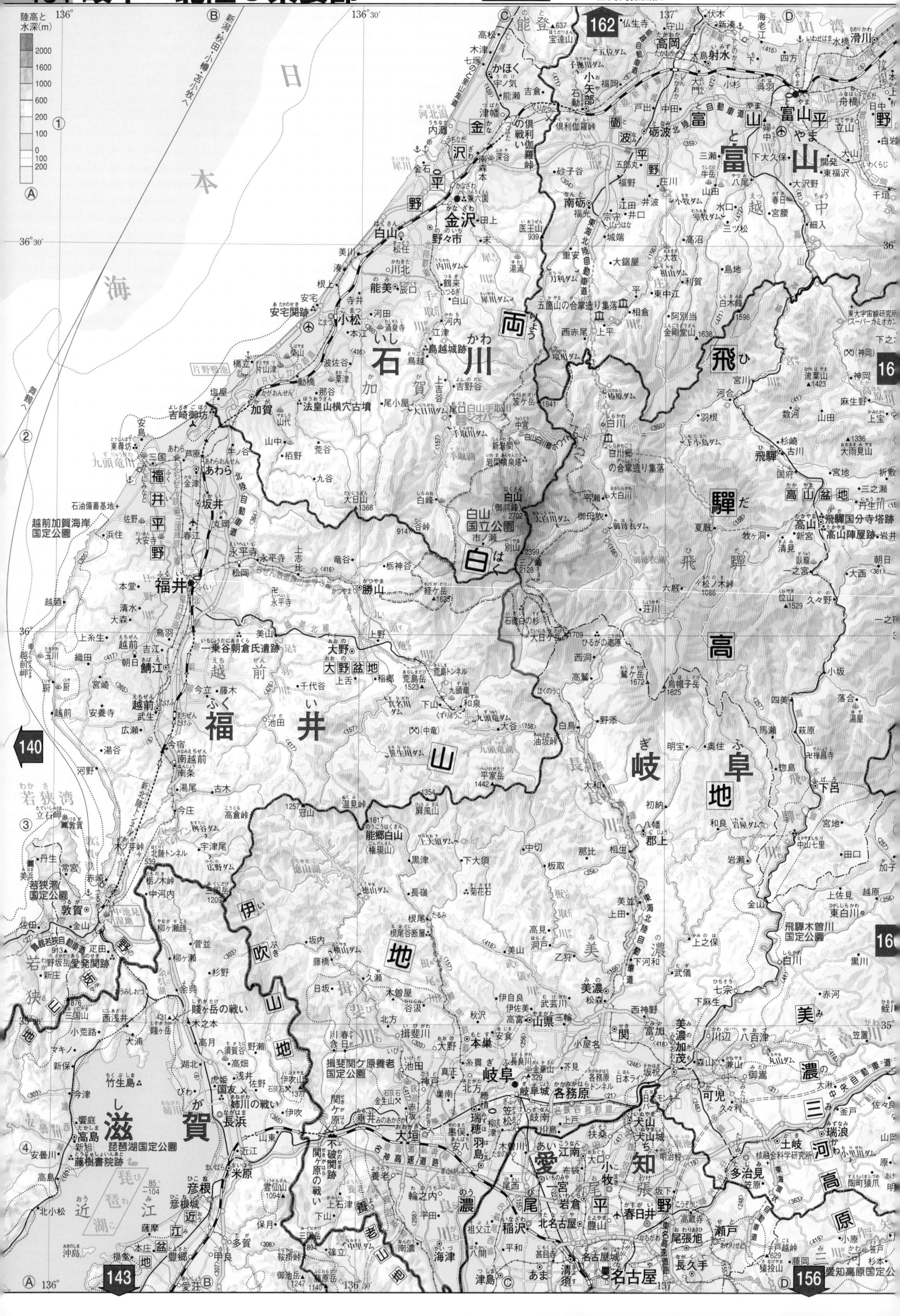

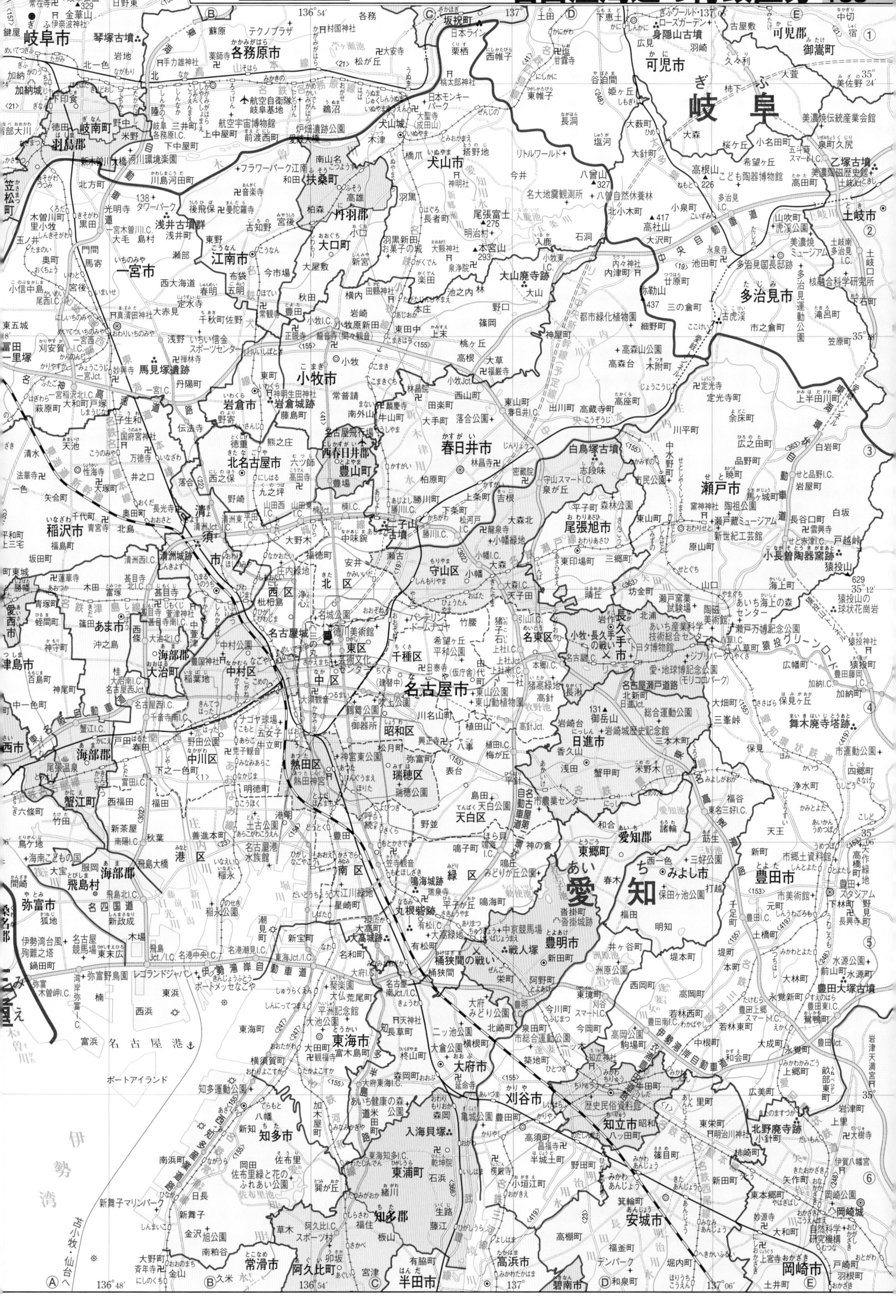
0 1 2 3 4 5km
1：200 000
岐阜市
岐南町
羽島郡
笠松町
各務原市
犬山市
可児市
岐阜
多治見市
土岐市
瀬戸市
扶桑町
丹羽郡
大口町
江南市
一宮市
小牧市
岩倉市
北名古屋市
西春日井郡
豊山町
春日井市
稲沢市
清須市
尾張旭市
長久手市
名古屋市
守山区
北区
西区
東区
名東区
中村区
中区
千種区
昭和区
瑞穂区
熱田区
中川区
港区
南区
緑区
天白区
日進市
東郷町
愛知郡
みよし市
豊田市
豊明市
愛知
あま市
大治町
海部郡
蟹江町
飛島村
弥富市
愛西市
津島市
東海市
大府市
知多市
東浦町
知多郡
阿久比町
常滑市
半田市
刈谷市
知立市
高浜市
碧南市
安城市
岡崎市
名古屋港
伊勢湾
名古屋城
中部国際空港

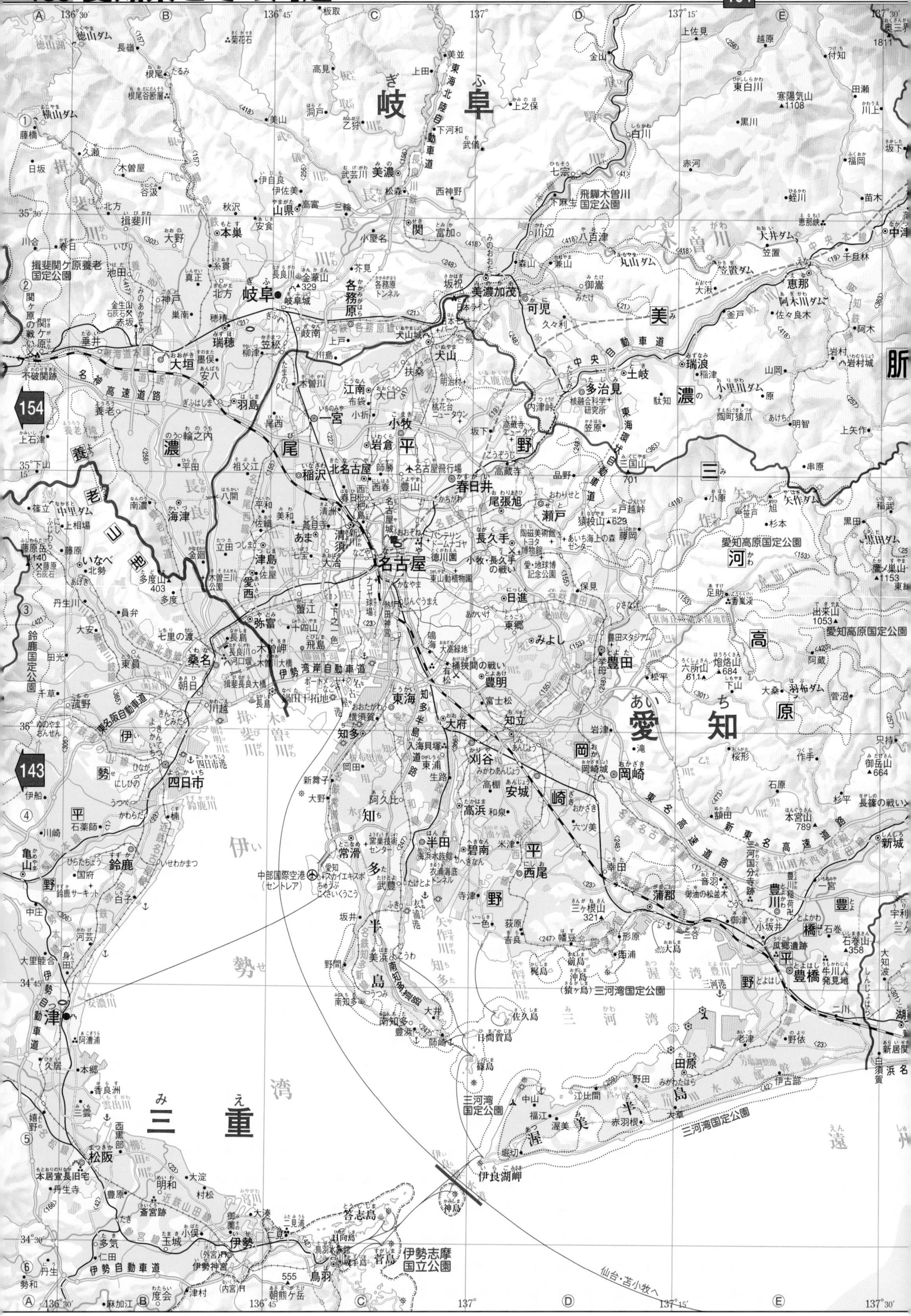

岐阜

ふ

美

濃

の

三

河

高

原

愛　知

尾

張

濃

尾

平

野

154

143

養　老　山　地

鈴鹿国定公園

三　重

伊

勢

平

野

知　多　半　島

渥　美　半　島

伊　勢　湾

三　河　湾

三河湾国定公園

伊勢志摩国立公園

名古屋
岐阜
大垣
瀬戸
春日井
豊田
岡崎
安城
豊橋
四日市
鈴鹿
津
松阪
伊勢

161

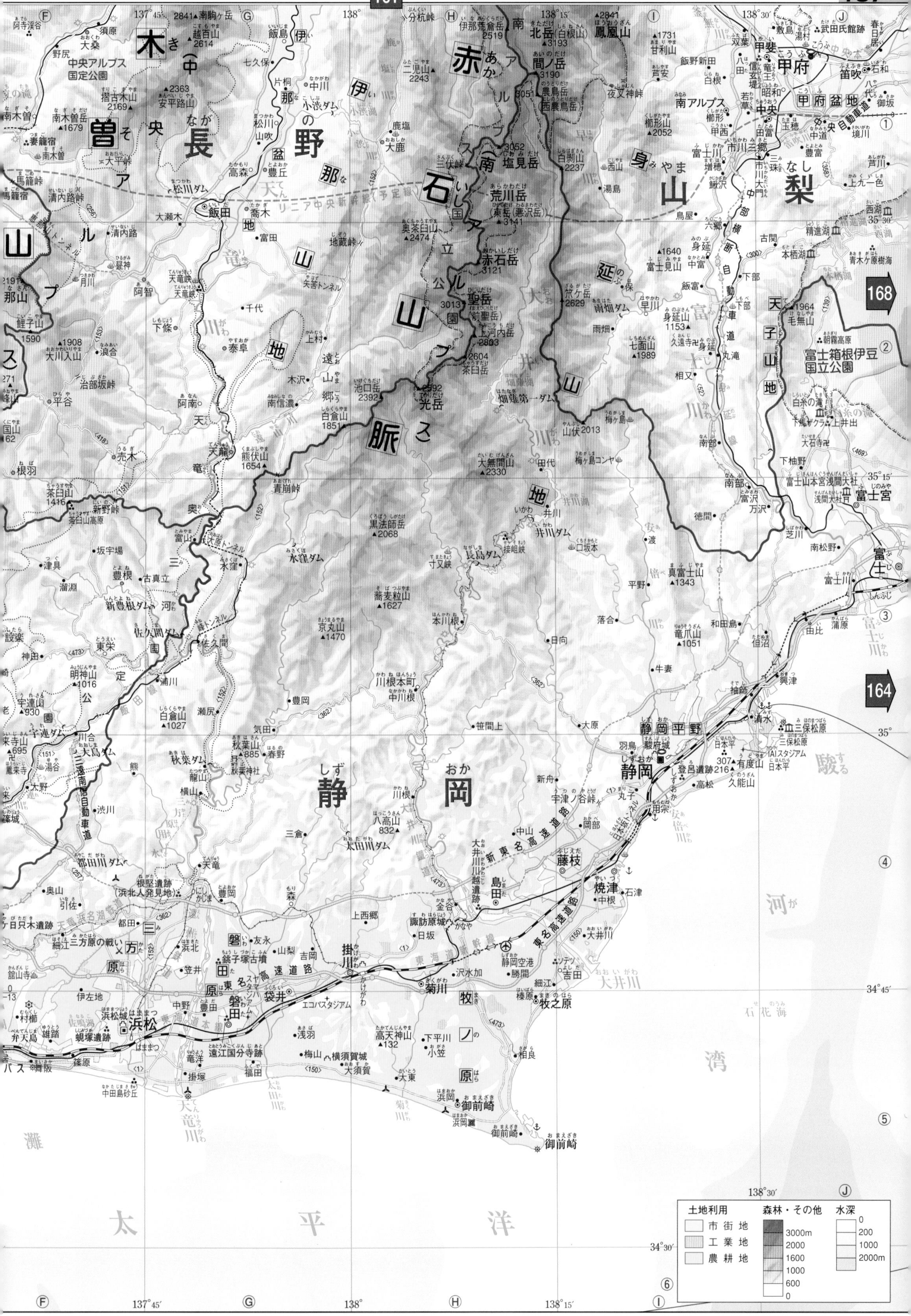

長野
山梨
静岡
木曽山脈（中央アルプス）
伊那山地
赤石山脈（南アルプス）
身延山地
天子山地
南アルプス国立公園
中央アルプス国定公園
富士箱根伊豆国立公園
駿河湾
遠州灘
太平洋
甲府盆地
静岡平野
磐田原
牧ノ原
三方原
遠山郷
飯田
甲府
静岡
浜松
掛川
袋井
磐田
菊川
島田
藤枝
焼津
富士
富士宮
清水
御前崎
牧之原
北岳 3193
間ノ岳 3190
農鳥岳 3051
西農鳥岳
塩見岳 3052
荒川岳（東岳（悪沢岳））3141
赤石岳 3121
聖岳（前聖岳）3013
上河内岳 2803
光岳 2592
茶臼岳 2604
鳳凰山 2841
甘利山 1731
仙丈ヶ岳
南駒ケ岳 2841
越百山 2614
安平路山 2363
摺古木山 2169
南木曽岳 1679
伊那荒倉岳 2519
二児山 2243
奥茶臼山 2474
池口岳 2392
白倉山 1851
熊伏山 1654
大無間山 2330
黒法師岳 2068
蕎麦粒山 1627
京丸山 1470
山伏 2013
七面山 1989
身延山 1153
真富士山 1343
竜爪山 1051
八高山 832
秋葉山 885
明神山 1016
白倉山 1027
茶臼山 1416
笊ヶ岳 2629
白剥山 2237
櫛形山 2052
富士見山 1640
毛無山 1964
高天神山 132
リニア中央新幹線（予定線）
中央自動車道
新東名高速道路
東名高速道路
中部横断自動車道
三遠南信自動車道
東海道新幹線
畑薙第一ダム
井川ダム
長島ダム
寸又峡
接岨峡
梅ヶ島
田代
井川
本川根
川根本町
中川根
秋葉ダム
佐久間ダム
新豊根ダム
水窪ダム
大井川
天竜川
富士川
安倍川
浜名湖
静岡空港
蜆塚遺跡
登呂遺跡
銚子塚古墳
遠江国分寺跡
諏訪原城
横須賀城
駿府城
浜松城
三方原の戦い
根堅遺跡（浜北人発見地）
三保松原
日本平
久能山
エコパスタジアム
IAIスタジアム日本平
138°
138°15′
138°30′
137°45′
35°
35°15′
35°30′
34°45′
34°30′
土地利用
市街地
工業地
農耕地
森林・その他
3000m
2000
1600
1000
600
0
水深
0
200
1000
2000m

168
164

名古屋市

1：47 000

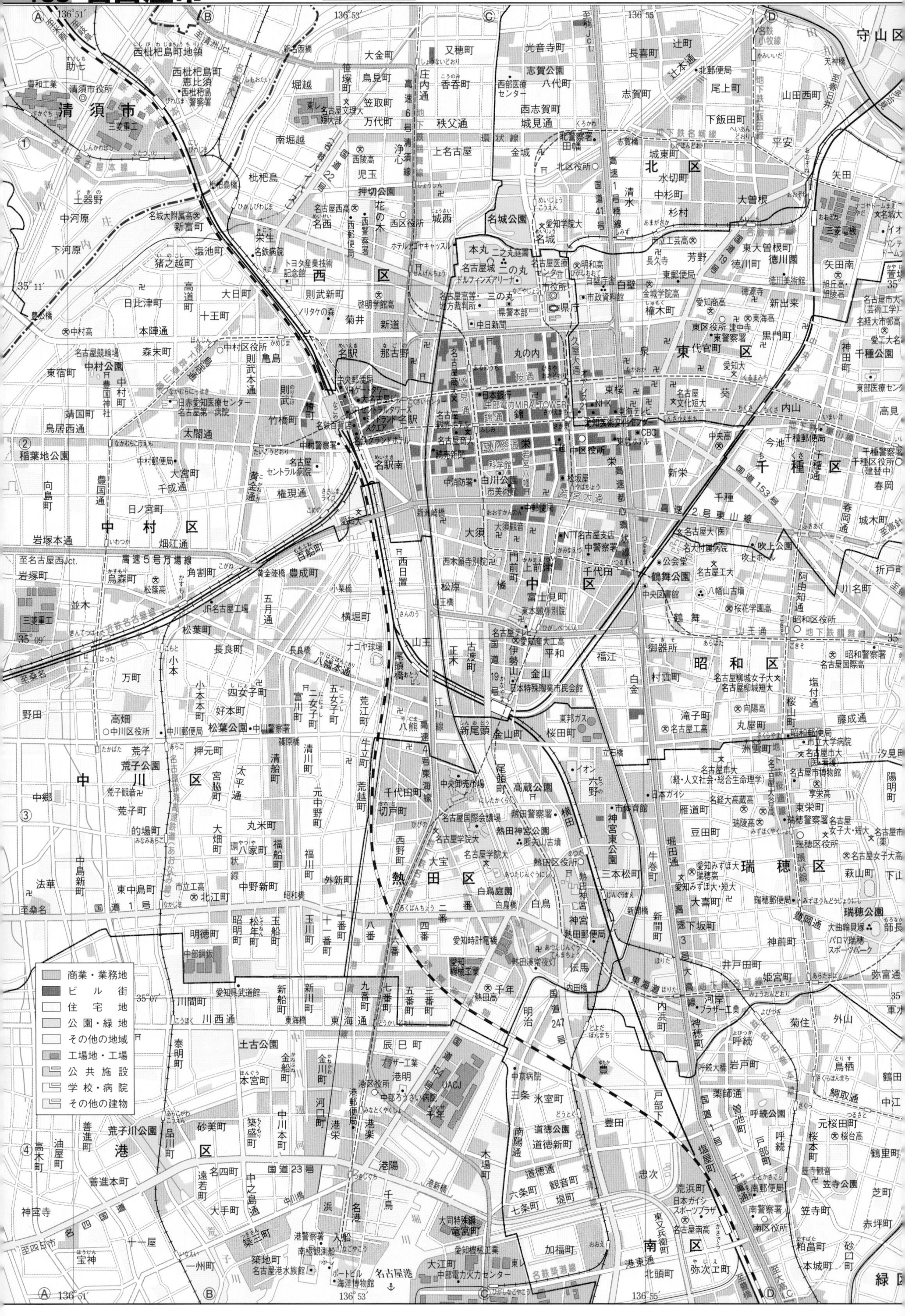

0
500
1000m
商業・業務地
ビル街
住宅地
公園・緑地
その他の地域
工場地・工場
公共施設
学校・病院
その他の建物
清須市
守山区
北区
西区
東区
中村区
中区
千種区
昭和区
中川区
熱田区
瑞穂区
港区
南区
緑区
136°51′
136°53′
136°55′
35°11′
35°09′
35°07′
西枇杷島町地領
西枇杷島町恵比須
助七
清須市役所
三菱重工
土器野
中河原
下河原
新富町
栄生
名駅
那古野
名古屋城
本丸
二の丸
名城公園
市役所
県庁
丸の内
錦通
広小路通
栄
大須
上前津
千代田
鶴舞公園
名駅南
名古屋セントラル病院
中村公園
豊国神社
太閤通
稲葉地公園
岩塚町
烏森町
松葉公園
中川区役所
荒子公園
荒子町
八熊
金山町
熱田神宮
白鳥庭園
熱田区役所
神宮東公園
名古屋港
築地町
名古屋港水族館
ポートビル
海洋博物館
港区役所
千年
大江町
荒子川公園
宝神
一州町
南区役所
笠寺町
瑞穂公園
瑞穂区役所
萩山町
八事
昭和区役所
鶴舞
名古屋大(医)
千種区役所
今池
吹上公園
東区役所
徳川園
大曽根
北区役所
志賀公園
上名古屋
西区役所
浄心
高速1号楠線
高速2号東山線
高速3号大高線
高速4号東海線
高速5号万場線
高速6号清須線
国道1号
国道19号
国道22号
国道23号
国道41号
国道153号
国道154号
国道247号
東海通
山王通
名古屋大

1：200 000
0 1 2 3 4 5km
川根本町
榛原郡
静岡
葵区
静岡市
清水区
駿河区
藤枝市
島田市
焼津市
駿河湾
新東名高速道路
東名高速道路
安倍川
大井川
清水港
静岡周辺の行政区分
愛知
新城市
天竜区
浜名区
浜松市
中央区
静岡
磐田市
袋井市
周智郡
森町
湖西市
浜名湖
遠州灘
三方原
磐田原
浜松周辺の行政区分

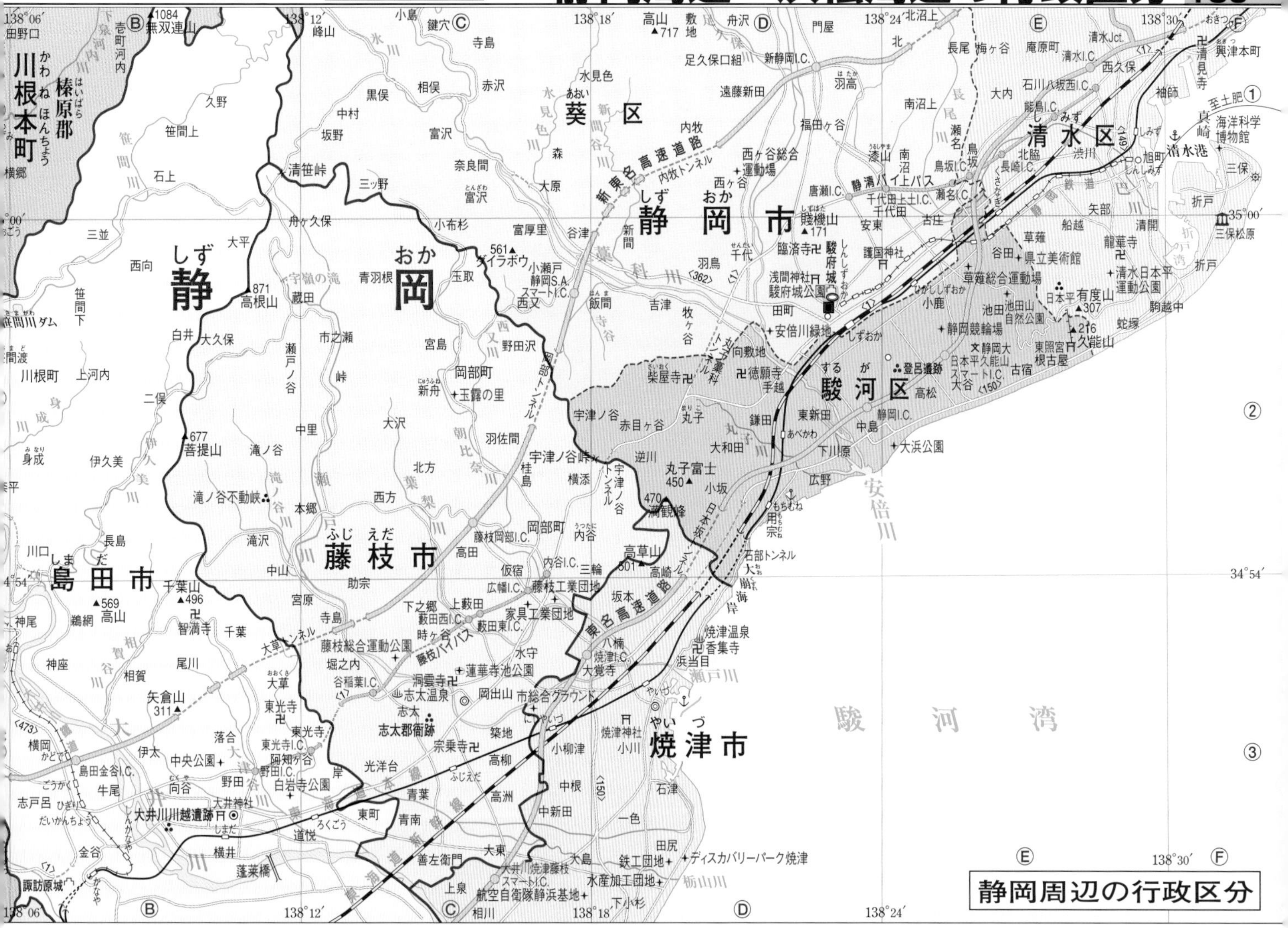

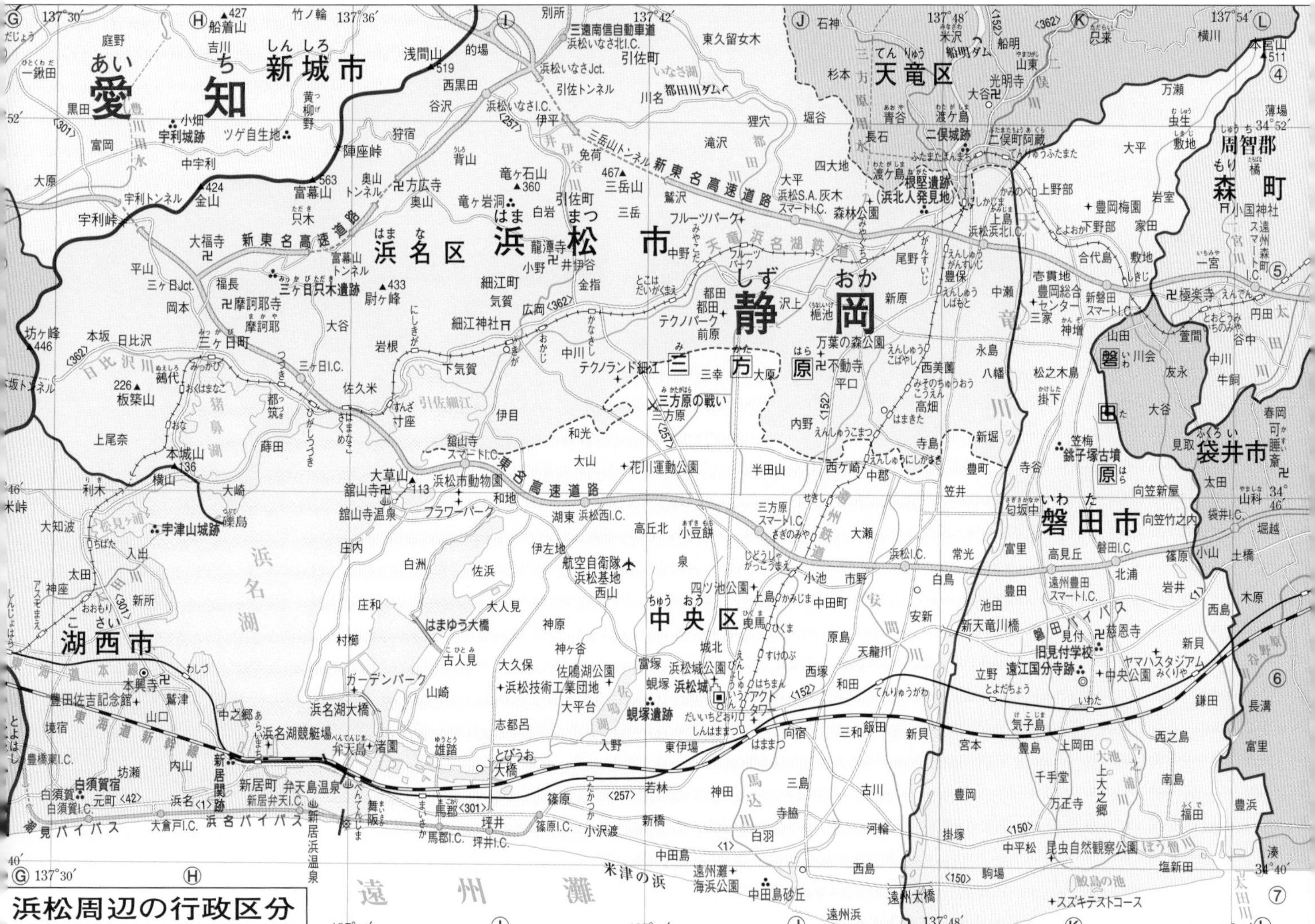

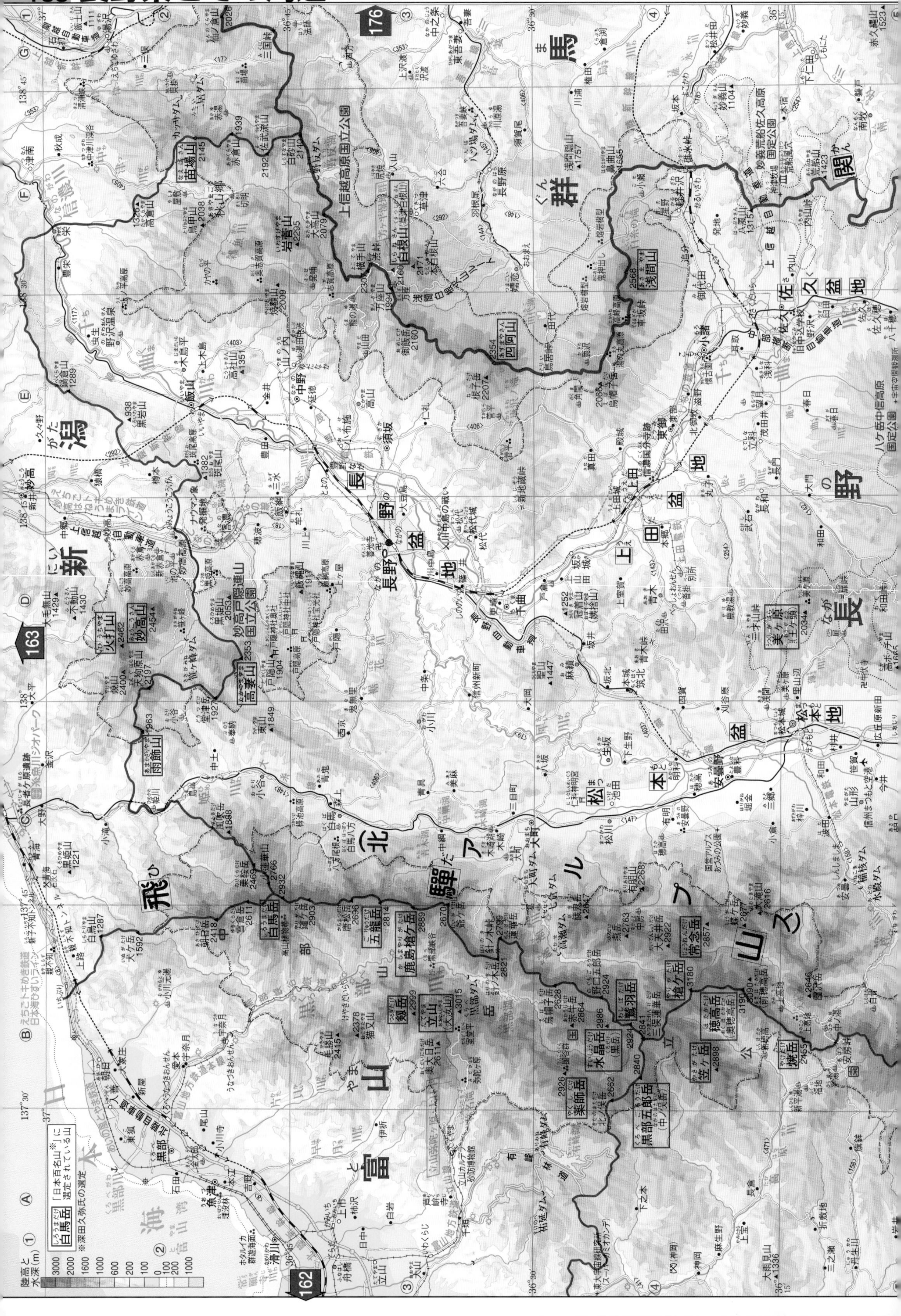
1：500 000
0 5 10km
正角円錐図法
163
176
162
陸高と水深(m)
3000
2000
1600
1000
600
200
100
0
100
200
1000
白馬岳 「日本百名山※」に選定されている山
※深田久弥氏の選定
新潟
群馬
富山
飛騨
長野
北アルプス
飛騨山脈
長野盆地
上田盆地
松本盆地
佐久盆地
長野
上田
松本
小諸
佐久
中野
飯山
須坂
千曲
安曇野
大町
糸魚川ジオパーク
妙高戸隠連山国立公園
上信越高原国立公園
妙義荒船佐久高原国定公園
八ケ岳中信高原国定公園
中部山岳国立公園
白馬岳 2932
五龍岳 2814
鹿島槍ケ岳 2889
剱岳 2999
立山(大汝山) 3015
薬師岳 2926
水晶岳(黒岳) 2986
鷲羽岳 2924
黒部五郎岳(中ノ俣岳) 2840
槍ケ岳 3180
笠ケ岳 2898
穂高岳(奥穂高岳) 3190
常念岳 2857
焼岳 2455
雨飾山 1963
火打山 2462
妙高山 2454
高妻山 2353
苗場山 2145
岩菅山 2295
白根山(草津白根山) 2160
四阿山 2354
浅間山 2568
美ケ原(王ケ頭) 2034
北陸自動車道
上信越自動車道
長野自動車道
信濃川
千曲川

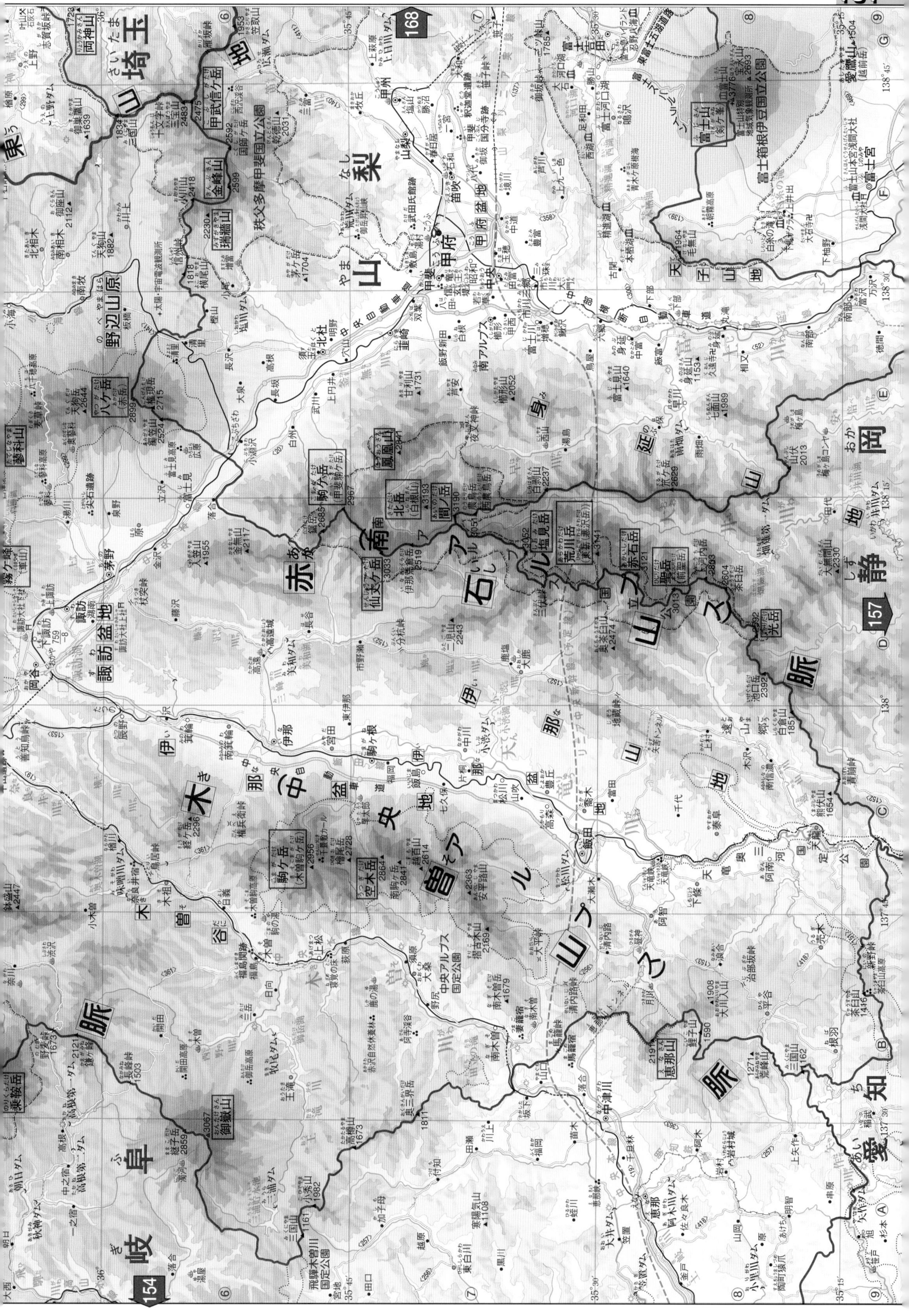

地図

埼玉 さいたま

山梨 やまなし

山 長野

静岡 しずおか

岡 おか

愛知 あいち

岐阜 ぎふ

秩父多摩甲斐国立公園

富士箱根伊豆国立公園

富士山 △3776

甲武信ヶ岳 △2475

金峰山 △2599

瑞牆山 2230

八ヶ岳 赤岳 △2899

蓼科山 2530

野辺山高原

諏訪盆地

諏訪湖

甲府盆地

甲府

中央

北岳（白根山）△3193

間ノ岳 △3190

仙丈ヶ岳 △3033

駒ヶ岳（甲斐駒ヶ岳）2967

鳳凰山

赤石山脈 南アルプス

塩見岳 △3052

荒川岳（東岳）△3141

赤石岳 △3121

聖岳 △3013

光岳 △2592

南アルプス国立公園

木曽山脈 中央アルプス

木曽駒ヶ岳 △2956

空木岳 △2864

恵那山 △2191

御嶽山 △3067

乗鞍岳

飛騨木曽川国定公園

伊那盆地

伊那

木曽谷

赤石山地

木曽山地

天竜川

天子山地

天竜

中津川

馬籠宿

妻籠宿

168
154
157

新潟周辺の行政区分
1 : 200 000
5km
日本海
新潟市
中央区
東区
西区
江南区
秋葉区
南区
西蒲区
北区
阿賀野市
五泉市
新発田市
北蒲原郡聖籠町
新潟空港
新潟西港
新潟東港
白山公園
新潟駅
日本海東北自動車道
北陸自動車道
磐越自動車道
上越新幹線
信濃川
阿賀野川
佐潟
角田山
角田岬
鎧潟
亀田
新津
白根
巻
内野
豊栄
両津へ
敦賀へ
七ッ島
舳倉島へ
舞鶴・敦賀へ
能登半島
能登半島国定公園
奥能登丘陵
禄剛崎
珠洲岬
珠洲
輪島
穴水
七尾
能登島
羽咋
志賀
宝達丘陵
宝達山
氷見
高岡
射水
富山
富山湾
富山平野
砺波平野
金沢平野
金沢
白山
小矢部
砺波
南砺
滑川
魚津
黒部
朝日
立山
剱岳
白馬岳
飛驒山脈
中部山岳国立公園
妙高戸隠連山国立公園
妙高山
焼山
火打山
黒姫山
長野
糸魚川
親不知
能生
白馬
大町
千曲
石川
陸高と水深(m)
3000
2000
1600
1000
600
200
100
100
200
1000
2000

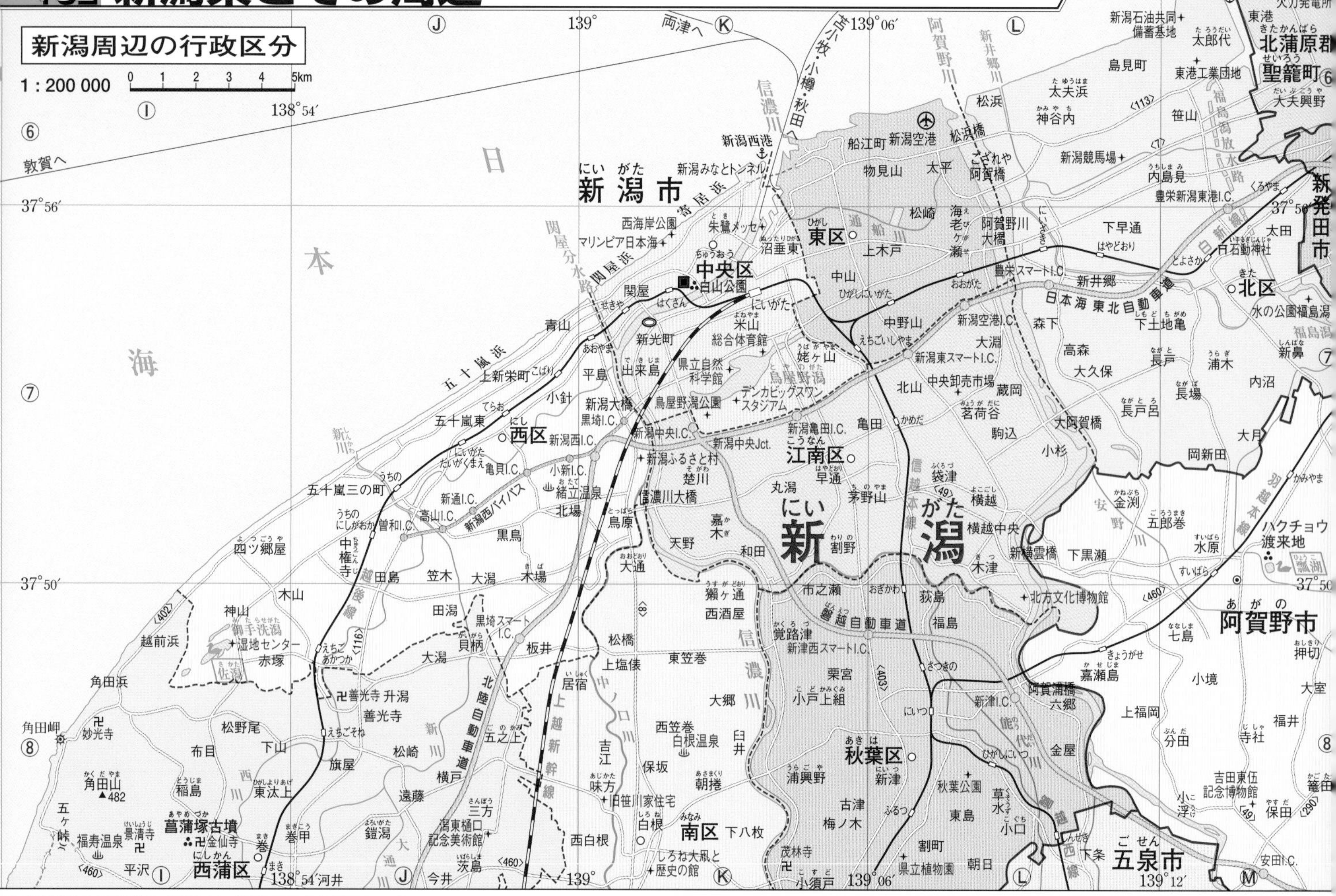

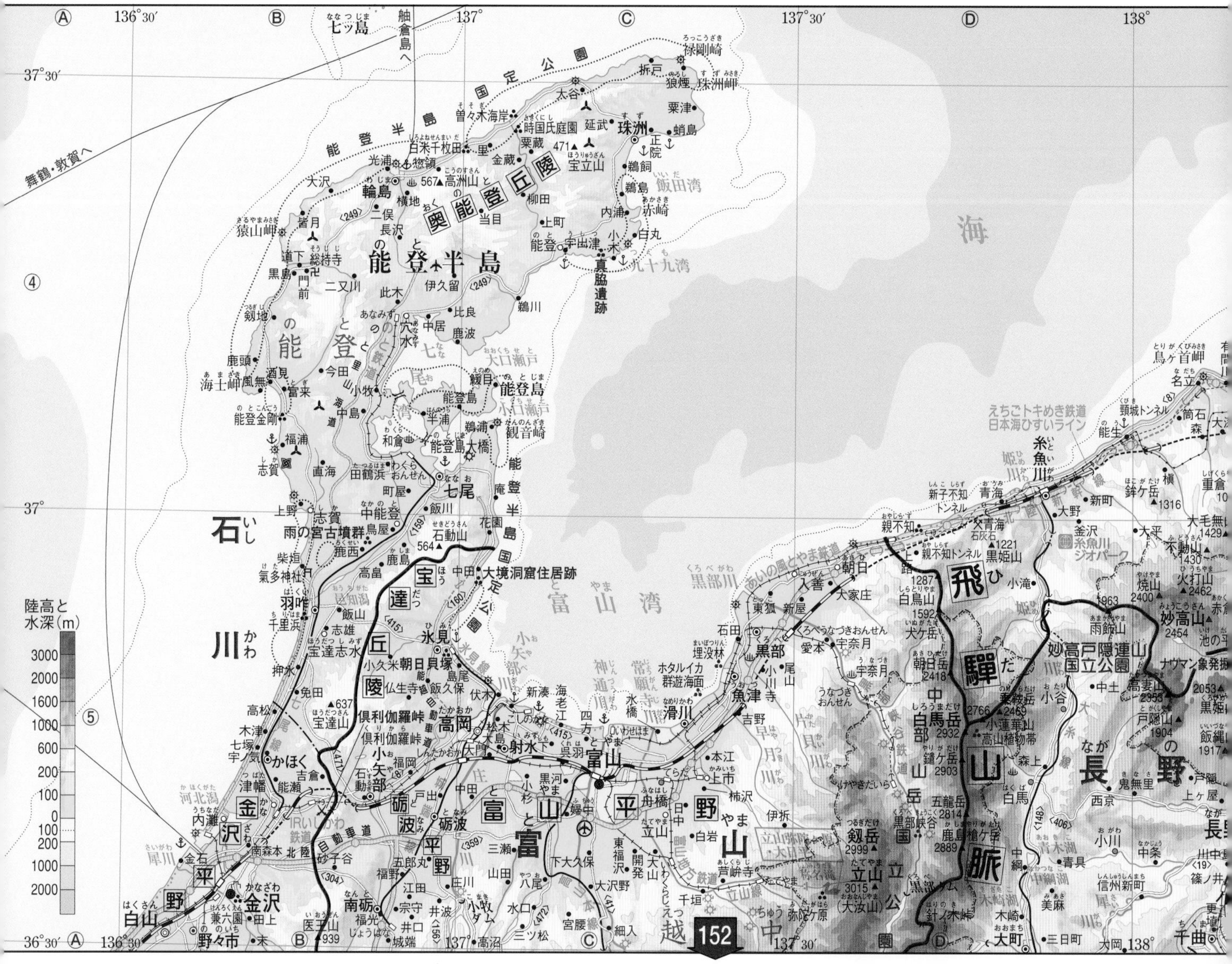

152

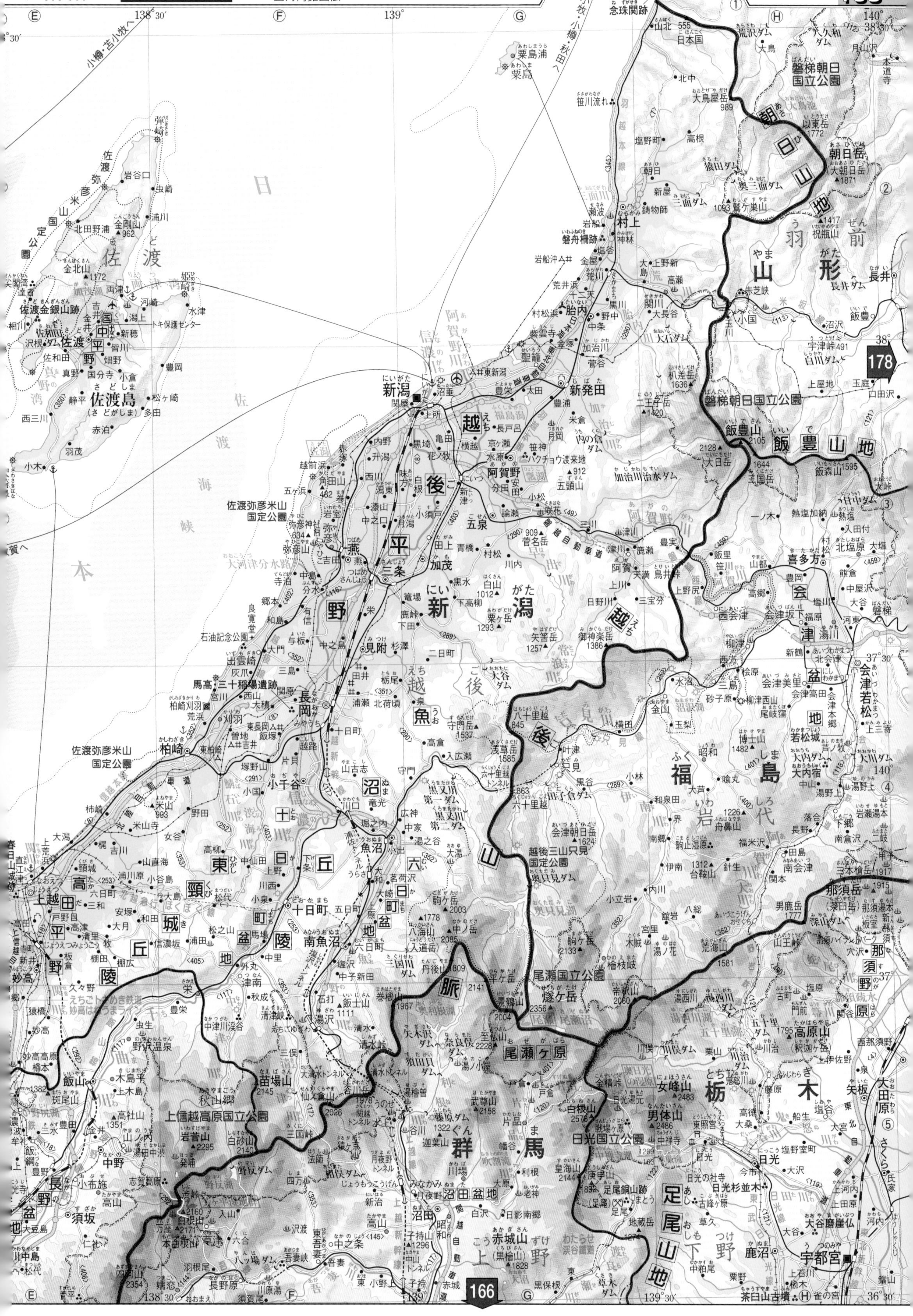
1：800 000
0 10 20km
正角円錐図法
日本海
佐渡海峡
佐渡島
佐渡弥彦米山国定公園
佐渡金銀山跡
両津
佐和田
真野
小木
赤泊
金北山
粟島
新潟
新発田
村上
胎内
阿賀野
五泉
新津
燕
三条
加茂
見附
長岡
柏崎
小千谷
十日町
南魚沼
湯沢
上越
妙高
飯山
長野
中野
須坂
越後平野
越後山脈
魚沼丘陵
東頸城丘陵
高田平野
長野盆地
十日町盆地
六日町盆地
飯豊山地
朝日山地
越後三山只見国立公園
尾瀬国立公園
尾瀬ヶ原
燧ヶ岳
至仏山
上信越高原国立公園
苗場山
岩菅山
白砂山
谷川岳
沼田盆地
沼田
赤城山
群馬
日光国立公園
男体山
女峰山
白根山
日光
足尾山地
宇都宮
鹿沼
矢板
那須岳
那須野原
高原山
栃木
福島
会津盆地
会津若松
喜多方
南会津
只見
磐梯朝日国立公園
飯豊山
朝日岳
大朝日岳
以東岳
山形
長井
飯豊
小国
羽前
奥只見ダム
田子倉ダム
八十里越
六十里越
弥彦山
米山
守門岳
浅草岳
駒ケ岳
八海山
巻機山
荒沢ダム
大鳥屋岳
鼠ヶ関
念珠関跡
寺泊
出雲崎
三十稲場遺跡
秋山郷
宇津峠
178
166

0 2 4 6 8 10km

157　**168**

16

山梨　い斐　甲斐
神奈川　か　な　がわ

富士箱根伊豆国立公園

富士山　3776▲富士山剣ヶ峰

宝永山▲2693

静岡　おか　富士

駿河　河

富士宮

御殿場

相模　川　秦野

南足柄

小田原

箱根山（神山）▲1438

相模湾

富士　I.C.

三島

沼津　沼津港

熱海

伊豆の国

伊豆長岡

修善寺

達磨山▲982

戸田

大瀬崎

土肥

西伊豆

松崎

堂ヶ島

伊豆半島ジオパーク

天城山▲1406

万三郎岳▲1406

伊東

伊　豆

天城高原

富士箱根伊豆国立公園

半　島

河津

下田

南伊豆

石廊崎

石廊崎灯台

駿　河　湾

相　模　灘

大島　1：200 000

東京

大島空港

三原山（三原新山）▲758

大　島

富士箱根伊豆国立公園

陸高と
水深(m)

3000
2000
1600
1000
600
400
200
100
0
100
200
400
600
1000
2000

三保松原　世界遺産「富士山」の構成資産

▶海水浴場（P.165と共通凡例）

138°45′　138°45′　139°　139°23′

35°20′　35°10′　35°　34°50′　34°40′

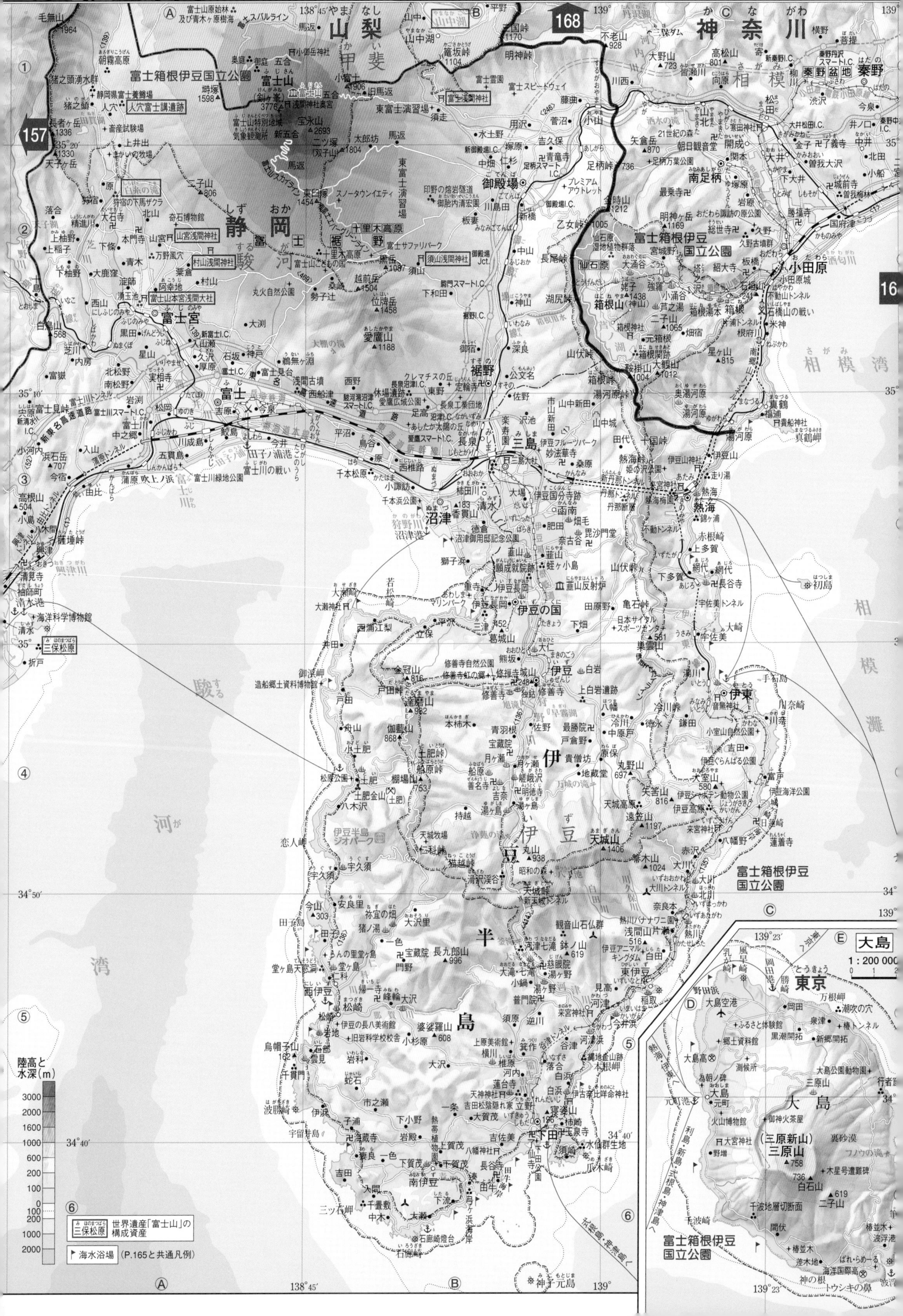

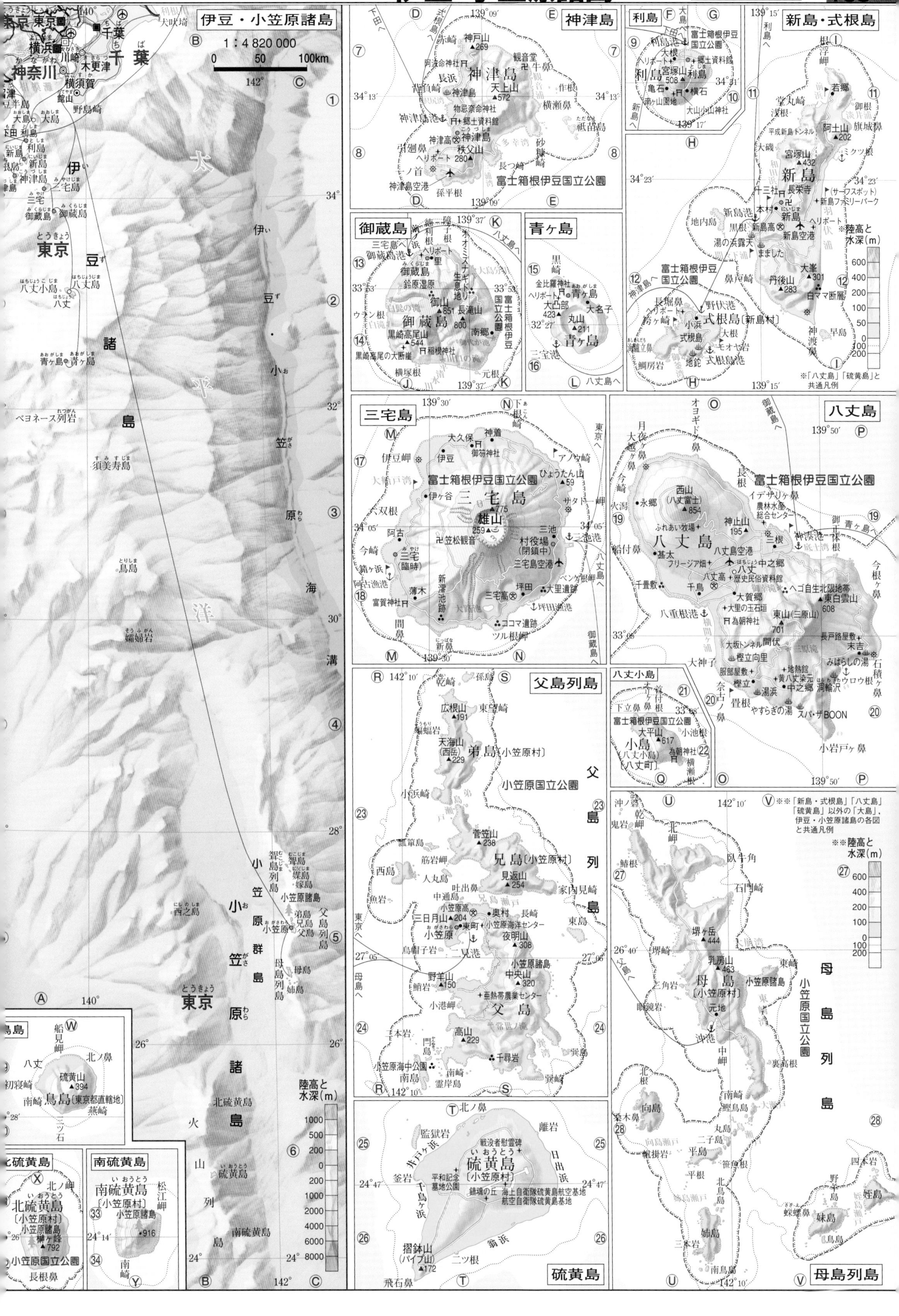

伊豆・小笠原諸島 1：4 820 000

神津島 / 利島 / 新島・式根島 / 御蔵島 / 青ヶ島 / 三宅島 / 八丈島 / 父島列島 / 八丈小島 / 母島列島 / 硫黄島 / 北硫黄島 / 南硫黄島

東京　大平洋　伊豆諸島　小笠原諸島　火山列島

陸高と水深(m)

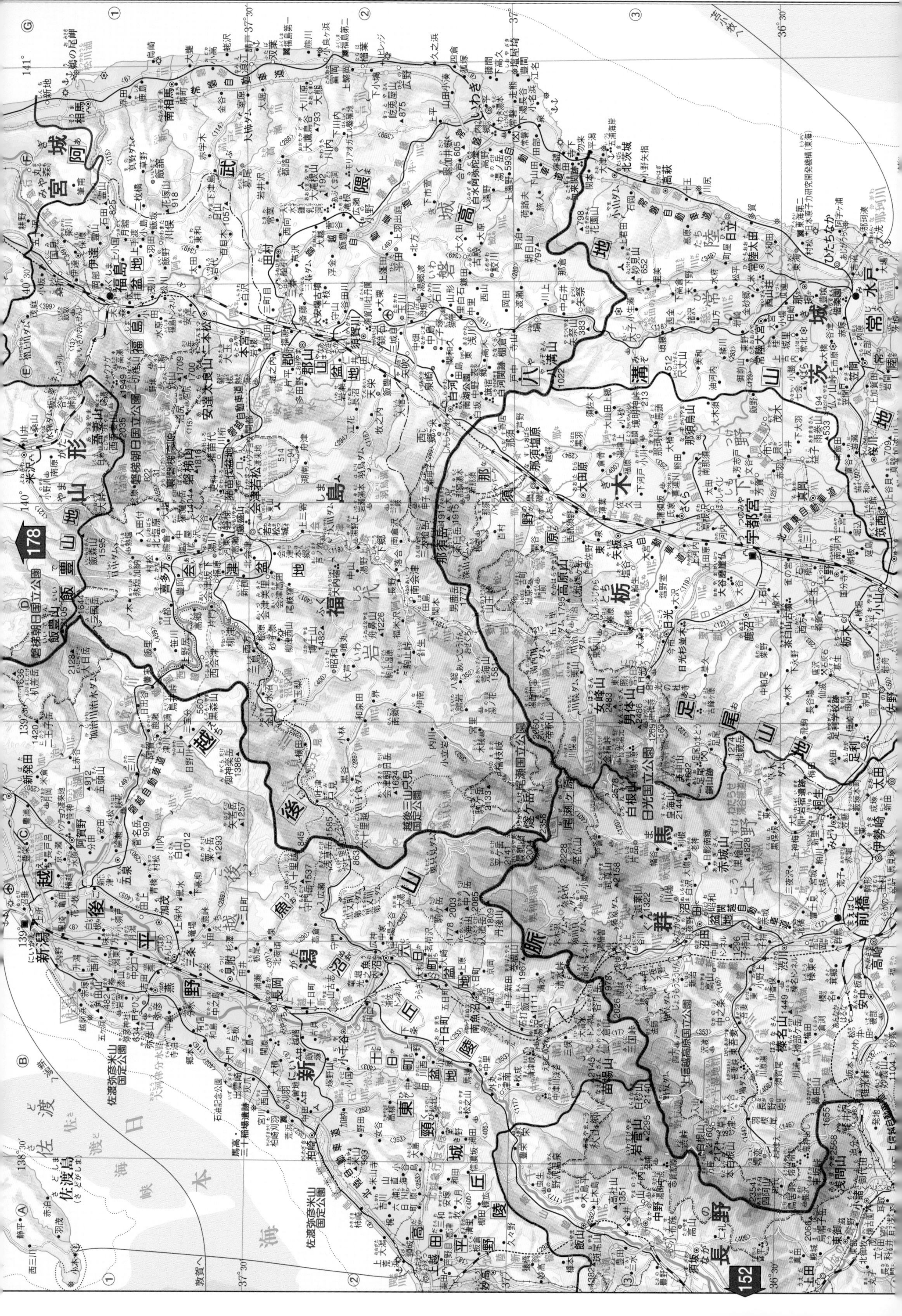
1：920 000
0 10 20km
正角円錐図法
178
152
新潟
佐渡島
佐渡弥彦米山国定公園
日本海
長岡
柏崎
新発田
燕
三条
上越
妙高
南魚沼
十日町
福島
郡山
会津若松
白河
いわき
南相馬
相馬
米沢
飯豊山
磐梯朝日国立公園
越後三山只見国定公園
尾瀬国立公園
日光国立公園
上信越高原国立公園
那須岳
那須塩原
大田原
日光
宇都宮
真岡
小山
栃木
足利
佐野
桐生
太田
伊勢崎
前橋
高崎
沼田
渋川
浅間山
小諸
水戸
ひたちなか
日立
高萩
北茨城
常陸太田
常陸大宮
笠間
筑西
下館
赤城山
榛名山
白根山
苗場山
岩菅山
男体山
女峰山
高原山
八溝山
新潟県
福島県
山形県
宮城県
栃木県
群馬県
茨城県
長野県

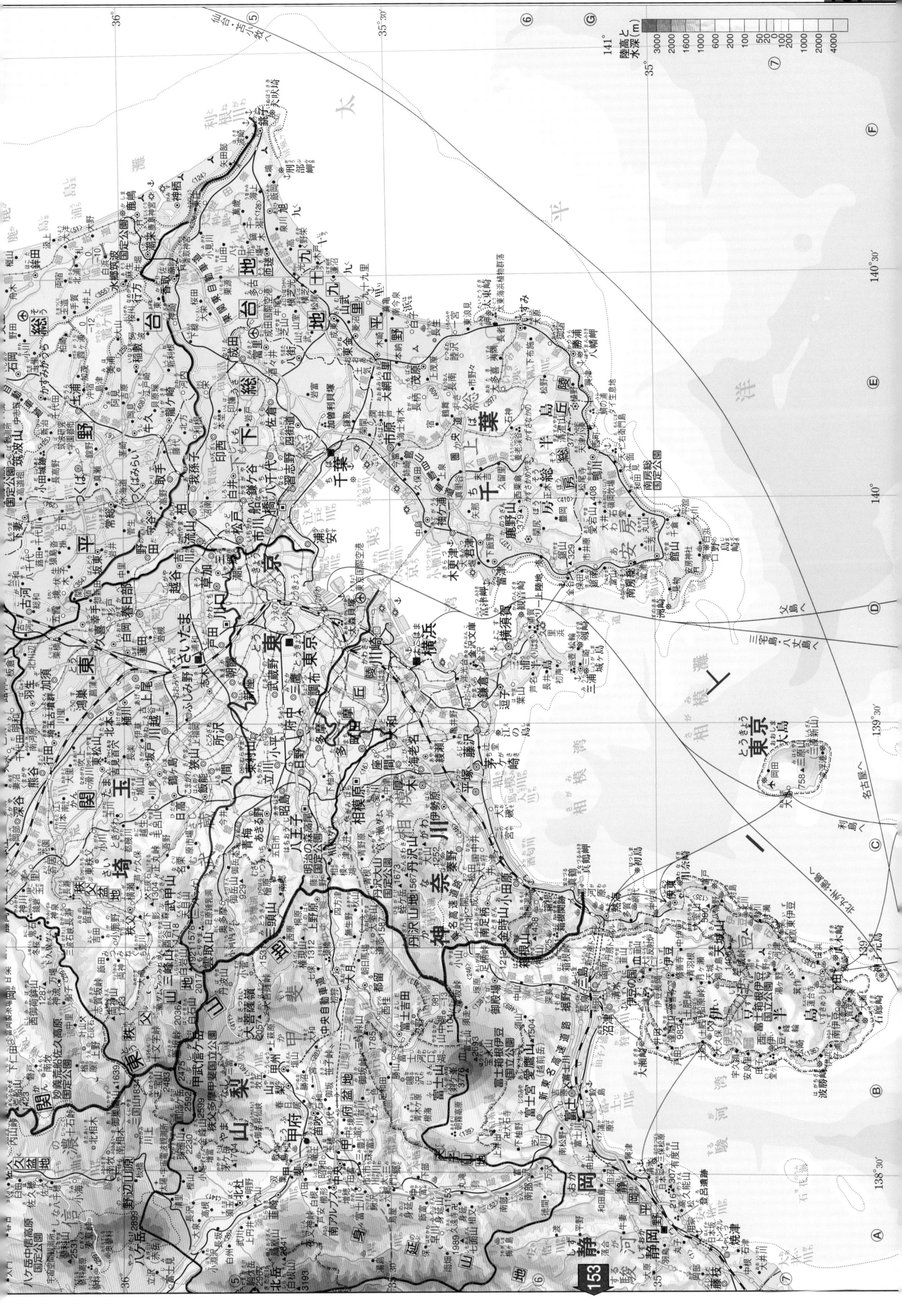

陸高と水深(m)
東京
横浜
川崎
千葉
さいたま
甲府
静岡
沼津
横須賀
鎌倉
藤沢
平塚
小田原
八王子
富士山 3776
東京湾
相模湾
駿河湾
太平洋
房総半島
伊豆半島
伊豆大島
153

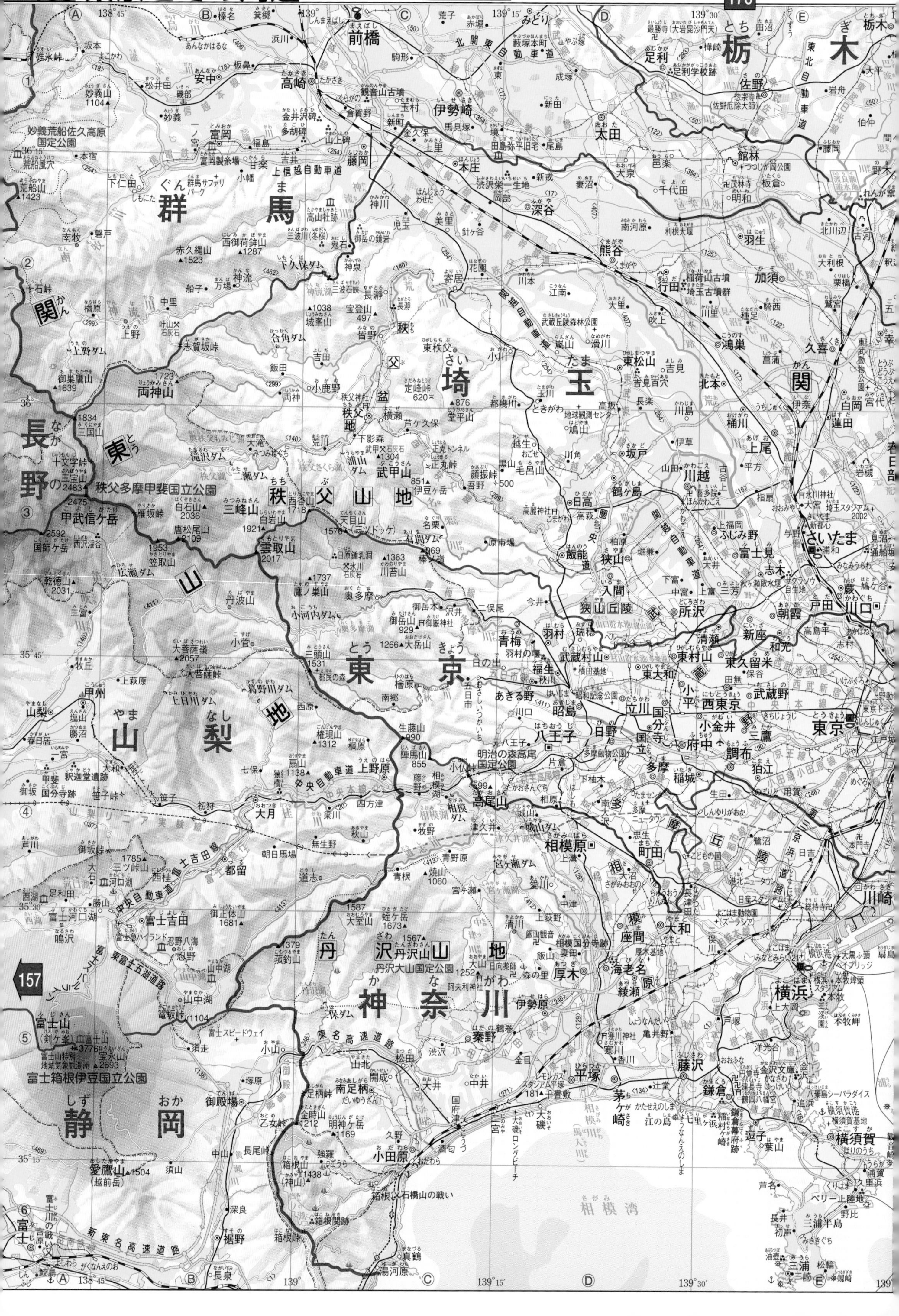

1：500 000
0 5 10km
正角円錐図法
176
157
群馬
埼玉
栃木
東京
神奈川
山梨
静岡
長野
前橋
高崎
安中
富岡
藤岡
伊勢崎
太田
足利
佐野
館林
熊谷
深谷
本庄
行田
加須
羽生
鴻巣
北本
桶川
上尾
久喜
東松山
坂戸
川越
鶴ヶ島
日高
飯能
狭山
入間
所沢
富士見
ふじみ野
さいたま
朝霞
戸田
川口
蕨
和光
新座
志木
秩父
東秩父
小鹿野
皆野
長瀞
寄居
小川
嵐山
滑川
吉見
川島
毛呂山
越生
青梅
羽村
瑞穂
福生
昭島
あきる野
八王子
日野
立川
国立
国分寺
小平
東村山
東大和
武蔵村山
清瀬
東久留米
西東京
小金井
府中
調布
三鷹
武蔵野
狛江
稲城
多摩
町田
奥多摩
日の出
檜原
東京
川崎
横浜
横須賀
鎌倉
逗子
葉山
三浦
藤沢
茅ヶ崎
平塚
大磯
二宮
小田原
南足柄
開成
大井
松田
山北
秦野
伊勢原
厚木
海老名
座間
綾瀬
大和
相模原
愛川
清川
寒川
箱根
湯河原
真鶴
甲州
山梨
笛吹
大月
都留
上野原
富士吉田
富士河口湖
山中湖
忍野
鳴沢
西桂
御殿場
小山
裾野
長泉
富士
富士山
丹沢山地
関東山地
秩父山地
多摩丘陵
狭山丘陵
武蔵野
相模原
相模湾
秩父多摩甲斐国立公園
富士箱根伊豆国立公園
丹沢大山国定公園
明治の森高尾国定公園
妙義荒船佐久高原国定公園
上信越自動車道
北関東自動車道
東北自動車道
関越自動車道
圏央道
中央自動車道
東名高速道路
新東名高速道路
東富士五湖道路

177

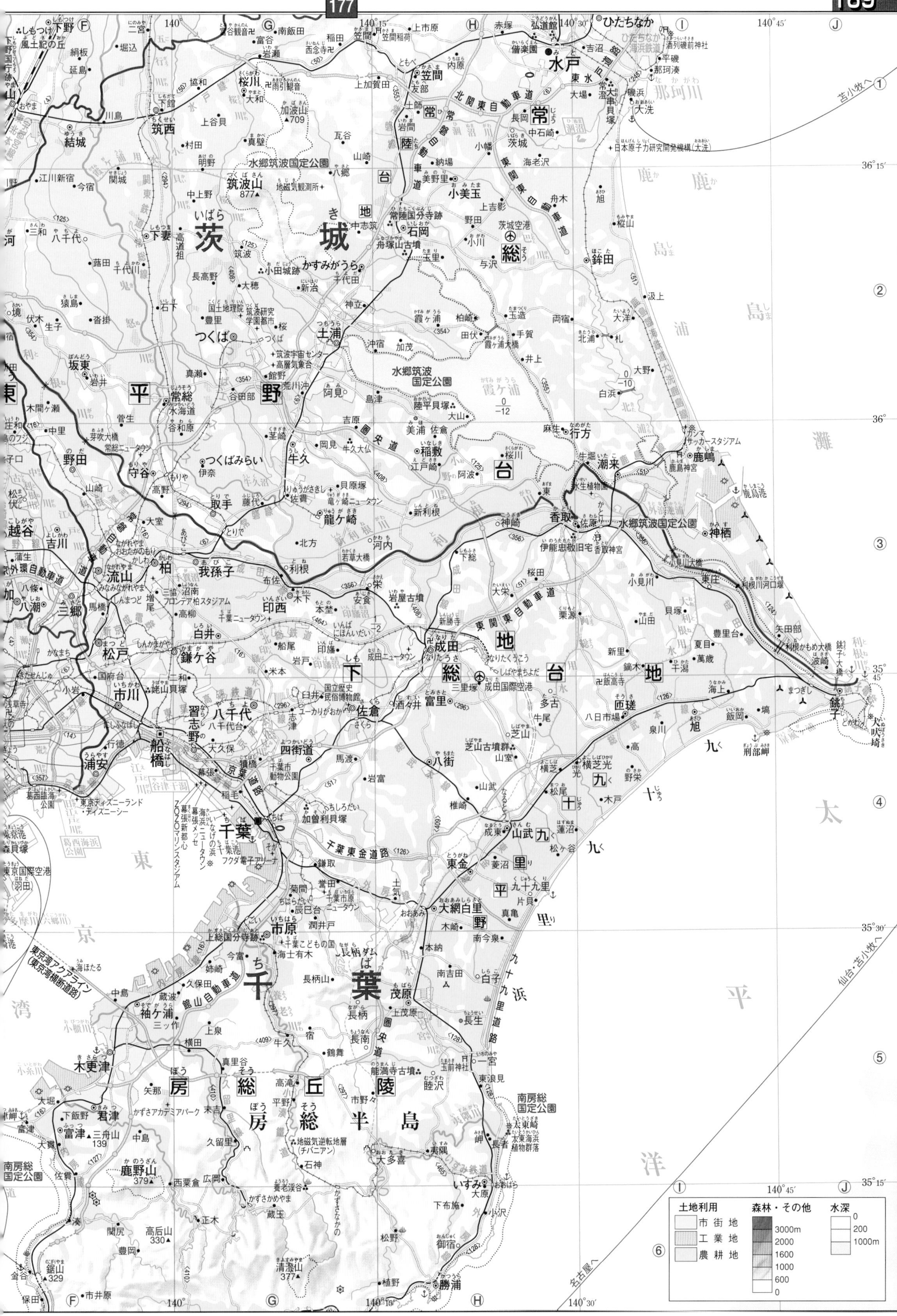
茨城
常陸台地
常総台地
平野
下総台地
九十九里平野
房総丘陵
房総半島
千葉
鹿島灘
太平洋
東京湾
霞ヶ浦
北浦
水戸
ひたちなか
笠間
筑西
結城
下妻
筑波山
877
つくば
土浦
石岡
小美玉
鉾田
行方
潮来
鹿嶋
神栖
牛久
龍ケ崎
取手
守谷
常総
つくばみらい
かすみがうら
稲敷
香取
銚子
旭
匝瑳
成田
佐倉
印西
我孫子
柏
流山
野田
松戸
市川
船橋
習志野
八千代
鎌ケ谷
白井
四街道
八街
富里
山武
東金
大網白里
茂原
市原
袖ケ浦
木更津
君津
富津
鋸山
329
鹿野山
379
清澄山
377
高宕山
330
いすみ
勝浦
御宿
大多喜
長南
長生
一宮
浦安
成田国際空港
茨城空港
水郷筑波国定公園
南房総国定公園
常磐自動車道
北関東自動車道
東関東自動車道
館山自動車道
千葉東金道路
首都圏中央連絡自動車道
東京湾アクアライン（東京湾横断道路）
九十九里浜
苫小牧へ
仙台・苫小牧へ
名古屋へ
140°
140°15′
140°30′
140°45′
36°15′
36°
35°45′
35°30′
35°15′
土地利用
市街地
工業地
農耕地
森林・その他
3000m
2000
1600
1000
600
0
水深
0
200
1000m

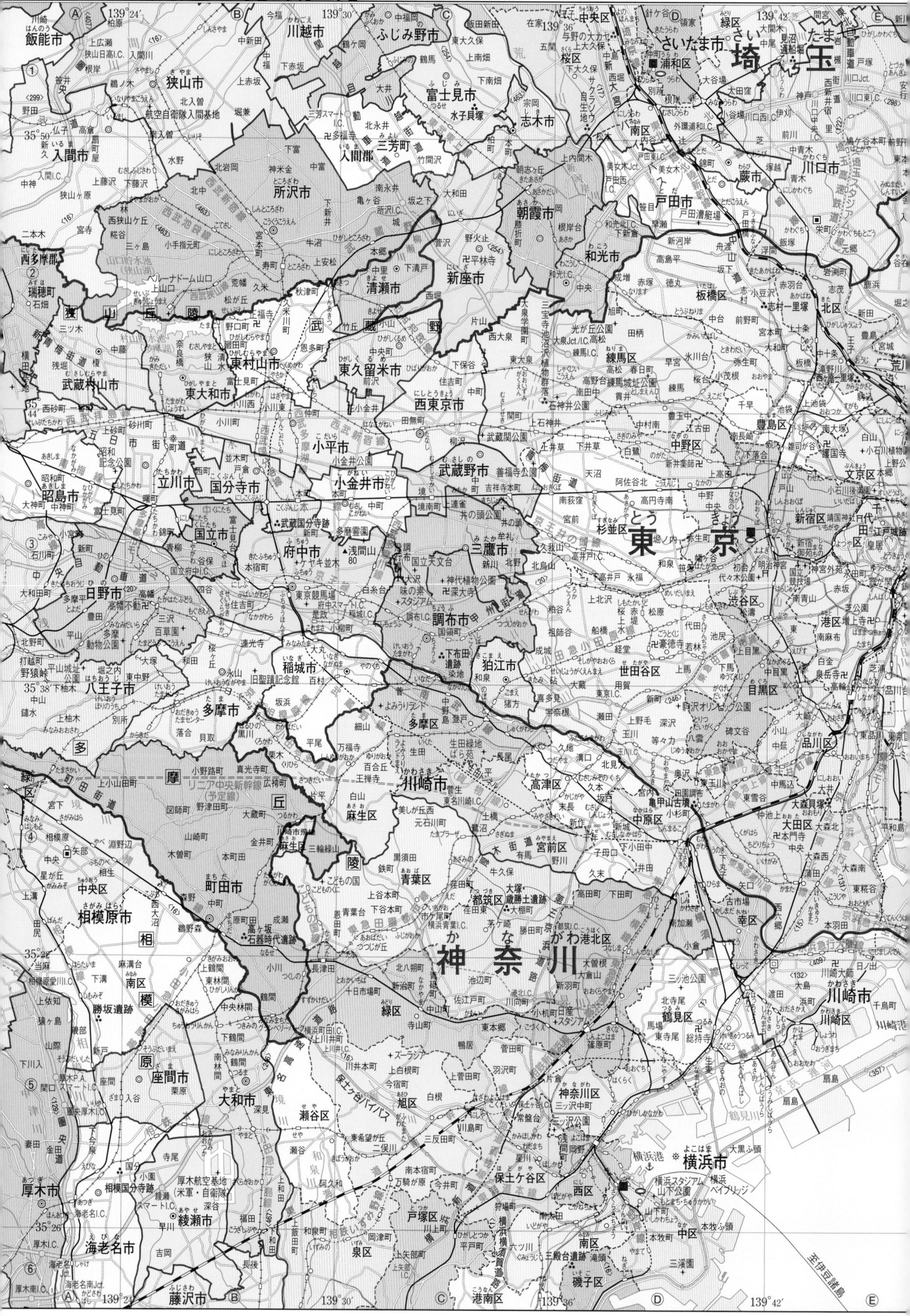

1：189 000
0 1 2 3 4 5km
飯能市
川越市
ふじみ野市
さいたま市
埼玉
狭山市
富士見市
三芳町
入間郡
志木市
入間市
所沢市
朝霞市
戸田市
蕨市
川口市
和光市
新座市
清瀬市
板橋区
北区
西多摩郡
瑞穂町
東村山市
東久留米市
練馬区
武蔵村山市
東大和市
西東京市
豊島区
小平市
中野区
立川市
国分寺市
小金井市
武蔵野市
文京区
昭島市
新宿区
千代田区
国立市
府中市
三鷹市
杉並区
東京
日野市
調布市
渋谷区
港区
稲城市
狛江市
世田谷区
目黒区
八王子市
多摩市
多摩区
品川区
川崎市
高津区
中原区
大田区
麻生区
宮前区
町田市
青葉区
都筑区
中央区
相模原市
神奈川
港北区
南区
緑区
鶴見区
川崎区
座間市
大和市
旭区
神奈川区
瀬谷区
保土ケ谷区
西区
横浜市
厚木市
綾瀬市
海老名市
戸塚区
中区
泉区
港南区
磯子区
藤沢市

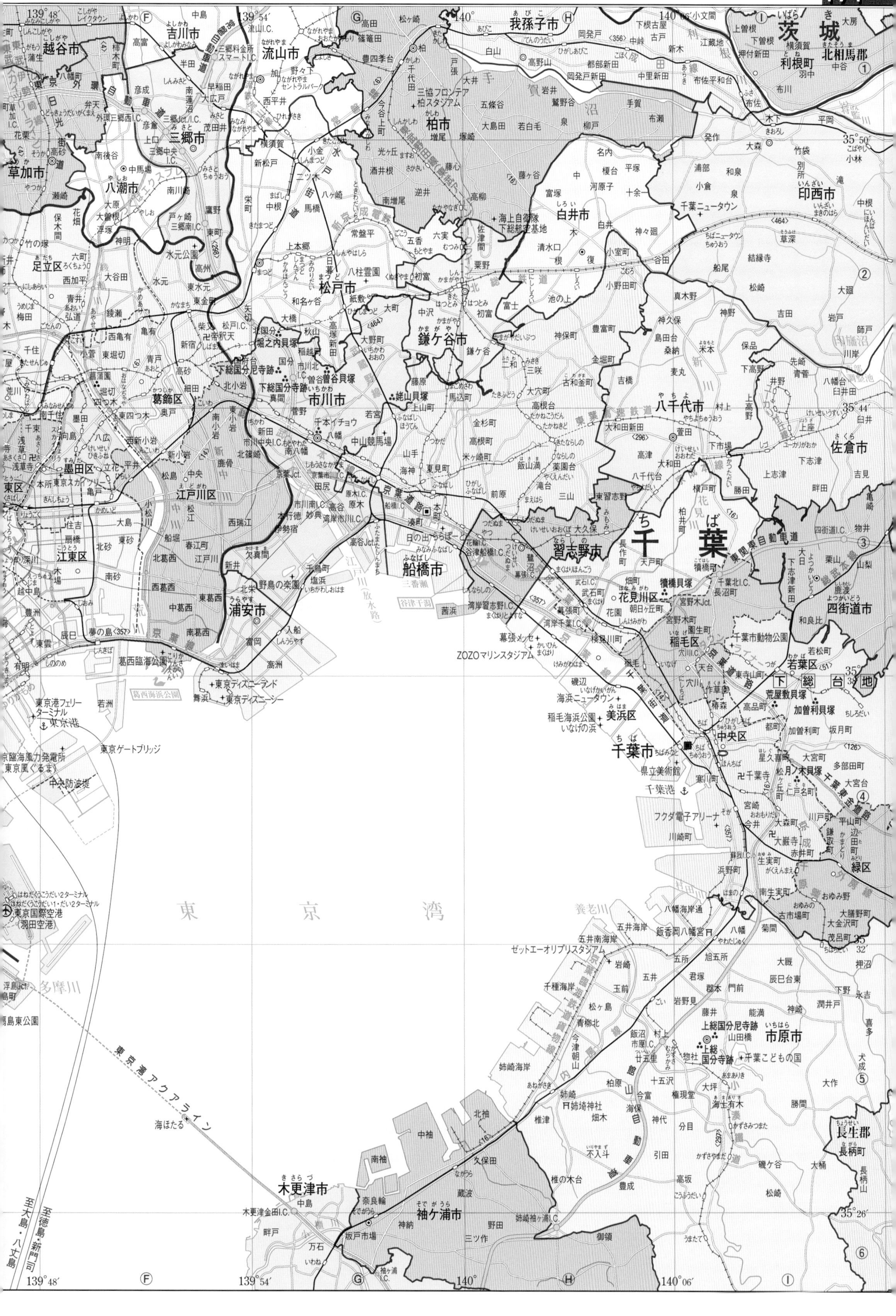
茨城
北相馬郡
利根町
我孫子市
吉川市
流山市
柏市
越谷市
三郷市
草加市
八潮市
足立区
松戸市
鎌ケ谷市
白井市
印西市
葛飾区
市川市
八千代市
佐倉市
墨田区
江戸川区
江東区
船橋市
習志野市
千葉
花見川区
四街道市
浦安市
稲毛区
若葉区
美浜区
中央区
千葉市
緑区
市原市
長生郡
長柄町
木更津市
袖ケ浦市
東京湾
東京湾アクアライン
海ほたる
東京国際空港
（羽田空港）
東京港
東京ゲートブリッジ
東京ディズニーランド
東京ディズニーシー
幕張メッセ
ZOZOマリンスタジアム
千葉港
県立美術館
フクダ電子アリーナ
ゼットエーオリプリスタジアム
千葉ニュータウン
下総台地
多摩川
養老川
至徳島・新門司
至大島・八丈島
139°48′
139°54′
140°
140°06′
35°50′
35°44′
35°38′
35°32′
35°26′

1：46 000

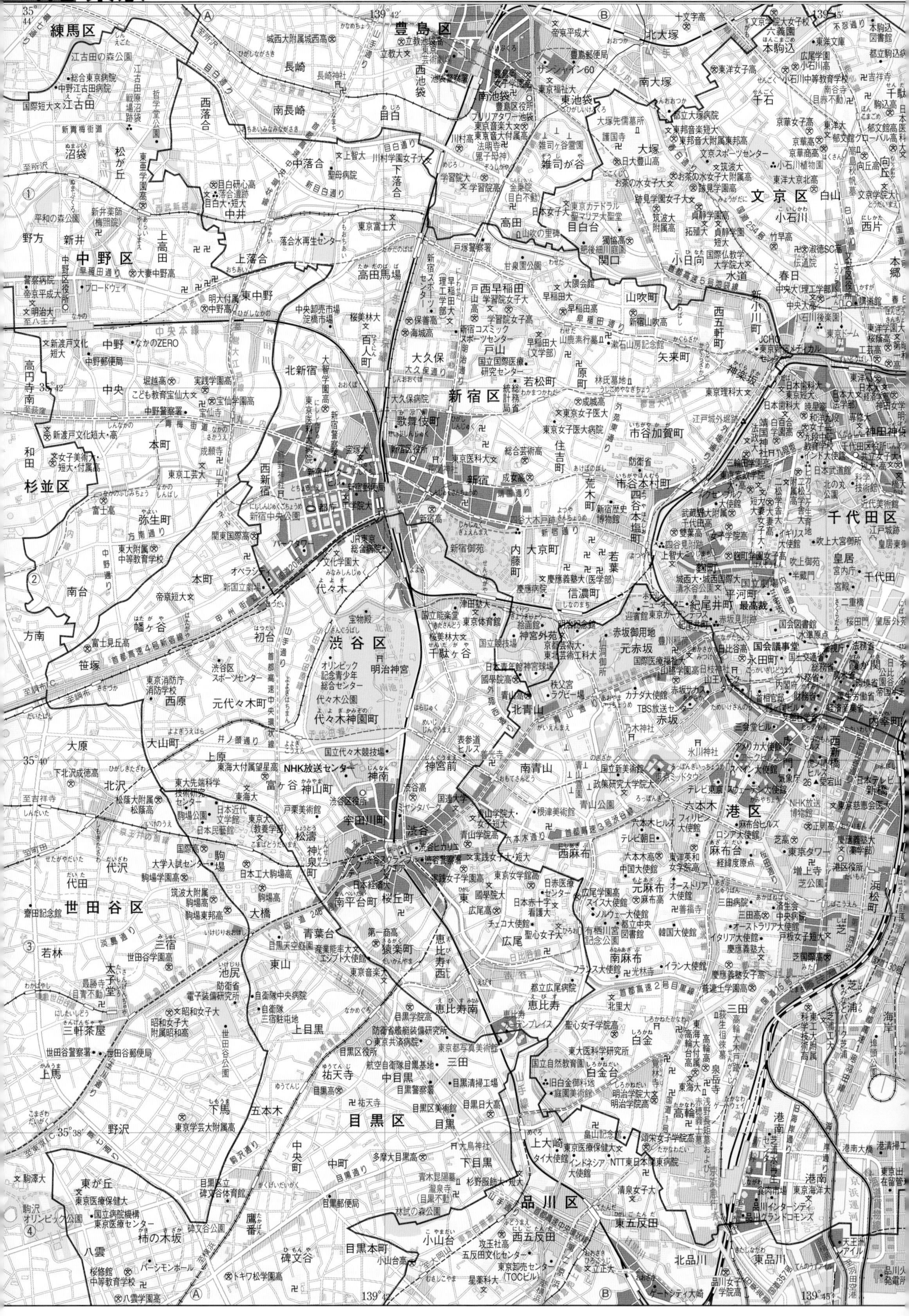

0 500 1000m
練馬区
豊島区
文京区
中野区
杉並区
新宿区
千代田区
渋谷区
港区
世田谷区
目黒区
品川区
江古田
沼袋
松が丘
西落合
南長崎
長崎
目白
西池袋
南池袋
東池袋
雑司が谷
大塚
南大塚
北大塚
本駒込
千石
白山
小石川
西片
本郷
春日
水道
小日向
関口
目白台
高田
下落合
中落合
上落合
中井
上高田
新井
野方
東中野
中野
中央
本町
弥生町
南台
方南
高田馬場
百人町
大久保
北新宿
西新宿
新宿
歌舞伎町
戸山
若松町
原町
市谷加賀町
市谷本村町
住吉町
荒木町
四谷本塩町
若葉
内藤町
大京町
信濃町
紀尾井町
平河町
永田町
霞が関
内幸町
千代田
皇居
代々木
千駄ケ谷
初台
幡ケ谷
笹塚
元代々木町
代々木神園町
西原
大山町
上原
富ケ谷
神山町
神南
宇田川町
渋谷
神宮前
北青山
南青山
元赤坂
赤坂
六本木
西麻布
麻布台
元麻布
南麻布
広尾
恵比寿
恵比寿西
恵比寿南
猿楽町
桜丘町
南平台町
鉢山町
松濤
神泉町
青葉台
東山
大原
北沢
代沢
代田
駒場
大橋
三宿
池尻
太子堂
若林
三軒茶屋
上馬
下馬
野沢
東が丘
八雲
柿の木坂
鷹番
五本木
中央町
中町
祐天寺
中目黒
上目黒
三田
目黒
下目黒
碑文谷
目黒本町
小山台
西五反田
東五反田
上大崎
白金
白金台
高輪
北品川
東品川
港南
芝浦
海岸
芝
浜松町
西新橋
新橋
虎ノ門
明治神宮
代々木公園
新宿御苑
赤坂御用地
青山公園
駒場公園
世田谷公園
東京タワー
NHK放送センター
サンシャイン60

139°48′　　　139°51′　35°44′

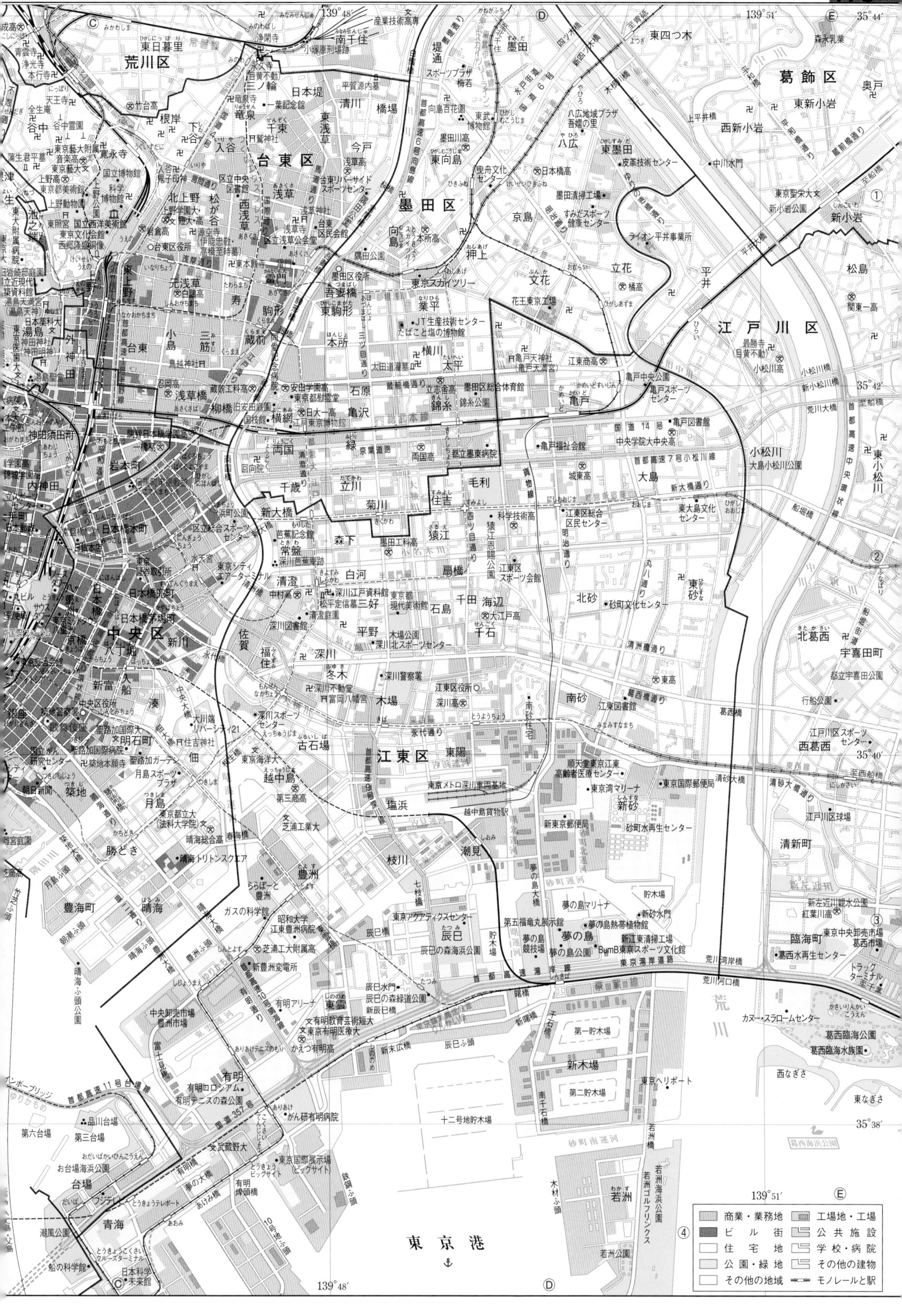

荒川区

台東区

墨田区

葛飾区

江戸川区

江東区

中央区

東日暮里　南千住　東四つ木　森永乳業　奥戸
三ノ輪　堤通　墨田　東新小岩　西新小岩　上平井橋
清川　橋場　八広　中川水門
日本堤　向島　東向島　東墨田　皮革技術センター　新小岩公園　新小岩
浅草　今戸　京島　押上　八広地域プラザ吾嬬の里　東京聖栄大　至船橋
北上野　西浅草　浅草　吾妻橋　墨田清掃工場　立花　平井　松島
国立博物館　上野　駒形　東駒形　業平　花王東京工場　橘　関東一高
東上野　小島　三筋　本所　横川　太平　江東商高　亀戸天神社　江戸川区
神田須田町　蔵前　元浅草　寿　石原　錦糸　墨田区総合体育館　亀戸中央公園　勝鬨寺　小松川高
浅草橋　柳橋　両国　緑　立川　菊川　住吉　毛利　城東高　大島
内神田　日本橋　千歳　立川　錦糸公園　科学技術高　小松川　荒川大橋
日本橋本町　森下　猿江　扇橋　白河　清澄　千石　北砂　砂町文化センター　北葛西
中央区　新川　佐賀　福住　深川　木場　南砂　江東図書館　宇喜田町
銀座　築地　月島　佃　東陽　越中島　塩浜　潮見　新砂　清新町
勝どき　豊洲　晴海　東雲　有明　辰巳　夢の島　若洲　西葛西
晴海ふ頭公園　豊海町　ゆりかもめ　台場　青海　有明　十二号地貯木場　東京ヘリポート　西なぎさ
お台場海浜公園　有明テニスの森公園　東京国際展示場ビッグサイト

荒川

東京港

商業・業務地		工場地・工場	
ビル街		公共施設	
住宅地		学校・病院	
公園・緑地		その他の建物	
その他の地域		モノレールと駅	

35°40′　35°38′

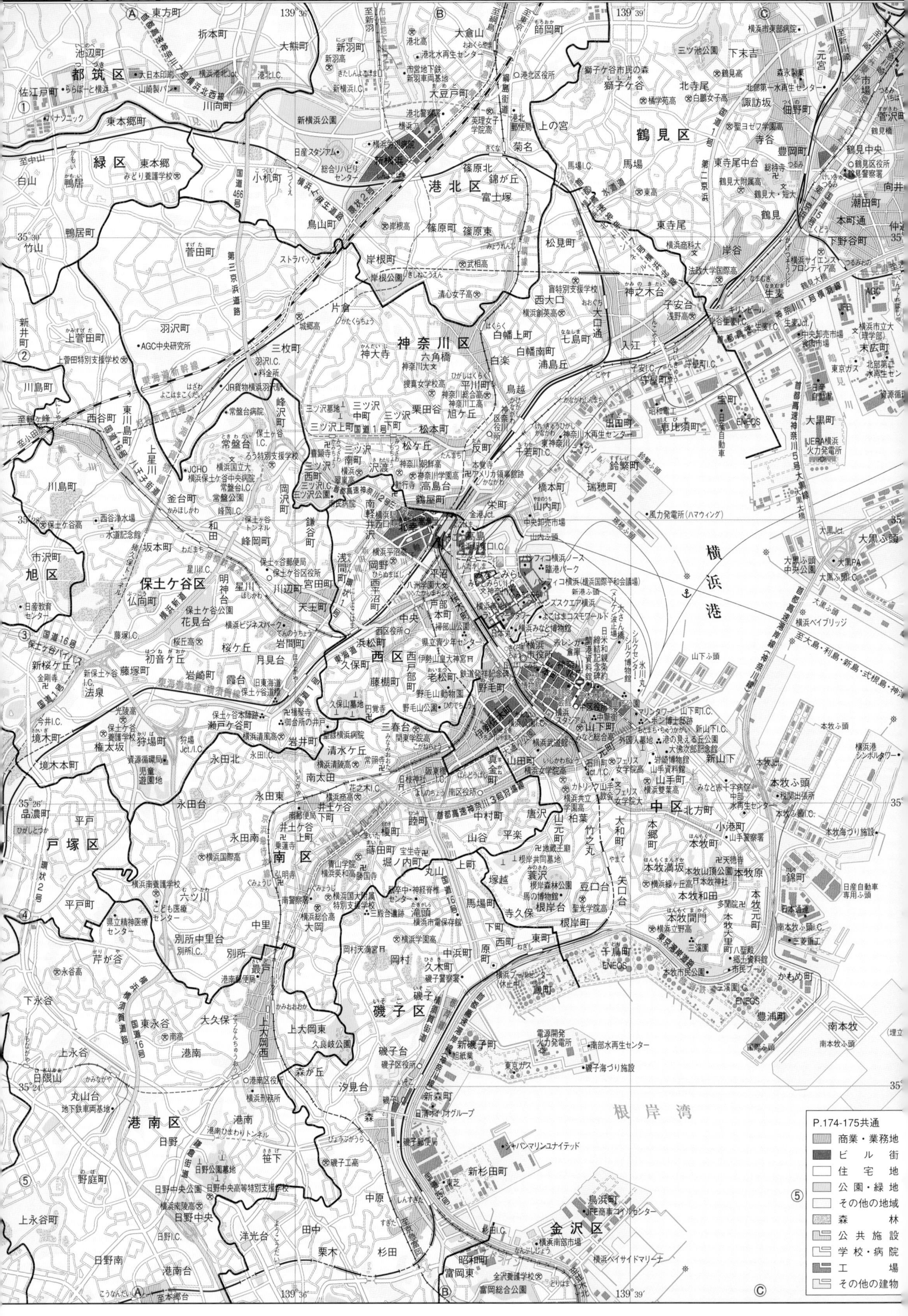
1：60 000
0 500 1000m
都筑区
緑区
港北区
鶴見区
神奈川区
保土ケ谷区
旭区
西区
中区
南区
戸塚区
港南区
磯子区
金沢区
横浜港
根岸湾
新横浜
横浜
桜木町
関内
石川町
山手町
本牧ふ頭
大黒ふ頭
みなとみらい
横浜スタジアム
日産スタジアム
新横浜公園
三ツ沢公園
野毛山動物園
横浜ベイブリッジ
横浜港シンボルタワー
首都高速神奈川1号横羽線
首都高速湾岸線
国道1号
国道16号
東海道新幹線
第三京浜道路
横浜新道
P.174-175共通
商業・業務地
ビル街
住宅地
公園・緑地
その他の地域
森林
公共施設
学校・病院
工場
その他の建物

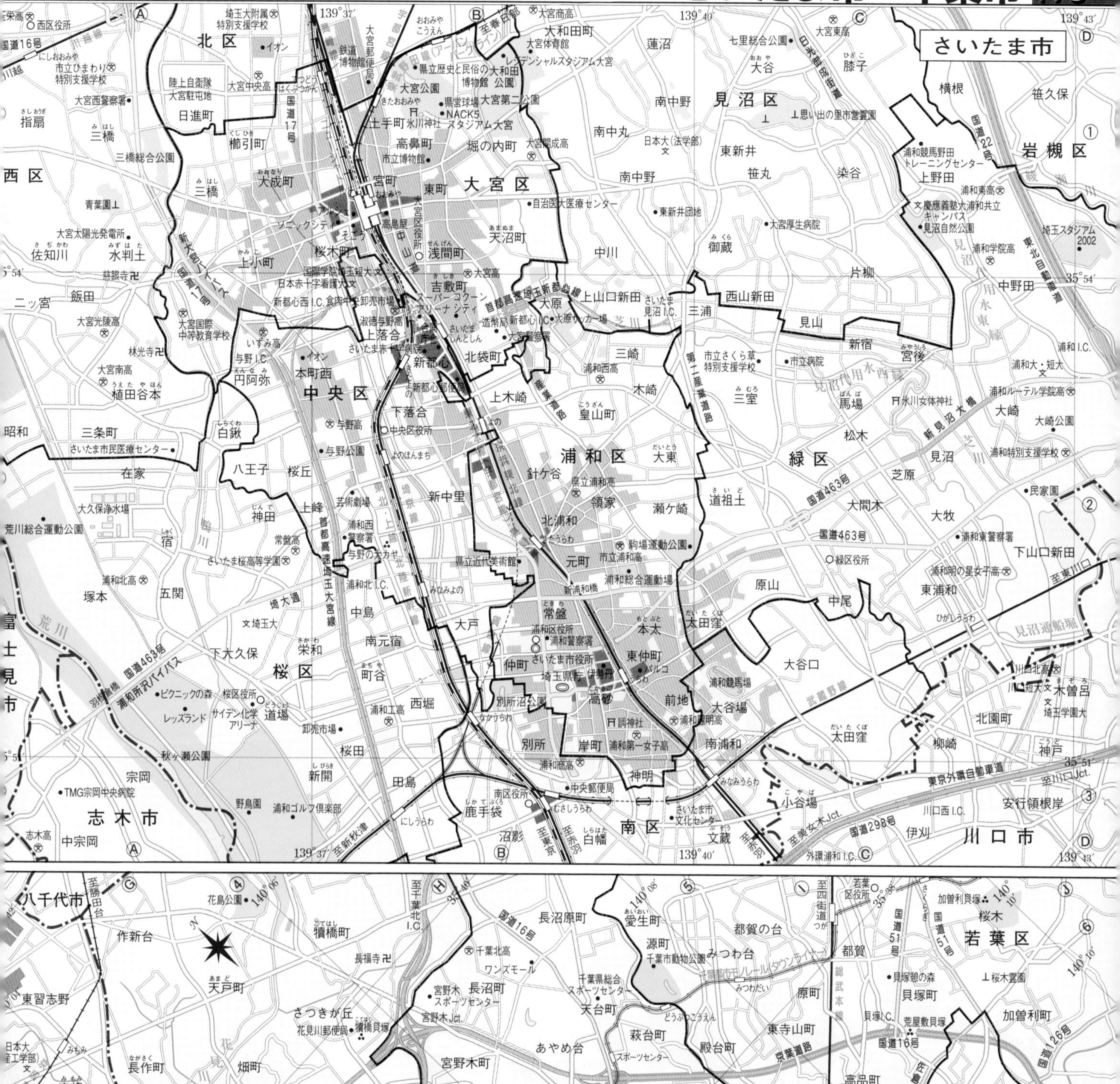

さいたま市
北区
西区
見沼区
岩槻区
大宮区
中央区
浦和区
緑区
桜区
南区
志木市
川口市
富士見市
日進町
指扇
三橋
櫛引町
大成町
宮町
東町
高鼻町
堀の内町
大和田町
蓮沼
大谷
膝子
南中野
南中丸
東新井
笹丸
染谷
御蔵
片柳
中川
天沼町
浅間町
吉敷町
佐知川
水判土
上小町
桜木町
飯田
二ッ宮
西山新田
見山
新宿
宮後
三浦
三崎
木崎
皇山町
上木崎
下落合
北袋町
新都心
上落合
与野I.C.
円阿弥
本町西
白鍬
三条町
昭和
在家
八王子
桜丘
上峰
神田
宿
塚本
五関
中島
南元宿
下大久保
栄和
町谷
道場
西堀
桜田
新開
宗岡
田島
鹿手袋
沼影
別所
岸町
神明
白幡
文蔵
常盤
仲町
高砂
前地
本太
太田窪
大谷口
大谷場
南浦和
元町
北浦和
針ケ谷
領家
大東
瀬ケ崎
道祖土
大間木
芝原
見沼
大牧
東浦和
原山
中尾
馬場
松木
三室
大崎
中野田
上野田
横根
笹久保
下山口新田
木曽呂
北園町
柳崎
神戸
伊刈
さいたま市役所
さいたまスーパーアリーナ
さいたま新都心
東京外環自動車道
首都高速埼玉新都心線
国道463号
国道17号
国道16号
国道298号
東北自動車道
荒川
1
2
3
A
B
C
D
139°37′
139°40′
139°43′
35°54′
35°51′

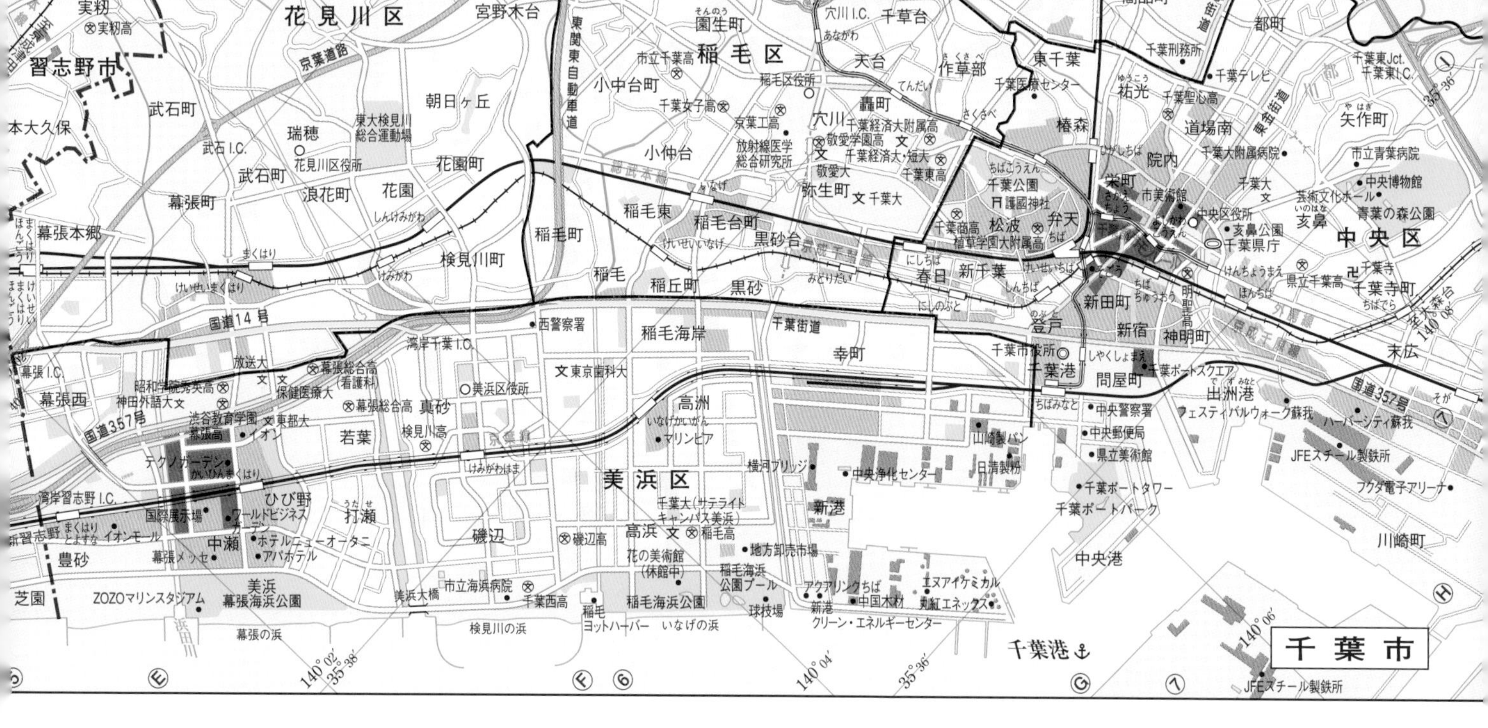

千葉市
八千代市
習志野市
花見川区
稲毛区
若葉区
中央区
美浜区
作新台
犢橋町
長沼原町
愛生町
源町
都賀の台
みつわ台
都賀
桜木
天戸町
さつきが丘
長沼町
天台町
原町
貝塚町
加曽利町
東習志野
長作町
畑町
宮野木町
あやめ台
萩台町
殿台町
東寺山町
高品町
実籾
宮野木台
園生町
千草台
作草部
都町
矢作町
武石町
朝日ケ丘
小中台町
天台
東千葉
祐光
道場南
瑞穂
小仲台
轟町
穴川
椿森
院内
亥鼻
花園町
武石町
浪花町
花園
弥生町
千葉公園
弁天
幕張本郷
幕張町
検見川町
稲毛東
稲毛台町
黒砂台
松波
稲毛
稲丘町
黒砂
春日
新千葉
新田町
千葉寺町
幸町
稲毛海岸
登戸
新宿
神明町
末広
真砂
高洲
千葉港
問屋町
出洲港
若葉
打瀬
ひび野
中瀬
磯辺
高浜
新港
中央港
豊砂
美浜
芝園
川崎町
千葉県庁
千葉市役所
幕張メッセ
ZOZOマリンスタジアム
千葉ポートタワー
千葉ポートパーク
京葉道路
東関東自動車道
国道14号
国道357号
国道16号
国道51号
国道126号
千葉都市モノレール
E
F
G
H
I
J
4
5
6
7
140°02′
140°04′
140°06′
140°08′
140°10′
35°36′
35°38′
35°40′

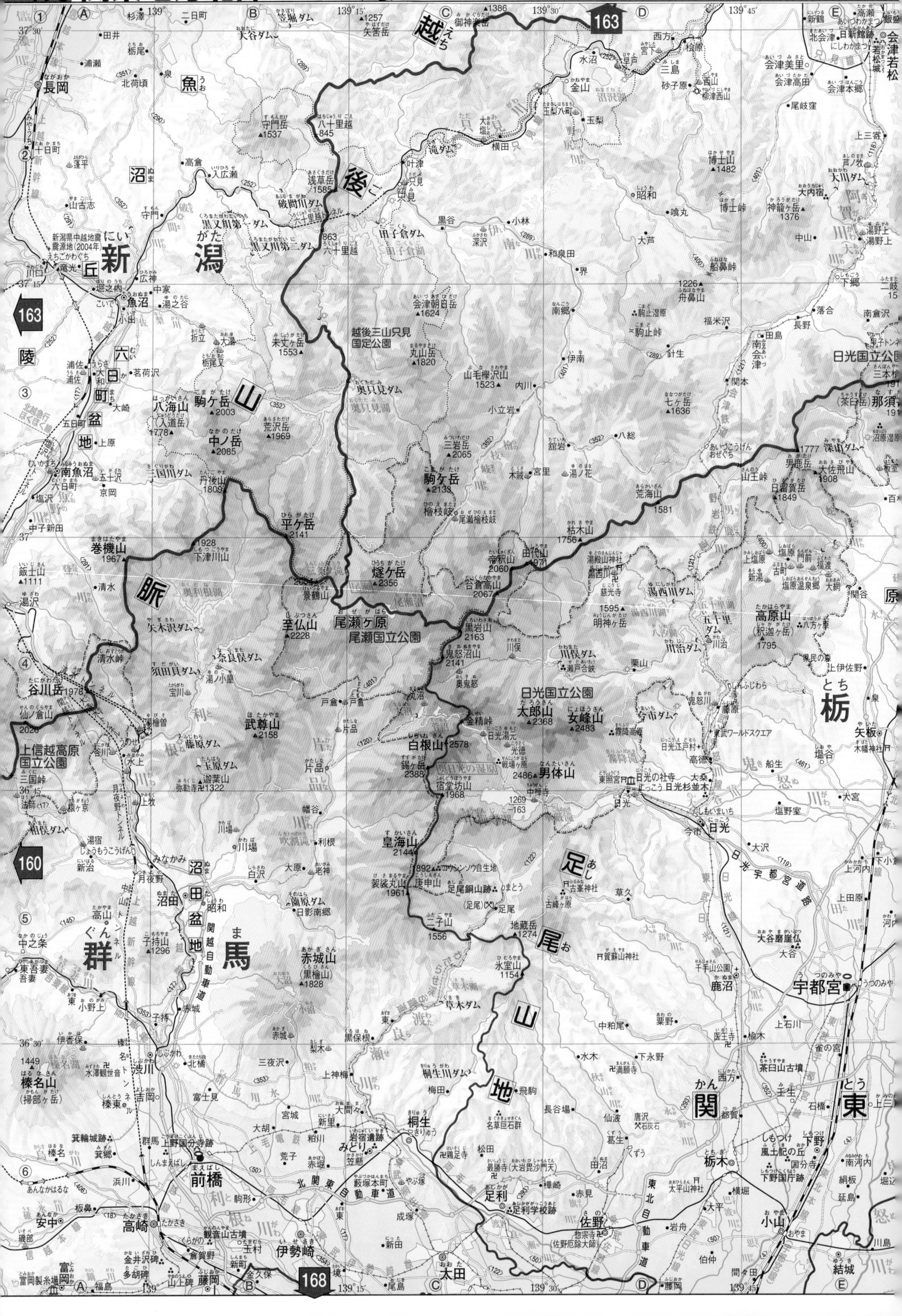

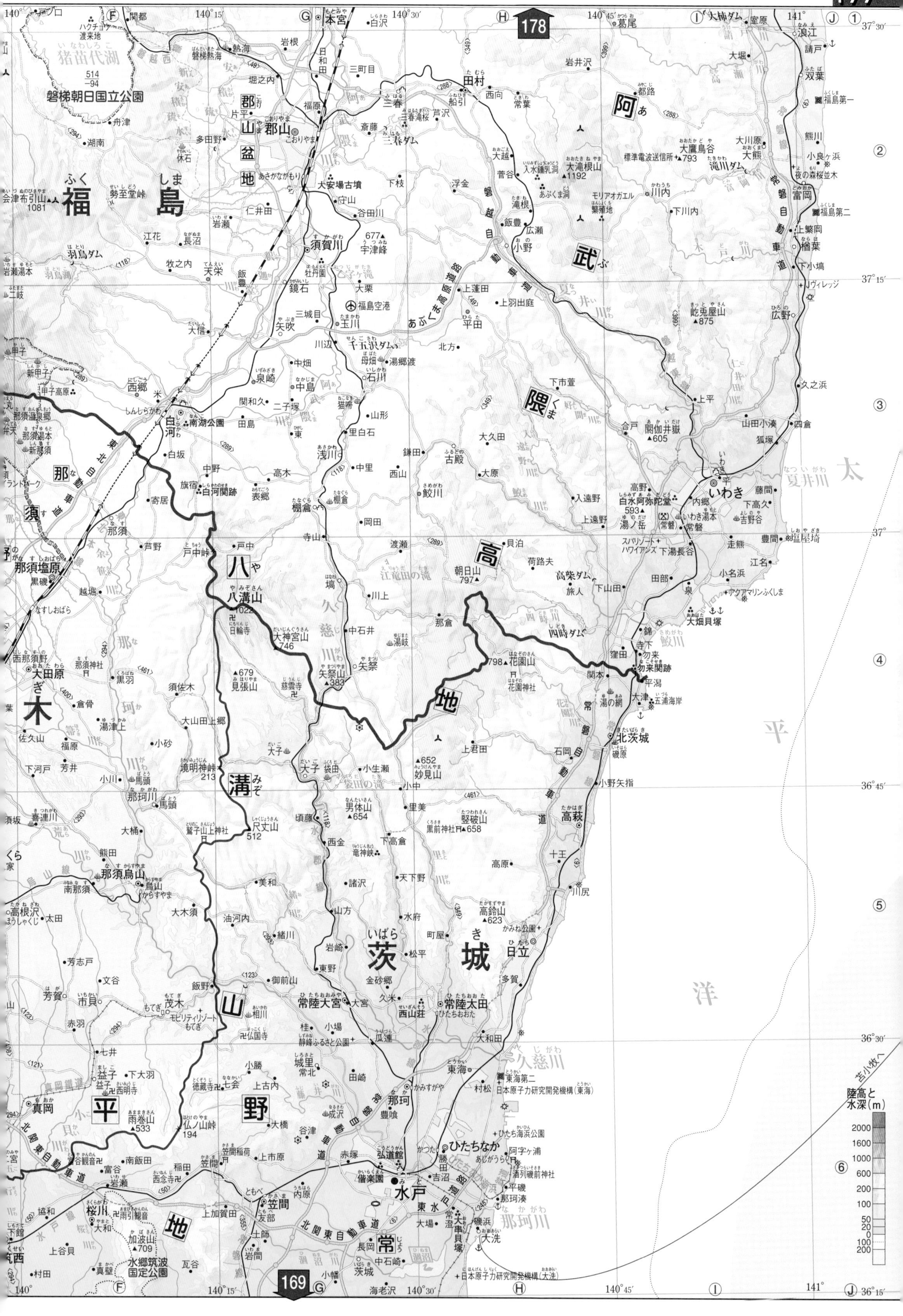

178

169

磐梯朝日国立公園

福島

しま

盆地

郡山
こおりやま

郡山

阿

あ

武

ぶ

隈

くま

高

地

八

や

八溝山

溝

みぞ

山

や

ま

平

野

那須塩原

栃

木

大田原

おおたわら

平

野

地

茨

いばら

城

き

常

陸

水戸

ひたちなか

太

平

洋

陸高と
水深(m)

2000
1600
1000
600
200
100
50
20
10
0
10
50
100
200

いわき

北茨城

高萩

日立

常陸太田

常陸大宮

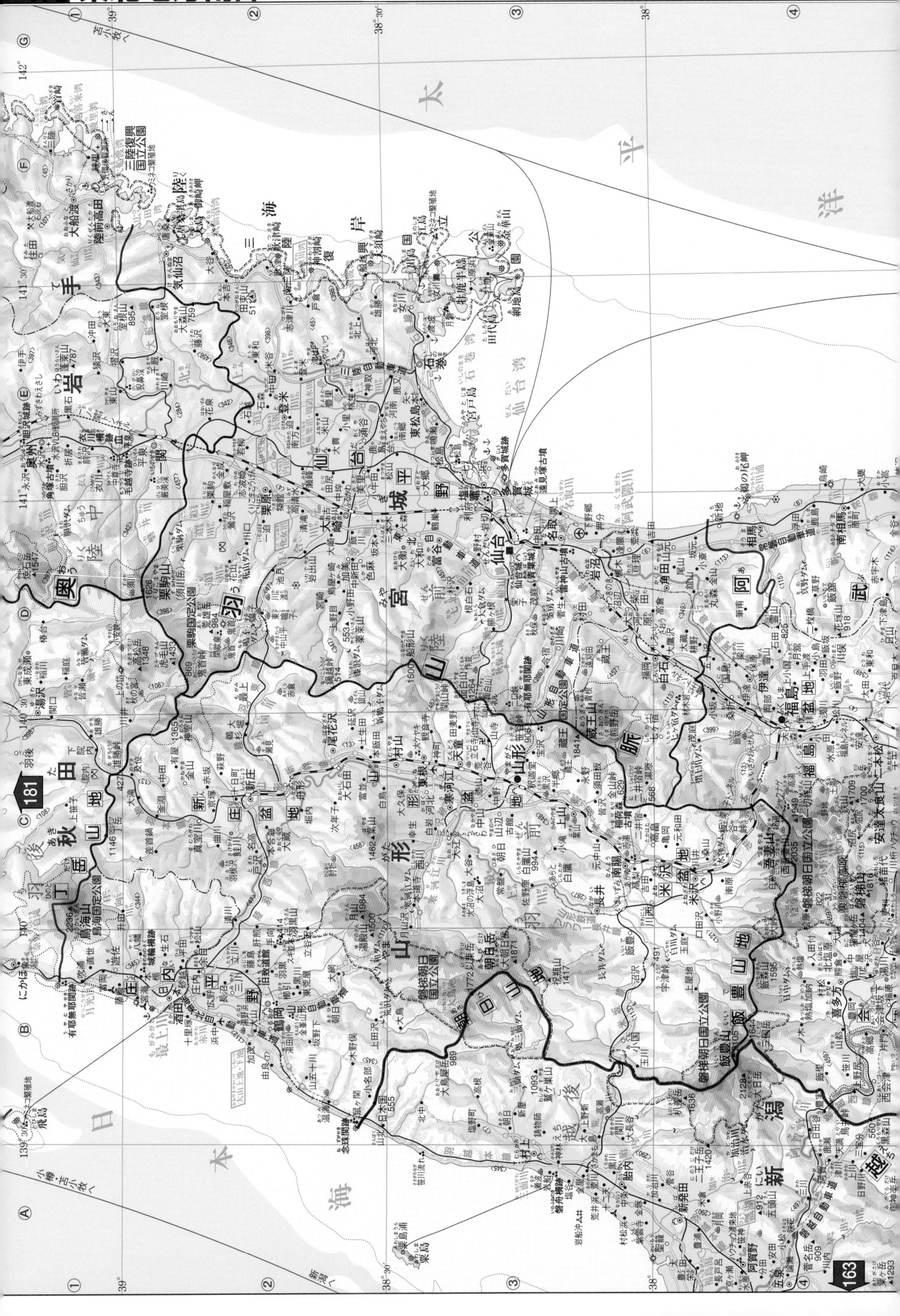

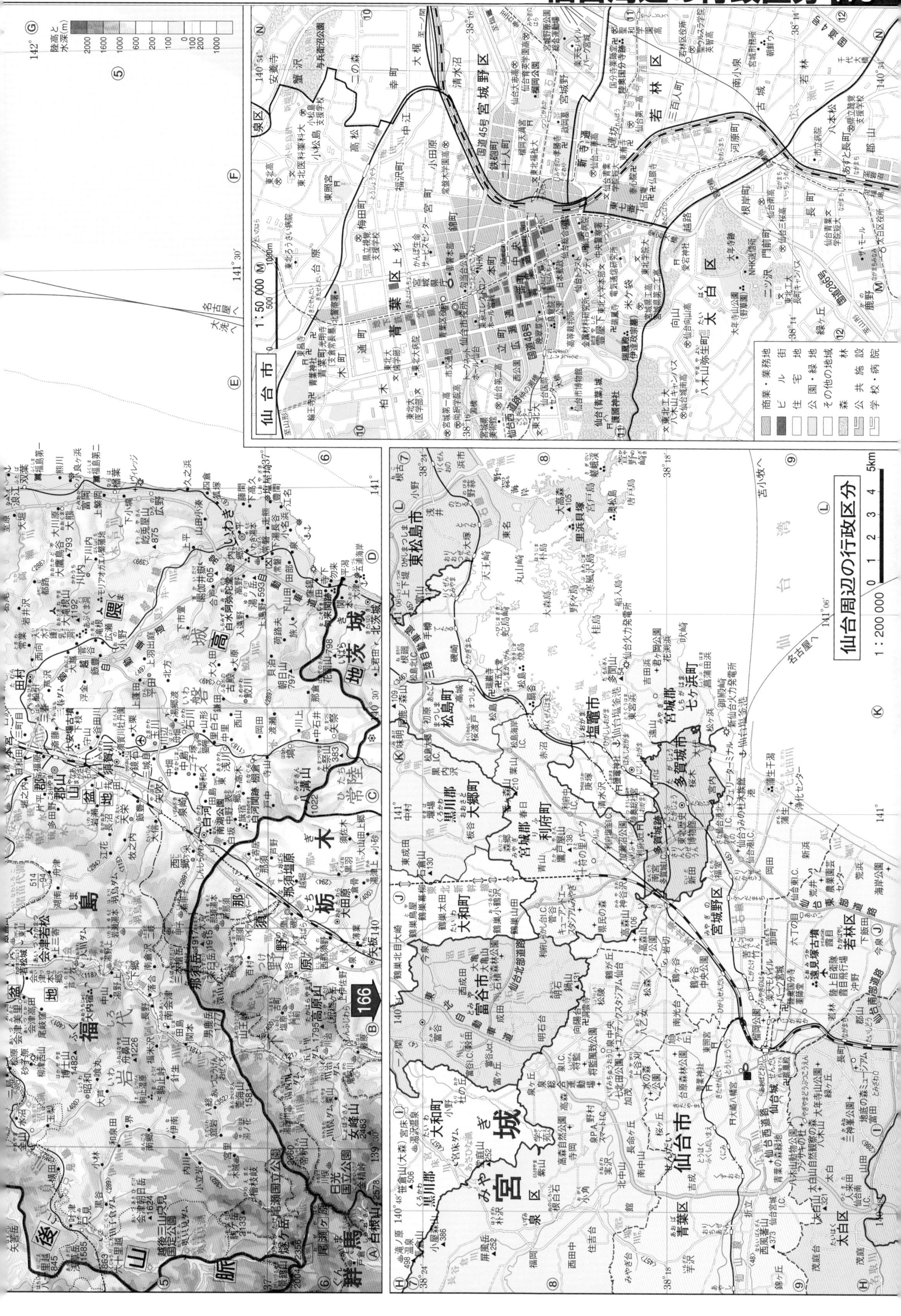
仙台市
1：50 000
青葉区
宮城野区
若林区
太白区
泉区
商業・業務地
ビル街
住宅地
公園・緑地
その他の地域
森林
公共施設
学校・病院
仙台周辺の行政区分
1：200 000
0 1 2 3 4 5km
仙台市
多賀城市
塩竈市
松島町
七ヶ浜町
利府町
富谷市
大和町
大郷町
東松島市
宮城
福島
栃木
茨城
群馬
166

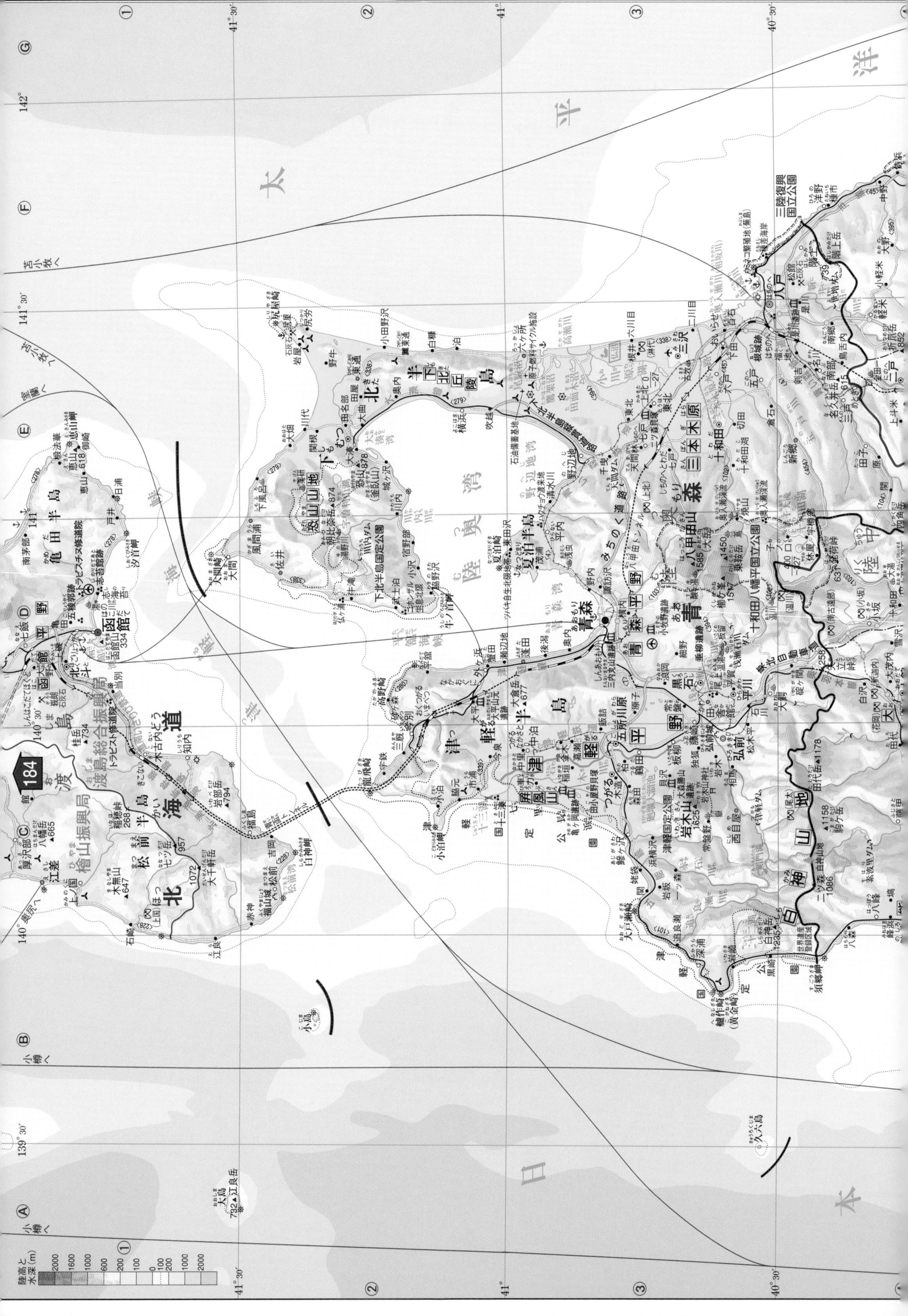

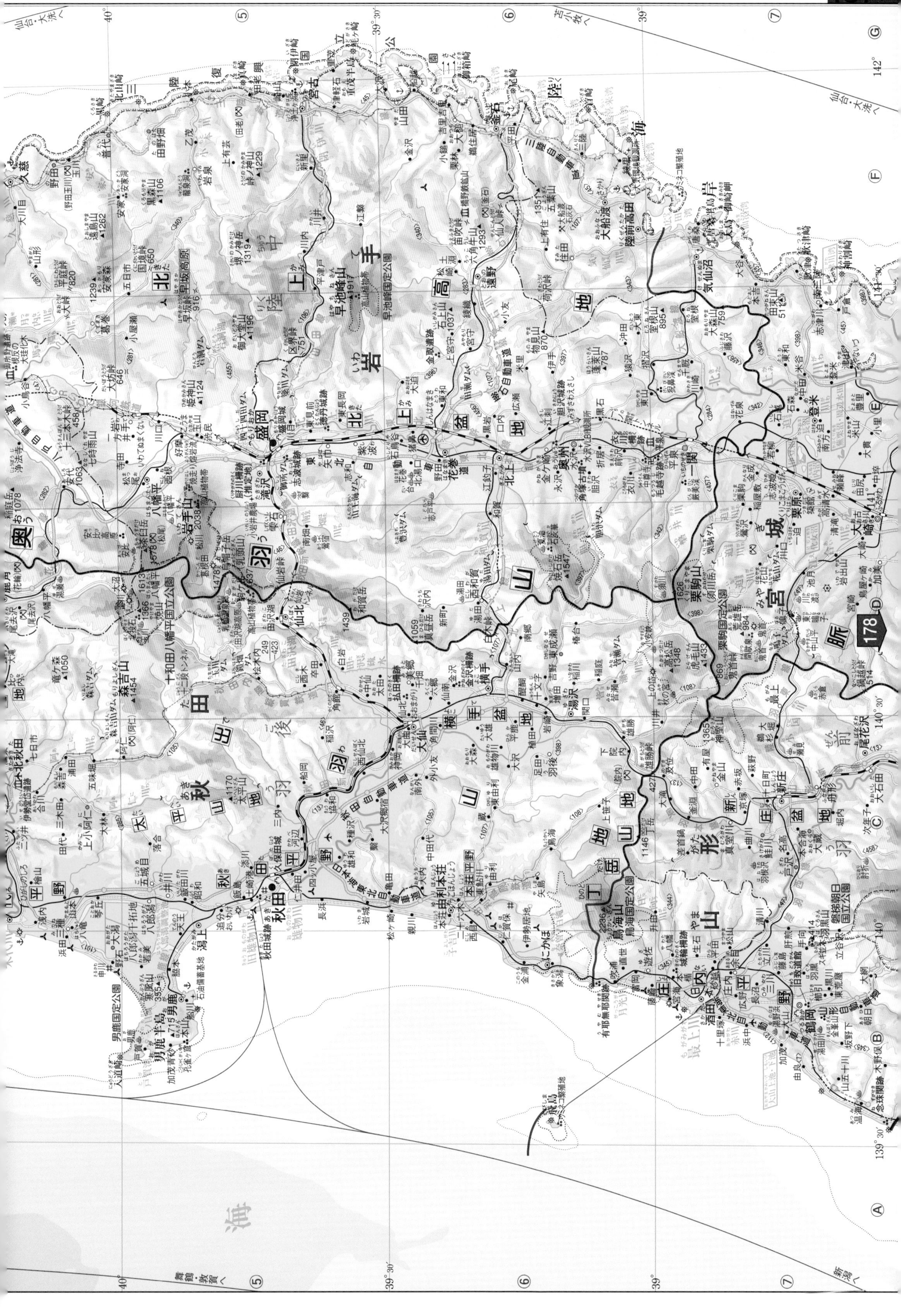
秋田
盛岡
宮古
釜石
大船渡
陸前高田
気仙沼
一関
花巻
北上
遠野
横手
大仙
湯沢
新庄
酒田
鶴岡
由利本荘
男鹿
男鹿半島
早池峰山
岩手山
鳥海山
栗駒山
十和田八幡平国立公園
早池峰国定公園
鳥海国定公園
男鹿国定公園
栗駒国定公園
磐梯朝日国立公園
178

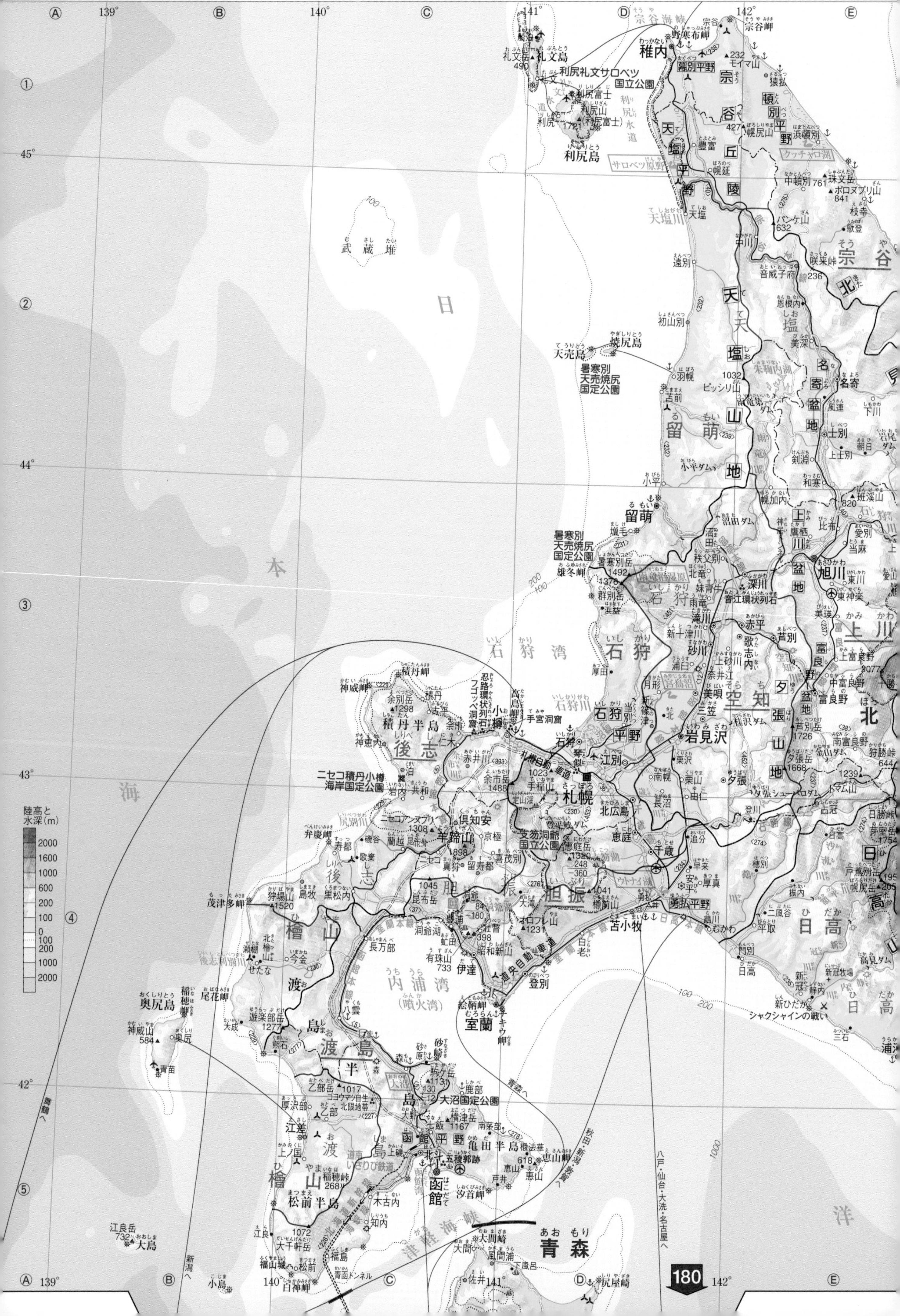

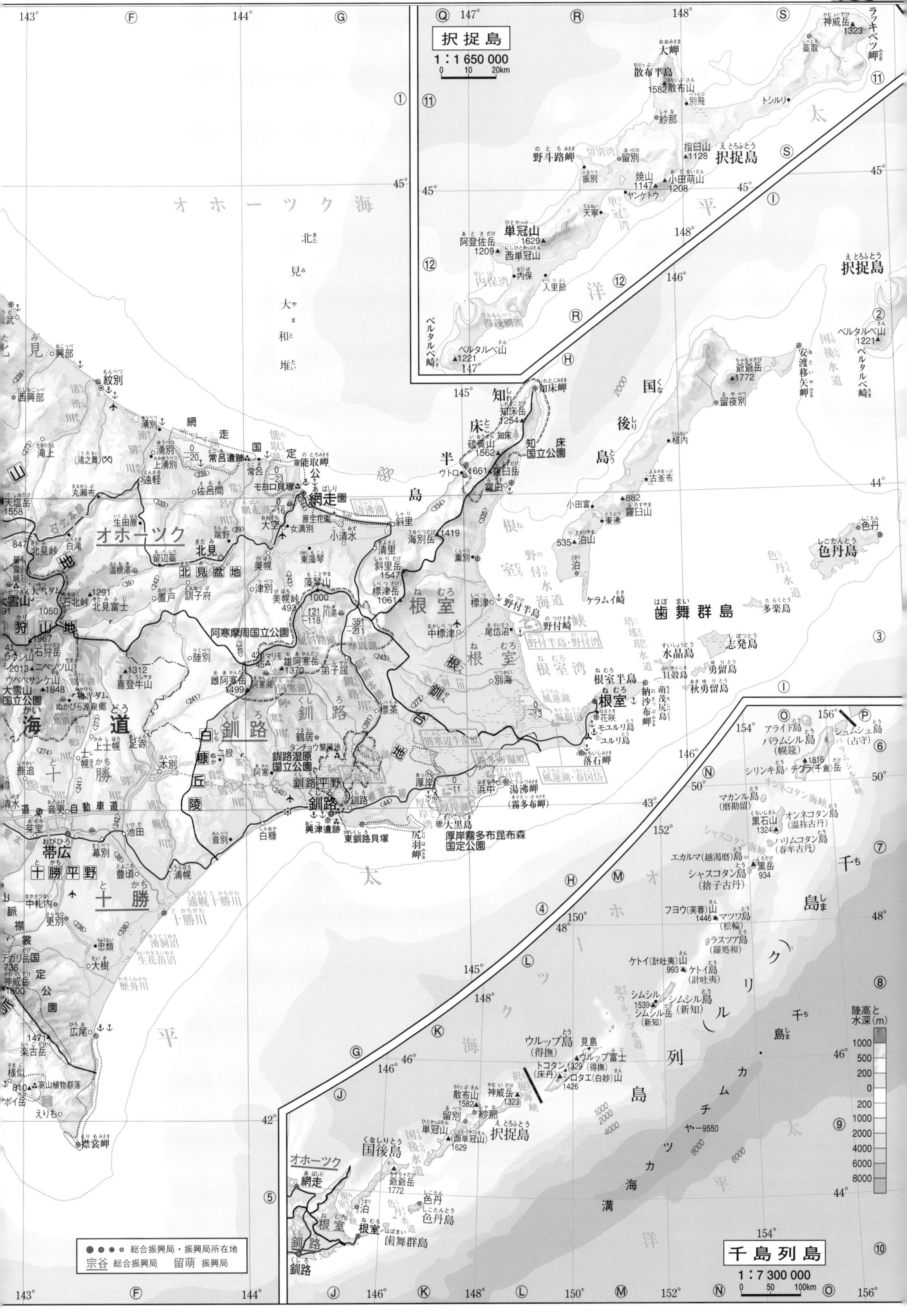

択捉島
1：1 650 000
0　10　20km

オホーツク海

北見大和堆

択捉島

大岬
散布半島
1582散布山
別飛
野斗路岬
紗那
留別
留別湾
焼山
1147
小田萌山
1208
ヤンケトウ
天寧
指臼山
1128　択捉島

単冠山
1629
阿登佐岳
1209
西単冠山
内保
単冠湾
内保
内保湾
入里節
ベルタルベ山
1221
ベルタルベ崎
得後別湖
147

太平洋

択捉島

ベルタルベ山
1221
ベルタルベ崎
安渡移矢岬
爺爺岳
1772
国後島
留夜別
植内
国後水道
古釜布

小田富
羅臼山
882
東沸
泊山
535

色丹島
色丹島

水晶島
貝殻島
勇留島
秋勇留島
志発島

歯舞群島
多楽島

知床岬
知床岳
1254
知床
知床半島
硫黄山
1562
羅臼岳
1661
羅臼
ウトロ
知床国立公園

斜里岳
1547
海別岳
1419
標津岳
1061

紋別
西興部
興部
滝上
遠軽
湧別
上湧別
常呂遺跡
網走
能取岬
モヨロ貝塚
常呂
佐呂間
生田原
北見
北見盆地
端野
訓子府
置戸
温根湯
北見富士
石北峠
1050
北見峠
白滝
天塩岳
1558
石狩山地
大雪山
大雪山
国立公園
旭岳
2291
ウペペサンケ山
ニペソツ山
2013
喜登牛山
1312
雄阿寒岳
1370
雌阿寒岳
1499
阿寒湖
阿寒摩周国立公園
弟子屈
摩周湖
屈斜路湖
マリモ
陸別
足寄
本別
池田
幕別

オホーツク
北見
美幌
津別
美幌峠
藻琴山
1000
網走湖
能取湖
サロマ湖
大空
女満別
東藻琴
清里
小清水
斜里
中標津
標茶
標津
薫別

太平洋

根室
野付半島
野付崎
尾岱沼
風蓮湖
根室湾
別海
根室
根室半島
納沙布岬
落石岬
花咲
モユルリ島
ユルリ島
温根沼

釧路
釧路湿原
国立公園
鶴居
タンチョウ繁殖地
阿寒
釧路川
釧路平野
釧路
釧路
音別
白糠
厚岸
浜中
霧多布岬
湯沸岬
（霧多布岬）
厚岸霧多布昆布森
国定公園
興津遺跡
東釧路貝塚
尻羽岬
大黒島
小島

十勝平野
帯広
十勝
十勝川
浦幌
豊頃
池田
本別
足寄
士幌
上士幌
ぬかびら源泉郷
然別湖
芽室
更別
中札内
忠類
大樹
広尾
様似
えりも
襟裳岬

日高山脈

アポイ岳
810
高山植物群落

ペテガリ岳
1736
神威山
1600
国定公園

千島列島
1：7 300 000
0　50　100km

オホーツク海

アライド島
パラムシル島
（幌筵）
シムシュ島（占守）
シリンキ島
チクラ（千倉）岳
1816
マカンル島
（磨勘留）
黒石山
934
オンネコタン島
（温禰古丹）
ハリムコタン島
（春牟古丹）
エカルマ（越渇磨）島
黒岳
934
シャスコタン島
（捨子古丹）
フヨウ（芙蓉）島
1446
マツワ島
（松輪）
ラスツア島
（羅処和）
ケトイ（計吐夷）山
993
ケトイ島
（計吐夷）
シムシル島（新知）
シムシル岳
（新知）
1539
ウルップ島
（得撫）
見島
ウルップ富士
トコタン山
1329
（床丹）
シロタエ（白妙）山
1426
散布山
神威岳
1323
択捉島
留別
紗那
単冠山
1629
西単冠山

千島列島

カムチャツカ半島
千島カムチャツカ海溝
ヤー　9550

太平洋

オホーツク
網走
国後島
国後水道
爺爺岳
1772
色丹
泊
色丹島
歯舞群島
釧路
根室

陸高と
水深 (m)
1000
500
200
0
200
1000
2000
4000
6000
8000

●◎●○● 総合振興局・振興局所在地
宗谷 総合振興局　留萌 振興局

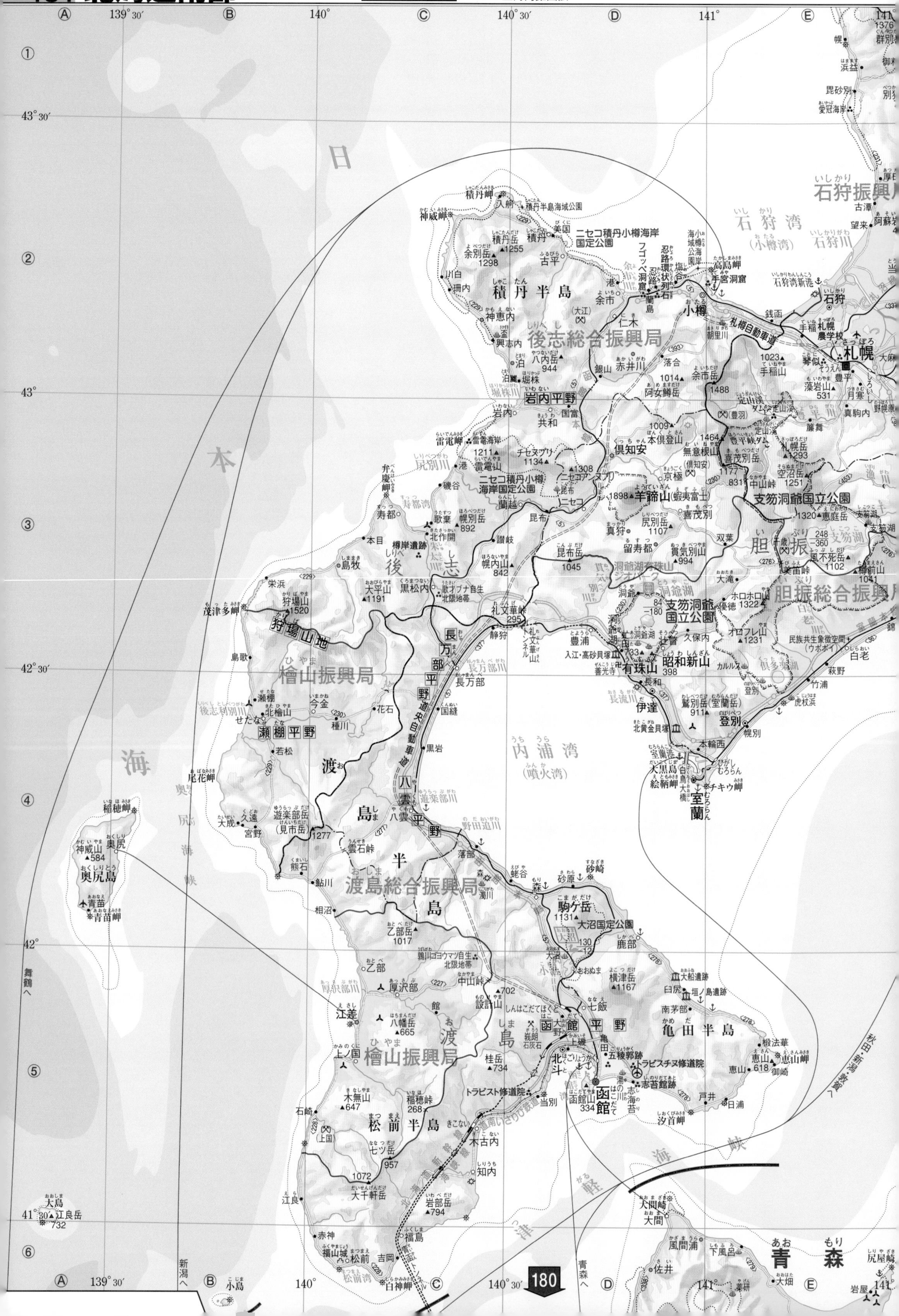

日本海
積丹半島
後志総合振興局
石狩湾（小樽湾）
石狩振興局
小樽
札幌
余市
岩内平野
羊蹄山
倶知安
ニセコ
支笏洞爺国立公園
ニセコ積丹小樽海岸国定公園
洞爺湖
有珠山
昭和新山
伊達
登別
室蘭
内浦湾（噴火湾）
胆振総合振興局
檜山振興局
狩場山地
瀬棚平野
長万部
八雲
渡島半島
渡島総合振興局
駒ケ岳
大沼国定公園
森
江差
奥尻島
函館
函館平野
亀田半島
北斗
松前半島
松前
福島
知内
木古内
津軽海峡
大間崎
大間
青森
恵山岬
汐首岬
白神岬
大島
小島
青苗岬
稲穂岬
尾花岬
茂津多岬
白老
苫小牧
室蘭本線
道央自動車道
札樽自動車道

180

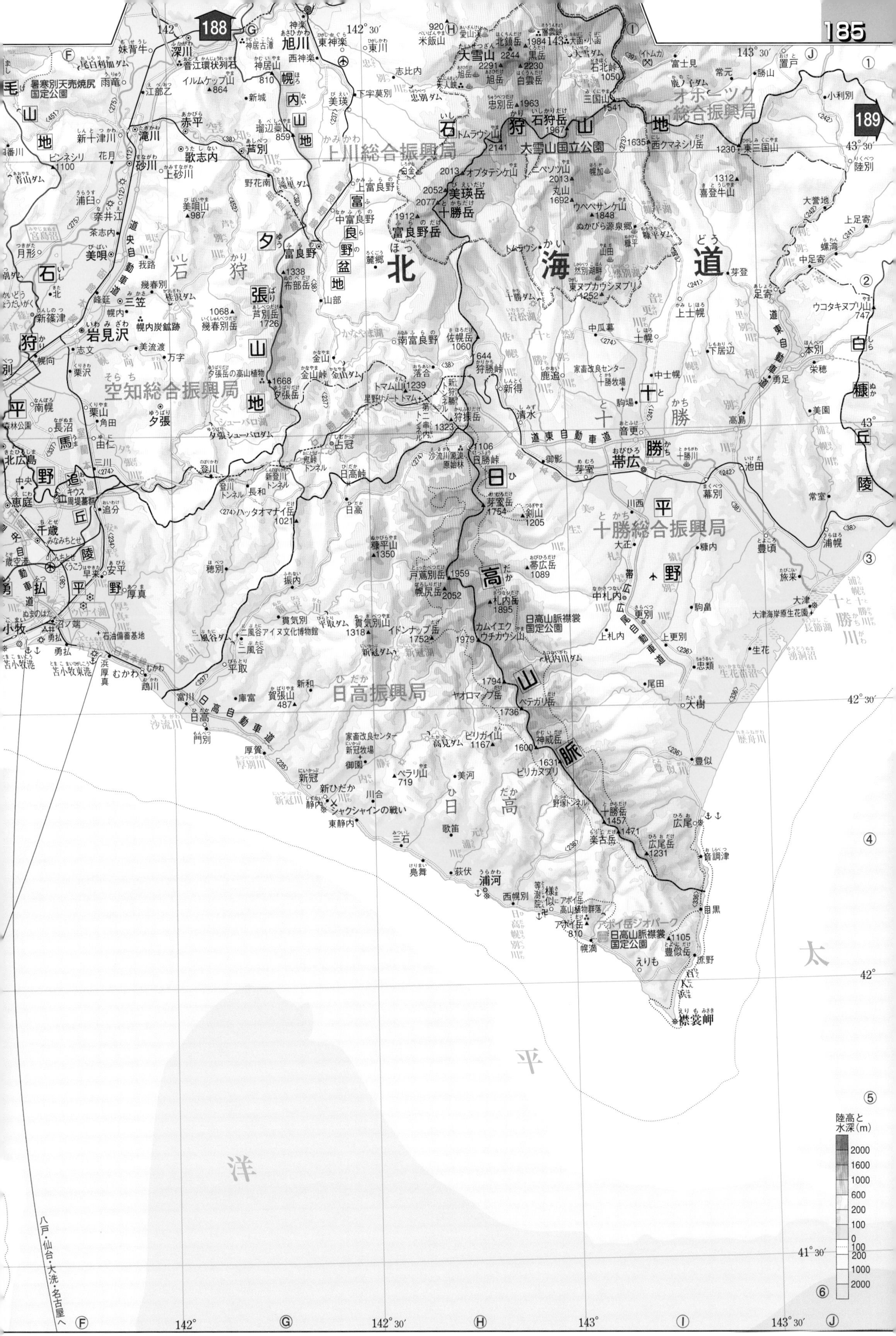
188
189
北海道
石狩山地
夕張山地
日高山脈
十勝平野
日高振興局
十勝総合振興局
上川総合振興局
空知総合振興局
オホーツク総合振興局
大雪山国立公園
日高山脈襟裳国定公園
暑寒別天売焼尻国定公園
富良野盆地
石狩平野
馬追丘陵
白糠丘陵
太平洋
旭川
深川
滝川
砂川
美唄
岩見沢
夕張
富良野
帯広
池田
幕別
芽室
清水
新得
鹿追
音更
上士幌
士幌
足寄
陸別
本別
浦幌
豊頃
大樹
広尾
浦河
様似
えりも
新冠
静内
新ひだか
平取
むかわ
厚真
安平
千歳
恵庭
北広島
苫小牧
日高
占冠
南富良野
中富良野
上富良野
美瑛
東川
東神楽
大雪山
旭岳
2291
十勝岳
2077
美瑛岳
2052
富良野岳
1912
トムラウシ山
2141
石狩岳
1967
ニペソツ山
2013
ウペペサンケ山
1848
芦別岳
1726
夕張岳
1668
トマム山
1239
狩勝峠
日勝峠
芽室岳
1754
戸蔦別岳
1959
幌尻岳
2052
札内岳
1895
カムイエクウチカウシ山
1979
ペテガリ岳
1736
神威岳
1600
楽古岳
1471
広尾岳
1231
豊似岳
1105
アポイ岳
810
襟裳岬
十勝川
道東自動車道
道央自動車道
日高自動車道
帯広広尾自動車道
然別湖
糠平湖
かなやま湖
シューパロ湖
シャクシャインの戦い
陸高と水深(m)
2000
1600
1000
600
200
100
0
100
200
1000
2000
八戸・仙台・大洗・名古屋へ
142°
142° 30′
143°
143° 30′
43° 30′
43°
42° 30′
42°
41° 30′
F
G
H
I
J
①
②
③
④
⑤
⑥

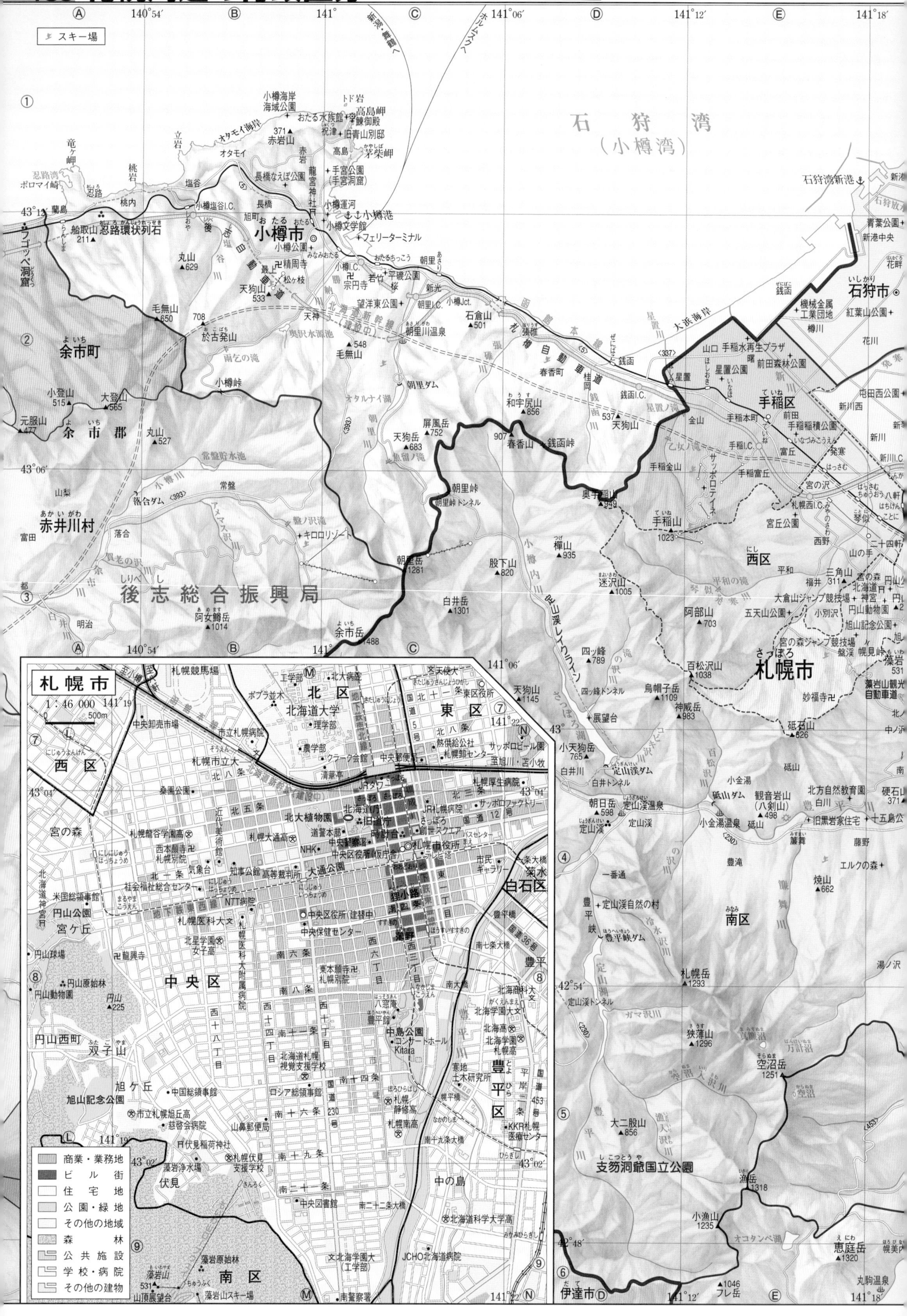
1：200 000
0 1 2 3 4 5km
スキー場
石狩湾
(小樽湾)
石狩湾新港
石狩市
小樽市
余市町
余市郡
赤井川村
後志総合振興局
手稲区
西区
札幌市
南区
伊達市
支笏洞爺国立公園
札幌岳
空沼岳
定山渓ダム
豊平峡ダム
定山渓温泉
小樽港
小樽運河
忍路環状列石
キロロリゾート
朝里岳
余市岳
天狗山
手稲山
砥石山
藻岩山
恵庭岳
漁岳
札幌市
1：46 000
500m
北区
東区
中央区
白石区
豊平区
南区
西区
北海道大学
札幌市役所
北海道庁
旧道庁
時計台
大通公園
狸小路
薄野
中島公園
円山公園
円山動物園
双子山
旭山記念公園
藻岩原始林
商業・業務地
ビル街
住宅地
公園・緑地
その他の地域
森林
公共施設
学校・病院
その他の建物

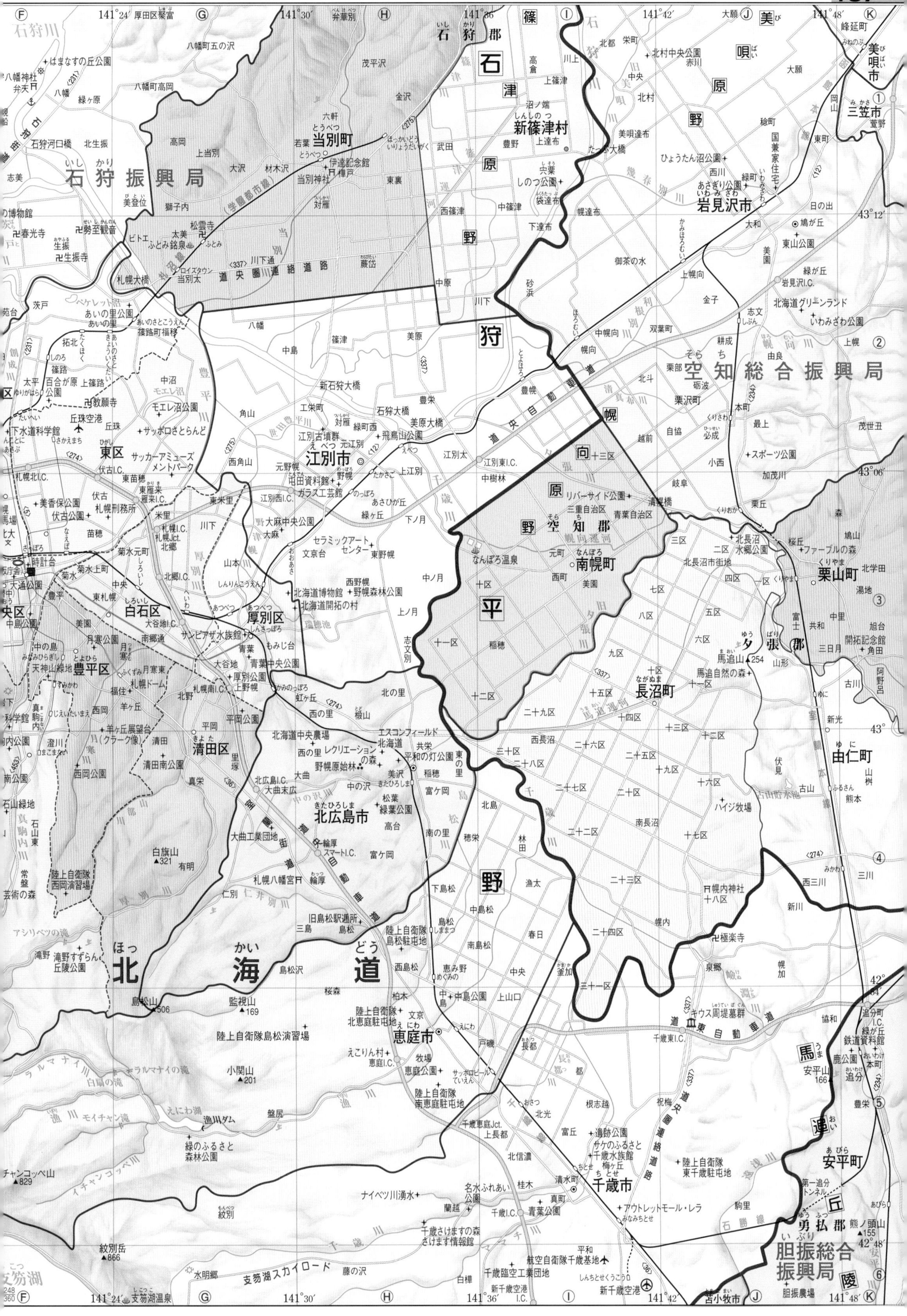

石狩川

(F) 141°24′ 厚田区繁富 (G) 141°30′ 弁華別 (H) 141°36′ 篠 (I) 石 141°42′ 大願 (J) 美 141°48′ 峰延町 (K)
美唄市
三笠市

石狩振興局

当別町

石狩郡

新篠津村

原

野

岩見沢市

43°12′

空知総合振興局

江別市

43°06′

狩

幌

原

野

空知郡

南幌町

平

長沼町

43°

栗山町

夕張郡

由仁町

東区

白石区

厚別区

豊平区

清田区

北広島市

野

北　海　道

千歳市

恵庭市

42°54′

胆振総合
振興局

42°48′

(F) 141°24′ 支笏湖温泉 (G) 141°30′ (H) 141°36′ 新千歳空港 (I) 141°42′ (J) 141°48′ 苫小牧市 (K)

0　　10　　20km

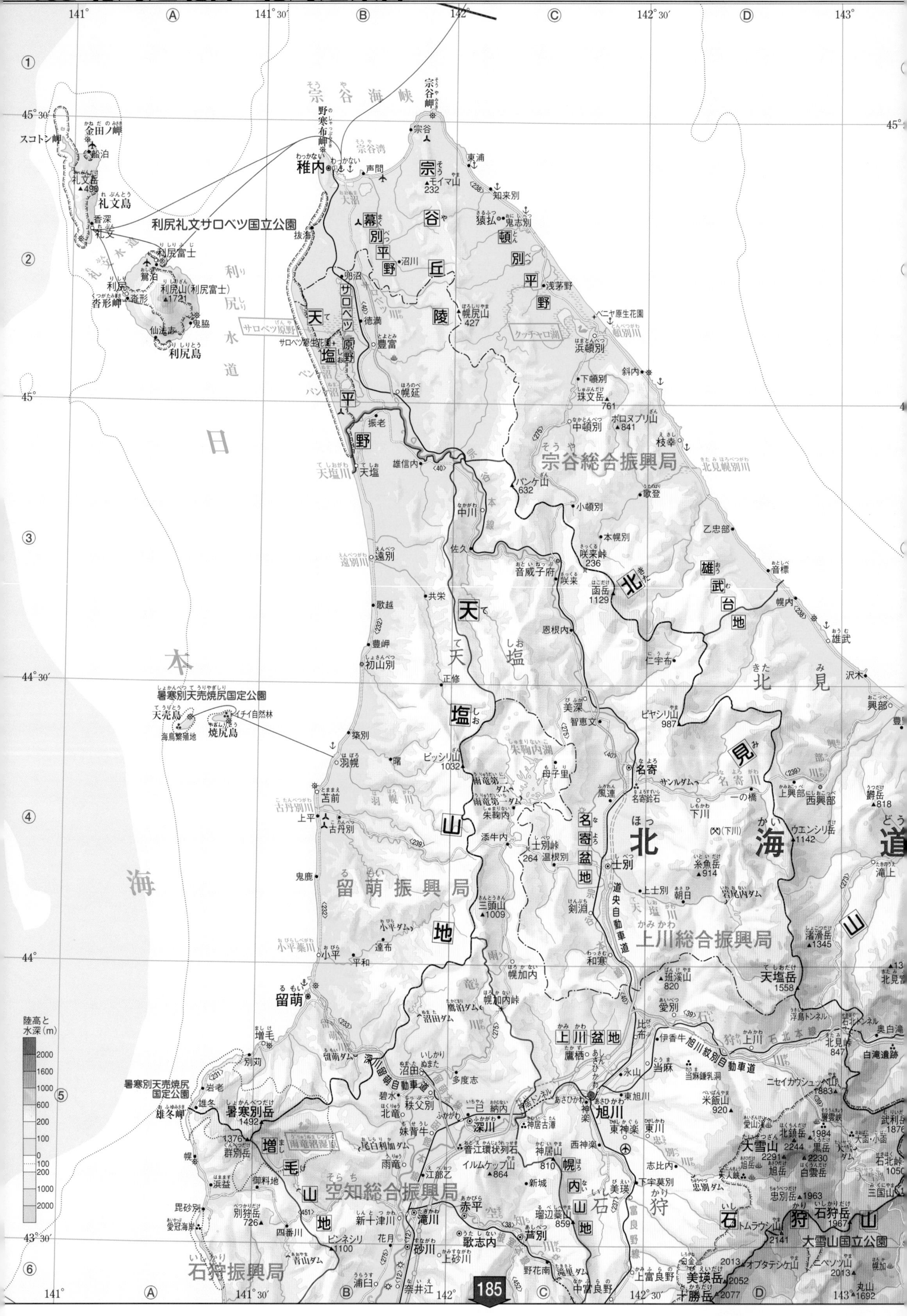

スコトン岬
金田ノ岬
船泊
礼文岳 ▲499
礼文島
香深
和
利尻礼文サロベツ国立公園
利尻富士
鴛泊
利尻山 (利尻富士) ▲1721
沓形岬
香形岬
沓形
鬼脇
仙法志
利尻島

利尻水道

日　本　海

北　海

宗谷海峡
野寒布岬
宗谷岬
稚内
宗谷
宗谷湾
声問
モイマ山 232
東浦
知来別
猿払
鬼志別

天塩川

幕別平野
抜海
沼川
徳満
豊富
兜沼
宗谷丘陵
幌尻山 427

頓別平野
浅茅野
ベニヤ原生花園
クッチャロ湖
浜頓別

サロベツ原野
サロベツ原生花園
ペンケ沼
パンケ沼

天塩平野
幌延
振老
天塩

雄信内
中川
本線
佐久
音威子府
咲来

遠別
遠別川
歌越
共栄

豊岬
初山別

下頓別
珠文岳 761
中頓別
ボロヌプリ山 ▲841
枝幸
乙忠部
音標

宗谷総合振興局
北見幌別川

本幌別
咲来峠 236
恩根内
仁宇布

北見台地
雄武台地
幌内
雄武

天塩山
正修

美深
智恵文
風連
名寄鈴石

ピヤシリ山 987
沢木
興部
豊部

暑寒別天売焼尻国定公園
天売島
ウエンナイ自然林
海鳥繁殖地
焼尻島

築別
羽幌

ピッシリ山 1032
朱鞠内湖
母子里

名寄
名寄盆地
下川
一の橋
上興部 西興部
鶴岳 ▲818

北　見　川

古丹別川
上平
古丹別
苫前
羽幌川

南暑寒岳 ダム
南暑寒第一ダム
朱鞠内
添牛内

士別
温根別

士別
朝日
岩尾内ダム
ウエンシリ岳 ▲1142
糸魚岳 ▲914

北

海

道

滝上
渚滑岳 ▲1345

鬼鹿

鬼鹿
小平蘂川
小平
平和

三頭山 ▲1009
剣淵

道央自動車道

山

留萌振興局

幌加内
幌加内峠

上川総合振興局

班溪山 ▲820
天塩岳 ▲1558
愛別

留萌
増毛

別苅
雨竜ダム
沼田ダム

竜
幌加内

比布
当麻

浮島トンネル
石北本線
北見峠 847
石北トンネル
奥白滝
白滝遺跡

地

暑寒別天売焼尻
国定公園
雄冬岬
暑寒別岳 ▲1492
群別岳 ▲1376

岩老
雄冬
増毛

沼田
北竜
碧水

深川
妹背牛
一巳 納内
深川

上川盆地
鷹栖
永山
当麻
旭川
東旭川
東神楽

上川
旭川紋別自動車道
伊香牛
当麻鍾乳洞

米飯山 ▲920
ニセイカウシュッペ山 ▲1883

愛山渓
北鎮岳 ▲1984

空知総合振興局

幌
御料地
浜益
昆布岬
別狩岳 ▲726
愛冠海岸

群別岳
南竜沼湿原
尾白利加ダム

滝川
江部乙

新十津川
滝川
砂川

音江環状列石
イルムケップ山 ▲864

西神楽
神居古潭

神楽
神居
西神楽

美瑛

志比内

赤平
芦別

歌志内
上砂川

砂川
野花南
空知川

幌
内
山
地

石
狩
山
地

忠別ダム
愛別岳 ▲1963
北鎮岳
大雪山 2244 2291
旭岳 2230
黒岳

大雪山国立公園

石狩岳 ▲1967
トムラウシ山 ▲2141

別狩岳
青山ダム
愛冠海岸
幌加山
四番川
ピンネシリ ▲1100
花月

新城
歌志内
下宇莫別
忠別
美瑛

上富良野
中富良野
富良野本線

石狩川
石狩山地

オプタテシケ山 ▲2013
美瑛岳 ▲2052
十勝岳 ▲2077
ニペソツ山 2013
丸山 ▲1692

陸高と水深(m)
2000
1600
1000
600
200
100
0
200
1000
2000

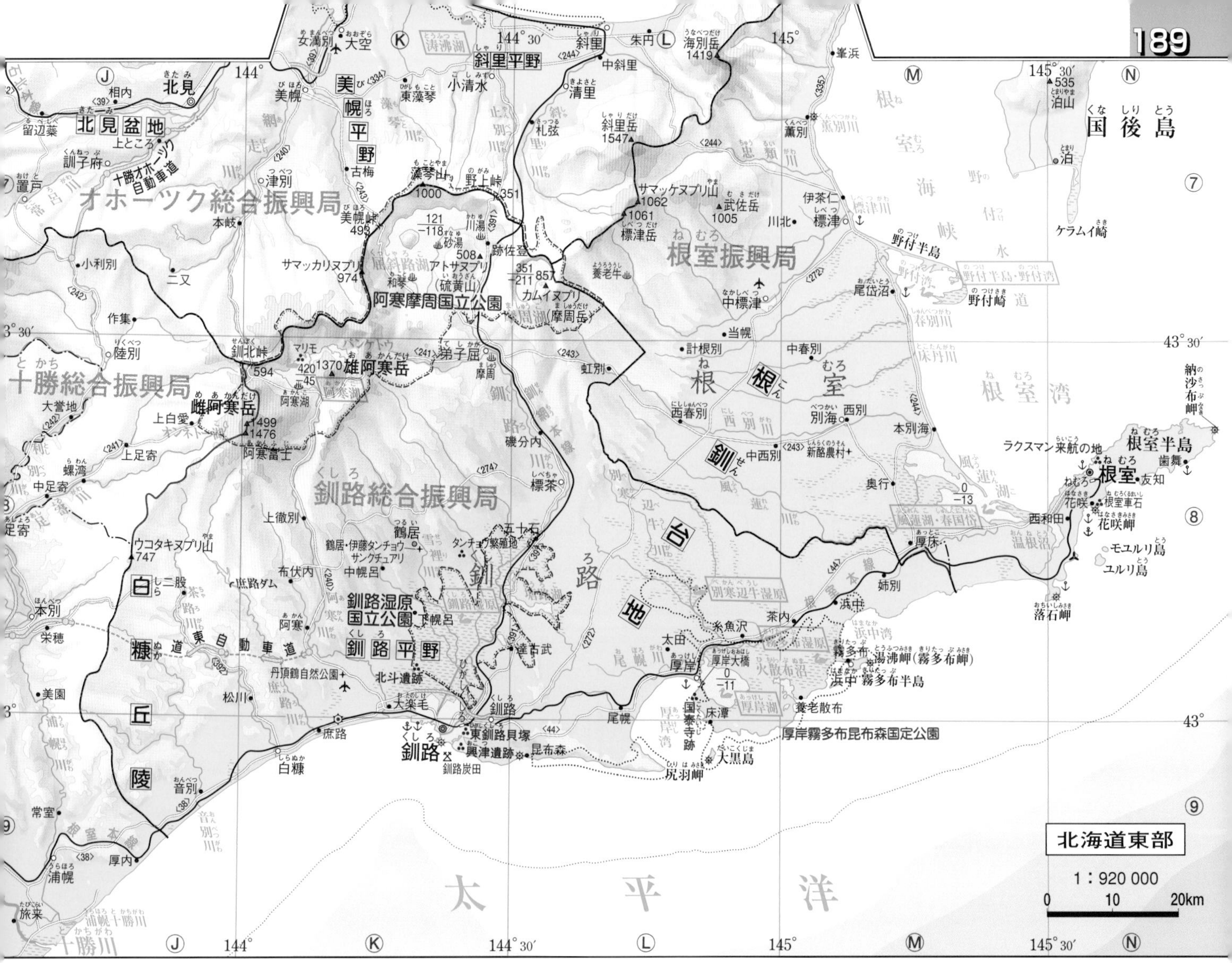

北海道東部
1：920 000
0 10 20km
国後島
根室海峡
野付半島
野付崎
根室振興局
根室湾
根室半島
根室
納沙布岬
花咲
花咲岬
落石岬
ユルリ島
モユルリ島
ラクスマン来航の地
風蓮湖・春国岱
温根沼
厚床
別海
西別川
中標津
標津
伊茶仁
薫別
標津岳
武佐岳
サマッケヌプリ山
斜里岳
斜里平野
斜里
朱円
海別岳
清里
中斜里
小清水
東藻琴
美幌
美幌平野
美幌峠
津別
北見
北見盆地
相内
留辺蘂
上ところ
訓子府
置戸
十勝オホーツク自動車道
オホーツク総合振興局
阿寒摩周国立公園
屈斜路湖
川湯
砂湯
硫黄山
アトサヌプリ
摩周岳
カムイヌプリ
摩周湖
弟子屈
雄阿寒岳
雌阿寒岳
阿寒富士
阿寒湖
釧北峠
サマッカリヌプリ
藻琴山
野上峠
釧路総合振興局
鶴居
標茶
釧路湿原国立公園
釧路平野
釧路
大楽毛
白糠
庶路
東釧路貝塚
興津遺跡
釧路炭田
北斗遺跡
丹頂鶴自然公園
昆布森
尻羽岬
大黒島
厚岸
厚岸湖
厚岸霧多布昆布森国定公園
霧多布
湯沸岬（霧多布岬）
霧多布半島
浜中
茶内
姉別
根釧台地
白糠丘陵
十勝総合振興局
浦幌
厚内
音別
陸別
本別
足寄
上足寄
ウコタキヌプリ山
道東自動車道
太平洋
144°
144°30′
145°
145°30′
43°30′
43°

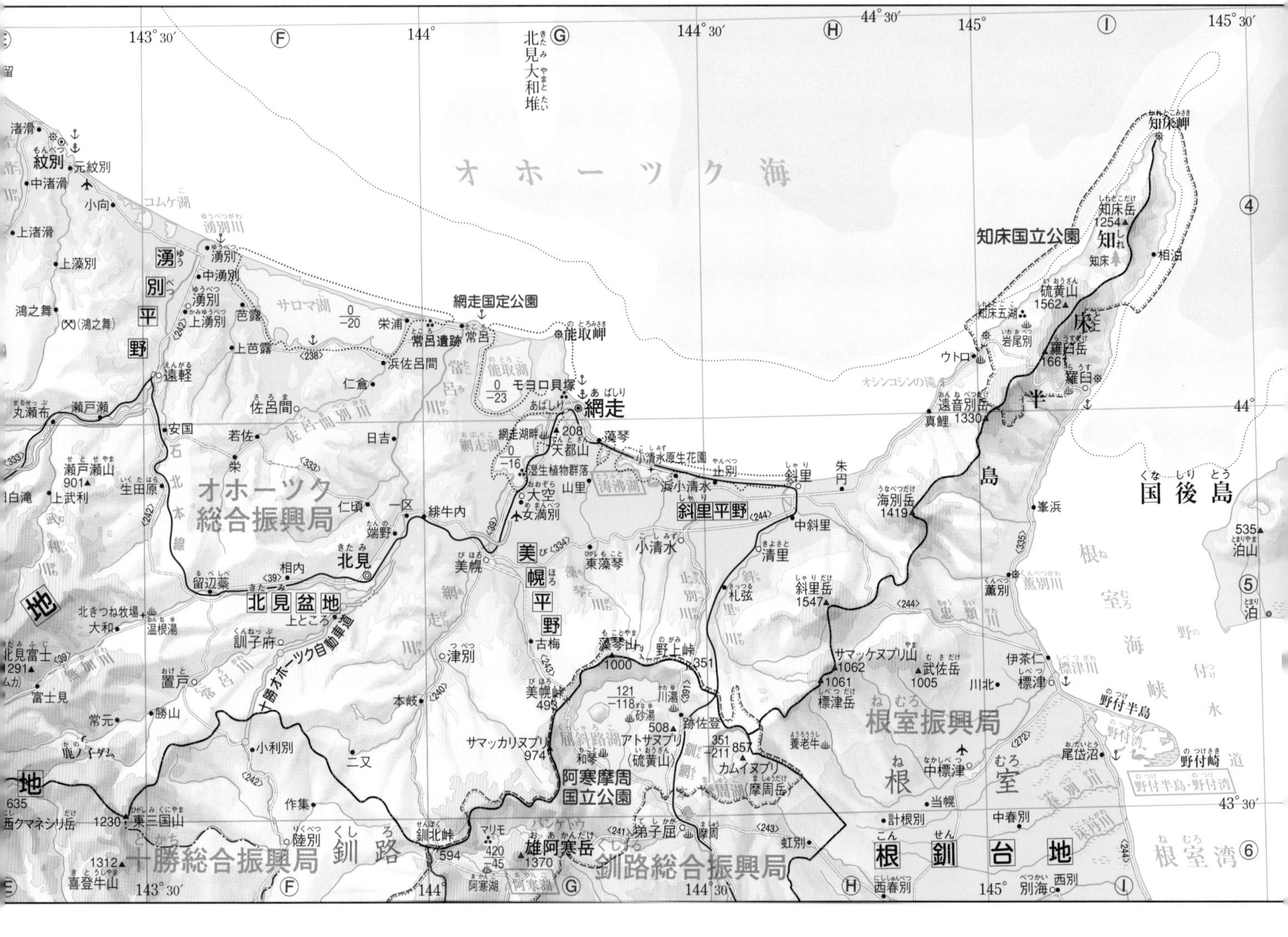

オホーツク海
北見大和堆
知床岬
知床岳
知床国立公園
知床半島
硫黄山
羅臼岳
羅臼
ウトロ
知床五湖
オシンコシンの滝
遠音別岳
真鯉
海別岳
斜里
朱円
斜里平野
峯浜
国後島
泊山
泊
根室海峡
野付半島
野付崎
標津
伊茶仁
川北
根室振興局
根室湾
中標津
根釧台地
網走国定公園
能取岬
能取湖
網走
モヨロ貝塚
網走湖
藻琴
小清水原生花園
濤沸湖
女満別
大空
常呂
常呂遺跡
サロマ湖
栄浦
浜佐呂間
佐呂間
湧別
湧別平野
遠軽
紋別
元紋別
コムケ湖
オホーツク総合振興局
北見
北見盆地
端野
美幌
美幌平野
津別
留辺蘂
訓子府
置戸
十勝オホーツク自動車道
阿寒摩周国立公園
屈斜路湖
雄阿寒岳
阿寒湖
釧北峠
釧路総合振興局
十勝総合振興局
陸別
東三国山
喜登牛山
143°30′
144°
144°30′
145°
145°30′
44°30′
44°
43°30′

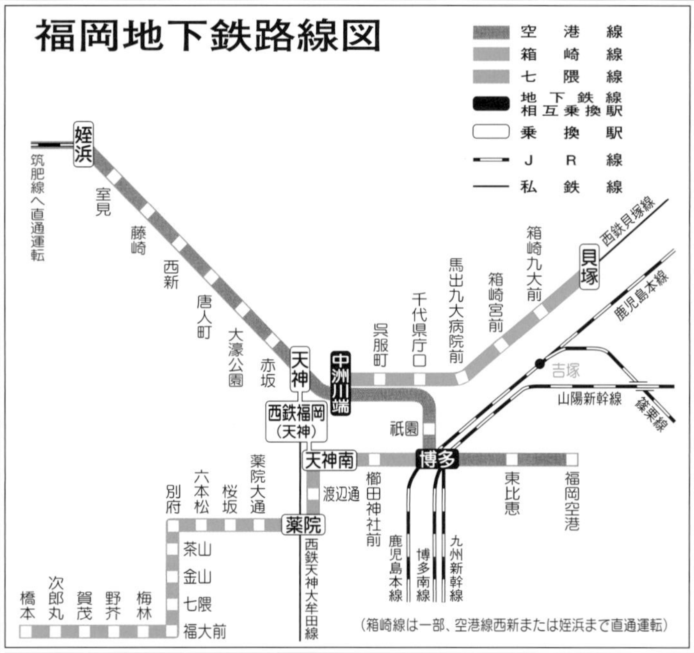

福岡地下鉄路線図
空港線
箱崎線
七隈線
地下鉄線相互乗換駅
乗換駅
JR線
私鉄線
姪浜
筑肥線へ直通運転
室見
藤崎
西新
唐人町
大濠公園
赤坂
天神
中洲川端
呉服町
千代県庁口
馬出九大病院前
箱崎宮前
箱崎九大前
貝塚
西鉄貝塚線
鹿児島本線
吉塚
山陽新幹線
篠栗線
西鉄福岡（天神）
祇園
博多
天神南
渡辺通
櫛田神社前
東比恵
福岡空港
薬院大通
桜坂
六本松
別府
薬院
西鉄天神大牟田線
鹿児島本線
博多南線
九州新幹線
茶山
金山
七隈
福大前
橋本
次郎丸
賀茂
野芥
梅林
（箱崎線は一部、空港線西新または姪浜まで直通運転）

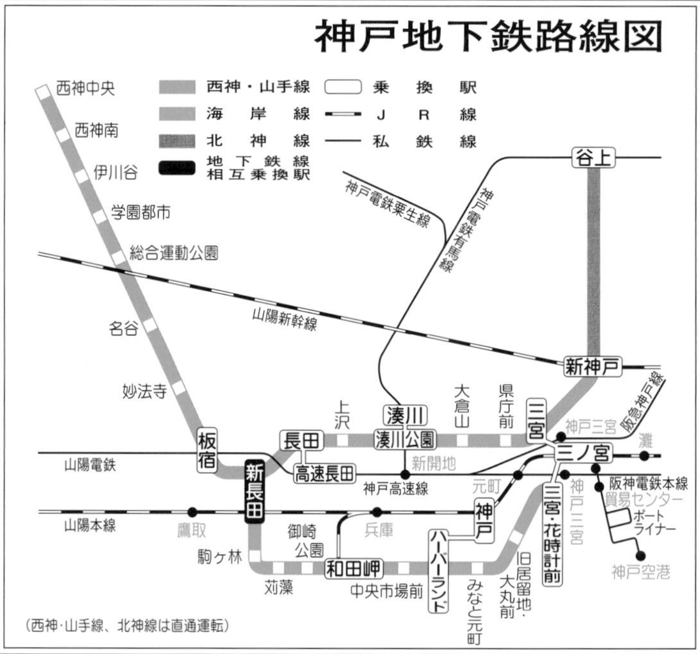

神戸地下鉄路線図
西神・山手線
海岸線
北神線
地下鉄線相互乗換駅
乗換駅
JR線
私鉄線
西神中央
西神南
伊川谷
学園都市
総合運動公園
名谷
妙法寺
板宿
新長田
長田
高速長田
上沢
湊川
湊川公園
大倉山
県庁前
三宮
新神戸
谷上
神戸電鉄粟生線
神戸電鉄有馬線
山陽新幹線
阪急神戸線
神戸三宮
灘
三ノ宮
阪神電鉄本線
貿易センター
ポートライナー
神戸空港
山陽電鉄
山陽本線
新開地
神戸高速線
元町
神戸
鷹取
兵庫
御崎公園
駒ヶ林
苅藻
和田岬
中央市場前
ハーバーランド
みなと元町
旧居留地・大丸前
三宮・花時計前
神戸三宮
（西神・山手線、北神線は直通運転）

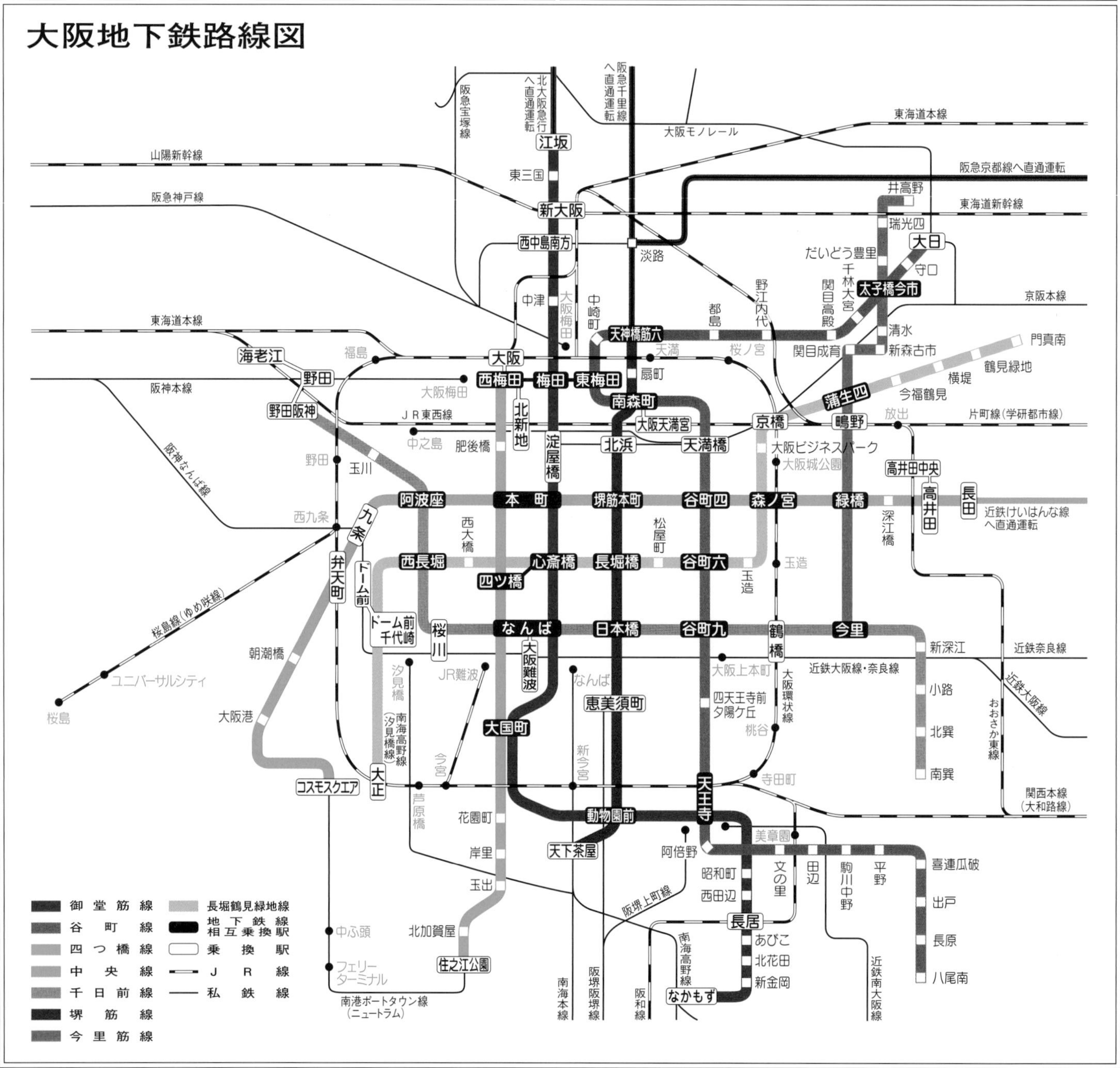

大阪地下鉄路線図
阪急宝塚線
北大阪急行へ直通運転
阪急千里線へ直通運転
江坂
東海道本線
大阪モノレール
山陽新幹線
東三国
阪急京都線へ直通運転
阪急神戸線
新大阪
井高野
東海道新幹線
瑞光四
西中島南方
淡路
大日
だいどう豊里
守口
千林大宮
関目高殿
太子橋今市
京阪本線
中津
大阪梅田
中崎町
野江内代
都島
天神橋筋六
清水
東海道本線
関目成育
新森古市
門真南
海老江
福島
大阪
天満
桜ノ宮
鶴見緑地
野田
横堤
阪神本線
大阪梅田
西梅田
梅田
東梅田
扇町
今福鶴見
蒲生四
野田阪神
JR東西線
南森町
京橋
鴨野
放出
片町線（学研都市線）
中之島
肥後橋
北新地
淀屋橋
大阪天満宮
北浜
天満橋
大阪ビジネスパーク
大阪城公園
阪神なんば線
野田
玉川
高井田中央
阿波座
本町
堺筋本町
谷町四
森ノ宮
緑橋
長田
高井田
近鉄けいはんな線へ直通運転
西九条
九条
西大橋
松屋町
深江橋
西長堀
心斎橋
長堀橋
谷町六
四ツ橋
玉造
弁天町
ドーム前
玉造
桜島線（ゆめ咲線）
ドーム前千代崎
桜川
なんば
日本橋
谷町九
鶴橋
今里
新深江
近鉄奈良線
朝潮橋
汐見橋
JR難波
大阪難波
なんば
大阪上本町
近鉄大阪線・奈良線
小路
近鉄大阪線
ユニバーサルシティ
桜島
大阪港
南海高野線（汐見橋線）
恵美須町
四天王寺前夕陽ケ丘
大阪環状線
北巽
おおさか東線
大国町
今宮
桃谷
南巽
新今宮
コスモスクエア
大正
寺田町
関西本線（大和路線）
芦原橋
花園町
動物園前
天王寺
美章園
天下茶屋
阿倍野
喜連瓜破
岸里
昭和町
文の里
田辺
駒川中野
平野
玉出
西田辺
阪堺上町線
出戸
中ふ頭
北加賀屋
長居
あびこ
長原
フェリーターミナル
住之江公園
北花田
八尾南
南港ポートタウン線（ニュートラム）
新金岡
南海本線
阪堺阪堺線
阪和線
南海高野線
なかもず
近鉄南大阪線
御堂筋線
谷町線
四つ橋線
中央線
千日前線
堺筋線
今里筋線
長堀鶴見緑地線
地下鉄線相互乗換駅
乗換駅
JR線
私鉄線

京都地下鉄路線図
烏丸線
東西線
地下鉄線相互乗換駅
乗換駅
JR線
私鉄線
北大路
鞍馬口
今出川
丸太町
烏丸御池
四条
五条
京都
九条
十条
くいな橋
竹田
近鉄京都線へ直通運転
太秦天神川
西大路御池
二条
二条城前
京都市役所前
三条京阪
東山
蹴上
御陵
山科
東野
椥辻
小野
醍醐
石田
六地蔵
国際会館
松ケ崎
北山
叡山電鉄鞍馬線
叡山電鉄本線
出町柳
三条
祇園四条
京都河原町
烏丸
四条大宮
嵐電天神川
嵐電嵐山本線
山陰本線
阪急京都線
東海道本線
東海道新幹線
東福寺
奈良線
京阪本線
京阪宇治線
京阪京津線
近鉄京都線
横浜地下鉄路線図
あざみ野
センター北
センター南
中川
川和町
仲町台
北山田
東山田
高田
日吉本町
日吉
新羽
北新横浜
新横浜
都筑ふれあいの丘
中山
岸根公園
片倉町
三ツ沢下町
三ツ沢上町
横浜
高島町
桜木町
関内
伊勢佐木長者町
阪東橋
吉野町
蒔田
弘明寺
上大岡
港南中央
上永谷
下永谷
舞岡
戸塚
踊場
中田
立場
下飯田
湘南台
小田急江ノ島線
東急田園都市線
中央林間
二俣川
西谷
相鉄本線
相鉄いずみ野線
相鉄新横浜線
横羽浜沢国大
東急新横浜線
東海道新幹線
横浜線
相鉄線直通
東急東横線
東海道本線・横須賀線
京浜急行本線
みなとみらい
馬車道
みなとみらい線
元町・中華街
石川町
根岸線
山手
根岸
ブルーライン
グリーンライン
乗換駅
JR線
私鉄線
地下鉄線相互乗換駅
仙台地下鉄路線図
泉中央
八乙女
黒松
旭ケ丘
台原
北仙台
仙山線
北四番丁
勾当台公園
広瀬通
あおば通
仙台
川内
青葉山
八木山動物公園
国際センター
大町西公園
青葉通一番町
五橋
愛宕橋
河原町
長町一丁目
長町
長町南
富沢
宮城野通
連坊
薬師堂
卸町
六丁の目
荒井
東北本線
東北新幹線
仙石線
東西線
南北線
地下鉄線相互乗換駅
乗換駅
JR線
名古屋地下鉄路線図
東山線
名城線
鶴舞線
桜通線
名港線
上飯田線
地下鉄線相互乗換駅
乗換駅
JR線
私鉄線
犬山
名鉄犬山線へ直通運転
名鉄小牧線へ直通運転
上小田井
庄内緑地公園
庄内通
浄心
浅間町
上飯田
平安通
志賀本通
黒川
大曽根
ナゴヤドーム前矢田
砂田橋
茶屋ヶ坂
自由ヶ丘
名城公園
名古屋城
丸の内
久屋大通
高岳
車道
今池
千種
栄
伏見
名古屋
国際センター
亀島
本陣
中村日赤
中村公園
岩塚
八田
高畑
太閤通
新栄町
大須観音
矢場町
上前津
鶴舞
東別院
荒畑
御器所
吹上
池下
覚王山
本山
東山公園
星ヶ丘
一社
上社
本郷
藤が丘
名古屋大学
八事日赤
八事
いりなか
川名
塩釜口
植田
原
平針
赤池
総合リハビリセンター
瑞穂運動場東
新瑞橋
妙音通
瑞穂運動場西
瑞穂区役所
桜山
金山
日比野
六番町
西高蔵
熱田神宮西
熱田神宮伝馬町
堀田
東海通
港区役所
築地口
名古屋港
桜本町
鶴里
野並
鳴子北
相生山
神沢
徳重
八草
愛・地球博記念公園
東部丘陵線（リニモ）
名鉄名古屋本線
東海道新幹線
東海道本線
名鉄津島線
中央本線
名鉄瀬戸線
近鉄名古屋線
関西本線
名古屋臨海高速鉄道（あおなみ線）
金城ふ頭
名鉄常滑線
名鉄豊田線へ直通運転
札幌地下鉄路線図
麻生
北34条
北24条
北18条
北12条
さっぽろ
大通
すすきの
中島公園
幌平橋
中の島
平岸
南平岸
澄川
自衛隊前
真駒内
栄町
新道東
元町
環状通東
東区役所前
北13条東
豊水すすきの
学園前
豊平公園
美園
月寒中央
福住
宮の沢
発寒南
琴似
二十四軒
西28丁目
円山公園
西18丁目
西11丁目
バスセンター前
菊水
東札幌
白石
南郷7丁目
南郷13丁目
南郷18丁目
大谷地
ひばりが丘
新さっぽろ
新札幌
札幌
苗穂
函館本線
札沼線（学園都市線）
八軒
桑園
千歳線
平和
東西線
南北線
東豊線
地下鉄線相互乗換駅
乗換駅
JR線

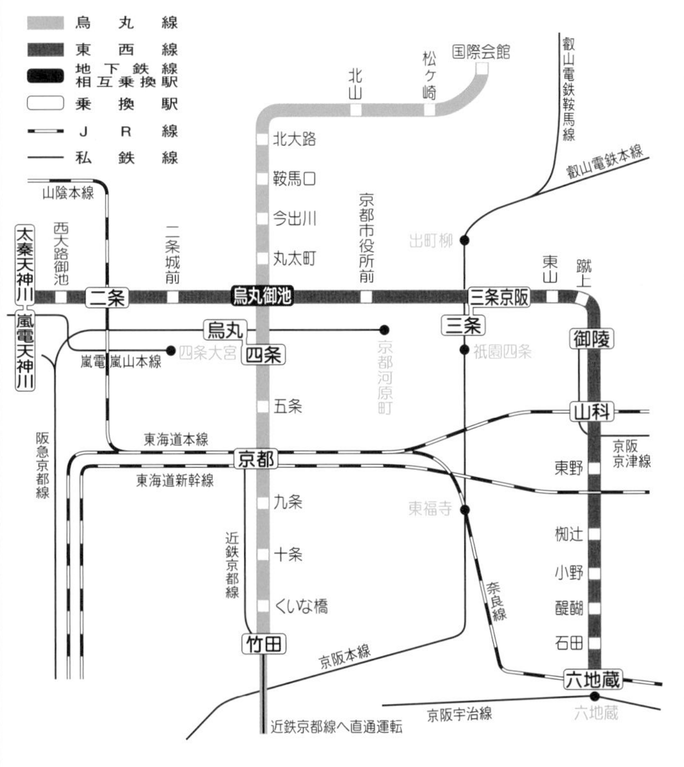

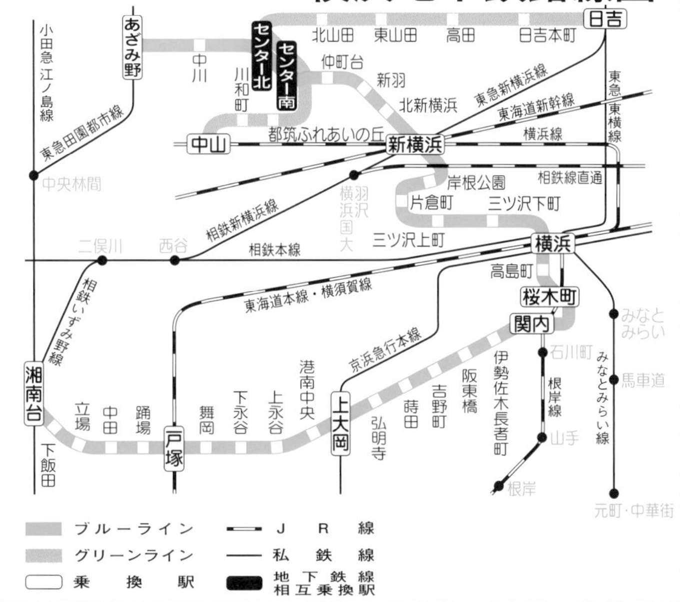

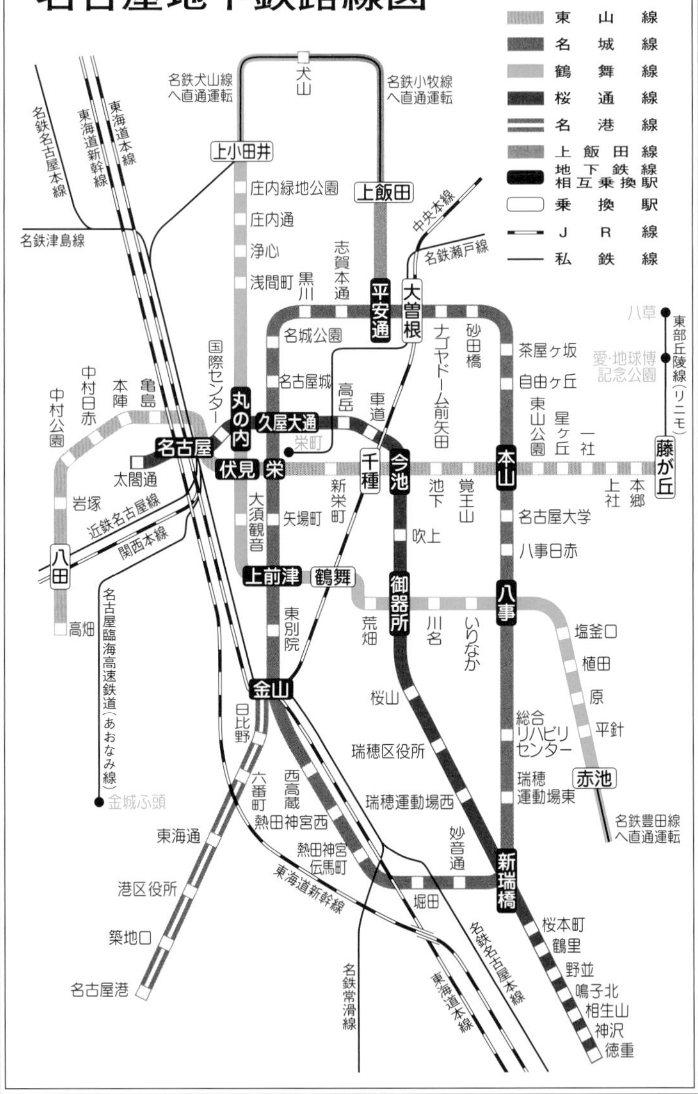

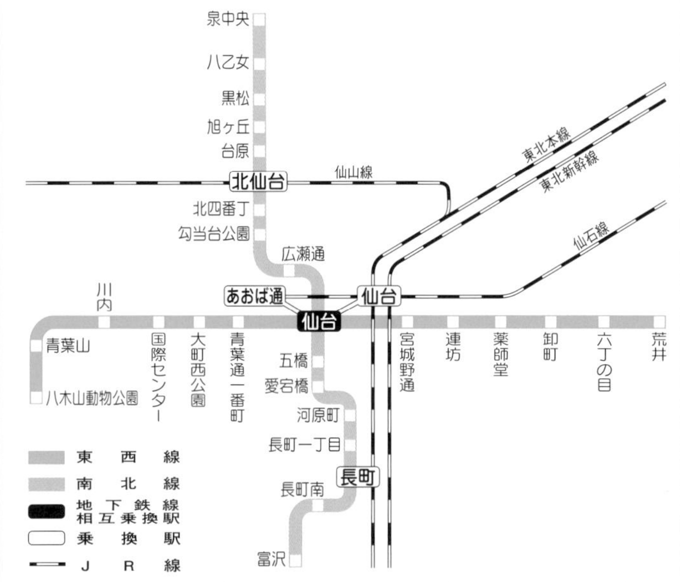

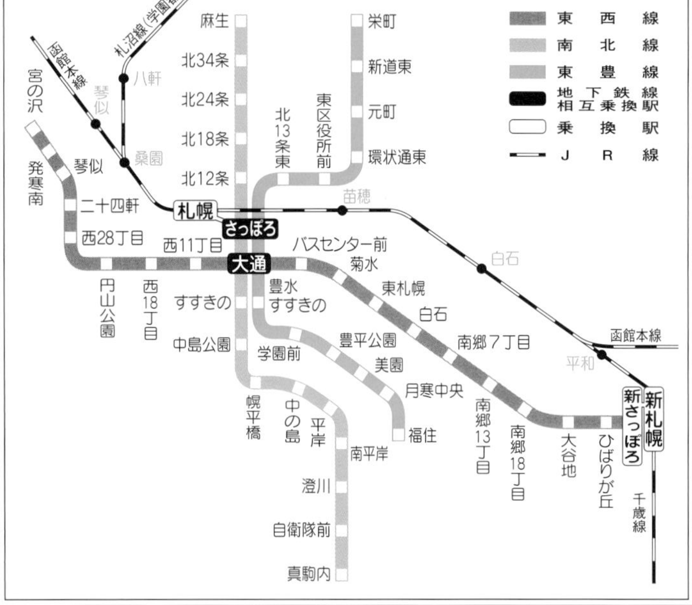

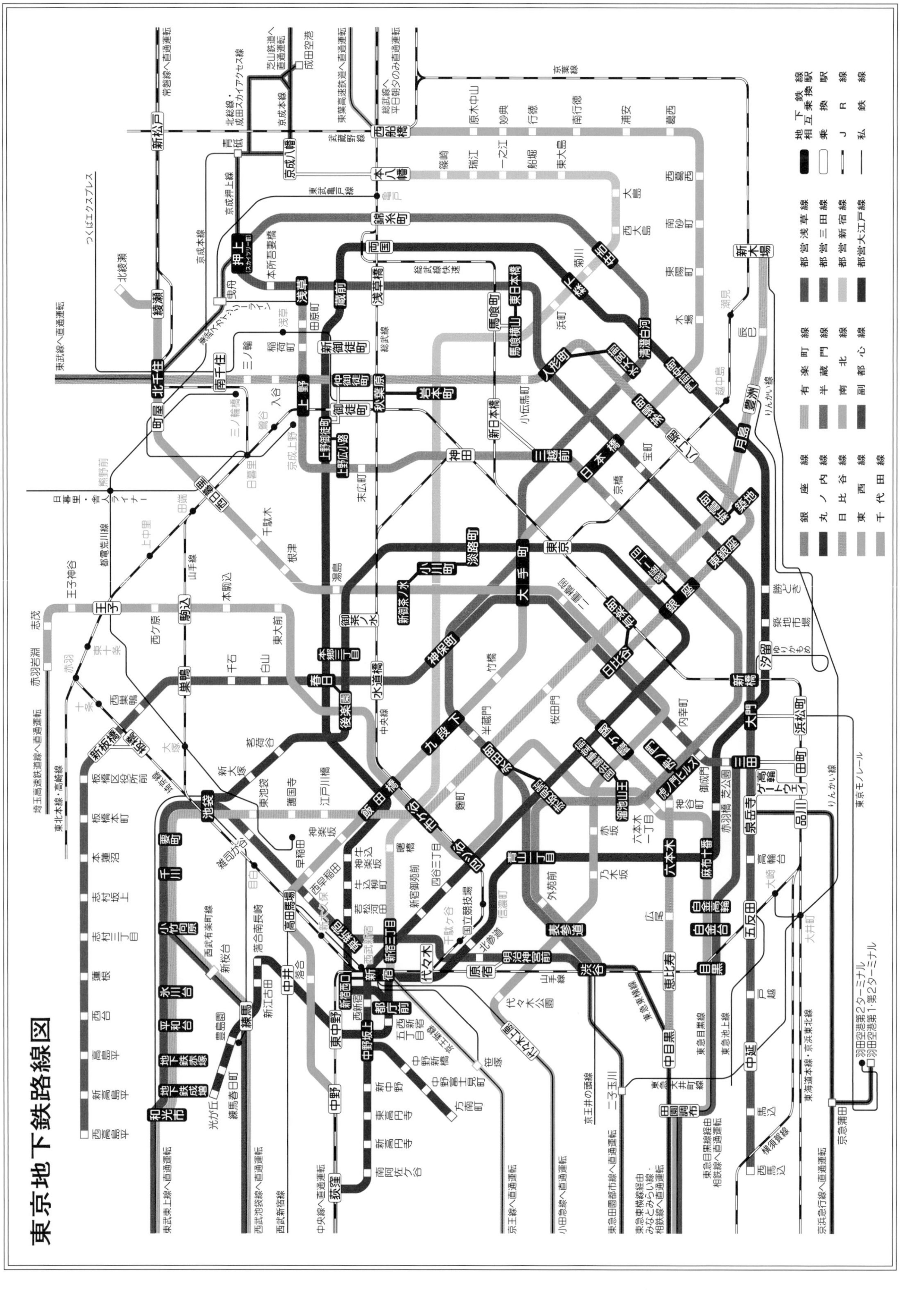
東京地下鉄路線図
地下鉄相互乗換駅
乗換駅
JR線
私鉄
銀座線
丸ノ内線
日比谷線
東西線
千代田線
有楽町線
半蔵門線
南北線
副都心線
都営浅草線
都営三田線
都営新宿線
都営大江戸線

2023年9月までの合併市町村

注 1) 2023年9月30日現在の状況をもとに作成。
　　2) 年月日は，合併年月日。年は，西暦の下2桁のみ表示。

- ▭ 2023年9月30日までの合併市町村
- ■ 都・道・府・県庁の所在地
- ── 都道府県界
- ── 合併後の市町村界　══ 旧市町村界

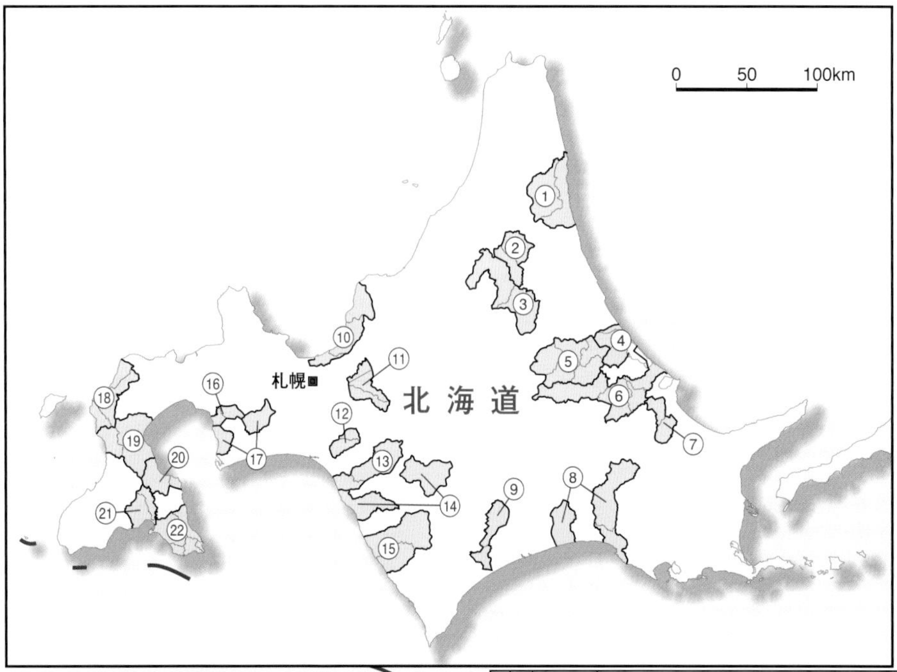

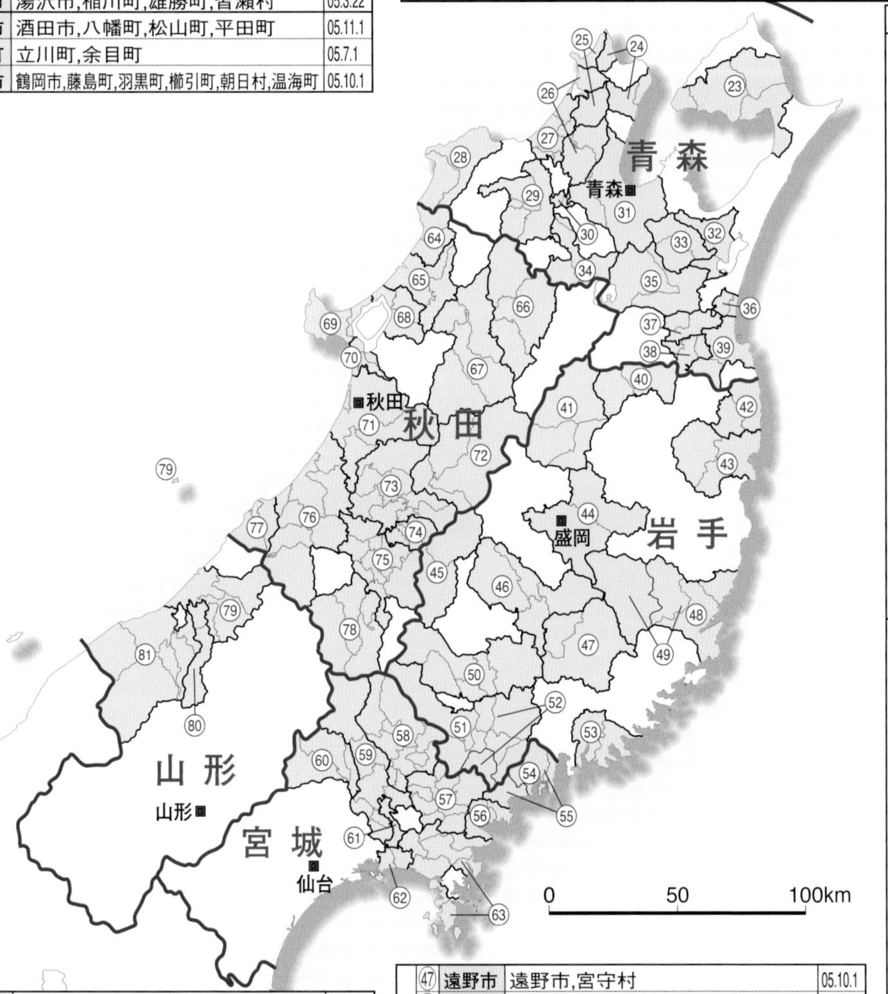

	名称	合併前の市町村名	年月
64	八峰町	八森町,峰浜村	06.3.27
65	能代市	能代市,二ツ井町	06.3.21
66	大館市	大館市,田代町,比内町	05.6.20
67	北秋田市	鷹巣町,森吉町,阿仁町,合川町	05.3.22
68	三種町	琴丘町,山本町,八竜町	06.3.20
69	男鹿市	男鹿市,若美町	05.3.22
70	潟上市	昭和町,飯田川町,天王町	05.3.22
71	秋田市	秋田市,河辺町,雄和町	05.1.11
72	仙北市	田沢湖町,西木村,角館町	05.9.20
73	大仙市	大曲市,神岡町,西仙北町,中仙町,協和町,南外村,仙北町,太田町	05.3.22
74	美郷町	六郷町,千畑町,仙南村	04.11.1
75	横手市	横手市,平鹿町,雄物川町,大森町,大雄村,山内村,増田町,十文字町	05.10.1
76	由利本荘市	本荘市,矢島町,岩城町,由利町,西目町,鳥海町,東由利町,大内町	05.3.22
77	にかほ市	仁賀保町,金浦町,象潟町	05.10.1
78	湯沢市	湯沢市,稲川町,雄勝町,皆瀬村	05.3.22
79	酒田市	酒田市,八幡町,松山町,平田町	05.11.1
80	庄内町	立川町,余目町	05.7.1
81	鶴岡市	鶴岡市,藤島町,羽黒町,櫛引町,朝日村,温海町	05.10.1

（秋田県：64〜78）（山形県：79〜81）

	名称	合併前の市町村名	年月
1	枝幸町	枝幸町,歌登町	06.3.20
2	名寄市	名寄市,風連町	06.3.27
3	士別市	士別市,朝日町	05.9.1
4	湧別町	上湧別町,湧別町	09.10.5
5	遠軽町	生田原町,遠軽町,丸瀬布町,白滝村	05.10.1
6	北見市	北見市,端野町,留辺蘂町,常呂町	06.3.5
7	大空町	東藻琴村,女満別町	06.3.31
8	釧路市	釧路市,阿寒町,音別町	05.10.11
9	幕別町	幕別町,忠類村	06.2.6
10	石狩市	石狩市,厚田村,浜益村	05.10.1
11	岩見沢市	岩見沢市,北村,栗沢町	06.3.27
12	安平町	早来町,追分町	06.3.27
13	むかわ町	鵡川町,穂別町	06.3.27
14	日高町	日高町,門別町	06.3.1
15	新ひだか町	静内町,三石町	06.3.31
16	洞爺湖町	虻田町,洞爺村	06.3.27
17	伊達市	伊達市,大滝村	06.3.1
18	せたな町	大成町,瀬棚町,北檜山町	05.9.1
19	八雲町	熊石町,八雲町	05.10.1
20	森町	森町,砂原町	05.4.1
21	北斗市	上磯町,大野町	06.2.1
22	函館市	函館市,戸井町,恵山町,椴法華村,南茅部町	04.12.1
23	むつ市	むつ市,川内町,大畑町,脇野沢村	05.3.14
24	外ヶ浜町	蟹田町,平舘村,三厩村	05.3.28
25	中泊町	中里町,小泊村	05.3.28
26	五所川原市	五所川原市,金木町,市浦村	05.3.28
27	つがる市	木造町,森田村,柏村,稲垣村,車力村	05.2.11
28	深浦町	深浦町,岩崎村	05.3.31
29	弘前市	弘前市,岩木町,相馬村	06.2.27
30	藤崎町	藤崎町,常盤村	05.3.28
31	青森市	青森市,浪岡町	05.4.1
32	東北町	上北町,東北町	05.3.31
33	七戸町	七戸町,天間林村	05.3.31
34	平川市	尾上町,平賀町,碇ヶ関村	06.1.1
35	十和田市	十和田市,十和田湖町	05.1.1
36	おいらせ町	百石町,下田町	06.3.1
37	五戸町	五戸町,倉石村	04.7.1
38	南部町	名川町,南部町,福地村	06.1.1
39	八戸市	八戸市,南郷村	05.3.31
40	二戸市	二戸市,浄法寺町	06.1.1
41	八幡平市	西根町,安代町,松尾村	05.9.1
42	洋野町	種市町,大野村	06.1.1
43	久慈市	久慈市,山形村	06.3.6
44	盛岡市	盛岡市,玉山村	06.1.10
45	西和賀町	湯田町,沢内村	05.11.1
46	花巻市	花巻市,大迫町,石鳥谷町,東和町	06.1.1

（北海道：1〜22）（青森県：23〜43）（岩手県：40〜46）

	名称	合併前の市町村名	年月
47	遠野市	遠野市,宮守村	05.10.1
48	宮古市	宮古市,田老町,新里村	05.6.6
49	宮古市	宮古市,川井村	10.1.1
50	奥州市	水沢市,江刺市,前沢町,胆沢町,衣川村	06.2.20
51	一関市	一関市,花泉町,東山町,川崎村,大東町,千厩町,室根村	05.9.20
52	一関市	一関市,藤沢町	11.9.26
53	大船渡市	大船渡市,三陸町	01.11.15
54	気仙沼市	気仙沼市,唐桑町	06.3.31
55	気仙沼市	気仙沼市,本吉町	09.9.1
56	南三陸町	志津川町,歌津町	05.10.1

（岩手県：47〜53）（宮城県：54〜56）

	名称	合併前の市町村名	年月
57	登米市	迫町,登米町,東和町,中田町,豊里町,米山町,石越町,南方町,津山町	05.4.1
58	栗原市	築館町,若柳町,栗駒町,高清水町,一迫町,瀬峰町,鶯沢町,金成町,志波姫町,花山村	05.4.1
59	大崎市	古川市,松山町,三本木町,鹿島台町,岩出山町,鳴子町,田尻町	06.3.31
60	加美町	中新田町,小野田町,宮崎町	03.4.1
61	美里町	小牛田町,南郷町	06.3.31
62	東松島市	矢本町,鳴瀬町	05.4.1
63	石巻市	石巻市,雄勝町,河南町,桃生町,北上町,牡鹿町,河北町	05.4.1

（宮城県：57〜63）

愛知県・三重県・滋賀県・京都府・大阪府・兵庫県・奈良県・和歌山県

県	No.	市町村	合併した市町村	年月日
愛知県	331	西尾市	西尾市,一色町,吉良町,幡豆町	11.4.1
	332	田原市	田原市,赤羽根町	03.8.20
	333	田原市	田原市,渥美町	05.10.1
三重県	334	いなべ市	員弁町,大安町,北勢町,藤原町	03.12.1
	335	桑名市	桑名市,多度町,長島町	04.12.6
	336	四日市	四日市市,楠町	05.2.7
	337	亀山市	亀山市,関町	05.1.11
	338	伊賀市	上野市,伊賀町,島ケ原村,阿山町,大山田村,青山町	04.11.1
	339	津市	津市,久居市,河芸町,芸濃町,美里村,安濃町,香良洲町,一志町,白山町,美杉村	06.1.1
	340	松阪市	松阪市,嬉野町,三雲町,飯南町,飯高町	05.1.1
	341	多気町	多気町,勢和村	06.1.1
	342	大台町	大台町,宮川村	06.1.10
	343	伊勢市	伊勢市,二見町,小俣町,御薗村	05.11.1
	344	志摩市	浜島町,大王町,志摩町,阿児町,磯部町	04.10.1
	345	南伊勢町	南勢町,南島町	05.10.1
	346	大紀町	大宮町,紀勢町,大内山村	05.2.14
	347	紀北町	紀伊長島町,海山町	05.10.11
	348	熊野市	熊野市,紀和町	05.11.1
	349	紀宝町	紀宝町,鵜殿村	06.1.10
滋賀県	350	長浜市	長浜市,浅井町,びわ町	06.2.13
	351	長浜市	長浜市,虎姫町,湖北町,高月町,木之本町,余呉町,西浅井町	10.1.1
	352	米原市	山東町,伊吹町,米原町	05.2.14
	353	米原市	米原市,近江町	05.10.1
	354	愛荘町	秦荘町,愛知川町	06.2.13
	355	近江八幡市	近江八幡市,安土町	10.3.21
	356	東近江市	八日市市,永源寺町,五個荘町,愛東町,湖東町	05.2.11
	357	東近江市	東近江市,蒲生町,能登川町	06.1.1
	358	甲賀市	水口町,土山町,甲賀町,甲南町,信楽町	04.10.1
	359	湖南市	石部町,甲西町	04.10.1
	360	野洲市	中主町,野洲町	04.10.1
	361	大津市	大津市,志賀町	06.3.20
	362	高島市	マキノ町,今津町,安曇川町,高島町,新旭町,朽木村	05.1.1
京都府	363	京丹後市	峰山町,大宮町,網野町,丹後町,弥栄町,久美浜町	04.4.1
	364	与謝野町	加悦町,岩滝町,野田川町	06.3.1
	365	福知山市	福知山市,三和町,夜久野町,大江町	06.1.1
	366	京丹波町	丹波町,瑞穂町,和知町	05.10.11
	367	南丹市	園部町,八木町,日吉町,美山町	06.1.1
	368	京都市	京都市,京北町	05.4.1
	369	木津川市	山城町,木津町,加茂町	07.3.12
大阪府	370	堺市	堺市,美原町	05.2.1
兵庫県	371	新温泉町	浜坂町,温泉町	05.10.1
	372	香美町	香住町,村岡町,美方町	05.4.1
	373	豊岡市	豊岡市,城崎町,竹野町,日高町,出石町,但東町	05.4.1
	374	養父市	八鹿町,養父町,大屋町,関宮町	04.4.1
	375	宍粟市	山崎町,宍粟郡一宮町,波賀町,千種町	05.4.1
	376	朝来市	生野町,和田山町,山東町,朝来町	05.4.1
	377	佐用町	佐用町,上月町,南光町,三日月町	05.10.1
	378	神河町	神崎町,大河内町	05.11.7
	379	丹波市	柏原町,氷上町,青垣町,春日町,山南町,市島町	04.11.1
	380	多可町	中町,加美町,八千代町	05.11.1
	381	たつの市	龍野市,新宮町,揖保川町,御津町	05.10.1
	382	西脇市	西脇市,黒田庄町	05.10.1
	383	篠山市	篠山市,西紀町,丹南町,今田町	99.4.1
	384	加東市	社町,滝野町,東条町	06.3.20
	385	三木市	三木市,吉川町	05.10.24
	386	姫路市	姫路市,家島町,夢前町,香寺町,安富町	06.3.27
	387	淡路市	津名町,淡路町,北淡町,津名郡一宮町,東浦町	05.4.1
	388	洲本市	洲本市,五色町	06.2.11
	389	南あわじ市	緑町,西淡町,三原町,南淡町	05.1.11
奈良県	390	奈良市	奈良市,月ケ瀬村,都祁村	05.4.1
	391	葛城市	新庄町,當麻町	04.10.1
	392	宇陀市	大宇陀町,菟田野町,榛原町,室生村	06.1.1
	393	五條市	五條市,西吉野村,大塔村	05.9.25
和歌山県	394	橋本市	橋本市,高野口町	06.3.1
	395	かつらぎ町	かつらぎ町,花園村	05.10.1
	396	紀の川市	打田町,粉河町,那賀町,桃山町,貴志川町	05.11.7
	397	紀美野町	野上町,美里町	06.1.1
	398	海南市	海南市,下津町	05.4.1
	399	有田川町	吉備町,金屋町,清水町	06.1.1
	400	日高川町	川辺町,中津村,美山村	05.5.1
	401	みなべ町	南部川村,南部町	04.10.1
	402	田辺市	田辺市,龍神村,中辺路町,大塔村,本宮町	05.5.1
	403	新宮市	新宮市,熊野川町	05.10.1
	404	白浜町	白浜町,日置川町	06.3.1
	405	串本町	串本町,古座町	05.4.1

石川県・福井県・岐阜県

県	No.	市町村	合併した市町村	年月日
石川県	224	能美市	根上町,寺井町,辰口町	05.2.1
	225	白山市	松任市,美川町,鶴来町,河内村,吉野谷村,鳥越村,尾口村,白峰村	05.2.1
	226	加賀市	加賀市,山中町	05.10.1
福井県	227	あわら市	芦原町,金津町	04.3.1
	228	坂井市	三国町,丸岡町,春江町,坂井町	06.3.20
	229	永平寺町	松岡町,永平寺町,上志比村	06.2.13
	230	福井市	福井市,美山町,越廼村,清水町	06.2.1
	231	越前町	朝日町,宮崎町,越前町,織田町	05.2.1
	232	越前市	武生市,今立町	05.10.1
	233	大野市	大野市,和泉村	05.11.7
	234	南越前町	南条町,今庄町,河野村	05.1.1
	235	若狭町	三方町,上中町	05.3.31
	236	おおい町	名田庄村,大飯町	06.3.3
岐阜県	275	飛騨市	古川町,河合村,宮川村,神岡町	04.2.1
	276	高山市	高山市,丹生川村,清見村,荘川村,宮村,久々野町,朝日村,高根村,国府町,上宝村	05.2.1
	277	下呂市	萩原町,小坂町,下呂町,金山町,馬瀬村	04.3.1
	278	郡上市	八幡町,大和町,白鳥町,高鷲村,美並村,明宝村,和良村	04.3.1
	279	中津川市	中津川市,坂下町,川上村,加子母村,付知町,福岡町,蛭川村	05.2.13
	280	中津川市	中津川市,長野県山口村	05.2.13
	281	恵那市	恵那市,岩村町,山岡町,明智町,串原村,上矢作町	04.10.25
	282	関市	関市,洞戸村,板取村,武儀町,上之保村,武芸川町	05.2.7
	283	山県市	高富町,伊自良村,美山町	03.4.1
	284	本巣市	本巣町,真正町,糸貫町,根尾村	04.2.1

長野県・富山県・石川県

県	No.	市町村	合併した市町村	年月日
長野県	271	木曽町	木曽福島町,日義村,開田村,三岳村	05.11.1
	272	阿智村	阿智村,浪合村	06.1.1
	273	阿智村	阿智村,清内路村	09.3.31
	274	飯田市	飯田市,上村,南信濃村	05.10.1
富山県	211	黒部市	黒部市,宇奈月町	06.3.31
	212	射水市	新湊市,小杉町,大門町,下村,大島町	05.11.1
	213	高岡市	高岡市,福岡町	05.11.1
	214	砺波市	砺波市,庄川町	04.11.1
	215	南砺市	城端町,平村,上平村,利賀村,井波町,井口村,福野町,福光町	04.11.1
	216	富山市	富山市,大沢野町,大山町,八尾町,婦中町,山田村,細入村	05.4.1
石川県	217	輪島市	輪島市,門前町	06.2.1
	218	能登町	能都町,柳田村,内浦町	05.3.1
	219	志賀町	富来町,志賀町	05.9.1
	220	七尾市	七尾市,田鶴浜町,中島町,能登島町	04.10.1
	221	中能登町	鳥屋町,鹿島町,鹿西町	05.3.1
	222	宝達志水町	志雄町,押水町	05.3.1
	223	かほく市	高松町,七塚町,宇ノ気町	04.3.1

凡例

- ■ 2023年9月30日までの合併市町村
- ■ 都・道・府・県庁の所在地
- ― 都道府県界
- ― 合併後の市町村界　― 旧市町村界

※383篠山市は2019年5月1日に丹波篠山市に名称変更。

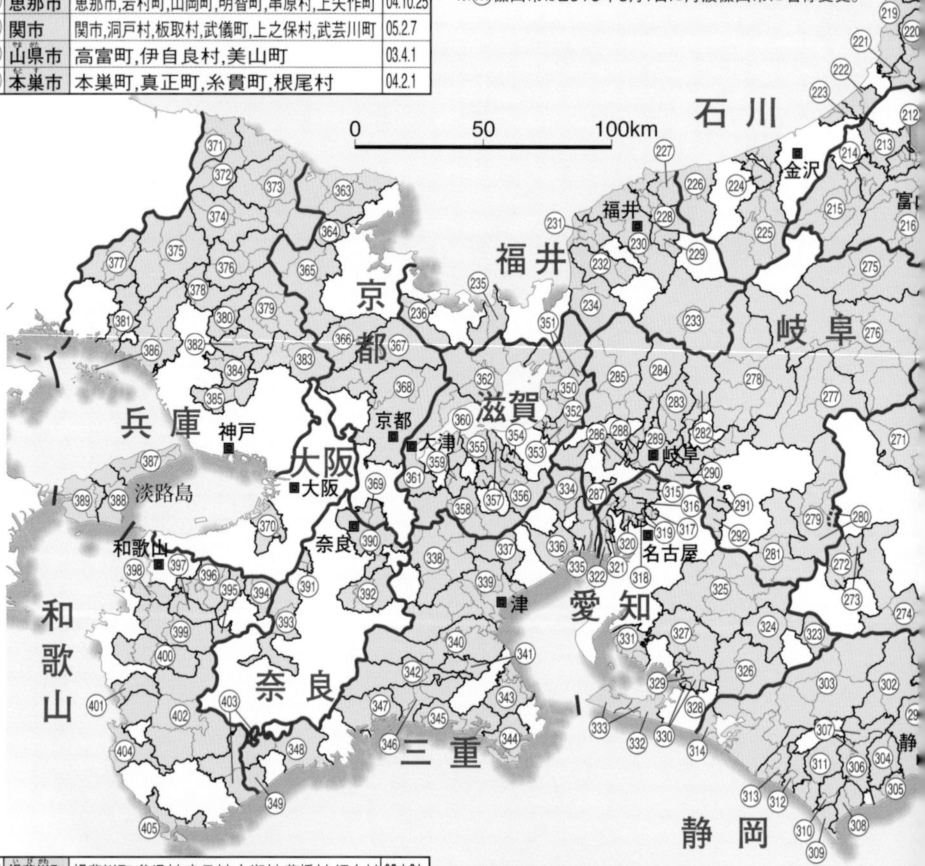

岐阜県・愛知県

県	No.	市町村	合併した市町村	年月日
岐阜県	285	揖斐川町	揖斐川町,谷汲村,春日村,久瀬村,藤橋村,坂内村	05.1.31
	286	大垣市	大垣市,上石津町,墨俣町	06.3.27
	287	海津市	海津町,平田町,南濃町	05.3.28
	288	瑞穂市	穂積町,巣南町	03.5.1
	289	岐阜市	岐阜市,柳津町	06.1.1
	290	各務原市	各務原市,川島町	04.11.1
	291	可児市	可児市,兼山町	05.5.1
	292	多治見市	多治見市,笠原町	06.1.23
愛知県	315	一宮市	一宮市,尾西市,木曽川町	05.4.1
	316	稲沢市	稲沢市,祖父江町,平和町	05.4.1
	317	北名古屋市	師勝町,西春町	06.3.20
	318	清須市	西枇杷島町,清洲町,新川町	05.7.7
	319	清須市	清須市,春日町	09.10.1
	320	あま市	七宝町,美和町,甚目寺町	10.3.22
	321	愛西市	佐屋町,立田村,八開村,佐織町	05.4.1
	322	弥富市	十四山村,弥富町	06.4.1
	323	豊根村	豊根村,富山村	05.11.27
	324	設楽町	設楽町,津具村	05.10.1
	325	豊田市	豊田市,藤岡町,小原村,足助町,下山村,旭町,稲武町	05.4.1
	326	新城市	新城市,鳳来町,作手村	05.10.1
	327	岡崎市	岡崎市,額田町	06.1.1
	328	豊川市	豊川市,一宮町	06.2.1
	329	豊川市	豊川市,音羽町,御津町	08.1.15
	330	豊川市	豊川市,小坂井町	10.2.1

静岡県

県	No.	市町村	合併した市町村	年月日
静岡県	293	富士宮市	富士宮市,芝川町	10.3.23
	294	富士市	富士市,富士川町	08.11.1
	295	沼津市	沼津市,戸田村	05.4.1
	296	伊豆の国市	伊豆長岡町,韮山町,大仁町	05.4.1
	297	伊豆市	修善寺町,土肥町,天城湯ケ島町,中伊豆町	04.4.1
	298	西伊豆町	西伊豆町,賀茂村	05.4.1
	299	静岡市	静岡市,清水市	03.4.1
	300	静岡市	静岡市,蒲原町	06.3.31
	301	静岡市	静岡市,由比町	08.11.1
	302	川根本町	中川根町,本川根町	05.9.20
	303	浜松市	浜松市,天竜市,浜北市,春野町,龍山村,佐久間町,水窪町,舞阪町,雄踏町,細江町,引佐町,三ケ日町	05.7.1
	304	藤枝市	藤枝市,岡部町	09.1.1
	305	焼津市	焼津市,大井川町	08.11.1
	306	島田市	島田市,金谷町	05.5.5
	307	島田市	島田市,川根町	08.4.1
	308	牧之原市	相良町,榛原町	05.10.11
	309	御前崎市	御前崎町,浜岡町	04.4.1
	310	菊川市	小笠町,菊川町	05.1.17
	311	掛川市	掛川市,大須賀町,大東町	05.4.1
	312	袋井市	袋井市,浅羽町	05.4.1
	313	磐田市	磐田市,福田町,竜洋町,豊田町,豊岡村	05.4.1
	314	湖西市	湖西市,新居町	10.3.23

佐渡島　佐渡島

富山　新潟　新潟

長野　群馬　栃木　福島

埼玉　宇都宮　茨城　水戸

山梨　甲府　東京　東京

神奈川　横浜　千葉　千葉

大島　新島　神津島　東京　三宅島　御蔵島　大島

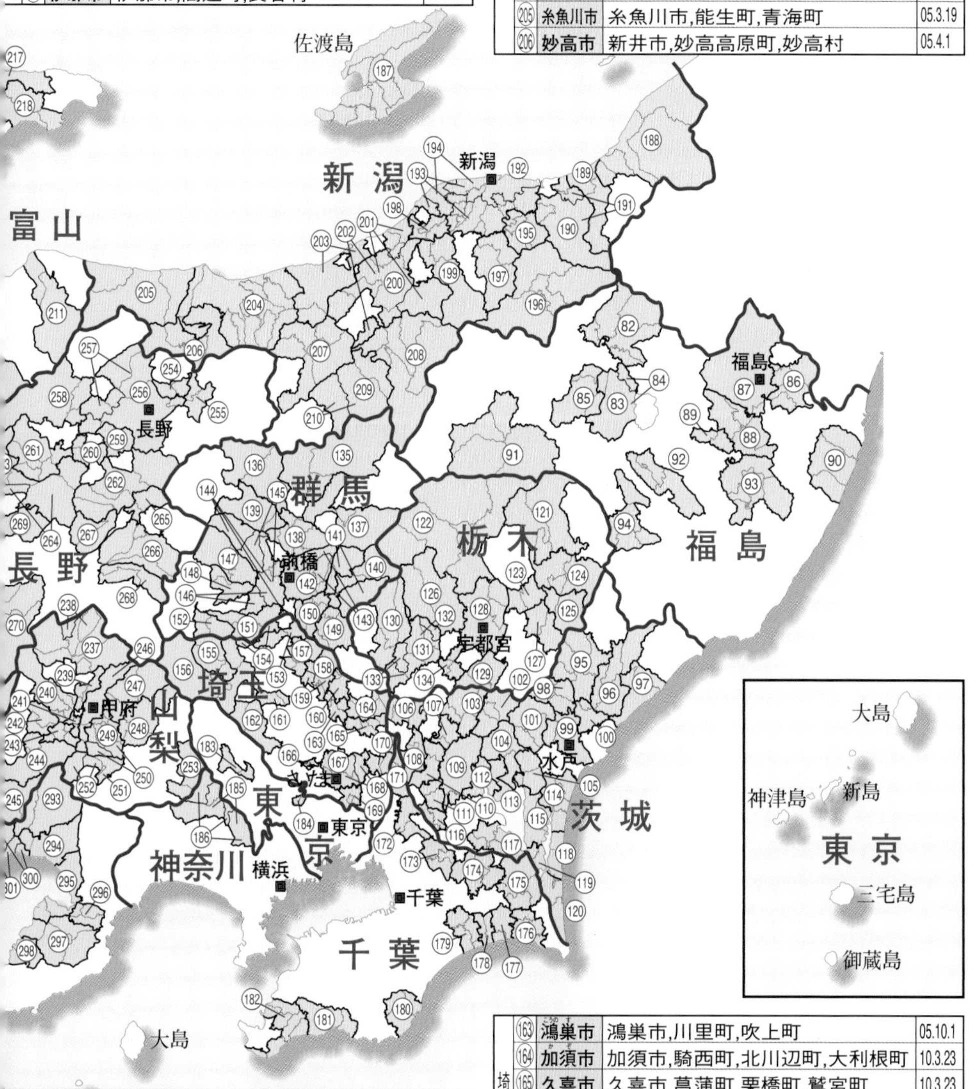

特集 平成の市町村大合併 ③

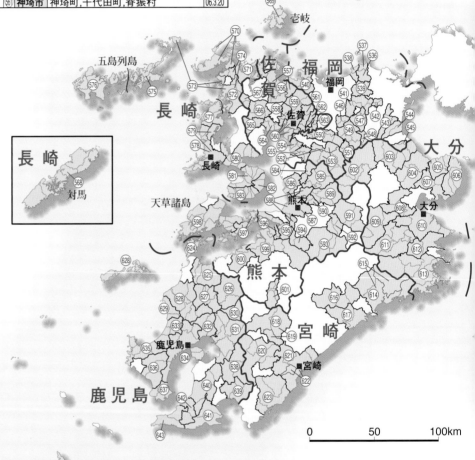

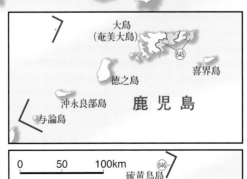

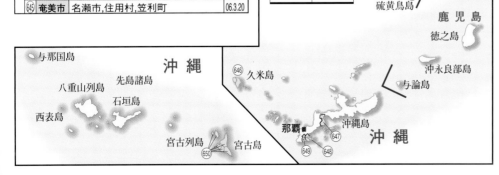

No.	市町村	合併構成	年月日
⑤㊱	宗像市	宗像市,玄海町	03.4.1
⑤㊲	宗像市	宗像市,大島村	05.3.28
⑤㊳	福津市	福間町,津屋崎町	05.1.24
⑤㊴	宮若市	宮田町,若宮町	06.2.11
⑤㊵	糸島市	前原市,二丈町,志摩町	10.1.1
⑤㊶	飯塚市	飯塚市,筑穂町,穂波町,庄内町,頴田町	06.3.26
⑤㊷	福智町	赤池町,金田町,方城町	06.3.6
⑤㊸	みやこ町	犀川町,勝山町,豊津町	06.3.20
⑤㊹	築上町	椎田町,築城町	06.1.10
⑤㊺	上毛町	新吉富村,大平村	05.10.11
⑤㊻	筑前町	三輪町,夜須町	05.3.22
⑤㊼	嘉麻市	山田市,稲築町,碓井町,嘉穂町	06.3.27
⑤㊽	東峰村	小石原村,宝珠山村	05.3.28
⑤㊾	朝倉市	甘木市,杷木町,朝倉町	06.3.20

福岡県

佐賀県

No.	市町村	合併構成	年月日
⑤㊽	吉野ヶ里町	三田川町,東脊振村	06.3.1
⑤㊿	みやき町	中原町,北茂安町,三根町	05.3.1
⑤64	白石町	白石町,福富町,有明町	05.1.1
⑤65	嬉野市	塩田町,嬉野町	06.1.1
⑤66	武雄市	武雄市,山内町,北方町	06.3.1
⑤67	有田町	有田町,西有田町	06.3.1

長崎県

No.	市町村	合併構成	年月日
⑤68	対馬市	厳原町,美津島町,豊玉町,峰町,上県町,上対馬町	04.3.1
⑤69	壱岐市	郷ノ浦町,勝本町,芦辺町,石田町	04.3.1
⑤70	平戸市	平戸市,大島村,生月町,田平町	05.10.1
⑤71	松浦市	松浦市,福島町,鷹島町	06.1.1
⑤72	佐世保市	佐世保市,吉井町,世知原町	05.4.1
⑤73	佐世保市	佐世保市,宇久町,小佐々町	06.3.31
⑤74	佐世保市	佐世保市,江迎町,鹿町町	10.3.31
⑤75	新上五島町	上五島町,有川町,新魚目町,若松町,奈良尾町	04.8.1
⑤76	五島市	福江市,奈留町,岐宿町,三井楽町,玉之浦町,富江町	04.8.1
⑤77	西海市	西彼町,西海町,大島町,崎戸町,大瀬戸町	05.4.1
⑤78	長崎市	長崎市,香焼町,伊王島町,高島町,野母崎町,三和町,外海町	05.1.4
⑤79	長崎市	長崎市,琴海町	06.1.4
⑤80	諫早市	諫早市,多良見町,森山町,飯盛町,高来町,小長井町	05.3.1
⑤81	雲仙市	国見町,吾妻町,愛野町,千々石町,小浜町,南串山町,瑞穂町	05.10.11
⑤82	島原市	島原市,有明町	06.1.1
⑤83	南島原市	加津佐町,北有馬町,西有家町,有家町,布津町,深江町,口之津町,南有馬町	06.3.31

熊本県

No.	市町村	合併構成	年月日
⑤84	和水町	菊水町,三加和町	06.3.1
⑤85	山鹿市	山鹿市,鹿北町,菊鹿町,鹿本町,鹿央町	05.1.15
⑤86	玉名市	玉名市,岱明町,横島町,天水町	05.10.3
⑤87	熊本市	熊本市,富合町	08.10.6
⑤88	熊本市	熊本市,城南町,植木町	10.3.23
⑤89	菊池市	菊池市,泗水町,旭志村,七城町	05.3.22
⑤90	合志市	合志町,西合志町	06.2.27
⑤91	阿蘇市	一の宮町,阿蘇町,波野村	05.2.11
⑤92	南阿蘇村	白水村,久木野村,長陽村	05.2.13
⑤93	山都町	矢部町,清和村,蘇陽町	05.2.11
⑤94	美里町	中央町,砥用町	04.11.1
⑤95	宇城市	三角町,不知火町,松橋町,小川町,豊野町	05.1.15
⑤96	氷川町	竜北町,宮原町	05.10.1
⑤97	上天草市	大矢野町,松島町,姫戸町,龍ヶ岳町	04.3.31
⑤98	天草市	本渡市,牛深市,有明町,御所浦町,倉岳町,栖本町,新和町,五和町,天草町,河浦町	06.3.27
⑤99	八代市	八代市,坂本村,千丁町,鏡町,東陽村,泉村	05.8.1
⑥00	芦北町	田浦町,芦北町	05.1.1
⑥01	あさぎり町	上村,免田町,岡原村,須恵村,深田村	03.4.1

鹿児島県

No.	市町村	合併構成	年月日
⑥24	長島町	東町,長島町	06.3.20
⑥25	出水市	出水市,野田町,高尾野町	06.3.13
⑥26	伊佐市	大口市,菱刈町	08.11.1
⑥27	さつま町	宮之城町,鶴田町,薩摩町	05.3.22
⑥28	薩摩川内市	川内市,樋脇町,入来町,東郷町,祁答院町,里村,上甑村,下甑村,鹿島村	04.10.12
⑥29	いちき串木野市	串木野市,市来町	05.10.11
⑥30	湧水町	栗野町,吉松町	05.3.22
⑥31	霧島市	国分市,溝辺町,横川町,牧園町,霧島町,隼人町,福山町	05.11.7
⑥32	姶良市	加治木町,姶良町,蒲生町	10.3.23
⑥33	日置市	東市来町,伊集院町,日吉町,吹上町	05.5.1
⑥34	鹿児島市	鹿児島市,吉田町,桜島町,喜入町,松元町,郡山町	04.11.1
⑥35	南さつま市	加世田市,笠沙町,大浦町,坊津町,金峰町	05.11.7
⑥36	南九州市	頴娃町,知覧町,川辺町	07.12.1
⑥37	指宿市	指宿市,山川町,開聞町	06.1.1
⑥38	曽於市	大隅町,財部町,末吉町	05.7.1
⑥39	志布志市	松山町,志布志町,有明町	06.1.1
⑥40	鹿屋市	鹿屋市,輝北町,吾平町,串良町	06.1.1
⑥41	肝付町	内之浦町,高山町	05.7.1
⑥42	錦江町	大根占町,田代町	05.3.22
⑥43	南大隅町	根占町,佐多町	05.3.31
⑥44	屋久島町	上屋久町,屋久町	07.10.1
⑥45	奄美市	名瀬市,住用村,笠利町	06.3.20

福岡県

No.	市町村	合併構成	年月日
⑤50	久留米市	久留米市,田主丸町,北野町,城島町,三潴町	05.2.5
⑤51	うきは市	吉井町,浮羽町	05.3.20
⑤52	八女市	八女市,上陽町	06.10.1
⑤53	八女市	八女市,黒木町,立花町,矢部村,星野村	10.2.1
⑤54	柳川市	柳川市,大和町,三橋町	05.3.21
⑤55	みやま市	瀬高町,山川町,高田町	07.1.29

佐賀県

No.	市町村	合併構成	年月日
⑤56	唐津市	唐津市,浜玉町,厳木町,相知町,北波多村,肥前町,鎮西町,呼子町	05.1.1
⑤57	唐津市	唐津市,七山村	06.1.1
⑤58	小城市	小城町,三日月町,牛津町,芦刈町	05.3.1
⑤59	佐賀市	佐賀市,諸富町,大和町,富士町,三瀬村	05.10.1
⑤60	佐賀市	佐賀市,川副町,東与賀町,久保田町	07.10.1
⑤61	神埼市	神埼町,千代田町,脊振村	06.3.20

大分県

No.	市町村	合併構成	年月日
⑥02	日田市	日田市,前津江村,中津江村,上津江村,大山町,天瀬町	05.3.22
⑥03	中津市	中津市,三光村,本耶馬渓町,耶馬溪町,山国町	05.3.1
⑥04	宇佐市	宇佐市,院内町,安心院町	05.3.31
⑥05	豊後高田市	豊後高田市,真玉町,香々地町	05.3.31
⑥06	国東市	国見町,国東町,武蔵町,安岐町	06.3.31
⑥07	杵築市	杵築市,大田村,山香町	05.10.1
⑥08	由布市	挟間町,庄内町,湯布院町	05.10.1
⑥09	竹田市	竹田市,荻町,久住町,直入町	05.4.1
⑥10	大分市	大分市,佐賀関町,野津原町	05.1.1
⑥11	豊後大野市	三重町,清川村,緒方町,朝地町,大野町,千歳村,犬飼町	05.3.31
⑥12	臼杵市	臼杵市,野津町	05.1.1
⑥13	佐伯市	佐伯市,上浦町,弥生町,本匠村,宇目町,直川村,鶴見町,米水津村,蒲江町	05.3.3

宮崎県

No.	市町村	合併構成	年月日
⑥14	延岡市	延岡市,北方町,北浦町	06.2.20
⑥15	延岡市	延岡市,北川町	07.3.31
⑥16	美郷町	南郷村,西郷村,北郷村	06.1.1
⑥17	日向市	日向市,東郷町	06.2.25
⑥18	小林市	小林市,須木村	06.3.20
⑥19	小林市	小林市,野尻町	10.3.23
⑥20	都城市	都城市,山之口町,高城町,山田町,高崎町	06.1.1
⑥21	宮崎市	宮崎市,田野町,佐土原町,高岡町	06.1.1
⑥22	宮崎市	宮崎市,清武町	10.3.23
⑥23	日南市	日南市,北郷町,南郷町	09.3.30

沖縄県

No.	市町村	合併構成	年月日
⑥46	久米島町	具志川村,仲里村	02.4.1
⑥47	うるま市	石川市,具志川市,与那城町,勝連町	05.4.1
⑥48	南城市	玉城村,知念村,佐敷町,大里村	06.1.1
⑥49	八重瀬町	東風平町,具志頭村	06.1.1
⑥50	宮古島市	平良市,城辺町,伊良部町,下地町,上野村	05.10.1

0 50 100km

山口県

No.	市町村	合併構成	日付
474	萩市	萩市,川上村,田万川町,むつみ村,須佐町,旭村,福栄村	05.3.6
475	長門市	長門市,三隅町,日置町,油谷町	05.3.22
476	下関市	下関市,菊川町,豊田町,豊浦町,豊北町	05.2.13
477	美祢市	美祢市,美東町,秋芳町	08.3.21
478	宇部市	宇部市,楠町	04.11.1
479	山陽小野田市	小野田市,山陽町	05.3.22
480	山口市	山口市,徳地町,秋穂町,小郡町,阿知須町	05.10.1
481	山口市	山口市,阿東町	10.1.16
482	周南市	徳山市,新南陽市,熊毛町,鹿野町	03.4.21
483	岩国市	岩国市,由宇町,本郷村,周東町,錦町,美川町,美和町,玖珂町	06.3.20
484	光市	光市,大和町	04.10.4
485	柳井市	柳井市,大畠町	05.2.21
486	周防大島町	久賀町,大島町,東和町,橘町	04.10.1

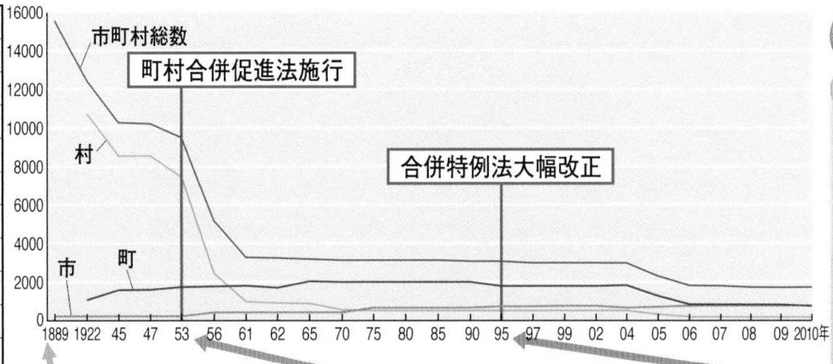

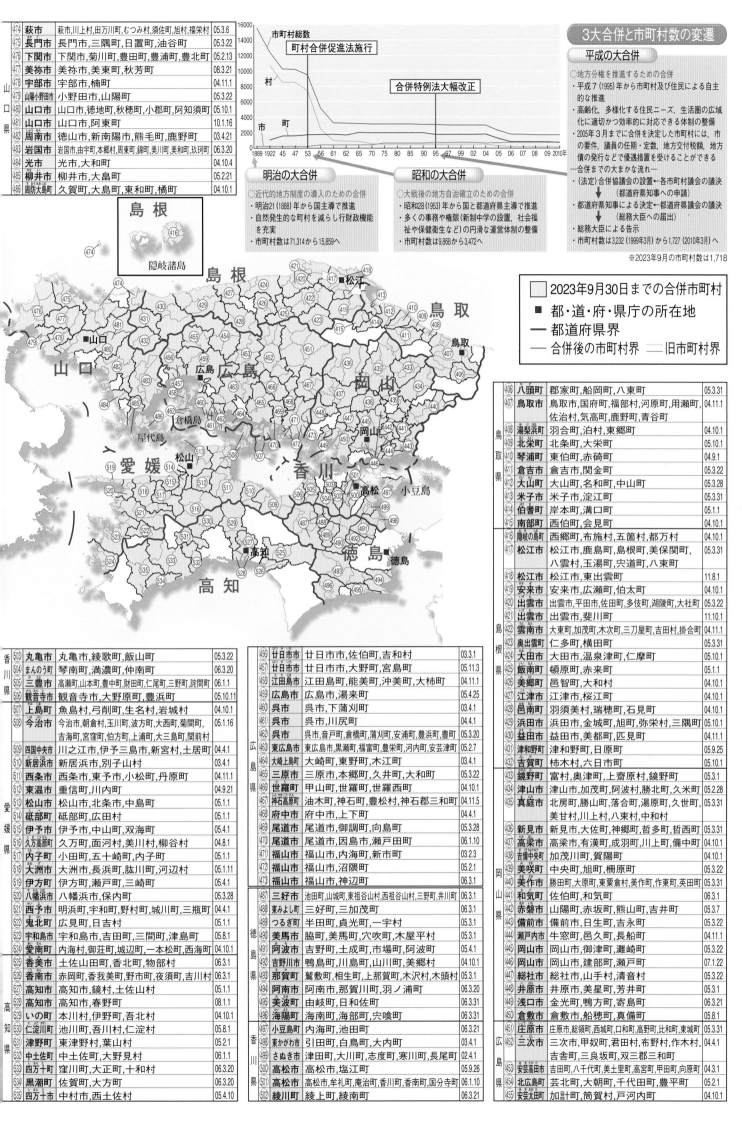

島根

隠岐諸島

島根　鳥取　松江　山口　山口　広島　広島　岡山　倉橋島　屋代島　愛媛　松山　香川　高松　小豆島　高知　徳島　徳島

平成の大合併

○地方分権を推進するための合併
・平成7（1995）年から市町村及び住民による自主的な推進
・高齢化，多様化する住民ニーズ，生活圏の広域化に適切かつ効率的に対応できる体制の整備
・2005年3月までに合併を決定した市町村には，市の要件，議員の任期・定数，地方交付税額，地方債の発行などで優遇措置を受けることができる

―合併までの大まかな流れ―
・(法定)合併協議会の設置←各市町村議会の議決
　　　　（都道府県知事への申請）
　↓
・都道府県知事による決定←都道府県議会の議決
　　　　（総務大臣への届出）
　↓
・総務大臣による告示
・市町村数は3,232（1999年3月）から1,727（2010年3月）へ

※2023年9月の市町村数は1,718

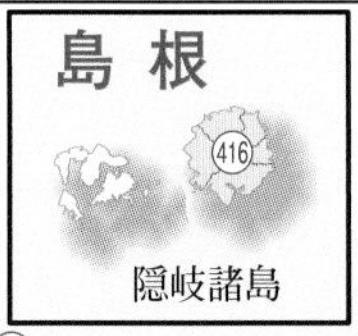

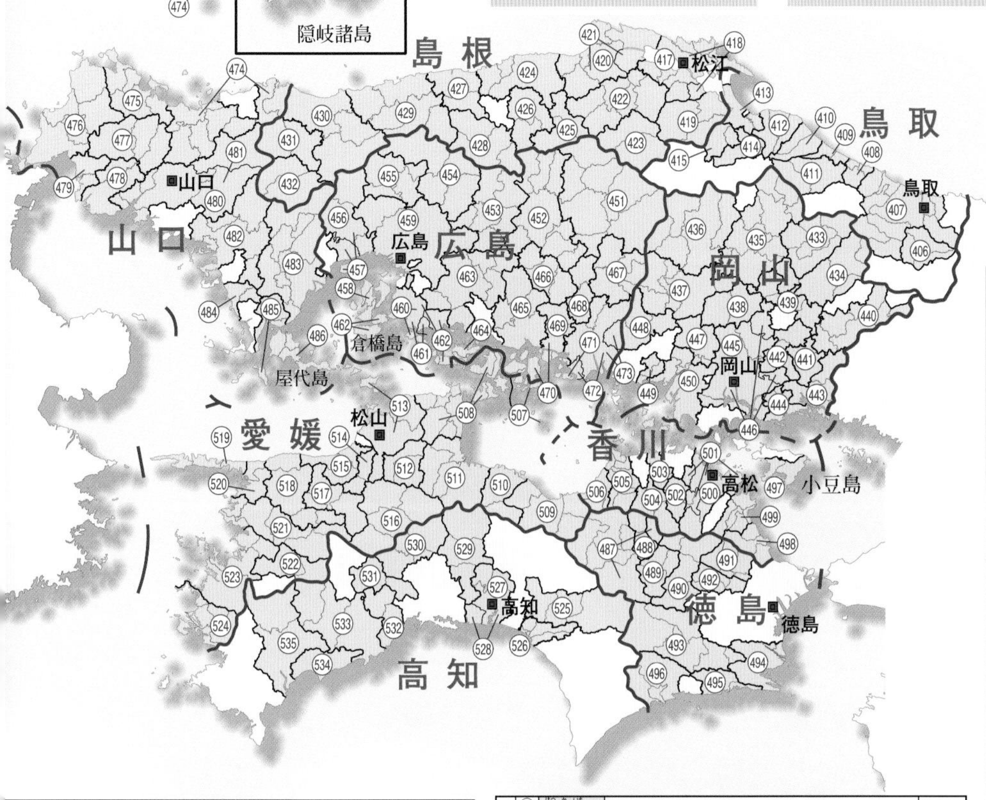

明治の大合併

○近代的地方制度の導入のための合併
・明治21（1888）年から国主導で推進
・自然発生的な町村を減らし行財政機能を充実
・市町村数は71,314から15,859へ

昭和の大合併

○大戦後の地方自治確立のための合併
・昭和28（1953）年から国と都道府県主導で推進
・多くの事務や権限（新制中学の設置，社会福祉や保健衛生など）の円滑な運営体制の整備
・市町村数は9,868から3,472へ

グラフ：市町村総数／町村合併促進法施行／合併特例法大幅改正／村／市／町
縦軸：16000 14000 12000 10000 8000 6000 4000 2000
横軸：1889 1922 45 47 53 56 61 70 75 80 85 90 95 97 99 02 05 06 07 08 09 2010年

凡例：
- □ 2023年9月30日までの合併市町村
- ■ 都・道・府・県庁の所在地
- ― 都道府県界
- ― 合併後の市町村界　＝ 旧市町村界

鳥取県・島根県

No.	市町村	合併構成	日付
406	八頭町	郡家町,船岡町,八東町	05.3.31
407	鳥取市	鳥取市,国府町,福部村,河原町,用瀬町,佐治村,気高町,鹿野町,青谷町	04.11.1
408	湯梨浜町	羽合町,泊村,東郷町	04.10.1
409	北栄町	北条町,大栄町	05.10.1
410	琴浦町	東伯町,赤碕町	04.9.1
411	倉吉市	倉吉市,関金町	05.3.22
412	大山町	大山町,名和町,中山町	05.3.28
413	米子市	米子市,淀江町	05.3.31
414	伯耆町	岸本町,溝口町	05.1.1
415	南部町	西伯町,会見町	04.10.1
416	隠岐の島町	西郷町,布施村,五箇村,都万村	04.10.1
417	松江市	松江市,鹿島町,島根町,美保関町,八雲村,玉湯町,宍道町,八束町	05.3.31
418	松江市	松江市,東出雲町	11.8.1
419	安来市	安来市,広瀬町,伯太町	04.10.1
420	出雲市	出雲市,平田市,佐田町,多伎町,湖陵町,大社町	05.3.22
421	出雲市	出雲市,斐川町	11.10.1
422	雲南市	大東町,加茂町,木次町,三刀屋町,吉田村,掛合町	04.11.1
423	奥出雲町	仁多町,横田町	05.3.31
424	大田市	大田市,温泉津町,仁摩町	05.10.1
425	飯南町	頓原町,赤来町	05.1.1
426	美郷町	邑智町,大和村	04.10.1
427	江津市	江津市,桜江町	04.10.1
428	邑南町	羽須美村,瑞穂町,石見町	04.10.1
429	浜田市	浜田市,金城町,旭町,弥栄村,三隅町	05.10.1
430	益田市	益田市,美都町,匹見町	04.11.1
431	津和野町	津和野町,日原町	05.9.25
432	吉賀町	柿木村,六日市町	05.10.1

岡山県

No.	市町村	合併構成	日付
433	鏡野町	富村,奥津町,上齋原村,鏡野町	05.3.1
434	津山市	津山市,加茂町,阿波村,勝北町,久米町	05.2.28
435	真庭市	北房町,勝山町,落合町,湯原町,久世町,美甘村,川上村,八束村,中和村	05.3.31
436	新見市	新見市,大佐町,神郷町,哲多町,哲西町	05.3.31
437	高梁市	高梁市,有漢町,成羽町,川上町,備中町	04.10.1
438	吉備中央町	加茂川町,賀陽町	04.10.1
439	美咲町	中央町,旭町,柵原町	05.3.22
440	美作市	勝田町,大原町,東粟倉村,美作町,作東町,英田町	05.3.31
441	和気町	佐伯町,和気町	06.3.1
442	赤磐市	山陽町,赤坂町,熊山町,吉井町	05.3.7
443	備前市	備前市,日生町,吉永町	05.3.22
444	瀬戸内市	牛窓町,邑久町,長船町	04.11.1
445	岡山市	岡山市,御津町,灘崎町	05.3.22
446	岡山市	岡山市,建部町,瀬戸町	07.1.22
447	総社市	総社市,山手村,清音村	05.3.22
448	井原市	井原市,美星町,芳井町	05.3.1
449	浅口市	金光町,鴨方町,寄島町	06.3.21
450	倉敷市	倉敷市,船穂町,真備町	05.8.1

広島県

No.	市町村	合併構成	日付
451	庄原市	庄原市,総領町,西城町,口和町,高野町,比和町,東城町	05.3.31
452	三次市	三次市,甲奴町,君田村,布野村,作木村,吉舎町,三良坂町,双三郡三和町	04.4.1
453	安芸高田市	吉田町,八千代町,美土里町,高宮町,甲田町,向原町	04.3.1
454	北広島町	芸北町,大朝町,千代田町,豊平町	05.2.1
455	安芸太田町	加計町,筒賀村,戸河内町	04.10.1
456	廿日市市	廿日市市,佐伯町,吉和村	03.3.1
457	廿日市市	廿日市市,大野町,宮島町	05.11.3
458	江田島市	江田島町,能美町,沖美町,大柿町	04.11.1
459	広島市	広島市,湯来町	05.4.25
460	呉市	呉市,下蒲刈町	03.4.1
461	呉市	呉市,川尻町	04.4.1
462	呉市	呉市,音戸町,倉橋町,蒲刈町,安浦町,豊浜町,豊町	05.3.20
463	東広島市	東広島市,黒瀬町,福富町,豊栄町,河内町,安芸津町	05.2.7
464	大崎上島町	大崎町,東野町,木江町	03.4.1
465	三原市	三原市,本郷町,久井町,大和町	05.3.22
466	世羅町	甲山町,世羅町,世羅西町	04.10.1
467	神石高原町	油木町,神石町,豊松村,神石郡三和町	04.11.5
468	府中市	府中市,上下町	04.4.1
469	尾道市	尾道市,御調町,向島町	05.3.28
470	尾道市	尾道市,因島市,瀬戸田町	06.1.10
471	福山市	福山市,内海町,新市町	03.2.3
472	福山市	福山市,沼隈町	05.2.1
473	福山市	福山市,神辺町	06.3.1

徳島県

No.	市町村	合併構成	日付
487	三好市	池田町,山城町,東祖谷山村,西祖谷山村,三野町,井川町	06.3.1
488	東みよし町	三好町,三加茂町	06.3.1
489	つるぎ町	半田町,貞光町,一宇村	05.3.1
490	美馬市	脇町,美馬町,穴吹町,木屋平村	05.3.1
491	阿波市	吉野町,土成町,市場町,阿波町	05.4.1
492	吉野川市	鴨島町,川島町,山川町,美郷村	04.10.1
493	那賀町	鷲敷町,相生町,上那賀町,木沢村,木頭村	05.3.1
494	阿南市	阿南市,那賀川町,羽ノ浦町	06.3.20
495	美波町	由岐町,日和佐町	06.3.31
496	海陽町	海南町,海部町,宍喰町	06.3.31

香川県

No.	市町村	合併構成	日付
497	小豆島町	内海町,池田町	06.3.21
498	東かがわ市	引田町,白鳥町,大内町	03.4.1
499	さぬき市	津田町,大川町,志度町,寒川町,長尾町	02.4.1
500	高松市	高松市,塩江町	05.9.26
501	高松市	高松市,牟礼町,庵治町,香川町,香南町,国分寺町	06.1.10
502	綾川町	綾上町,綾南町	06.3.21
503	丸亀市	丸亀市,綾歌町,飯山町	05.3.22
504	まんのう町	琴南町,満濃町,仲南町	06.3.20
505	三豊市	高瀬町,山本町,豊中町,財田町,仁尾町,三野町,詫間町	06.1.1
506	観音寺市	観音寺市,大野原町,豊浜町	05.10.11

愛媛県

No.	市町村	合併構成	日付
507	上島町	魚島村,弓削町,生名村,岩城村	04.10.1
508	今治市	今治市,朝倉村,玉川町,波方町,大西町,菊間町,吉海町,宮窪町,伯方町,上浦町,大三島町,関前村	05.1.16
509	四国中央市	川之江市,伊予三島市,新宮村,土居町	04.4.1
510	新居浜市	新居浜市,別子山村	03.4.1
511	西条市	西条市,東予市,小松町,丹原町	04.11.1
512	東温市	重信町,川内町	04.9.21
513	松山市	松山市,北条市,中島町	05.1.1
514	砥部町	砥部町,広田村	05.1.1
515	伊予市	伊予市,中山町,双海町	05.4.1
516	久万高原町	久万町,面河村,美川村,柳谷村	04.8.1
517	内子町	小田町,五十崎町,内子町	05.1.1
518	大洲市	大洲市,長浜町,肱川町,河辺村	05.1.11
519	伊方町	伊方町,瀬戸町,三崎町	05.4.1
520	八幡浜市	八幡浜市,保内町	05.3.28
521	西予市	明浜町,宇和町,野村町,城川町,三瓶町	04.4.1
522	鬼北町	広見町,日吉村	05.1.1
523	宇和島市	宇和島市,吉田町,三間町,津島町	05.8.1
524	愛南町	内海村,御荘町,城辺町,一本松町,西海町	04.10.1

高知県

No.	市町村	合併構成	日付
525	香美市	土佐山田町,香北町,物部村	06.3.1
526	香南市	赤岡町,香我美町,野市町,夜須町,吉川村	06.3.1
527	高知市	高知市,鏡村,土佐山村	05.1.1
528	高知市	高知市,春野町	08.1.1
529	いの町	本川村,伊野町,吾北村	04.10.1
530	仁淀川町	池川町,吾川村,仁淀村	05.8.1
531	津野町	東津野村,葉山村	05.2.1
532	中土佐町	中土佐町,大野見村	06.1.1
533	四万十市	窪川町,大正町,十和村	06.3.20
534	黒潮町	佐賀町,大方町	06.3.20
535	四万十市	中村市,西土佐村	05.4.10

世界の国旗

国際連合旗

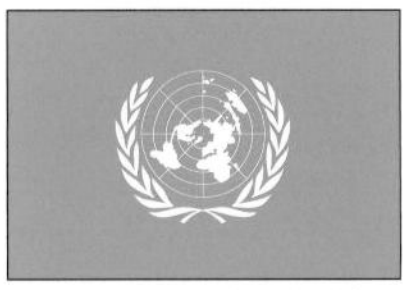

北極中心の世界地図を平和の象徴であるオリーブの葉で囲んだもの。1947年10月制定。

オリンピック旗

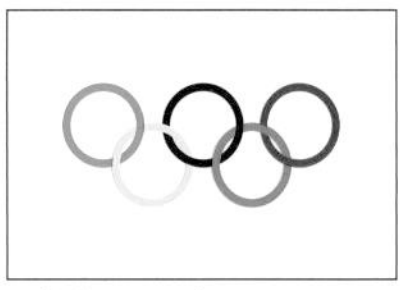

五輪旗は1920年のアントワープ大会より使用され，五つの輪は世界の5大陸を示す。

赤十字旗

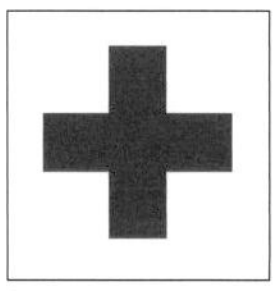

赤十字旗は1863年アンリ＝デュナンの提唱で作られた。彼の母国スイスの旗の色を逆にしたもの。イスラーム諸国ではイスラームの象徴である三日月（新月）に変えた赤新月旗が用いられる。

赤新月旗

＊国旗は，2023年9月現在。197か国。
＊国旗は，一部を除いて国連が使用している縦横比2：3の大きさで掲載した。
＊国名の右の青の数字は，その国の地図が記載されているページを示している。
＊人口・面積は，2021年。(20)は西暦下2けたの年次。
＊国連未加盟国はコソボ，バチカン，クック諸島，ニウエ。

アジア
＊47国

アラブ首長国連邦　P.39
United Arab Emirates

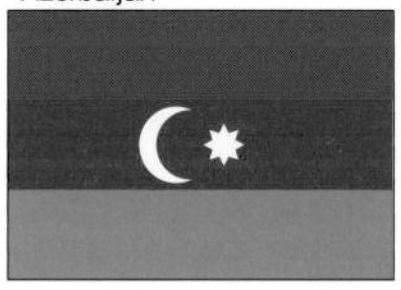

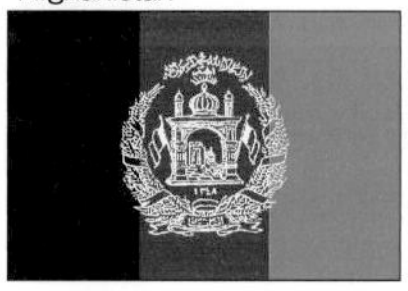

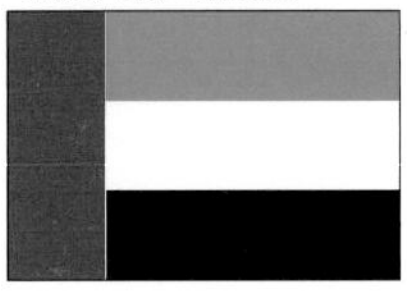

首都 アブダビ
人口 928万人(20)
面積 7.1万km²
通貨単位 UAEディルハム
主要言語 アラビア語
主要宗教 イスラーム（スンナ派），ヒンドゥー教
国花 ──　国鳥 ──
緑は豊かな国土，白は清浄な生活，黒は過酷な戦争，赤は血生臭い過去の歴史を表す。

イスラエル　P.38
Israel

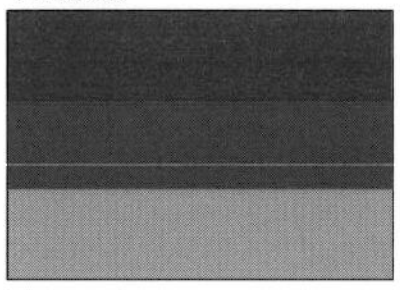

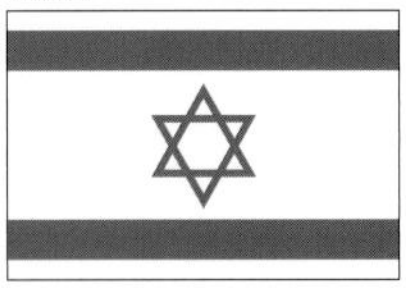

首都 エルサレム
人口 921万人(20)
面積 2.2万km²
通貨単位 新シェケル
主要言語 ヘブライ語，アラビア語
主要宗教 ユダヤ教，イスラーム
国花 オリーブ
国鳥 ──
星は「ダビデの星」でユダヤの伝統的なシンボル，青は空，白は清浄。

インド　P.30〜31
India

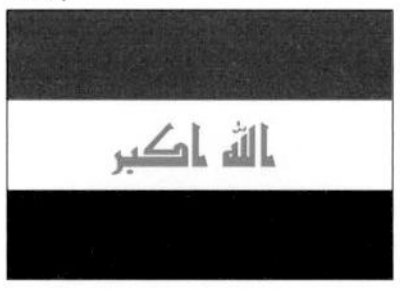

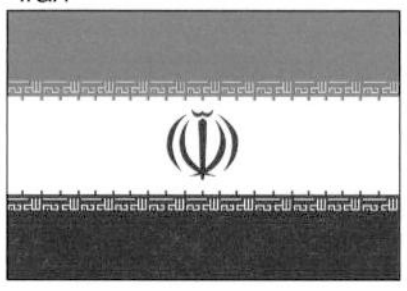

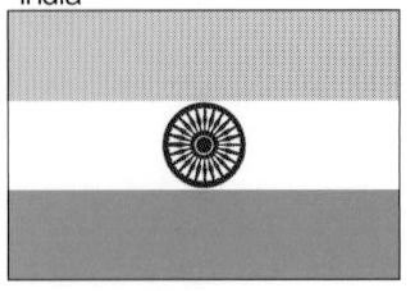

首都 デリー
人口 136,717万人
面積 328.7万km²
通貨単位 インド・ルピー
主要言語 ヒンディー語，英語
主要宗教 ヒンドゥー教，イスラーム
国花 ハス
国鳥 インドクジャク
オレンジはヒンドゥー教，緑はイスラーム，白は両方の和合を表し，中央の紋章はチャクラ。

オマーン　P.39
Oman

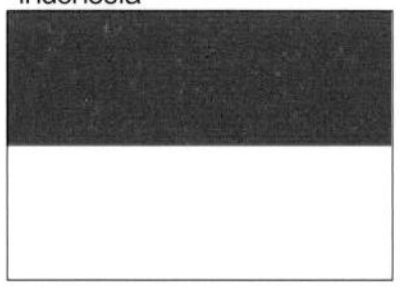

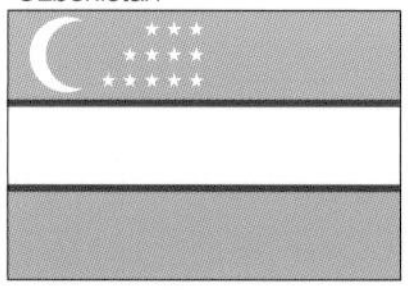

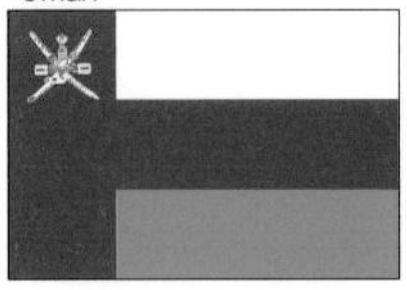

首都 マスカット
人口 452万人
面積 31.0万km²
通貨単位 オマーン・リアル
主要言語 アラビア語
主要宗教 イスラーム（イバード派）
国花 ──
赤は新生オマーンを，白は平和，緑は農作物を表し，紋章は剣を交差したもの。

カンボジア　P.27
Cambodia

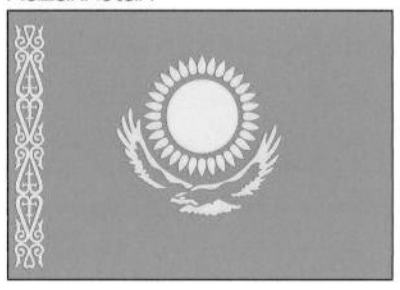

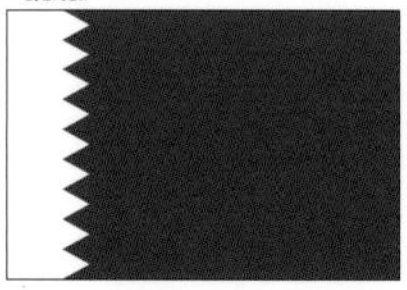

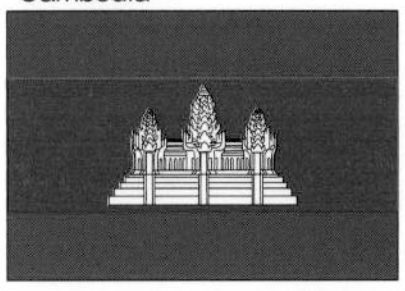

首都 プノンペン
人口 1,659万人
面積 18.1万km²
通貨単位 リエル
主要言語 カンボジア語（クメール語）
主要宗教 仏教
国花 イネ
青は王室の色，赤は国民の色で，中央の建物はアンコールワットを表す。

アゼルバイジャン　P.43
Azerbaijan

首都 バクー
人口 1,011万人
面積 8.7万km²
通貨単位 アゼルバイジャン・マナト
主要言語 アゼルバイジャン語
主要宗教 イスラーム（シーア派，スンナ派）
国花 ──
国鳥 ──
中央の三日月と星はイスラームの国であることを表している。

アルメニア　P.43
Armenia

首都 エレバン
人口 296万人
面積 3.0万km²
通貨単位 ドラム
主要言語 アルメニア語
主要宗教 アルメニア教会
国花 ──
国鳥 ──
赤は血，青は空・希望・国土，オレンジは小麦と神の恵み・民衆の勇気を表している。

イラク　P.40〜41
Iraq

首都 バグダッド
人口 3,985万人(20)
面積 43.5万km²
通貨単位 イラク・ディナール
主要言語 アラビア語，クルド語
主要宗教 イスラーム（シーア派，スンナ派）
国花 紅バラ
国鳥 ──
赤は勇気，白は寛大さ，黒はイスラームの伝統，アラビア文字は「神は偉大なり」を表す。

インドネシア　P.24〜25
Indonesia

首都 ジャカルタ
人口 27,268万人
面積 191.1万km²
通貨単位 ルピア
主要言語 インドネシア語
主要宗教 イスラーム，キリスト教
国花 マツリカ
赤は自由と勇気を，白は正義と純血を，また同時に赤と白は太陽と月も意味している。

カザフスタン　P.36〜37
Kazakhstan

首都 アスタナ
人口 1,900万人
面積 272.5万km²
通貨単位 テンゲ
主要言語 カザフ語，ロシア語
主要宗教 イスラーム（スンナ派），キリスト教
国花 ──　国鳥 ──
左端の文様は民族の伝統装飾，太陽と鷲は希望と自由を表す。

キプロス　P.42
Cyprus

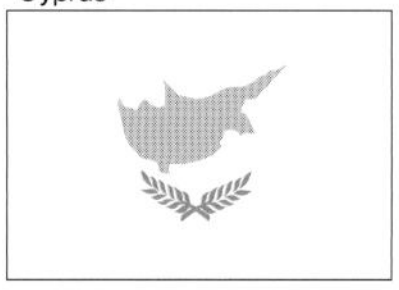

首都 ニコシア
人口 89万人
面積 9,251km²
通貨単位 ユーロ
主要言語 ギリシャ語，トルコ語
主要宗教 ギリシャ正教，イスラーム
国花 ──
国鳥 ──
黄金の国の形は銅資源を示し，オリーブの枝はトルコ系とギリシャ系両民の融和を表す。

アフガニスタン　P.36
Afghanistan

首都 カブール
人口 3,206万人
面積 65.3万km²
通貨単位 アフガニー
主要言語 ダリー語，パシュトゥー語
主要宗教 イスラーム（スンナ派，シーア派）
国花 赤チューリップ
国鳥 ──
アフガニスタン暫定行政機構の国旗として，新たに制定された。

イエメン　P.39
Yemen

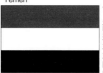

首都 サヌア
人口 3,041万人(20)
面積 52.8万km²
通貨単位 イエメン・リアル
主要言語 アラビア語
主要宗教 イスラーム（スンナ派，シーア派）
国花 ──
国鳥 ──
赤は独立への情熱，白は平和と未来への希望，黒は過去の支配からの勝利を表す。

イラン　P.40〜41
Iran

首都 テヘラン
人口 8,405万人
面積 163.1万km²
通貨単位 イラン・リアル
主要言語 ペルシア語
主要宗教 イスラーム（シーア派）
国花 バラ
国鳥 ──
緑と赤の帯の所にあるアラビア文字は「神は偉大なり」を22回繰り返している。

ウズベキスタン　P.36
Uzbekistan

首都 タシケント
人口 3,419万人
面積 44.9万km²
通貨単位 スム
主要言語 ウズベク語，ロシア語
主要宗教 イスラーム（スンナ派）
国花 ──
国鳥 ──
青地に白の三日月と星はイスラームのシンボルである。

カタール　P.41
Qatar

首都 ドーハ
人口 274万人
面積 1.2万km²
通貨単位 カタール・リヤル
主要言語 アラビア語
主要宗教 イスラーム（スンナ派），キリスト教
国花 ──　国鳥 ──
白は平和を，赤茶色は戦争で流した血を，九つの波形はイギリスからの独立時の部族数を表す。

キルギス　P.36〜37
Kyrgyz
首都 ビシュケク
人口 669万人
面積 20.0万km²
通貨単位 ソム
主要言語 キルギス語，ロシア語
主要宗教 イスラーム（スンナ派），キリスト教（ロシア正教）
国花 ──　国鳥 ──
輝く太陽とキルギス人の移動式住居「ユルト」を表している。

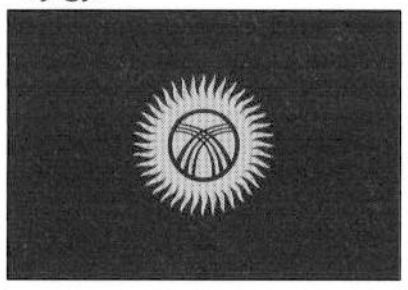

クウェート　P. 41
Kuwait

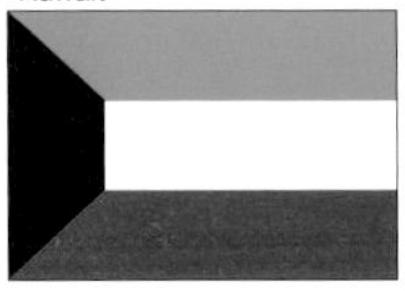

首都　クウェート
人口　433万人
面積　1.8万km²
通貨単位　クウェート・ディナール
主要言語　アラビア語
主要宗教　イスラーム(スンナ派, シーア派)
　　　　　キリスト教
国花 ——, 国鳥 ——

緑・白・黒は各王朝を, 赤はアラブ社会の基
盤を形成する血縁を表す。

サウジアラビア　P. 38〜39
Saudi Arabia

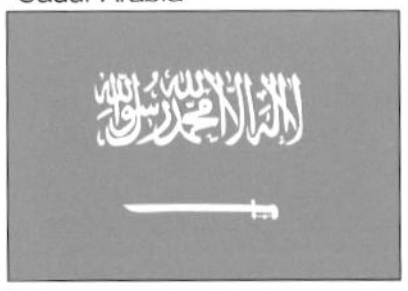

首都　リヤド
人口　3,411万人
面積　220.7万km²
通貨単位　サウジ・リヤル
主要言語　アラビア語
主要宗教　イスラーム(スンナ派)
国花　バラ
国鳥 ——

文字はコーランの一節で, 剣は聖地メッカの
守護を意味する。緑はイスラームの色。

ジョージア　P. 43
Georgia

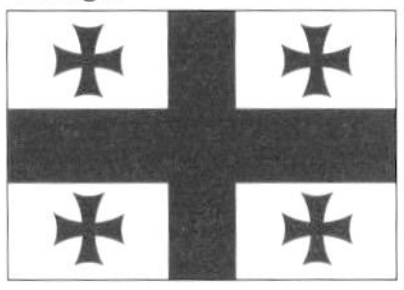

首都　トビリシ
人口　370万人
面積　7.0万km²
通貨単位　ラリ
主要言語　ジョージア語
主要宗教　ジョージア正教, イスラーム
国花 ——

守護聖人セントジョージ十字章に, さらに四つの
十字を配して, キリスト教国であることを表す。

シリア　P. 38〜39
Syria

首都　ダマスカス
人口　1,799万人(15)
面積　18.5万km²
通貨単位　シリア・ポンド
主要言語　アラビア語, クルド語
主要宗教　イスラーム(スンナ派)
国花　ダマスクローズ

赤は剣を, 白は善を, 黒は戦いを示し, 緑の
星は美しい大地とアラブの一致を表す。

シンガポール　P. 28
Singapore

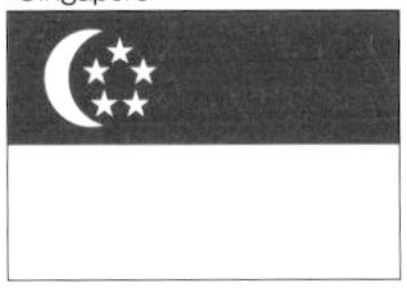

首都　シンガポール
人口　545万人
面積　729km²
通貨単位　シンガポール・ドル
主要言語　マレー語, 中国語,
　　　　　タミル語, 英語
主要宗教　仏教, キリスト教
国花　バンダ(ラン), 国鳥 ——

赤は平等, 白は純粋性, 五つの星と月は自由・
平和・進歩・平等・公正への歩みを表す。

スリランカ　P. 34
Sri Lanka

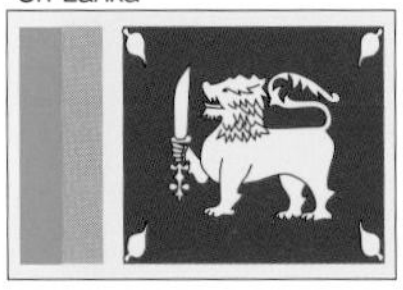

首都　スリジャヤワルダナプラコッテ
人口　2,215万人
面積　6.6万km²
通貨単位　スリランカ・ルピー
主要言語　シンハラ語, タミル語
主要宗教　仏教, ヒンドゥー教
国花　ハス
国鳥　セイロンヤケイ

剣を持つライオンはこの国のシンボル, 緑は
ムーア人, オレンジはタミル人を表す。

タイ　P. 26〜27
Thailand

首都　バンコク
人口　6,667万人
面積　51.3万km²
通貨単位　バーツ
主要言語　タイ語
主要宗教　仏教
国花　ナンバンサイカチ
国鳥 ——

青はタイ王室の色, 赤は国家を表し, 白は純
潔を意味する。

大韓民国　P. 22〜23
Republic of Korea

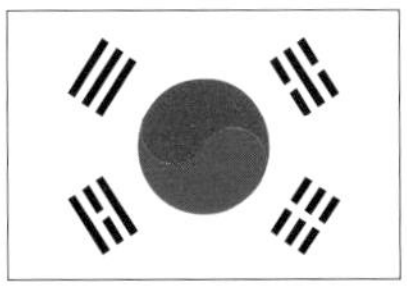

首都　ソウル
人口　5,174万人
面積　10.0万km²
通貨単位　韓国ウォン
主要言語　韓国語
主要宗教　キリスト教, 仏教
国花　ムクゲ
国鳥　カササギ

中央の巴は太極といって宇宙を表し, 四隅の
卦は天, 地, 水, 火を表す。

タジキスタン　P. 36
Tajikistan

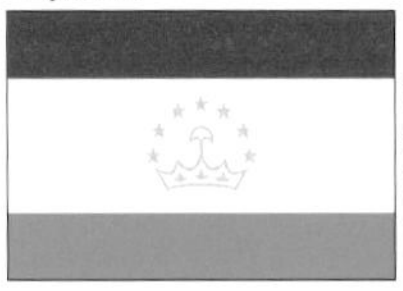

首都　ドゥシャンベ
人口　958万人
面積　14.1万km²
通貨単位　ソモニ
主要言語　タジク語, ロシア語
主要宗教　イスラーム(スンナ派)
国花 ——
国鳥 ——

赤は勝利・労働者, 白は綿花・純血, 緑は
農産物とイスラームを表している。

中華人民共和国　P. 6〜7
People's Republic of China

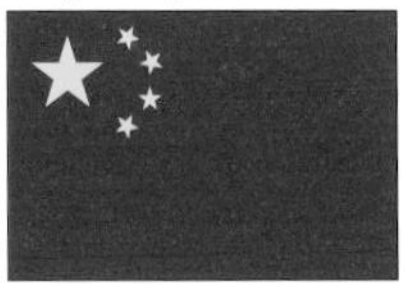

首都　ペキン(北京)
人口　144,407万人
面積　960.1万km²
通貨単位　元
主要言語　標準中国語,
　　　　　中国語7地域方言
主要宗教　道教, 仏教
国花　ボタン, 国鳥 ——

大きい星は党, 小さい星は労働者, 農民, 知
識階級, 愛国的資本家を表す。

朝鮮民主主義人民共和国　P. 20
Democratic People's Republic of Korea

首都　ピョンヤン(平壌)
人口　2,518万人(15)
面積　12.1万km²
通貨単位　北朝鮮ウォン
主要言語　朝鮮語
主要宗教　仏教, キリスト教
国花　スモモ
国鳥 ——

赤と青は朝鮮の伝統的な色で, 赤い星は共産
主義のシンボルである。

トルクメニスタン　P. 36
Turkmenistan

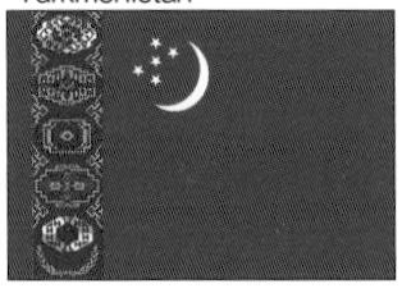

首都　アシガバット
人口　556万人(15)
面積　48.8万km²
通貨単位　トルクメン・マナト
主要言語　トルクメン語, ロシア語
主要宗教　イスラーム(スンナ派)
国花 ——
国鳥 ——

緑に三日月と星はイスラームを, 左端の装飾
文様は五つの主要民族を表す。

トルコ　P. 42〜43
Turkey

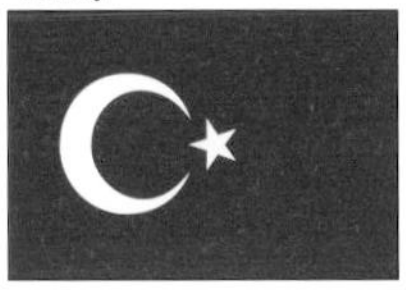

首都　アンカラ
人口　8,414万人
面積　78.4万km²
通貨単位　リラ
主要言語　トルコ語, クルド語
主要宗教　イスラーム(スンナ派)
国花　チューリップ
国鳥 ——

三日月と星はこの国の故事に由来し, 進歩・
独立などの意味が含まれている。

日本　P. 7, 日本編
Japan

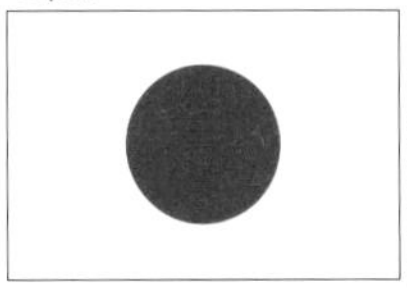

首都　東京
人口　12,568万人
面積　37.8万km²
通貨単位　円
主要言語　日本語
主要宗教　神道, 仏教, キリスト教など
国花　ヤマザクラ
国鳥　キジ

「日の丸」「日章旗」ともいわれ, 太陽を表徴し
たもの。民間では明治の初めから使用。

ネパール　P. 33
Nepal

首都　カトマンズ
人口　3,037万人
面積　14.7万km²
通貨単位　ネパール・ルピー
主要言語　ネパール語
主要宗教　ヒンドゥー教, 仏教
国花　シャクナゲ
国鳥　ロホホラス

三角を重ねた珍しい旗。月と太陽はヒンドゥー
教、そして国の永遠の発展を表す。

パキスタン　P. 30
Pakistan

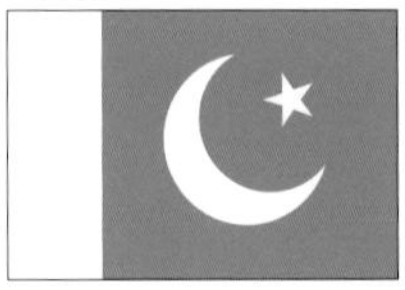

首都　イスラマバード
人口　20,768万人(17)
面積　79.6万km²
通貨単位　パキスタン・ルピー
主要言語　ウルドゥー語, 英語
主要宗教　イスラーム(スンナ派)
国花　ジャスミン
国鳥 ——

緑はイスラーム, 白い三日月と星は平和・知
識・進歩・発展などを表す。

バーレーン　P. 41
Bahrain

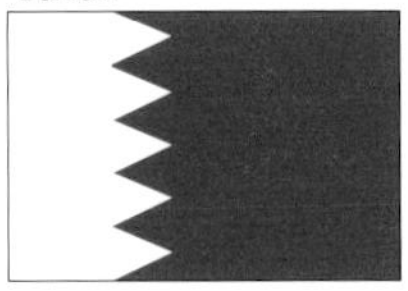

首都　マナーマ
人口　150万人(20)
面積　778km²
通貨単位　バーレーン・ディナール
主要言語　アラビア語
主要宗教　イスラーム(シーア派, スンナ派),
　　　　　キリスト教
国鳥 ——

赤と白は1820年ペルシア湾岸諸国とイギリス
との間で結んだ条約に基づいている。

バングラデシュ　P. 33
Bangladesh

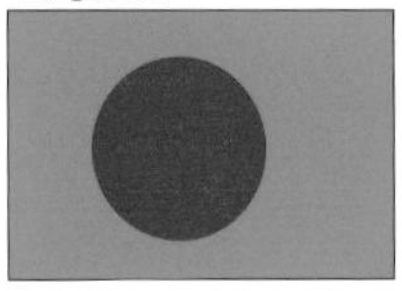

首都　ダッカ
人口　16,822万人(20)
面積　14.8万km²
通貨単位　タカ
主要言語　ベンガル語
主要宗教　イスラーム(スンナ派),
　　　　　ヒンドゥー教
国花　スイレン, 国鳥 ——

緑は農業とイスラームを, 赤丸は独立時に流
された戦士の血を表す。

東ティモール　P. 25
Timor-Leste

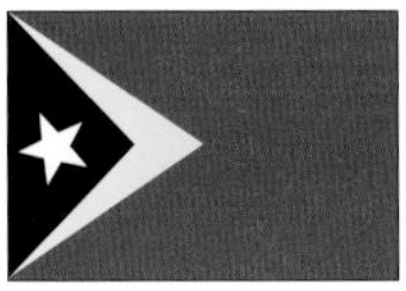

首都　ディリ
人口　128万人(19)
面積　1.5万km²
通貨単位　米ドル
主要言語　テトゥン語, ポルトガル語
主要宗教　カトリック
国花 ——
国鳥 ——

黒は植民地時代, 黄は独立への戦い, 赤は民
衆が流した血, 星は未来への希望を表す。

フィリピン　P. 29
Philippines

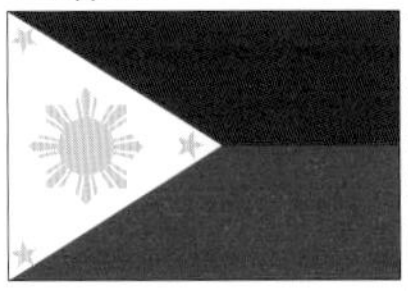

首都　マニラ
人口　11,019万人
面積　30.0万km²
通貨単位　フィリピン・ペソ
主要言語　フィリピノ語, 英語
主要宗教　カトリック
国花　マツリカ
国鳥 ——

白三角は解放運動, 太陽は自由を, 三つの星
は主要な島を, 赤は勇気, 青は平和を表す。

ブータン　P. 33
Bhutan

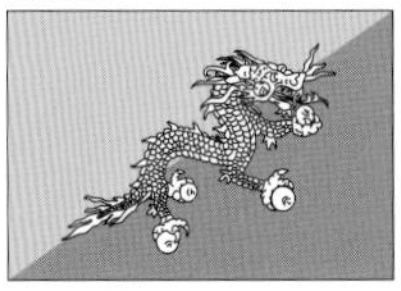

首都　ティンプー
人口　75万人
面積　3.8万km²
通貨単位　ヌルタム
主要言語　ゾンカ語, ネパール語
主要宗教　チベット仏教, ヒンドゥー教
国花 ——
国鳥 ——

龍は守護神で王家の象徴, 左上の色は王家の
権威, 右下のオレンジは仏教を表す。

ブルネイ　P. 29
Brunei

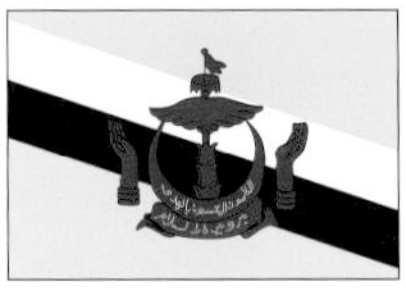

首都　バンダルスリブガワン
人口　42万人
面積　5,765km²
通貨単位　ブルネイ・ドル
主要言語　マレー語
主要宗教　イスラーム
国花 ——
国鳥 ——

黄は石油や天然ガスなど豊富な天然資源を,
中央の紋様はイスラーム国であることを示す。

ベトナム　P. 26〜27
Viet Nam

首都　ハノイ
人口　9,850万人
面積　33.1万km²
通貨単位　ドン
主要言語　ベトナム語
主要宗教　仏教, カトリック
国花 ——
国鳥 ——

赤は独立のため流した血, 黄星は社会主義, 5本
の光は労働者, 農民, 兵士, 青年, 知識人を表す。

マレーシア　P. 24
Malaysia

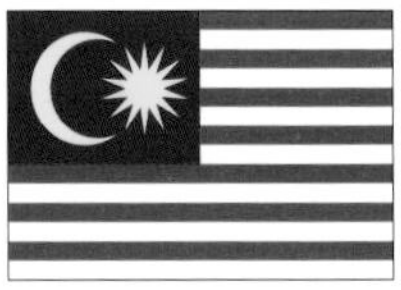

首都　クアラルンプール
人口　3,265万人
面積　33.1万km²
通貨単位　リンギット
主要言語　マレー語, 英語, 中国語
主要宗教　イスラーム, 仏教
国花　ハイビスカス
国鳥 ——

14本の赤と白の線は州の数を, 月と星はこの
国がイスラーム国であることを表す。

ミャンマー　P.31
Myanmar

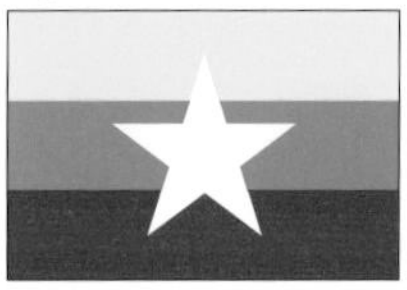

首都　ネーピードー
人口　5,529万人
面積　67.7万km²
通貨単位　チャット
主要言語　ミャンマー語（ビルマ語）
主要宗教　仏教
国花　サラノキ
国鳥　──

黄は団結，緑は平和，赤は勇気，中央の
白い星は国家の永続性を表す。

ヨルダン　P.40
Jordan

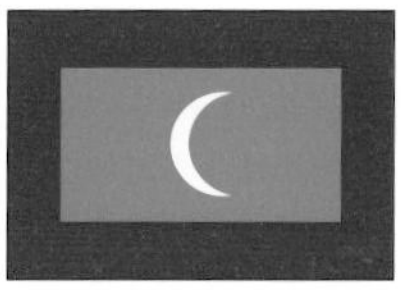

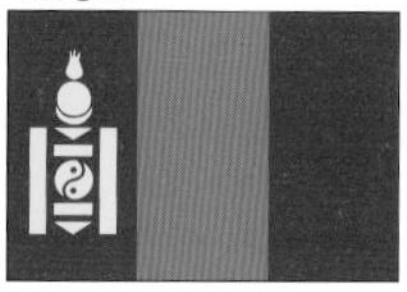

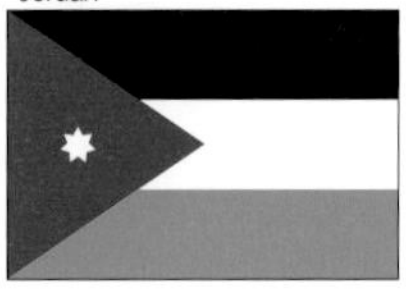

首都　アンマン
人口　1,105万人
面積　8.9万km²
通貨単位　ヨルダン・ディナール
主要言語　アラビア語
主要宗教　イスラーム（スンナ派）
国花　ナツメヤシ
国鳥　──

赤はムハンマド，他の3色はイスラーム王朝
の色。白い星はコーランの一節を示す。

モルディブ　P.30
Maldives

首都　マレ
人口　56万人
面積　300km²
通貨単位　ルフィア
主要言語　ディヴェヒ語
主要宗教　イスラーム（スンナ派）

三日月と緑はイスラームのシンボルで，赤は
独立の戦いに流された血を表す。

ラオス　P.26〜27
Laos

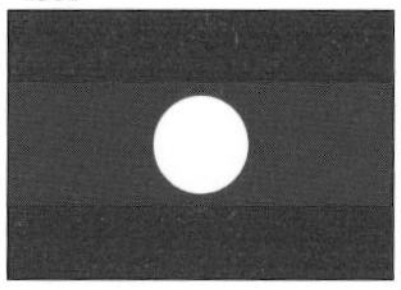

首都　ビエンチャン
人口　733万人
面積　23.7万km²
通貨単位　キープ
主要言語　ラオ語
主要宗教　仏教
国花　インドソケイ
国鳥　──

赤は人民の連帯，青は国土，白丸は英知と純
潔を表す。

モンゴル　P.6〜7
Mongolia

首都　ウランバートル
人口　338万人
面積　156.4万km²
通貨単位　トゥグルグ
主要言語　モンゴル語
主要宗教　仏教（おもにチベット仏教）
国花　──
国鳥　──

左側の紋様は伝統的なソヨンボ（蓮台）で，炎，
太陽と月，槍と矢じり，2匹の魚を表す。

レバノン　P.40
Lebanon

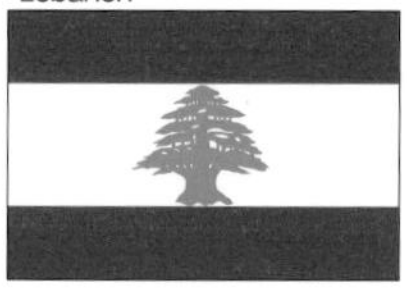

首都　ベイルート
人口　653万人[15]
面積　1.0万km²
通貨単位　レバノン・ポンド
主要言語　アラビア語
主要宗教　イスラーム（スンナ派，シーア派），
キリスト教
国花　レバノンスギ，国鳥　──

赤は勇気と犠牲，白は平和を表し，中央は国
の象徴であるレバノン杉。

アフリカ

*54国
（注1）アフリカ金融共同体フラン

アルジェリア　P.46
Algeria

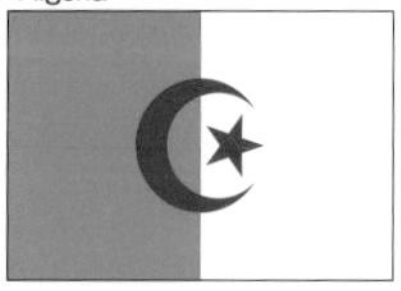

首都　アルジェ
人口　4,422万人[20]
面積　238.2万km²
通貨単位　アルジェリア・ディナール
主要言語　アラビア語，アマジグ語
主要宗教　イスラーム（スンナ派）
国花　──
国鳥　──

白は純粋性，緑は勇気を表し，イスラームの
シンボル月と星の赤は改革で流した血を表す。

アンゴラ　P.44
Angola

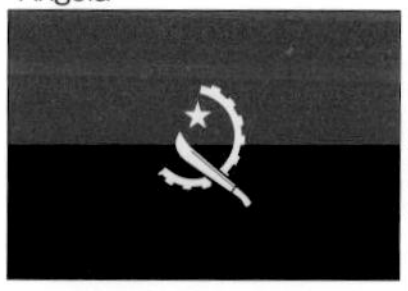

首都　ルアンダ
人口　3,209万人
面積　124.7万km²
通貨単位　クワンザ
主要言語　ポルトガル語，ウンブンド語
主要宗教　カトリック，独立派キリスト教
国花　──
国鳥　──

赤は独立の闘争，黒はアフリカ大陸，黄は国
の富，鉈（なた）は農業，歯車は工業化を表す。

ウガンダ　P.47
Uganda

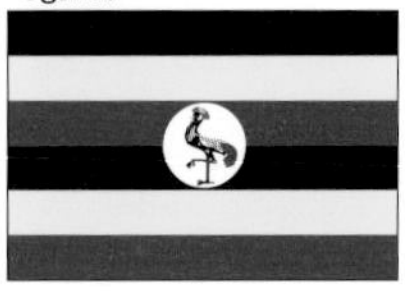

首都　カンパラ
人口　4,288万人
面積　24.2万km²
通貨単位　ウガンダ・シリング
主要言語　英語，スワヒリ語
主要宗教　キリスト教，イスラーム
国花　──
国鳥　カンムリヅル

黒は黒人，黄は太陽，赤は兄弟・同胞愛を表
し，中央に国鳥のカンムリヅルを配している。

エチオピア　P.47
Ethiopia

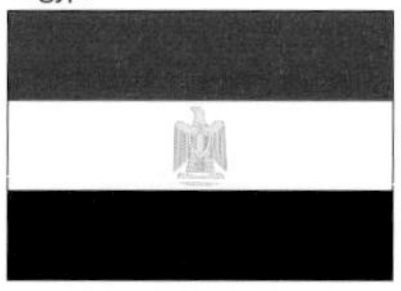

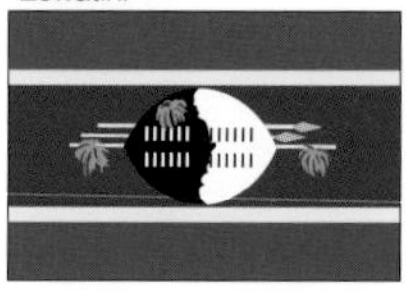

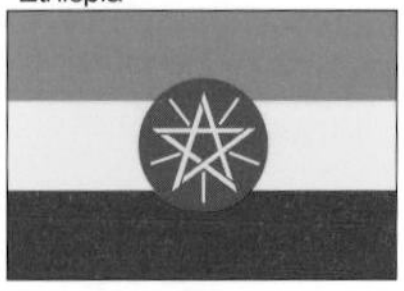

首都　アディスアベバ
人口　10,286万人
面積　110.4万km²
通貨単位　ブル
主要言語　アムハラ語
主要宗教　エチオピア教会，
イスラーム
国花　オランダカイヨウ，国鳥　──

中央の紋章は「ソロモンの星」，緑，黄，赤は
「ノアの方舟」の話に出てくる虹にちなむ。

カーボベルデ　P.81
Cabo Verde

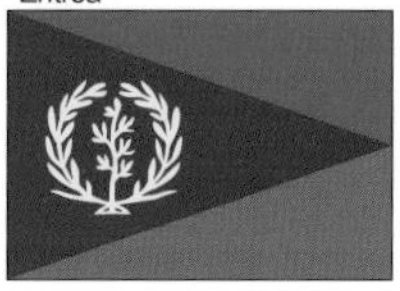

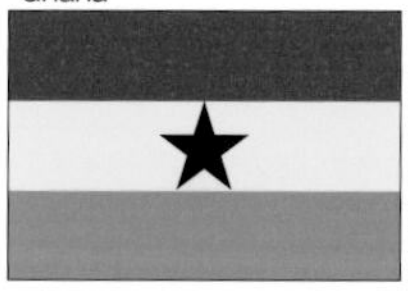

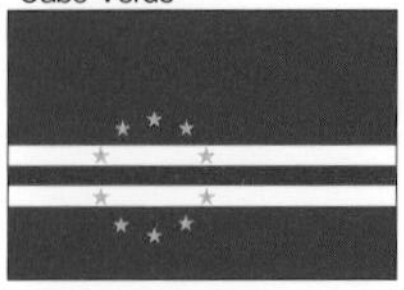

首都　プライア
人口　49万人
面積　4,033km²
通貨単位　エスクード
主要言語　ポルトガル語，
クレオール語
主要宗教　カトリック
国花　──，国鳥　──

青は海，白は平和，赤は独立のために流され
た血，星は10の主な島々を表す。

ガンビア　P.46
Gambia

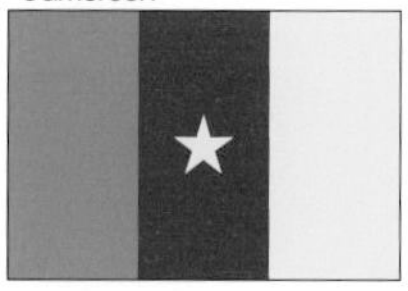

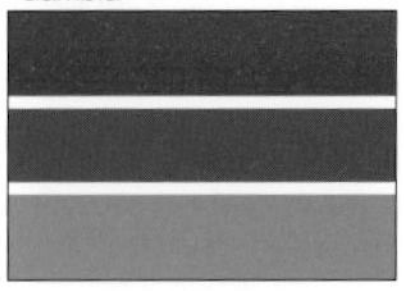

首都　バンジュール
人口　221万人[19]
面積　1.1万km²
通貨単位　ダラシ
主要言語　英語，マンディンカ語
主要宗教　イスラーム
国花　──
国鳥　──

赤は太陽と周囲の国々との友好，青はガンビ
ア川，緑は主要産業である農業を表す。

ケニア　P.47
Kenya

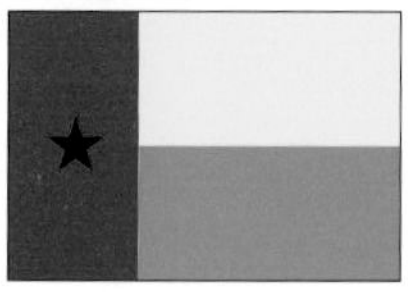

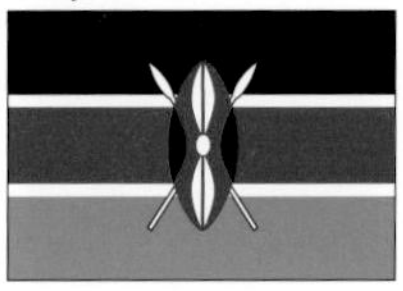

首都　ナイロビ
人口　4,755万人[19]
面積　59.2万km²
通貨単位　ケニア・シリング
主要言語　スワヒリ語，英語
主要宗教　キリスト教，イスラーム
国花　──
国鳥　──

黒は国民，赤は血，緑は大地と天然資源を表
す。中央にマサイ族の盾と槍を配している。

エジプト　P.47
Egypt

首都　カイロ
人口　10,206万人
面積　100.2万km²
通貨単位　エジプト・ポンド
主要言語　アラビア語
主要宗教　イスラーム（スンナ派），
キリスト教（コプト教）
国花　スイレン，国鳥　──

赤は革命と国民の犠牲，白は国の明るい未来，
黒は抑圧されていた歳月を表す。中央は国章。

エリトリア　P.47
Eritrea

首都　アスマラ
人口　355万人
面積　12.1万km²
通貨単位　ナクファ
主要言語　ティグリニャ語，
アラビア語，英語
主要宗教　イスラーム，キリスト教
国花　──，国鳥　──

緑は農産物の恵み，青は紅海，赤は血，オリ
ーブは自治独立・未来への展望を表す。

ガボン　P.46
Gabon

首都　リーブルビル
人口　194万人[15]
面積　26.8万km²
通貨単位　CFAフラン[注1]
主要言語　フランス語，ファン語
主要宗教　カトリック，プロテスタント
国花　カエンボク
国鳥　──

緑は森林，黄は赤道直下の太陽，青は海を表
している。

ギニア　P.46
Guinea

首都　コナクリ
人口　1,347万人
面積　24.6万km²
通貨単位　ギニア・フラン
主要言語　フランス語，フラ語
主要宗教　イスラーム（スンナ派）
国花　──
国鳥　──

赤は生命の源である太陽，黄は黄金とアフリ
カの光，緑は木と農産物を表す。

コートジボワール　P.46
Côte d'Ivoire

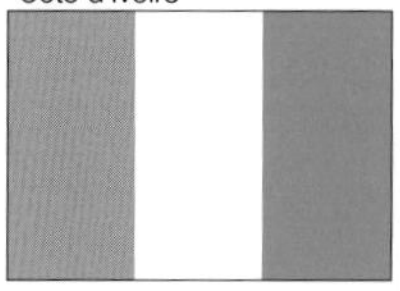

首都　ヤムスクロ
人口　2,708万人
面積　32.2万km²
通貨単位　CFAフラン[注1]
主要言語　フランス語
主要宗教　イスラーム，キリスト教
国花　ヤシ
国鳥　──

オレンジは国の繁栄とサバナ，白は平和と国
民の団結，緑は希望と豊かな原始林を表す。

エスワティニ　P.45
Eswatini

首都　ムババーネ
人口　118万人[20]
面積　1.7万km²
通貨単位　リランゲニ
主要言語　スワティ語，英語
主要宗教　キリスト教
国花　──
国鳥　──

青は平和，黄は鉱物資源，赤は自由への闘争，
中央には戦士の盾，槍を配している。

ガーナ　P.46
Ghana

首都　アクラ
人口　3,095万人[20]
面積　23.9万km²
通貨単位　セディ
主要言語　英語，アサンテ語
主要宗教　キリスト教，イスラーム
国花　ナツメヤシ
国鳥　──

赤は独立のために戦った人々，黄は富と地下
資源，緑は豊かな森林と農耕地を表す。

カメルーン　P.46
Cameroon

首都　ヤウンデ
人口　2,676万人
面積　47.6万km²
通貨単位　CFAフラン[注1]
主要言語　フランス語，英語
主要宗教　カトリック，プロテスタント
国花　──
国鳥　──

緑は南の森林，黄は北のサバナ，赤は耕作地
域，星は栄光を表す。

ギニアビサウ　P.46
Guinea-Bissau

首都　ビサウ
人口　162万人[20]
面積　3.6万km²
通貨単位　CFAフラン[注1]
主要言語　ポルトガル語，クレオール語
主要宗教　イスラーム，キリスト教
国花　──
国鳥　──

アフリカ新興国特有の赤・黄・緑に，これも
アフリカのシンボルである黒星を配したもの。

コモロ　P.45
Comoros

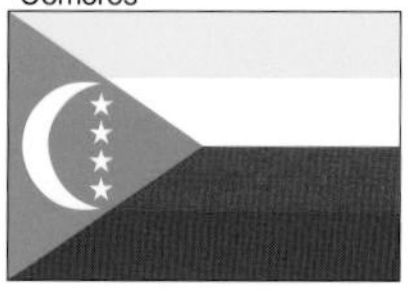

首都　モロニ
人口　77万人[15]
面積　2,235km²
通貨単位　コモロ・フラン
主要言語　コモロ語，アラビア語，
フランス語
主要宗教　イスラーム（スンナ派）
国花　──，国鳥　──

三角形の緑はイスラームのシンボルで，四つ
の星と横の4色は国を構成する4島を表す。

コンゴ共和国
Republic of Congo　P. 46～47

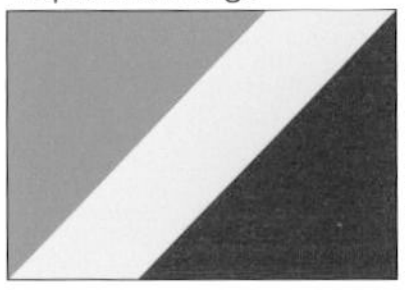

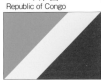

首都 ブラザビル
人口 560万人
面積 34.2万km²
通貨単位 CFAフラン(注1)
主要言語 フランス語, リンガラ語
主要宗教 キリスト教
国花 ──

緑は平和・森林資源, 黄は希望・天然資源,
赤は自主独立・人間性への尊厳を表す。

ザンビア
Zambia　P. 44

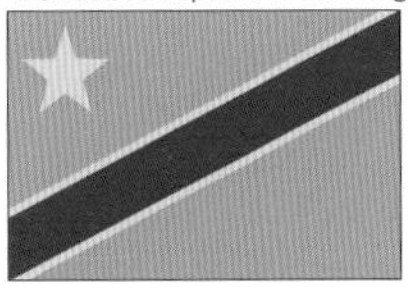

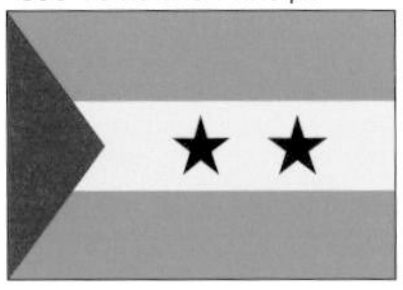

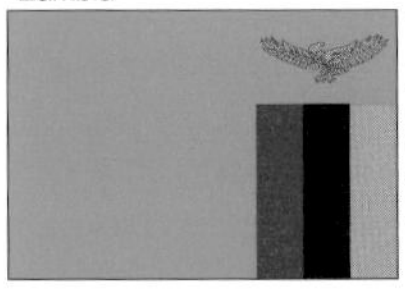

首都 ルサカ
人口 1,840万人
面積 75.3万km²
通貨単位 ザンビア・クワチャ
主要言語 英語, ベンバ語
主要宗教 プロテスタント, カトリック
国花 ──
国鳥 ──

赤は自由のための闘争, 黒は国民, オレンジ
と緑は資源, 鷲は自由と栄光を表す。

ジンバブエ
Zimbabwe　P. 45

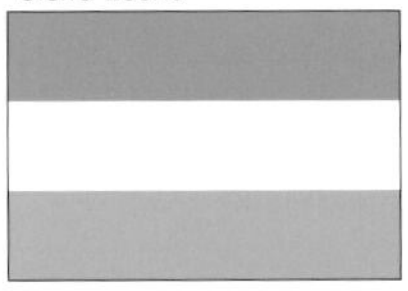

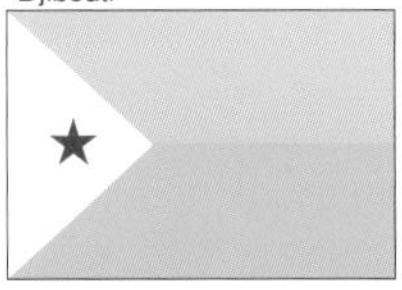

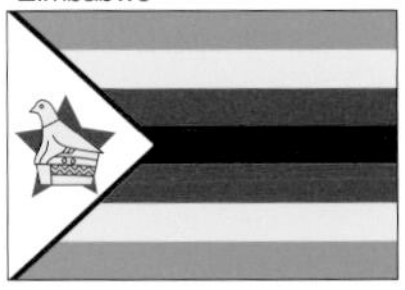

首都 ハラレ
人口 1,655万人
面積 39.1万km²
通貨単位 ジンバブエ・ドル
主要言語 英語, ショナ語, ンデベレ語
主要宗教 キリスト教(プロテスタント)
国花 ──
国鳥 ──

赤・黄・緑のアフリカ色に, 左側に遺跡の彫
刻からとった鳥の紋章を配した。

セーシェル
Seychelles　表見返

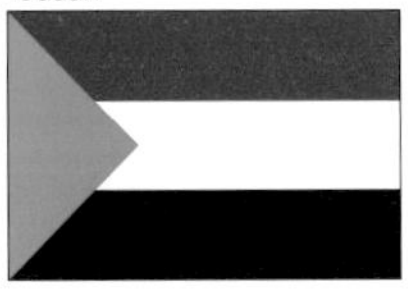

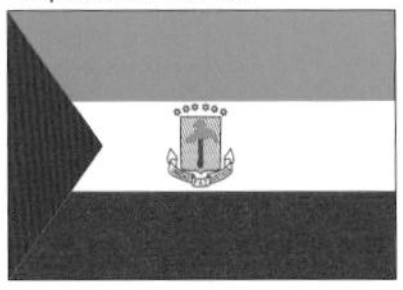

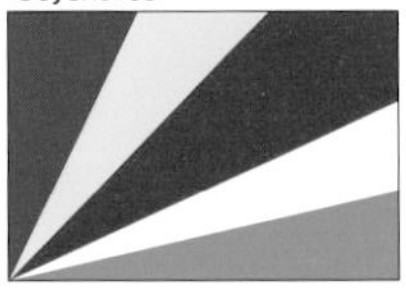

首都 ビクトリア
人口 9万人
面積 457km²
通貨単位 セーシェル・ルピー
主要言語 クレオール語, 英語, フランス語
主要宗教 カトリック, プロテスタント
国花 ──, 国鳥 ──

青は空と海, 黄は太陽, 赤は国民と働く決意,
白は正義と調和, 緑は国土と自然環境を表す。

タンザニア
Tanzania　P. 44～45

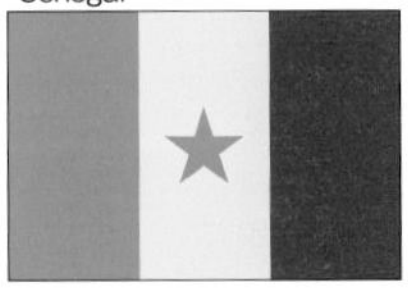

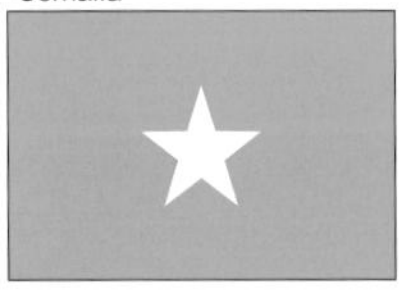

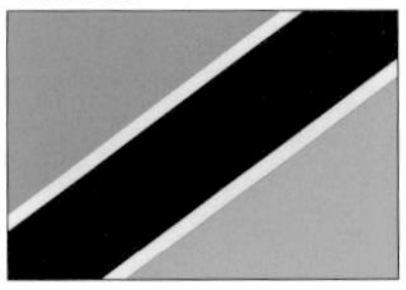

首都 ダルエスサラーム
人口 5,944万人
面積 94.7万km²
通貨単位 タンザニア・シリング
主要言語 スワヒリ語, 英語
主要宗教 キリスト教, イスラーム
国花 ──
国鳥 ──

緑は国土と農業, 黒はすべての国民, 青はイ
ンド洋, 黄線は豊かな鉱物資源を表す。

チュニジア
Tunisia　P. 46

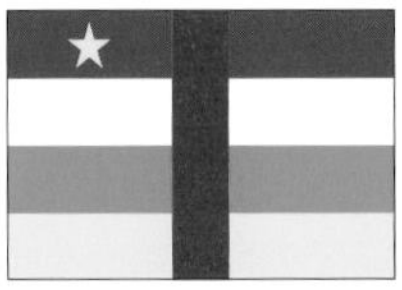

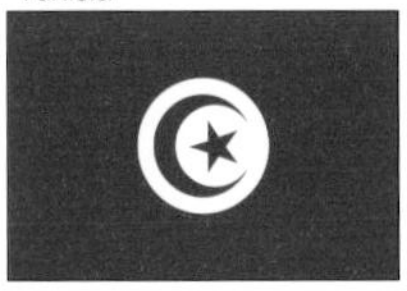

首都 チュニス
人口 1,178万人
面積 16.4万km²
通貨単位 チュニジア・ディナール
主要言語 アラビア語, フランス語
主要宗教 イスラーム(スンナ派)
国花 ──
国鳥 ──

歴史的関係の深いトルコの国旗を参考にした。
三日月と星はイスラーム国独特のもの。

ナミビア
Namibia　P. 44

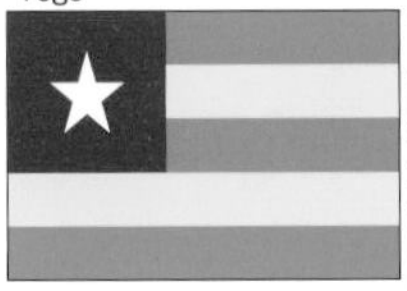

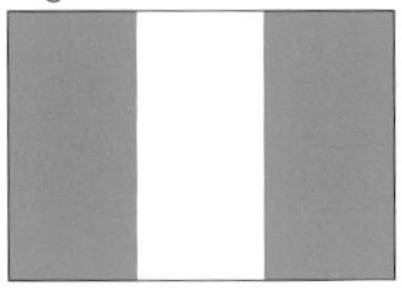

首都 ウィントフック
人口 255万人
面積 82.5万km²
通貨単位 ナミビア・ドル
主要言語 英語, アフリカーンス語
主要宗教 プロテスタント, カトリック

青は希望, 赤は独立に流された血, 緑は豊か
な国土, 白線は繁栄, 星は統一を表す。

ブルンジ
Burundi　P. 47

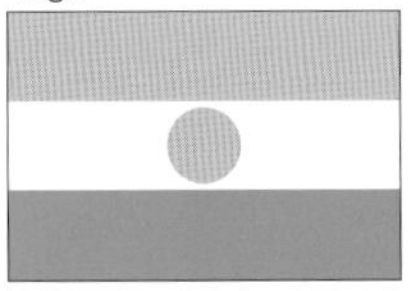

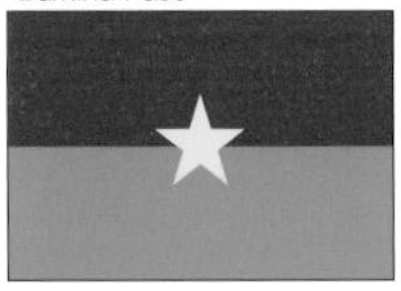

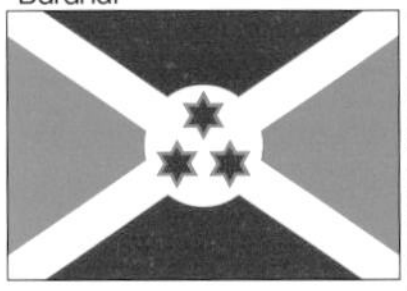

首都 ブジュンブラ
人口 1,257万人
面積 2.8万km²
通貨単位 ブルンジ・フラン
主要言語 ルンディ語, フランス語
主要宗教 カトリック, プロテスタント
国花 ──
国鳥 ──

赤は独立闘争と革命, 緑は希望, 白は平和を
表し, 3個の星は3部族と国家の統一を表す。

コンゴ民主共和国
Democratic Republic of the Congo　P. 44

首都 キンシャサ
人口 10,524万人
面積 234.5万km²
通貨単位 コンゴ・フラン
主要言語 フランス語, スワヒリ語
主要宗教 キリスト教, イスラーム
国花 ニオイマホガニー

赤は国のために殉じた者の血, 黄色の線は富,
星は輝かしい未来, バックの水色は平和を表す。

シエラレオネ
Sierra Leone　P. 46

首都 フリータウン
人口 829万人
面積 7.2万km²
通貨単位 レオネ
主要言語 英語, メンデ語
主要宗教 イスラーム, キリスト教
国花 ギネアアブラヤシ
国鳥 ──

緑は農業, 白は平和と正義, 青はこの国の海
岸を洗う大西洋を表している。

スーダン
Sudan　P. 47

首都 ハルツーム
人口 4,567万人
面積 184.7万km²
通貨単位 スーダン・ポンド
主要言語 アラビア語, 英語
主要宗教 イスラーム(スンナ派), 伝統信仰
国花 ハイビスカス, 国鳥 ──

赤は革命と進歩, 白は平和と未来への希望, 黒は
アフリカ, 緑はイスラームの繁栄を表す。

セネガル
Senegal　P. 46

首都 ダカール
人口 1,747万人
面積 19.7万km²
通貨単位 CFAフラン(注1)
主要言語 フランス語, ウォロフ語
主要宗教 イスラーム
国花 バオバブ
国鳥 ──

アフリカ特有の緑・黄・赤の3色を採用し,
中央の緑の星は自由のシンボルである。

チャド
Chad　P. 46～47

首都 ンジャメナ
人口 1,569万人(19)
面積 128.4万km²
通貨単位 CFAフラン(注1)
主要言語 フランス語, アラビア語
主要宗教 イスラーム, キリスト教
国花 ──
国鳥 ──

青は空と希望, 黄は太陽と資源, 赤は国の進
歩と独立時の犠牲を忘れないための色。

トーゴ
Togo　P. 46

首都 ロメ
人口 779万人(20)
面積 5.7万km²
通貨単位 CFAフラン(注1)
主要言語 フランス語, エウェ語
主要宗教 キリスト教, 伝統信仰
国花 ──
国鳥 ──

緑は希望, 黄は未来への誓い, 赤は解放のた
めに流された血, 白星はアフリカのシンボル。

ニジェール
Niger　P. 46

首都 ニアメ
人口 2,194万人(19)
面積 126.7万km²
通貨単位 CFAフラン(注1)
主要言語 フランス語, ハウサ語
主要宗教 イスラーム(スンナ派)
国花 ──
国鳥 ──

オレンジはサハラ砂漠, 白は平和と純潔, 緑
は砂漠の緑化による国の発展を表す。

ベナン
Benin　P. 46

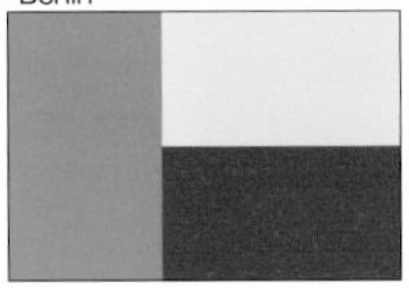

首都 ポルトノボ
人口 1,185万人(19)
面積 11.5万km²
通貨単位 CFAフラン(注1)
主要言語 フランス語, フォン語
主要宗教 キリスト教, イスラーム
国花 ──
国鳥 ──

緑色は南の地域のヤシ林, 黄色は北の地域の
サバナ, 赤色は両地域の結びつきを表す。

サントメ・プリンシペ
São Tomé and Príncipe　P. 46

首都 サントメ
人口 21万人
面積 964km²
通貨単位 ドブラ
主要言語 ポルトガル語, クレオール語
主要宗教 カトリック, プロテスタント
国花 ──

赤は独立のために流した血, 緑はカカオと林
業, 黒星はサントメ島とプリンシペ島を表す。

ジブチ
Djibouti　P. 47

首都 ジブチ
人口 100万人
面積 2.3万km²
通貨単位 ジブチ・フラン
主要言語 フランス語, アラビア語
主要宗教 イスラーム(スンナ派)
国花 ──
国鳥 ──

青は大洋を, 緑は富と大地を, 白い三角は平
等, 赤い星は統一を表す。

赤道ギニア
Equatorial Guinea　P. 46

首都 マラボ
人口 150万人
面積 2.8万km²
通貨単位 CFAフラン(注1)
主要言語 スペイン語, フランス語, ポルトガル語
主要宗教 キリスト教(カトリック)
国花 ──, 国鳥 ──

緑は天然資源, 白は和平, 赤は独立への闘争,
青は海を表す。中央の国章はパンヤの木。

ソマリア
Somalia　P. 47

首都 モガディシュ
人口 1,379万人(15)
面積 63.8万km²
通貨単位 ソマリア・シリング
主要言語 ソマリ語, アラビア語
主要宗教 イスラーム(スンナ派)
国花 ──
国鳥 ──

国連の功績を記念するため, 国連旗と同じ青
色を採用した。星は自由のシンボル。

中央アフリカ
Central Africa　P. 46～47

首都 バンギ
人口 449万人(15)
面積 62.3万km²
通貨単位 CFAフラン(注1)
主要言語 サンゴ語, フランス語
主要宗教 キリスト教, 伝統信仰
国花 ──
国鳥 ──

青はフランスとの友情, 白は純粋と理想, 緑
は農業と富, 黄は資源, 赤は情熱を表す。

ナイジェリア
Nigeria　P. 46

首都 アブジャ
人口 20,628万人(20)
面積 92.4万km²
通貨単位 ナイラ
主要言語 英語, ハウサ語, ヨルバ語, イボ語
主要宗教 イスラーム, キリスト教
国花 ──, 国鳥 ──

一般公募で選ばれた国旗で, 緑は農業, 白は
平和と団結を表したもの。

ブルキナファソ
Burkina Faso　P. 46

首都 ワガドゥグー
人口 2,150万人
面積 27.1万km²
通貨単位 CFAフラン(注1)
主要言語 フランス語, モシ語
主要宗教 イスラーム, キリスト教
国花 ──
国鳥 ──

赤は革命, 緑は農業と林業, 星は希望と天然
資源を表している。

ボツワナ
Botswana　P. 45

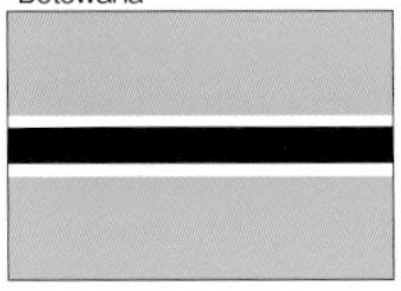

首都 ハボローネ
人口 244万人
面積 58.2万km²
通貨単位 プラ
主要言語 ツワナ語, 英語
主要宗教 キリスト教
国花 モロコシ
国鳥 ──

青は雨を表し, 黒と白の線は, 黒人と白人が
仲良く暮らしていることを意味している。

マダガスカル　P.45
Madagascar

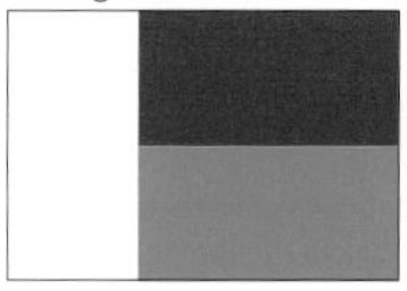

首都　アンタナナリボ
人口　2,817万人
面積　58.7万km²
通貨単位　アリアリ
主要言語　マダガスカル語, フランス語
主要宗教　キリスト教, 伝統信仰
国花　ポインセチア

赤と白は東南アジアからの移民の影響を受け
た色で, 緑は沿岸部の住民を代表する色。

南アフリカ共和国　P.45
Republic of South Africa

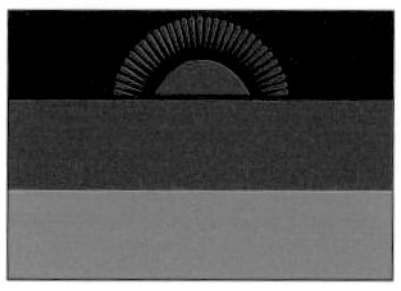

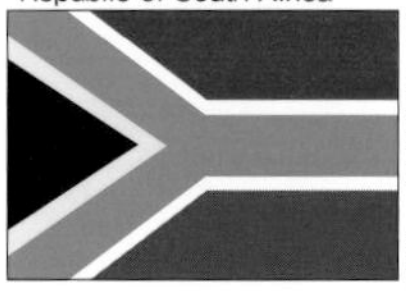

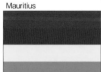

首都　プレトリア
人口　6,014万人
面積　122.1万km²
通貨単位　ランド
主要言語　ズールー語, アフリカーン
ス語, 英語
主要宗教　独立派キリスト教, プロテスタント
国花　プロテア　国鳥　ハゴロモヅル

赤は血, 青は空と海, 緑は農業と森林資源,
黄は鉱物資源, 黒は黒人, 白は白人を表す。

モーリシャス　表見返
Mauritius

首都　ポートルイス
人口　126万人
面積　1,979km²
通貨単位　モーリシャス・ルピー
主要言語　英語
主要宗教　ヒンドゥー教,
キリスト教(カトリック)
国花　──　国鳥　──

赤は独立のために流した愛国者の血, 青はイ
ンド洋, 黄は自由と太陽, 緑は農業を表す。

リビア　P.46〜47
Libya

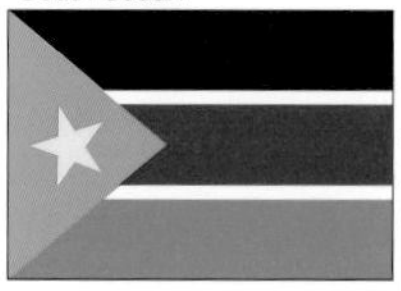

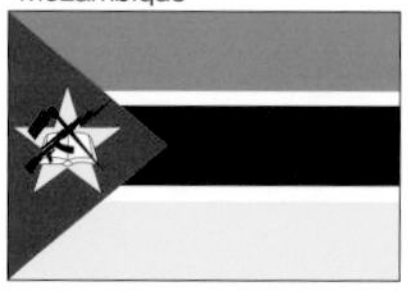

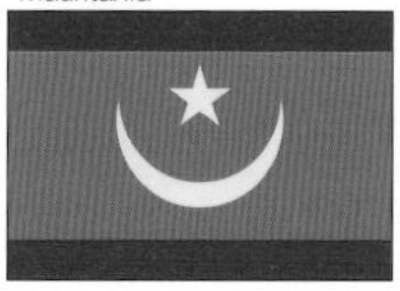

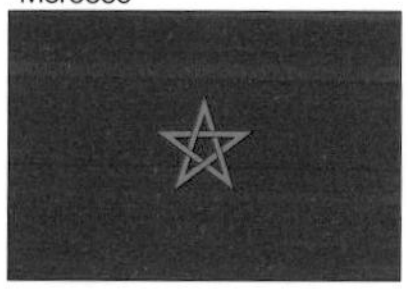

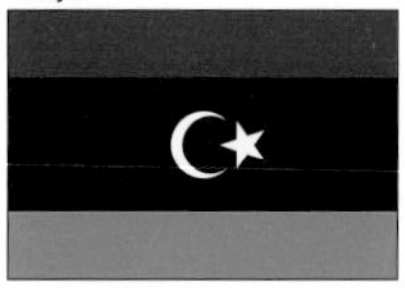

首都　トリポリ
人口　693万人[20]
面積　167.6万km²
通貨単位　リビア・ディナール
主要言語　アラビア語, アマジグ語
主要宗教　イスラーム(スンナ派)
国花　ザクロ
国鳥　──

赤は力, 黒はイスラームの戦い, 緑は緑地へのあこがれ,
白は国民の行為を表す。

レソト　P.45
Lesotho

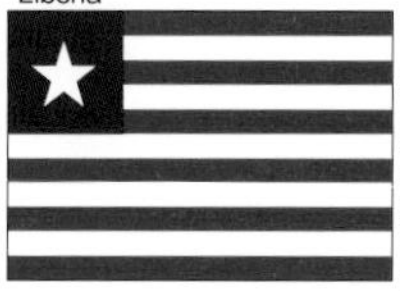

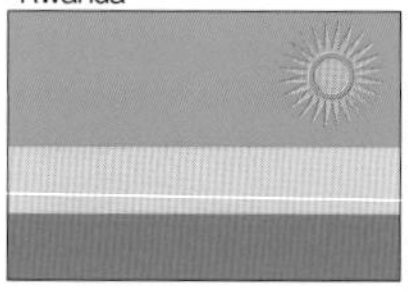

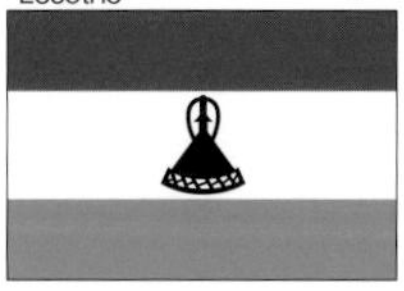

首都　マセル
人口　207万人
面積　3.0万km²
通貨単位　ロティ
主要言語　ソト語, 英語
主要宗教　キリスト教
国花　──
国鳥　──

青は雨, 白は平和, 緑は繁栄を示し, 中央に置かれてい
るのはバソト族の黒い帽子で, 当地固有の人々を表す。

アイルランド　P.58〜59
Ireland

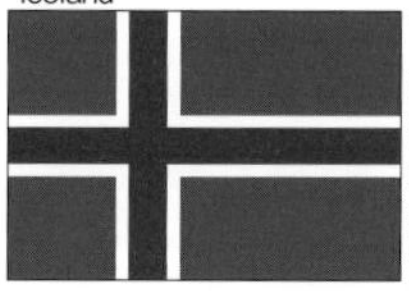

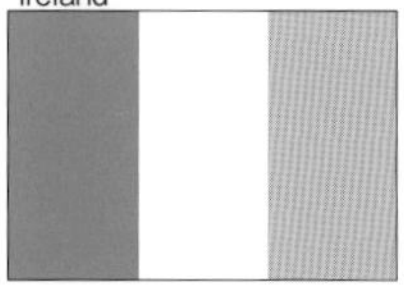

首都　ダブリン
人口　500万人
面積　7.0万km²
通貨単位　ユーロ
主要言語　アイルランド語, 英語
主要宗教　カトリック
国花　シロツメクサ
国鳥　ミヤコドリ

フランス国旗が手本で, 三つの色は古いもの
と新しいものの結合, および友愛を表す。

イギリス　P.58〜59
United Kingdom

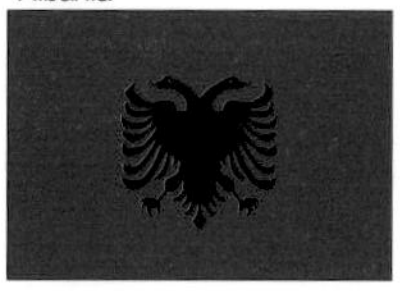

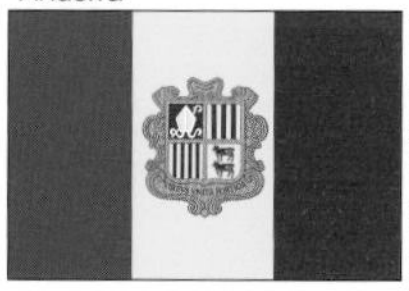

首都　ロンドン
人口　6,708万人[20]
面積　24.4万km²
通貨単位　英ポンド
主要言語　英語
主要宗教　キリスト教(英国国教会)
国花　バラ
国鳥　ロビン

イングランド, スコットランド, アイルランド各地方の3聖人
を象徴する三つの十字旗を組み合わせたもの。

エストニア　P.63
Estonia

首都　タリン
人口　132万人
面積　4.5万km²
通貨単位　ユーロ
主要言語　エストニア語, ロシア語
主要宗教　キリスト教
国花　──
国鳥　──

青は空や海・湖と誠実, 黒は大地と暗い過去, 白は
雪と明るい希望。ソ連から独立後に国旗として復活。

マラウイ　P.44
Malawi

首都　リロングウェ
人口　1,889万人
面積　9.5万km²
通貨単位　マラウイ・クワチャ
主要言語　英語, チェワ語
主要宗教　キリスト教, イスラーム
国花　──
国鳥　──

黒と赤はアフリカ人とその血潮を, 緑はマラ
ウイの自然を, 日の出は希望と自由を表す。

南スーダン　P.47
South Sudan

首都　ジュバ
人口　1,232万人[18]
面積　65.9万km²
通貨単位　南スーダン・ポンド
主要言語　英語, アラビア語
主要宗教　キリスト教
国花　──
国鳥　──

黒は国民, 白は平和, 赤は血, 緑は国土,
青はナイル川の水, 星は団結を表す。

モーリタニア　P.46
Mauritania

首都　ヌアクショット
人口　407万人[19]
面積　103.1万km²
通貨単位　ウギア
主要言語　アラビア語, プラール語
主要宗教　イスラーム(スンナ派)
国花　──
国鳥　──

赤は独立のために流された血, 緑に三日月と星は
イスラームを表す。

リベリア　P.46
Liberia

首都　モンロビア
人口　447万人[15]
面積　11.1万km²
通貨単位　リベリア・ドル
主要言語　英語, マンデ語
主要宗教　キリスト教, イスラーム
国花　コショウ
国鳥　──

アメリカ国旗に似ているが意味合いは異なる。
11本の条は独立宣言に署名した11人を表す。

アルバニア　P.72〜73
Albania

首都　ティラナ
人口　282万人
面積　2.9万km²
通貨単位　レク
主要言語　アルバニア語
主要宗教　イスラーム(スンナ派),
カトリック
国花　カシ　国鳥　──

双頭の鷲はこの国が東洋と西洋の中間にある
ことを表す。

イタリア　P.70〜71
Italy

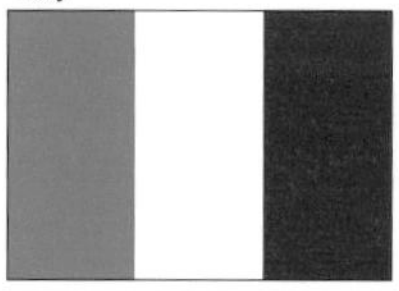

首都　ローマ
人口　5,923万人
面積　30.2万km²
通貨単位　ユーロ
主要言語　イタリア語
主要宗教　カトリック
国花　デージー
国鳥　──

緑は美しい国土, 白は雪, 赤は愛国の熱血を
表すと同時に, 自由・平等・博愛も意味する。

オーストリア　P.57
Austria
首都　ウィーン
人口　893万人
面積　8.4万km²
通貨単位　ユーロ
主要言語　ドイツ語
主要宗教　カトリック
国花　エーデルワイス
国鳥　ツバメ

赤は十字軍の遠征でヘンデンサム公が浴びた
返り血を, 白はその時のベルトの跡を表す。

マリ　P.46
Mali

首都　バマコ
人口　2,053万人[20]
面積　124.0万km²
通貨単位　CFAフラン[注1]
主要言語　フランス語, バンバラ語
主要宗教　イスラーム(スンナ派)
国花　──
国鳥　──

緑は農業, 黄は純潔, 赤は独立のために流さ
れた血を表す。

南スーダン

モザンビーク　P.44〜45
Mozambique
首都　マプト
人口　3,083万人
面積　79.9万km²
通貨単位　メティカル
主要言語　ポルトガル語, マクワ語
主要宗教　キリスト教, イスラーム
国花　──
国鳥　──

緑は農業, 黒は人民の力, 黄は鉱物資源, 図
柄の銃, 鍬, 本は国防, 労働, 教育を表す。

モロッコ　P.46
Morocco

首都　ラバト
人口　3,631万人
面積　44.7万km²
通貨単位　モロッコ・ディルハム
主要言語　アラビア語, アマジグ語
主要宗教　イスラーム(スンナ派)
国花　バラ
国鳥　──

緑の紋章は「ソロモンの印章」で, モロッコ
の安泰と神の加護を願ったもの。

ルワンダ　P.47
Rwanda

首都　キガリ
人口　1,295万人
面積　2.6万km²
通貨単位　ルワンダ・フラン
主要言語　キニヤルワンダ語,
フランス語, 英語
主要宗教　カトリック, プロテスタント
国花　──　国鳥　──

緑は繁栄, 黄は富, 太陽と光は人々を導く永遠の光を示し,
単一性, 率直, 無知との闘いを表す。

アイスランド　P.62
Iceland

首都　レイキャビク
人口　36万人
面積　10.3万km²
通貨単位　アイスランド・クローナ
主要言語　アイスランド語
主要宗教　ルーテル派プロテスタント
国花　──
国鳥　シロハヤブサ

青は古くからのアイスランドの国民色。十字
は他の北ヨーロッパ諸国と共通。

アンドラ　P.67
Andorra
首都　アンドララベリャ
人口　7万人
面積　468km²
通貨単位　ユーロ
主要言語　カタルーニャ語
主要宗教　カトリック
国花　──
国鳥　──

フランスの3色旗とスペインの血と金の
双方の色を組み合わせたもの。

ウクライナ　P.74〜75
Ukraine
首都　キーウ(キエフ)
人口　4,141万人
面積　60.4万km²
通貨単位　フリブニャ
主要言語　ウクライナ語, ロシア語
主要宗教　ウクライナ正教, カトリック
国花　──
国鳥　──

青は空, 黄は小麦を表す。

オランダ　P.54
Netherlands

首都　アムステルダム
人口　1,747万人
面積　4.2万km²
通貨単位　ユーロ
主要言語　オランダ語
主要宗教　カトリック, プロテスタント
国花　チューリップ
国鳥　ヘラサギ

赤は国民の勇気, 白は信仰心, 青は祖国への
変わらぬ忠誠心を示すものといわれている。

ヨーロッパ
＊45国

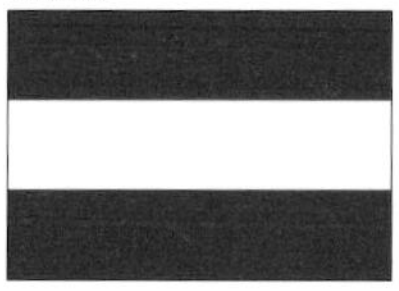

北マケドニア　North Macedonia　P.72〜73

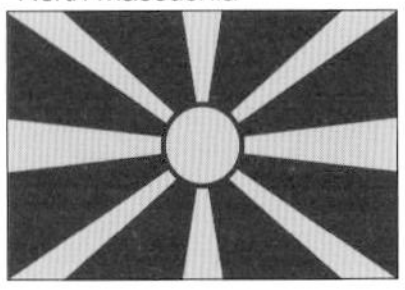

首都　スコピエ
人口　206万人
面積　2.6万km²
通貨単位　デナール
主要言語　マケドニア語, アルバニア語
主要宗教　マケドニア正教, イスラーム
国花　——　国鳥　——

アレクサンドロス大王ゆかりのベルギナの
星を図案化して日輪にしている。

コソボ　Kosovo　P.72

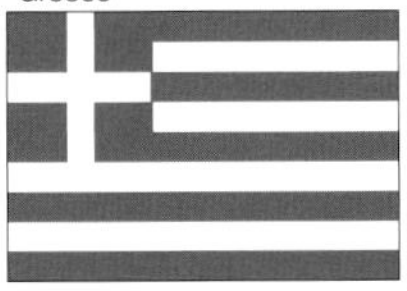

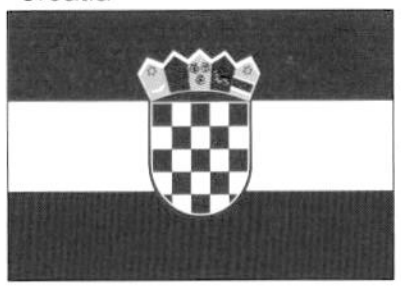

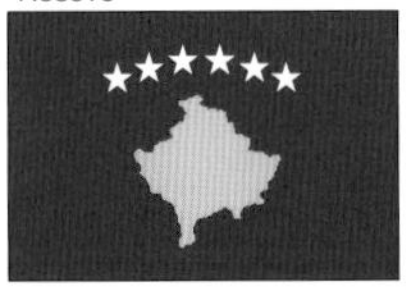

首都　プリシュティナ
人口　179万人(20)
面積　1.1万km²
通貨単位　ユーロ
主要言語　アルバニア語, セルビア語
主要宗教　イスラーム
国花　——

EU旗と同じ青地は欧州との協調を, 六つの
星は6民族の調和と団結を表している。

スウェーデン　Sweden　P.62〜63

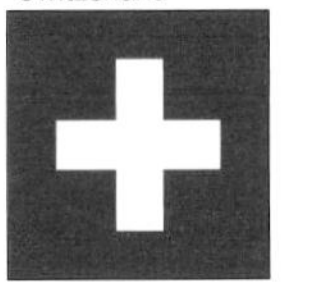

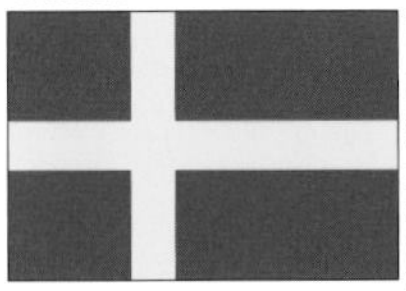

首都　ストックホルム
人口　1,037万人
面積　43.9万km²
通貨単位　スウェーデン・クローナ
主要言語　スウェーデン語
主要宗教　ルーテル派プロテスタント
国花　セイヨウトネリコ
国鳥　クロウタドリ

12世紀半ば, フィンランドとの戦いで空を十
字架の光明が横切ったという故事に由来する。

スロベニア　Slovenia　P.70

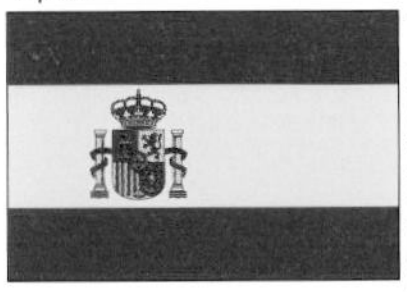

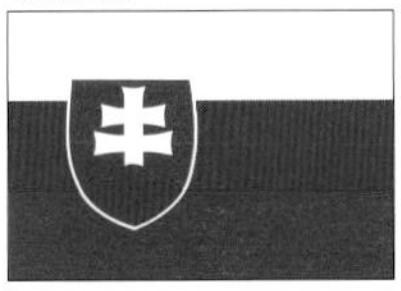

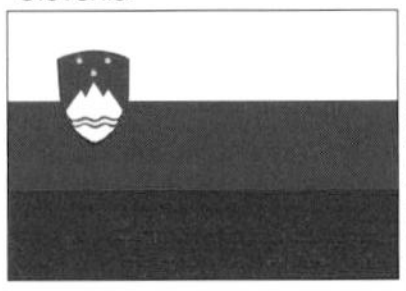

首都　リュブリャナ
人口　210万人
面積　2.0万km²
通貨単位　ユーロ
主要言語　スロベニア語
主要宗教　カトリック
国花　——
国鳥　——

国内最高峰・アドリア海沿岸部・河川が描か
れた国章をはめ込んでいる。

デンマーク　Denmark　P.63

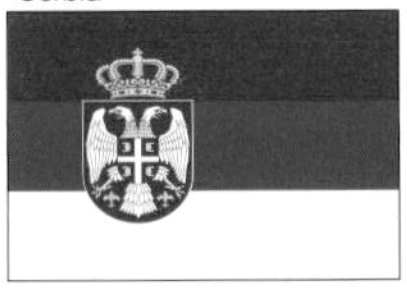

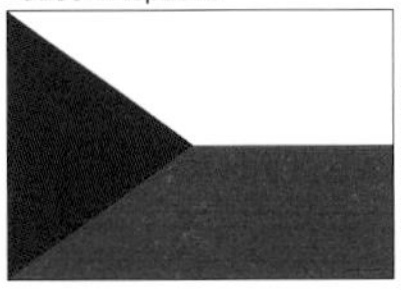

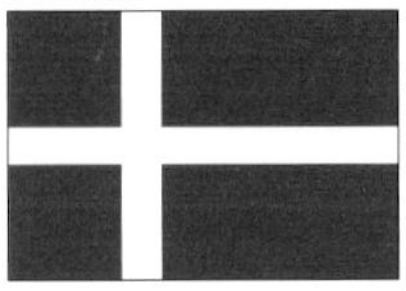

首都　コペンハーゲン
人口　585万人
面積　4.3万km²
通貨単位　デンマーク・クローネ
主要言語　デンマーク語
主要宗教　ルーテル派プロテスタント
国花　スイレン
国鳥　ヒバリ

13世紀初め, エストニア人との戦いで, この
旗を掲げたら勝利したという故事に由来する。

バチカン　Vatican　P.70

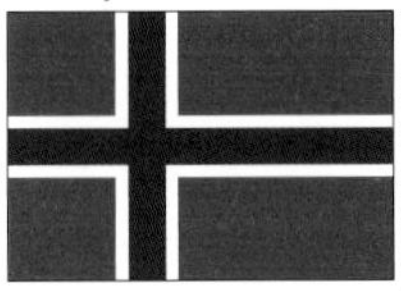

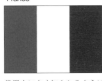

首都　バチカン
人口　0.06万人(18)
面積　0.44km²
通貨単位　ユーロ
主要言語　ラテン語, イタリア語, フランス語
主要宗教　カトリック
国花　マドンナリリー, 国鳥　——

旗の色は法王庁を守る衛兵の帽子を取り入れ
たもの。紋章はバチカン元首のシンボル。

フランス　France　P.54〜55

首都　パリ
人口　6,765万人
面積　64.1万km²
通貨単位　ユーロ
主要言語　フランス語
主要宗教　カトリック
国花　——
国鳥　——

世界中によく知られるように, 青・白・赤の
3色は自由・平等・博愛のシンボルである。

ベルギー　Belgium　P.54

首都　ブリュッセル
人口　1,155万人
面積　3.1万km²
通貨単位　ユーロ
主要言語　オランダ語, フランス語, ドイツ語
主要宗教　カトリック
国花　チューリップ
国鳥　チョウゲンボウ

18世紀, 時の支配者オーストリアとの戦いの
時に用いた旗と同じ色を国旗に採用している。

ギリシャ　Greece　P.73

首都　アテネ
人口　1,067万人
面積　13.2万km²
通貨単位　ユーロ
主要言語　ギリシャ語
主要宗教　ギリシャ正教
国花　アカンサス

青と白は海と空, 十字はギリシャ正教を表し, 9条の横線は「独
立か死か」を表すギリシャ語の9音節に由来する等諸説ある。

サンマリノ　San Marino　P.70

首都　サンマリノ
人口　3万人
面積　61km²
通貨単位　ユーロ
主要言語　イタリア語
主要宗教　カトリック
国花　アキザキシクラメン

白は純粋性, 青は空とアドリア海を表し, 紋
章にはイタリア語で「自由」と書かれている。

スペイン　Spain　P.66〜67

首都　マドリード
人口　4,732万人
面積　50.6万km²
通貨単位　ユーロ
主要言語　スペイン語, カタルーニャ語
主要宗教　カトリック
国花　カーネーション
国鳥　——

「血と金の旗」と呼ばれ, 紋章は古いイベリ
ア半島の5王国の紋章を組み合わせたもの。

セルビア　Serbia　P.72

首都　ベオグラード
人口　687万人
面積　7.8万km²
通貨単位　セルビア・ディナール
主要言語　セルビア語
主要宗教　セルビア正教
国花　——
国鳥　——

2006年6月の独立により旧セルビア・モンテネ
グロの国旗を承継し, 中央左に紋章を加えた。

ドイツ　Germany　P.56〜57

首都　ベルリン
人口　8,315万人
面積　35.8万km²
通貨単位　ユーロ
主要言語　ドイツ語
主要宗教　カトリック, プロテスタント
国花　オウシュウナラ
国鳥　シュバシコウ

19世紀初め, ナポレオン軍との戦いに参戦し
た学生義勇軍の軍服の色を取り入れたもの。

ハンガリー　Hungary　P.74

首都　ブダペスト
人口　973万人
面積　9.3万km²
通貨単位　フォリント
主要言語　ハンガリー語（マジャール語）
主要宗教　カトリック, プロテスタント
国花　ゼラニウム, 国鳥　——

赤は血, 白は清潔, 緑は希望を表す。紋章は
1956年の動乱後に取り除かれた。

ブルガリア　Bulgaria　P.72〜73

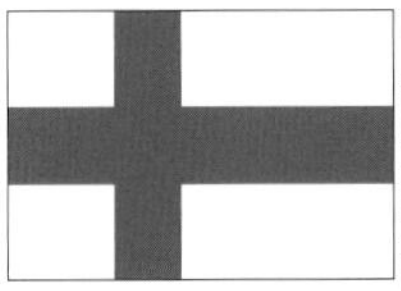

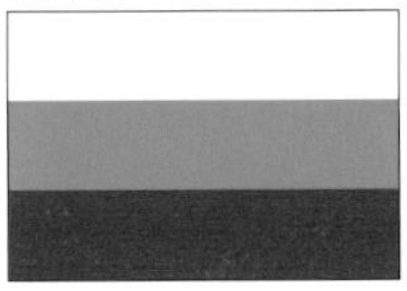

首都　ソフィア
人口　691万人
面積　11.0万km²
通貨単位　レフ
主要言語　ブルガリア語
主要宗教　ブルガリア正教
国花　バラ
国鳥　——

赤と白はスラブ民族の共同社会を, 緑は森林
を表す。

ボスニア・ヘルツェゴビナ　Bosnia and Herzegovina　P.72

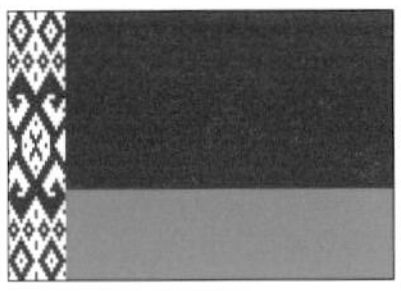

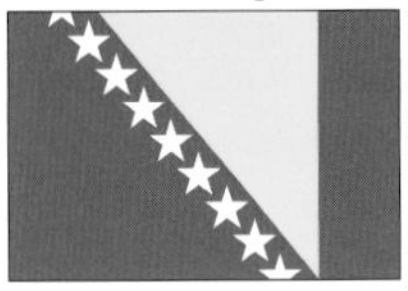

首都　サラエボ
人口　349万人(19)
面積　5.1万km²
通貨単位　兌換マルカ
主要言語　ボスニア語, セルビア語, クロアチア語
主要宗教　イスラーム, セルビア正教

逆三角形は国土と民族, 黄は希望と太陽,
青と星は欧州連合旗にあやかったもの。

クロアチア　Croatia　P.53

首都　ザグレブ
人口　403万人
面積　5.7万km²
通貨単位　ユーロ（2023年より）
主要言語　クロアチア語
主要宗教　カトリック
国花　——

赤白のチェック模様はクロアチア王国の紋章。
五つの小さな図柄は国内5地域の紋章。

スイス　Switzerland　P.57

首都　ベルン
人口　869万人
面積　4.1万km²
通貨単位　スイス・フラン
主要言語　ドイツ語, フランス語, イタリア語
主要宗教　カトリック, プロテスタント
国花　エーデルワイス, 国鳥　——

13世紀, 圧政に対して立ち上がったシュビッツ州が戦いに
用いた旗が基本になっている。2002年9月10日国連に加盟。

スロバキア　Slovakia　P.74

首都　ブラチスラバ
人口　545万人
面積　4.9万km²
通貨単位　ユーロ
主要言語　スロバキア語
主要宗教　カトリック
国花　——
国鳥　——

白, 青, 赤はスラブ民族を, 紋章はキリスト
教と国土の山々を表している。

チェコ　Czech Republic　P.53

首都　プラハ
人口　1,070万人
面積　7.9万km²
通貨単位　コルナ
主要言語　チェコ語
主要宗教　カトリック
国花　菩提樹
国鳥　——

白は清潔, 青は空, 赤は自由のため流された
血を表す。

ノルウェー　Norway　P.62〜63

首都　オスロ
人口　539万人
面積　32.4万km²
通貨単位　ノルウェー・クローネ
主要言語　ノルウェー語
主要宗教　ルーテル派プロテスタント
国花　——
国鳥　ムナジロカワガラス

スカンディナヴィア諸国共通の十字を採用し,
青・白・赤の3色は自由を表す。

フィンランド　Finland　P.62〜63

首都　ヘルシンキ
人口　556万人
面積　33.8万km²
通貨単位　ユーロ
主要言語　フィンランド語, スウェーデン語
主要宗教　ルーテル派プロテスタント
国花　スズラン

青は空と湖, 白は雪を表し, 十字は北ヨーロ
ッパ諸国の一員であることを示している。

ベラルーシ　Belarus　P.74〜75

首都　ミンスク
人口　930万人
面積　20.8万km²
通貨単位　ベラルーシ・ルーブル
主要言語　ベラルーシ語, ロシア語
主要宗教　ベラルーシ正教
国花　——
国鳥　——

95年の親ロシア政権の誕生により, ハンマーと
鎌, 金の星を除いた旧旗が復活。

ポーランド　Poland　P.74

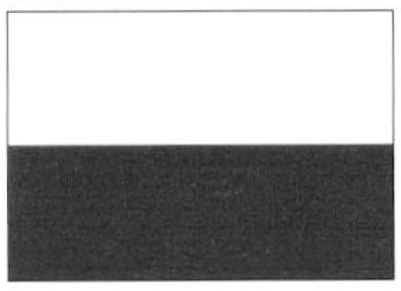

首都　ワルシャワ
人口　3,784万人
面積　31.3万km²
通貨単位　ズロチ
主要言語　ポーランド語
主要宗教　カトリック
国花　パンジー
国鳥　——

赤は独立と国のために流された血, 白は喜び
を表している。

ポルトガル　P.66
Portugal

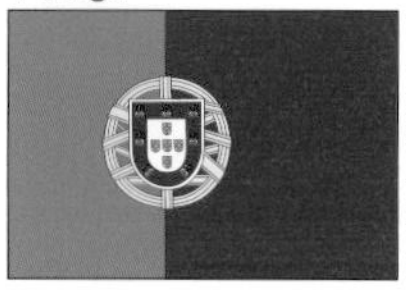

首都　リスボン
人口　1,029万人
面積　9.2万km²
通貨単位　ユーロ
主要言語　ポルトガル語
主要宗教　カトリック
国花　バラ

緑は誠実と希望，赤は革命を示す。国章は天
測儀と七つの城などを描いた盾。

マルタ　P.71
Malta

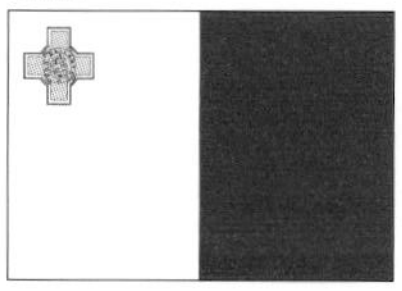

首都　バレッタ
人口　51万人
面積　315km²
通貨単位　ユーロ
主要言語　マルタ語，英語
主要宗教　カトリック
国花　ヤグルマギク
国鳥　──

11世紀初め，マルタを解放したロジャー伯爵
が作った赤と白の旗に由来する。

モナコ　P.70
Monaco

首都　モナコ
人口　3万人
面積　2.02km²
通貨単位　ユーロ
主要言語　フランス語
主要宗教　カトリック
国花　カーネーション
国鳥　──

19世紀初めに制定されたもので，赤と白は昔
からモナコ王家の色とされている。

モルドバ　P.74～75
Moldova

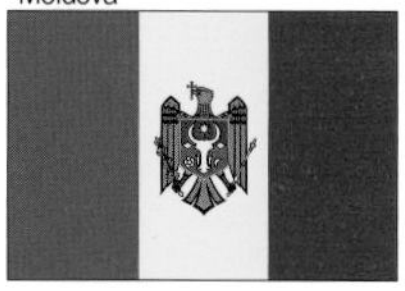

首都　キシナウ（キシニョフ）
人口　261万人
面積　3.4万km²
通貨単位　モルドバ・レウ
主要言語　モルドバ語，ロシア語
主要宗教　モルドバ正教，
　　　　　ベッサラビア正教
国花　──，国鳥　──

中央の国章を除けば隣国ルーマニアと同じで，
ルーマニアとの深い関係を示している。

モンテネグロ　P.72
Montenegro

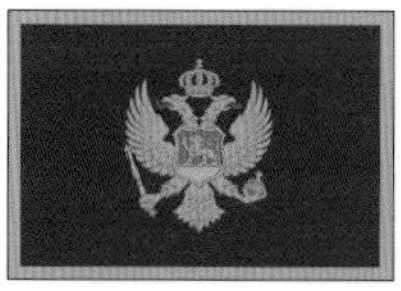

首都　ポドゴリツァ
人口　62万人
面積　1.4万km²
通貨単位　ユーロ
主要言語　モンテネグロ語，セルビア語
主要宗教　セルビア正教，イスラーム
国花　──
国鳥　──

国章の双頭の鷲は東西に君臨するローマ皇帝の象徴，中心
にはヴェネツィア共和国の象徴，聖マルコのライオンを置く。

ラトビア　P.63
Latvia

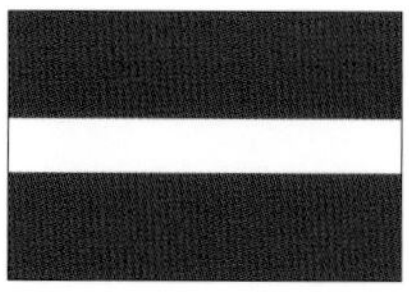

首都　リガ
人口　189万人
面積　6.5万km²
通貨単位　ユーロ
主要言語　ラトビア語，ロシア語
主要宗教　ルーテル派プロテスタント，
　　　　　正教会
国花　──，国鳥　──

暗赤色は過去の戦いで流された血，白は信頼と
栄誉を表す。ソ連から独立後に国旗として復活。

リトアニア　P.63
Lithuania

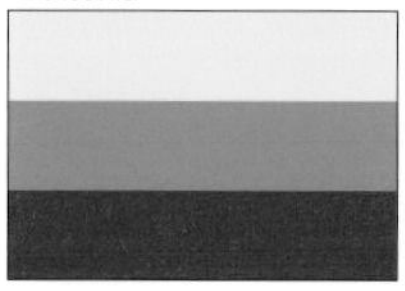

首都　ビリニュス
人口　279万人
面積　6.5万km²
通貨単位　ユーロ
主要言語　リトアニア語，ロシア語
主要宗教　カトリック

黄は太陽と繁栄，緑は森林と希望，赤は大地と犠牲
者の血を表す。ソ連から独立後に国旗として復活。

リヒテンシュタイン　P.57
Liechtenstein

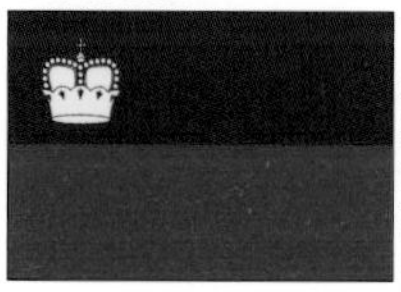

首都　ファドーツ
人口　3万人
面積　160km²
通貨単位　スイス・フラン
主要言語　ドイツ語
主要宗教　カトリック
国花　黄色のユリ
国鳥　──

青は空，赤は炉の火，王冠は人民と統治者が
一体であることを示すといわれている。

ルクセンブルク　P.54
Luxembourg

首都　ルクセンブルク
人口　63万人
面積　2,586km²
通貨単位　ユーロ
主要言語　ルクセンブルク語，
　　　　　フランス語
主要宗教　カトリック
国花　バラ，国鳥　キクイタダキ

13世紀の大公家の紋章からこの色を取ったと
伝えられ，19世紀からこの旗が使われている。

ルーマニア　P.72
Romania

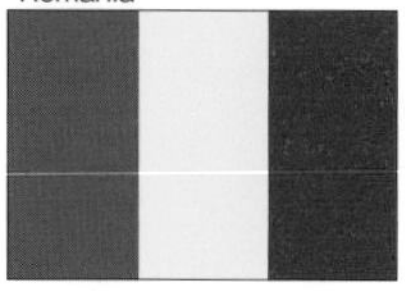

首都　ブカレスト
人口　1,920万人
面積　23.8万km²
通貨単位　ルーマニア・レウ
主要言語　ルーマニア語
主要宗教　ルーマニア正教
国花　バラ
国鳥　──

王制時代に定めた青・黄・赤の3色で，紋章
は1989年の民主化を機に取り除かれた。

ロシア連邦　P.78～79
Russian Federation

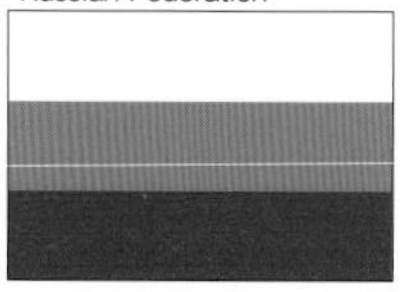

首都　モスクワ
人口　14,409万人(15)
面積　1,709.8万km²
通貨単位　ロシア・ルーブル
主要言語　ロシア語
主要宗教　ロシア正教
国花　──
国鳥　──

白は高貴さ，青は名誉，赤は愛と勇気を表す。
帝政ロシアの国旗が，ソ連崩壊後に復活。

北アメリカ
*23国

アメリカ合衆国　P.82～83
United States of America

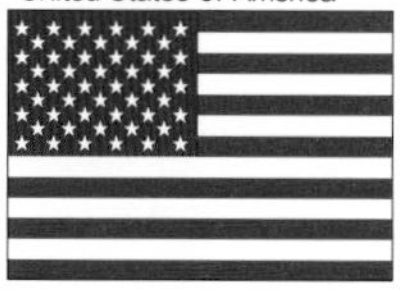

首都　ワシントンD.C.
人口　33,189万人
面積　983.4万km²
通貨単位　米ドル
主要言語　英語，スペイン語
主要宗教　プロテスタント，カトリック
国花　──
国鳥　アメリカハクトウワシ

赤白13本の線は独立当時の州の数，50の星は
現在の州の数を表す。

アンティグア・バーブーダ　P.99
Antigua and Barbuda

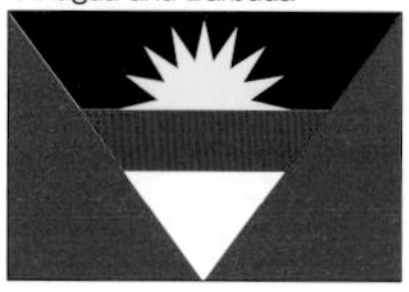

首都　セントジョンズ
人口　9万人
面積　442km²
通貨単位　東カリブ・ドル
主要言語　英語
主要宗教　キリスト教（プロテスタント，カトリック）
国花　──
国鳥　──

赤と青は力と希望，黒はアフリカ系国民，黄・
青・白は自然，太陽は新時代を表す。

エルサルバドル　P.98～99
El Salvador

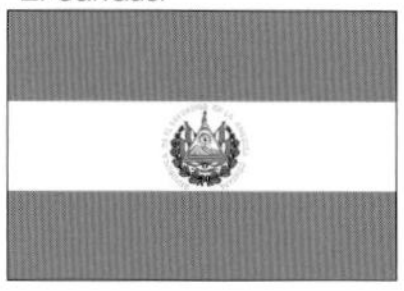

首都　サンサルバドル
人口　632万人
面積　2.1万km²
通貨単位　米ドル
主要言語　スペイン語
主要宗教　カトリック，プロテスタント
国花　ユッカ
国鳥　──

上下の青は太平洋とカリブ海，白は平和を意
味し，紋章は外国の束縛からの解放を表す。

カナダ　P.82
Canada

首都　オタワ
人口　3,826万人
面積　998.5万km²
通貨単位　カナダ・ドル
主要言語　英語，フランス語
主要宗教　カトリック，プロテスタント
国花　サトウカエデ
国鳥　──

1965年に制定された旗で，カナダのシンボル
である赤いカエデの葉を配している。

キューバ　P.99
Cuba

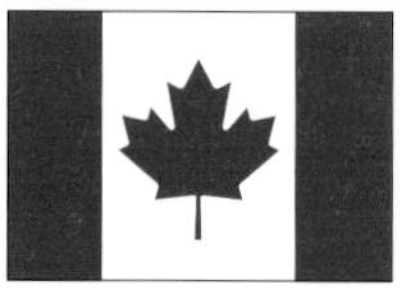

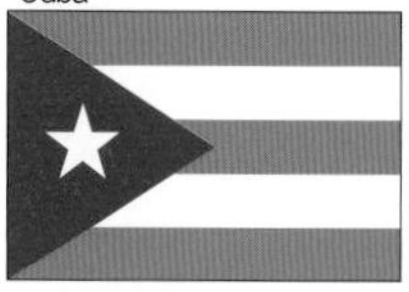

首都　ハバナ
人口　1,114万人
面積　11.0万km²
通貨単位　キューバ・ペソ
主要言語　スペイン語
主要宗教　カトリック
国花　ハナシュクシャ
国鳥　──

赤は正義と力，白は独立の精神，3本の青線
は三つの州，白星は輝かしい未来を表す。

グアテマラ　P.98
Guatemala

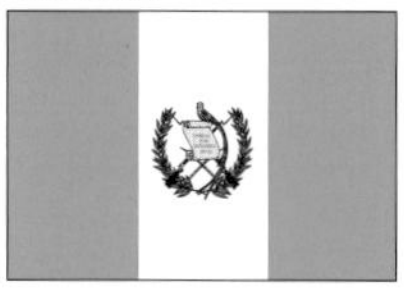

首都　グアテマラシティ
人口　1,710万人
面積　10.9万km²
通貨単位　ケツァル
主要言語　スペイン語
主要宗教　カトリック，プロテスタント，
　　　　　独立派キリスト教
国花　ラン，国鳥　ケツァール

左右の青は中米連邦同盟国共通の色，中央は
国鳥のケツァール鳥に銃を交差した。

グレナダ　P.99
Grenada

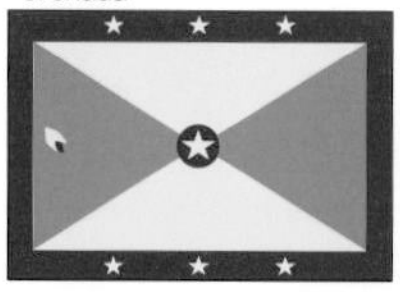

首都　セントジョージズ
人口　11万人(17)
面積　345km²
通貨単位　東カリブ・ドル
主要言語　英語，クレオール語
主要宗教　プロテスタント，カトリック
国花　──
国鳥　──

赤は情熱と勇気，黄は太陽と国土，緑は豊か
な土地を表す。左側にナツメグの実を配した。

コスタリカ　P.99
Costa Rica

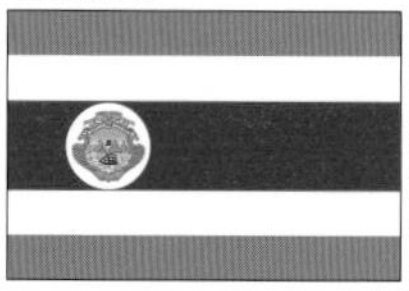

首都　サンホセ
人口　516万人
面積　5.1万km²
通貨単位　コスタリカ・コロン
主要言語　スペイン語
主要宗教　カトリック，プロテスタント
国花　カトレア
国鳥　──

白は平和，青は空，赤は自由のために流され
た血を表す。民間で使用する時は紋章を外す。

ジャマイカ　P.99
Jamaica

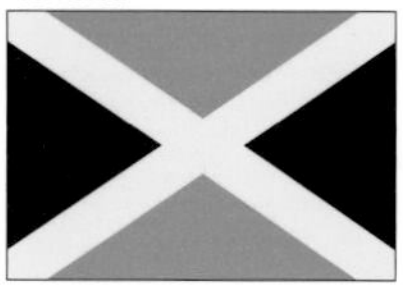

首都　キングストン
人口　273万人(19)
面積　1.1万km²
通貨単位　ジャマイカ・ドル
主要言語　英語，クレオール語
主要宗教　プロテスタント
国花　ユソウボク
国鳥　──

黒は苦難に打ち勝つこと，緑は希望と農業，
X型は十字架で熱心なキリスト教信仰を示す。

セントクリストファー・ネービス　P.99
Saint Christopher and Nevis

首都　バセテール
人口　5万人(15)
面積　261km²
通貨単位　東カリブ・ドル
主要言語　英語
主要宗教　プロテスタント，カトリック
国花　──
国鳥　──

緑は緑の国土，黒は黒人，赤は活力と独立，
黄は太陽，星は二つの島を表す。

セントビンセント及びグレナディーン諸島　P.99
Saint Vincent and the Grenadines

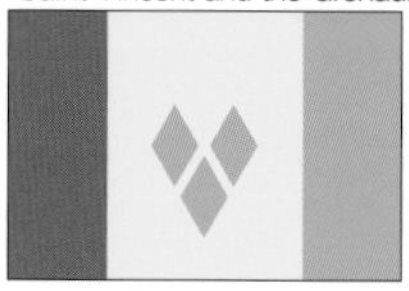

首都　キングスタウン
人口　11万人
面積　389km²
通貨単位　東カリブ・ドル
主要言語　英語，クレオール語
主要宗教　キリスト教
国花　──
国鳥　──

緑は植物，黄は太陽，青は海と空を表す。

セントルシア　P. 99
Saint Lucia

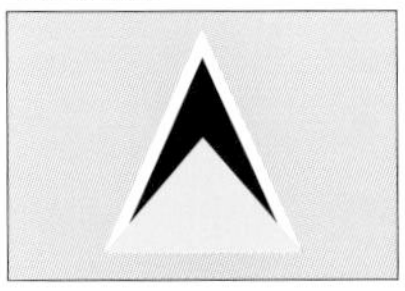

首都　カストリーズ
人口　18万人
面積　616km²
通貨単位　東カリブ・ドル
主要言語　英語，クレオール語
主要宗教　カトリック，プロテスタント
国花　——
国鳥　——

三角形はカリブ海に囲まれたセントルシア島，黄は黄金の海岸，黒は火山島を表す。

トリニダード・トバゴ　P. 99
Trinidad and Tobago

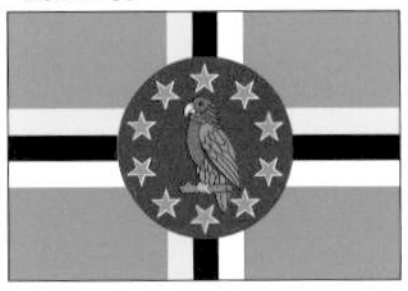

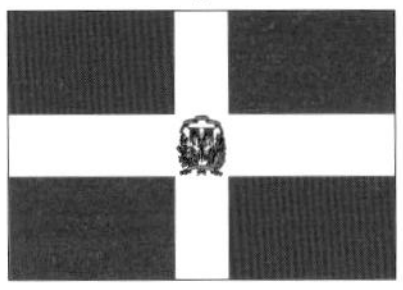

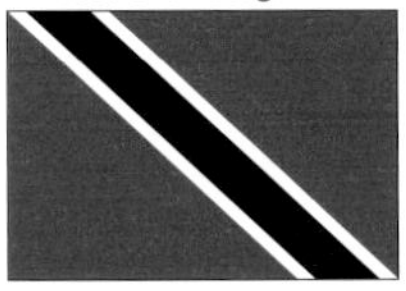

首都　ポートオブスペイン
人口　136万人
面積　5,127km²
通貨単位　トリニダード・トバゴ・ドル
主要言語　英語，クレオール語
主要宗教　キリスト教，ヒンドゥー教
国花　ヘリコニア
国鳥　ハチドリ

赤は太陽・資源等，黒は力と理想を表し，白線はトリニダード，トバゴ両島を意味する。

パナマ　P. 99
Panama

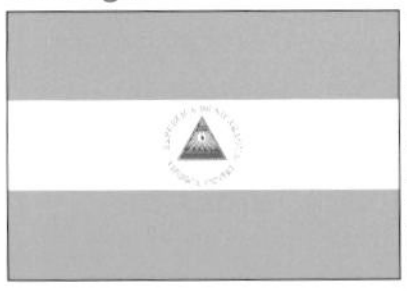

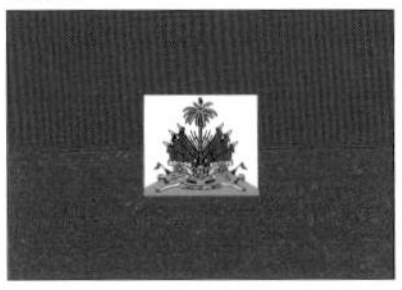

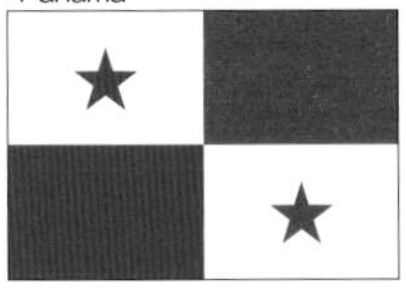

首都　パナマシティ
人口　433万人
面積　7.5万km²
通貨単位　バルボア(米ドルも使用)
主要言語　スペイン語
主要宗教　カトリック，プロテスタント，独立派キリスト教
国花　ラン　国鳥　——

赤と青は二大政党を，白は両党の協力，赤星は政治の権威と国の発展，青星は忠誠を表す。

ベリーズ　P. 99
Belize

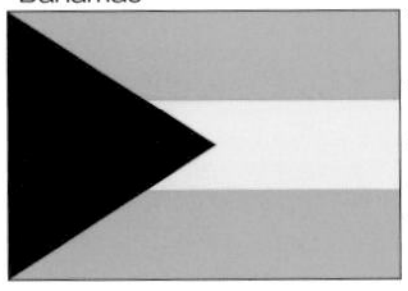

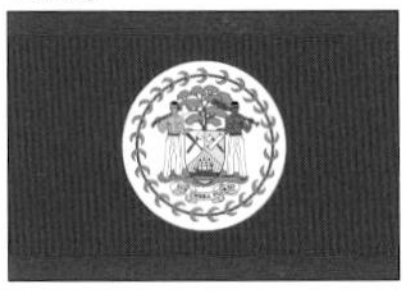

首都　ベルモパン
人口　43万人
面積　2.3万km²
通貨単位　ベリーズ・ドル
主要言語　英語，スペイン語
主要宗教　カトリック，プロテスタント
国花　——
国鳥　——

海を表す青を地色にし，中央の紋章には働く住民と特産のマホガニーなどが描いてある。

ドミニカ　P. 99
Dominica

首都　ロゾー
人口　6万人[17]
面積　750km²
通貨単位　東カリブ・ドル
主要言語　英語，クレオール語
主要宗教　カトリック，プロテスタント
国花　——
国鳥　オウム

中央の鳥はオウムでドミニカの国鳥。緑は国土を，黒・黄・白は資源を示す。

ニカラグア　P. 99
Nicaragua

首都　マナグア
人口　666万人
面積　13.0万km²
通貨単位　コルドバ
主要言語　スペイン語
主要宗教　カトリック，プロテスタント
国花　ハナシュクシャ

中米連邦旗名残の青・白・青に，同連邦5か国を表す火山等を描いた紋章を配した。

バハマ　P. 99
Bahamas

首都　ナッソー
人口　38万人[20]
面積　1.4万km²
通貨単位　バハマ・ドル
主要言語　英語，クレオール語
主要宗教　プロテスタント，カトリック
国花　——
国鳥　——

青は海，黄は陸地，黒い三角形は国民の大多数を占める黒人と国の統合を示す。

ホンジュラス　P. 98〜99
Honduras

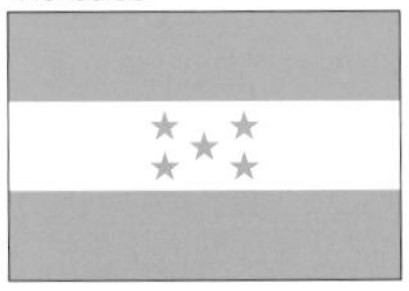

首都　テグシガルパ
人口　945万人
面積　11.2万km²
通貨単位　レンピラ
主要言語　スペイン語
主要宗教　カトリック，プロテスタント
国花　カーネーション
国鳥　——

中米連邦同盟国の青を基調に，中央にかつての同盟国の数を表す五つの星を配した。

ドミニカ共和国　P. 99
Dominican Republic

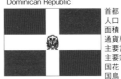

首都　サントドミンゴ
人口　1,053万人
面積　4.9万km²
通貨単位　ドミニカ・ペソ
主要言語　スペイン語，ハイチ語
主要宗教　カトリック
国花　マホガニー

赤は祖国のために流された血，青は平和，白十字は精神，紋章は真実・栄光の意味がある。

ハイチ　P. 99
Haiti

首都　ポルトープランス
人口　1,157万人[19]
面積　2.8万km²
通貨単位　グールド
主要言語　フランス語，ハイチ語
主要宗教　カトリック，プロテスタント
国花　ダイオウヤシ
国鳥　——

数度の変遷を経たハイチ国旗だが，現在のものは87年の制定。紋章に「団結は力」と記載。

バルバドス　P. 99
Barbados

首都　ブリッジタウン
人口　26万人
面積　431km²
通貨単位　バルバドス・ドル
主要言語　英語
主要宗教　プロテスタント
国花　オーゴチョウ
国鳥　——

青は海と空，橙は黄金の海岸，中央の図柄は海神の三叉の鉾である。

メキシコ　P. 98〜99
Mexico

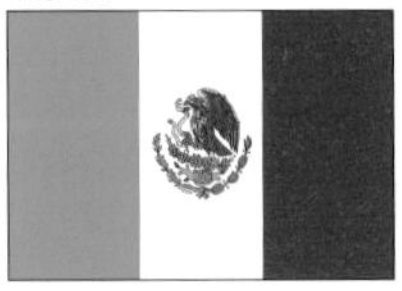

首都　メキシコシティ
人口　12,897万人
面積　196.4万km²
通貨単位　メキシコ・ペソ
主要言語　スペイン語
主要宗教　カトリック
国花　ダリア
国鳥　鷲

緑・白・赤は諸州の独立・宗教・統一の保証。中央の鷲は国鳥で首都建設の伝説を表す。

南アメリカ
*12国
*ボリビアの首都は法律上ではスクレであるが，ラパスが事実上の首都。

アルゼンチン　P. 100〜101
Argentina

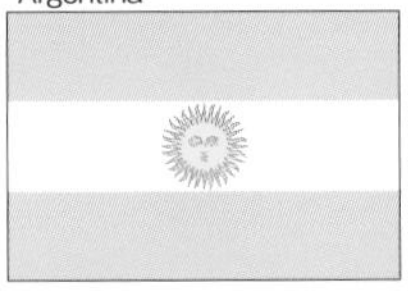

首都　ブエノスアイレス
人口　4,580万人
面積　278.0万km²
通貨単位　アルゼンチン・ペソ
主要言語　スペイン語
主要宗教　カトリック
国花　アメリカデイゴ
国鳥　——

革命軍の軍服から取った色で，中央の太陽は独立戦争の象徴「五月の太陽」である。

エクアドル　P. 100
Ecuador

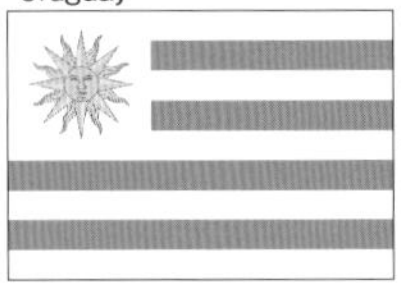

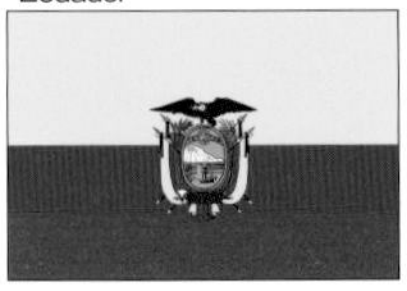

首都　キト
人口　1,775万人
面積　25.7万km²
通貨単位　米ドル
主要言語　スペイン語，ケチュア語
主要宗教　カトリック，福音派プロテスタント
国花　アカキナノキ，国鳥　——

黄は太陽と鉱物資源，青は空と海，赤は独立時に流した血，紋章はコンドルなどを配した。

スリナム　P. 100
Suriname

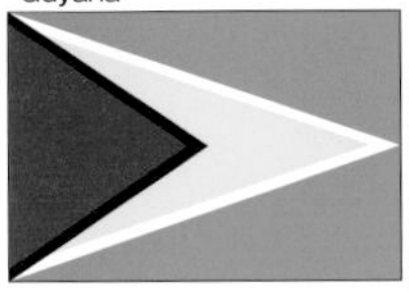

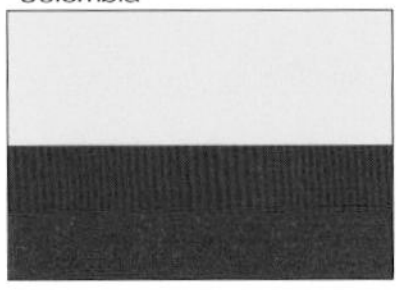

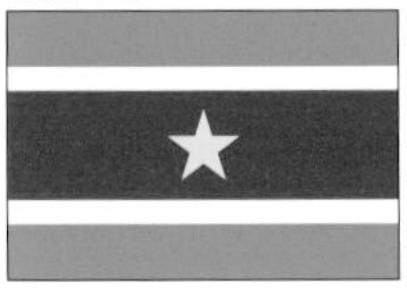

首都　パラマリボ
人口　60万人[20]
面積　16.4万km²
通貨単位　スリナム・ドル
主要言語　オランダ語，英語，スリナム語
主要宗教　キリスト教，ヒンドゥー教
国花　——

緑は豊かな国土と希望，白は正義と自由，赤は進歩を表し，黄星は民族統合・幸福の象徴。

ブラジル　P. 100〜101
Brazil

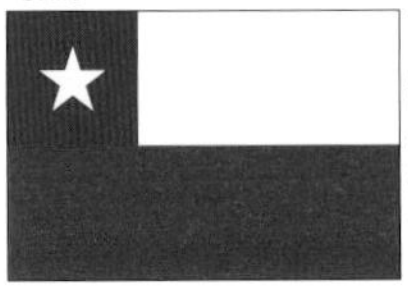

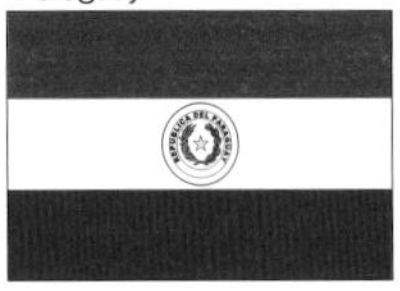

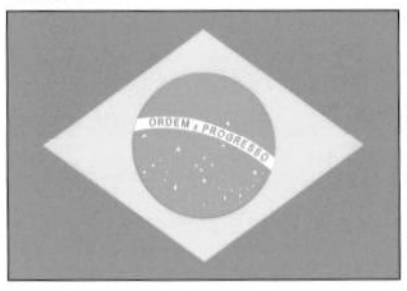

首都　ブラジリア
人口　21,331万人
面積　851.0万km²
通貨単位　レアル
主要言語　ポルトガル語
主要宗教　カトリック，プロテスタント
国花　カトレア

緑は農業，黄は鉱物資源，星は首都と州を表す。帯の文字の意味は「秩序と発展」である。

ガイアナ　P. 100
Guyana

首都　ジョージタウン
人口　77万人[20]
面積　21.5万km²
通貨単位　ガイアナ・ドル
主要言語　英語，クレオール語
主要宗教　キリスト教，ヒンドゥー教
国花　——
国鳥　——

緑は農業と森林，白は川，黄は鉱物資源，赤い三角形は新国家建設の活力と熱意を示す。

チリ　P. 100〜101
Chile

首都　サンティアゴ
人口　1,967万人
面積　75.6万km²
通貨単位　チリ・ペソ
主要言語　スペイン語
主要宗教　カトリック，プロテスタント
国花　ツバキカズラ

赤は独立時に流された血，白はアンデスの雪，星は南天に輝く星で，進歩の象徴。

ベネズエラ　P. 100
Venezuela

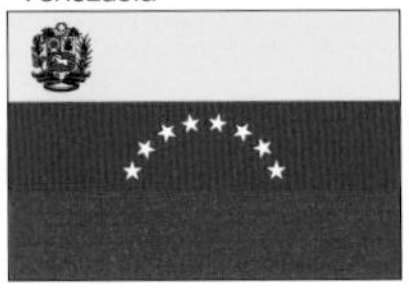

首都　カラカス
人口　3,206万人[19]
面積　93.0万km²
通貨単位　ボリバル・デジタル
主要言語　スペイン語
主要宗教　カトリック
国花　カタセツム(ラン)
国鳥　ツリスドリ

青はカリブ海，黄は鉱物資源，赤は独立時に流した血，八つの星は独立に署名した7州とガイアナ地域を表す。

ウルグアイ　P. 101
Uruguay

首都　モンテビデオ
人口　354万人
面積　17.4万km²
通貨単位　ウルグアイ・ペソ
主要言語　スペイン語
主要宗教　カトリック
国花　アメリカデイゴ
国鳥　——

青と白の9本の帯は九地方を意味し，「五月の太陽」はアルゼンチンと同じ独立の象徴。

コロンビア　P. 100
Colombia

首都　ボゴタ
人口　5,104万人
面積　114.2万km²
通貨単位　コロンビア・ペソ
主要言語　スペイン語
主要宗教　カトリック，プロテスタント
国花　カトレア

黄は鉱物資源，青は空と太平洋・カリブ海，赤は独立時に流した英雄の血を表す。

パラグアイ　P. 100〜101
Paraguay
首都　アスンシオン
人口　735万人
面積　40.7万km²
通貨単位　グアラニー
主要言語　スペイン語，グアラニー語
主要宗教　カトリック
国花　トケイソウ

赤は正義，白は平和，青は自由を表し，紋章は表が国章，裏が国庫の証印である。

ペルー　P. 100
Peru
首都　リマ
人口　3,303万人
面積　128.5万km²
通貨単位　ソル
主要言語　スペイン語，ケチュア語，アイマラ語
主要宗教　カトリック，福音派プロテスタント
国花　カンツータ，国鳥　——

赤は勇気と愛国心，白は平和・名誉・進歩を表し，紋章は豊かな産物を示す。

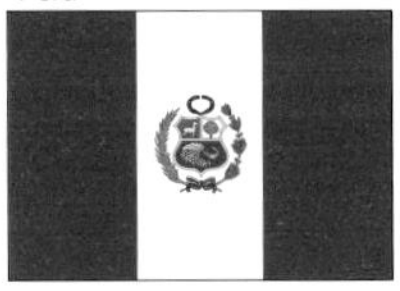

ボリビア　P.100
Bolivia

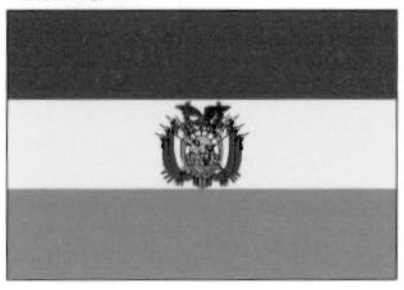

首都 ラパス
人口 1,184万人
面積 109.9万km²
通貨単位 ボリビアーノ
主要言語 スペイン語，ケチュア語，
　　　　　アイマラ語
主要宗教 カトリック，プロテスタント
国花 カンツータ，国鳥 ──

赤は独立で流された血，黄は鉱物資源，緑は
森林資源，紋章は各州の特徴を描いている。

オセアニア
*16国

キリバス　P.106～107
Kiribati

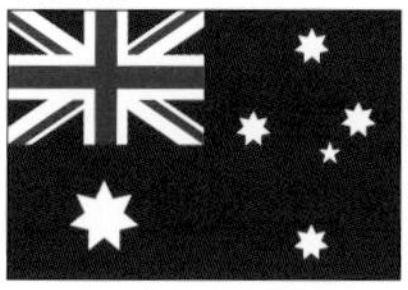

首都 タラワ
人口 11万人(20)
面積 726km²
通貨単位 オーストラリア・ドル
主要言語 キリバス語，英語
主要宗教 カトリック，プロテスタント
国花 ──
国鳥 ──

海と波間の太陽，その上を飛ぶ軍艦鳥が，太
平洋の海洋国であるこの国の将来を表す。

クック諸島　P.106～107
Cook Islands

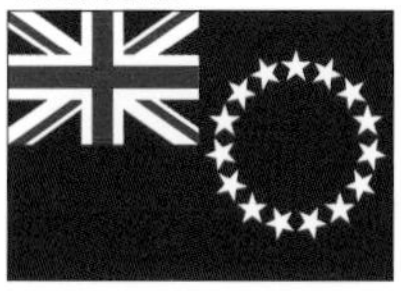

首都 アバルア
人口 2万人(19)
面積 236km²
通貨単位 ニュージーランド・ドル
主要言語 英語，ラロトンガ語
主要宗教 プロテスタント，カトリック
国花 ──
国鳥 ──

ユニオンジャックはイギリスとの伝統的関係を象徴し，
15の星はクック諸島を構成する15の島々を表す。

オーストラリア　P.108～109
Australia

首都 キャンベラ
人口 2,573万人
面積 769.2万km²
通貨単位 オーストラリア・ドル
主要言語 英語
主要宗教 キリスト教(プロテスタント，カトリック)
国花 アカシア
国鳥 エミウ

南十字星と大きな7角の星は州と領土を示し，
ユニオンジャックは英連邦の一員を表す。

サモア　P.115
Samoa

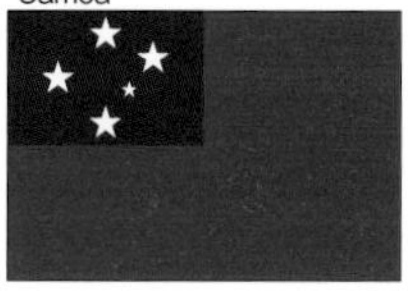

首都 アピア
人口 20万人
面積 2,842km²
通貨単位 タラ
主要言語 サモア語，英語
主要宗教 プロテスタント，カトリック
国花 ──
国鳥 ──

左上に南十字星を配し，白は純粋性を，赤は
勇気を表す。

ソロモン諸島　P.106
Solomon Islands

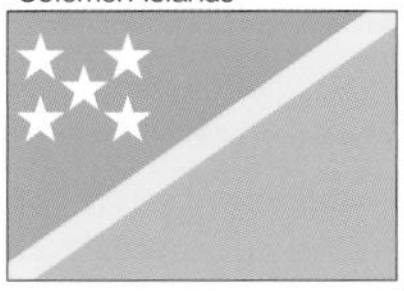

首都 ホニアラ
人口 70万人
面積 2.9万km²
通貨単位 ソロモン・ドル
主要言語 英語，ピジン語
主要宗教 プロテスタント，カトリック
国花 ──
国鳥 ──

青は水を，緑は国土を，五つの星はこの国の
主要な島と南十字星を表す。

ツバル　P.106
Tuvalu

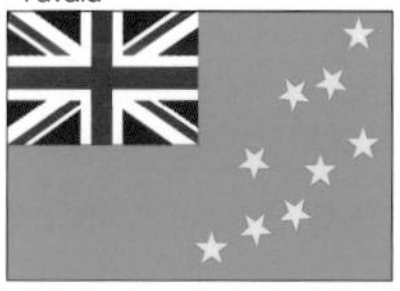

首都 フナフティ
人口 1万人
面積 26km²
通貨単位 オーストラリア・ドル
主要言語 ツバル語，英語
主要宗教 ツバル教会
国花 ──
国鳥 ──

ユニオンジャックは英連邦の一員を，青は太
平洋を，星は九つの島を表している。

トンガ　P.107
Tonga

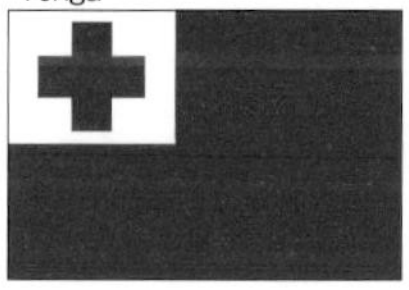

首都 ヌクアロファ
人口 9万人(20)
面積 747km²
通貨単位 パアンガ
主要言語 トンガ語，英語
主要宗教 キリスト教(プロテスタント，モルモン教)
国花 ──
国鳥 ──

赤い十字はキリスト教を示し，地の赤はキリ
スト教のために流された血を表す。

ナウル　P.106
Nauru

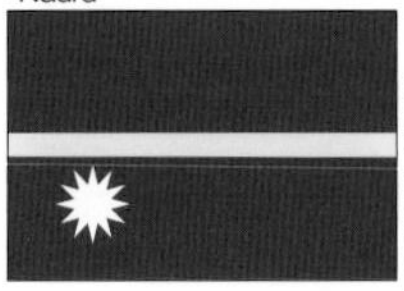

首都 ヤレン
人口 1万人(20)
面積 21km²
通貨単位 オーストラリア・ドル
主要言語 ナウル語，英語
主要宗教 プロテスタント，カトリック
国花 ──
国鳥 ──

青は太平洋，黄の線は赤道，星はナウルを表し，
赤道の少し南にこの国があることを示す。

ニウエ　P.106
Niue

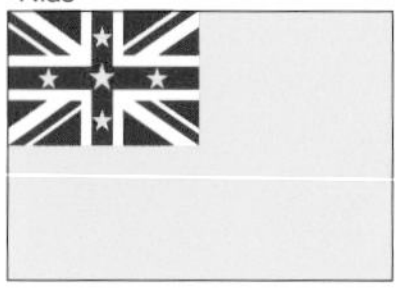

首都 アロフィ
人口 0.15万人
面積 260km²
通貨単位 ニュージーランド・ドル
主要言語 ニウエ語，英語
主要宗教 キリスト教
国花 ──
国鳥 ──

黄色は輝く太陽とニュージーランドとの友好を表し，ユニオンジャックは
イギリスの保護国であったことを，星は南十字星とニウエを示す。

ニュージーランド　P.111
New Zealand

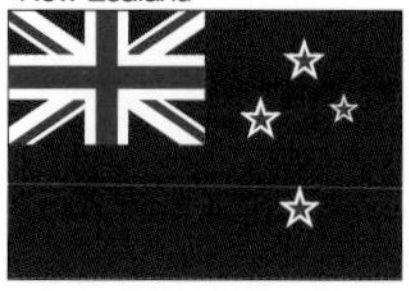

首都 ウェリントン
人口 512万人
面積 26.8万km²
通貨単位 ニュージーランド・ドル
主要言語 英語，マオリ語
主要宗教 キリスト教(カトリック，聖公会)
国花 ハナミエンジュ
国鳥 ──

イギリスの商船旗をもとに作られた。ユニオン
ジャックは英連邦の一員であることを表す。

バヌアツ　P.109
Vanuatu

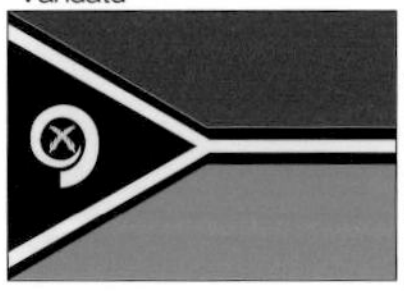

首都 ポートビラ
人口 30万人
面積 1.2万km²
通貨単位 バツ
主要言語 ビスラマ語，英語，フランス語
主要宗教 プロテスタント，カトリック
国花 ──
国鳥 ──

赤はこの国の活火山，緑は樹木，黒は肥沃な
国土，国章は野豚の牙と聖なる葉を表す。

パプアニューギニア　P.25
Papua New Guinea

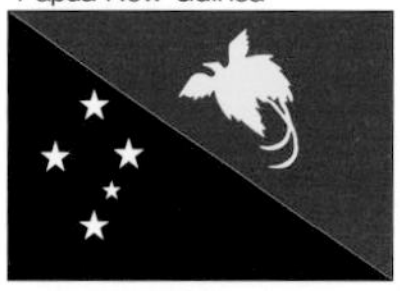

首都 ポートモレスビー
人口 912万人
面積 46.3万km²
通貨単位 キナ
主要言語 英語，ピジン英語，モツ語
主要宗教 キリスト教
国花 ──
国鳥 極楽鳥

赤地に黄の鳥はこの国の国鳥である極楽鳥，
黒地の中の星は南十字星を表す。

パラオ　P.25
Palau

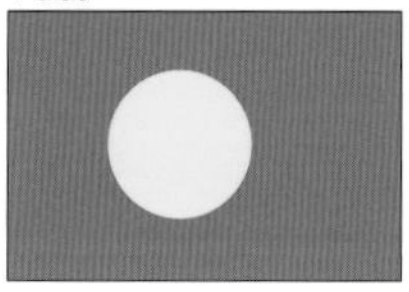

首都 マルキョク
人口 1万人
面積 459km²
通貨単位 米ドル
主要言語 パラオ語，英語
主要宗教 カトリック，プロテスタント
国花 ──
国鳥 ──

黄の円は夜空の満月，青は太平洋と外国支
配からの独立を表している。

フィジー　P.115
Fiji

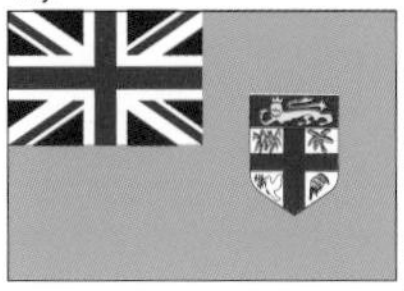

首都 スバ
人口 89万人
面積 1.8万km²
通貨単位 フィジー・ドル
主要言語 英語，フィジー語，
　　　　　ヒンディー語
主要宗教 キリスト教，ヒンドゥー教
国花 カトレア，国鳥 ──

ユニオンジャックは英連邦の一員であること
を示しているが，1987年離脱を宣言した。

マーシャル諸島　P.106
Marshall Islands

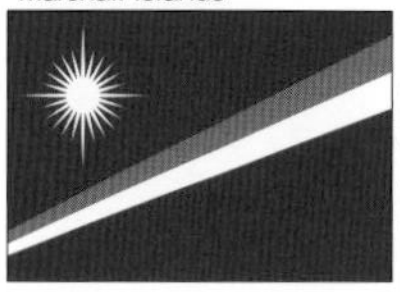

首都 マジュロ
人口 5万人(20)
面積 181km²
通貨単位 米ドル
主要言語 マーシャル語，英語
主要宗教 プロテスタント
国花 ──
国鳥 ──

青は太平洋，十字の星の光はキリスト教，斜
線は白が平和，オレンジは勇気を表す。

ミクロネシア　P.106
Micronesia

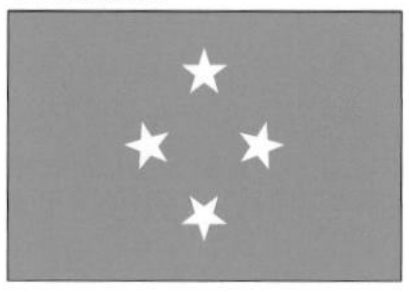

首都 パリキール
人口 10万人
面積 702km²
通貨単位 米ドル
主要言語 英語，チューク語，
主要宗教 カトリック，プロテスタント
国花 ──
国鳥 ──

四つの星を結ぶと十字になり，キリスト教と
南十字星を，青は太平洋を表す。

その他の主な地域

台湾　P.18～19
Taiwan

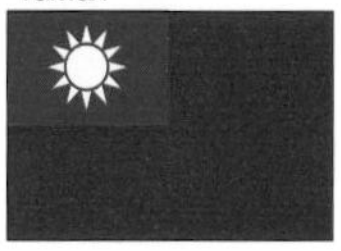

政府所在地 タイペイ(台北)
人口 2,337万人
面積 3.6万km²
通貨単位 台湾元(新台湾ドル)
主要言語 中国語
主要宗教 道教，仏教，キリスト教

赤，白，青の3色は孫文の唱えた三民主義を，白の太陽は
自由と平等を表し，12本の光線は十二支を意味する。

ホンコン（香港特別行政区）　P.17
Hong Kong Special Administrative Region

政府所在地 香港島中環地区
人口 741万人
面積 1,114km²
通貨単位 ホンコン・ドル
主要言語 中国語，英語
主要宗教 道教，仏教，キリスト教

花は香港の象徴バウヒニアで，5枚からなる星形は中国の五星紅旗
に基づく。赤と白は社会主義・資本主義の一国二制度を象徴。

マカオ（澳門特別行政区）　P.17
Macao Special Administrative Region

政府所在地 マカオ
人口 68万人
面積 33km²
通貨単位 パタカ
主要言語 中国語，ポルトガル語
主要宗教 道教，仏教，キリスト教

区花のハスの下にマカオのシンボル，タイパ橋と海を
図案化。五つの星は中国の五星紅旗にならったもの。

パレスチナ自治区　P.38
The Palestinian Territories

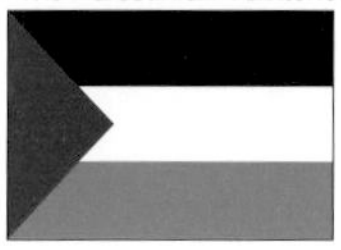

政府所在地 ラマラ
人口 522万人
面積 6,020km²
通貨単位 新シェケル
主要言語 アラビア語
主要宗教 イスラーム

パレスチナ解放機構(PLO)の旗。ヨルダン国旗から星を
除いたもの。4色はかつてのイスラーム王朝に由来。

グリーンランド　P.82
Greenland

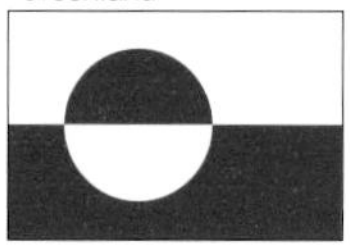

政府所在地 ヌーク(ゴットホープ)
人口 5万人
面積 217.6万km²
通貨単位 デンマーク・クローネ
主要言語 デンマーク語，グリーンランド語
主要宗教 キリスト教(ルーテル派)

白は氷山と氷塊を，赤い円は北極海から昇る日の出または
落日を示す。赤白の2色はデンマーク国旗にならったもの。

世界遺産
後世に伝える歴史と文化の遺産

|世界遺産から人類の歴史を学ぶ|

　世界中のあらゆる地域には,民族や宗教や風土によってはぐくまれた誇らしい文化財や自然環境がある。

　1972年,UNESCO(ユネスコ)総会で,人類共通の自然や文化の遺産を破壊や消滅の危機から保護し,後世へ残すため「世界遺産条約」が採択された。この条約に基づいて,世界遺産リストに登録された物件を世界遺産という。

　ここでは,異なる文化に理解を深め,遺産や文化財が生まれた背景や歴史を学ぶ端緒を開く,各地域各時代の代表的な遺産を特集した。

北アメリカ

❶ アメリカ独立100周年記念像　1886年
自由の女神像　　アメリカ

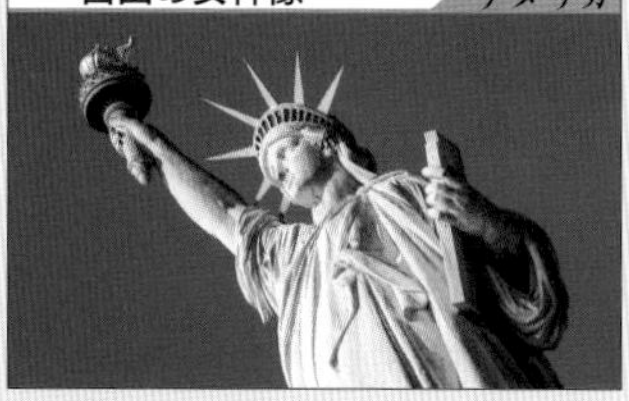

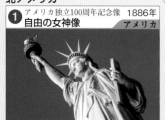

1886年,独立100周年を記念してフランスから贈られた「自由の女神像」は,民主主義と自由を象徴するシンボルである。

❷ 古代マヤ文明の聖なる都市　11〜13世紀
古代都市チチェンイッツァ　メキシコ

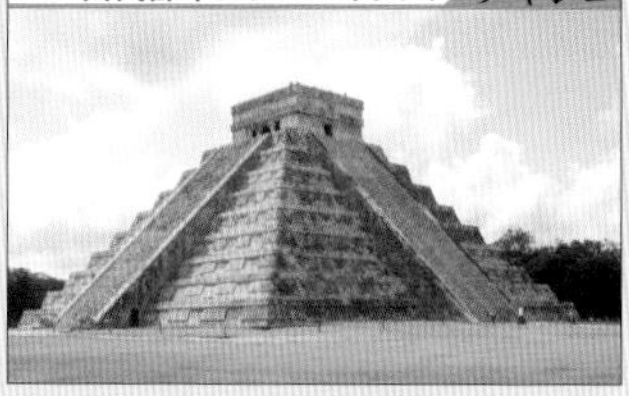

チチェンイッツァには,石造の階段ピラミッドが建造された。写真は,マヤの最高神ククルカンを祀るピラミッド,通称「カスティーヨ」。

南アメリカ

❸ インカ帝国の「空中都市」　13〜16世紀
マチュピチュ　　ペルー

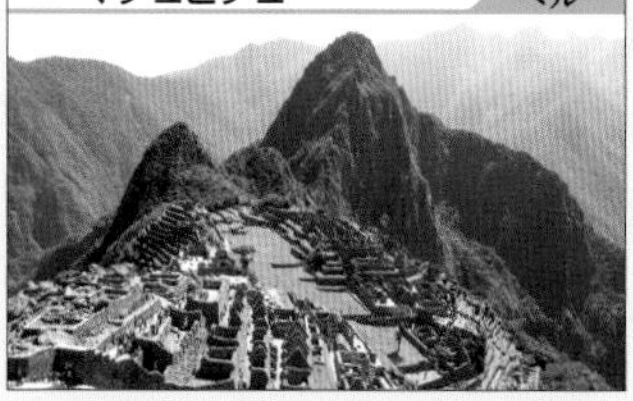

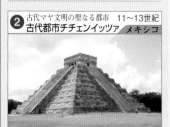

1911年に発見されたマチュピチュは,標高2500mのけわしい場所につくられていたので,スペイン人の破壊を免れた。

❹ ポリネシアの文化が残るラパヌイ島(イースター島)12〜17世紀
モアイ像　　チリ

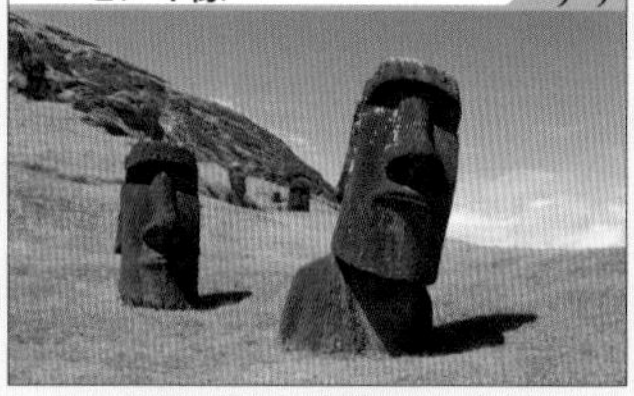

12〜17世紀に栄えたポリネシアの文化は,高さ10mにもなる巨大な黒い凝灰石の石像を後世に残した。

ヨーロッパ

❺ 中世を代表する巡礼地　10〜18世紀
モンサンミッシェルとその湾　フランス

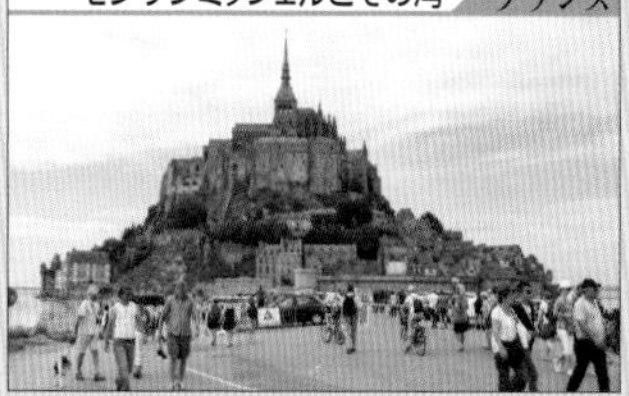

大天使ミカエルのお告げにより干満の差の激しいサンマロ湾の小島に築かれた修道院。その居住空間は13世紀ゴシック芸術の傑作。

❻ 幾多の歴史を超えてきた「永遠の都」　前1世紀頃
ローマ歴史地区　　イタリア

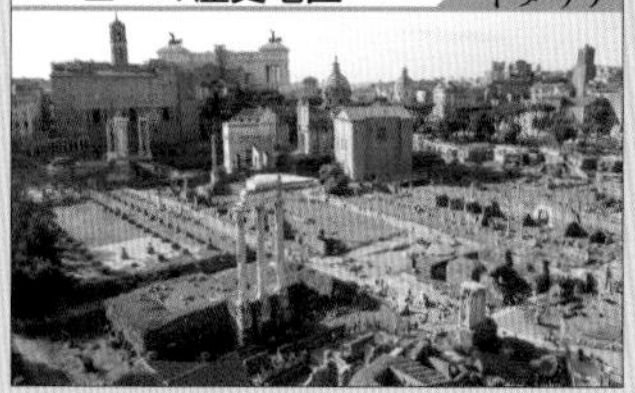

紀元前から現代に至るまで,常に歴史の表舞台にありつづけたローマは,町全体が遺跡と文化財の宝庫である。

❼ スペインの歴史を今に伝える美しい古都　6〜16世紀
古都トレド　　スペイン

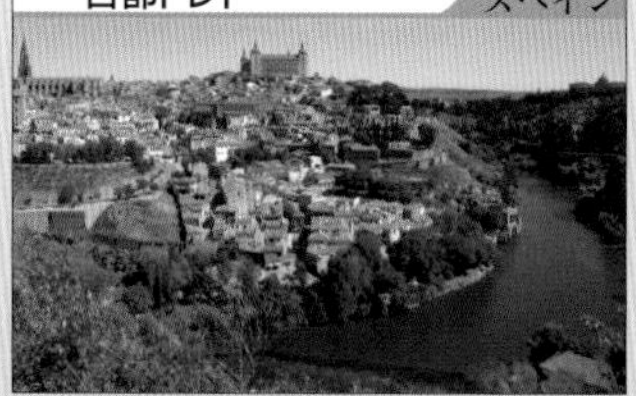

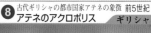

周囲をタホ川が流れ,天然の要塞となっている。一時占領したムスリム(イスラム教徒)の影響は道路や中庭にみられる。

❽ 古代ギリシャの都市国家アテネの象徴　前5世紀
アテネのアクロポリス　ギリシャ

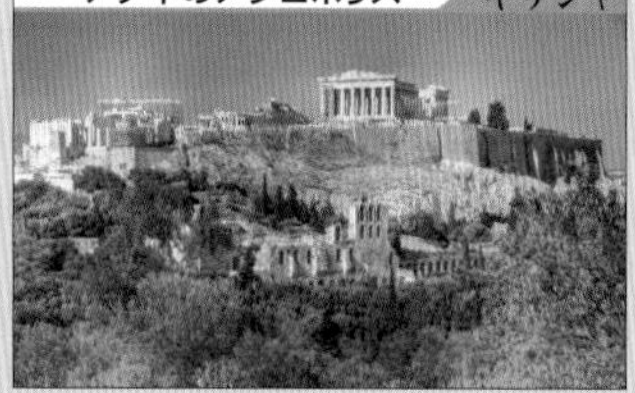

丘の頂上に立つパルテノン神殿は壮麗なレリーフや彫刻像で飾られた古代ギリシャの美の象徴。

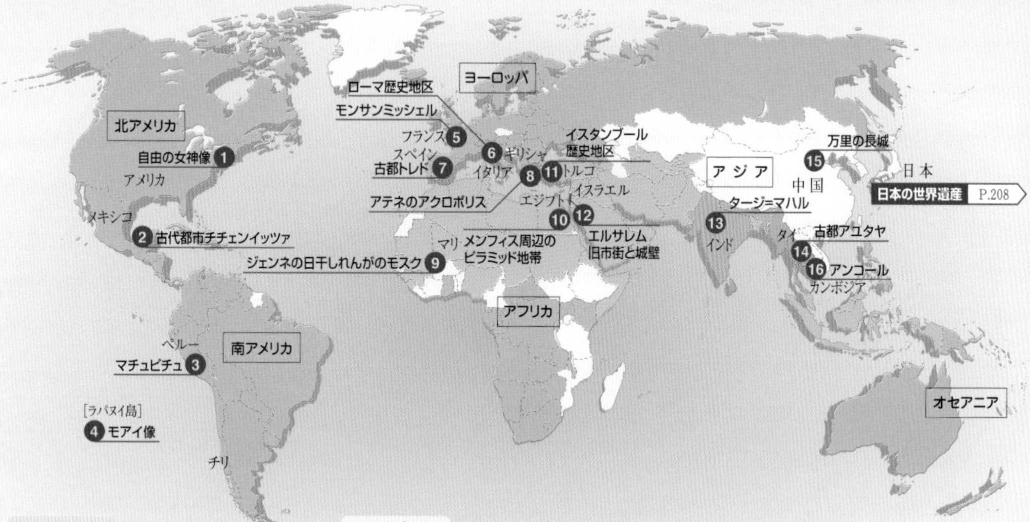

地域別世界遺産件数　(2023年1月)

地域	文化遺産	自然遺産	複合遺産	合計
アジア	270	56	10	336
アフリカ	90	43	6	139
ヨーロッパ	408	45	7	460
北アメリカ	70	37	6	113
南アメリカ	52	21	4	77
オセアニア	10	16	6	32
合計	900	218	39	1157

*212〜216ページの地域区分による。
*「ル・コルビュジエの建築作品」はヨーロッパとした。

国の中で50%以上を占める宗教
- イスラーム
- キリスト教
- 仏教
- ヒンドゥー教
- ユダヤ教
- その他

（地図中の表記）
北アメリカ / 自由の女神像❶ / アメリカ / メキシコ / ❷古代都市チチェンイッツァ / ジェンネの日干しれんがのモスク❾ / ローマ歴史地区 / ヨーロッパ / モンサンミッシェル / フランス❺ / スペイン / 古都トレド / ❼ギリシャ / イタリア❻ / ❽❶❷トルコ / エジプト / メンフィス周辺のピラミッド地帯 / マリ / アフリカ / イスタンブール歴史地区 / イスラエル / エルサレム旧市街と城壁 / 万里の長城❶❺ / アジア / 中国 / タージ=マハル / ❶❸インド / ❶❹タイ / 古都アユタヤ / ❶❻アンコール / カンボジア / 日本 / 日本の世界遺産 P.208 / ペルー / 南アメリカ / マチュピチュ❸ / [ラパヌイ島] / ❹モアイ像 / チリ / オセアニア

アフリカ

❾ アフリカ古王国,マリ王国の都　1300年頃
ジェンネの日干しれんがのモスク　マリ

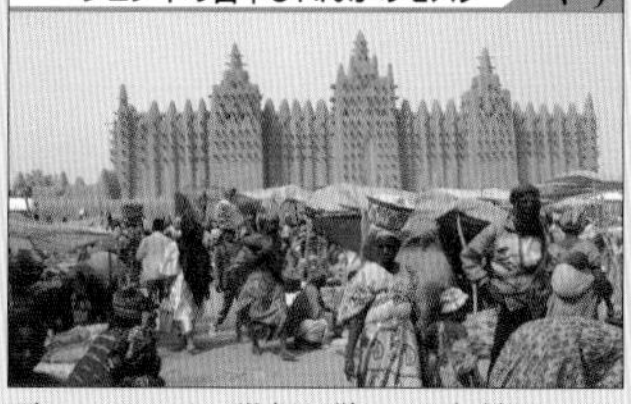

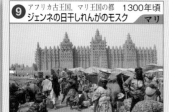

西アフリカでは,9世紀以降ラクダを利用してサハラ砂漠を縦断する隊商交易が発達し,イスラームが普及した。

❿ 古代エジプトの高度文明　前2500年頃
メンフィス周辺のピラミッド地帯　エジプト

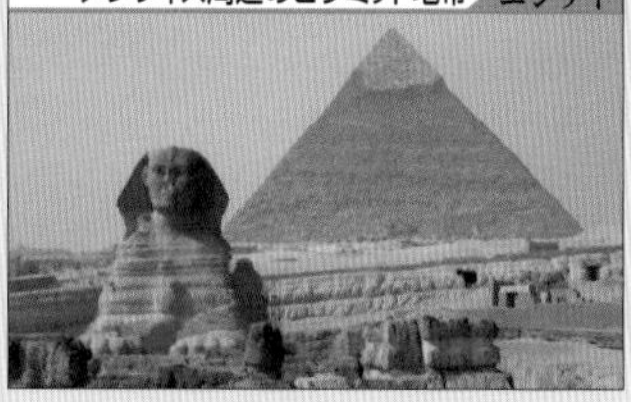

ギーザのピラミッド群のうちカフラー王のピラミッドが,ライオンの体と人間の頭部をもつスフィンクスを従えている。

アジア

⓫ 東西文明の交差点　4〜17世紀
イスタンブール歴史地区　トルコ

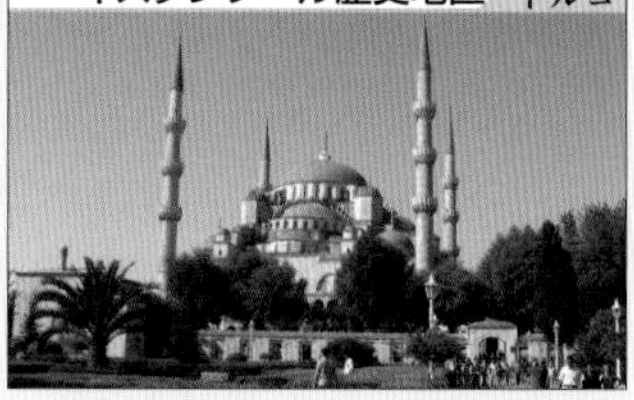

17世紀に建築された「ブルーモスク」の名で知られるスルタン・アフマト・モスクは,内部が白い大理石と青いタイルで装飾されている。

⓬ 三大宗教の聖地　691年ほか
エルサレム旧市街と城壁　イスラエル

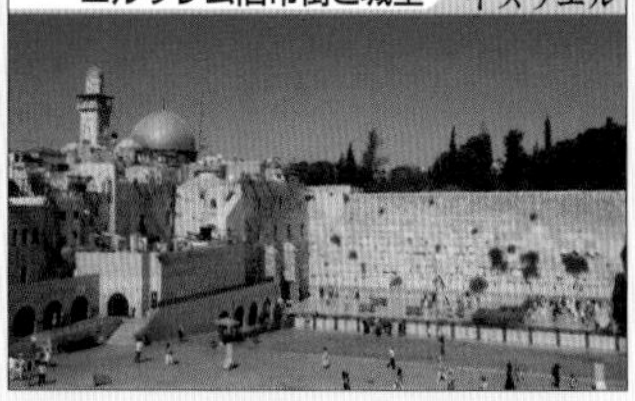

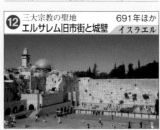

神殿の丘には,黄金のドームのあるイスラーム寺院「岩のドーム」がそびえ,手前の「嘆きの壁」はユダヤ人の聖地。

⓭ ムガル朝建築の最高傑作　1654年
タージ=マハル　　インド

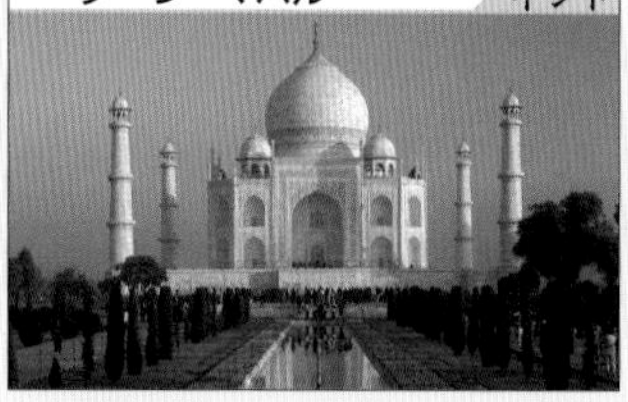

白大理石が美しいこの霊廟は,ムガール朝第5代皇帝シャー・ジャハーンが妃の死を悼んで建てたもの。

⓮ 国際貿易で栄えたタイの古都　17世紀
古都アユタヤ　　タイ

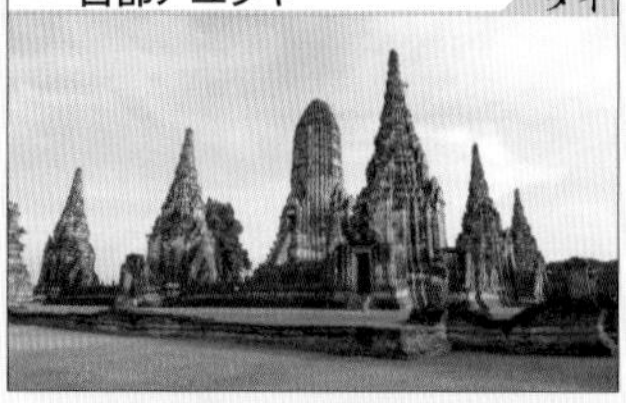

アユタヤ朝の都として国際貿易で栄えたアユタヤには,朱印船でやって来た日本人が住み着いた日本人町の跡もある。

⓯ 歴代中国皇帝の力の象徴　15〜16世紀
万里の長城　　中国

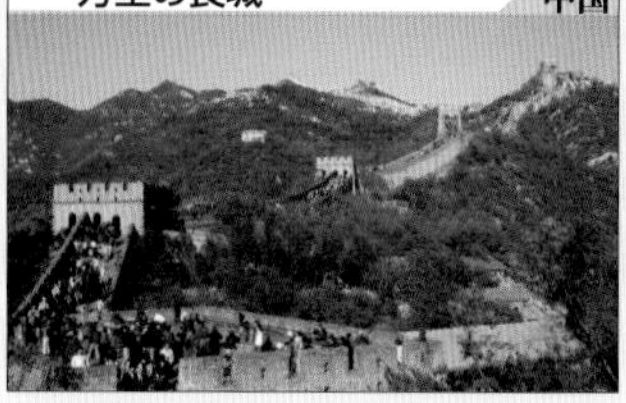

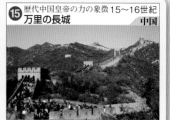

歴代の中国王朝が,北方の異民族の侵入を防ぐために築いた城壁。現存の長城は明代に築かれたもの。

⓰ アンコール朝の繁栄を伝える遺跡群　12世紀前半
アンコール　　カンボジア

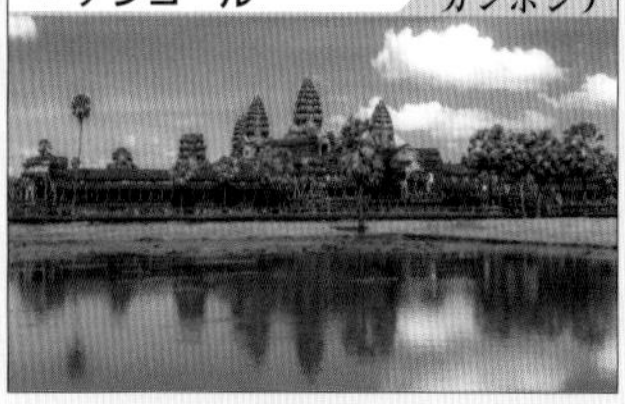

アンコール=ワットは遺跡群の中で最大規模の仏教伽藍をもち,現在のカンボジアの国旗にもデザインされている。

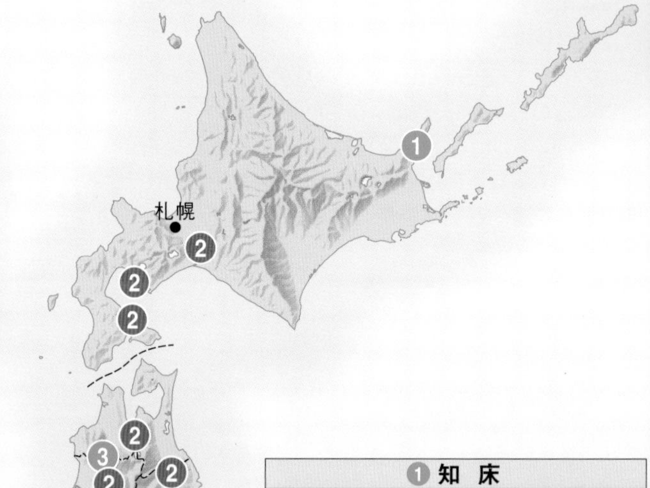

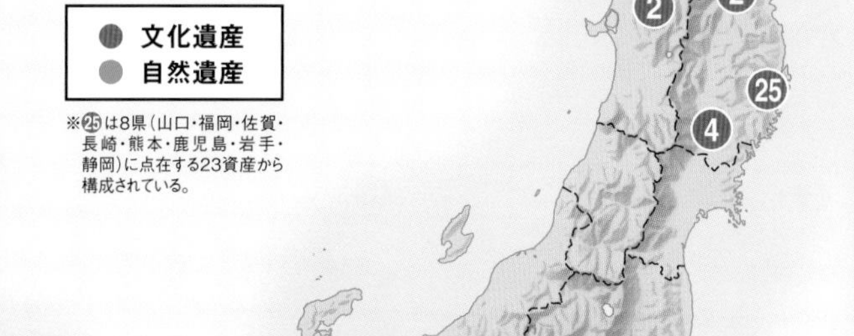

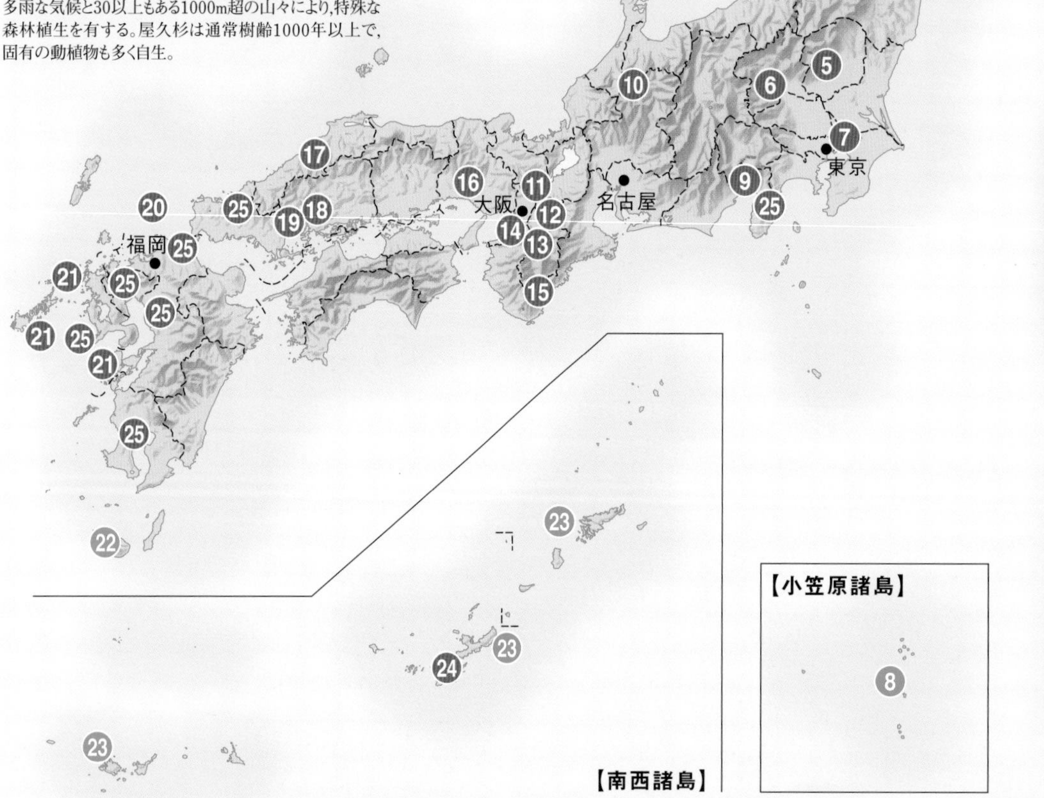

⑱ 原爆ドーム

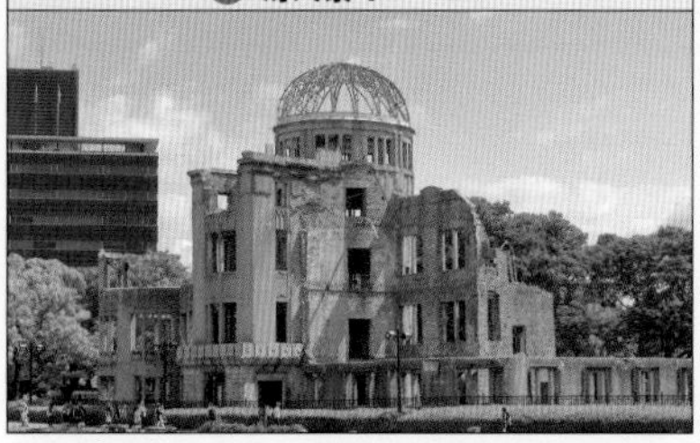

広島市に投下された原子爆弾による被害の惨状を伝える"負の遺産"。世界の歴史においても普遍的な価値を有する貴重な遺産として登録された。

⑯ 姫路城

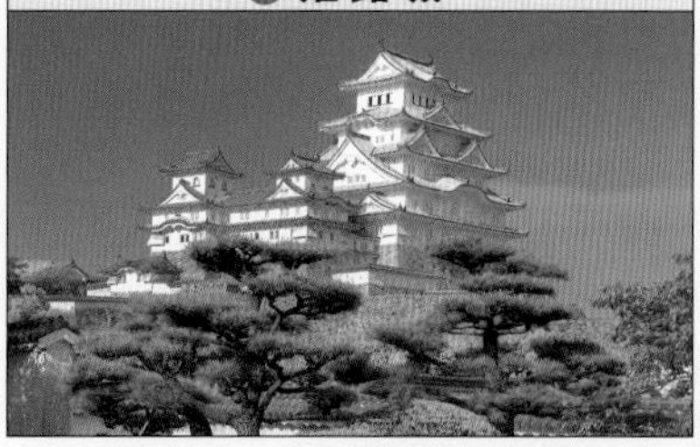

市内の姫山を利用した,日本で唯一の連立式天守の平山城。"白鷺城"ともよばれ,城郭建築技術の最盛期の傑作として誉れ高い。

㉒ 屋久島

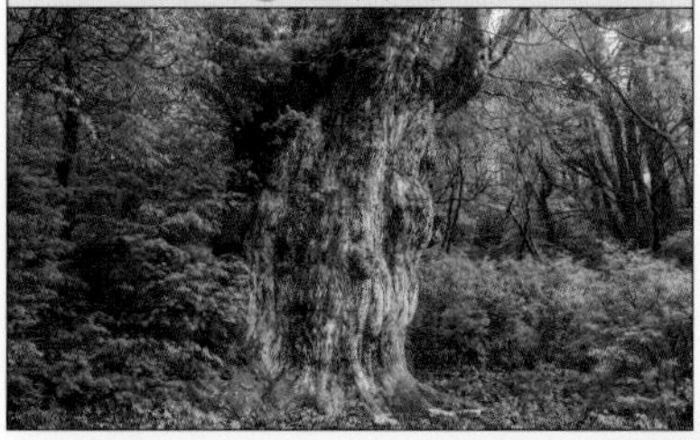

多雨な気候と30以上もある1000m超の山々により,特殊な森林植生を有する。屋久杉は通常樹齢1000年以上で,固有の動植物も多く自生。

● 文化遺産
● 自然遺産

※㉕は8県(山口・福岡・佐賀・長崎・熊本・鹿児島・岩手・静岡)に点在する23資産から構成されている。

① 知 床

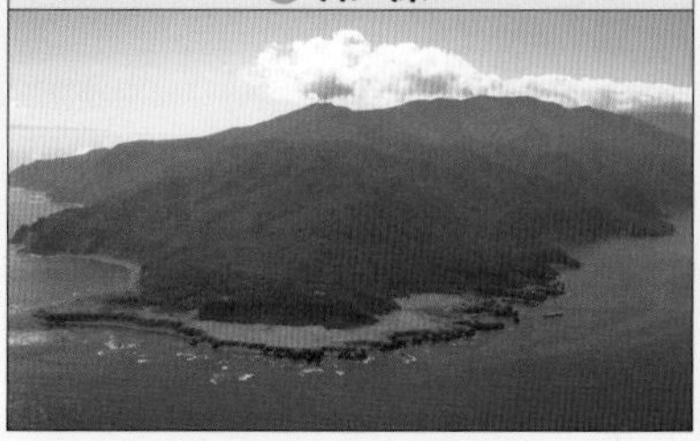

オホーツク海に突き出た知床半島は,豊かな森林に覆われ,複雑な地形と東西で異なる気候による多様な動植物が生息する。

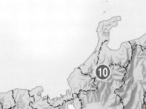

⑤ 日光の社寺

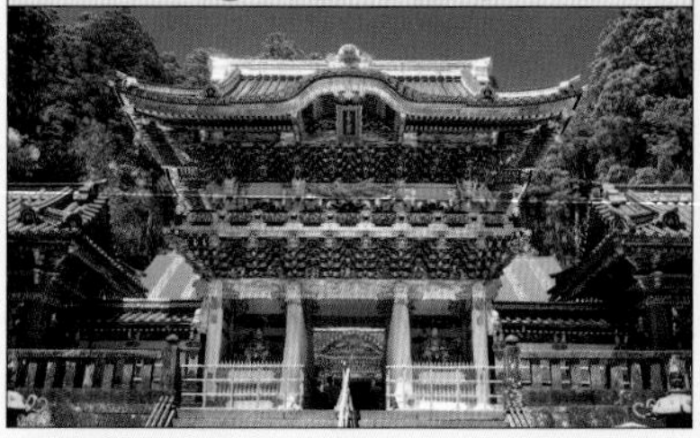

17世紀から受け継がれた二荒山神社,東照宮,輪王寺の建造物群と,それらを取り巻く石垣や森林などの文化的景観が認められた。

⑨ 富士山

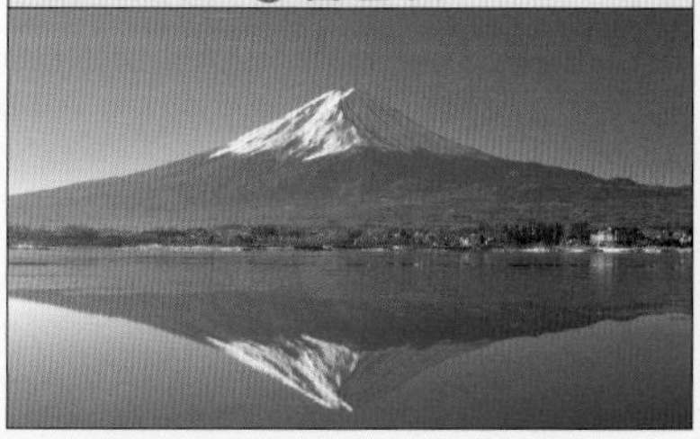

富士山域のほか,浅間神社,富士五湖,忍野八海などから構成される。独特な富士山信仰と,美術的な主題として海外の芸術家にまで影響を与えたことが評価された。

【小笠原諸島】

【南西諸島】

世界遺産登録名(所在地)	登録年
① 知床(北海道)	2005
② 北海道・北東北の縄文遺跡群(北海道・青森・岩手・秋田)	2021
③ 白神山地(青森・秋田)	1993
④ 平泉－仏国土(浄土)を表す建築・庭園及び考古学的遺跡群(岩手)	2011
⑤ 日光の社寺(栃木)	1999
⑥ 富岡製糸場と絹産業遺産群(群馬)	2014
⑦ 国立西洋美術館(東京)※	2016
⑧ 小笠原諸島(東京)	2011
⑨ 富士山－信仰の対象と芸術の源泉(山梨・静岡)	2013
⑩ 白川郷・五箇山の合掌造り集落(岐阜・富山)	1995
⑪ 古都京都の文化財(京都・滋賀)	1994
⑫ 古都奈良の文化財(奈良)	1998
⑬ 法隆寺地域の仏教建造物(奈良)	1993

世界遺産登録名(所在地)	登録年
⑭ 百舌鳥・古市古墳群－古代日本の墳墓群(大阪)	2019
⑮ 紀伊山地の霊場と参詣道(三重・奈良・和歌山)	2004
⑯ 姫路城(兵庫)	1993
⑰ 石見銀山遺跡とその文化的景観(島根)	2007
⑱ 原爆ドーム(広島)	1996
⑲ 厳島神社(広島)	1996
⑳ 「神宿る島」宗像・沖ノ島と関連遺産群(福岡)	2017
㉑ 長崎と天草地方の潜伏キリシタン関連遺産(長崎・熊本)	2018
㉒ 屋久島(鹿児島)	1993
㉓ 奄美大島,徳之島,沖縄島北部及び西表島(鹿児島・沖縄)	2021
㉔ 琉球王国のグスク及び関連遺産群(沖縄)	2000
㉕ 明治日本の産業革命遺産　製鉄・製鋼,造船,石炭産業(山口・福岡・佐賀・長崎・熊本・鹿児島・岩手・静岡)	2015

※登録名「ル・コルビュジエの建築作品-近代建築運動への顕著な貢献-」の構成資産のひとつ(日本・フランス・ドイツ・スイス・ベルギー・アルゼンチン・インド)

（1）地球の大きさ

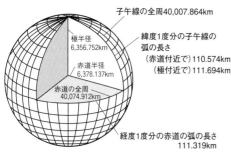

(注)世界測地系による
- 子午線の全周 40,007.864km
- 極半径 6,356.752km
- 赤道半径 6,378.137km
- 赤道の全周 40,074.912km
- 緯度1度分の子午線の弧の長さ
  - （赤道付近で）110.574km
  - （極付近で）111.694km
- 経度1度分の赤道の弧の長さ 111.319km

- 地球の質量……………5.972×10²⁴kg
- 自転周期……………23時間56分4秒
- 公転周期……………365.2422日
- 地球の表面積……………510,066,000km²
- 地球の陸地の面積……………147,244,000km²
- 地球の海の面積……………362,822,000km²
- 地球の体積……………1,083,847,550,000km³
- 北回帰線・南回帰線の緯度………23°26′21.406″
  （赤道面と軌道面の傾き）

[理科年表　2023，ほか]

（2）地球に関する極値

最高点	8,848m	エヴェレスト山(ヒマラヤ山脈)
最深点	-10,920m	チャレンジャー海淵（太平洋，マリアナ海溝）
最深の湖	-1,741m	バイカル湖（ロシア）
陸上の最低点	-400m	死海の湖面（イスラエル，ヨルダン）
最高気温	56.7℃	デスヴァレー(アメリカ合衆国)
最低気温	-89.2℃	ヴォストーク基地(南極)
最多年降水量	26,467mm	チェラプンジ(インド)
最少年平均降水量	0.76mm	アリーカ(チリ)

（3）世界のおもな山（▲は火山）

山名	所在地	高さ(m)
アジア		
▲大雪山(旭岳)	北海道	2,291

（以下省略せず記載）

山名	所在地	高さ(m)
アジア		
エヴェレスト山	ヒマラヤ山脈	8,848
K2(ゴッドウィンオースティン)山	カラコルム山脈	8,611
カンチェンジュンガ山	ヒマラヤ山脈	8,586
ローツェ山	ヒマラヤ山脈	8,516
マカルー山	ヒマラヤ山脈	8,463
チョーオユ山	ヒマラヤ山脈	8,201
ダウラギリ山	ヒマラヤ山脈	8,167
マナスル山	ヒマラヤ山脈	8,163
ナンガパルバット山	ヒマラヤ山脈	8,126
アンナプルナ山	ヒマラヤ山脈	8,091
ガシャーブルム山	カラコルム山脈	8,068
ジシャバンマフェン(ゴサインターン)山	ヒマラヤ山脈	8,027
ポベディ山	テンシャン山脈	7,439
▲ダマヴァンド山	エルブールズ山脈	5,670
ヨーロッパ		
▲エルブルース山	カフカス山脈	5,642
モンブラン山	アルプス山脈	4,810
モンテローザ山	アルプス山脈	4,634
マッターホルン山	アルプス山脈	4,478
ユングフラウ山	アルプス山脈	4,158
アネト山	ピレネー山脈	3,404
▲エトナ山	シチリア島	3,357
ベンネヴィス山	イギリス	1,345
▲ヴェスヴィオ山	イタリア半島	1,281
アフリカ		
▲キリマンジャロ山	タンザニア	5,895
▲キリニャガ(ケニア)山	ケニア	5,199
ルウェンゾリ山	ウガンダ,コンゴ民主共和国	5,109
▲カメルーン山	カメルーン	4,095
北アメリカ		
デナリ(マッキンリー)山	アラスカ山脈	6,190
ローガン山	ロッキー山脈	5,959
▲オリサバ山	メキシコ	5,564
▲ポポカテペトル山	メキシコ	5,393
南アメリカ		
アコンカグア山	アンデス山脈	6,961
▲コトパクシ山	エクアドル	5,911
オセアニア		
ジャヤ峰	ニューギニア島	4,884
ギルウェ山	ニューギニア島	4,368
アオラキ(クック)山	ニュージーランド南島	3,724
▲タラナキ(エグモント)山	ニュージーランド北島	2,518
コジアスコ山	グレートディヴァイディング山脈	2,228
南極大陸		
ヴィンソンマッシーフ		4,892
▲エレバス山		3,794

（4）日本のおもな山（▲は火山）

山名	所在地	高さ(m)
北海道		
▲大雪山(旭岳)	北海道	2,291
▲昭和新山	北海道	398
東北		
▲燧ケ岳	福島	2,356
▲鳥海山	秋田・山形	2,236
▲岩手山	岩手	2,038
▲吾妻山(西吾妻)	福島・山形	2,035
月山	山形	1,984
▲蔵王山(熊野岳)	山形・宮城	1,841
▲磐梯山	福島	1,816
関東		
▲白根山	栃木・群馬	2,578
▲浅間山	群馬・長野	2,568
▲男体山	栃木	2,486
谷川岳	新潟・群馬	1,978
▲赤城山	群馬	1,828
▲箱根山(神山)	神奈川	1,438
▲三原山(三原新山)	東京(大島)	758
中部		
▲富士山(剣ケ峰)	山梨・静岡	3,776
北岳(白根山)	山梨	3,193
穂高岳(奥穂高)	長野・岐阜	3,190
槍ケ岳	長野・岐阜	3,180
▲御嶽山	長野・岐阜	3,067
▲乗鞍岳	長野・岐阜	3,026
立山(大汝山)	富山	3,015
剣岳	富山	2,999
駒ケ岳(甲斐駒)	長野・山梨	2,967
駒ケ岳(木曽駒)	長野	2,956
白馬岳	長野・富山	2,932
▲八ケ岳(赤岳)	長野・山梨	2,899
▲白山	石川・岐阜	2,702
近畿		
八経ケ岳(八剣山)	奈良	1,915
伊吹山	滋賀	1,377
中国・四国		
石鎚山(天狗岳)	愛媛	1,982
▲大山	鳥取	1,729
九州		
宮之浦岳	鹿児島(屋久島)	1,936
▲霧島山(韓国岳)	宮崎・鹿児島	1,700
▲阿蘇山	熊本	1,592
▲雲仙岳(平成新山)	長崎	1,483
▲御岳(北岳)	鹿児島(桜島)	1,117

（5）世界のおもな川

河川名	流域面積(百km²)	長さ(km)
アジア		
オビ川	29,900	5,568[1]
エニセイ川	25,800	5,550
レナ川	24,900	4,400
長江(揚子江)	19,590	6,380
アムール川	18,550	4,416
ガンジス(ガンガ)川	16,210	2,510
ブラマプトラ川		2,840
インダス川	11,660	3,180
黄河	9,800	5,464
メコン川	8,100	4,425
ユーフラテス川	7,650	2,800
エーヤワディー川	4,300	1,992
ヨーロッパ		
ヴォルガ川	13,800	3,688
ドナウ川	8,150	2,850
ドニエプル川	5,105	2,200
ドン川	4,300	1,870
ドヴィナ川	3,620	1,750
ペチョラ川	3,200	1,809
ライン川	2,240	1,230
エルベ川	1,477	1,170
ロアール川	1,210	1,020
セーヌ川	778	780
テムズ川	136	365
アフリカ		
コンゴ川	37,000	4,667
ナイル川	33,490	6,695[2]
ニジェール川	12,000	4,184
ザンベジ川	13,300	2,736
オレンジ川	10,200	2,100
北アメリカ		
ミシシッピ川	32,500	5,969[3]
マッケンジー川	18,050	4,241
セントローレンス川	14,630	3,058
ユーコン川	8,550	3,185
コロンビア川	6,679	2,000
コロラド川	5,900	2,333
リオグランデ川	5,700	3,057
南アメリカ		
アマゾン川	70,500	6,516
ラプラタ川	31,000	4,500[4]
オリノコ川	9,450	2,500
オセアニア		
マリー川	10,580	3,672[5]

1）イルティシ川源流から　2）カゲラ川源流から　3）ミズーリ川源流から
4）パラナ川源流から　5）ダーリング川源流から

（6）日本のおもな川

河川名	流域面積(km²)	長さ(km)
北海道		
石狩川	14,330	268
十勝川	9,010	156
天塩川	5,590	256
東北		
北上川	10,150	249
最上川	7,040	229
阿武隈川	5,400	239
雄物川	4,710	133
米代川	4,100	136
岩木川	2,540	102
関東		
利根川	16,840	322
那珂川	3,270	150
荒川	2,940	173
相模川	1,680	109
多摩川	1,240	138
中部		
信濃川	11,900	367
木曽川	9,100	229
阿賀野川	7,710	210
天竜川	5,090	213
富士川	3,990	128
九頭竜川	2,930	116
大井川	1,280	168
庄川	1,180	115
近畿		
淀川	8,240	75
熊野川	2,360	183
由良川	1,880	146
紀の川	1,750	136
中国・四国		
江の川	3,900	194
吉野川	3,750	194
高梁川	2,670	111
四万十川	2,270	196
吉井川	2,110	133
旭川	1,810	142
太田川	1,710	103
仁淀川	1,560	124
九州		
筑後川	2,863	143
大淀川	2,230	107
球磨川	1,880	115
五ケ瀬川	1,820	106

（7）世界のおもな島

島名	所属	面積(km²)
グリーンランド	デンマーク	2,175,600
ニューギニア	インドネシア,パプアニューギニア	771,900
カリマンタン(ボルネオ)	インドネシア,マレーシア,ブルネイ	736,600
マダガスカル	マダガスカル	590,300
バッフィン	カナダ	512,200
スマトラ	インドネシア	433,800
本州	日本	227,939
グレートブリテン	イギリス	217,800
スラウェシ	インドネシア	179,400
南島	ニュージーランド	150,500
ジャワ	インドネシア	126,100
キューバ	キューバ	114,500
北島	ニュージーランド	114,300
ニューファンドランド	カナダ	110,700
ルソン	フィリピン	105,700
アイスランド	アイスランド	102,800
ミンダナオ	フィリピン	95,600
アイルランド	アイルランド,イギリス	82,100
北海道	日本	77,984
樺太(サハリン)	ロシア,所属未定	77,000
タスマニア	オーストラリア	67,900
セイロン	スリランカ	65,600
台湾	中国(台湾)	36,000
ハイナン	中国	35,600
ティモール	インドネシア,東ティモール	33,000
シチリア	イタリア	25,500
ニューカレドニア	フランス	16,100
ジャマイカ	ジャマイカ	11,500
ハワイ	アメリカ	10,400

（8）日本のおもな島

島名	所属	面積(km²)
本州		227,939
北海道		77,984
九州		36,783
四国		18,297
択捉島	北海道	3,167
国後島	北海道	1,489
沖縄島	沖縄	1,208
佐渡島	新潟	855
大島(奄美大島)	鹿児島	712
対馬島	長崎	696
淡路島	兵庫	592
天草下島	熊本	575
屋久島	鹿児島	504
種子島	鹿児島	444
福江島	長崎	326
西表島	沖縄	290
徳之島	鹿児島	248
色丹島	北海道	248
隠岐島後	島根	242
天草上島	熊本	226
石垣島	沖縄	222
利尻島	北海道	182
中通島	長崎	168
平戸島	長崎	163
宮古島	沖縄	159
小豆島	香川	153
奥尻島	北海道	143
壱岐	長崎	135

（9）世界のおもな湖沼

湖沼名	面積(km²)	最大水深(m)
アジア		
＊カスピ海	374,000	1,025
バイカル湖	31,500	1,741
＊バルハシ湖	18,200	26
＊アラル海	10,030	43
アフリカ		
ヴィクトリア湖	68,800	84
タンガニーカ湖	32,000	1,471
マラウイ湖	22,490	706
チャド湖	3,000	10
北アメリカ		
スペリオル湖	82,367	406
ヒューロン湖	59,570	228
ミシガン湖	58,016	281
グレートスレーブ湖	28,568	625
ウィニペグ湖	23,750	36
南アメリカ		
マラカイボ湖	13,010	60
チチカカ湖	8,372	281

＊印は塩湖

（10）日本のおもな湖沼

湖沼名	面積(km²)	最大水深(m)
琵琶湖〔滋賀〕	669	104
霞ケ浦〔茨城〕	168	12
サロマ湖〔北海道〕	152	20
猪苗代湖〔福島〕	103	94
中海〔島根・鳥取〕	86	17
屈斜路湖〔北海道〕	80	118
宍道湖〔島根〕	79	6
支笏湖〔北海道〕	78	360
洞爺湖〔北海道〕	71	180
浜名湖〔静岡〕	65	13
小川原湖〔青森〕	62	27
十和田湖〔青森・秋田〕	61	327
北浦〔茨城〕	35	10
田沢湖〔秋田〕	26	423
摩周湖〔北海道〕	19	211
諏訪湖〔長野〕	13	8
中禅寺湖〔栃木〕	12	163
桧原湖〔福島〕	11	31
印旛沼〔千葉〕	9	5
山中湖〔山梨〕	7	13

（11）世界のおもな海溝

海溝名	最大深度(m)	海溝名	最大深度(m)
マリアナ海溝（チャレンジャー海淵）	10,920	フィリピン海溝	10,057
トンガ海溝	10,800	ケルマデック海溝	10,047
		伊豆・小笠原海溝	9,810
		千島・カムチャツカ海溝	9,550
		プエルトリコ海溝	8,605

（12）世界のおもな峠

峠　名	所在地	標高(m)
カラコルム	中国・インド	5,575
大サンベルナール	イタリア・スイス	2,473
サンゴタルド	ス　イ　ス	2,108
サンベルナールディーノ	ス　イ　ス	2,065
ブレンナー	イタリア・オーストリア	1,375
カ　イ　バ　ー	パキスタン・アフガニスタン	1,080

〔タイムズアトラス，ほか〕

（13）日本のおもな峠

峠　名	所在地	標高(m)
針 ノ 木	富山・長野	2,536
金 精	群馬・栃木	2,024
安 房	岐阜・長野	1,790
野 麦	岐阜・長野	1,673
三 国	群馬・新潟	1,244
三 碓 氷	長野・群馬	958
板 谷	福島・山形	760
人 形	鳥取・岡山	740
狩 勝	北 海 道	644
美 幌	北 海 道	493

〔コンサイス日本山名辞典，ほか〕

（14）世界のおもな滝

滝　名	国　名	高さ(m)
アンヘル	ベネズエラ	979
トゥゲラ	南アフリカ	948
ヨセミテ	アメリカ合衆国	739
クケナム	ベネズエラ	674
サザーランド	ニュージーランド	580
ギースバッハ	ス　イ　ス	375
ヴィクトリア	ジンバブエ・ザンビア	105
イ グ ア ス	アルゼンチン・ブラジル	82
ナイアガラ	カナダ・アメリカ	51

〔WORLD WATERFALL DATABASE〕

（15）日本のおもな滝

滝　名	県　名	高さ(m)
称 名 滝	富　　山	350
羽衣の滝	北 海 道	270
那 智 滝	和 歌 山	133
北精進ヶ滝	山　　梨	121
袋田の滝	茨　　城	120
三条ノ滝	福　　島	100
華 厳 滝	栃　　木	97
平湯大滝	岐　　阜	64
養 老 滝	岐　　阜	32
白糸の滝	静　　岡	20

〔日本山岳百科事典，ほか〕

（16）世界のおもな砂漠

地域	砂漠名	面積(万km²)
アジア	アラビア	246
	ゴ ビ	130
	大 イ ン ド	60
	タクラマカン	52
	カラクーム	35
	キジルクーム	30
	カヴィル	26
	シ リ ア	26
南北アメリカ	パタゴニア	67
	グレートベースン	49
	アタカマ	45
	チワワ	36
	ソノラ	31
	モハーヴェ	7
アフリカ	サ ハ ラ	907
	カ ラ ハ リ	57
	ナ ミ ブ	14
オセアニア	グレートヴィクトリア	65
	グレートサンディー	40
	シンプソン	15

〔理科年表 2023，ほか〕

（17）世界のおもなトンネル

トンネル名	所在地	長さ(km)
ゴタルドベース	ス　イ　ス	57.1
ユーロ	イギリス・フランス	50.5
ユルヒョン〔栗峴〕	韓　　国	50.3
レッチベルクベース	ス　イ　ス	34.6
グアダラマ	スペイン	28.4
*ラウダール	ノルウェー	24.5
ウーシャオリン（烏鞘嶺）I・II	中　　国	20.1
シンプロンI・II	スイス・イタリア	19.8
フェライナ	ス　イ　ス	19.1
ヴァーリア	イタリア	18.6

*は道路トンネル，その他は鉄道
〔日本トンネル技術協会資料，ほか〕

（18）日本のおもな鉄道トンネル

トンネル名	鉄道線名	長さ(m)
青 函	北海道新幹線・海峡線	53,850
八 甲 田	東北新幹線	26,455
岩 手 一 戸	東北新幹線	25,808
飯 山	北陸新幹線	22,251
大 清 水	上越新幹線	22,221
新 関 門	山陽新幹線	19,760
新 甲 名	山陽新幹線	18,713
六 榛	上越新幹線	16,250
五 里 ヶ 峯	北陸新幹線	15,350
中 山	上越新幹線	15,175
北 陸	北陸本線	14,857
		13,870

〔日本トンネル技術協会資料，ほか〕

（19）日本のおもな道路トンネル

トンネル名	所在地	長さ(m)
山 手	東　　京	18,200
関 越	群馬・新潟	11,055
飛 驒	岐　　阜	10,710
東京湾アクア	神奈川・千葉	9,547
栗 子	福島・山形	8,972
恵 那 山	長野・岐阜	8,649
第2新神戸	兵　　庫	7,175
新 神 戸	兵　　庫	6,910
雁 坂	山梨・埼玉	6,625
肥 後	熊　　本	6,340
加 久 藤	熊本・宮崎	6,260
あ つ み	山　　形	6,022

〔国土交通省資料，ほか〕

（20）世界のおもな橋

橋　名	国　名	長さ(m)
丹陽 - 昆山特大橋	中　　国	164,800
天津特大橋	中　　国	113,700
渭南渭河特大橋	中　　国	79,700
港珠澳大橋	中　　国	55,000
バンナ高速道路	タ　　イ	54,000
北京特大橋	中　　国	48,153
青島膠州湾大橋	中　　国	41,580
ポンチャートレイン湖コーズウェイ	アメリカ合衆国	38,422
杭州湾海上大橋	中　　国	35,673
東海大橋	中　　国	32,500
キング・ファハド・コーズウェイ	サウジアラビア・バーレーン	26,000

〔橋梁年鑑，ほか〕

（21）日本のおもな橋

橋　名	所在地	長さ(m)
東京湾アクアブリッジ	神奈川・千葉県	4,424
明石海峡大橋	兵　庫　県	3,911
*第1北上川	東北新幹線	3,868
関西国際空港連絡橋	大　阪　府	3,750
伊良部大橋	沖　縄　県	3,540
東京ゲートブリッジ	東　京　都	2,618
海田大橋	広　島　県	1,856
南備讃瀬戸大橋	香　川　県	1,723
来間大橋	沖　縄　県	1,690
大鳴門橋	兵庫・徳島県	1,629

*鉄道橋　〔道路公団資料，ほか〕

（22）世界のおもな運河

運河名	国　名	長さ(km)
ター（大）	中　　国	1,746
カラクーム	トルクメニスタン	①1,500
ヴォルガ・バルト水路	ロ　シ　ア	②1,122
ニューヨークステート・バージ	アメリカ合衆国	835
サダム川	イ ラ ク	565
バーレドーブ	パキスタン	③ 560
ミッテルラント	ド　イ　ツ	464
ブレスト・ナント	フランス	360
ス エ ズ	エジプト	193
パ ナ マ	パ ナ マ	82

①現在キジルアルバートまで　②河川も含む　③灌漑水路
〔Information Please Almanac，ほか〕

（23）世界のおもなダム

⑦総貯水量順

ダ ム 名	国　名	形式*	堤高(m)	総貯水量(百万m³)	完成年
ナルバーレ(オーウェンフォールズ)	ウ ガ ン ダ	G	31	204,800	1954
カ ホ ウ カ	ウクライナ	G・E	37	182,000	1955
カ リ バ	ジンバブエ・ザンビア	A	128	180,600	1959
ブ ラ ー ツ ク	ロ シ ア	G	125	169,000	1964
アスワンハイ	エ ジ プ ト	R	111	162,000	1970
アコソンボ	ガ ー ナ	R	134	150,000	1965
ダニエルジョンソン	カ ナ ダ	MA	214	141,851	1968
グ リ	ベ ネ ズ エ ラ	E・G・R	162	135,000	1986
ロンタン〔龍灘〕	中 国	G	192	126,210	2009
W．A．C．ベネット	カ ナ ダ	E	183	74,300	1967
クラスノヤルスク	ロ シ ア	G	124	73,300	1967
ゼ ヤ	ロ シ ア	B	115	68,400	1978
ラ グ ラ ン デ 2	カ ナ ダ	R	168	61,715	1978
ラ グ ラ ン デ 3	カ ナ ダ	R	93	60,020	1981
ウスチイリムスク	ロ シ ア	G	102	59,300	1977
ボ グ チ ャ ヌ	ロ シ ア	G	87	58,200	2012

⑦堤高順

ダ ム 名	国　名	形式*	堤高(m)	総貯水量(百万m³)	完成年
ロ グ ン	タジキスタン	E・R	335	13,300	※
ヌ レ ク	タジキスタン	E	300	10,500	1980
シャオワン〔小湾〕	中 国	A	292	15,100	2010
グランドディクサーンス	ス イ ス	G	285	401	1961
イ ン グ リ	ジョージア	A	272	1,100	1980
ヴァイオント	イ タ リ ア	A	262	169	1960
テ ヘ リ	イ ン ド	E・R	261	3,540	2006
チコアセン(マニュエルモレノトーレス)	メ キ シ コ	E・R	261	1,613	1980
カンバラチンスキー	キ ル ギ ス	G・E	255	4,650	※
モーボアゾン	ス イ ス	A	250	212	1957
デ リ ネ ル	ト ル コ	A	247	1,969	2006
マ イ カ	カ ナ ダ	R	243	25,000	1973
アルバート＝リェラス＝カルマゴ	コ ロ ン ビ ア	R	243	970	1989
サヤノシュシェンスカヤ	ロ シ ア	G・A	242	31,300	1990
アータン〔二灘〕	中 国	A	240	5,800	1999
ラエスメラルダ	コ ロ ン ビ ア	R	237	760	1976

〔ダム便覧2020，ほか〕

（24）日本のおもなダム

⑦有効貯水量順

ダ ム 名	県　名	河 川 名	形式*	堤高(m)	有効貯水量(万m³)
奥 只 見	新潟・福島	只 見 川	G	157	45,800
徳 山	岐 阜	揖 斐 川	R	161	38,040
田 子 倉	福 島	只 見 川	G	145	37,000
夕張シューパロ	北 海 道	夕 張 川	G	111	36,700
御 母 衣	岐 阜	庄 川	R	131	33,000
早 明 浦	高 知	吉 野 川	G	106	28,900
玉 川	秋 田	玉 川	G	100	22,900
九 頭 竜	福 井	九 頭 竜 川	R	128	22,300
池 原	奈 良	北 山 川	A	111	22,008
佐 久 間	静岡・愛知	天 竜 川	G	156	20,544
有 峰	富 山	和 田 川	G	140	20,400
手 取 川	石 川	手 取 川	R	153	19,000
小 河 内	東 京	多 摩 川	G	149	18,540
宮 ヶ 瀬	神 奈 川	中 津 川	G	156	18,300
矢 木 沢	群 馬	利 根 川	A	131	17,580
雨 竜 第 一	北 海 道	雨 竜 川	G	46	17,212

⑦堤高順

ダ ム 名	県　名	河 川 名	形式*	堤高(m)	有効貯水量(万m³)
黒 部	富 山	黒 部 川	A	186	14,884
高 瀬	長 野	高 瀬 川	R	176	1,620
徳 山	岐 阜	揖 斐 川	R	161	38,040
奈 川 渡	長 野	梓 川	A	158	8,500
奥 只 見	新潟・福島	只 見 川	G	157	45,800
宮 ヶ 瀬	神 奈 川	中 津 川	G	156	18,300
浦 山	埼 玉	浦 山 川	G	156	5,600
温 井	広 島	滝 山 川	A	156	7,900
佐 久 間	静岡・愛知	天 竜 川	G	156	20,544
奈 川 渡	長 野	梓 川	A	155	9,400
手 取 川	石 川	手 取 川	R	153	19,000
小 河 内	東 京	多 摩 川	G	149	18,540
田 子 倉	福 島	只 見 川	G	145	37,000
有 草	富 山	和 田 川	G	140	20,400
川 治	栃 木	男 鬼 川	A	140	7,600

〔ダム年鑑2020〕

*A：アーチダム，B：バットレスダム，E：アースダム，G：重力式コンクリートダム，MA：マルチアーチダム，R：ロックフィルダム，※未完成

（25）世界のおもな都市の月平均気温・月降水量

（気温：℃　降水量：mm　太字：最高　*斜字*：最低）　　　　［理科年表 2023, ほか］

都市（観測地点の高さ(m)）と経緯度	月別	1月	2月	3月	4月	5月	6月	7月	8月	9月	10月	11月	12月	全年
熱帯雨林気候（Af）乾季なし														
コロンボ (7) 6°54'N 79°52'E	気温	27.2	27.6	28.4	28.6	**28.9**	28.3	28.1	28.1	27.9	27.5	27.3	*27.2*	27.9
	降水量	86.7	*81.4*	111.6	229.4	303.4	198.4	120.4	119.5	263.7	**347.4**	322.0	187.1	2371.2
シンガポール (5) 1°22'N 103°59'E	気温	*26.8*	27.3	27.9	28.2	**28.6**	28.5	28.2	28.1	28.0	27.9	27.2	*26.8*	27.8
	降水量	221.0	*104.9*	151.1	164.0	164.3	136.5	144.9	148.8	133.4	166.5	254.2	**333.1**	2122.7
キサンガニ (396) 0°31'N 25°11'E	気温	24.9	25.0	**25.2**	25.1	24.9	24.4	*23.7*	*23.7*	24.2	24.5	24.5	24.5	24.6
	降水量	*95.0*	114.9	151.8	181.3	166.7	114.7	100.4	185.7	173.9	**228.2**	177.0	114.1	1803.7
熱帯雨林気候（Am）弱い乾季あり														
ケアンズ (3) 16°52'S 145°44'E	気温	**27.6**	27.5	26.8	25.5	23.8	22.2	*21.4*	21.9	23.5	25.1	26.5	27.4	24.9
	降水量	393.6	**496.4**	372.4	178.9	74.6	41.2	35.3	*26.9*	30.5	66.2	90.3	195.4	2001.7
マカパ (15) 0°02'N 51°03'W	気温	26.8	*26.4*	26.5	26.8	27.2	27.3	27.2	28.1	28.6	**28.9**	28.7	27.5	27.5
	降水量	274.8	362.6	357.3	**376.8**	325.9	248.3	205.2	102.2	25.7	*18.2*	46.9	167.7	2511.6
サバナ気候（Aw）														
コルカタ（カルカッタ）(6) 22°32'N 88°20'E	気温	*19.9*	23.8	28.2	30.6	**31.2**	30.6	29.5	29.4	29.4	28.3	25.1	21.1	27.3
	降水量	11.9	28.0	37.6	55.5	129.4	279.1	**387.8**	369.9	319.2	177.1	34.8	*6.0*	1832.1
ホーチミン (19) 10°49'N 106°40'E	気温	*25.8*	26.8	28.0	**29.2**	28.9	27.7	27.2	27.4	27.2	26.9	26.3	*25.8*	27.3
	降水量	13.1	*1.3*	10.1	39.3	223.9	300.1	**318.1**	268.6	309.5	266.3	91.1	30.8	1872.2
ステップ気候（BS）														
ニアメ (223) 13°29'N 2°10'E	気温	*24.6*	27.8	31.8	**34.7**	34.5	32.2	29.5	28.1	29.4	33.0	29.0	25.9	29.9
	降水量	*0.0*	*0.0*	0.5	11.6	24.9	81.2	141.7	**192.3**	85.8	18.2	*0.0*	*0.0*	556.2
ラホール (214) 31°33'N 74°20'E	気温	*13.3*	16.8	21.9	27.8	32.5	**33.4**	31.6	31.0	29.8	25.1	20.3	15.1	25.0
	降水量	21.7	33.0	33.4	18.0	19.0	72.9	**180.3**	165.1	86.5	10.1	*7.1*	7.2	654.3
砂漠気候（BW）														
カイロ (116) 30°06'N 31°24'E	気温	*14.1*	14.8	17.3	21.6	25.4	27.4	28.0	**28.2**	26.4	24.0	19.2	15.1	21.7
	降水量	7.1	6.3	6.9	*1.4*	0.6	*0.0*	*0.0*	0.3	*0.0*	0.4	6.4	**7.9**	34.6
リヤド (635) 24°42'N 46°44'E	気温	*14.6*	17.6	21.6	27.3	33.1	35.9	36.0	**37.0**	33.7	28.4	21.4	16.5	27.0
	降水量	15.1	13.6	24.2	**36.1**	6.5	*0.0*	*0.0*	*0.0*	*0.0*	*0.0*	9.5	20.8	127.3
地中海性気候（Cs）														
ローマ (2) 41°48'N 12°14'E	気温	*8.4*	9.0	10.9	13.4	17.2	21.0	23.9	**24.0**	21.1	16.9	12.1	9.4	15.6
	降水量	74.0	73.9	60.7	60.0	33.5	21.4	*8.5*	32.7	74.4	**98.2**	93.3	86.3	716.9
ケープタウン (46) 33°58'S 18°36'E	気温	21.6	**21.7**	20.2	17.6	15.3	13.1	*12.5*	12.9	14.6	16.8	18.5	20.6	17.1
	降水量	*9.6*	10.6	13.1	41.4	63.1	**89.0**	81.2	73.0	44.1	29.0	26.4	12.1	492.6
パース (20) 31°55'S 115°58'E	気温	24.7	**24.8**	22.9	19.7	16.2	13.9	*13.0*	13.4	14.6	17.1	20.1	22.8	18.6
	降水量	15.2	16.7	16.6	30.0	79.8	124.7	**137.1**	120.6	77.3	33.3	28.9	*9.3*	690.8
温暖冬季少雨気候（Cw）														
ホンコン (64) 22°18'N 114°10'E	気温	*16.1*	16.8	19.1	22.7	26.0	28.0	**28.6**	28.4	27.6	25.1	21.3	17.8	23.2
	降水量	32.7	37.0	68.9	138.5	284.8	453.7	382.0	**456.1**	320.6	116.6	39.2	*29.2*	2359.3
チンタオ（青島）(77) 36°04'N 120°20'E	気温	*0.2*	2.1	6.3	11.6	17.1	20.8	24.7	**25.6**	22.3	16.7	9.5	2.7	13.3
	降水量	*11.2*	14.0	17.4	33.9	64.1	70.8	**159.2**	139.8	59.0	35.0	34.6	15.4	687.1
温暖湿潤気候（Cfa）														
ニューヨーク (7) 40°46'N 73°54'W	気温	*1.2*	2.2	5.9	11.9	17.4	22.7	**26.0**	25.2	21.4	15.1	9.3	4.3	13.5
	降水量	82.7	*74.1*	102.1	97.4	91.3	102.8	107.3	**111.9**	97.0	79.8	104.6	97.8	1148.8
ニューオーリンズ (2) 29°59'N 90°15'W	気温	*12.2*	14.0	17.5	20.9	24.9	27.7	**28.6**	**28.6**	26.9	21.3	16.7	13.5	21.2
	降水量	131.6	103.9	111.1	131.6	142.5	**193.5**	168.9	179.8	132.4	*93.8*	98.4	104.0	1591.5
ブエノスアイレス (25) 34°35'S 58°29'W	気温	**24.9**	23.8	22.1	18.2	15.0	12.2	*11.2*	13.3	14.8	17.8	20.8	23.4	18.1
	降水量	**153.1**	115.3	125.1	139.3	101.5	67.2	67.2	72.8	*63.9*	115.7	117.8	114.5	1256.1
西岸海洋性気候（Cfb）														
ロンドン (24) 51°28'N 0°27'W	気温	*5.7*	6.0	8.0	10.5	13.9	16.8	**19.0**	18.7	16.1	12.3	8.5	6.1	11.8
	降水量	59.7	46.6	*41.7*	42.6	46.9	49.7	47.2	57.7	46.1	66.3	**69.3**	59.6	633.4
パリ (89) 48°43'N 2°23'E	気温	*4.6*	5.0	8.2	11.2	14.9	18.2	**20.4**	20.1	16.2	12.3	7.9	5.1	12.0
	降水量	44.8	43.4	44.0	*41.4*	62.2	58.4	53.1	**62.3**	54.2	54.6	62.2	42.2	622.8
亜寒帯（冷帯）湿潤気候（Df）														
モスクワ (147) 55°50'N 37°37'E	気温	-6.2	-5.9	-0.7	6.9	13.6	17.3	**19.7**	17.6	11.6	5.8	-0.5	-4.4	6.3
	降水量	53.2	44.0	39.0	*36.6*	61.2	77.4	**83.8**	78.3	66.1	70.1	51.9	51.4	713.0
ウィニペグ (239) 49°55'N 97°14'W	気温	*-17.3*	-12.2	-5.5	4.7	11.6	16.9	**18.9**	18.6	11.9	4.7	-5.0	-14.4	2.8
	降水量	15.9	*14.6*	23.6	36.4	60.8	79.0	**96.9**	78.5	44.0	47.6	27.0	16.8	547.1
亜寒帯（冷帯）冬季少雨気候（Dw）														
イルクーツク (467) 52°16'N 104°19'E	気温	*-17.6*	-14.0	-5.5	3.0	10.4	16.4	**19.0**	16.5	9.0	2.0	-7.9	-15.3	1.4
	降水量	14.6	*9.7*	11.8	16.6	35.2	68.6	**101.4**	96.5	52.6	21.1	20.2	18.5	471.8
チタ (671) 52°05'N 113°29'E	気温	*-24.5*	-18.2	-8.1	2.0	10.4	17.2	**19.5**	16.6	9.0	0.5	-12.5	-22.0	-0.9
	降水量	2.9	*1.8*	3.5	11.2	26.5	60.8	**87.6**	85.2	40.8	9.4	5.2	5.1	340.5
ツンドラ気候（ET）														
ディクソン (42) 73°30'N 80°24'E	気温	-24.0	*-24.1*	-20.6	-15.3	-7.0	1.1	**6.0**	**6.0**	2.5	-6.4	-16.4	-21.7	-10.0
	降水量	36.2	32.8	27.5	*21.9*	24.3	28.1	30.2	41.0	**42.3**	37.9	29.4	36.3	389.6
ウトキアグヴィク（バロー）(11) 71°17'N 156°47'W	気温	-24.2	*-24.4*	-23.5	-15.4	-5.1	1.0	**5.5**	4.4	1.0	-6.1	-14.6	-21.3	-10.1
	降水量	*4.6*	4.8	8.9	6.7	11.4	9.4	**27.2**	21.0	13.6	6.2	6.9	—	144.6
氷雪気候（EF）														
昭和基地 (29) 69°00'S 39°35'E	気温	**-0.8**	-2.9	-6.8	-10.4	-13.5	-15.2	-17.6	*-18.8*	-18.3	-13.3	-6.3	-1.5	-10.5
	降水量	—	—	—	—	—	—	—	—	—	—	—	—	—
高山気候（H）														
ラパス (4058) 16°31'S 68°11'W	気温	9.0	8.8	8.8	8.1	6.5	5.3	*4.9*	5.8	6.9	8.6	**9.5**	9.4	7.7
	降水量	**124.9**	119.6	82.0	30.3	14.0	9.9	*7.5*	11.0	29.6	48.2	44.5	108.3	629.8

注) 1) この表の気候区分は、各都市の気温、降水量をケッペンの気候区分のもととなっている計算式にあてはめて求めている。
　 2) ケッペンでは高山気候を区分しない。ラパスはケッペンでは温暖冬季少雨気候（Cw）に区分されている。

（26）日本のおもな都市の月平均気温・月降水量

（気温：℃　降水量：mm　太字：最高　*斜字*：最低　資料1991～2020年の平均）　　［理科年表 2023］

地域	都市（観測地点の高さ(m)）と経緯度	月別	1月	2月	3月	4月	5月	6月	7月	8月	9月	10月	11月	12月	全年
北海道	稚内 (3) 45°25'N 141°41'E	気温	-4.3	-4.3	-0.6	4.5	9.1	13.0	17.2	**19.5**	17.2	11.3	3.8	-2.1	7.0
		降水量	84.6	60.6	55.1	*50.3*	68.1	65.8	100.9	123.1	**136.7**	129.7	121.4	112.9	1109.2
	旭川 (120) 43°45'N 142°22'E	気温	-7.0	-6.0	-1.4	5.6	12.3	17.0	20.7	**21.2**	15.6	9.4	2.3	-4.2	7.2
		降水量	66.9	54.7	55.0	*48.5*	66.6	71.4	129.5	**152.9**	136.3	105.8	114.5	102.4	1104.4
	札幌 (17) 43°04'N 141°20'E	気温	-3.2	-2.7	1.1	7.3	13.0	17.0	21.1	**22.3**	18.6	12.1	5.2	-0.9	9.2
		降水量	108.4	91.9	77.6	*54.6*	55.5	60.4	90.7	126.8	**142.2**	109.9	113.8	114.5	1146.1
	釧路 (5) 42°59'N 144°23'E	気温	-4.8	-4.3	-0.4	4.0	8.5	12.1	16.2	**18.2**	16.5	10.9	5.0	-1.9	6.7
		降水量	40.4	*24.8*	56.9	79.4	115.7	114.2	120.3	142.3	**153.0**	112.7	64.7	56.6	1080.1
	函館 (35) 41°49'N 140°45'E	気温	-2.4	-1.8	1.7	7.1	11.9	15.9	19.8	**22.1**	18.8	12.5	6.1	-0.1	9.4
		降水量	77.4	64.5	*64.1*	71.9	88.9	79.8	123.6	**156.5**	150.5	105.6	110.8	94.6	1188.0
日本海側	青森 (3) 40°49'N 140°46'E	気温	-0.9	-0.4	2.8	8.5	13.7	17.6	21.8	**23.5**	19.5	13.5	7.2	1.4	10.7
		降水量	139.9	99.0	75.2	*68.7*	76.7	75.0	129.5	142.0	133.0	119.2	137.4	**155.2**	1350.7
	秋田 (6) 39°43'N 140°06'E	気温	0.4	0.8	3.4	9.6	15.2	19.6	23.4	**25.0**	21.0	14.5	8.3	2.8	12.1
		降水量	118.9	*98.5*	99.5	109.9	125.0	122.9	**197.0**	184.6	161.0	175.5	189.1	159.8	1741.6
	新潟 (4) 37°54'N 139°01'E	気温	2.5	2.7	5.8	11.3	16.7	20.9	24.9	**26.5**	22.5	16.7	10.5	5.3	13.9
		降水量	180.9	115.8	112.0	*97.2*	94.4	121.1	222.3	163.4	151.9	157.7	203.5	**225.9**	1845.9
	上越（高田）(13) 37°06'N 138°15'E	気温	2.5	2.7	5.8	11.7	17.0	20.9	24.9	**26.4**	22.2	16.4	10.5	5.3	13.9
		降水量	429.6	263.3	194.7	105.3	*87.0*	135.6	206.8	184.5	205.8	213.9	334.2	**475.5**	2837.1
	富山 (9) 36°42'N 137°12'E	気温	3.0	3.4	6.9	12.3	17.1	20.9	25.0	**26.9**	22.8	16.7	10.6	5.6	14.3
		降水量	259.0	171.7	164.6	134.5	*122.8*	172.6	245.6	207.0	218.1	171.9	224.8	**281.6**	2374.2
	金沢 (6) 36°35'N 136°38'E	気温	4.0	4.2	7.3	12.6	17.7	21.6	25.8	**27.3**	23.2	17.6	11.9	6.8	15.0
		降水量	256.0	162.6	157.2	143.9	*138.0*	170.3	233.4	179.3	231.9	177.1	250.8	**301.1**	2401.5
	鳥取 (7) 35°29'N 134°14'E	気温	4.2	4.7	7.9	13.2	18.1	22.0	26.2	**27.3**	22.9	17.2	11.9	6.8	15.2
		降水量	201.2	154.0	144.3	*102.2*	123.0	146.0	188.6	128.6	**225.4**	153.6	145.9	218.4	1931.3
	松江 (17) 35°27'N 133°04'E	気温	4.6	5.0	8.0	13.1	18.1	22.0	26.2	**27.1**	22.9	17.4	12.0	6.7	15.2
		降水量	153.3	118.4	134.0	*113.0*	130.3	173.0	**234.1**	129.6	204.1	126.1	121.6	154.5	1791.9
太平洋側	前橋 (112) 36°24'N 139°04'E	気温	3.7	4.5	7.9	13.4	18.6	22.1	25.8	**26.8**	22.9	17.1	11.1	6.1	15.0
		降水量	29.7	26.5	58.2	74.8	99.4	147.8	202.1	195.6	**204.3**	142.2	43.0	*23.8*	1247.4
	東京 (25) 35°42'N 139°45'E	気温	5.4	6.1	9.4	14.3	18.8	21.9	25.7	**26.9**	23.3	18.0	12.5	7.7	15.8
		降水量	59.7	*56.5*	116.0	133.7	139.7	167.8	156.2	154.7	224.9	**234.8**	96.3	57.9	1598.2
	名古屋 (51) 35°10'N 136°58'E	気温	4.8	5.5	9.2	14.6	19.4	23.0	26.9	**28.2**	24.5	18.7	12.8	7.0	16.3
		降水量	*50.8*	64.7	116.2	127.5	150.3	186.5	211.4	139.5	**231.6**	164.7	79.1	56.6	1578.9
	京都 (41) 35°01'N 135°44'E	気温	4.8	5.5	8.9	14.4	19.5	23.3	27.3	**28.5**	24.4	18.4	12.5	7.3	16.2
		降水量	*53.3*	65.1	106.2	117.0	151.4	199.7	**223.6**	153.8	178.5	143.2	73.9	57.3	1522.9
	福岡 (3) 33°35'N 130°23'E	気温	6.9	7.8	10.9	15.4	19.5	23.3	27.4	**28.4**	24.7	19.6	14.2	9.1	17.3
		降水量	*74.4*	69.8	103.7	118.2	133.7	249.6	**299.1**	210.0	175.1	94.5	91.4	67.5	1686.9
	熊本 (38) 32°49'N 130°42'E	気温	6.0	7.4	10.9	15.8	20.5	23.7	27.5	**28.4**	24.7	19.2	13.5	8.0	17.2
		降水量	*57.2*	83.2	124.8	144.9	160.9	**448.5**	386.8	195.4	172.6	87.1	84.4	61.2	2007.0
	やませの影響を受ける														
	宮古 (43) 39°39'N 141°58'E	気温	0.5	0.8	3.9	8.9	13.5	16.6	20.3	**22.1**	19.1	13.6	8.1	2.9	10.8
		降水量	63.4	*54.7*	87.5	91.9	98.1	123.4	157.5	177.9	**216.4**	166.1	62.8	67.6	1370.9
	仙台 (39) 38°16'N 140°54'E	気温	2.0	2.4	5.5	10.7	15.6	19.2	22.9	**24.4**	21.2	15.7	9.8	4.5	12.8
		降水量	42.3	*33.9*	74.4	90.2	110.2	143.7	178.4	157.8	**192.6**	150.6	58.7	44.1	1276.7
	冬温暖で、夏は雨が多い														
	八丈島 (151) 33°07'N 139°47'E	気温	*10.1*	10.4	12.5	15.8	18.6	21.2	24.9	**26.5**	24.5	21.0	16.9	12.8	18.0
		降水量	201.7	205.5	295.5	215.2	256.7	390.3	254.1	*169.5*	360.5	**479.1**	277.4	200.2	3306.6
	浜松 (46) 34°42'N 137°43'E	気温	6.3	6.8	9.8	14.3	18.6	21.9	25.7	**27.8**	24.9	19.4	14.0	8.5	16.5
		降水量	*59.2*	76.8	147.1	179.2	191.9	224.5	209.3	126.8	**246.1**	207.1	112.6	62.7	1843.2
	尾鷲 (15) 34°04'N 136°12'E	気温	*6.5*	7.2	10.3	14.7	18.7	21.6	25.3	**26.8**	23.8	18.8	13.7	8.8	16.4
		降水量	106.0	118.8	233.8	295.4	360.5	436.6	405.2	427.3	**745.7**	507.6	211.5	121.3	3969.6
	室戸 (185) 33°15'N 134°11'E	気温	7.7	8.2	10.8	14.7	18.8	21.9	25.8	**26.3**	24.0	19.6	14.5	9.6	16.9
		降水量	*89.5*	113.8	174.7	203.2	240.6	**330.8**	267.9	210.2	322.3	251.8	164.3	93.3	2465.0
	高知 (1) 33°34'N 133°33'E	気温	6.7	7.8	11.2	15.8	19.9	23.0	27.0	**27.9**	25.0	19.9	14.2	8.7	17.0
		降水量	*59.1*	107.8	174.8	225.3	280.4	359.5	357.3	284.1	**398.1**	207.5	129.6	83.1	2666.4
	宮崎 (9) 31°56'N 131°25'E	気温	7.5	8.6	11.9	15.8	19.7	22.9	27.3	**27.6**	24.7	20.0	14.7	9.3	18.3
		降水量	*72.7*	95.8	155.7	194.5	227.6	**516.3**	339.3	275.5	370.9	196.7	105.7	74.9	2625.5
	鹿児島 (4) 31°33'N 130°33'E	気温	8.7	9.9	12.8	16.8	20.3	23.2	27.3	**28.8**	26.3	21.6	16.2	10.9	18.8
		降水量	*78.3*	112.7	161.0	194.9	205.2	**570.0**	365.1	224.3	222.9	104.6	102.5	93.2	2434.7
	冬寒く、夏涼しい														
	長野 (418) 36°40'N 138°12'E	気温	-0.4	0.4	4.3	10.6	16.4	20.4	24.3	**25.4**	21.0	14.4	7.9	2.3	12.3
		降水量	54.6	*49.1*	60.1	56.9	69.3	106.1	**137.7**	111.8	125.5	100.3	44.4	49.4	965.1
	松本 (610) 36°15'N 137°58'E	気温	-0.4	0.4	4.3	10.6	16.0	19.8	23.5	**24.7**	20.0	13.2	7.0	1.8	11.7
		降水量	39.8	*38.5*	78.0	81.1	94.5	114.9	131.3	101.6	**148.0**	128.3	56.3	32.7	1045.1
	飯田 (516) 35°31'N 137°49'E	気温	*1.0*	2.1	5.7	11.3	16.4	20.0	23.7	**24.8**	20.8	14.4	8.6	3.4	12.7
		降水量	63.4	*78.7*	143.0	141.0	153.8	192.0	**240.1**	149.4	208.6	163.3	93.4	65.4	1688.1
太平洋側（内陸）	大阪 (23) 34°41'N 135°31'E	気温	6.2	6.6	9.9	15.2	20.1	23.6	27.7	**29.0**	25.2	19.5	13.8	8.7	17.1
		降水量	*47.0*	60.5	103.1	101.9	136.5	**185.1**	174.4	113.0	152.8	136.0	72.5	55.5	1338.3
	岡山 (5) 34°39'N 133°56'E	気温	4.6	5.2	8.7	14.1	19.3	23.0	27.2	**28.3**	24.3	18.4	12.3	6.9	16.0
		降水量	*36.2*	45.4	82.5	90.0	112.6	169.3	**177.4**	97.2	142.2	95.4	53.3	41.5	1143.1
	広島 (4) 34°24'N 132°28'E	気温	5.4	6.2	9.5	14.8	19.6	23.2	27.3	**28.5**	24.7	18.8	13.0	7.8	16.5
		降水量	*46.2*	64.0	118.3	141.0	169.8	226.5	**279.8**	131.4	162.7	109.2	69.3	54.0	1572.2
	高松 (9) 34°19'N 134°03'E	気温	5.9	6.3	9.4	14.5	19.6	23.3	27.5	**28.6**	24.7	19.0	13.2	8.1	16.7
		降水量	*39.4*	45.8	81.4	74.6	100.9	153.1	159.8	106.0	**167.4**	120.1	55.0	46.7	1150.1
南西諸島	奄美（名瀬）(3) 28°23'N 129°30'E	気温	*15.0*	15.3	17.1	19.8	22.8	26.0	**28.8**	28.5	27.0	23.9	20.4	16.7	21.8
		降水量	184.1	*161.6*	210.1	213.9	278.1	**427.4**	214.9	294.4	346.0	261.3	173.6	170.4	2935.7
	那覇 (28) 26°12'N 127°41'E	気温	*17.3*	17.5	19.1	21.5	24.2	27.2	**29.1**	29.0	27.9	25.5	22.5	19.0	23.3
		降水量	101.6	114.5	142.8	161.0	245.3	**284.4**	188.1	240.0	275.2	179.2	119.1	110.0	2161.0

(27) 世界の国別統計

（太字は1位，斜字は2位から5位までの国を示す。
面積・人口密度は居住不能な極地・島を除く。）

アジア（47か国）

国番号	正式国名	首都	人口(万人) 2021年	面積(万km²) 2021年	人口密度(人/km²) 2021年	産業別人口の割合(%) 2021年 第1次	第2次	第3次	老年人口率 65歳以上(%) 2021年	*非識字率(%) 2021年 男/女	二酸化炭素排出量(t/人) 2020年	**森林率(%) 2020年	1人あたりの国民総所得(ドル) 2021年	対内直接投資額(百万ドル) 2021年
1	アゼルバイジャン共和国	バクー	1,011	8.7	117	36.3	14.9	48.8	6.7	19) 0.1/0.3	3.2	13.7	4,880	-1,708
2	アフガニスタン・イスラム共和国	カブール	3,206	65.3	49	25.1	19.0	55.9	2.4	47.9/77.4	0.2	1.9	20) 500	21
3	アラブ首長国連邦	アブダビ	20) 928	7.1	131	1.4	29.6	69.0	1.8	1.2/2.8	18.2	4.5	20) 39,410	20,667
4	アルメニア共和国	エレバン	296	3.0	100	20) 52.4	13.0	34.6	12.7	20) 0.2/0.3	2.1	11.5	4,560	366
5	イエメン共和国	サヌア	20) 3,041	52.8	58	14) 29.2	14.5	56.3	2.7	—	0.2	1.0	20) 670	19) -371
6	イスラエル国	エルサレム	921	2.2	417	0.8	15.5	83.7	11.9	—	6.2	6.5	49,560	21,486
7	イラク共和国	バグダッド	20) 3,985	43.5	92	8.4	25.7	65.9	3.4	17) 8.8/20.1	3.0	1.9	5,040	-2,637
8	イラン・イスラム共和国	テヘラン	8,405	163.1	52	20) 16.7	33.6	49.7	7.4	7.6/15.0	6.7	6.6	20) 3,370	1,425
9	インド	デリー	136,717	328.7	416	20) 43.6	22.5	33.9	6.8	11) 21.1/40.7	1.5	24.3	2,170	44,727
10	インドネシア共和国	ジャカルタ	27,268	191.1	143	29.0	21.8	49.2	6.8	20) 2.5/5.4	1.9	49.1	4,140	21,213
11	ウズベキスタン共和国	タシケント	3,491	44.9	78	20) 26.9	22.4	50.7	5.0	0.0/0.0	3.2	8.4	1,960	2,276
12	オマーン国	マスカット	452	31.0	15	6.2	40.2	53.6	2.8	18) 3.0/7.3	12.5	0.01	20) 15,030	4,020
13	カザフスタン共和国	アスタナ	1,900	272.5	7	19) 13.7	19.8	66.5	7.9	20) 0.1/0.2	10.9	1.3	8,720	4,584
14	カタール国	ドーハ	274	1.2	236	20) 1.3	42.4	56.3	1.4	20) 2.2/2.4	29.2	0.5	57,120	-1,093
15	カンボジア王国	プノンペン	1,659	18.1	92	20) 39.9	24.5	35.6	5.5	11.6/20.2	0.8	45.7	1,550	3,483
16	キプロス共和国	ニコシア	89	0.9	97	2.9	17.9	79.2	14.5	0.4/0.8	6.7	18.7	28,130	-33,357
17	キルギス共和国	ビシュケク	669	20.0	33	25.2	24.5	50.3	4.4	19) 0.3/0.5	1.2	6.9	1,180	226
18	クウェート国	クウェート	433	1.8	243	17) 2.2	20.8	77.0	4.5	20) 2.9/4.6	20.9	0.4	19) 36,200	-272
19	サウジアラビア王国	リヤド	3,411	220.7	15	20) 3.1	22.6	74.3	2.6	1.4/3.9	13.8	0.5	20) 22,270	19,286
20	ジョージア	トビリシ	370	7.0	53	20) 41.1	13.4	45.5	14.6	0.6/0.7	2.5	40.6	4,740	1,267
21	シリア・アラブ共和国	ダマスカス	15) 1,799	18.5	97	11) 13.2	31.4	55.4	4.6	14) 8.4/19.1	1.2	2.8	18) 930	—
22	シンガポール共和国	シンガポール	545	0.07	7,485	0.0	3.6	96.4	14.1	20) 1.5/4.2	7.6	21.7	64,010	138,544
23	スリランカ民主社会主義共和国	スリジャヤワルダナプラコッテ	2,215	6.6	338	20) 27.1	26.9	46.0	11.2	6.7/8.4	0.9	34.2	3,820	598
24	タイ王国	バンコク	6,667	51.3	130	31.9	22.2	45.9	14.5	4.5/7.2	3.4	38.9	7,260	14,661
25	大韓民国	ソウル	5,174	10.0	515	5.3	24.5	70.2	16.7	18) 0.8/1.6	10.5	64.4	34,980	22,060
26	タジキスタン共和国	ドゥシャンベ	958	14.1	68	18) 45.8	15.5	38.7	3.3	10) 0.2/0.6	0.7	3.1	1,150	84
27	中華人民共和国	ペキン	①144,407	①960.1	①150	22.9	29.1	48.0	13.1	20) 1.4/4.4	7.1	23.4	11,890	333,979
28	朝鮮民主主義人民共和国	ピョンヤン	15) 2,518	12.1	209	—	—	—	11.4	0.0/0.0	1.9	50.1	—	18
29	トルクメニスタン	アシガバット	15) 556	48.8	11	—	—	—	4.9	—	9.9	8.8	19) 7,220	1,453
30	トルコ共和国	アンカラ	8,414	78.4	107	17.2	27.5	55.3	8.4	19) 0.9/5.6	4.4	28.9	9,830	13,325
31	日本国	東京	12,568	37.8	333	3.1	23.3	73.6	29.8	—	7.8	68.4	42,620	33,093
32	ネパール	カトマンズ	3,037	14.7	206	17) 25.4	29.5	45.1	6.0	19.0/36.7	0.4	41.6	1,230	196
33	パキスタン・イスラム共和国	イスラマバード	17) 20,768	79.6	261	37.1	25.4	37.5	4.2	19) 30.7/53.5	0.7	4.8	1,500	2,102
34	バーレーン王国	マナーマ	20) 150	0.08	1,930	15) 1.1	34.7	64.2	3.5	11) 6.9/9.3	18.8	0.9	20) 19,930	1,766
35	バングラデシュ人民共和国	ダッカ	20) 16,822	14.8	1,133	17) 40.6	20.4	39.0	5.8	20) 22.2/28.0	0.5	14.5	2,620	1,724
36	東ティモール民主共和国	ディリ	19) 128	1.5	86	37.8	11.5	50.7	5.3	20) 26.7/33.5	0.3	61.9	1,940	69
37	フィリピン共和国	マニラ	11,019	30.0	367	24.3	18.9	56.8	5.3	19) 4.3/3.1	1.1	24.1	3,640	11,983
38	ブータン王国	ティンプー	75	3.8	20	49.2	15.4	35.4	6.1	22.1/37.2	0.9	71.4	20) 2,840	7
39	ブルネイ・ダルサラーム国	バンダルスリブガワン	42	0.6	75	1.4	23.6	75.0	5.8	1.7/3.1	21.0	72.1	31,510	205
40	ベトナム社会主義共和国	ハノイ	9,850	33.1	297	26.7	30.4	42.9	8.8	19) 3.0/5.4	3.0	46.7	3,560	15,660
41	マレーシア	クアラルンプール	3,265	33.1	99	20) 10.5	26.2	63.3	7.3	—	7.0	58.2	10,930	18,596
42	ミャンマー連邦共和国	ネーピードー	5,529	67.7	82	20) 46.5	18.6	34.9	6.6	19) 7.6/13.7	0.5	43.7	1,140	2,067
43	モルディブ共和国	マレ	56	0.03	1,895	19) 12.8	16.1	71.1	4.5	2.4/1.6	2.6	2.7	8,400	443
44	モンゴル国	ウランバートル	338	156.4	2	26.4	21.4	52.2	4.4	20) 0.9/0.6	6.3	9.8	3,760	2,173
45	ヨルダン・ハシェミット王国	アンマン	1,105	8.9	124	3.3	18.4	78.3	3.7	1.3/1.9	1.9	1.1	4,480	622
46	ラオス人民民主共和国	ビエンチャン	733	23.7	31	17) 56.3	9.0	34.7	4.4	8.6/17.2	2.3	71.9	2,520	1,072
47	レバノン共和国	ベイルート	15) 653	1.0	625	19) 3.5	20.5	76.0	9.6	19) 3.0/6.4	3.0	14.0	3,450	597

アフリカ（54か国）

国番号	正式国名	首都	人口(万人) 2021年	面積(万km²) 2021年	人口密度(人/km²) 2021年	産業別人口の割合(%) 2021年 第1次	第2次	第3次	老年人口率 65歳以上(%) 2021年	*非識字率(%) 2021年 男/女	二酸化炭素排出量(t/人) 2020年	**森林率(%) 2020年	1人あたりの国民総所得(ドル) 2021年	対内直接投資額(百万ドル) 2021年
1	アルジェリア民主人民共和国	アルジェ	20) 4,422	238.2	19	17) 10.1	30.9	59.0	6.2	18) 12.6/24.7	3.0	0.8	3,660	869
2	アンゴラ共和国	ルアンダ	3,209	124.7	26	14) 44.4	6.2	49.4	2.6	17.4/37.6	0.4	53.4	1,770	-4,355
3	ウガンダ共和国	カンパラ	4,288	24.2	178	17) 70.7	7.0	22.3	1.7	16.0/25.7	0.1	11.7	840	1,100
4	エジプト・アラブ共和国	カイロ	10,206	100.2	102	20) 20.3	28.4	51.3	4.8	21.2/32.6	1.8	0.05	3,510	5,122
5	エスワティニ王国	ムババーネ	20) 118	1.7	68	16) 12.9	24.0	63.1	4.0	20) 10.9/10.5	0.9	28.9	3,680	113
6	エチオピア連邦民主共和国	アディスアベバ	10,286	110.4	93	63.5	6.3	30.2	3.1	17) 40.8/55.6	0.1	15.1	960	4,259
7	エリトリア国	アスマラ	355	12.1	29	—	—	—	4.0	18) 15.6/31.0	0.1	8.7	11) 600	70
8	ガーナ共和国	アクラ	20) 3,095	23.9	130	17) 41.8	17.4	40.8	3.5	20) 15.5/23.8	0.6	35.1	2,360	2,613
9	カーボベルデ共和国	プライア	49	0.4	122	19) 10.6	21.8	67.6	5.4	5.8/12.6	1.1	11.3	3,330	92
10	ガボン共和国	リーブルビル	15) 194	26.8	7	93) 43.5	9.6	46.9	3.9	13.8/15.3	1.1	91.3	7,100	1,635
11	カメルーン共和国	ヤウンデ	2,676	47.6	56	14) 47.5	14.1	38.4	2.7	20) 16.6/26.9	0.2	43.0	1,590	964
12	ガンビア共和国	バンジュール	19) 221	1.1	196	18) 49.6	6.9	43.5	2.4	34.8/48.8	0.2	24.0	800	252
13	ギニア共和国	コナクリ	1,290	24.6	53	12) 74.8	5.6	19.6	3.4	38.8/68.7	0.3	25.2	1,010	198
14	ギニアビサウ共和国	ビサウ	20) 162	3.6	45	18) 50.1	9.7	40.2	2.8	33.0/60.1	0.1	70.4	780	19
15	ケニア共和国	ナイロビ	19) 4,755	59.2	80	19) 33.6	15.0	51.4	2.8	14.5/20.1	0.2	6.3	2,010	463
16	コートジボワール共和国	ヤムスクロ	2,708	32.2	84	19) 44.7	10.2	45.1	2.4	19) 6.9/13.3	0.4	8.9	2,450	1,392
17	コモロ連合	モロニ	15) 77	2.2	348	14) 38.0	19.0	43.0	4.3	33.0/43.1	0.3	17.7	1,460	4
18	コンゴ共和国	ブラザビル	560	34.2	16	05) 35.2	20.6	44.2	2.7	14.1/24.6	0.6	64.3	1,630	3,691
19	コンゴ民主共和国	キンシャサ	10,524	234.5	45	12) 62.1	8.4	29.5	3.0	10.5/29.2	0.03	55.6	580	1,678
20	サントメ・プリンシペ民主共和国	サントメ	21	0.1	223	06) 26.2	14.5	59.3	3.8	3.5/8.9	0.6	54.1	2,280	59
21	ザンビア共和国	ルサカ	1,840	75.3	24	57.8	10.2	32.0	1.7	20) 9.0/15.7	0.3	60.3	1,040	-352
22	シエラレオネ共和国	フリータウン	829	7.2	115	18) 46.0	10.5	43.5	3.1	44.7/59.9	0.1	35.1	510	212
23	ジブチ共和国	ジブチ	100	2.3	43	17) 1.2	5.2	93.6	4.5	—	0.3	0.3	3,300	167
24	ジンバブエ共和国	ハラレ	1,655	39.1	42	19) 62.4	11.2	26.4	3.4	11.7/9.1	0.7	45.1	1,400	166
25	スーダン共和国	ハルツーム	4,567	184.7	25	11) 44.0	15.1	40.9	3.4	18) 34.6/43.9	0.4	9.8	670	1,523
26	赤道ギニア共和国	マラボ	150	2.8	54	83) 76.3	4.8	18.9	3.1	10) 2.8/9.3	2.7	87.3	5,810	491
27	セーシェル共和国	ビクトリア	9	0.05	217	20) 4.0	13.3	82.7	7.9	20) 4.2/3.3	6.1	73.3	13,260	111
28	セネガル共和国	ダカール	1,747	19.7	89	19) 23.0	21.1	55.9	3.2	31.6/54.6	0.4	41.9	1,540	2,232

20)西暦下2けたの年次。 *15歳以上の人口に対する非識字人口の割合。 **国土面積から内水面面積を除いた面積に占める森林面積の割合。 ①ホンコン, マカオ, 台湾を含む。

〔Demographic Yearbook, ほか〕

貿易額（百万ドル）2021年 輸出	輸入	おもな輸出品目	通貨単位（1ドルあたり通貨単位）2022年6月	独立年月と旧宗主国	おもな民族（%）	おもな宗教（%）	おもな言語	国番号
22,207	20) 10,730	原油, 天然ガス	アゼルバイジャン・マナト 1.70	1991. 8 —	アゼルバイジャン人 92	イスラーム 96	アゼルバイジャン語	1
19) 870	19) 8,568	植物性原材料, ナッツ類, 干しぶどう	アフガニー 77.66	— イギリス	パシュトゥーン人 42, タジク系 27	イスラーム 99	ダリー語, パシュトゥー語	2
20) 335,297	20) 246,961	原油, 石油製品, 機械類	UAE ディルハム 3.67	1971.12 イギリス	南アジア系 59, 自国籍アラブ 12	イスラーム 62, ヒンドゥー教 21	アラビア語	3
2,971	5,319	銅鉱石, たばこ, 蒸留酒	ドラム 407.21	1991. 9 —	アルメニア人 98	アルメニア教会 73	アルメニア語	4
15) 510	19) 4,716	魚介類, 自動車, 機械類	イエメン・リアル 1004.00	1990. 5 トルコ・イギリス	アラブ人 93	イスラーム 99	アラビア語	5
60,157	92,148	機械類, ダイヤモンド, 精密機械	新シェケル 3.50	1948. 5 イギリス	ユダヤ人 75, アラブ人 21	ユダヤ教 75, イスラーム 19	ヘブライ語, アラビア語	6
16) 43,774	14) 37,064	原油	イラク・ディナール 1450.00	— イギリス	アラブ人 65, クルド人 23	イスラーム 96	アラビア語, クルド語	7
18) 96,618	20) 41,236	原油, 石油製品	イラン・リアル 42000.00	— イギリス	ペルシア人 35, アゼルバイジャン系 16	イスラーム 99	ペルシア語	8
394,814	570,402	石油製品, 機械類, ダイヤモンド	インド・ルピー 78.94	1947. 8 イギリス	インド・アーリヤ系 72, ドラヴィダ系 25	ヒンドゥー教 80, イスラーム 14	ヒンディー語, 英語	9
231,522	196,190	石炭, パーム油, 鉄鋼	ルピア 14848.00	1945. 8 オランダ	ジャワ人 40, スンダ人 16	イスラーム 87, キリスト教 10	インドネシア語	10
14,092	23,886	金, 繊維品, 銅	スム 10831.06	1991. 8 —	ウズベク人 78	イスラーム 76	ウズベク語, ロシア語	11
44,591	30,995	原油, 液化石油ガス, 石油製品	オマーン・リアル 0.38	— ポルトガル	アラブ人 55, インド・パキスタン系 32	イスラーム 89	アラビア語	12
20) 46,949	20) 38,081	原油, 鉄鋼, 銅	テンゲ 470.34	1991.12 —	カザフ人 66, ロシア系 22	イスラーム 70, キリスト教 26	カザフ語, ロシア語	13
19) 72,935	19) 25,835	液化天然ガス, 原油, 石油製品	カタール・リヤル 3.64	1971. 9 イギリス	アラブ人 40, インド系 18	イスラーム 68, キリスト教 14	アラビア語	14
17,716	19,114	衣類, 履物, 機械類	リエル 4095.52	1953.11 フランス	カンボジア人（クメール人）85	仏教 97	カンボジア語（クメール語）	15
3,887	10,089	船舶, 石油製品, 医薬品	ユーロ 0.96	1960. 8 イギリス	ギリシャ系 81, トルコ系 11	ギリシャ正教 78, イスラーム 18	ギリシャ語, トルコ語	16
1,688	5,448	金, ガラス製品, 機械類	ソム 79.50	1991. 8 —	キルギス人 71, ウズベク系 14	イスラーム 61, キリスト教 10	キルギス語, ロシア語	17
20) 40,166	20) 28,344	原油, 石油製品	クウェート・ディナール 0.31	1961. 6 イギリス	アラブ人 59, アジア系 38	イスラーム 74, キリスト教 13	アラビア語	18
16) 207,572	20) 131,313	原油, 石油製品, プラスチック類	サウジ・リヤル 3.75	— イギリス	サウジ系アラブ人 74	イスラーム 94	アラビア語	19
4,242	10,105	銅鉱石, 鉄鋼, 自動車	ラリ 2.93	1991. 4 —	ジョージア人 87	ジョージア正教 84, イスラーム 11	ジョージア語	20
17) 1,850	17) 6,279	オリーブ油, クミン, ピスタチオ	シリア・ポンド 2800.00	1946. 4 フランス	アラブ人 90	イスラーム 88	アラビア語, クルド語	21
373,684	20) 328,624	機械類, 石油製品, 精密機械	シンガポール・ドル 1.39	1965. 8 イギリス	中国系 74, マレー系 13	仏教 33, キリスト教 18	マレー語, 中国語, タミル語, 英語	22
13,331	21,502	繊維品, 茶, ゴム製品	スリランカ・ルピー 194.01	1948. 2 イギリス	シンハラ人 75, タミル人 15	仏教 70, ヒンドゥー教 13	シンハラ語, タミル語	23
231,388	207,696	機械類, 自動車, 金	バーツ 35.30	—	タイ人 81, 中国系 11	仏教 90	タイ語	24
20) 512,710	20) 467,498	機械類, 自動車, プラスチック類	韓国ウォン 1292.90	1948. 8 日本	朝鮮民族（韓民族）98	キリスト教 28, 仏教 16	韓国語	25
20) 718	20) 3,139	アルミニウム, 綿花, 鉛鉱	ソモニ 11.40	1991. 9 —	タジク人 84, ウズベク系 12	イスラーム 84	タジク語, ロシア語	26
3,362,302	2,684,363	機械類, 衣類	元 6.69	—	漢族 92	道教, 仏教	標準中国語, 中国語7地域方言	27
18) 222	18) 2,320	鉱物性生産品, 繊維品	北朝鮮ウォン 110.00	1948. 9 日本	朝鮮民族 99.8	仏教, キリスト教	朝鮮語	28
17) 7,458	17) 4,571	天然ガス, 石油製品, 原油	トルクメン・マナト 3.50	1991.10 —	トルクメン人 85	イスラーム 87	トルクメン語, ロシア語	29
225,219	271,423	機械類, 自動車, 鉄鋼	リラ 16.68	—	トルコ人 65, クルド人 19	イスラーム 98	トルコ語, クルド語	30
757,097	773,349	一般機械, 電気機械, 自動車	円 136.63	—	日本人 98.5	神道, 仏教, キリスト教など	日本語	31
19) 960	19) 12,325	繊維品, パーム油, 衣類	ネパール・ルピー 121.82	—	チェトリ 17, ブラーマン系 12	ヒンドゥー教 81, 仏教 9	ネパール語	32
28,795	72,892	繊維品, 衣類, 米	パキスタン・ルピー 204.38	1947. 8 イギリス	パンジャブ 53, パシュトゥン 13	イスラーム 96	ウルドゥー語, 英語	33
19) 14,167	19) 18,588	石油製品, アルミニウム, 鉄鉱石	バーレーン・ディナール 0.38	1971. 8 イギリス	アラブ人 51, アジア系 46	イスラーム 82, キリスト教 11	アラビア語	34
15) 31,734	15) 48,059	衣類, 繊維品	タカ 93.45	1971.12 パキスタン	ベンガル人 98	イスラーム 89, ヒンドゥー教 10	ベンガル語	35
17) 24	17) 588	コーヒー, 古着, 植物性原材料	米ドル 1.00	2002. 5 —	メラネシア系, マレー系	カトリック 98	テトゥン語, ポルトガル語	36
74,620	124,390	機械類, バナナ	フィリピン・ペソ 55.02	1946. 7 アメリカ合衆国	タガログ人 28, セブアノ人 13	カトリック 80	フィリピノ語, 英語	37
12) 531	12) 992	鉄鋼, 電力, 無機化合物	ヌルタム 78.94	—	ブータン人（チベット系）50, ネパール系 35	チベット仏教 74, ヒンドゥー教 25	ゾンカ語, ネパール語	38
20) 6,608	20) 5,343	液化天然ガス, 石油製品, 原油	ブルネイ・ドル 1.39	1984. 1 イギリス	マレー系 66, 中国系 10	イスラーム 79	マレー語	39
281,441	261,300	機械類, 衣類, 履物	ドン 23140.00	1945. 9 フランス	ベトナム人（キン人）86	仏教 8, カトリック 7	ベトナム語	40
299,230	238,250	機械類, 石油製品	リンギット 4.41	1957. 8 イギリス	ブミプトラ 62, 中国系 23	イスラーム 61, 仏教 20	マレー語, 英語, 中国語	41
15,145	14,322	衣類, 天然ガス, 豆類	チャット 1448.90	1948. 1 イギリス	ビルマ人 68	仏教 88	ミャンマー語（ビルマ語）	42
151	2,574	冷凍まぐろ・かつお類, まぐろ・かつお調製品	ルフィア 15.41	1965. 7 イギリス	モルディブ人 99	イスラーム 94	ディベヒ語	43
9,241	6,844	銅鉱石, 石炭, 金	トゥグルグ 3134.10	— 中国	モンゴル人（ハルハ人）82	仏教 53（おもにチベット仏教）	モンゴル語	44
20) 7,943	20) 17,007	衣類, 化学肥料, 無機化合物	ヨルダン・ディナール 0.71	1946. 3 イギリス	アラブ人 98	イスラーム 97	アラビア語	45
20) 5,087	20) 5,014	電力, 金, 銅鉱石	キープ 12201.00	1953.10 フランス	ラオ人 53, クムー人 11	仏教 65	ラオ語	46
4,230	13,857	金, ダイヤモンド, 果実	レバノン・ポンド 1507.50	1943.11 フランス	アラブ人 98	イスラーム 59, キリスト教 41	アラビア語	47
17) 35,191	17) 46,053	原油, 天然ガス, 石油製品	アルジェリア・ディナール 146.27	1962. 7 フランス	アラブ人 74, アマジグ（ベルベル）系 26	イスラーム 99.7	アラビア語, アマジグ語	1
19) 34,819	19) 14,161	原油	クワンザ 423.36	1975.11 ポルトガル	オヴィンブンドゥ 37, キンブンドゥ 25	カトリック 55, 独立派キリスト教 30	ポルトガル語, ウンブンド語	2
20) 4,149	20) 8,251	金, コーヒー豆	ウガンダ・シリング 3756.65	1962.10 イギリス	バガンダ 17, バニャンコレ 10	キリスト教 85, イスラーム 12	英語, スワヒリ語	3
40,702	73,781	石油製品, 液化天然ガス, 原油	エジプト・ポンド 18.55	— イギリス	エジプト人（アラブ人）99.6	イスラーム 90, キリスト教 10	アラビア語	4
20) 1,752	20) 1,605	芳香油・香水, 砂糖, 化学品	リランゲニ 16.36	1968. 9 イギリス	スワティ人 82, ズールー人 10	キリスト教 90	スワティ語, 英語	5
20) 2,533	20) 14,090	コーヒー豆, 野菜, ごま	ブル 43.09	— —	オロモ人 35, アムハラ人 26	エチオピア教会 43, イスラーム 34	アムハラ語	6
17) 624	17) 1,127	金, 家畜, ソルガム	ナクファ 15.07	1993. 5 —	ティグライ人 55, ティグレ人 30	イスラーム 50, キリスト教 48	ティグリニャ語, アラビア語, 英語	7
16) 16,768	20) 10,440	金, 原油, カカオ豆	セディ 7.11	1957. 3 イギリス	アカン人 48, モレダバン人 17	キリスト教 71, イスラーム 18	英語, アサンテ語	8
20) 53	20) 1,131	魚介類加工品, 衣類, 履物	エスクード 102.44	1975. 7 ポルトガル	アフリカ系とヨーロッパ系の混血 70	カトリック 77	ポルトガル語, クレオール語	9
20) 10,800	20) 5,020	原油, マンガン鉱, 木材	CFA フラン（注1）631.52	1960. 8 フランス	ファン 32, プヌ 10	カトリック 42, プロテスタント 14	フランス語, ファン語	10
18) 3,805	20) 6,134	原油, 木材, カカオ豆	CFA フラン 631.52	1960. 1 イギリス・フランス	バミレケ人 12, フラ 9	カトリック 38, プロテスタント 26	フランス語, 英語	11
20) 26	20) 553	機械類, セメント, カシューナッツ	ダラシ 53.49	1965. 2 イギリス	マンディンカ人 34, フラ 22	イスラーム 96	英語, マンディンカ語	12
16) 2,395	19) 3,463	金, ボーキサイト	ギニア・フラン 9748.99	1958.10 フランス	フラ 32, マリンケ 30	イスラーム 87	フランス語, フラ語	13
19) 290	19) 500	カシューナッツ, 金, 魚介類	CFA フラン 631.52	1973. 9 ポルトガル	フラ人 24, バランタ人 23	イスラーム 45, キリスト教 22	ポルトガル語, クレオール語	14
6,751	19,594	茶, 切花, 衣類	ケニア・シリング 117.83	1963.12 イギリス	キクユ人 17, ルヒヤ人 14	キリスト教 83, イスラーム 11	スワヒリ語, 英語	15
19) 12,718	19) 10,483	カカオ豆, 金, 石油製品	CFA フラン 631.52	1960. 8 フランス	アカン人 29, ボルタイック人・グロ 16	イスラーム 43, キリスト教 34	フランス語	16
20) 20	20) 268	クローブ, 芳香油・香水, バニラ	コモロ・フラン 473.64	1975. 7 フランス	コモロ人 97	イスラーム 98	コモロ語, アラビア語, フランス語	17
4,893	1,908	原油, 木材, 銅	CFA フラン 631.52	1960. 8 フランス	コンゴ人 48, サンガ 20	キリスト教 79	フランス語, リンガラ語	18
19) 14,122	19) 6,663	銅, コバルト, 銅鉱石	コンゴ・フラン 2004.74	1960. 6 ベルギー	ルバ 18, コンゴ 16	キリスト教 80, イスラーム 10	フランス語, スワヒリ語	19
19	166	カカオ豆, パーム油	ドブラ 20.04	1975. 7 ポルトガル	アフリカ系とヨーロッパ系の混血 80	カトリック 80, プロテスタント 15	ポルトガル語, クレオール語	20
20) 7,805	20) 5,314	銅	サンビア・クワチャ 17.28	1964.10 イギリス	ベンバ人 21, トンガ人 14	プロテスタント 75, カトリック 20	英語, ベンバ語	21
18) 205	18) 987	魚介類, カカオ豆, 自動車	レオネ 13153.15	1961. 4 イギリス	テムネ人 35, メンデ 31	イスラーム 65, キリスト教 25	英語, メンデ語	22
19) 5,150	19) 4,760	家畜, 塩化物, 乾燥野菜	ジブチ・フラン 177.72	1977. 6 フランス	ソマリ人 46, アファル人 35	イスラーム 94	フランス語, アラビア語	23
20) 4,395	20) 5,048	ニッケル鉱, 金, たばこ	ジンバブエ・ドル 290.89	1980. 4 イギリス	ショナ人 71, ンデベレ人 16	キリスト教 94	英語, ショナ語, ンデベレ語	24
18) 3,619	18) 10,484	金, ごま, 羊	スーダン・ポンド 421.35	1956. 1 イギリス・エジプト	アフリカ系 52, アラブ人 39	イスラーム 68, 伝統信仰 11	アラビア語, 英語	25
19) 8,776	20) 6,245	天然ガス, 化学品	CFA フラン 631.52	1968.10 スペイン	ファン人 57, ブビ 10	キリスト教 87	スペイン語, フランス語, ポルトガル語	26
961	20) 1,494	船舶, まぐろ・かつお調製品, 石油製品	セーシェル・ルピー 14.15	1976. 6 イギリス	クレオール 93	カトリック 76, プロテスタント 11	クレオール語, 英語, フランス語	27
5,202	9,699	金, 石油製品, 魚介類	CFA フラン 631.52	1960. 8 フランス	ウォロフ人 39, フラ人 27	イスラーム 95	フランス語, ウォロフ語	28

(注1) アフリカ金融共同体フラン。

国番号	正式国名	首都	人口(万人)2021年	面積(万km²)2021年	人口密度(人/km²)2021年	産業別人口の割合(%)2021年 第1次	第2次	第3次	老年人口率65歳以上(%)2021年	*非識字率(%)2021年 男/女	二酸化炭素排出量(t/人)2020年	**森林率(%)2020年	1人あたりの国民総所得(ドル)2021年	対内直接投資額(百万ドル)2021年
アフリカ(54か国)														
29	ソマリア連邦共和国	モガディシュ	15)1,379	63.8	22	19)26.9	17.1	56.0	2.6	—	0.04	9.5	450	456
30	タンザニア連合共和国	ダルエスサラーム	5,944	94.7	63	65.5	7.9	26.6	3.1	14.5/21.8		51.6	1,140	922
31	チャド共和国	ンジャメナ	19)1,569	128.4	12	18)70.4	8.9	20.7	2.0	**64.6/81.8**	0.09	3.4	650	562
32	中央アフリカ共和国	バンギ	15)449	62.3	7				2.5	20)50.8/73.8	0.05	35.8	530	30
33	チュニジア共和国	チュニス	1,178	16.4	72	17)14.7	33.1	52.2	8.8	10.9/23.5	2.1	4.5	3,630	533
34	トーゴ共和国	ロメ	20)779	5.7	137	17)33.8	19.3	46.9	3.1	19)20.0/44.9	0.1	22.2	980	130
35	ナイジェリア連邦共和国	アブジャ	20)20,628	92.4	223	19)38.6	13.8	47.6	3.0	18)28.7/47.3	0.4	23.7	2,100	3,313
36	ナミビア共和国	ウィントフック	255	82.5	3	18)22.6	16.2	61.2	4.0	7.8/7.7	1.3	8.1	4,550	649
37	ニジェール共和国	ニアメ	19)2,194	126.7	17	12)74.5	7.2	18.3	2.4	*54.2/71.0*	0.09	0.9	590	595
38	ブルキナファソ	ワガドゥグー	2,150	27.1	79	18)27.1	25.2	47.7	2.5	45.5/62.2	0.2	22.7	860	-80
39	ブルンジ共和国	ブジュンブラ	1,257	2.8	452	18)85.3	3.1	11.6	2.5	18.7/31.6	0.06	10.9	240	8
40	ベナン共和国	ポルトノボ	19)1,185	11.5	103	18)30.6	21.4	48.0	3.1	43.1/65.0	0.6	27.8	1,370	346
41	ボツワナ共和国	ハボローネ	244	58.2	4	20)19.4	15.0	65.6	3.6	13)13.9/12.5	2.4	26.9	6,940	55
42	マダガスカル共和国	アンタナナリボ	2,817	58.7	48	15)74.5	9.2	16.3	3.3	21.2/24.2	0.1	21.4	500	358
43	マラウイ共和国	リロングウェ	1,889	9.5	200	13)61.4	6.9	31.7	2.7	28.8/36.3	0.08	23.8	630	46
44	マリ共和国	バマコ	20)2,053	124.0	17	20)68.1	9.3	22.6	2.4	20)59.6/77.9	0.1	10.9	870	640
45	南アフリカ共和国	プレトリア	6,014	122.1	49	21.3	17.2	61.5	6.0	19)4.4/5.5	6.5	14.1	6,440	41,296
46	南スーダン共和国	ジュバ	18)1,232	65.9	19	—	—	—	2.8	18)59.7/71.1	0.1	11.3	15)1,090	68
47	モザンビーク共和国	マプト	3,083	79.9	39	15)72.1	7.7	20.2	2.6	25.9/46.2	0.1	46.7	480	5,295
48	モーリシャス共和国	ポートルイス	126	0.2	640	5.3	21.8	72.9	12.3	6.1/9.5	2.9	19.1	10,860	253
49	モーリタニア・イスラム共和国	ヌアクショット	19)407	103.1	4	19)34.0	14.2	51.8	3.3	28.2/37.8	0.8	0.3	1,730	1,070
50	モロッコ王国	ラバト	3,631	44.7	81	14)37.2	17.7	45.1	7.4	15.2/32.6	1.6	12.9	3,350	2,151
51	リビア	トリポリ	20)693	167.6	4	—	—	—	4.8	—	5.7	0.1	8,430	13)702
52	リベリア共和国	モンロビア	15)447	11.1	40	17)19.1	3.9	77.0	3.3	17)37.3/65.9	0.2	79.1	620	46
53	ルワンダ共和国	キガリ	1,295	2.6	492	56.2	14.4	29.4	3.1	21.3/26.7	0.1	11.2	850	212
54	レソト王国	マセル	207	3.0	68	19)29.8	34.4	35.8	4.2	27.1/11.2	1.0	1.1	1,270	-12
ヨーロッパ(45か国)														
1	アイスランド	レイキャビク	36	10.3	4	4.0	18.9	77.1	14.9	—	3.9	0.5	64,410	109
2	アイルランド	ダブリン	500	7.0	72	4.5	18.6	76.9	14.8	—	6.4	11.4	74,520	81,019
3	アルバニア共和国	ティラナ	282	2.9	98	19)36.4	20.2	43.4	16.2	1.3/1.8	1.2	28.8	6,110	1,219
4	アンドラ公国	アンドララベリャ	7	0.05	167	—	—	—	14.5	—	—	34.0	19)46,040	—
5	イタリア共和国	ローマ	5,923	30.2	196	4.1	26.6	69.3	**23.7**	19)0.5/0.8	①4.6	32.3	35,710	18,912
6	ウクライナ	キーウ(キエフ)	4,141	60.4	69	17)15.4	24.3	60.3	17.4	0.0/0.0	3.6	16.7	4,120	7,954
7	エストニア共和国	タリン	132	4.5	29	2.7	29.0	68.3	20.4	0.1/0.1	5.3	57.0	25,970	7,361
8	オーストリア共和国	ウィーン	893	8.4	106	3.7	25.6	70.7	19.4	—	6.4	47.3	52,210	12,327
9	オランダ王国	アムステルダム	1,747	4.2	421	2.2	13.7	84.1	20.0	—	7.4	11.0	56,370	-141,742
10	北マケドニア共和国	スコピエ	206	2.6	80	11.1	30.9	58.0	14.8	12)1.3/3.6	3.2	39.7	6,130	696
11	ギリシャ共和国	アテネ	1,067	13.2	81	11.4	15.3	73.3	22.5	—	4.4	30.3	20,140	6,132
12	グレートブリテン及び北アイルランド連合王国	ロンドン	20)6,708	24.4	274	19)1.0	18.1	80.9	18.9	—	4.5	13.2	45,380	5,922
13	クロアチア共和国	ザグレブ	403	5.7	71	6.8	28.7	64.5	22.0	0.3/0.8	3.5	34.7	17,150	4,660
14	コソボ共和国	プリシュティナ	20)179	1.1	165	20)5.9	27.1	67.0	9.9	—	4.9	—	4,970	501
15	サンマリノ共和国	サンマリノ	3	61km²	571	0.2	36.4	63.4	20.0	—	—	16.7	08)51,810	—
16	スイス連邦	ベルン	869	4.1	211	1.8	17.1	81.1	19.0	—	3.8	32.1	**90,360**	9,312
17	スウェーデン王国	ストックホルム	1,037	43.9	24	1.9	17.9	80.2	20.1	—	3.1	68.7	58,890	52,682
18	スペイン王国	マドリード	4,732	50.6	94	4.1	20.1	75.7	19.9	20)1.0/1.8	4.1	37.2	29,740	43,910
19	スロバキア共和国	ブラチスラバ	545	4.9	111	2.5	27.8	69.7	17.2	—	5.0	40.1	20,250	971
20	スロベニア共和国	リュブリャナ	210	2.0	104	4.0	29.3	66.1	20.5	—	5.7	61.5	28,240	2,148
21	セルビア共和国	ベオグラード	687	7.8	89	13.1	14.3	72.6	20.7	19)0.1/0.9	6.5	31.1	8,440	4,600
22	チェコ共和国	プラハ	1,070	7.9	136	2.5	36.8	60.7	20.5	—	8.1	34.7	24,070	7,612
23	デンマーク王国	コペンハーゲン	585	4.3	136	2.0	19.3	78.7	20.3	—	4.4	15.7	68,110	14,708
24	ドイツ連邦共和国	ベルリン	8,315	35.8	233	1.2	27.5	71.3	22.2	—	7.1	32.7	51,040	73,654
25	ノルウェー王国	オスロ	③539	32.4	③17	2.3	19.1	78.6	18.1	—	6.5	33.4	**84,090**	14,179
26	バチカン市国	バチカン	18)0.06	0.44km²	1,398	—	—	—	—	—	—	0.0	—	—
27	ハンガリー	ブダペスト	973	9.3	105	4.4	31.4	64.2	20.4	0.9/0.9	4.5	22.5	17,740	29,345
28	フィンランド共和国	ヘルシンキ	④556	④33.8	④16	4.1	21.2	74.7	*22.9*	—	6.4	73.7	53,660	23,869
29	フランス共和国	パリ	⑤6,765	⑤64.1	⑤106	2.4	19.0	78.6	21.3	—	③3.8	31.5	43,880	*88,428*
30	ブルガリア共和国	ソフィア	691	11.0	63	6.3	30.8	62.9	22.4	1.3/1.8	4.7	35.9	10,720	2,124
31	ベラルーシ共和国	ミンスク	930	20.8	45	10.9	30.4	58.7	16.8	19)0.1/0.1	5.6	43.2	6,950	1,231
32	ベルギー王国	ブリュッセル	1,155	3.1	378	0.9	19.4	79.7	19.4	—	7.1	22.8	50,510	24,037
33	ボスニア・ヘルツェゴビナ	サラエボ	19)349	5.1	68	17.5	30.6	51.9	18.1	0.6/3.1	6.2	42.7	6,770	638
34	ポーランド共和国	ワルシャワ	3,784	31.3	121	8.3	30.7	61.0	18.8	0.2/0.3	7.0	31.0	16,670	37,113
35	ポルトガル共和国	リスボン	1,029	9.2	112	2.7	24.6	72.7	*22.6*	2.2/4.1	3.5	36.2	23,730	7,851
36	マルタ共和国	バレッタ	51	0.03	*1,638*	0.8	18.3	80.9	18.9	6.6/3.6	3.0	1.4	30,560	4,368
37	モナコ公国	モナコ	3	2.02km²	*19,175*	—	—	—	**36.0**	—	—	0.0	08)**186,080**	—
38	モルドバ共和国	キシナウ	261	3.4	77	20)21.1	21.8	57.1	13.6	0.3/0.3	3.0	11.8	5,460	391
39	モンテネグロ	ポドゴリツァ	62	1.4	45	20)7.5	18.4	74.1	16.3	0.5/1.5	4.0	61.5	9,300	694
40	ラトビア共和国	リガ	189	6.5	29	6.8	23.4	69.8	21.6	0.1/0.1	3.3	54.8	19,370	3,721
41	リトアニア共和国	ビリニュス	279	6.5	43	5.3	26.3	68.4	20.6	0.2/0.1	3.9	35.1	21,610	2,945
42	リヒテンシュタイン公国	ファドーツ	3	0.02	245	17)1.0	28.5	70.5	18.9	—	—	41.9	09)116,440	18)-87,212
43	ルクセンブルク大公国	ルクセンブルク	63	0.3	247	1.1	8.9	90.0	14.7	—	11.8	34.5	20)81,110	-9,054
44	ルーマニア	ブカレスト	1,920	23.8	81	11.8	32.9	55.3	18.9	0.9/1.3	3.3	30.1	14,170	11,738
45	ロシア連邦	モスクワ	15)14,409	**1,709.8**	8	5.9	26.6	67.5	15.6	20)0.3/0.3	10.7	49.8	11,600	40,450
北アメリカ														
1	アメリカ合衆国	ワシントンD.C.	*33,189*	⑦983.4	34	1.6	19.3	79.1	16.7	—	12.9	33.9	70,430	**448,324**
2	アンティグア・バーブーダ	セントジョンズ	9	0.04	225	08)2.8	15.6	81.6	10.2	—	4.8	18.5	14,900	245
3	エルサルバドル共和国	サンサルバドル	632	2.1	301	14.9	23.9	61.2	8.2	20)8.3/11.5	0.9	28.2	4,140	831
4	カ ナ ダ	オタワ	3,824	⑦998.5	4	1.3	19.3	79.4	18.5	—	13.3	38.7	48,310	64,727

20) 西暦下2けたの年次。①サンマリノ, バチカンを含む。②リヒテンシュタインを含む。③スヴァールバル諸島などの海外領土を除く。④オーランド諸島を含む。⑤フランス海外県 (ギアナ, マルティニーク, グアドループ, レユニオン, マヨット) を含む。フランス本土：人口6,544万人, 面積55.2万km², 人口密度119人/km²。⑥モナコを含む。⑦国連の統計による (五大湖などの水域面積を含む)。

貿易額(百万ドル)2021年 輸出	輸入	おもな輸出品目	通貨単位(1ドルあたり通貨単位)2022年6月	独立年月と旧宗主国	おもな民族(%)	おもな宗教(%)	おもな言語	国番号
14) 819	14) 3,482	金,家畜,ごま	ソマリア・シリング 24300.00	1960.7 イギリス・イタリア	ソマリ人92	イスラーム99	ソマリ語,アラビア語	29
6,391	10,873	金,米,野菜	タンザニア・シリング 2298.55	1961.12 イギリス	バンツー系95	キリスト教61,イスラーム35	スワヒリ語,英語	30
17) 2,464	17) 2,160	原油,金,家畜	CFAフラン 631.52	1960.8 フランス	サラ人30,アラブ人10	イスラーム52,キリスト教44	フランス語,アラビア語	31
18) 54	18) 384	木材,機械類	CFAフラン 631.52	1960.8 フランス	バヤ人33,バンダ人27	キリスト教80,伝統信仰10	サンゴ語,フランス語	32
19) 14,944	19) 21,574	機械類,衣類	チュニジア・ディナール 3.12	1956.3 フランス	アラブ人96	イスラーム99	アラビア語,フランス語	33
1,080	2,863	りん鉱石,プラスチック製品,オートバイ	CFAフラン 631.52	1960.4 フランス	エウェ人22,カブレ人13	キリスト教47,伝統信仰33	フランス語,エウェ語	34
47,232	52,068	原油,液化天然ガス	ナイラ 411.25	1960.10 イギリス	ハウサ人29,ヨルバ人18	イスラーム51,キリスト教48	英語,ハウサ,ヨルバ,イボ語	35
20) 5,600	20) 6,823	銅,ダイヤモンド,ウラン鉱	ナミビア・ドル 16.25	1990.3 南アフリカ	オバンボ人34,混血15	プロテスタント49,カトリック18	英語,アフリカーンス語	36
1,246	3,028	金,ウラン鉱,石油製品	CFAフラン 631.52	1960.8 フランス	ハウサ53,ジェルマ・ソンガイ21	イスラーム90	フランス語,ハウサ語	37
5,060	4,710	金,綿花	CFAフラン 631.52	1960.8 フランス	モシ人52	イスラーム62,キリスト教30	フランス語,モシ語	38
20) 162	20) 909	金,コーヒー豆,茶	ブルンジ・フラン 2033.55	1962.7 ベルギー	フツ人81,ツチ人16	カトリック61,プロテスタント21	ルンディ語,フランス語	39
1,024	3,186	綿花,鉄鋼,カシューナッツ	CFAフラン 631.52	1960.8 フランス	フォン人38,アジャ人15	キリスト教49,イスラーム28	フランス語,フォン語	40
20) 4,256	20) 6,503	ダイヤモンド	プラ 12.36	1966.9 イギリス	ツワナ人67,カランガ人15	キリスト教79	ツワナ語,英語	41
1,960	3,228	バニラ,衣類,ニッケル	アリアリ 3981.00	1960.6 フランス	マレー・ポリネシア系96	キリスト教47,伝統信仰42	マダガスカル語,フランス語	42
781	2,726	たばこ,砂糖,茶	マラウイ・クワチャ 822.17	1964.7 イギリス	チェワ人35,ロムウェ人19	キリスト教87,イスラーム13	英語,チェワ語	43
19) 643	19) 5,049	金,綿花	CFAフラン 631.52	1960.8 フランス	バンバラ人34,フラ人15	イスラーム95	フランス語,バンバラ語	44
85,227	68,943	プラチナ,自動車,金	ランド 16.36	— イギリス	アフリカ系80,混血9	独立派キリスト教37,プロテスタント26	ズールー語,アフリカーンス語,英語	45
19) 3,010	19) 3,070	原油	南スーダン・ポンド 432.03	2011.7 —	ディンカ人38,ヌエル人17	キリスト教60	英語,アラビア語	46
20) 3,460	20) 6,438	アルミニウム,石炭,電力	メティカル 63.84	1975.6 ポルトガル	マクア・ロムウェ人52,ソンガ・ロンガ人24	キリスト教56,イスラーム18	ポルトガル語,マクワ語	47
1,672	5,147	衣類,魚介類,砂糖	モーリシャス・ルピー 45.30	1968.3 イギリス	インド・パキスタン系67,クレオール27	ヒンドゥー教49,キリスト教33	英語	48
2,829	2,744	鉄鉱石,金,魚介類	ウギア 36.34	1960.11 フランス	混血モール人40,モール人30	イスラーム99	アラビア語,プラー語	49
20) 27,703	20) 44,526	機械類,自動車,化学肥料	モロッコ・ディルハム 9.89	1956.3 フランス	アマジグ(ベルベル)系45,アラブ人44	イスラーム99	アラビア語,アマジグ語	50
18) 30,041	18) 13,473	原油	リビア・ディナール 4.76	1951.12 イタリア	アラブ人87	イスラーム97	アラビア語,アマジグ語	51
19) 550	19) 1,240	船舶,鉄鉱石,金	リベリア・ドル 171.80	— アメリカ合衆国	クペレ人20,バサ人13	キリスト教86,イスラーム12	英語,マンデ語	52
19) 1,162	19) 3,195	金,石油製品,茶	ルワンダ・フラン 1024.48	1962.7 ベルギー	フツ人85,ツチ人14	カトリック44,プロテスタント38	キニャルワンダ語,フランス語,英語	53
833	1,494	衣類,ダイヤモンド,機械類	ロティ 16.36	1966.10 イギリス	ソト人80,ズールー人14	キリスト教91	ソト語,英語	54
5,974	7,838	魚介類,アルミニウム	アイスランド・クローナ 133.72	1944.6 デンマーク	アイスランド人93	ルーテル派プロテスタント77	アイスランド語	1
20) 184,131	20) 98,389	医薬品,有機化合物,機械類	ユーロ 0.96	— イギリス	アイルランド人82	カトリック78	アイルランド語,英語	2
2,416	5,411	衣類,履物,鉄鋼	レク 114.22	—	アルバニア人83	イスラーム59,カトリック10	アルバニア語	3
18) 129	18) 1,609	機械類,自動車,義歯・同用品	ユーロ 0.96	1993.3 フランス・スペイン	アンドラ人46,スペイン系26	カトリック89	カタルーニャ語	4
601,663	557,228	機械類,自動車,医薬品	ユーロ 0.96	—	イタリア人96	カトリック83	イタリア語	5
65,870	69,963	鉄鋼,鉄鉱石,ひまわり油	フリブニャ 29.25	1991.8 —	ウクライナ人78,ロシア系17	ウクライナ正教84,カトリック10	ウクライナ語,ロシア語	6
22,280	24,161	機械類,石油製品,木材	ユーロ 0.96	1991.9 —	エストニア人69,ロシア系25	キリスト教64	エストニア語,ロシア語	7
201,647	218,972	機械類,自動車,医薬品	ユーロ 0.96	—	オーストリア人91	カトリック66	ドイツ語	8
693,800	623,247	機械類,石油製品,医薬品	ユーロ 0.96	—	オランダ人79	カトリック28,プロテスタント19	オランダ語	9
20) 6,633	20) 8,709	機械類,化学品,鉄鋼	デナール 58.66	1991.9 —	マケドニア人64,アルバニア系25	マケドニア正教65,イスラーム32	マケドニア語,アルバニア語	10
47,206	75,984	石油製品,機械類,医薬品	ユーロ 0.96	—	ギリシャ人90	ギリシャ正教90	ギリシャ語	11
467,783	688,251	機械類,金,自動車	英ポンド 0.83	—	イングランド人84,スコットランド人9	キリスト教72	英語	12
22,674	33,646	機械類,医薬品,石油製品	クーナ(注1) 7.16	1991.6 —	クロアチア人90,セルビア系4	カトリック86	クロアチア語	13
20) 1,690	20) 4,190	鉱物性生産品,革製品	ユーロ 0.96	2008.2 —	アルバニア系93	イスラーム96	アルバニア語,セルビア語	14
11) 3,827	11) 2,551	機械類,医薬品	ユーロ 0.96	—	サンマリノ人85,イタリア系13	カトリック	イタリア語	15
②379,457	②321,934	医薬品,金,機械類	スイス・フラン 0.96	—	ドイツ系65,フランス系18	カトリック37,プロテスタント25	ドイツ語,フランス語,イタリア語	16
189,845	187,116	機械類,自動車,医薬品	スウェーデン・クローナ 10.33	—	スウェーデン人86	ルーテル派プロテスタント77	スウェーデン語	17
391,559	426,060	自動車,機械類,医薬品	ユーロ 0.96	—	スペイン人45,カタルーニャ人28	カトリック77	スペイン語,カタルーニャ語	18
104,360	104,682	自動車,機械類,鉄鋼	ユーロ 0.96	1993.1 —	スロバキア人81	カトリック62	スロバキア語	19
46,773	49,607	医薬品,機械類,自動車	ユーロ 0.96	1991.6 —	スロベニア人83	カトリック58	スロベニア語	20
25,564	33,791	機械類,鉄鋼,ゴム製品	セルビア・ディナール 112.26	1992.4 —	セルビア人83	セルビア正教85	セルビア語	21
227,161	211,839	機械類,自動車	コルナ 23.82	1993.1 —	チェコ人64	カトリック	チェコ語	22
125,015	121,784	機械類,医薬品	デンマーク・クローネ 7.16	—	デンマーク人92	ルーテル派プロテスタント76	デンマーク語	23
1,630,918	1,422,819	機械類,自動車,医薬品	ユーロ 0.96	—	ドイツ人88	カトリック29,プロテスタント27	ドイツ語	24
161,687	99,193	天然ガス,原油,魚介類	ノルウェー・クローネ 9.96	—	ノルウェー人83	ルーテル派プロテスタント82	ノルウェー語	25
—	—	切手類	ユーロ 0.96	—	イタリア人,スイス人など	カトリック	ラテン語,イタリア語,フランス語	26
141,257	138,905	機械類,自動車,医薬品	フォリント 379.99	—	ハンガリー人86	カトリック37,プロテスタント15	ハンガリー語(マジャール語)	27
81,327	85,993	機械類,紙・同製品,自動車	ユーロ 0.96	—	フィン人93	ルーテル派プロテスタント72	フィンランド語,スウェーデン語	28
⑥585,148	⑥714,842	機械類,自動車,医薬品	ユーロ 0.96	—	フランス人77	カトリック64	フランス語	29
20) 31,915	20) 35,027	機械類,銅	レフ 1.88	—	ブルガリア人77	ブルガリア正教59	ブルガリア語	30
20) 29,179	20) 32,767	機械類,石油製品,カリウム肥料	ベラルーシ・ルーブル 2.59	1991.8 —	ベラルーシ人84,ロシア系9	ベラルーシ正教48	ベラルーシ語,ロシア語	31
336,468	344,683	医薬品,自動車,機械類	ユーロ 0.96	—	フラマン系54,ワロン系36	カトリック	オランダ語,フランス語,ドイツ語	32
8,614	13,029	機械類,金属製品,家具	兌換マルカ 1.82	1992.3 —	ボシュニャク人50,セルビア人31	イスラーム51,セルビア正教31	ボスニア語,セルビア語,クロアチア語	33
317,832	335,451	機械類,自動車,金属製品	ズロチ 4.48	—	ポーランド人97	カトリック87	ポーランド語	34
75,196	97,857	機械類,自動車,衣類	ユーロ 0.96	—	ポルトガル人92	カトリック81	ポルトガル語	35
20) 2,675	20) 5,237	機械類,医薬品,切手類	ユーロ 0.96	1964.9 イギリス	マルタ人95	カトリック95	マルタ語,英語	36
—	—	宝石,香水,時計	ユーロ 0.96	—	フランス系28,モナコ人22	カトリック89	フランス語	37
3,144	7,177	機械類,衣類,果実	モルドバ・レウ 19.12	1991.8 —	モルドバ人76	モルドバ正教32,ベッサラビア正教16	モルドバ語,ロシア語	38
516	2,946	アルミニウム,電力,機械類	ユーロ 0.96	2006.6 —	モンテネグロ人45,セルビア人29	セルビア正教72,イスラーム19	モンテネグロ語,セルビア語	39
19,448	23,086	木材,機械類,木製品	ユーロ 0.96	1991.9 —	ラトビア人62,ロシア系26	ルーテル派プロテスタント20,正教15	ラトビア語,ロシア語	40
40,818	44,571	機械類,石油製品,家具	ユーロ 0.96	1991.9 —	リトアニア人84	カトリック77	リトアニア語,ロシア語	41
—	—	精密機械	スイス・フラン 0.96	—	リヒテンシュタイン人66,スイス人10	カトリック76	ドイツ語	42
16,247	25,537	機械類,鉄鋼,自動車	ユーロ 0.96	—	ルクセンブルク人53,ポルトガル系16	カトリック90	ルクセンブルク語,フランス語	43
88,390	116,402	機械類,自動車	ルーマニア・レウ 4.74	—	ルーマニア人83	ルーマニア正教82	ルーマニア語	44
337,104	231,664	原油,石油製品,天然ガス	ロシア・ルーブル 51.16	—	ロシア人78	ロシア正教53	ロシア語	45
1,753,137	**2,932,976**	機械類,自動車,石油製品	米ドル 1.00		ヨーロッパ系73,アフリカ系13	プロテスタント47,カトリック21	英語,スペイン語	1
19) 37	19) 568	金,石油製品,蒸留酒	東カリブ・ドル 2.70	1981.11 イギリス	アフリカ系87	キリスト教84	英語	2
6,629	15,076	衣類,繊維雑品,機械類	米ドル 1.00	— スペイン	メスチーソ86,ヨーロッパ系13	カトリック50,プロテスタント36	スペイン語	3
501,201	489,490	原油,機械類,自動車	カナダ・ドル 1.29	— イギリス	カナダ系32,イングランド系18	カトリック39,プロテスタント20	英語,フランス語	4

(注1) 2023年1月1日よりユーロへ移行。

	国番号	正式国名	首都	人口（万人）2021年	面積（万km²）2021年	人口密度（人/km²）2021年	産業別人口の割合(%) 2021年 第1次	第2次	第3次	老年人口率 65歳以上(%) 2021年	*非識字率(%)2021年 男/女	二酸化炭素排出量(t/人) 2020年	**森林率(%) 2020年	1人あたりの国民総所得（ドル）2021年	対内直接投資額（百万ドル）2021年
北アメリカ（23か国）	5	キューバ共和国	ハバナ	1,114	11.0	101	14)18.9	16.9	64.2	15.7	0.4/0.3	2.1	31.2	18)8,630	—
	6	グアテマラ共和国	グアテマラシティ	1,710	10.9	157	19)31.1	19.1	49.8	4.9	12.3/20.7	0.9	32.9	4,940	3,598
	7	グレナダ	セントジョージズ	17)11	0.03	322	98)13.8	23.9	62.3	9.8		2.8	52.1	9,630	144
	8	コスタリカ共和国	サンホセ	516	5.1	101	15.1	17.5	67.4	10.5	2.0/1.9	1.2	59.4	12,310	3,593
	9	ジャマイカ	キングストン	19)273	1.1	249	20)15.9	15.8	68.3	7.2	—	1.8	55.1	4,800	320
	10	セントクリストファー・ネービス	バセテール	15)5	0.03	196	01)0.2	48.8	51.0	9.7	—	4.3	42.3	18,560	26
	11	セントビンセント及びグレナディーン諸島	キングスタウン	11	0.04	285	01)15.4	19.7	64.9	10.8	—	0.0	73.2	8,100	160
	12	セントルシア	カストリーズ	18	0.06	296	10.3	15.4	74.3	9.1	—	2.7	34.0	9,680	86
	13	ドミニカ共和国	サントドミンゴ	1,053	4.9	216	8.0	20.3	71.7	7.2	4.9/4.7	1.9	44.4	8,220	3,255
	14	ドミニカ国	ロゾー	17)6	0.08	89	01)21.0	19.9	59.1	9.3	—	2.2	63.8	7,760	34
	15	トリニダード・トバゴ共和国	ポートオブスペイン	136	0.5	267	0.6	14.4	85.0	11.1	—	10.6	44.5	15,070	-1,095
	16	ニカラグア共和国	マナグア	666	13.0	51	14)31.1	17.5	51.4	5.2	15)17.6/17.2	0.6	28.3	2,010	1,220
	17	ハイチ共和国	ポルトープランス	19)1,157	2.8	417	12)31.3	6.7	62.0	4.5	16)34.7/41.7	0.2	12.6	1,420	51
	18	パナマ共和国	パナマシティ	433	7.5	58	15.7	16.8	67.5	8.6	18)3.9/4.6	2.1	56.8	14,010	1,761
	19	バハマ	ナッソー	20)38	1.4	28	3.7	12.9	83.4	8.6	—	6.2	50.9	27,220	383
	20	バルバドス	ブリッジタウン	26	0.04	626	19)2.8	16.9	80.3	15.7	—	3.5	14.7	16,720	239
	21	ベリーズ	ベルモパン	43	2.3	19	16.3	17.8	65.9	5.0	—	1.7	56.0	4,290	130
	22	ホンジュラス共和国	テグシガルパ	945	11.2	84	20)25.2	23.0	51.8	4.2	19)11.7/11.3	1.0	56.8	2,540	876
	23	メキシコ合衆国	メキシコシティ	12,897	196.4	66	12.2	25.4	62.4	8.1	20)3.9/5.5	2.7	33.8	9,380	33,350
南アメリカ（12か国）	1	アルゼンチン共和国	ブエノスアイレス	4,580	278.0	16	•0.1	21.6	78.3	11.8	—	3.2	10.4	10,050	6,782
	2	ウルグアイ東方共和国	モンテビデオ	354	17.4	20	8.0	18.3	73.7	15.5	19)1.5/1.0	1.7	11.6	15,800	3,650
	3	エクアドル共和国	キト	1,775	25.7	69	32.2	16.8	51.0	7.6	5.1/5.9	1.7	50.3	5,930	648
	4	ガイアナ共和国	ジョージタウン	20)77	21.5	4	19)15.2	24.3	60.5	6.2	10.7/11.6	3.3	93.6	9,380	2,237
	5	コロンビア共和国	ボゴタ	5,104	114.2	45	15.9	20.1	64.0	8.7	20)4.6/4.1	1.4	53.3	6,160	9,381
	6	スリナム共和国	パラマリボ	20)60	16.4	4	16)5.4	25.1	67.4	7.3	3.5/6.6	4.4	97.4	4,440	-133
	7	チリ共和国	サンティアゴ	1,967	75.6	26	6.5	22.9	70.6	12.7	2.9/3.0	4.3	24.5	15,000	15,252
	8	パラグアイ共和国	アスンシオン	735	40.7	18	19.7	19.5	60.8	6.2	5.1/5.8	1.0	40.5	5,340	207
	9	ブラジル連邦共和国	ブラジリア	21,331	851.0	25	9.6	20.6	69.8	9.6	5.9/5.5	1.8	59.4	7,720	46,439
	10	ベネズエラ・ボリバル共和国	カラカス	19)3,206	93.0	34	17)8.0	19.8	72.2	8.3	2.6/2.3	1.9	52.4	14)13,080	-761
	11	ペルー共和国	リマ	3,303	128.5	26	27.7	17.0	55.3	8.3	3.0/8.0	1.2	56.5	6,520	7,455
	12	ボリビア多民族国	ラパス	1,184	109.9	11	27.6	20.4	52.0	4.9	20)2.6/9.5	1.4	46.9	3,360	584
オセアニア（16か国）	1	オーストラリア連邦	キャンベラ	2,573	769.2	3	2.4	18.8	78.8	16.6	—	14.5	17.4	56,760	24,789
	2	キリバス共和国	タラワ	20)11	0.07	165	20)25.0	5.9	69.1	3.7	—	0.4	1.5	20)2,910	1
	3	クック諸島	アバルア	19)2	0.02	85	19)3.4	11.4	85.2	10.4	—	0.0	65.0	—	—
	4	サモア独立国	アピア	20	0.3	72	17)16.6	11.7	71.7	5.1	1.0/0.7	1.0	58.2	3,860	9
	5	ソロモン諸島	ホニアラ	70	2.9	24	13)36.7	8.2	55.1	3.5	—	0.3	90.1	2,300	28
	6	ツバル	フナフティ	1	26km²	411	16)27.0	9.5	63.5	6.2	—	0.5	33.3	6,760	0.2
	7	トンガ王国	ヌクアロファ	20)9	0.07	133	26.5	27.2	46.3	6.2	0.6/0.5	1.1	12.4	20)5,190	0.3
	8	ナウル共和国	ヤレン	20)1	21km²	571	13)2.7	24.9	72.4	2.3	—	3.7	0.0	19,470	—
	9	ニウエ	アロフィ	0.15	0.03	6	01)9.0	20.4	70.6	13.3	—	0.0	72.6	—	—
	10	ニュージーランド	ウェリントン	512	26.8	19	6.1	20.0	73.9	15.9	—	7.0	37.6	45,340	4,540
	11	バヌアツ共和国	ポートビラ	30	1.2	25	19)47.4	7.6	45.0	3.7	10.2/11.6	0.4	36.3	3,140	41
	12	パプアニューギニア独立国	ポートモレスビー	912	46.3	20	00)72.3	3.6	24.1	3.1	10)34.7/42.1	0.6	79.2	2,790	-11
	13	パラオ共和国	マルキョク	1	0.05	39	2.7	7.2	90.1	9.5	15)3.2/3.7	8.7	90.0	20)14,390	33
	14	フィジー共和国	スバ	89	1.8	49	19)30.6	14.2	55.2	5.7	—	1.1	62.4	4,860	410
	15	マーシャル諸島共和国	マジュロ	20)5	0.02	304	6.4	15.6	78.0	4.3	11)1.7/1.8	1.8	52.2	5,050	0.5
	16	ミクロネシア連邦	パリキール	10	0.07	149	14)34.6	6.2	59.2	5.9	—	0.0	92.0	3,880	14)20
世界（197か国）				787,496	13,009.4	61				9.6		4.0	31.1	12,070	2,201,232

世界の人口・面積には、属領、帰属未定地域を含む。ただし南極大陸の面積1,398.5万km²は含まない。 20)西暦下2けたの年次。 •は都市部のみの統計。

(28) 世界のおもな産物Ｉ

[FAOSTAT]

順位	米(もみ) (2021年)(万t)		小麦 (2021年)(万t)		じゃがいも (2021年)(万t)		砂糖(粗糖) (2020年)(万t)		コーヒー豆 (2021年)(千t)		バナナ (2021年)(万t)		順位
	世界総計	78,729	世界総計	77,100	世界総計	37,600	世界総計	17,281	世界総計	9,917	世界総計	12,500	
1	中国	21,284	中国	13,700	中国	9,430	ブラジル	3,844	ブラジル	2,994	インド	3,306	1
2	インド	19,543	インド	11,000	インド	5,423	インド	2,890	ベトナム	1,845	中国	1,172	2
3	バングラデシュ	5,694	ロシア	7,606	ウクライナ	2,136	中国	1,040	インドネシア	765	インドネシア	874	3
4	インドネシア	5,442	アメリカ合衆国	4,479	アメリカ合衆国	1,858	タイ	829	コロンビア	560	ブラジル	681	4
5	ベトナム	4,385	フランス	3,656	ロシア	1,830	アメリカ合衆国	768	エチオピア	456	エクアドル	668	5
順位	綿花 (2020年)(万t)		天然ゴム (2021年)(千t)		木材(原木) (2021年)(百万m³)		牛 (2021年)(万頭)		羊毛(脂付) (2021年)(万t)		茶 (2020年)(千t)		順位
	世界総計	2,420	タイ	14,022	世界	3,967	世界総計	153,000	世界総計	176.3	世界総計	7,024	
1	インド	613	タイ	4,644	アメリカ合衆国	454	ブラジル	22,500	中国	35.6	中国	2,970	1
2	中国	591	インドネシア	3,121	インド	350	インド	19,300	オーストラリア	34.9	インド	1,425	2
3	アメリカ合衆国	318	ベトナム	1,272	中国	336	アメリカ合衆国	9,379	ニュージーランド	12.6	ケニア	570	3
4	ブラジル	276	中国	749	エチオピア	266	エチオピア	6,572	トルコ	8.6	アルゼンチン	335	4
5	パキスタン	120	インド	749	ロシア	217	中国	6,036	イギリス	7.0	スリランカ	278	5

(29) 世界のおもな産物Ⅱ

[国際自動車工業連合会（OICA）資料, ほか]

順位	原油 (2020年)(百万t)		石炭 (2020年)(百万t)		鉄鉱石 (2020年)(万t)		粗鋼 (2021年)(万t)		自動車 (2021年)(千台)		薄型テレビ (2015年)(万台)		順位
	世界総計	3,614.2	世界総計	6,799.7	世界総計	152,000	世界総計	195,845	世界総計	80,146	世界総計	22,722	
1	アメリカ合衆国	558.0	中国	3,901.6	オーストラリア	56,452	中国	103,279	中国	26,082	中国	10,513	1
2	ロシア	482.2	インド	716.1	ブラジル	24,679	インド	11,820	アメリカ合衆国	9,167	マレーシア	902	2
3	サウジアラビア	460.5	インドネシア	552.6	中国	22,500	日本	9,634	日本	7,847	タイ	675	3
4	イラク	199.5	オーストラリア	425.8	インド	12,700	アメリカ合衆国	8,579	インド	4,399	インドネシア	504	4
5	中国	194.8	ロシア	330.4	ロシア	6,950	ロシア	7,702	韓国	3,462	韓国	343	5

（数値は金属含有量）

貿易額(百万ドル)2021年 輸出	輸入	おもな輸出品目	通貨単位(1ドルあたり通貨単位)2022年6月	独立年月と旧宗主国	おもな民族(%)	おもな宗教(%)	おもな言語	国番号
17) 2,630	17) 11,060	たばこ,砂糖,ニッケル製品	キューバ・ペソ 24.00	— スペイン	混血 50, ヨーロッパ系 25	カトリック 47	スペイン語	5
13,736	26,594	衣類,バナナ,コーヒー豆	ケツァル 7.75	— スペイン	混血 60, マヤ系先住民 39	カトリック 57,プロテスタント・独立系キリスト教 40	スペイン語	6
35	447	香辛料,機械類,小麦粉	東カリブ・ドル 2.70	1974. 2 イギリス	アフリカ系 82,混血 13	プロテスタント 49,カトリック 36	英語,クレオール語	7
20) 11,623	20) 14,456	精密機械,バナナ,パイナップル	コスタリカ・コロン 688.51	— スペイン	ヨーロッパ系・メスチーソ 84	カトリック 76,プロテスタント 14	スペイン語	8
20) 1,218	20) 4,698	アルミナ,石油製品,アルコール飲料	ジャマイカ・ドル 150.54	1962. 8 イギリス	アフリカ系 92	プロテスタント 65	英語,クレオール語	9
17) 33	17) 309	機械類,切手類,金属製品	東カリブ・ドル 2.70	1983. 9 イギリス	アフリカ系 90	プロテスタント 75,カトリック 11	英語	10
35	372	小麦粉,飼料,魚介類	東カリブ・ドル 2.70	1979.10 イギリス	アフリカ系 65,ムラート 20	キリスト教 88	英語,クレオール語	11
19) 97	19) 624	機械類,ビール,貴金属	東カリブ・ドル 2.70	1979. 2 イギリス	アフリカ系 62,混血 26	プロテスタント 62,カトリック 26	英語,クレオール語	12
11,725	24,482	金,機械類,たばこ	ドミニカ・ペソ 55.21	— スペイン	ムラート 70,アフリカ系 16	カトリック 64	スペイン語,ハイチ語	13
12) 37	12) 212	石けん,切手類,機械類	東カリブ・ドル 2.70	1978.11 イギリス	アフリカ系 87	カトリック 61,プロテスタント 29	英語,クレオール語	14
8,620	5,761	アンモニア,メタノール,原油	トリニダード・トバゴ・ドル 6.75	1962. 8 イギリス	インド系 35,アフリカ系 34	キリスト教 55,ヒンドゥー教 18	英語,クレオール語	15
6,495	9,826	衣類,金,肉類	コルドバ 35.52	— スペイン	メスチーソ 63,ヨーロッパ系 14	カトリック 59,プロテスタント 23	スペイン語	16
19) 1,730	19) 5,210	衣類,うなぎ,芳香油・香水	グールド 107.11	— フランス	アフリカ系 94	カトリック 55,プロテスタント 29	フランス語,ハイチ語	17
20) 1,709	20) 8,077	銅,バナナ,魚介類	バルボア★ 1.00	— スペイン	メスチーソ 65,①先住民 12	カトリック 75,プロテスタント・独立系キリスト教 20	スペイン語	18
18) 524	18) 3,524	石油製品,プラスチック類,ロブスター	バハマ・ドル 1.00	1973. 7 イギリス	アフリカ系 91	プロテスタント 70,カトリック 12	英語,クレオール語	19
350	1,673	石油製品,ラム酒,医薬品	バルバドス・ドル 2.00	1966.11 イギリス	アフリカ系 92	プロテスタント 66	英語	20
264	1,060	砂糖,衣類,魚介類	ベリーズ・ドル 2.00	1981. 9 イギリス	メスチーソ 53,クレオール 26	カトリック 40,プロテスタント 32	英語,スペイン語	21
19) 3,091	19) 9,156	コーヒー豆,バナナ,魚介類	レンピラ 24.41	— スペイン	メスチーソ 87	カトリック 46,プロテスタント 41	スペイン語	22
494,596	506,565	機械類,自動車,原油	メキシコ・ペソ 19.98	— スペイン	メスチーソ 64,①先住民 18	カトリック 83	スペイン語	23
77,934	63,184	とうもろこし,大豆飼料,大豆油	アルゼンチン・ペソ 125.13	— スペイン	ヨーロッパ系 86	カトリック 70	スペイン語	1
20) 6,853	20) 7,564	肉類,木材,大豆	ウルグアイ・ペソ 39.86	— スペイン	ヨーロッパ系 88	カトリック 47	スペイン語	2
26,699	25,687	原油,魚介類,バナナ	米ドル 1.00	— スペイン	メスチーソ 72	カトリック 74,福音派プロテスタント 10	スペイン語,ケチュア語	3
4,257	4,160	原油,金,米	ガイアナ・ドル 208.50	1966. 5 イギリス	インド系 40,アフリカ系 29	キリスト教 64,ヒンドゥー教 25	英語,クレオール語	4
41,390	61,099	原油,石炭,金	コロンビア・ペソ 3910.64	— スペイン	メスチーソ 58,ヨーロッパ系 20	カトリック 79	スペイン語	5
1,513	1,381	金,木材	スリナム・ドル 22.83	1975.11 オランダ	インド・パキスタン系 27,マルーン 22	キリスト教 50,ヒンドゥー教 22	オランダ語,英語,スリナム語	6
94,705	91,837	銅鉱石,銅,魚介類	チリ・ペソ 919.97	— スペイン	メスチーソ 72,ヨーロッパ系 16	カトリック 67,プロテスタント 16	スペイン語	7
10,560	13,560	大豆,電力,牛肉	グアラニー 6926.49	— スペイン	メスチーソ 86	カトリック 90	スペイン語,グアラニー語	8
280,815	234,690	鉄鉱石,大豆,原油	レアル 5.24	— ポルトガル	ヨーロッパ系 48,ムラート 43	カトリック 65,プロテスタント 22	ポルトガル語	9
13) 87,961	13) 44,952	原油,石油製品	ボリバル・デジタル 4.18	— スペイン	メスチーソ 52,ヨーロッパ系 44	カトリック 85	スペイン語	10
20) 38,757	20) 36,064	銅鉱石,金,果実	ソル 3.83	— スペイン	①先住民 52,メスチーソ 32	カトリック 81,福音派プロテスタント 13	スペイン語,ケチュア語,アイマラ語	11
11,080	9,618	金,天然ガス,亜鉛鉱	ボリビアーノ 6.91	— スペイン	①先住民 55,メスチーソ 30	カトリック 77,プロテスタント 16	スペイン語,ケチュア語,アイマラ語	12
342,036	261,586	鉄鉱石,石炭,液化天然ガス	オーストラリア・ドル 1.45	— イギリス	ヨーロッパ系 90	キリスト教 52	英語	1
20) 9	20) 109	魚介類,コプラ油,機械類	ニュージーランド・ドル 1.45	1979. 7 イギリス	ミクロネシア系 99	プロテスタント 33	キリバス語,英語	2
11) 3	11) 109	野菜・果実ジュース,サンゴ類	ニュージーランド・ドル 1.61	1965 ニュージーランド	クック諸島マオリ人 81	プロテスタント 63,カトリック 17	英語,ラロトンガ語	3
29	368	魚介類,コプラ,石油製品	タラ 2.71	1962. 1 ニュージーランド	サモア人 93	プロテスタント 58,カトリック 19	サモア語,英語	4
18) 569	18) 601	木材,魚介類	ソロモン・ドル 8.13	1978. 7 イギリス	メラネシア系 95	プロテスタント 73,カトリック 20	英語,ピジン語	5
19) 10.0	19) 70	魚介類,船舶	オーストラリア・ドル 1.45	1978.10 イギリス	ポリネシア系 95	ツバル教会 91	ツバル語,英語	6
14) 19	14) 218	魚介類,野菜,石油製品	パアンガ 2.25	1970. 6 イギリス	トンガ人(ポリネシア系)97	キリスト教 97	トンガ語,英語	7
18) 30	18) 90	りん鉱石,魚介類	オーストラリア・ドル 1.45	1968. 1 イギリス	ナウル人 96	プロテスタント 60,カトリック 33	ナウル語,英語	8
04) 0.2	04) 9	果汁	ニュージーランド・ドル 1.61	1974 ニュージーランド	ニウエ人 67,混血 13	キリスト教 92	ニウエ語,英語	9
73,366	49,882	乳製品,肉類,木材	ニュージーランド・ドル 1.61	— イギリス	ヨーロッパ系 71,マオリ人 14	キリスト教 46	英語	10
11) 64	11) 281	コプラ,野菜,魚介類	バツ 114.80	1980. 7 イギリス・フランス	バヌアツ人 98	プロテスタント 70,カトリック 12	ビスラマ語,英語,フランス語	11
12) 4,518	12) 8,341	プラチナ,パーム油,銅鉱石	キナ 3.51	1975. 9 オーストラリア	パプア人 84,メラネシア系 15	キリスト教 96	英語,ピジン英語,モツ語	12
18) 9	18) 154	魚介類	米ドル 1.00	1994.10 アメリカ合衆国	パラオ人 73,アジア系 22	カトリック 45,プロテスタント 35	パラオ語,英語	13
815	2,116	清涼飲料水,石油製品,魚介類	フィジー・ドル 2.16	1970. 9 イギリス	フィジー人 57,インド系 38	キリスト教 65,ヒンドゥー教 28	英語,フィジー語,ヒンディー語	14
18) 130	18) 170	魚介類	米ドル 1.00	1986.10 アメリカ合衆国	マーシャル人 92	プロテスタント 83	マーシャル語,英語	15
18) 39	18) 198	魚介類	米ドル 1.00	1986.11 アメリカ合衆国	チューク人 49,ポンペイ人 30	カトリック 55,プロテスタント 41	英語,チューク語	16

★流通しているのは米ドル紙幣で,それを「バルボア」とよんでいる(硬貨は独自のものもあり)。①南北アメリカのインディオは先住民とした。

(30)世界のおもな都市間の距離と時間

〔理科年表 2023,ほか〕

注)〝時間〟は旅客機による飛行時間を示す。

都市名	時間		都市名	時間
ニューヨーク	8時間15分		カイロ	9時間30分
ペキン	9時間45分		リオデジャネイロ	9時間10分
	パリ			ニューヨーク

都市名	東京からの時間	東京	ペキン	シンガポール	モスクワ	デリー	フランクフルト	パリ	ロンドン	カイロ	ニューヨーク	ロサンゼルス	リオデジャネイロ	ホノルル	シドニー
ペキン	3時間40分	2,104													
シンガポール	6時間55分	5,317	4,465												
モスクワ	9時間40分	7,502	5,809	8,426											
デリー	8時間45分	5,857	3,788	4,142	4,349										
フランクフルト	12時間00分	9,357	7,799	10,270	2,025	6,128									
パリ	12時間25分	9,738	8,236	10,743	2,492	6,601	480								
ロンドン	12時間25分	9,585	8,160	10,860	2,506	6,724	639	341							
カイロ	14時間30分	9,587	7,557	8,270	2,899	4,436	2,921	3,215	3,513						
ニューヨーク	12時間15分	10,870	11,012	15,349	7,530	11,779	6,219	5,851	5,586	9,042					
ロサンゼルス	9時間25分	8,828	10,082	14,136	9,793	12,882	9,324	9,106	8,778	12,223	3,945				
リオデジャネイロ	22時間20分	18,557	17,325	15,740	11,529	14,080	9,566	9,146	9,254	9,882	7,729	10,129			
ホノルル	6時間35分	6,208	8,171	10,824	11,342	11,930	11,983	11,988	11,653	14,239	7,996	4,125	13,343		
シドニー	9時間25分	7,794	8,923	6,293	14,487	10,415	16,479	16,959	16,993	14,415	15,990	12,065	13,539	8,151	
都市名		東京	ペキン	シンガポール	モスクワ	デリー	フランクフルト	パリ	ロンドン	カイロ	ニューヨーク	ロサンゼルス	リオデジャネイロ	ホノルル	シドニー

距離(km)

この表の読み方→下側の都市(例:東京)から上にたどり,左側の都市(例:カイロ)から右へたどって,両者が であったところの数字(例:9,587)がその都市間の距離となる。

(31)世界の都市人口(上位 20)

(調査年次は国によって異なる)〔各国統計年鑑,ほか〕

順位	都市名	国名	人口(万人)	順位	都市名	国名	人口(万人)	順位	都市名	国名	人口(万人)	順位	都市名	国名	人口(万人)
1	チョンチン(重慶)	中国	2,448	6	ムンバイ	インド	1,244	11	ラゴス	ナイジェリア	1,078	16	東京(23区)	日本	956
2	イスタンブール	トルコ	1,506	7	モスクワ	ロシア	1,234	12	テンチン(天津)	中国	1,044	17	ロンドン	イギリス	①882
3	カラチ	パキスタン	1,491	8	サンパウロ	ブラジル	1,217	13	ジャカルタ	インドネシア	1,037	18	コワンチョウ(広州)	中国	870
4	シャンハイ(上海)	中国	1,450	9	ラホール	パキスタン	1,112	14	リマ	ペルー	1,019	19	テヘラン	イラン	869
5	ペキン(北京)	中国	1,362	10	デリー	インド	1,103	15	ソウル	韓国	999	20	ニューヨーク	アメリカ合衆国	862

(注)人口は市域人口。①大ロンドン(Greater London)の人口。

(32) 世界のおもな都市の人口

(調査年次は西暦の下2桁を掲載)〔The Statesman's Yearbook 2019, ほか〕

都市名	国名	人口(万人)	調査年次
【アジア】			
バクー	アゼルバイジャン	226	(18)
カブール	アフガニスタン	396	(17)
エレバン	アルメニア	107	(18)
バグダッド	イラク	615	(11)
テヘラン	イラン	869	(16)
アーメダーバード	インド	557	(11)
カーンプル	〃	276	(11)
コルカタ(カルカッタ)	〃	449	(11)
スーラト	〃	446	(11)
チェンナイ	〃	464	(11)
デリー	〃	1,103	(11)
ナーグプル	〃	240	(11)
ハイデラバード	〃	673	(11)
プネ	〃	312	(11)
ベンガルール(バンガロール)	〃	844	(11)
ムンバイ	〃	1,244	(11)
ラクナウ	〃	281	(11)
ジャカルタ	インドネシア	1,037	(16)
スラバヤ	〃	287	(16)
バンドン	〃	249	(16)
メダン	〃	224	(16)
タシケント	ウズベキスタン	239	(16)
アルマティ	カザフスタン	180	(18)
ビシュケク	キルギス	98	(18)
ジッダ	サウジアラビア	343	(10)
リヤド	〃	518	(10)
トビリシ	ジョージア	112	(18)
ダマスカス	シリア	178	(11)
ハラブ	〃	592	(11)
シンガポール	シンガポール	545	(21)
コロンボ	スリランカ	56	(12)
バンコク	タイ	568	(17)
ソウル	韓国	999	(18)
テグ(大邱)	〃	247	(18)
プサン(釜山)	〃	347	(18)
カオシュン(高雄)	(台湾)	277	(19)
シンペイ(新北)	〃	399	(19)
タイペイ(台北)	〃	266	(19)
ドゥシャンベ	タジキスタン	83	(18)
アンシャン(鞍山)	中国	150	(16)
ウーハン(武漢)	〃	518	(16)
クンミン(昆明)	〃	282	(16)
コワンチョウ(広州)	〃	870	(16)
シーアン(西安)	〃	629	(16)
シェンヤン(瀋陽)	〃	586	(16)
シャンハイ(上海)	〃	1,450	(16)
スワトウ(汕頭)	〃	552	(16)
タイユワン(太原)	〃	287	(16)
ターリエン(大連)	〃	398	(16)
チーナン(済南)	〃	473	(16)
チャンシャー(長沙)	〃	328	(16)
チャンチュン(長春)	〃	436	(16)
チョンチン(重慶)	〃	2,448	(16)
チョントウ(成都)	〃	774	(16)
チンタオ(青島)	〃	379	(16)
テンチン(天津)	〃	1,044	(16)
ナンキン(南京)	〃	663	(16)
ハルビン(哈爾浜)	〃	551	(16)
ハンチョウ(杭州)	〃	545	(16)
フォーシャン(仏山)	〃	400	(16)
フーシュン(撫順)	〃	140	(16)
ペキン(北京)	〃	1,362	(16)
ホンコン(香港)	〃	748	(18)
ピョンヤン(平壌)	朝鮮民主主義人民共和国	258	(08)
アシガバット	トルクメニスタン	70	(12)
アンカラ	トルコ	516	(18)
イスタンブール	〃	1,506	(18)
イズミル	〃	374	(18)
カラチ	パキスタン	1,491	(17)
ラホール	〃	1,112	(17)
ラワルピンディ	〃	209	(17)
ダッカ	バングラデシュ	703	(11)
ケソンシティ	フィリピン	293	(15)
マニラ	〃	178	(15)
ハノイ	ベトナム	231	(09)
ホーチミン	〃	588	(09)
ヤンゴン	ミャンマー	516	(14)
ベイルート	レバノン	40	(16)
【アフリカ】			
ルアンダ	アンゴラ	676	(14)
アレクサンドリア	エジプト	402	(06)
カイロ	〃	774	(06)
アディスアベバ	エチオピア	421	(17)
ナイロビ	ケニア	310	(10)
アビジャン	コートジボワール	439	(14)
キンシャサ	コンゴ民主共和国	841	(10)
ダカール	セネガル	*264	(13)
ダルエスサラーム	タンザニア	436	(12)
イバダン	ナイジェリア	285	(10)
カノ	〃	327	(10)
ラゴス	〃	1,078	(10)
ケープタウン	南アフリカ共和国	400	(16)
ダーバン	〃	366	(16)
ヨハネスバーグ	〃	494	(16)
カサブランカ	モロッコ	335	(14)
【ヨーロッパ】			
ダブリン	アイルランド	54	(16)
エディンバラ	イギリス	51	(17)
グラスゴー	〃	62	(17)
シェフィールド	〃	57	(17)
バーミンガム	〃	113	(17)
ブリストル	〃	45	(17)
マンチェスター	〃	54	(17)
リヴァプール	〃	49	(17)
リーズ	〃	78	(17)
ロンドン	〃	①882	(17)
ジェノヴァ	イタリア	58	(17)
トリノ	〃	88	(18)
ナポリ	〃	96	(18)
パレルモ	〃	66	(18)
ミラノ	〃	136	(18)
ローマ	〃	287	(18)
オデーサ	ウクライナ	101	(19)
キーウ(キエフ)	〃	295	(19)
ドニプロ	〃	100	(19)
ドネツク	〃	96	(14)
ハルキウ	〃	144	(19)
ハリヴィ	〃	75	(19)
タリン	エストニア	42	(17)
ウィーン	オーストリア	189	(19)
アムステルダム	オランダ	84	(17)
ハーグ	〃	52	(17)
ロッテルダム	〃	63	(17)
アテネ	ギリシャ	66	(11)
チューリヒ	スイス	40	(17)
ストックホルム	スウェーデン	94	(17)
セビリア	スペイン	68	(17)
バルセロナ	〃	162	(17)
バレンシア	〃	78	(17)
マドリード	〃	318	(17)
ベオグラード	セルビア	168	(17)
プラハ	チェコ	129	(18)
コペンハーゲン	デンマーク	77	(18)
ヴッパータール	ドイツ	35	(17)
エッセン	〃	58	(17)
ケルン	〃	108	(17)
シュツットガルト	〃	63	(17)
デュッセルドルフ	〃	61	(17)
ドルトムント	〃	58	(17)
ドレスデン	〃	55	(17)
ニュルンベルク	〃	51	(17)
ハノーファー	〃	53	(17)
ハンブルク	〃	183	(17)
フランクフルト	〃	74	(17)
ブレーメン	〃	56	(17)
ベルリン	〃	361	(17)
ミュンヘン	〃	145	(17)
ライプツィヒ	〃	58	(17)
オスロ	ノルウェー	67	(18)
ブダペスト	ハンガリー	174	(18)
ヘルシンキ	フィンランド	64	(18)
トゥールーズ	フランス	47	(16)
ニース	〃	34	(16)
パリ	〃	219	(16)
ボルドー	〃	25	(16)
マルセイユ	〃	86	(16)
リヨン	〃	51	(16)
ソフィア	ブルガリア	126	(17)
ミンスク	ベラルーシ	198	(18)
アントウェルペン	ベルギー	52	(18)
ブリュッセル	〃	*119	(18)
ウーチ	ポーランド	69	(18)
ヴロツワフ	〃	63	(18)
クラクフ	〃	76	(18)
ワルシャワ	〃	176	(18)
リスボン	ポルトガル	50	(17)
キシナウ	モルドバ	69	(18)
リガ	ラトビア	63	(18)
ビリニュス	リトアニア	54	(19)
ブカレスト	ルーマニア	183	(16)
ヴォルゴグラード	ロシア	101	(18)
ヴォロネジ	〃	104	(18)
ウファ	〃	112	(18)
エカテリンブルク	〃	146	(18)
オムスク	〃	117	(18)
カザニ(カザン)	〃	124	(18)
クラスノヤルスク	〃	109	(18)
サマーラ	〃	116	(18)
サラトフ	〃	84	(18)
サンクトペテルブルク	〃	535	(18)
チェリャビンスク	〃	120	(18)
ニジニーノヴゴロド	〃	125	(18)
ノヴォシビルスク	〃	161	(18)
ペルミ	〃	105	(18)
モスクワ	〃	1,234	(18)
ヤロスラヴリ	〃	60	(18)
ロストフ	〃	113	(18)
【北アメリカ】			
インディアナポリス	アメリカ合衆国	86	(17)
カンザスシティ	〃	48	(17)
クリーヴランド	〃	38	(17)
サンフランシスコ	〃	88	(17)
シアトル	〃	72	(17)
シカゴ	〃	271	(17)
シンシナティ	〃	30	(17)
セントルイス	〃	30	(17)
ダラス	〃	134	(17)
デトロイト	〃	67	(17)
デンヴァー	〃	70	(17)
ニューオーリンズ	〃	28	(17)
ニューヨーク	〃	862	(17)
バッファロー	〃	25	(17)
ピッツバーグ	〃	30	(17)
ヒューストン	〃	231	(17)
フィラデルフィア	〃	158	(17)
ボストン	〃	68	(17)
ボルティモア	〃	61	(17)
ミネアポリス	〃	42	(17)
ミルウォーキー	〃	59	(17)
メンフィス	〃	65	(17)
ロサンゼルス	〃	399	(17)
ワシントンD.C.	〃	69	(17)
ヴァンクーヴァー	カナダ	67	(17)
ウィニペグ	〃	74	(17)
トロント	〃	292	(17)
モントリオール	〃	177	(17)
ハバナ	キューバ	212	(17)
グアダラハラ	メキシコ	153	(18)
メキシコシティ	〃	844	(18)
モンテレー	〃	121	(18)
【南アメリカ】			
ブエノスアイレス	アルゼンチン	306	(18)
ロサリオ	〃	127	(18)
モンテビデオ	ウルグアイ	130	(11)
キト	エクアドル	179	(17)
グアヤキル	〃	255	(17)
カリ	コロンビア	240	(18)
ボゴタ	〃	816	(18)
メデジン	〃	250	(18)
サンティアゴ	チリ	561	(17)
サルヴァドル	ブラジル	285	(18)
サンパウロ	〃	1,217	(18)
ブラジリア	〃	297	(18)
ベロオリゾンテ	〃	250	(18)
ポルトアレグレ	〃	147	(18)
リオデジャネイロ	〃	668	(18)
レシフェ	〃	163	(18)
カラカス	ベネズエラ	208	(15)
リマ	ペルー	1,019	(17)
ラパス	ボリビア	75	(12)
【オセアニア】			
キャンベラ	オーストラリア	41	(17)
シドニー	〃	513	(17)
パース	〃	204	(17)
ブリズベン	〃	240	(17)
メルボルン	〃	485	(17)
オークランド	ニュージーランド	169	(18)

注) 人口は市域人口。＊は都市的地域の人口。 ①大ロンドン(Greater London)の人口。

（33）日本の市と人口（2023年1月）

□は都道府県庁所在地、●は政令指定都市*、○は中核市**

* : 政令指定都市　政令で指定する人口50万人以上の市で、ほぼ道府県なみの行政権・財政権を持っている。
** : 中核市　人口20万人以上の市で、保健衛生や都市計画で政令指定都市に準じた事務が都道府県から委譲される。

〔住民基本台帳 人口・世帯数表〕

都市名／人口（千人）

北海道
●札幌 1,959 ／ ○旭川 324 ／ ○函館 244 ／ 苫小牧 168 ／ 帯広 164 ／ 釧路 160 ／ 江別 119 ／ 北見 113 ／ 小樽 108 ／ 千歳 97 ／ 室蘭 78 ／ 岩見沢 70 ／ 石狩 57 ／ 北広島 57 ／ 登別 45 ／ 北斗 44 ／ 滝川 38 ／ 網走 33 ／ 伊達 32 ／ 稚内 31 ／ 名寄 26 ／ 根室 23 ／ 富良野 20 ／ 美唄 20 ／ 留萌 19 ／ 深川 19 ／ 士別 17 ／ 芦別 15 ／ 赤平 11 ／ 三笠 9 ／ 夕張 7 ／ 歌志内 2

青森
□青森 271 ／ 八戸 221 ／ 弘前 164 ／ 十和田 59 ／ むつ 53 ／ 五所川原 51 ／ 三沢 38 ／ 黒石 31 ／ つがる 30 ／ 平川 30

岩手
□盛岡 282 ／ 奥州 111 ／ 一関 109 ／ 花巻 92 ／ 北上 92 ／ 滝沢 55 ／ 宮古 48 ／ 大船渡 33 ／ 久慈 33 ／ 釜石 30 ／ 二戸 25 ／ 遠野 25 ／ 八幡平 23 ／ 陸前高田 17

宮城
●□仙台 1,067 ／ 石巻 136 ／ 大崎 125 ／ 名取 79 ／ 登米 74 ／ 栗原 63 ／ 多賀城 62 ／ 気仙沼 58 ／ 塩竈 52 ／ 富谷 52 ／ 岩沼 43 ／ 東松島 38 ／ 白石 31 ／ 角田 27

秋田
□秋田 300 ／ 横手 84 ／ 大仙 76 ／ 由利本荘 72 ／ 大館 68 ／ 能代 49 ／ 湯沢 41 ／ 潟上 31 ／ 北秋田 29 ／ 鹿角 24 ／ 男鹿 24 ／ にかほ 23

山形
□山形 240 ／ 鶴岡 120 ／ 酒田 97 ／ 米沢 77 ／ 天童 61 ／ 東根 47 ／ 寒河江 40 ／ 新庄 33 ／ 南陽 29 ／ 上山 25 ／ 村山 22 ／ 尾花沢 14

福島
○郡山 317 ／ ○いわき 310 ／ □福島 270 ／ 会津若松 114 ／ 須賀川 74 ／ 白河 58 ／ 伊達 57 ／ 二本松 52 ／ 相馬 45 ／ 本宮 34 ／ 喜多方 33 ／ 南相馬 32 ／ 田村 29

茨城
□水戸 270 ／ ○つくば 252 ／ 日立 169 ／ ひたちなか 156 ／ 土浦 141 ／ 古河 140 ／ 筑西 106 ／ 神栖 101 ／ 牛久 94 ／ 龍ケ崎 84 ／ 笠間 75 ／ 石岡 71 ／ 取手 70 ／ 常総 66 ／ 那珂 63 ／ 坂東 53 ／ つくばみらい 52 ／ 結城 50 ／ 小美玉 49 ／ 常陸太田 47 ／ 鉾田 42 ／ 下妻 42 ／ 北茨城 40 ／ 常陸大宮 39 ／ 稲敷 38 ／ 桜川 39 ／ 行方 32 ／ 潮来 26 ／ 高萩 26

栃木
○宇都宮 517 ／ 小山 167 ／ 栃木 155 ／ 足利 142 ／ 那須塩原 116 ／ 佐野 115 ／ 鹿沼 94 ／ 日光 77 ／ 真岡 76 ／ 大田原 69 ／ 下野 60 ／ さくら 43 ／ 矢板 30 ／ 那須烏山 24

群馬
高崎 369 ／ □前橋 331 ／ 太田 222 ／ 伊勢崎 211 ／ 桐生 104 ／ 渋川 74 ／ 館林 73 ／ 藤岡 72 ／ 安中 55 ／ みどり 49 ／ 富岡 47 ／ 沼田 45

埼玉
●さいたま 1,339 ／ ○川口 604 ／ ○川越 353 ／ 所沢 344 ／ 越谷 343 ／ 草加 250 ／ 春日部 231 ／ 上尾 230 ／ 熊谷 193 ／ 新座 165 ／ 久喜 150 ／ 狭山 149 ／ 入間 145 ／ 朝霞 144 ／ 三郷 142 ／ 深谷 141 ／ 戸田 141 ／ ふじみ野 117 ／ 富士見 114 ／ 加須 112 ／ 坂戸 99 ／ 鴻巣 92 ／ 和光 90 ／ 桶川 83 ／ 北本 78 ／ 八潮 77 ／ 蓮田 76 ／ 秩父 75 ／ 日高 74 ／ 幸手 73 ／ 白岡 70 ／ 吉川 65 ／ 飯能 61 ／ 本庄 59 ／ 志木 54 ／ 羽生 53 ／ 蕨 52 ／ 鶴ヶ島 49

神奈川
●横浜 3,753 ／ ●川崎 1,524 ／ ●相模原 719 ／ 藤沢 445 ／ 横須賀 388 ／ 平塚 256 ／ 茅ヶ崎 246 ／ 大和 244 ／ 厚木 223 ／ 小田原 187 ／ 鎌倉 176 ／ 秦野 159 ／ 海老名 138 ／ 座間 132 ／ 伊勢原 101 ／ 綾瀬 84 ／ 逗子 57 ／ 三浦 41 ／ 南足柄 41

千葉
●千葉 977 ／ ○船橋 647 ／ 松戸 497 ／ 市川 491 ／ 柏 433 ／ 市原 270 ／ 流山 208 ／ 八千代 204 ／ 習志野 174 ／ 佐倉 171 ／ 浦安 169 ／ 野田 153 ／ 木更津 136 ／ 成田 130 ／ 我孫子 130 ／ 鎌ケ谷 109 ／ 印西 109 ／ 茂原 87 ／ 四街道 81 ／ 八街 71 ／ 袖ケ浦 67 ／ 白井 65 ／ 富里 62 ／ 君津 57 ／ 旭 56 ／ 銚子 49 ／ 東金 49 ／ 山武 48 ／ 大網白里 44 ／ いすみ 35 ／ 南房総 34 ／ 匝瑳 31 ／ 鴨川 ／ 勝浦 ／ 富津 ／ 香取 ／ 多古

東京
東京（23区）9,569 ／ 八王子 562 ／ 町田 430 ／ 府中 259 ／ 調布 238 ／ 西東京 205 ／ 小平 196 ／ 三鷹 189 ／ 日野 187 ／ 立川 185 ／ 東村山 151 ／ 多摩 148 ／ 武蔵野 147 ／ 青梅 130 ／ 国分寺 128 ／ 小金井 124 ／ 東久留米 116 ／ 昭島 114 ／ 稲城 93 ／ 狛江 82

山梨
□甲府 186 ／ 甲斐 76 ／ 南アルプス 71 ／ 笛吹 67 ／ 富士吉田 47 ／ 北杜 44 ／ 山梨 33 ／ 都留 30 ／ 中央 29 ／ 韮崎 28 ／ 大月 22

長野
□長野 368 ／ ○松本 236 ／ 上田 153 ／ 佐久 98 ／ 安曇野 96 ／ 飯田 95 ／ 塩尻 66 ／ 伊那 66 ／ 千曲 59 ／ 諏訪 54 ／ 岡谷 48 ／ 茅野 54 ／ 須坂 50 ／ 中野 43 ／ 小諸 41 ／ 駒ヶ根 31 ／ 東御 29 ／ 大町 26 ／ 飯山 19

岐阜
○岐阜 402 ／ 大垣 159 ／ 各務原 145 ／ 多治見 107 ／ 可児 100 ／ 関 85 ／ 高山 84 ／ 中津川 75 ／ 羽島 67 ／ 美濃加茂 57 ／ 瑞穂 55 ／ 土岐 55 ／ 恵那 48 ／ 郡上 39 ／ 瑞浪 36 ／ 海津 32 ／ 本巣 32 ／ 飛騨 22 ／ 山県 26 ／ 下呂 30

静岡
●浜松 792 ／ ●静岡 683 ／ 富士 249 ／ 沼津 189 ／ 磐田 167 ／ 藤枝 142 ／ 焼津 137 ／ 富士宮 129 ／ 掛川 115 ／ 三島 107 ／ 島田 96 ／ 御殿場 88 ／ 袋井 88 ／ 湖西 58 ／ 伊東 66 ／ 裾野 50 ／ 菊川 47 ／ 伊豆の国 47 ／ 牧之原 43 ／ 御前崎 30 ／ 伊豆 28 ／ 下田 20

愛知
●名古屋 2,294 ／ 豊田 417 ／ 一宮 384 ／ 岡崎 384 ／ 豊橋 370 ／ 春日井 308 ／ 安城 188 ／ 豊川 186 ／ 西尾 170 ／ 小牧 152 ／ 刈谷 150 ／ 稲沢 134 ／ 瀬戸 128 ／ 半田 117 ／ 東海 113 ／ 大府 92 ／ 江南 98 ／ 日進 91 ／ あま 86 ／ 知多 84 ／ 尾張旭 83 ／ 碧南 72 ／ 犬山 72 ／ 蒲郡 79 ／ 知立 72 ／ 豊明 69

三重
○四日市 309 ／ □津 272 ／ 鈴鹿 196 ／ 松阪 159 ／ 桑名 139 ／ 伊勢 121 ／ 伊賀 88 ／ 名張 76 ／ 亀山 49 ／ 鳥羽 17 ／ 志摩 44 ／ いなべ 45 ／ 熊野 15

滋賀
□大津 344 ／ 草津 138 ／ 長浜 115 ／ 東近江 112 ／ 彦根 111 ／ 近江八幡 82 ／ 甲賀 88 ／ 守山 85 ／ 栗東 70 ／ 湖南 54 ／ 野洲 50 ／ 高島 46 ／ 米原 37

京都
●京都 1,385 ／ 宇治 182 ／ 亀岡 87 ／ 長岡京 81 ／ 城陽 75 ／ 木津川 80 ／ 舞鶴 78 ／ 福知山 76 ／ 京田辺 71 ／ 八幡 69 ／ 向日 56 ／ 京丹後 50 ／ 綾部 31 ／ 南丹 31 ／ 宮津 16

大阪
●大阪 2,741 ／ ●堺 821 ／ 東大阪 480 ／ 豊中 407 ／ 枚方 396 ／ 吹田 381 ／ 高槻 348 ／ 茨木 284 ／ 八尾 261 ／ 寝屋川 227 ／ 岸和田 189 ／ 和泉 189 ／ 守口 142 ／ 箕面 139 ／ 門真 117 ／ 大東 116 ／ 松原 116 ／ 羽曳野 108 ／ 富田林 108 ／ 池田 103 ／ 河内長野 100 ／ 泉佐野 100 ／ 貝塚 83 ／ 摂津 83 ／ 交野 77 ／ 泉大津 73 ／ 藤井寺 63 ／ 泉南 59 ／ 大阪狭山 58 ／ 高石 56 ／ 四條畷 55 ／ 阪南 51 ／ 柏原 67

兵庫
●神戸 1,510 ／ ○姫路 528 ／ ○西宮 482 ／ ○尼崎 458 ／ ○明石 305 ／ 加古川 259 ／ 宝塚 230 ／ 伊丹 202 ／ 川西 155 ／ 三田 108 ／ 芦屋 95 ／ 高砂 88 ／ 豊岡 77 ／ 三木 74 ／ たつの 74 ／ 丹波 61 ／ 小野 47 ／ 赤穂 45 ／ 加西 42 ／ 丹波篠山 39 ／ 淡路 42 ／ 西脇 38 ／ 洲本 41 ／ 宍粟 35 ／ 南あわじ 45 ／ 朝来 29 ／ 加東 40 ／ 養父 21 ／ 相生 27

奈良
□奈良 351 ／ 橿原 119 ／ 生駒 117 ／ 大和郡山 83 ／ 香芝 78 ／ 大和高田 62 ／ 天理 62 ／ 桜井 55 ／ 葛城 37 ／ 五條 28 ／ 宇陀 27 ／ 御所 24

和歌山
□和歌山 359 ／ 田辺 69 ／ 橋本 60 ／ 紀の川 59 ／ 岩出 54 ／ 海南 47 ／ 新宮 26 ／ 有田 26 ／ 御坊 21

鳥取
□鳥取 183 ／ 米子 146 ／ 倉吉 44 ／ 境港 32

島根
□松江 197 ／ 出雲 173 ／ 浜田 50 ／ 益田 44 ／ 安来 36 ／ 雲南 35 ／ 大田 32 ／ 江津 22

岡山
●岡山 702 ／ 倉敷 477 ／ 津山 97 ／ 総社 69 ／ 玉野 55 ／ 笠岡 45 ／ 赤磐 42 ／ 真庭 42 ／ 井原 38 ／ 瀬戸内 36 ／ 浅口 32 ／ 備前 32 ／ 高梁 28 ／ 新見 27 ／ 美作 26

広島
●広島 1,184 ／ 福山 460 ／ 呉 209 ／ 東広島 190 ／ 尾道 130 ／ 廿日市 116 ／ 三原 89 ／ 三次 49 ／ 府中 37 ／ 庄原 33 ／ 大竹 26 ／ 安芸高田 26 ／ 竹原 23 ／ 江田島 21

山口
○下関 250 ／ □山口 188 ／ 宇部 160 ／ 周南 138 ／ 岩国 128 ／ 防府 113 ／ 山陽小野田 95 ／ 下松 57 ／ 光 50 ／ 長門 31 ／ 萩 45 ／ 柳井 30 ／ 美祢 21 ／ 周南 ／ 防府

徳島
□徳島 249 ／ 阿南 69 ／ 鳴門 54 ／ 吉野川 38 ／ 小松島 35 ／ 阿波 35 ／ 美馬 27 ／ 三好 24

香川
□高松 422 ／ 丸亀 111 ／ 三豊 62 ／ 観音寺 58 ／ 坂出 50 ／ さぬき 47 ／ 善通寺 31 ／ 東かがわ 28

愛媛
□松山 503 ／ 今治 151 ／ 新居浜 115 ／ 西条 105 ／ 四国中央 83 ／ 宇和島 70 ／ 大洲 40 ／ 伊予 35 ／ 東温 33 ／ 八幡浜 31

高知
□高知 319 ／ 南国 46 ／ 香南 33 ／ 四万十 32 ／ 土佐 26 ／ 須崎 20 ／ 宿毛 19 ／ 安芸 16 ／ 土佐清水 12

福岡
●福岡 1,581 ／ ●北九州 929 ／ 久留米 302 ／ 飯塚 126 ／ 大牟田 112 ／ 春日 112 ／ 筑紫野 106 ／ 糸島 103 ／ 大野城 102 ／ 宗像 97 ／ 太宰府 72 ／ 行橋 72 ／ 福津 67 ／ 柳川 63 ／ 八女 60 ／ 小郡 59 ／ 古賀 59 ／ 直方 55 ／ 那珂川 50 ／ 朝倉 49 ／ 筑後 48 ／ 田川 45 ／ 中間 40 ／ みやま 35 ／ 大川 33 ／ うきは 28 ／ 宮若 27 ／ 豊前 24

佐賀
□佐賀 229 ／ 唐津 116 ／ 鳥栖 74 ／ 伊万里 52

長崎
□長崎 401 ／ ○佐世保 240 ／ 諫早 134 ／ 大村 98 ／ 島原 42 ／ 南島原 41 ／ 雲仙 41 ／ 五島 35 ／ 対馬 29 ／ 西海 25 ／ 壱岐 24 ／ 松浦 21

熊本
●熊本 731 ／ 八代 122 ／ 天草 75 ／ 合志 64 ／ 玉名 64 ／ 宇城 57 ／ 荒尾 50 ／ 山鹿 49 ／ 菊池 47 ／ 宇土 36 ／ 上天草 24 ／ 阿蘇 24 ／ 水俣 22

大分
□大分 476 ／ 別府 113 ／ 中津 83 ／ 佐伯 67 ／ 日田 62 ／ 宇佐 53 ／ 臼杵 36 ／ 豊後大野 33 ／ 杵築 27 ／ 国東 26 ／ 豊後高田 22 ／ 竹田 19 ／ 津久見 15

宮崎
□宮崎 399 ／ 都城 161 ／ 延岡 117 ／ 日向 59 ／ 日南 49 ／ 小林 43 ／ 西都 28 ／ えびの 18 ／ 串間 16 ／ 都農

鹿児島
□鹿児島 597 ／ 霧島 124 ／ 鹿屋 100 ／ 薩摩川内 92 ／ 姶良 78 ／ 出水 52 ／ 日置 46 ／ 奄美 41 ／ 指宿 38 ／ 南九州 33 ／ 南さつま 33 ／ 志布志 29 ／ 曽於 32 ／ いちき串木野 26 ／ 伊佐 23 ／ 枕崎 19 ／ 阿久根 18 ／ 西之表 14 ／ 垂水 13

沖縄
□那覇 317 ／ 沖縄 142 ／ うるま 125 ／ 浦添 115 ／ 宜野湾 100 ／ 名護 64 ／ 糸満 62 ／ 豊見城 65 ／ 宮古島 55 ／ 石垣 49 ／ 南城 45

富山
□富山 409 ／ 高岡 165 ／ 射水 91 ／ 砺波 48 ／ 南砺 47 ／ 氷見 44 ／ 黒部 40 ／ 魚津 39 ／ 滑川 32 ／ 小矢部 29

石川
□金沢 447 ／ 白山 112 ／ 小松 106 ／ 加賀 63 ／ 野々市 57 ／ 七尾 49 ／ 能美 49 ／ かほく 44 ／ 羽咋 20 ／ 珠洲 12

福井
□福井 257 ／ 坂井 89 ／ 越前 80 ／ 鯖江 68 ／ 敦賀 63 ／ 大野 30 ／ あわら 28 ／ 小浜 28 ／ 勝山 22

上野原など（長野欄の一部）
上野原 22

※この表については、2023年の統計数値を用いたため、2024年以降に市制施行・合併・編入する市の名称は入っていない。

(34)都道府県別統計

（太字は1位，*斜字*は2位から5位までの都道府県を示す。）

県番号	都道府県	都道府県の庁所在地	人口 (万人) 2023年	面積 (km²) 2023年	人口密度 (人/km²) 2023年	産業別人口の割合 (%)2020年 第1次産業	第2次産業	第3次産業	老年人口率 65歳以上 (%)2023年	平均寿命 (歳)2020年 男	女	1世帯あたり平均人員 (人) 2023年	1人あたり県民所得 (千円) 2019年	農業産出額 (億円) 2021年	米(水稲) (千t) 2022年	野菜 (億円) 2021年	漁業生産量 (千t) 2021年
1	北海道	札幌	513	**83,424**	62	6.8	17.0	76.2	32.5	80.92	87.08	1.83	2,832	**13,108**	*553*	**2,094**	**1,024**
2	青森	青森	122	9,646	127	**11.4**	20.0	68.6	34.3	79.27	86.33	2.06	2,628	3,277	235	753	150
3	岩手	盛岡	118	*15,275*	78	*9.7*	24.8	65.5	34.3	80.64	87.05	2.23	2,781	2,651	248	245	111
4	宮城	仙台	225	・7,282	310	4.2	22.5	73.3	28.9	81.70	87.51	2.18	2,943	1,755	*327*	271	*268*
5	秋田	秋田	94	11,638	81	8.8	24.0	67.2	**38.3**	80.48	87.10	2.21	2,713	1,658	*457*	285	6
6	山形	山形	104	・9,323	112	8.8	28.7	62.5	*34.5*	81.39	87.38	*2.47*	2,909	2,337	365	455	4
7	福島	福島	181	*13,784*	132	6.3	29.7	64.0	32.4	80.60	86.81	2.28	2,942	1,913	317	431	64
8	茨城	水戸	287	6,098	472	5.2	28.8	66.0	29.9	80.89	86.94	2.22	3,247	4,263	319	*1,530*	▪303
9	栃木	宇都宮	192	6,408	301	5.4	31.3	63.3	29.6	81.00	86.89	2.24	*3,351*	2,693	270	707	1
10	群馬	前橋	193	6,362	304	4.6	31.2	64.2	30.3	81.13	87.18	2.21	3,288	2,404	72	891	0.3
11	埼玉	さいたま	*738*	・3,798	*1,944*	1.5	23.0	75.5	26.8	81.44	87.31	2.13	3,038	1,528	142	743	0.003
12	千葉	千葉	631	5,157	1,224	2.5	19.1	*78.4*	27.5	81.45	87.50	2.09	3,058	3,471	260	*1,280*	▪109
13	東京	東京	**1,384**	・2,194	**6,309**	0.4	15.2	**84.4**	22.7	81.77	87.86	1.86	**5,757**	196	0.5	100	▪29
14	神奈川	横浜	921	2,416	*3,812*	0.8	20.2	79.0	25.4	*82.04*	87.89	2.04	3,199	660	14	332	▪26
15	新潟	新潟	216	・*12,584*	172	5.2	28.4	66.4	33.3	81.29	87.57	*2.37*	2,951	2,269	**631**	309	26
16	富山	富山	102	4,248	242	3.0	**33.3**	63.7	32.5	81.74	87.97	*2.39*	3,316	545	197	52	23
17	石川	金沢	111	4,186	267	2.7	28.0	69.3	30.1	82.00	88.11	2.25	2,973	480	123	98	46
18	福井	福井	75	4,191	181	3.3	31.6	65.1	30.7	81.98	87.84	**2.52**	3,325	394	121	81	10
19	山梨	甲府	81	4,465	182	6.7	28.0	65.3	31.2	81.71	87.94	2.18	3,125	1,113	26	119	0.9
20	長野	長野	204	・13,562	151	8.5	28.8	62.7	32.1	*82.68*	*88.23*	2.29	2,924	2,624	187	866	1
21	岐阜	岐阜	198	・10,621	187	2.9	*32.6*	64.5	30.5	81.90	87.51	2.34	3,035	1,104	101	353	1
22	静岡	静岡	363	・7,777	467	3.5	*32.7*	63.8	30.4	81.59	87.48	2.23	*3,407*	2,084	76	591	▪*254*
23	愛知	名古屋	*751*	5,173	*1,452*	2.0	*32.4*	65.6	25.2	81.77	87.52	2.20	*3,661*	2,922	131	*1,031*	▪68
24	三重	津	177	5,774	307	3.2	31.8	65.0	30.0	81.68	87.59	2.18	2,989	1,067	131	150	128
25	滋賀	大津	141	4,017	352	2.5	*32.9*	64.6	26.6	**82.73**	*88.26*	2.32	3,323	585	152	102	1
26	京都	京都	250	4,612	542	2.0	22.5	75.5	29.4	*82.24*	*88.25*	2.01	2,991	663	72	248	9
27	大阪	大阪	*878*	1,905	*4,610*	0.5	22.6	76.9	27.0	80.81	87.37	1.97	3,055	296	23	137	▪18
28	兵庫	神戸	545	8,401	650	1.9	25.0	73.1	28.9	81.72	87.90	2.10	3,038	1,501	177	366	▪108
29	奈良	奈良	132	3,691	359	2.4	22.1	75.5	31.8	*82.40*	87.95	2.18	2,728	391	44	109	0.01
30	和歌山	和歌山	92	4,725	196	8.4	22.2	69.4	33.3	81.03	87.36	2.08	2,986	1,135	31	136	22
31	鳥取	鳥取	54	3,507	156	7.9	21.7	70.4	32.7	81.34	87.91	2.27	2,439	727	62	205	▪87
32	島根	松江	65	6,708	98	6.6	23.5	69.9	*34.6*	81.63	88.21	2.24	2,951	611	85	99	94
33	岡山	岡山	186	・7,115	262	4.2	27.0	68.8	30.5	81.90	**88.29**	2.15	2,794	1,457	147	203	23
34	広島	広島	277	8,479	327	2.8	26.1	71.1	29.7	81.95	88.16	2.08	3,153	1,213	115	242	113
35	山口	山口	132	6,113	217	4.1	26.2	69.7	*34.8*	81.12	87.43	2.01	3,249	643	93	149	21
36	徳島	徳島	71	4,147	173	7.7	23.3	69.0	34.0	81.27	87.42	2.12	3,153	930	48	343	21
37	香川	高松	95	・1,877	510	4.8	25.1	70.1	31.6	81.56	87.64	2.14	3,021	792	56	236	25
38	愛媛	松山	132	5,676	234	7.0	23.9	69.1	33.3	81.13	87.34	2.02	2,717	1,244	69	187	142
39	高知	高知	68	7,103	96	*10.5*	17.0	72.5	*35.6*	80.79	87.84	1.96	2,663	1,069	50	676	84
40	福岡	福岡	510	・4,988	1,024	2.5	20.0	*77.5*	27.9	81.38	87.70	2.03	2,838	1,968	164	668	71
41	佐賀	佐賀	80	2,441	331	7.6	24.0	68.4	30.9	81.41	87.78	*2.35*	2,854	1,206	117	309	67
42	長崎	長崎	130	4,131	316	6.8	19.3	73.9	33.6	81.01	87.41	2.06	2,655	1,551	49	439	*271*
43	熊本	熊本	173	7,409	235	*8.9*	21.2	69.9	31.8	81.91	*88.22*	2.16	2,714	3,477	157	*1,186*	66
44	大分	大分	112	6,341	177	6.3	23.1	70.6	33.5	81.88	87.99	2.06	2,695	1,228	93	332	53
45	宮崎	宮崎	106	7,734	138	*10.1*	20.8	69.1	33.0	81.15	87.60	2.01	2,426	3,478	75	661	▪118
46	鹿児島	鹿児島	159	9,186	173	8.5	19.1	72.4	32.9	80.95	87.53	1.96	2,558	**4,997**	86	545	106
47	沖縄	那覇	148	2,282	651	4.2	14.3	*81.5*	23.2	80.73	87.88	2.14	2,396	922	2	119	39
	全国合計(全国平均)		12,541	377,974	(332)	(3.5)	(23.7)	(72.8)	(28.6)	(81.49)	(87.60)	(2.08)	(3,344)	88,600	7,269	21,467	4,215

注 1) 面積の項の北海道には歯舞群島95km²，色丹島248km²，国後島1,489km²，択捉島3,167km²を含み，島根には竹島0.2km²を含む。全国計にも含む。
2) 面積の項の・印のある県は，県界に境界未定地域があるため，総務省統計局で推定した面積を記載している。
3) 第1次産業人口→農林，水産業など，第2次産業人口→鉱・工業，建設業など，第3次産業人口→商業，運輸・通信業など。
4) 漁業生産量は「海面漁業漁獲量」，「海面養殖業収獲量」，「内水面漁業漁獲量」，「内水面養殖業収獲量」の4つを合計した数値。又，▪印のある都県の数値は，海面養殖または内水面漁業，内水面養殖いずれかの数値を含まない。但し全国計には含む。

(35)日本のおもな産物Ⅰ

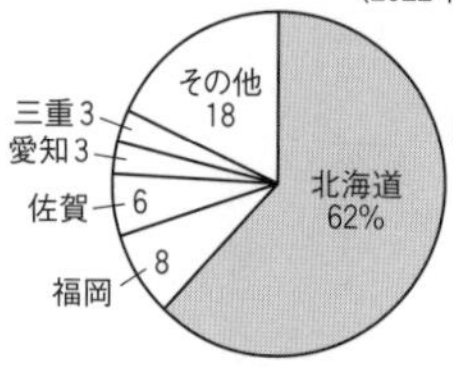

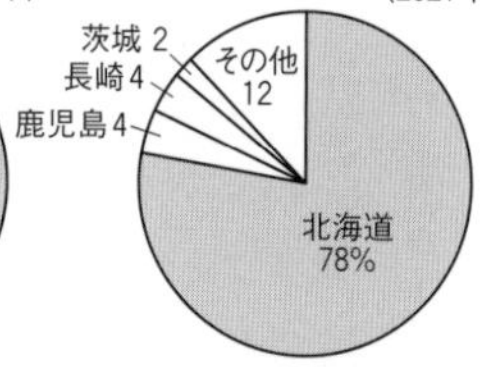

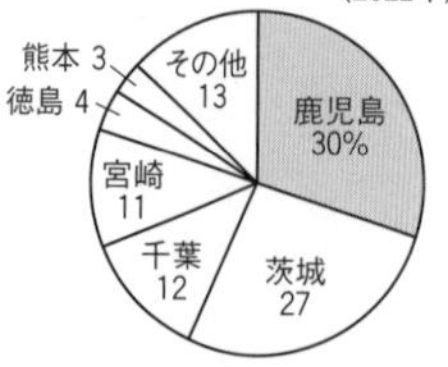

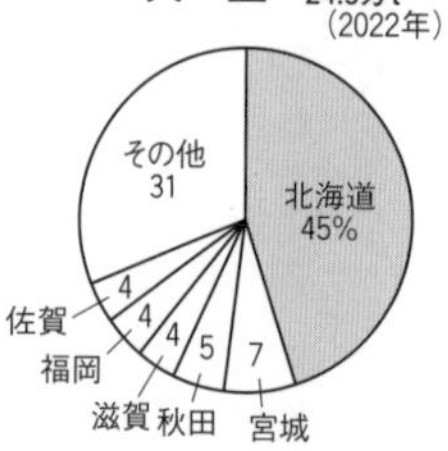

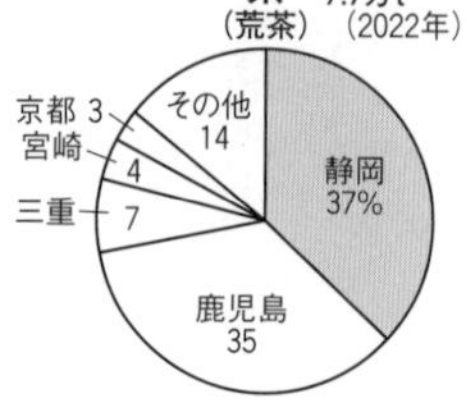

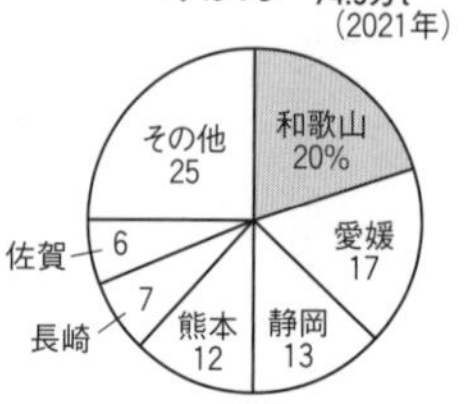

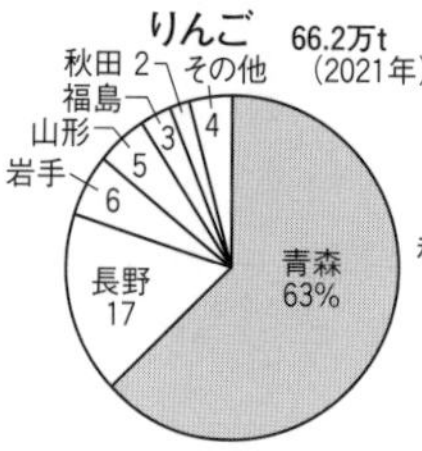

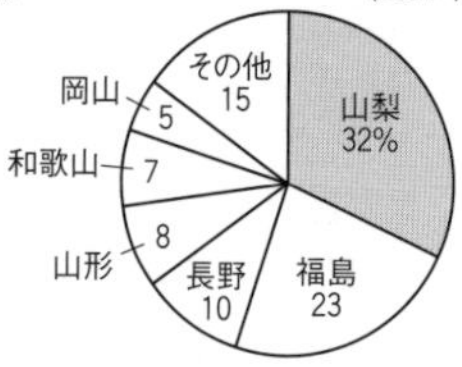

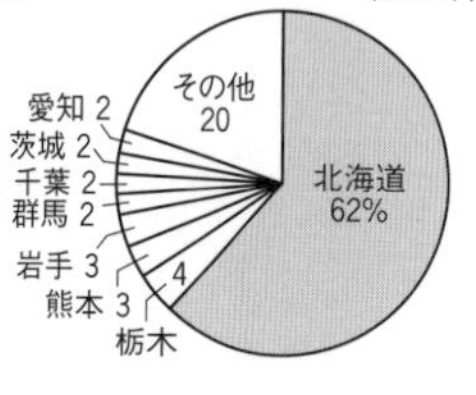

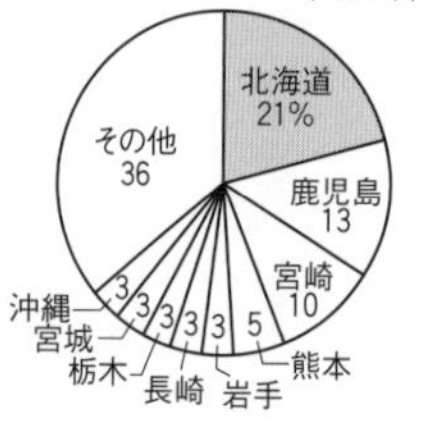

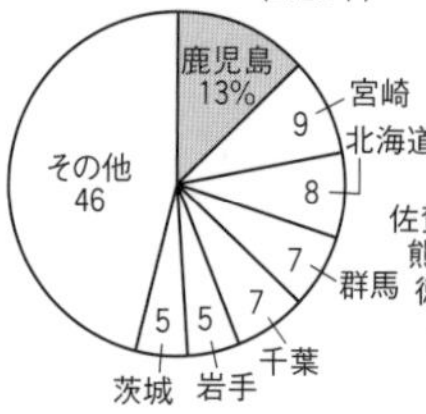

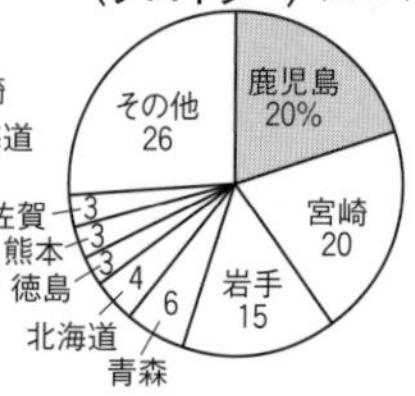

〔住民基本台帳 人口・世帯数表　ほか〕

畜産(億円) 2021年	製造品出荷額(億円) 2020年	小売業年間販売額(億円) 2019年	発電電力量(百万kWh) 2021年	1世帯あたり乗用車台数(台) 2021年	1日1人あたりごみ排出量(g) 2021年	下水道の普及率(%) 2022年	総面積に占める森林(%) 2020年	1人あたり公園面積(m²) 2022年	100人あたり携帯電話加入数(件) 2021年	10万人あたりのコンビニ店数(店) 2014年	10万人あたりの医師数(人) 2020年	1万人あたり外国人労働者数(人) 2022年	犯罪検挙率(%) 2022年	特色のある生産物
7,852	56,493	64,570	32,625	1.00	941	91.8	63.7	29.8	98.8	40.6	262.8	53.7	48.6	てんさい, 小豆, じゃがいも
947	16,872	13,676	5,148	1.23	1,002	62.3	63.6	19.0	98.8	30.5	224.0	34.9	56.3	にんにく, りんご, いか類
1,701	25,033	13,323	3,467	1.40	908	62.7	74.6	16.5	99.1	30.9	223.0	47.6	55.7	りんどう, 生うるし, 養殖わかめ
753	43,853	27,557	13,056	1.28	976	83.3	55.4	20.1	111.8	33.3	258.5	65.1	41.4	養殖ほや類, サメ類, まぐろ類
356	13,171	10,781	16,408	1.38	989	67.8	70.3	23.0	96.7	29.8	254.7	26.1	67.6	じゅんさい, 固定コンデンサ, 漆器製家具
392	28,441	11,693	6,817	1.65	904	78.4	69.0	22.7	99.8	30.3	244.2	43.5	73.0	さくらんぼ, 西洋なし, 食用菊
475	47,903	21,206	55,821	1.55	1,029 ※	55.0	68.0	14.8	103.1	24.8	215.9	53.9	48.4	桐材, さんま, もも
1,311	122,108	29,733	42,174	1.56	953	64.1	32.4	10.1	103.1	30.7	203.6	167.4	31.2	アルミ製ドア, くり, れんこん
1,287	82,639	22,491	9,430	1.58	913	68.9	52.9	15.1	104.1	30.7	246.9	153.5	42.4	かんぴょう, 大麦, 医療用X線装置
1,158	79,825	21,517	5,402	1.60	968	55.4	64.0	14.5	106.8	30.6	244.2	232.1	48.8	こんにゃくいも, コーヒー飲料, きゅうり
264	129,553	68,334	606	0.95	841	82.9	31.4	7.2	109.7	23.0	185.2	125.8	36.3	火災報知設備, 節句人形・雛人形, フォトマスク
1,094	119,770	61,826	84,834	0.96	880	76.6	30.1	7.1	109.9	27.3	213.2	109.5	33.9	落花生, みりん, しょうゆ
18	72,029	199,740	6,588	0.43	829	99.6	34.7	4.4	474.4	32.2	342.2	362.5	39.0	電子顕微鏡, 汎用コンピュータ, 補聴器
150	159,161	90,903	82,386	0.69	819	97.0	38.7	5.7	122.1	26.1	231.4	115.0	45.3	ハンカチーフ, 化学工業製品, 情報通信機械器具
504	47,784	23,949	37,309	1.53	998	77.7	63.5	15.5	100.4	29.3	218.2	48.9	55.9	金属洋食器, 切餅・包装餅, まいたけ
83	36,649	11,446	15,705	1.66	1,032	86.7	56.6	16.0	114.6	29.3	273.7	117.8	66.4	チューリップ, アルミサッシ
94	26,498	12,855	10,533	1.48	904	85.2	66.3	15.2	112.9	28.9	307.8	101.8	58.3	金属はく, 漆器製飲食器, ローラーチェーン
49	21,594	8,297	44,593	1.72	925	82.2	73.9	17.5	104.9	30.1	270.5	137.6	67.5	メガネ枠, メガネ部品, 編レース生地
78	25,409	7,953	3,062	1.53	952	68.1	77.8	11.5	105.9	33.3	259.4	127.8	44.2	ウイスキー類, ミネラルウォーター, 果実酒類
262	60,729	22,870	7,702	1.57	800	84.9	75.3	15.2	214.1	27.8	254.7	108.8	54.1	顕微鏡・拡大鏡, 寒天, ギター
424	56,708	22,159	9,057	1.56	874	77.7	79.0	11.3	109.1	26.8	231.5	181.3	45.7	タイル, ほう丁, 陶磁器用はい土
544	165,147	37,896	7,470	1.38	843	65.3	62.8	9.0	112.9	29.9	227.7	185.4	49.7	ピアノ, 電子楽器, まぐろ缶詰
840	441,162	85,056	67,037	1.25	877	80.6	42.1	8.0	141.9	29.5	236.6	250.6	34.4	パチンコ・スロットマシン, 輸送用機械器具, ふき
466	105,138	18,001	18,485	1.45	938	58.9	64.2	10.8	105.9	25.1	242.8	175.2	38.6	ろうそく, 錠・かぎ, 接続器
114	76,155	14,269	167	1.36	809	92.1	50.7	9.3	101.8	23.1	247.3	163.2	44.2	理容用電気器具, エアコン, ちりめん
148	53,048	28,101	12,531	0.82	775	95.2	74.2	8.0	115.6	24.9	355.1	92.4	46.5	ちりめん, うちわ・扇子, 絞紙
19	171,202	98,115	18,904	0.63	911	96.5	29.9	5.7	143.0	21.2	299.1	141.5	26.3	じゅうたん, 自動車部品, 魔法瓶
635	153,303	54,119	38,448	0.90	895	93.8	66.9	13.4	106.9	21.4	276.9	93.1	43.9	真珠製品, 手引のこぎり, ゴム製履物用品
56	17,367	11,099	1,154	1.09	883	82.4	76.9	13.9	106.7	17.1	287.7	53.0	56.9	ソックス, タイツ, 柿
37	24,021	8,732	3,551	1.24	929	28.9	76.2	9.5	102.2	21.8	318.8	40.8	58.8	はっさく, うめ, 横編ニット生地
289	7,437	5,832	1,879	1.45	1,001	73.7	73.4	20.2	99.4	26.7	338.1	55.7	71.8	日本なし, らっきょう, かに類
270	11,711	6,801	7,348	1.40	940	51.3	78.0	20.5	101.5	27.0	314.1	69.2	71.0	しじみ, あじ類, ぶり類
689	70,881	19,655	8,203	1.36	923	69.6	68.1	17.4	106.5	25.0	333.1	114.6	45.9	男子学生服, 麦わら・パナマ帽, マッシュルーム
545	89,103	31,114	12,403	1.11	877	76.8	71.9	11.5	133.2	26.5	278.8	138.8	45.3	やすり, 養殖カキ, くわい
209	56,275	14,627	23,391	1.25	973	68.1	71.4	16.5	107.7	27.6	274.4	68.4	62.0	か性ソーダ, 塩酸
281	18,020	7,203	18,757	1.37	950	18.7	75.4	9.9	104.6	21.5	356.7	69.7	50.1	しろうり, 養殖あゆ, 宗教用具
336	25,444	11,545	3,953	1.34	851	46.3	46.4	18.9	110.5	21.0	303.0	106.5	54.4	スポーツ用革手袋, 衣服用ニット手袋
278	38,203	14,978	13,430	1.15	881	56.7	70.5	13.2	108.5	24.6	288.2	76.0	54.5	いよかん, タオル, 養殖まだい
84	5,532	6,964	4,198	1.14	955	41.2	83.3	13.3	102.0	24.9	333.3	54.6	53.8	しょうが, オクラ, なす
397	89,950	56,927	11,592	1.06	926	83.7	44.5	9.6	239.9	27.1	326.8	112.3	39.9	辛子明太子, ゴム底布靴, たけのこ
356	20,334	8,183	18,996	1.51	876	63.4	45.3	12.1	101.6	30.0	301.3	74.5	55.1	陶磁器置物・和飲食器, 養殖のり
579	16,301	14,426	22,427	1.12	957	64.0	58.5	13.9	103.5	24.9	335.2	52.7	59.2	びわ, さば類・あじ類
1,318	28,311	17,967	9,397	1.32	871	70.1	61.8	10.7	107.7	27.6	311.5	83.1	58.8	い草, かすみそう, すいか
465	38,579	12,184	18,029	1.29	946	53.3	70.8	13.1	104.0	26.9	299.9	74.1	54.6	乾しいたけ, 温泉ゆう出量, 焼酎
2,308	16,463	10,887	4,728	1.29	961	61.2	75.5	20.9	101.1	26.5	269.2	52.1	44.6	ピーマン, 葉たばこ, ブロイラー
3,329	20,027	15,571	16,876	1.19	900	43.2	63.7	14.0	100.7	26.9	293.0	61.7	45.5	かつお節, 養殖うなぎ, かんしょ
420	4,730	12,880	7,576	1.30	881	72.4	46.7	11.0	108.2	27.0	264.0	78.9	54.2	パイナップル, 養殖もずく, さとうきび
34,062	3,035,547	1,390,012	863,649	(1.04)	(890) ※	(80.6)	(64.6)	(10.8)	(161.7)	(27.6)	(269.2)	(144.7)	(41.6)	

5）※　福島県は調査不能な市町村を除いた値。全国平均は参考値。
6）1人あたり公園面積は, 都市公園面積を都市計画区域人口で除したもの。

（36）日本のおもな産物Ⅱ

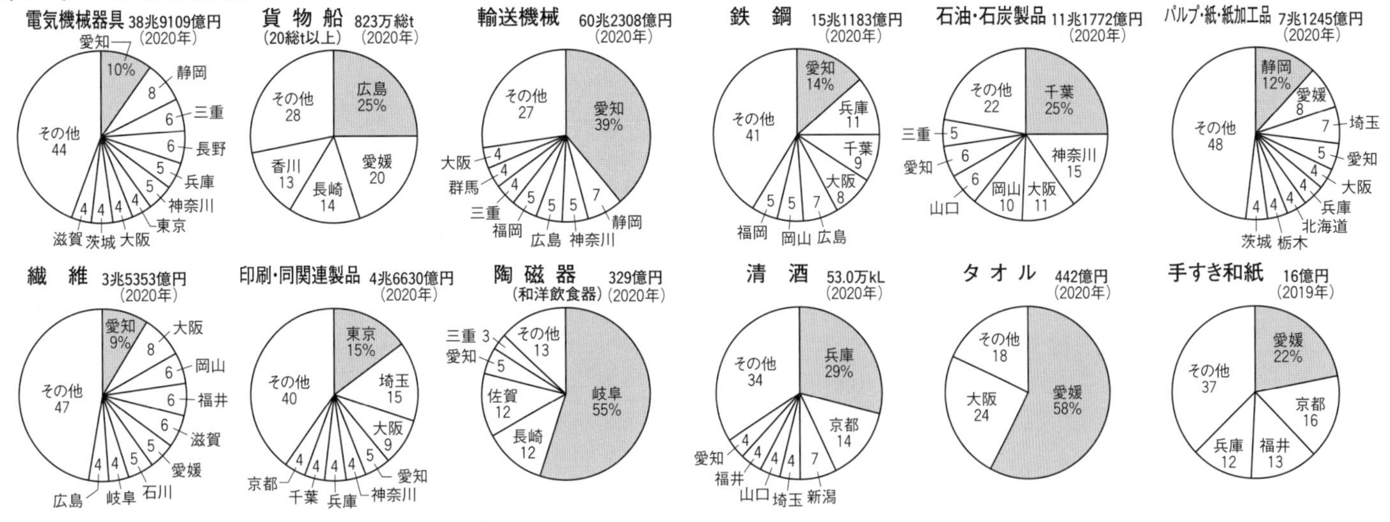

（37）世界と日本の動き

❶国家の変動

年月	国の変化	独立国数
1990. 5	北イエメンと南イエメンが統一，イエメン共和国となる。	170
1990.10	東西ドイツが統一される。	169
1991. 6	ユーゴスラビアが分裂，クロアチアとスロベニアが独立を宣言する。	171
1991. 9	ソ連邦のバルト3国エストニア，ラトビア，リトアニアが連邦から分離独立を果たす。	174
1991. 9	紛争状態のユーゴスラビアから，マケドニアが独立を宣言する。	175
1991.12	ソ連邦が崩壊，12共和国に分裂し，それぞれの国が独立する。	186
1992. 3	紛争状態のユーゴスラビアから，ボスニア・ヘルツェゴビナが独立を宣言する。	187
1992. 4	紛争状態が続くユーゴスラビアの，セルビアとモンテネグロが新ユーゴスラビア連邦の樹立を宣言する。	187
1993. 1	チェコ・スロバキアが分裂，チェコおよびスロバキアの2国が誕生する。	188
1993. 5	エチオピアからエリトリアが独立する。	189
1993.12	フランス大統領とウルヘル司教が共同君主であるアンドラが独立する。	190
1994.10	国連信託米国統治領である北太平洋のパラオが独立する。	191
2002. 5	インドネシアから東ティモールが独立。東ティモール民主共和国となる。	192
2006. 6	セルビア・モンテネグロからモンテネグロ共和国が独立。セルビア・モンテネグロはセルビア共和国となる。	193
2008. 2	セルビア共和国からコソボが独立宣言。3月，日本政府がコソボ共和国の独立を承認。	194
2011. 3	ニュージーランドとの自由連合地域であったクック諸島を独立国として日本政府が承認。	195
2011. 7	南スーダン共和国がスーダンから分離独立する。	196
2015. 5	ニュージーランドとの自由連合地域であったニウエを独立国として日本政府が承認。	197

❷国連加盟の動き

年月	加盟国	加盟国数
1991. 9	韓国，北朝鮮，エストニア，ラトビア，リトアニア，マーシャル諸島，ミクロネシア	166
1992. 3	サンマリノ，アゼルバイジャン，アルメニア，ウズベキスタン，カザフスタン，キルギス，タジキスタン，トルクメニスタン，モルドバ（ロシアは旧ソ連の議席を引き継ぐ。）	175
1992. 5	クロアチア，スロベニア，ボスニア・ヘルツェゴビナ（新ユーゴスラビアは旧ユーゴスラビアの議席継承を主張するが認められず，再加盟申請を促された。ユーゴ前政権はこれを拒否し，ユーゴの議席は棚上げ状態であったが，2000年11月1日の総会で新ユーゴの再加盟が承認された。）	178
1992. 7	グルジア	179
1993. 1	チェコ，スロバキア	180
1993. 4	マケドニア	181
1993. 5	エリトリア，モナコ	183
1993. 7	アンドラ	184
1993.12	パラオ	185
1999〜2000	トンガ，キリバス，ナウル，ツバル	189
2002. 9	スイス，東ティモール	191
2006. 6	モンテネグロ	192
2011. 7	南スーダン	193

未加盟国はバチカン，コソボ，クック諸島，ニウエ。

❸おもな国名の変更

年月	新国名	旧国名
1991. 4	アルバニア共和国	アルバニア人民社会主義共和国
1992. 4	モンゴル国	モンゴル人民共和国
1992	コンゴ共和国	コンゴ人民共和国
1992	エチオピア	エチオピア人民民主共和国
1992	モーリシャス共和国	モーリシャス
1993	アフガニスタン・イスラム国	アフガニスタン共和国
1993	アンゴラ共和国	アンゴラ人民共和国
1993	マダガスカル共和国	マダガスカル人民共和国
1993. 9	カンボジア王国	カンボジア
1997. 5	コンゴ民主共和国	ザイール共和国
1997. 2	サモア独立国	西サモア
1998. 8	フィジー諸島共和国	フィジー共和国
1999	ベネズエラ・ボリバル共和国	ベネズエラ共和国
2002. 2	アフガニスタン	アフガニスタン・イスラム国
2002. 2	バーレーン王国	バーレーン国
2003. 2	セルビア・モンテネグロ	ユーゴスラビア連邦共和国
2004	アフガニスタン・イスラム共和国	アフガニスタン
2004	オーストラリア連邦	オーストラリア
2005	大リビア・アラブ社会主義人民ジャマーヒリーヤ国	社会主義人民リビア・アラブ国
2005	コモロ連合	コモロ・イスラム連邦共和国
2006	パプアニューギニア独立国	パプアニューギニア
2007	ネパール	ネパール王国
2007.10	モンテネグロ	モンテネグロ共和国
2008. 9	ネパール連邦民主共和国	ネパール
2009. 3	ボリビア多民族国	ボリビア共和国
2011. 2	フィジー共和国	フィジー諸島共和国
2011. 3	ミャンマー連邦共和国	ミャンマー連邦
2011.11	リビア	大リビア・アラブ社会主義人民ジャマーヒリーヤ国
2012. 1	ハンガリー	ハンガリー共和国
2012. 8	ソマリア連邦共和国	ソマリア民主共和国
2015. 4	ジョージア	グルジア
2015.12	ガンビア・イスラム共和国	ガンビア共和国
2017. 2	ガンビア共和国	ガンビア・イスラム共和国
2018. 4	エスワティニ王国	スワジランド王国
2019	スペイン王国	スペイン
2019. 2	北マケドニア共和国	マケドニア旧ユーゴスラビア共和国
2020.12	ネパール	ネパール連邦民主共和国

❹日本の鉄道開通・廃線

年月日	地域	鉄道の開通・廃線
2012. 4. 1	長野	「長野電鉄屋代線」全線廃止（屋代〜須坂 24.4km）
2012. 4. 1	青森	「十和田観光電鉄」全線廃止（十和田市〜三沢 14.7km）
2014. 4. 1	岩手	「JR東日本 岩泉線」全線廃止（茂市〜岩泉 38.4km）
2014. 5.12	北海道	「JR北海道 江差線」一部廃止（木古内〜江差 42.1km）
2015. 3.14	長野・新潟富山・石川	「北陸新幹線」開業（長野〜金沢 228.1km）
2015.12. 6	宮城	「仙台市地下鉄東西線」開業（八木山動物公園〜荒井 13.9km）
2016. 3.26	青森・北海道	「北海道新幹線」開業（新青森〜新函館北斗 148.4km）
2016.12. 5	北海道	「JR北海道 留萌本線」一部廃止（留萌〜増毛 16.7km）
2017. 3. 4	広島	「JR西日本 可部線」延伸開業（可部〜あき亀山 1.6km）
2018. 4. 1	島根・広島	「JR西日本 三江線」全線廃止（江津〜三次 108.1km）
2019. 3.16	大阪	「JR西日本 おおさか東線」延伸開業（新大阪〜放出 11.1km）
2019. 4. 1	北海道	「JR北海道 石勝線」一部廃止（新夕張〜夕張 16.1km）
2019.10. 1	沖縄	「沖縄都市モノレール（ゆいレール）」延伸開業（首里〜てだこ浦西 4.1km）
2019.11.30	神奈川	「相鉄新横浜線」開業（西谷〜羽沢横浜国大 2.7km）
2020. 4. 1	宮城	「JR東日本 気仙沼線」一部廃止（柳津〜気仙沼 55.3km）
2020. 4. 1	宮城・岩手	「JR東日本 大船渡線」一部廃止（気仙沼〜盛 43.7km）
2020. 5. 7	北海道	「JR北海道 札沼線」一部廃止（北海道医療大学〜新十津川 47.6km）
2021. 4. 1	北海道	「JR北海道 日高本線」一部廃止（鵡川〜様似 116.0km）
2022. 9.23	佐賀・長崎	「西九州新幹線」開業（武雄温泉〜長崎 66.0km）
2023. 3.18	神奈川	「東急新横浜線」開業（日吉〜新横浜 5.8km）
2023. 3.18	神奈川	「相鉄新横浜線」開業（新横浜〜羽沢横浜国大 6.3km 全線開通）（新横浜〜西谷 6.3km 全線開通）
2023. 3.27	福岡	「福岡市地下鉄七隈線」延伸開業（天神南〜博多 1.6km）
2023. 4. 1	北海道	「JR北海道 留萌本線」一部廃止（石狩沼田〜留萌 35.7km）
2024. 3.16	石川・福井	「北陸新幹線」延伸開業予定（金沢〜敦賀 約125km）
2024. 3.23	大阪	「北大阪急行電鉄南北線」延伸開業予定（千里中央〜箕面萱野 2.5km）
2024. 4. 1	北海道	「JR北海道 根室本線」一部廃止予定（富良野〜新得 81.7km）

❺日本のおもな高速道路開通

年月日	道路名	開通区間	地域
2017. 2.26	首都圏中央連絡自動車道（圏央道）	境古河IC〜つくば中央IC（28.5km）	茨城
2017. 3.19	中部横断自動車道	六郷IC〜増穂IC（9.3km）	山梨
2017. 4.30	新名神高速道路	城陽IC〜八幡京田辺IC（3.5km）	京都
2017.10. 9	十勝オホーツク自動車道	陸別小利別IC〜訓子府IC（16.0km）	北海道
2017.11. 4	東北中央自動車道	福島大笹生IC〜米沢IC（35.6km）	福島・山形
2017.12.10	新名神高速道路	高槻JCT・IC〜川西IC（26.2km）	大阪・兵庫
2018. 1.28	新東名高速道路	海老名南JCT〜厚木南IC（1.5km）	神奈川
2018. 2. 3	東関東自動車道	鉾田IC〜茨城空港北IC（8.8km）	茨城
2018. 3.11	東九州自動車道	日南北郷IC〜日南東郷IC（9.0km）	宮崎
2018. 3.18	新名神高速道路	川西IC〜神戸JCT（16.9km）	兵庫
2018. 4.15	東北中央自動車道	大石田村山IC〜尾花沢IC（5.3km）	山形
2018. 4.28	中部横断自動車道	八千穂高原IC〜佐久南IC（14.6km）	長野
2018. 6. 2	東京外環自動車道	三郷南IC〜高谷JCT（15.5km）	埼玉・千葉
2018.12. 8	後志自動車道	余市IC〜小樽JCT（23.3km）	北海道
2018.12.16	九州中央自動車道	小池高山IC〜山都中島西IC（10.8km）	熊本
2019. 3.10	中部横断自動車道	新清水JCT〜富沢IC（20.7km）	山梨・静岡
2019. 3.10	中部横断自動車道	下部温泉早川IC〜六郷IC（8.4km）	山梨
2019. 3.17	新東名高速道路	厚木南IC〜伊勢原JCT（4.0km）	神奈川
2019. 3.17	新名神高速道路	新四日市JCT〜亀山西JCT（22.9km）	三重
2019. 3.23	東北中央自動車道	東根IC〜東根北IC（4.3km）	山形
2019. 4.13	東北中央自動車道	南陽高畠IC〜山形上山IC（24.4km）	山形
2019.11.17	中部横断自動車道	富沢IC〜南部IC（6.7km）	山梨
2020. 3. 7	新東名高速道路	伊勢原JCT〜伊勢原大山IC（2.4km）	神奈川
2020.12.13	日本海東北自動車道	酒田みなとIC〜遊佐比子IC（5.5km）	山形
2021. 3.21	徳島南部自動車道	徳島沖洲IC〜徳島津田IC（2.4km）	徳島
2021. 4.10	新東名高速道路	新御殿場IC〜御殿場JCT（7.1km）	静岡
2021. 5. 1	名古屋第二環状自動車道	名古屋西JCT〜飛島JCT（12.2km）	愛知
2021. 7.17	東九州自動車道	志布志IC〜鹿屋串良JCT（19.2km）	鹿児島
2021. 8.29	中部横断自動車道	南部IC〜下部温泉早川IC（13.2km）	山梨
2021.12.11	東北中央自動車道	村山本飯田IC〜大石田村山IC（4.5km）	山形
2022. 3.12	播磨自動車道	播磨新宮IC〜宍粟JCT（11.5km）	兵庫
2022. 3.21	徳島南部自動車道	徳島JCT〜徳島沖洲IC（4.7km）	徳島
2022. 4.16	新東名高速道路	伊勢原大山IC〜新秦野IC（12.8km）	神奈川
2022.10.29	東北中央自動車道	東根北IC〜村山本飯田IC（8.9km）	山形
2023. 3.25	東九州自動車道	清武南IC〜日南北郷IC（17.8km）	宮崎

世界編さくいん

さくいんの引き方

地名の読み	地名	所在		
アスケロン	Ashqelon	… 38	A	3
（地名の読み）	（地名）	（ページ数）	（経線間）	（緯線間）

※ページ数０は表見返（世界の国々）を表す。

ア

サ

見出し	名称	索引
シャーロット湾	Charlotte Harbor	95 H 6
シャロン	Chalon-s.-Saône	52 D 4
ジャワ海	Java Sea	5 K 7
ジャワ島	Jawa	5 J-K 7
シャンウー	尚武	19 D 7
シャン川	湘江	13 D 3
ジャンクション	Junction	90 C 4
ジャンクションシティ	Junction City	90 C 3
ジャングマギアナ	Jhang Maghiana	30 D 2
シャン高原	Shan Plat.	26 B-C 3
ジャーンシ	Jhānsi	30 E 3
シャンシー(陝西)省		6-7 H-I 4
シャンシー(山西)省		7 I 4
シャンシャン	山上	19 C 5
ジャンジラ	Janjira	30 D 5
ジャンゼ	Janzé	55 B 3
ジャンタル・マンタル天文台		32 C 3
シャンタン	湘潭	7 I 6
シャンチウ	商丘	7 J 5
シャンデルーア諸島	Chandeleur Is.	94 C 4
シャントゥー	商都	11 E 1
シャントン(山東)省		7 J 4
シャントン(山東)半島		7 K 4
シャンハイ	上海	7 K 5
シャンハイコワン	山海関	9 D 3
シャンパーニュの丘陵		54 D 3
ジャンバラ	Djambala	44 E 5
ジャンビ	Jambi	28 C 4
シャンブレビュシエール	Chambley-Bussières	54 D 3
シャンプレーン	Champlain	93 G 2
シャンプレーン湖	L.Champlain	91 H 2
シャンペーン	Champaign	90 E 2
シャンホワ	善化	19 C 5
ジャンホワ	彰化	18 D 3
ジャンホワ県	彰化	18 C 3-4
ジャンム・カシミール	Jammu and Kashmir	30 D-E 2
シャンヤン	襄陽	11 E 3
シャンラオ	上饒	13 E 2
シャンリン	杉林	19 D 6
ジュアゼイロ	Juazeiro	100 E 3
ジュアンウェイ	壯圍	18 F 2
シュアンシー	双溪	18 F 1
シュイシャン	水上	19 C 5
ジュイスデフォーラ	Juiz de Fora	100 E 5
シュイチャン	許昌	11 E 3
シュイチョウ	徐州	7 J 5
シュイリー	水里	18 D 4
シュヴァルツヴァルト(黒森)	Schwarzwald	53 E 3
シュヴェート	Schwedt	53 G 1
重慶→チョンチン		6 H 6
周口店→チョウコウテン		11 F 2
自由の女神像		87 L 3
シュエ山	雪	18 E 3
シュエジア	学甲	19 C 5
シュエシャン山脈	雪山	18 E-F 2-3
シュエチョン	薛城	11 F 3
ジュオシュイ川	濁水溪	18 C 4
ジュオショー大山	卓社	18 E 4
ジュオチョウ	朔州	11 E 2
ジュオラン	卓蘭	18 D 3
シュクロフ	Shklow	75 G 1
シュコダル	Shkodër	65 G 2
シュコツィアン洞窟群		53 G 4
ジュジャイジャコ山	Nev.Llullaillaco	100 C 5
ジューシャン	竹山	18 D 4
シュスマ	Sysmä	63 F 3
酒泉→チウチュワン		6 F 4
シュタイア	Steyr	53 G 3
シュタイナハ	Steinach	57 C 4
シュタッスフルト	Staßfurt	53 F 2
シュターデ	Stade	56 C 2
シュタルンベルク	Starnberg	57 C 4
ジュータン	竹塘	18 C 4
ジューチー	竹崎	19 D 4
シュチェチネク	Szczecinek	53 H 1
シュチェチン	Szczecin	51 H 5
首長ロイマタの地		109 L 3
シュツットガルト	Stuttgart	50 G 6
ジューティエン	竹田	19 D 6
シュティープ	Štip	65 H 2
シュテンダル	Stendal	56 C 3
シュトラウビング	Straubing	57 D 4
シュトラスヴァルヘン	Strasswalchen	57 D 4
シュトラルズント	Stralsund	63 C 5
ジュードン	竹東	18 E 2
ジューナーガド	Junagadh	30 D 4
ジューナン	竹南	18 D 2
ジュニー	Junee	110 C 4
ジュネーヴ	Genève	50 G 6
ジュノー	Juneau	82 G 4
ジュバ	Juba	44 G 4
シュパイア大聖堂	Speyer Cathedral	53 E 3
ジュバ川	Jubba	45 H 4
ジューベイ	竹北	18 D 2
シュミエ	Chemillé	55 B 3
シュミャチ	Shumyachi	75 G 1
シュミリナ	Shumilina	75 F 1
シュムケント	Shymkent	78 I 5
シュメン	Shumen	72 F 4
シューヤ	Shuya	76 D 3
シュラヴィスタ	Chula Vista	89 C 7
ジュラ山脈	Jura	52 D-E 3-4
ジュリアクリーク	Julia Creek	110 B 2
シュリーヴポート	Shreveport	83 K 6
シュリランプル	Shrirampur	31 G 4
シューリン	樹林	18 E 2
ジュリン	Dzhuryn	75 F 3
シュール	Suhl	57 C 3
シュル	Schull	59 B 5
ジュルア川	R.Juruá	100 C 3
ジュルジュ	Giurgiu	72 E 4
シュルーズベリ	Shrewsbury	59 E 4
シュルツ	Schurz	89 C 5
シュレースヴィヒ	Schleswig	56 C 2
シュローベンハウゼン	Schrobenhausen	57 C 4
シュワンホワ	宣化	7 I-J 3
ジュンガル盆地	Junggar Pd.	6 C-E 2
ジュンダー川	郡大溪	18-19 E 4
シュンチュワン	順昌	13 E 2
ジュンブル	Jember	29 E 5
シュンユエ	熊岳	20 B 2
ジョアンピネイロ	João Pinheiro	105 F 2
ジョアンペソア	João Pessoa	100 F 3
ジョインヴィーレ	Joinville	101 E 5
小アジア	Asia Minor	38 D-E 2
小アンダマン島	Little Andaman	31 H 6
ショーヴェ・ポンダルク洞窟壁画		55 D 4
松花江→スンガリ川		7 L 2
紹興→シャオシン		13 F 2
城塞都市バクー		39 H-I 1
常州→チャンチョウ		7 J-K 5
小シンアンリン山脈	小興安嶺	7 K-L 1-2
小スンダ列島	Lesser Sunda Is.	24-25 F-H 8-9
上都遺跡		7 J 3
ジョウフ	Al Jawf	39 G 4
ショウフォン	寿豊	18 E 4
ジョギンズ化石断崖		87 N 2
ジョージ	George	45 N 15
ジョージア	Georgia	51 N 7
ジョージア[州]	Georgia	87 J 5
ジョージア湾	Georgian Bay	91 F 1
ジョージウェスト	George West	90 C 5
ジョージタウン	George Town[マレーシア]	28 C 2
ジョージタウン	Georgetown[アメリカ合衆国・サウスカロライナ州]	91 G 4
ジョージタウン	Georgetown[ガイアナ]	100 D 2
ショシュタニ	Šoštanj	70 E 1
ジョージナ川	Georgina	108 F 4
ジョージバンク	Georges Bank	87 M 3
徐州→シュイチョウ		7 J 5
ショショーニー	Shoshoni	88 F 3
ショショーン	Shoshone	88 D 3
ジョス	Jos	44 D 3
ジョーダン	Jordan	88 G 2
ジョーダンヴァレー	Jordan Valley	88 C 3
ショートウ	社頭	18 D 4
ジョドプル	Jodhpur	30 D 3
ジョフテニ	Zhovten'→ペトロヴィリウカ	75 G 3
ジョプリン	Joplin	86 H 4
ジョホールバール	Johor Bahru	28 C 3
ショーモン	Chaumont	52 D 3
ショラーブル	Solāpur	30 E 5
ジョリエット	Joliet	90 E 2
ショーロー	Show Low	89 F 6
ショワンフー	双湖	6 D 5
ショワンヤーシャン	双鴨山	7 M 2
ショワンリヤオ	双遼	7 K 3
ジョンザック	Jonzac	55 B 4
ジョンズタウン	Johnstown	91 F 2
ジョンストン島	Johnston I.	106 F 4
ジョーンズボロ	Jonesboro	90 D 3
ジョンソン	Johnson	90 C 5
ジョンソン宇宙センター		90 C 5
ジョンソンシティ	Johnson City	91 F 3
ジョンディ	John Day	88 C 1
ジョンディダム	John Day D.	88 B 2
ジョンプー	中埔	19 D 5
ジョンホー	中和	18 E 1-2
ジョンヤン尖山	中央	18 E 3
ジョンリー	勝利	11 F 2
ジョンリー	中壢	18 E 2
ジョンリアオ	中寮	18 D 4
シラキューズ	Syracuse	87 K 3
シラクーザ	Siracusa	65 G 3
シーラーズ	Shīrāz	39 I 4
シランドロ	Silandro	70 C 1
シリア・アラブ共和国	Syrian Arab Republic	39 F-G 2
シリア砂漠	Syrian Des.	39 F-G 3
ジリアン	Sillian	57 D 5
ジリオ島	I.del Giglio	70 C 3
シリ諸島	Is.of Scilly	50 D 6
ジリャチノ	Zhiryatino	75 H 1
シーリンイェルヴィ	Siilinjärvi	62 F 3
シルヴァーシティ	Silver City	86 E 5
シルヴァートン	Silverton	89 G 5
シルヴァン	Silvan	43 E 3
シールオ	西螺	18 C 4
シルカ	Shilka	7 J 1
シルカ川	Shilka	7 J 1
シルサ	Sirsa	30 D-E 3
シールジャーン	Sīrjān	39 I 4
シルダリア川	Syr Dar'ya	78 I 5
シルッカ	Sirkka	62 E 2
シルヘット	Sylhet	31 H 4
シロン	Shillong	31 H 3
ジロンド川	Gironde	52 B 4
白ナイル川	White Nile	44 G 3
シロンスク(シュレジエン)	Śląsk(Schlesien)	53 H 2
シンアンチャン(新安江)ダム		13 E 2
シンイー	信義	18 D 4
シンイン	新営	19 C 5
シンウー	新屋	18 E 2
シンウーリュー川	武呂溪	19 E 5
シンガポール	Singapore	28 C 3
シンガポール共和国	Republic of Singapore	28 C-D 3
シンカワン	Singkawang	28 D 3
シンガン	新港	19 C 4
シンガン山	新港	19 E 5
新義州→シニジュ		20 C 2
シンキョウウイグル自治区→シンチヤンウイグル(新疆維吾爾)自治区		6 C-D 3
シングヴェトリル国立公園		62 H 7
シングー川	R.Xingu	100 D 3
シンケップ島	Pu.Singkep	28 C-D 4
秦皇島→チンホワンタオ		7 J 3-4
シンシー	新市	19 C 5
秦始皇帝陵		6 H 5
シンシナティ	Cincinnati	82 L 6
シンシャン	新郷	7 I 4
ジンシャン	金山	18 F 1
シンジュー	新竹	18 D 2
シンジュアン	新荘	18 E 1
シンジュー県	新竹	18 E 2
真珠湾	Pearl Harbor	112 F 4
深圳→シェンチェン		13 D 3
仁川→インチョン		21 D 4
シンソデリミア	Xinzo de Limia	66 C 1
シンタン	Sintang	28 E 3
シンチョン	新城	18 F 3
シンティン	新店	18 F 2
シンティン川	新店溪	18 F 2
シンド	Sindh	30 C-D 4
シントニクラース	Sint-Niklaas	54 D 2
シントマールテン島	St.Maarten	99 L 4
神農架		11 E 3
ジンバブエ共和国	Republic of Zimbabwe	44 F-G 6
シンピン	新賓	20 C 2
シンプー	新埔	18 E 2
シンフェロポリ	Simferopol	51 L 7
シンフォン	新豊	18 D 2
シンフー川	新虎溪	18 C 4
シンプソン砂漠	Simpson Des.	108 F 5
シンブリー	Sing Buri	27 D 6
シンプロントンネル	Simplon	53 E 4
シンベイ	新埤	19 D 7
シンベイ	新北	18 E 1
シンポ	新浦	20 C 2
シンホワ	興化	11 F 3
シンホワ	新化	19 C 5
シンミン	新民	11 G 1
シンヤン	信陽	11 E 3
シンユイ	新余	13 D 2
シンユエン	新園	19 C 6
瀋陽→シェンヤン		7 K 3
人類化石遺跡群		45 O 13
ジンルン	金崙	19 D 6

ス

見出し	名称	索引
スーアオ	蘇澳	18 F 2
スアン	遂安	20 D 3
水原→スウォン		21 D 4
スイス連邦	Swiss Confederation	50 G 6
ズイリャンカ	Zyryanka	79 R 3
スヴァッパヴァーラ	Svappavaara	62 E 2
スヴァールバル諸島	Svalbard	78 C-E 1
スヴィスラチ	Svislach	74 E 1-2
スウィートウォーター	Sweetwater	86 F 5
スウィフトカレント	Swift Current	82 J 4
スヴィル	Svir	74 E 1
スウィンドン	Swindon	59 F 5
スヴェーグ	Sveg	63 C 3
スウェーデン王国	Kingdom of Sweden	51 H-I 3
ズヴェニホロドカ	Zvenyhorodka	75 G 3
スヴェンボル	Svendborg	63 C 4
スヴォボダ	Svoboda	75 I 2
スヴォボドヌイ	Svobodony	79 O 4
スヴォルベアー	Svolvær	62 C 2
ズヴォレ	Zwolle	52 E 2
スヴォロフ	Suvorov	75 I 1
スウォン	水原	21 D 4
スウォンジー	Swansea	59 E 5
スウープスク	Słupsk	63 D 5
スエズ	Suez	38 E 3-4
スエズ運河	Suez Canal	45 L 9
スエズ湾	Gulf of Suez	45 L 9
スエラ	Zuera	67 F 2
スオネンヨキ	Suonenjoki	62 F 3
スオムスサルミ	Suomussalmi	62 F 3
スオヤルヴィ	Suoyarvi	76 B 2
スオラハティ	Suolahti	62 F 3
スカーイェン	Skagen	50 G 4
スカウテン諸島	Kep.Schouten	25 J 7
スカグウェイ	Skagway	82 G 4
スカゲラック海峡	Skagerrak	50 G 4
スカダナ	Sukadana	28 D 4
スカーバラ	Scarborough	58 F 3
スカブミ	Sukabumi	28 C 5
スカンソープ	Scunthorpe	59 F 4
スカンディナヴィア山脈	Scandinavia	51 H-I 2-3
スカンディナヴィア半島	Scandinavia Pen.	51 H-I 2-3
スガンネルボル	Skanderborg	63 B 4
スキヴェ	Skive	63 B 4
スキバーリーン	Skibbereen	59 B 5
スキラ	Skhira	64 F 4
スキロス島	Skiros	65 H 3
スクアミッシュ	Squamish	88 A 1
スクインツァーノ	Squinzano	71 F 4
ズクーム	Al Zukum	39 I 5
スクラントン	Scranton	87 K 3
スクレ	Sucre	100 C 4
スケグネス	Skegness	59 G 4
スケネクタディ	Schenectady	91 H 2
スケリッグマイケル		59 A 5
スコシア海	Scotia Sea	81 F-G 8
スコータイ	Sukhothai	26 C 5
スコッツブラフ	Scottsbluff	90 B 2
スコット山	Mt.Scott	89 F 6
スコットシティ	Scott City	90 B 3
スコットランド	Scotland	58 D 2
スコピエ	Skopje	51 J 7
スコピン	Skopin	75 J 1
ズコフスキー	Zhukovskiy	76 C 3
スコーリエ	Scourie	58 D 1
スコルズビスンン	Scoresbysund	82 R 2
スコーレ	Skole	74 D 3
スーサ	Susa	39 H 3
スーザンヴィル	Susanville	89 C 4
スーシティ	Sioux City	86 G 3

セ

へ

日本編さくいん

さくいんの引き方
地名　　　　所在
いしかり　石狩市 … 182　D　3
（地名の読み）（地名）（ページ数）（経線間）（緯線間）

う

おにがじょう〔三重〕
鬼ヶ城………141 E 7
おにがじょう〔山口〕
鬼ヶ城………124 D 1
おにがじょうやま 鬼ヶ城山………136 C 4
おにこうべおんせん
鬼首温泉………178 D 2
おにこうべとうげ 鬼首峠………178 D 2
おにし 鬼石………167 C 4
おにしべつ 鬼志別………188 C 2
おにだけ 鬼岳………132 A 2
おにのしたぶるい 鬼の舌震………135 F 3
おの〔兵庫〕 小野市………141 B 5
おの〔福島〕 小野町………179 D 5
おのあいだおんせん
尾之間温泉………131 K 12
おのえ 尾上………180 D 3
おのがみ 小野上………166 B 3
おのがわおんせん 小野川温泉………178 C 4
おのがわこ 小野川湖………178 C 4
おのだけ 尾ノ岳………124 D 3
おのみち 尾道市………135 F 5
おばこだけ 伯母子岳………141 D 6
おばすてやま 姨捨山→冠着山………152 E 4
おばた 小俣………141 F 5
おはつてんじん お初天神………146 D 2
おばなざわ 尾花沢市………178 C 2
おばなみさき 尾花岬………182 B 4
おばま〔福井〕 小浜市………140 D 4
おばま〔長崎〕 小浜………124 C 4
おばません 小浜線………140 D 4
おばまわん 小浜湾………140 D 3
おばら 小原………153 C 6
おばらだむ 尾原ダム………135 E 3
おび 飫肥………125 E 6
おびつがわ 小櫃川………167 D 6
おびとけでら 帯解寺………151 F 6
おびひろ 帯広市………183 F 4
おびひろだけ 帯広岳………185 H 3
おびら 小平町………182 D 2
おびらしべがわ 小平蘂川………188 B 4
おびらだむ 小平ダム………188 B 4
おぶせ 小布施町………152 E 3
おぶたてしけやま オプタテシケ山………185 H 2
おぶちぬま 尾駮沼………180 E 3
おふゆみさき 雄冬岬………182 D 3
おほーつくかい オホーツク海………183 F-G 2
おほーつくそうごうしんこうきょく
オホーツク総合振興局………189 F 5
おまえざき〔静岡〕御前崎市………153 E 7
おまえざき〔静岡〕御前崎………153 E 7
おまるがわ 小丸川………125 F 5
おみ 麻績村………152 E 4
おみがわ 小見川………167 F 5
おみたま 小美玉市………167 E 4
おむろ 御室………150 B 2
おもえはんとう 重茂半島………181 F-G 5
おもご 面河………136 D 3
おもごけい 面河渓………136 D 3
おもごだむ 面河ダム………138 D 6
おもしろやま 面白山………178 D 4
おもしろやまとんねる
面白山トンネル→仙山トンネル………178 C-D 3
おもてごう 表郷………179 C 5
おもとがわ 小本川………181 F 5
おもとだけ 於茂登岳………122 W 20
おものがわ〔秋田〕
雄物川(字)………181 C 5
おものがわ〔秋田〕
雄物川………181 B-C 5
おやしらず 親不知………162 D 5
おやしらずとんねる
親不知トンネル………162 D 5
おやすきょうおんせん
小安峡温泉………181 D 6-7
おやべ 小矢部市………152 B 3
おやべがわ 小矢部川………152 C 3
おやま〔栃木〕 小山市………166 D 4
おやま〔静岡〕 小山町………153 F 6
おやま〔東京〕 雄山………165 N 18
おゆみちょう 生実町………171 I 4
おりい 下居………151 G 7
おりつめだけ 折爪岳………180 E 4
おりもとちょう 折本町………174 A 1
おろのしま 小呂島………124 C 2
おろふれやま オロフレ山………182 D 4
おわせ 尾鷲市………141 E 6
おわせわん 尾鷲湾………141 E 6
おわり 尾張(旧国名)………153 B-C 6
おわりあさひ 尾張旭市………153 C 6
おんが 遠賀町………124 D 2
おんががわ 遠賀川………124 D 2
おんががわすいげんち
遠賀川水源地………127 E 2
おんじゅく 御宿町………167 E 6

おんせん 温泉………140 A 3
おんたけ(きただけ)〔鹿児島 桜島〕
御岳(北岳)………125 D 6
おんたけ〔鹿児島 高隈山地〕
御岳………125 D 7
おんたけさん 御嶽山………153 C 5
おんたちょう 恩多町………170 B 2
おんだちょう 恩田町………170 B-C 4
おんど 音戸………134 E 5
おんどおおはし 音戸大橋………134 E 5
おんどのせと 音戸ノ瀬戸………134-135 E 5
おんな 恩納村………123 B 4
おんなだけ 恩納岳………123 B 4
おんねことたんかいきょう
オンネコタン海峡………183 O 6-7
おんねことたんとう
オンネコタン(温祢古丹)島………183 O 7
おんねとう 温根沼………183 H 3
おんねべつだけ 遠音別岳………189 I 5
おんねゆおんせん 温根湯温泉………183 F 4
おんべつ 音別………183 F 4
おんべつがわ 音別川………183 F 3-4

か

か 加………171 G 1
かい 甲斐市………153 F 5
かい 甲斐(旧国名)………153 F 5
かいがかん 絵画館………172 B 2
かいがたおんせん 海潟温泉………125 D 6
かいがらじま 貝殻島………183 H 3
かいがん 海岸………172 C 3
かいがんどおり 海岸通………146 B 4
かいきょうせん 海峡線………182 C 5
かいきょうおんせん 皆生温泉………135 F 3
かいこうきねんかいかん
開港記念会館………174 B 3
かいこうしりょうかん 開港資料館………174 B 3
かいこえん 戒古園………152 E 4
がいこくじんぼち 外国人墓地………174 C 3
かいじゅう 戒重………151 G 6
かいじん 海神………171 G 3
かいせい 開成町………167 C 6
かいだ 開田………153 D 5
かいた〔広島〕 海田町………135 E 5
かいた〔福岡〕 頴田………124 D 2
かいだこうげん 開田高原………153 D 5
かいたいわん 海田湾………134 P 11
かいちちょう 海知町………151 F 6
かいづ 海津市………153 B 6
かいづか 貝塚市………141 C 6
かいづかちょう 貝塚町………175 I 6
かいでちょう 鶏冠井町………150 B 4
かいなやま 腕山………139 G 5
かいなん 海南市………141 C 6
かいばら 柏原………140 C 4
かいふ 海部………137 F 3
かいふがわ 海部川………137 F 3
かいめいちょう 開明町………146 A 1-2
かいもん 開聞………125 D 7
かいもんざき 開聞崎………125 D 7
かいもんだけ 開聞岳………125 D 7
かいよう 海陽町………137 F 3
かいらくえん 偕楽園………166 E 4
かおう 鹿央………124 D 4
かおちだに 香落渓………141 E 5
かが 加賀市………140 E 2
かが 加賀(旧国名)………152 A-B 4
かがくかん 科学館………158 C 2
かがくぎじゅつかん 科学技術館………172 C 2
かがくはくぶつかん 科学博物館………173 C 1
かかぢ 香々地………124 F 2
かがみ〔高知〕 鏡………136 D 3
かがみ〔熊本〕 鏡………125 D 4
かがみ〔高知〕 香我美………137 E 3
かがみいし 鏡石町………179 C 5
かがみいわ 鏡岩………167 C 4
かかみがはら 各務原市………153 B 6
かがみの 鏡野町………135 G 3
かがみやま 鏡山………124 F 4
かからしま 加唐島………124 B 2
かがわ 香川県………137 F 2
かがわ 香川(字)………137 F 2
かがわようすい 香川用水………137 F 2
かきざき 柿崎………163 E 4
かきのうらしま 蛎浦島………124 B 4
かきのき 柿木………134 C 5
かきのきざか 柿の木坂………172 A 4
かきのきまいせき 垣ノ島遺跡………184 D 5
かくいじま 鹿久居島………135 H 4
かくいだけ 隠居岳………124 B 3

がくえんだいわちょう
学園大和町………151 E-F 5
がくえんみなみ 学園南………151 F 5
かくだ 角田市………178 D 4
かくのやま 角田山………163 F 3
かくのだて 角館………181 D 5
かぐらざか 神楽坂………172 B 1
かりんじ 覚林寺………172 B 3
かけ 加計………134 D 4
かけがわ 掛川市………153 D-E 7
かけまま 欠真間………171 F-G 3
かけや 掛合………135 E 3
かけゆおんせん 鹿教湯温泉………152 E 4
かこがわ〔兵庫〕 加古川市………141 B 5
かこがわ〔兵庫〕 加古川………141 B 5
かこがわせん 加古川線………141 B 5
かごしま 鹿児島県………125 D 6
かごしま 鹿児島市………125 D 6
かごしまこう 鹿児島港………125 D 6
かごしまほんせん 鹿児島本線………124 C-D 2
かごしまわん
鹿児島湾(錦江湾)………125 D 7
かさ 笠………151 G 6
かさい 加西市………140 B 5
かさいりんかいこうえん
葛西臨海公園………169 F 4
かさおか 笠岡市………135 G 4
かさがたけ 笠ヶ岳………152 D 4
かさぎ 笠置町………141 D 5
かさぎさんち 笠置山地………141 D 5
かさぎだけ 笠祇岳………125 E 6
かさぎやま 笠置山………141 D 5
かささ 笠沙………125 C 7
かさすてやま 笠捨山………141 D 7
かさすてやまかんのん 笠寺観音………158 D 4
かさでらちょう 笠寺町………158 D 4
かさとしま 笠戸島………134 C 6
かさとりちょう 笠取町………158 C 1
かさとりやま〔埼玉・山梨〕
笠取山………168 B 3
かさとりやま〔愛媛〕
笠取山………136 C 3
かさのはら 笠野原………125 D 7
かさはら 笠原………153 C 6
かさま 笠間市………166 E 4
かさまつ 笠松町………153 B 6
かさめ 笠目………151 E 6
かさり 笠利………131 Q 15
かさりざき 笠利崎………131 Q 15
かさりわん 笠利湾………131 Q 16
かざわおんせん 鹿沢温泉………166 A 4
かざんれっとう 火山列島………165 B 6
かしおんせん 甲子温泉………179 B 5
かしいせん 香椎線………126 D 3
かじかざわ 鰍沢………153 E 5
かじがしま 梶ヶ森………146 B 1
かじがもり 梶ヶ森………139 F-G 5
かじかわ 加治川(字)………163 G 3
かじかわ 加治川………163 G 3
かじかわちすいだむ
加治川治水ダム………163 G 3
かじき 加治木………125 D 6
かしたほんまち 柏田本町………147 F 4
かじとりのはな 梶取ノ鼻………136 C 2
かしば 香芝市………141 D 5
かしはら 橿原市………141 D 5
かしはらじんぐう 橿原神宮………143 G 4
かしま〔大阪〕 加島………146 B 1
かしま〔茨城〕 鹿嶋市………167 F 5
かしま〔佐賀〕 鹿島市………124 C 3
かしま〔福島〕 鹿島………178 D 4
かしま〔石川〕 鹿島………152 B 3
かしま〔島根〕 鹿島………135 E 2
かしま〔鹿児島〕 鹿島………125 B 6
かしま〔愛媛〕 鹿島………136 B 5
かしま〔熊本〕 嘉島町………124 D 4
かしまうら 鹿島浦………167 F 4
かしまこう 鹿島港………169 I 3
かしまじんぐう 鹿島神宮………167 F 5
かしまだい 鹿島台………178 E 3
かしまなだ 鹿島灘………167 F 4-5
かしまやりがたけ 鹿島槍ヶ岳………152 D 3
かしまりんかいてつどう
鹿島臨海鉄道………167 E-F 4
かしも 加子母………153 C 5
がじゃじま 臥蛇島………118 F 5
かしらがしまてんしゅどう
頭ヶ島天主堂………132 B 1
かじろ 神代………171 H 5
かしわ〔千葉〕 柏市………167 D 5
かしわ〔青森〕 柏………180 C 3

かしわぎ 柏木………179 M 10
かしわぎちょう 柏木町………151 F 5
かしわざき 柏崎市………163 F 4
かしわざきかりわ
柏崎刈羽(原子力発電所)………163 F 4
かしわざと 柏里………146 B-C 2
かしわじま〔佐賀〕 神集島………124 B 2
かしわじま〔高知〕 柏島………136 C 5
かしわば 柏葉………174 B 4
かしわばら 柏原………170 A 1
かしわら 柏原市………141 D 5
かしわらやま 柏原山………141 B 6
かすが〔福岡〕 春日市………124 C 2
かすが〔千葉〕 春日………175 H 6
かすが〔兵庫〕 春日………140 C 4
かすがい〔愛知〕 春日井市………153 B 6
かすがい〔山梨〕 春日居………153 F 5
かすがたいしゃ 春日大社………143 G 3
かすがでら 春日寺………170 C 2
かすがでなか 春日出中………146 B 3
かすかべ 春日部市………167 D 5
かすがやま 春日山………151 G 5
かすがやまげんしりん
春日山原始林………151 G 5
かすかわ 粕川………166 C 4
かずさ 上総(旧国名)………167 E 6
かずさこくぶんじあと
上総国分寺跡………169 G 5
かすばたちょう 粕畠町………158 D 4
かすみかいがん 香住海岸………140 B 3
かすみがうら かすみがうら市………167 E 4
かすみがうら 霞ヶ浦………167 E 4
かすみがうらようすい
霞ヶ浦用水………169 F 1-2
かすみがせき 霞が関………172 C 2
かすみだい 霞台………174 A 3
かすもりちょう 烏森町………158 B 2
かすや〔東京〕 粕谷………170 C-D 3
かすや〔福岡〕 粕屋町………124 C 2
かせがわ 嘉瀬川………124 C 3
かせがわだむ 嘉瀬川ダム………124 C 3
かせだ 加世田………125 C 7
かぜやだむ 風屋ダム………143 G 5
かぞ 加須市………167 D 4
かそりかいづか 加曽利貝塚………169 G 4
かたかいがわ 片貝川………152 D 3
かたかす 堅粕………129 C 2
かたがみ 潟上市………181 C 5
かたぎはら 樫原………150 A 3
かたくら 片倉………174 B 2
かたしな 片品村………166 C 3
かたしながわ 片品川………166 C 3
かたの〔福岡〕 片野………129 E 5
かたの〔大阪〕 交野市………141 D 5
かたひがし 潟東………163 F 3
かたびらがわ 帷子川………170 C 2
かたまち 片町………147 D 2
かたまちせん 片町線………147 E 2
かたむきやま 傾山………124 E 4
かたやま 片山………170 C 2
かたやまづおんせん
片山津温泉………140 E 2
かちだちょう 勝田町………170 C 4
かちどき 勝どき………173 C 2
かつうら〔千葉〕 勝浦市………167 E 6
かつうら〔徳島〕 勝浦町………137 G 3
かつうらがわ 勝浦川………137 F 3
かっかくだむ 合角ダム………168 B 2
かつさ 加津佐………124 C 4
かつざん 月山………178 C 2
かつしか〔東京〕 葛飾区………171 F 2
かつた〔千葉〕 勝田………171 I 3
かつた〔岡山〕 勝田………135 H 3
かつぬま 勝沼………153 F 5
かづの 鹿角市………181 D 4
かつもと 勝本………124 B 2
かつやま〔福井〕 勝山市………140 E-F 2
かつやま〔奈良〕 勝山………147 D 3
かつやま〔岡山〕 勝山………135 G 3
かつやまきた 勝山北………147 D 3
かつら〔茨城〕 桂………166 E 3
かつら〔京都〕 桂………150 B 3
かつらかみ 桂上野………150 B 3
かつらがわ 桂川………143 F 2
かつらぎ〔奈良〕 かつらぎ町………141 D 6
かつらぎ〔奈良〕 葛城………141 D 6
かつらぎがわ 葛城川………151 F 6
かつらぎさん〔大阪・奈良〕
葛城山………143 F 4
かつらぎさん〔和歌山〕
葛城山………141 D 6
かつらざわだむ 桂沢ダム………185 G 2
かつらりきゅう 桂離宮………150 B 3
かづれん 勝連………123 B 5